DICIONÁRIO Escolar
DA LÍNGUA PORTUGUESA

Dados Internacionais de Catalogação na Publicação (CIP)
(Câmara Brasileira do Livro, SP, Brasil)

Dicionário escolar : língua portuguesa. --
1. ed. -- Barueri, SP : Ciranda na Escola, 2015.

ISBN 978-85-380-5851-9

1. Português - Dicionários.

14-06967   CDD-469.3

Índices para catálogo sistemático:
1. Português : Dicionários 469.3

Ciranda na Escola é um selo da Ciranda Cultural.

© 2015 Ciranda Cultural Editora e Distribuidora Ltda.
Produção: Ciranda Cultural

1ª Edição em 2015
13ª Impressão em 2024
www.cirandacultural.com.br
Todos os direitos reservados. Nenhuma parte desta publicação pode ser reproduzida,
arquivada em sistema de busca ou transmitida por qualquer meio, seja ele eletrônico,
fotocópia, gravação ou outros, sem prévia autorização do detentor dos direitos, e não pode
circular encadernada ou encapada de maneira distinta daquela em que foi publicada,
ou sem que as mesmas condições sejam impostas aos compradores subsequentes.

Apresentação

O *Dicionário escolar da língua portuguesa* foi elaborado para ser o seu companheiro inseparável no dia a dia escolar. Por essa razão, é do tamanho ideal para você carregá-lo para onde você for.

Além da convencional explicação sobre como utilizar este dicionário, significado das abreviaturas utilizadas, breve explanação a respeito da origem da língua portuguesa, diversos verbetes do idioma grafados de acordo com a nova ortografia e com definições claras e precisas, esta obra de referência também lhe proporciona informações valiosas que abrangem outras disciplinas importantes do conhecimento humano.

Você também pode consultar a biografia e as obras mais importantes de alguns dos autores que consolidaram o nome na literatura brasileira, seja na prosa ou na poesia, são eles: Joaquim Manuel de Macedo (*A moreninha*), José de Alencar (*O guarani*), Manuel Antônio de Almeida (*Memórias de um sargento de milícias*), Machado de Assis (*Memórias póstumas de Brás Cubas*), Aluísio Azevedo (*O cortiço*), Lima Barreto (*Triste fim de Policarpo Quaresma*), Graciliano Ramos (*Vidas secas*), Carlos Drummond de Andrade (*Claro enigma*), João Guimarães Rosa (*Grande sertão: veredas*), Rachel de Queiroz (*O quinze*), Clarice Lispector (*Perto do coração selvagem*) e Lygia Fagundes Telles (*As meninas*).

Em seguida, são tratados diversos assuntos relacionados à gramática, o conjunto de regras do idioma. Primeiramente, você encontrará a apresentação das dez classes gramaticais: adjetivos, advérbios, artigos, preposições, conjugações, interjeições, numerais, substantivos, pronomes e verbos. Mais adiante, são abordados outros temas: concordância nominal e verbal, colocação pronominal, regência verbal, uso dos porquês, funções do que, crase e vírgula. As normas ortográficas aparecem logo adiante: usos de ç, s, ss, z, g, j e x. Os usos do hífen e as mudanças que ocorreram devido ao novo acordo ortográfico e as regras de acentuação gráfica também são apresentados. Foram incluídas listas práticas para consultas rápidas de: pronomes de tratamento, substantivos coletivos e numerais. Até este ponto, tudo está diretamente relacionado à língua.

Entretanto, este dicionário não se limita ao campo linguístico. Como já dito, ele também procura traçar um panorama de outras disciplinas do currículo escolar. Você pode consultar assuntos relacionados a Matemática, Geografia, História, Biologia e, por fim, Química.

Dessa forma, os assuntos abordados de modo conciso e eficaz tornam este material um ótimo guia de consulta rápida, auxiliando-o no dia a dia escolar e complementando sua educação.

Como usar o dicionário

Para o *Dicionário escolar da língua portuguesa* ser efetivamente de consulta prática e rápida, é importante entender todos os seus elementos.

Um dicionário de língua se constitui de verbetes, os quais são o conjunto de significados, sinônimos, antônimos, etc. de cada palavra do idioma de que se trata. Esses verbetes são organizados em ordem alfabética. Os nomes aparecem no singular masculino, quando o vocábulo for de dois gêneros, e os verbos, no infinitivo. Por exemplo, se a palavra a ser consultada é "redatoras", então você deve procurar o verbete "redator". Se a palavra for "redigiram", busque o verbete "redigir".

Exceto na página de entrada do conjunto de verbetes, que destaca a letra do alfabeto que os inicia, nas demais páginas constam duas palavras-guia no topo, que indicam o primeiro verbete (à esquerda) e o último (à direita). Este dicionário possui dedeiras nas páginas ímpares, à margem direita, em alturas diferentes, com as letras que correspondem às iniciais das palavras de cada seção.

Agora, entenda o que acompanha cada verbete:

Separação silábica
Vem indicada por meio de pontos entre as sílabas na entrada do verbete.

Exemplo
Apresenta a utilização do vocábulo, por meio de frase ou expressão. Vem depois do símbolo ➡.

Entrada
Em letras maiúsculas, é a palavra que será definida.

Número de acepção
Cada significado do verbete traz um número para ser identificado com mais facilidade.

Ortoépia
Indica como se pronuncia corretamente determinada vogal do vocábulo, se com som agudo ou grave, e aparece logo após a entrada, entre parênteses.

Definição
Descreve cada uma das acepções do vocábulo na categoria gramatical de que trata.

Categoria gramatical
Vem abreviada logo depois da entrada, ou então após a ortoépia.

Abreviaturas
São as siglas que serão usadas em todo o dicionário. Veja uma lista delas na página 6.

DE.MO.RAR *v.t.d.* 1) Fazer esperar; deter, prolongar. 2) Atrasar, retardar. / *v.p.* 3) Levar muito tempo; demorar-se. / *v.t.i., v.i.* e *v.p.* 4) Custar, tardar ➡ Ele demorou a fazer o relatório. / *v.p.* e *v.i.* 5) Ficar, permanecer ➡ Ele demorou-se na apresentação.

DEN.DRO.LO.GI.A *s.f. Bot.* Parte da Botânica que se ocupa em estudar as árvores.

DE.NE.GAR *v.t.d.* 1) Negar. 2) Indeferir. 3) Não admitir a verdade. 4) Obstar a, contrariar. 5) Desmentir. / *v.p.* 6) Recusar-se.

DE.NE.GRIR *v.t.d.* e *v.p.* 1) Tornar(-se) negro ou escuro. / *v.t.d.* 2) Sujar, manchar, difamar. 3) Atacar a reputação de alguém.

DEN.GO *s.m.* 1) *Fam.* Dengue. 2) Faceirice. 3) Manha, birra. 4) Gentileza, melindre feminino.

DEN.GO.SO (ô) *adj.* 1) Cheio de dengues. 2) Cujo comportamento é manhoso. 3) Diz-se de criança birrenta.

DEN.GUE *s.m.* 1) Birra de criança, choradeira. / *s.f.* 2) *Med.* Doença febril infecciosa, das regiões tropicais, causada por picada dos mosquitos *Aedes aegypti* e *A. albopictus;* caracteriza-se por dores musculares e ósseas. / *adj.* 3) Que faz denguice, dengoso.

DE.NO.MI.NA.ÇÃO *s.f.* 1) Ato de denominar. 2) Designação, nome.

DE.NO.MI.NA.DOR (ô) *adj.* e *s.m.* 1) Que ou o que denomina. / *s.m.* 2) *Arit.* Termo da fração escrito abaixo do traço, indicando as partes em que a unidade deve ser dividida.

DE.NO.MI.NAR *v.t.d.* 1) Dar nome ou apelido a; nomear. / *v.p.* 2) Ser chamado de; chamar-se.

DE.NO.TA.ÇÃO *s.f.* 1) Ação de denotar. 2) Indicação, marca, símbolo. 3) Anunciar por sinais. 4) *Gram.* Linguagem apresentada no sentido real, de dicionário.

DE.NO.TAR *v.t.d.* 1) Demonstração feita através de notas ou sinais. 2) Significar, simbolizar, marcar.

DEN.SI.DA.DE *s.f.* 1) Propriedade ou estado do que é denso. 2) *Fís.* Relação existente entre peso e volume contidos em um corpo. 3) Grau de concentração de uma população.

A origem da língua portuguesa

A língua portuguesa originou-se do latim vulgar (língua romana coloquial) e do galego antigo (idioma da Galícia, atualmente na Espanha) depois de muitas transformações em ambas as línguas no decorrer do tempo.

O português mais próximo ao que conhecemos hoje só foi documentado no século XIII. Além das mudanças na língua portuguesa europeia, desde os primórdios até os dias atuais, o português brasileiro também sofreu influências, como da língua dos povos africanos e indígenas.

Acompanhe, a seguir, a linha do tempo da origem da língua portuguesa:

• 3500 a.C.

Acredita-se que o idioma falado na península Ibérica era o celta. Isso porque os celtas haviam invadido a região no século VIII a.C. e se misturado aos iberos, formando o grupo denominado celtibero. As palavras de origem celtibérica são cabana, camisa, carro, cerveja, gato, lança, légua, manteiga, saia, etc.

• Ano 200

No século III a.C., os romanos chegaram à península Ibérica e a anexaram como província em 197 a.C. Preocupados com a expansão de Cartago sobre a península, os romanos enfrentaram os cartagineses por três vezes nas chamadas Guerras Púnicas. Os primeiros saíram vitoriosos e dominaram a península Ibérica, impondo seu idioma aos povos vencidos. O galego-português é resultado da combinação do latim vulgar e do idioma celta.

• Ano 400

Povos bárbaros germânicos invadiram a península Ibérica. Sua contribuição maior ao idioma foi por meio do vocabulário, influenciando muito pouco a estrutura linguística. Alguns exemplos são: branco, brasa, elmo, estaca, fralda, fresco, ganso, guerra, lata, loja, saga, sopa, trégua, etc.

• Ano 711

Os árabes ocuparam a península Ibérica, exceto a Galícia, que continuou com o idioma já existente. A influência árabe, contudo, fez surgir dialetos moçárabes nas demais regiões.

• Século XI

Na península Ibérica, houve a expulsão dos povos do sul pelos povos do norte, e o galego-português se expandiu, incorporando-se aos dialetos moçárabes. A língua portuguesa guarda uma rica herança com várias palavras de origem árabe: açafrão, açucena, alaúde, alcachofra, álcool, aldeia, alecrim, alface, alfafa, alfaiate, alfange, alfazema, algema, algodão, alicate, almôndega, almoxarife, alqueire, armazém, arroba, arsenal, bolota, gaita, tambor, xarope, etc.

• Século XIII

Portugal já tinha definido praticamente todos os seus limites em 1249. O galego-português havia atingido quase todo o país em 1290 e tornou-se oficial com o nome de português.

• Do século XIII ao XVII

Neste período, considerado como Renascimento, a língua portuguesa se abriu ainda mais para influências de outras línguas, aumentando a quantidade de vocábulos italianos e derivados do grego, do chinês e do malaio.

Abreviaturas

adj. = adjetivo	*Dir. trab.* = Direito trabalhista
adj.2gên. = adjetivo de dois gêneros	*Ecles.* = Eclesiástico
adv. = advérbio	*Econ.* = Economia
Aeron. = Aeronáutica	*Econ. polít.* = Economia política
Agr. = Agricultura	*Eletr.* = Eletrônica
al. = alemão	*Entom.* = Entomologia (ramo da Zoologia que estuda os insetos)
Álg. = Álgebra	
Anat. = Anatomia	*Equit.* = Equitação
Ant. = Antigo	*Esp.* = Esporte
Antig. = Antiguidade	*Espir.* = Espiritismo
Apic. = Apicultura	*Estat.* = Estatística
Arit. = Aritmética	*Etnol.* = Etnologia (ciência da área da Antropologia)
Arquit. = Arquitetura	
art. def. fem. = artigo definido feminino	*Fam.* = Familiar
art. def. masc. = artigo definido masculino	*Farm.* = Farmácia
Art. Gráf. = Artes Gráficas	*Fem.* = Feminino
art. indef. fem. = artigo indefinido feminino	*fig.* = figurado
art. indef. masc. = artigo indefinido masculino	*Filos.* = Filosofia
Astr. = Astronomia	*Fís.* = Física
Astrol. = Astrologia	*Fisiol.* = Fisiologia
Astronáut. = Astronáutica	*Folc.* = Folclore
Autom. = Automobilismo	*Fot.* = Fotografia
Av. = Aviação	*fr.* = francês
Bel.-art. = Belas-artes	*Fut.* = Futebol
Bibliot. = Biblioteca	*Genét.* = Genética
Biol. = Biologia	*Geofís.* = Geofísica
Bot. = Botânica	*Geogr.* = Geografia
Bras. = Brasileirismo	*Geol.* = Geologia
Carp. = Carpintaria	*Geom.* = Geometria
chin. = chinês	*gír.* = gíria
Cibern. = Cibernética	*Gram.* = Gramática
Cin. = Cinema	*gr.* = grego
Cir. = Cirurgia	*hebr.* = hebraico
Com. = Comércio	*Hidrog.* = Hidrografia
conj. = conjunção	*Hist.* = História
Constr. = Construção	*Hist. nat.* = História natural
Cont. = Contabilidade	*Ictiol.* = Ictiologia (ramo da Zoologia que estuda os peixes)
contr. da prep. = contração da preposição	
Cosm. = Cosmografia (Astronomia descritiva)	*Inf.* = Infantil
Crist. = Cristalografia (ciência que estuda os cristais)	*Inform.* = Informática
	ingl. = inglês
Cul. = Culinária	*interj.* = interjeição
Cult. = Cultura	*iron.* = ironia
Dir. = Direito	*it.* = italiano

jap. = japonês	*pron. dem.* = pronome demonstrativo
Jur. = Jurídico	*pron. indef.* = pronome indefinido
lat. = latim	*pron. pess.* = pronome pessoal
Linguíst. = Linguística	*pron. poss.* = pronome possessivo
Lit. = Literatura	*pron. rel.* = pronome relativo
Liturg. = Liturgia	*Propag.* = Propaganda
loc. adj. = locução adjetival	*Psic.* = Psicanálise
loc. adv. = locução adverbial	*Psicol.* = Psicologia
loc. lat. = locução latina	*Psiq.* = Psiquiatria
loc. prep. = locução prepositiva	*Quím.* = Química
Lóg. = Lógica	*Radiotécn.* = Radiotécnica
Maçon. = Maçonaria	*Reg.* = Regionalismo
Mat. = Matemática	*Rel.* = Religião
Mec. = Mecânica	*Rel. catól.* = Religião católica
Med. = Medicina	*Ret.* = Retórica
Metal. = Metalurgia	*s.2gên.* = substantivo de dois gêneros
Meteor. = Meteorologia	*s.f.* = substantivo feminino
Metrif. = Metrificação	*s.f. pl.* = substantivo feminino plural
Mil. = Militar	*s.m.* = substantivo masculino
Miner. = Mineralogia	*s.m. pl.* = substantivo masculino plural
Mit. = Mitologia	*Sociol.* = Sociologia
Mit. gr. e *rom.* = Mitologia grega e romana	*suf.* = sufixo
Mús. = Música	*suf. adv.* = sufixo adverbial
Náut. = Náutica	*sup. abs.* = superlativo absoluto
num. = numeral	*Taur.* = Tauromaquia (arte de tourear)
Odont. = Odontologia	*Tecn.* = Tecnologia
Oftalm. = Oftalmologia	*Telev.* = Televisão
Onom. = Onomatopeia	*Teol.* = Teologia
Ópt. = Óptica (ciência da área da Física)	*Terat.* = Teratologia (estudo das deformações ou
Ornit. = Ornitologia (ramo da Zoologia que	monstruosidades orgânicas)
estuda as aves)	*Tip.* = Tipografia
Paleont. = Paleontologia	*Topogr.* = Topografia
part. irreg. = particípio irregular	*Trigon.* = Trigonometria
pej. = pejorativo	*Tur.* = Turismo
Pint. = Pintura	*v. impess.* = verbo impessoal
Pl. = Plural	*v.i.* = verbo intransitivo
Poét. = Poética	*v.lig.* = verbo de ligação
Polít. = Política	*v.p.* = verbo pronominal
Polít. econ. = Política econômica	*v.t.d.* = verbo transitivo direto
pop. = popular	*v.t.d.i.* = verbo transitivo direto e indireto
Por ext. = Por extensão	*v.t.i.* = verbo transitivo indireto
pref. = prefixo	*Var.* = Variante(s)
prep. = preposição	*Vet.* = Veterinária
pron. = pronome	*Zool.* = Zoologia

Grandes autores da literatura brasileira

Aluísio Azevedo

Aluísio Tancredo Gonçalves de Azevedo nasceu em São Luís do Maranhão, em 14 de abril de 1857, e faleceu em Buenos Aires, Argentina, onde era cônsul, em 21 de janeiro de 1913. Com um grande talento para o desenho, foi ainda jovem para o Rio de Janeiro, em 1876, para estudar na Imperial Academia de Belas Artes, e passou a colaborar com alguns jornais e revistas como caricaturista. Após a morte do pai, o vice-cônsul português David Gonçalves de Azevedo, em 1878, Aluísio voltou para o Maranhão e começou sua carreira literária com a publicação de *Uma lágrima de mulher*, em 1880. Seguiram-se a este *O mulato* (1881), *Casa de pensão* (1884) e *O cortiço* (1890). Era o irmão mais novo do comediógrafo Artur Azevedo (1855-1908) e, junto a ele, fez parte do grupo fundador da Academia Brasileira de Letras, na qual ocupou a Cadeira nº 4.

> *Uma lágrima de mulher* – 1880
> *O mulato* – 1881
> *Casa de pensão* – 1884
> *O cortiço* – 1890

Carlos Drummond de Andrade

Nasceu em Itabira, Minas Gerais, em 31 de outubro de 1902, e faleceu em 17 de agosto de 1987, no Rio de Janeiro. Era o nono filho de Carlos de Paula Andrade e Julieta Augusta Drummond de Andrade. Desde cedo mostrou-se inclinado para a escrita e, mesmo abandonando o estudo formal, era colaborador de jornais mineiros, tornando-se líder do movimento modernista do estado. Por pressão familiar, formou-se em Farmácia, em 1925, mas não chegou a exercer a profissão. Nesse mesmo ano, casou-se com Dolores Dutra de Morais. Em 1934, transferiu-se para o Rio de Janeiro, como chefe de gabinete de Capanema, ministro da Educação e Saúde Pública. Entrou para o Departamento do Patrimônio Histórico e Artístico Nacional, em 1945, e ficou lá até sua aposentadoria, em 1962. Destacou-se na poesia, mas também colaborou como cronista por muitos anos em jornais cariocas. Em 1987, sua filha Maria Julieta morreu de câncer. O poeta faleceu no mesmo ano por complicações cardíacas. Suas principais obras são: *Alguma poesia* (1930), *Sentimento do mundo* (1940), *A rosa do povo* (1945), *Claro enigma* (1951), *Lição de coisas* (1962), *Boitempo* (1968), *Menino antigo* (ou *Boitempo II*, 1973) e *Esquecer para lembrar* (ou *Boitempo III*, 1979).

> *Alguma poesia* – 1930
> *Sentimento do mundo* – 1940
> *A rosa do povo* – 1945
> *Claro enigma* – 1951
> *Lição de coisas* – 1962
> *Boitempo* – 1968
> *Menino antigo* – 1973
> *Esquecer para lembrar* – 1979

Clarice Lispector

Nasceu em 10 de dezembro de 1920 em Tchetchelnik, na Ucrânia, e faleceu em 09 de dezembro de 1977, no Rio de Janeiro. Era chamada Haia (que significa vida) e recebeu o nome de Clarice no Brasil. Era filha de Pinkouss (Pedro) e Mania (Marieta) Lispector e irmã de Leia (Elisa) e Tania. Fugindo de conflitos internos e da perseguição aos judeus, a família ucraniana foi acolhida por parentes em 1922, em Maceió, Alagoas. Tentando estabelecer-se sozinho, o pai transferiu-se com a esposa e as filhas para a cidade de Recife, em 1925. Depois de muito sofrer com uma paralisia progressiva, Marieta morreu em 1930. Em 1935, mudaram-se definitivamente para o Rio de Janeiro. Em 1939, Clarice ingressou na Faculdade Nacional de Direito, onde formou-se, mas nunca chegou a advogar. A escritora sempre se manteve como jornalista. Foi na faculdade de Direito que conheceu Maury Gurgel Valente, com quem se casou, em 1943, e teve dois filhos. O marido também não exerceu a profissão de advogado, ingressando na carreira diplomática. Por conta disso, a escritora viveu, a contragosto, vários anos fora do país. Mesmo assim, seus textos eram publicados como livros e em jornais e revistas brasileiros, admirados por crítica e público. Clarice separou-se em 1959 e retornou ao Brasil. Na véspera de comemorar seu 57º aniversário, faleceu em decorrência de um câncer de ovário. Suas principais obras são: *Perto do coração selvagem* (1943), *Laços de família* (1960), *A paixão segundo G.H.* (1964), *A legião estrangeira* (1964), *Felicidade clandestina* (1971), *A hora da estrela* (1977).

> *Perto do coração selvagem* – 1943
> *Laços de família* – 1960
> *A paixão segundo G.H.* – 1964
> *A legião estrangeira* – 1964
> *Felicidade clandestina* – 1971
> *A hora da estrela* – 1977

Graciliano Ramos

Nasceu em 27 de outubro de 1892, em Quebrangulo, Alagoas, e faleceu em 20 de março de 1953. Era o primeiro de 16 filhos de Sebastião Ramos de Oliveira e Maria Amélia Ferro Ramos. Enquanto crescia, a família mudou-se para vários lugares até se estabelecer em Palmeira dos Índios, no estado de Alagoas. Começou a escrever para jornais desde muito jovem. Ao completar 22 anos, decidiu morar na então capital do país, a cidade do Rio de Janeiro, e se manteve lá como revisor e jornalista. A aventura durou apenas um ano, pois, em 1915, a peste bubônica vitimou três de seus irmãos, fazendo-o retornar para Palmeira dos Índios.

Caetés – 1933
S. Bernardo – 1934
Angústia – 1936
Vidas secas – 1938
A terra dos meninos pelados – 1939
Histórias de Alexandre – 1944
Infância – 1945
Memórias do cárcere – 1953

Nesse mesmo ano, casou-se com Maria Augusta de Barros e deixou de escrever para os jornais. Com o nascimento do primeiro filho, assumiu a loja de tecidos da família em 1917. Maria Augusta morreu em 1920 por complicações no parto do quarto filho. Graciliano voltou a escrever para periódicos em 1921. Em 1927, foi eleito prefeito de Palmeira dos Índios e tomou posse no ano seguinte. No mesmo ano, casou-se com Heloísa Leite de Medeiros, com quem teve mais quatro filhos. Em 1929, enviou ao governador de Alagoas o célebre relatório de prestação de contas de Palmeira dos Índios, que, pela qualidade literária, fez com que Augusto Frederico Schmidt, editor, procurasse Graciliano para publicar seus escritos. O escritor acabou por renunciar ao mandato de prefeito em 1930, mudando-se para Maceió com a família. Em 1952, viajou pela União Soviética, Tchecoslováquia, França e Portugal. Também viajou para Buenos Aires, Argentina, mas por motivos médicos. Passou por uma cirurgia que não foi bem-sucedida e acabou retornando ao Rio de Janeiro muito doente. Em 1953, foi internado na Casa de Saúde São Victor e veio a falecer de câncer no pulmão. Suas principais obras são: *Caetés* (1933), *S. Bernardo* (1934), *Angústia* (1936), *Vidas secas* (1938), *A terra dos meninos pelados* (1939), *Histórias de Alexandre* (1944), *Infância* (1945) e *Memórias do cárcere* (1953).

Joaquim Manuel de Macedo

Nasceu em Itaboraí, Rio de Janeiro, em 24 de junho de 1820, e faleceu na capital do estado do Rio de Janeiro em 11 de abril de 1882. Era filho do casal Severino de Macedo Carvalho e Benigna Catarina da Conceição. Foi um escritor de destaque devido ao seu primeiro romance, *A moreninha*, ter caído no gosto popular e despertado a atenção para a produção literária nacional. Antes de José de Alencar se consolidar na literatura, Joaquim Manuel de Macedo era o principal escritor de roman-

A moreninha – 1844
O moço loiro – 1845
A Nebulosa – 1857
O primo da Califórnia – 1858
A luneta mágica – 1869

ces. Usufruiu em vida o prazer de ser considerado uma das maiores personalidades da literatura de sua época. Um dos fundadores da Academia Brasileira de Letras, Salvador de Mendonça, escolheu-o como patrono da Cadeira nº 20 que ocupava na instituição. Dentre suas principais obras, estão a já mencionada *A moreninha* (1844), além de *O moço loiro* (1845), *A Nebulosa* (1857), *O primo da Califórnia* (1858) e *A luneta mágica* (1869).

José de Alencar

Nasceu em Messejana, Ceará, em 1º de maio de 1829, e faleceu de tuberculose no Rio de Janeiro em 12 de dezembro de 1877. Era filho do ex-padre e senador José Martiniano de Alencar e de Ana Josefina de Alencar. Em 1840, sua família mudou-se para o Rio de Janeiro. José de Alencar chegou a São Paulo em 1844, onde se formou advogado. Ao mesmo tempo em que advogava no Rio de Janeiro, começou a escrever para jornais da cidade. Ingressou na vida pública, mas não conseguiu chegar a senador. Como havia se decepcionado com a política, resolveu

O guarani – 1857
Lucíola – 1862
Iracema – 1865
Til – 1872
Senhora – 1875
Encarnação – 1893, póstumo

dedicar-se só à literatura. Enquanto os romances de Joaquim Manuel de Macedo se tornavam célebres, ainda com forte influência estrangeira, foram os de José de Alencar que trouxeram um sabor mais próximo do genuinamente brasileiro à nossa literatura. Por essa razão, ganhou o título de "patriarca da literatura brasileira" e sua obra é admirada até hoje pela riqueza da linguagem e pela qualidade. Foi escolhido patrono da cadeira nº 23 da Academia Brasileira de Letras por Machado de Assis, que sempre o admirou. Algumas de suas obras são: *O guarani* (1857), *Lucíola* (1862), *Iracema* (1865), *Til* (1872), *Senhora* (1875) e *Encarnação* (1893, póstumo).

João Guimarães Rosa

Nasceu em Cordisburgo, Minas Gerais, em 27 de junho de 1908, e faleceu no Rio de Janeiro, em 19 de novembro de 1967. Filho de Florduardo Pinto Rosa e Francisca Guimarães Rosa. Formou-se médico e clinicou em cidades pequenas do estado mineiro. Por essa razão, teve contato com os sertanejos e pôde desenvolver sua linguagem original, que unia o erudito, o arcaico e o popular. Ao entrar na diplomacia, em 1934, serviu em vários países. Também viajou pelo interior do Brasil e, nessas viagens, recolheu as falas dos que seriam os personagens de

> *Sagarana* – 1946
> *Corpo de baile* – 1956
> *Manuelzão e Miguilim* – 1964
> *Grande sertão: veredas* – 1956
> *Primeiras estórias* – 1962
> *Estas estórias* – 1969

seus livros, revolucionando a literatura brasileira e sendo aplaudido no mundo todo. Por temer sua reação ao vestir o fardão de imortal, adiava sempre a posse na Academia Brasileira de Letras. Ironicamente, morreu três dias depois de vesti-lo. Ocupou a Cadeira nº 2 da ABL, sendo sucessor de João Neves da Fontoura. Suas principais obras são: *Sagarana* (1946), *Corpo de baile*, 2 volumes (1956), *Manuelzão e Miguilim* (1964), *Grande sertão: veredas* (1956), *Primeiras estórias* (1962) e *Estas estórias* (1969).

Lima Barreto

Registrado como Afonso Henriques de Lima Barreto, nasceu no Rio de Janeiro, no dia 13 de maio de 1881, e faleceu no dia 1º de novembro de 1922. Era filho do tipógrafo João Henriques de Lima Barreto e da professora primária Amália Augusta Barreto. Sua mãe faleceu quando ele tinha 7 anos de idade e seu pai teve de trabalhar muito para sustentar os quatro filhos. João Henriques

> *Recordações do escrivão Isaías Caminha* – 1909
> *Triste fim de Policarpo Quaresma* – 1915
> *Numa e a ninfa* – 1915
> *Vida e morte de J. Gonzaga de Sá* – 1919
> *Histórias e sonhos* – 1920
> *Os bruzundangas* – 1922

trabalhava como tipógrafo, porém, com a Proclamação da República em 1888 e por ser protegido do Visconde de Ouro Preto, teve de deixar sua profissão para trabalhar em um recanto para pessoas com deficiências intelectuais. Graças ao padrinho Visconde de Ouro Preto, Afonso Henriques teve oportunidade de estudar nos melhores colégios do Rio de Janeiro e ingressou no curso de Engenharia. Em 1902, foi obrigado a abandonar a Escola Politécnica para assumir a responsabilidade sobre seus irmãos e seu pai que, de súbito, enlouquecera. Assim, entrou, por meio de concurso, na Secretaria da Guerra e passou a exercer o cargo de escriturário, conciliando-o com a profissão de jornalista. Apesar da constante atividade e convívio social, sua vida foi delineada pelo alcoolismo e pela depressão. Em 1914, foi internado pela primeira vez em um hospício, situação que veio a se repetir mais uma vez antes de falecer, em 1922, por um colapso cardíaco, pouco tempo depois de alguns de seus textos terem sido apresentados na Semana de Arte Moderna. Entre suas principais obras estão: *Recordações do escrivão Isaías Caminha* (Lisboa, 1909), *Triste fim de Policarpo Quaresma* (1915), *Numa e a ninfa* (1915), *Vida e morte de J. Gonzaga de Sá* (1919), *Histórias e sonhos* (1920), *Os bruzundangas* (1922).

Lygia Fagundes Telles

Nasceu em São Paulo, em 19 de abril de 1923. Quarta filha de Durval de Azevedo Fagundes e Maria do Rosário de Azevedo. Durante a infância, passou por várias cidades do estado paulista por conta da profissão do pai, que era promotor público. Assim como Rachel de Queiroz, publicou seu primeiro livro, *Porão e sobrado*, com ajuda financeira do pai, em 1938. Fixou residência na capital paulistana, formando-se em Direito e Educação Física. Casou-se, em 1950, com Goffredo da Silva Telles Jr. Em 1954, nasceu o único filho do casal. O casamento terminou em 1960. Em

> *Ciranda de pedra* – 1954
> *Antes do baile verde* – 1970
> *As meninas* – 1973
> *Seminário dos ratos* – 1977
> *A estrutura da bolha de sabão* – 1991
> *A noite escura e mais eu* – 1995
> *Conspiração de nuvens* – 2007

1963, juntou-se a Paulo Emílio Salles Gomes, com quem viveu até a morte dele, em 1977. Lygia é uma autora admirada por crítica e leitores e muito aclamada, ainda hoje. Dos inúmeros prêmios literários com que foi agraciada, destacam-se alguns Jabutis e o Camões de 2005. Ocupa a Cadeira nº 16 da Academia Brasileira de Letras, para a qual foi eleita em 24 de outubro de 1985, sucedendo a Pedro Calmon. Suas principais obras são: *Ciranda de pedra* (1954), *Antes do baile verde* (1970), *As meninas* (1973), *Seminário dos ratos* (1977), *A estrutura da bolha de sabão* (1991), *A noite escura e mais eu* (1995), *Conspiração de nuvens* (2007).

Machado de Assis

Nasceu no Rio de Janeiro, em 21 de junho de 1839, e faleceu também na mesma cidade, em 29 de setembro de 1908. Era filho do operário Francisco José de Assis e de Maria Leopoldina Machado de Assis. Após a morte da mãe, o pai casou-se com Maria Inês, que criou Machado no morro do Livramento. Foi matriculado por ela em uma escola pública, onde foi alfabetizado. Teve de abandonar a instituição para ajudar a madrasta a vender doces em um colégio de São Cristóvão. Acredita-se que, no tempo livre, ele assistia às aulas do colégio. Manuel Antônio de Almeida foi seu protetor, em 1856, quando tornou-se aprendiz de tipógrafo na Imprensa Nacional. Ficaram amigos e, rapidamente,

> Contos fluminenses – 1870
> A mão e a luva – 1874
> Helena (1876), Iaiá Garcia – 1878
> Memórias póstumas de Brás Cubas – 1881
> Papéis avulsos – 1882
> Quincas Borba – 1891
> Dom Casmurro – 1899
> Esaú e Jacó –1904
> Memorial de Aires – 1908

Machado estava colaborando em vários jornais, além de ser revisor. Seus romances começaram a sair em forma de folhetim nesses veículos. Em 1869, Machado de Assis se casou com Carolina Augusta Xavier de Novais, sua companheira durante 35 anos. Machado obteve a estabilidade de um cargo público ao ser nomeado primeiro oficial da Secretaria de Estado do Ministério da Agricultura, Comércio e Obras Públicas em 1873. Assim, pôde desenvolver melhor seu trabalho com textos e tornar-se um dos mais célebres nomes da literatura brasileira. O escritor e jornalista Lúcio de Mendonça desejava criar uma Academia de Letras no país, e o grupo de intelectuais que se reunia na redação da Revista Brasileira compartilhava do mesmo desejo. Mas foi Machado de Assis o escolhido para presidir a instituição, iniciada em 1897. O escritor ocupou o cargo até 1908, quando morreu. Machado fundou a Cadeira nº 23, cujo patrono é José de Alencar. Suas principais obras são: *Contos fluminenses* (1870), *A mão e a luva* (1874), *Helena* (1876), *Iaiá Garcia* (1878), *Memórias póstumas de Brás Cubas* (1881), *Papéis avulsos* (1882), *Quincas Borba* (1891), *Dom Casmurro* (1899), *Esaú e Jacó* (1904) e *Memorial de Aires* (1908).

Manuel Antônio de Almeida

Nasceu em 17 de novembro de 1830 no Rio de Janeiro e faleceu no naufrágio do navio Hermes, em Macaé, em 1861. Era filho do tenente Antônio de Almeida e de Josefina Maria de Almeida. Embora tenha ficado órfão de pai aos 11 anos e tenha tido uma infância muito pobre, Manuel

> Memórias de um sargento de milícias – 1852
> Dois amores – 1861

conseguiu ingressar na faculdade de Medicina aos 18 anos e concluir seus estudos em 1855. No entanto, devido a dificuldades financeiras, não clinicou, dedicando-se ao jornalismo e às letras. Trabalhou como revisor e redator do Correio Mercantil. Posteriormente, Manuel ocupou a direção da Tipografia Nacional e foi oficial da Secretaria da Fazenda. Interessado em ingressar na vida política, candidatou-se à Assembleia Provincial do Rio de Janeiro e, durante a campanha, em uma viagem para a cidade de Campos, veio a desfalecer em um naufrágio. Foi escolhido patrono da Cadeira nº 28 da Academia Brasileira de Letras por Inglês de Sousa. Seu único romance, *Memórias de um sargento de milícias,* foi publicado em forma de folhetim no *Correio Mercantil*. Além do livro que lhe trouxe notoriedade, também escreveu crônicas, críticas e artigos publicados em jornais da época. Manuel também escreveu a peça de teatro *Dois amores*, que não obteve grande sucesso.

Rachel de Queiroz

Nasceu em Fortaleza, Ceará, em 17 de novembro de 1910, e faleceu no Rio de Janeiro, em 4 de novembro de 2003. Era filha de Daniel de Queiroz e de Clotilde Franklin de Queiroz. Fugindo da rigorosa seca que ocorreu no Ceará em 1915, eles se mudaram, em 1917, para o Rio de Janeiro. A família transferia-se muito de cidade por conta da profissão do pai da escritora. Rachel voltou para Fortaleza em 1919 e, com apenas 15 anos, em 1925, formou-se professora. Começou a colaborar com o jornal *O Ceará*, em 1927. Em 1930, escreveu seu primeiro livro, *O quinze,* que foi editado

> O quinze – 1930
> As três Marias – 1939
> A donzela e a moura torta – 1948
> Lampião – 1953
> A beata Maria do Egito – 1957
> O caçador de tatu – 1967
> Memorial de Maria Moura – 1992

com recursos da própria família. Para surpresa da jovem escritora, foi bem recebido pela crítica de São Paulo e do Rio de Janeiro e ainda recebeu o prêmio de literatura da Fundação Graça Aranha. Casou-se com o poeta José Auto da Cruz Oliveira em 1932, de quem se separou em 1939. No ano seguinte, seu primo Pedro Nava apresentou-lhe o médico Oyama de Macedo, com quem viveu até a morte dele, em 1982. Suas crônicas também fizeram muito sucesso enquanto colaborou em jornais do país. Ocupou a Cadeira nº 5 da Academia Brasileira de Letras, sendo a primeira mulher eleita, e foi sucessora de Candido Motta Filho. Suas principais obras são: *O quinze* (1930), *As três Marias* (1939), *A donzela e a moura torta* (1948), *Lampião* (1953), *A beata Maria do Egito* (1957), *O caçador de tatu* (1967), *Memorial de Maria Moura* (1992).

Classes gramaticais

Na língua portuguesa, convencionou-se classificar as palavras em dez classes gramaticais. Algumas delas variam conforme o número (plural, singular), o gênero (feminino, masculino) e o grau (aumentativo, diminutivo, superlativo), ou seja, são variáveis: adjetivos, artigos, numerais, substantivos, pronomes e verbos. Outras são invariáveis: advérbios, preposições, conjunções e interjeições. A seguir, veja o detalhamento de cada uma delas.

1. Adjetivos

São os termos que se relacionam com o substantivo para lhe conferir características, qualidades e estados: arbusto *baixo*, cabelos *castanhos*, criança *esperta*, cidadão *preocupado*. Como o substantivo, os adjetivos também podem ser flexionados em número (singular – bolo *gostoso*, bola *redonda*; plural – bolos *gostosos*, bolas *redondas*), gênero (masculino – bolo *gostoso*; feminino – tarde *gostosa*) e grau (comparativo – ele é mais amoroso que os outros; superlativo – amorosíssimo).

O adjetivo também condiz com o número do substantivo a que se relaciona. As regras são iguais às dos substantivos. Nos adjetivos compostos, em geral, somente o último termo é flexionado: escritores franco-brasileiros, situações político-econômicas. Em adjetivos compostos referentes a cores, quando o segundo elemento for adjetivo, flexiona-se somente ele: carros azul-claros, saias verde-escuras. Se o segundo elemento do adjetivo composto for um substantivo, o termo não varia: olhos azul-violeta, blusas verde-limão.

Quanto ao gênero, ocorre da mesma forma que com o número: o adjetivo acompanha o substantivo a que faz referência. Os adjetivos são classificados em uniformes (forma única tanto para o masculino quanto para o feminino: mulher *gentil*/rapaz *gentil*, pintura *célebre*/quadro *célebre*, comida *simples*/problema *simples*, aluno *exemplar*/obra *exemplar*, animal *selvagem*/tribo *selvagem*, remédio *eficaz*/secretária *eficaz*) e biformes, ou seja, têm uma forma para cada um dos gêneros. Há várias regras relacionadas à formação de feminino, mas serão destacadas duas nesta apresentação:

a) Para os adjetivos terminados em *ês, or* e *u*, basta acrescentar a letra *a* na maioria dos casos: inglês/inglesa, consultor/consultora, cru/crua.
b) Os terminados em *eu* formam o feminino com *eia*: pigmeu/pigmeia, galileu/galileia, hebreu/hebreia.

2. Advérbios

São termos invariáveis, que podem modificar a circunstância de verbos (Joana *fala bem*), adjetivos (Joana é *muito boa* oradora), outros advérbios (Joana fala *muito bem*) ou expressões inteiras (*Enfim*, Joana é boa oradora). Eles podem significar uma circunstância de lugar (aqui, lá), tempo (quando, hoje, agora, aqui, nunca), modo (bem, mal, assim, ainda, apenas, também, depressa), intensidade (muito, mais, todo), negação (não, nada, tampouco), dúvida (porventura, quiçá, talvez, acaso) e afirmação (sim, certo).

3. Artigos

Precedem o substantivo, determinam-no e indicam gênero e número. Eles podem ser definidos (a, as, o, os) e indefinidos (um, uma, uns, umas). Exemplos: *a* casa, *as* torres, *o* castelo, *os* caminhos, *um* bolinho, *uma* cesta, *uns* pedestres, *umas* blusas.

4. Preposições

Assim como as conjunções, as preposições são termos de ligação que, colocados entre outros dois, estabelecem uma subordinação do segundo ao primeiro: caixa *de* papelão, livro *para* colorir, viagem *pelo* interior, estar *em* trânsito.

5. Conjunções

São os termos que unem as orações. Como as orações podem ser coordenadas ou subordinadas, há conjunções (ou locuções conjuntivas) equivalentes para cada uma delas.

Exemplos:
Tudo de que preciso são um bom livro *e* uma amizade verdadeira.
"Penso, *logo* existo." (Descartes)

Nas orações coordenadas, usam-se as conjunções coordenativas: aditivas (e, nem, também), adversativas (mas, porém, contudo, todavia, entretanto, no entanto), alternativas (ou... ou, já... já, ora... ora, seja... seja), conclusivas (logo, pois, portanto), explicativas (pois, que, porque, porquanto). Nas subordinadas, utilizam-se as conjunções subordinativas: causais (porque, como), comparativas (como, qual), concessivas (embora, quando), condicionais (se, caso), conformativas (conforme, segundo), consecutivas (que), finais (para que, a fim de que, afinal), modais (sem que), proporcionais (à medida que, à proporção que, ao passo que), temporais (antes que, depois que, quando, apenas, sempre que, enquanto, até que).

Note que algumas conjunções também podem ter função de advérbios, dependendo do contexto em que são empregadas.

6. Interjeições

São os termos com que se expressam condições emocionais.

Exemplos: *Viva!* As férias vão começar!
Pôxa! Você poderia ter me avisado.
Psiu! Vamos acordar a vovó.

7. Numerais

São os termos que nomeiam os números. Eles são classificados em:

- Cardinais (quando indicam quantidade): três, quinze, cem.
- Coletivos numerais (quando indicam quantidade de um conjunto, um grupo): quinteto musical (conjunto de cinco músicos), dúzia de bananas (penca de 12 bananas), milênio (mil anos).
- Fracionários (quando indicam partes, divisões da unidade): meio, dois terços, 11 avos.
- Multiplicativos (quando determinam o número de vezes): simples, quíntuplo, cêntuplo.
- Ordinais (quando indicam sequência, posição): primeiro, décimo, ducentésimo.

8. Substantivos

São os termos que nomeiam os seres animados (mulher, gato, limoeiro) ou inanimados (prédio, caneta, folha), reais (lua, motocicleta) ou imaginários (Papai Noel, cuca), concretos (rapadura) ou abstratos (dureza).

Os substantivos são classificados em comuns (cidade) e próprios (São Paulo); concretos (colchão) e abstratos (conforto); primitivos (livro) e derivados (livraria); simples (flor) e compostos (beija-flor).

Os substantivos flexionam-se em gênero (masculino – o bolo; feminino – a bola), número (singular – bolo, bola; plural – bolos, bolas) e grau (diminutivo – bolinho, bolinha; aumentativo – bolão, bolaço).

Quanto ao gênero, além de masculino e feminino, o substantivo pode ser comum de dois gêneros (o/a fã, o/a intérprete), epiceno (designa animais com apenas um gênero – a onça, o besouro) e sobrecomum (gênero único – a criatura, o indivíduo, o membro, a testemunha).

9. Pronomes

São os termos que podem substituir ou acompanhar um nome. Subdividem-se em:

a) Pronomes demonstrativos

Conferem ideia de localização (no espaço, no tempo ou no enunciado) dos seres e das coisas citados num discurso no que diz respeito às pessoas gramaticais envolvidas na comunicação: 1ª pessoa – este, esta, estes, estas, isto (ser ou coisa próximo de quem enuncia); 2ª pessoa – esse, essa, esses, essas, isso (ser ou coisa distante de quem enuncia e próximo ao interlocutor); 3ª pessoa – aquele, aquela, aqueles, aquelas, aquilo (ser ou coisa distante das 1ª e 2ª pessoas do discurso). Exemplo: *Este* celular não é da mesma marca *desse* tablet. A marca é igual à *daquele* notebook.

b) Pronomes indefinidos

São os termos referentes à 3ª pessoa gramatical de modo impreciso: algo, algum, bastante, cada, certo, mais, menos, muito, nada, nenhum, ninguém, outrem, tudo. Exemplo: *Ninguém* sabe o que ela sofreu.

c) Pronomes interrogativos

Os pronomes interrogativos são que, quem, qual, quanto, quando. Eles são utilizados em perguntas: *Quem* é você? *Qual* é o seu nome?

d) Pronomes pessoais

Representam as três pessoas gramaticais (no singular ou no plural) e podem ser do caso reto (1ª pessoa – eu, nós; 2ª pessoa – tu, vós; 3ª pessoa – ele/ela, eles/elas) ou oblíquo (1ª pessoa – me, mi, comigo, nos, conosco; 2ª pessoa – te, ti, contigo, vos, convosco; 3ª pessoa – o, a, lhe, se, si, consigo, os, as, lhes). Exemplo: *Eu* não sabia que *nós* íamos viajar juntos.

e) Pronomes possessivos

Assinalam a ideia de posse no tocante às pessoas gramaticais (1ª pessoa – meu, minha, meus, minhas, nosso, nossa, nossos, nossas; 2ª pessoa – teu, tua, teus, tuas, vosso, vossa, vossos, vossas; 3ª pessoa – seu, sua, seus, suas). Exemplo: *Sua* mochila está pesada!

f) Pronomes relativos

São os termos que retomam a expressão que já foi citada no enunciado. Por exemplo: A escritora teve influência de muitos poetas *que* leu (o *que* retoma "poetas").

Os pronomes relativos são: que, quem, quanto(s), quanta(s), cujo(s), cuja(s), o qual, a qual, os quais, as quais.

10. Verbos

São os termos que exprimem ação (caminhar, ler), estado (ser, estar) ou fenômeno (chuviscar, amanhecer). Podem apresentar-se em três formas nominais: infinitivo (1ª conjugação – publicar, 2ª conjugação – escrever, 3ª conjugação – sorrir), particípio (publicado, escrito, sorrido, posto) e gerúndio (publicando, escrevendo, sorrindo, pondo). Flexionam-se em modo (indicativo – eu publico, subjuntivo – que eu publicasse, imperativo – publique), tempo (pretérito – publicou, presente – publica, futuro – publicará), pessoa (1ª – eu publico, 2ª – tu publicas, 3ª – ele publica), número (singular – eu publiquei, plural – nós publicamos) e voz (passiva – O livro *foi publicado* pela editora, ativa – A editora *publicou* o livro, reflexiva – O escritor *vestiu-se* para ir ao evento).

Regras gramaticais básicas

Concordância

É o sistema sintático no qual os termos se acomodam em relação à flexão de outros termos. A concordância ocorre quanto ao gênero (*o* livro ilustrado, *a* bela ilustração), ao número (*os* livros ilustrados, *as* belas ilustrações) e à pessoa (no caso dos verbos e dos pronomes pessoais – eu escrevo, nós escrevemos, etc.). A concordância pode ser verbal (quando o verbo acomoda-se ao sujeito) ou nominal (quando o adjetivo concorda com o substantivo; o predicativo concorda com o sujeito; o pronome concorda com o nome a que se refere).

Concordância nominal

Retomemos o exemplo "a bela ilustração do livro". "Ilustração" e "livro" são substantivos e "bela" é adjetivo. Perceba que eles concordam em gênero e número entre si. "A" é artigo e "do" é preposição "de" mais artigo "o" e também concordam com os nomes. Se passarmos "ilustração" e "livro" para o plural, seus determinantes deverão se acomodar à nova situação: as belas ilustrações dos livros. Portanto, concordância nominal é a acomodação dos nomes entre si e de seus determinantes quanto à flexão.

Serão destacadas apenas algumas regras a seguir, embora haja um pouco mais, visto que o objetivo é fazer uma apresentação dos tópicos.

1) Como já dito, o adjetivo concorda em gênero e número com o substantivo que acompanha. Às vezes, o adjetivo é originalmente um substantivo e, nesse caso, é invariável: vestidos pérola e saias cinza.
2) As palavras "mesmo" e "próprio" concordam com o termo a que se referem: Ela mesma fez o pacote; Os próprios supervisores autorizaram a saída. O termo "mesmo" só não concorda quando tiver função de advérbio com sentido de realmente: Os pais cumpriram mesmo a promessa que haviam feito.
3) A palavra "meio" só se acomoda ao termo a que se refere quando significa metade. O exemplo clássico é meio-dia e meia (hora), além de meia xícara, meio pedaço, etc. Quando "meio" significar "um pouco", "mais ou menos", então é invariável: Ficou meio cansada da viagem; Os caminhos estavam meio esburacados.
4) Enunciados como "é preciso", "é necessário" e outros, quando forem tomados em sua generalidade, sem qualquer determinante, ficarão no singular, masculino. Se, ao contrário, vierem determinados por artigo ou outro determinante, haverá concordância de número e gênero: Atividade física *é bom* para a saúde/*Estas* atividades físicas *são boas* para a saúde; *É proibido entrada* de pessoas não autorizadas/*É proibida a* entrada de pessoas não autorizadas.

Concordância verbal

É a acomodação do verbo, em número e pessoa, ao sujeito da oração: Eu me decepcionei com a história do livro/Nós nos decepcionamos com a história do livro; O gerente respondeu ao e-mail/Os gerentes responderam ao e-mail; O espectador saiu em silêncio/Os espectadores saíram em silêncio; Que horas são?/Que hora é?; É uma hora/São quatro horas.

Assim como na concordância nominal, há várias regras para a concordância verbal. Foram destacadas algumas a seguir.

1) Quando o sujeito for nome próprio plural acompanhado de artigo, o verbo concorda com o número do artigo que o antecede: Os Estados Unidos estão na lista de principais destinos de viagens.
2) Quando houver a expressão "cada um" no sujeito, o verbo fica na 3ª pessoa do singular: Cada um dos autores autografou o exemplar.
3) Se o sujeito composto tiver pronomes pessoais, incluindo os de 1ª pessoa, o verbo fica na 1ª pessoa do plural: Eu, meu amigo e o irmão dele agendamos uma visita ao museu.
4) Quando a oração não tiver sujeito, o verbo fica na 3ª pessoa do singular: Havia muitas pessoas na sala; Faz vários anos que ele foi embora.
5) Quando o verbo estiver na voz passiva pronominal, ele concorda com o sujeito: Casas são vendidas (voz passiva analítica)/Vendem-se casas (voz passiva pronominal); Os livros foram publicados rapidamente (voz passiva analítica)/Publicaram-se os livros rapidamente (voz passiva pronominal).

Colocação pronominal

Os pronomes pessoais do caso oblíquo são: me, te, se, o, a, lhe, nos, vos, os, as, lhes. Agora, observe as posições que eles podem tomar na oração: antes do verbo (próclise), depois do verbo (ênclise) e no meio do verbo (mesóclise). Esta última posição não é usada com muita frequência; no entanto, recomenda-se conhecê-la para não haver surpresa ao se deparar com ela.

1) A próclise ocorre apenas quando existir termo atrativo antes do verbo: advérbios (lá, ontem, nunca, talvez, etc.), pronomes indefinidos (tudo, nada, alguém, todos, etc.), pronomes interrogativos (que, quem, qual, etc.), pronomes relativos (que, quem, qual, onde, quanto, cujo), pronomes demonstrativos neutros (isto, isso, aquilo) ou conjunções subordinativas (caso, conforme, embora, enquanto, quando, que, se, etc.). Exemplos: Não **se** imagina que a menina falte à aula; Ninguém **se** espantou com sua reação; Quem **a** espera?; Onde **se** escondeu?; Aquilo **o** surpreendeu; Embora **me** aborrecesse com a situação, aceitei-a.

   Na prática, a próclise é usada com ou sem elemento atrativo, exceto em início de período: Você vestiu-se muito depressa/Você se vestiu muito depressa.

2) A ênclise ocorre em início de período, quando não houver palavra atrativa nem o verbo estiver no futuro do presente ou no futuro do pretérito: *Percebeu-se* a intenção do escritor naquela passagem; *Diga-me* o que pretende com esse comportamento.

3) A mesóclise ocorre quando não houver palavra atrativa e o verbo estiver no futuro do presente ou no futuro do pretérito. O pronome deve se posicionar após a letra "r": Enviará os originais na semana que vem/Enviar-los-á na semana que vem. Para evitar a mesóclise, coloque o pronome pessoal do caso reto: Ele os enviará na semana que vem.

Regência

O termo "regência" equivale a subordinação. No caso da regência gramatical, são chamados de regentes ou subordinantes os termos que precisam de complementos para concluir seu sentido. São chamados de regidos ou subordinados os termos que complementam. Assim, na língua portuguesa, algumas palavras dependem de outras. Existem dois tipos de regência gramatical, a verbal e a nominal. A seguir, os dois tipos de regência serão abordados.

Regência verbal

Trata-se de verbos que são subordinantes e que necessitam de uma preposição para ligá-los ao complemento, aos termos subordinados. Observe a seguinte oração: "os verbos que necessitam de preposições...". O verbo "necessitar" exige a preposição de, pois quem necessita, necessita de alguma coisa. Essa é uma das formas de se saber a regência dos verbos, mas é recomendável consultar um dicionário.

A utilização correta da regência verbal só é possível consultando o dicionário (vide **Como utilizar este dicionário**). É natural que as pessoas dominem melhor a regência dos verbos que fazem parte de seu rol de vocábulos. Para ampliar esse rol, recomenda-se bastante leitura.

É comum, também, que uma regência acabe se popularizando de forma diferente da que se convencionou na norma gramatical. Por isso, este tema tem gerado dúvidas nos falantes.

Deve-se atentar-se à utilização da regência, pois muitos verbos têm seu significado alterado de acordo com a regência empregada. Por exemplo, o verbo "assistir".

a) Quando o verbo "assistir" significa ver, ele exige a preposição a: Assistimos à palestra sobre o autor.
   Ele assistiu ao filme no cinema.

b) Quando o verbo "assistir" significa ajudar, não exige preposição:
   A filha assistiu a mãe no hospital.
   A babá assistia a criança até nos fins de semana.

Confira a regência de alguns verbos:

abster-se de	chorar por	esquecer-se de	manter-se com	uniformizar com
agradar a	comprometer-se a	falar de, em, com, a, sobre	morrer de, por	utilizar-se de
agradecer a	concordar com, em	faltar com, a	necessitar de	voltar de, a
aludir a	confiar em, a	formar-se em	obedecer a	zangar-se com
assistir a (= presenciar)	conter-se em	gostar de	pegar de, em	zelar por
batalhar com	dar a, em, com, por	habituar-se a	precisar de	zombar de
bater a, em	desobedecer a	implicar com	queixar-se a, de	
casar-se com	embaraçar-se com	insistir sobre, em	referir-se a	
chegar a, de	encontrar-se com	interceder por	sonhar com	
cheirar a	enfurecer-se com, contra	lembrar-se de	teimar em	

Usos dos porquês

Há quatro maneiras diferentes de grafá-lo:

1) Porquê (junto, com acento) – assume a função de substantivo, por isso, geralmente vem acompanhado de artigo (o, os, um, uns), pronome adjetivo (meu, esse, quanto) ou numeral (dois, três, quatro):
Não se sabe o *porquê* do atraso da chegada do avião; As crianças passam pela fase dos *porquês*.

2) Por que (separado, sem acento) – é usado em perguntas e quando significar ou for acompanhado por razão ou motivo: *Por que* o cantor não aceitou o convite?; Todos sabiam *por que* motivo o palestrante não veio; O garoto contou *por que* (razão) estava chateado.

3) Por quê (separado, com acento) – também é utilizado para indicar razão ou motivo, mas só é usado no fim da frase: Não divulgaram a lista de aprovados *por quê*?; Ele foi embora e ela não sabia *por quê*.

4) Porque (junto, sem acento) – pode significar causa ou explicação e, por ser conjunção, liga duas orações: O ator não veio *porque* não foi convidado; O evento foi cancelado *porque* está chovendo.

Funções do que

Na língua portuguesa, a palavra "que" é multifuncional. Ela pode exercer a função de substantivo, advérbio, interjeição, partícula de realce, pronome (interrogativo, indefinido, adjetivo e relativo) e conjunção (coordenativa aditiva, explicativa e adversativa; e subordinativa integrante, consecutiva e comparativa). Veja alguns exemplos a seguir:

a) Substantivo – tem o sentido de "qualquer coisa" ou "alguma coisa", geralmente é modificado pelo artigo indefinido "um" e é sempre acentuado – Ele tem um *quê* de mistério.
b) Advérbio de intensidade – pode ser substituído por *quão* e *como*, e acompanha adjetivo e advérbio: *Que* lindo é esse livro!; *Que* bem você me faz!
c) Pronome
  • interrogativo adjetivo – acompanha um substantivo: Em *que* escola você estuda?
  • interrogativo substantivo: Ele divulgou o *quê*?
  • relativo – retoma o termo antecedente e equivale a *o qual, os quais, a qual, as quais*:
    O panfleto *que* foi distribuído tinha um erro.
d) Preposição – equivale a *de* e vem depois do verbo ter: Teve *que* ir embora mais cedo.
e) Conjunção
  • coordenativa explicativa – equivale a *pois*: Não chorou *que* estava acompanhado.
  • subordinativa causal – equivale a *porque*: Faltou ao compromisso *que* ia ao médico.
  • subordinativa comparativa: Publicou mais artigos *que* o adversário.
  • subordinativa consecutiva – vem depois de *tanto*, *tão*: Gritou tanto *que* ficou rouco; O sofá era tão grande *que* não passou pela porta.
  • subordinativa temporal: Sempre *que* se fala sobre o vestibular, ele desconversa.
  • subordinativa final – equivale a *para que*: Pediu *que* não entrasse na sala.

Crase

Em grego significa fusão. É usada na gramática para indicar a junção de letras iguais com funções gramaticais diferentes: a (preposição) + a (artigo definido feminino). Graficamente é representada pelo acento grave (`): O professor chegou à (a+a) escola.

No exemplo anterior, a preposição *a* é exigida pelo verbo "chegar" e o artigo definido feminino é admitido pelo substantivo feminino "escola". Portanto, conclui-se que:

a) a crase ocorre essencialmente antes de palavra feminina (escola).
b) a palavra feminina tem de depender de outra que exija a preposição *a* (chegar a).
c) a palavra feminina tem de admitir o artigo definido feminino (a escola).

Há duas dicas que, via de regra, ajudam a ter certeza de que a crase deve ser utilizada. Quando se troca a palavra feminina por uma masculina e se forma a combinação "ao" (O apresentador chegou ao evento); e quando o "a" puder ser substituído por "para a", "na", "pela", "com a", etc. [Deu 100 livros à (para a) biblioteca].

Agora veja alguns casos em que a crase deve (ou não) ser usada.

- Não ocorre crase antes de substantivos masculinos, exceto quando estiverem subentendidas as expressões "à moda de", "à maneira de" ou palavras femininas: Mia Couto tem estilo à (maneira de) Guimarães Rosa; Foram à (praça) Garibaldi.
- Não ocorre crase antes de verbo: Os livros custam *a partir* de dez reais; O autor foi convidado *a autografar* alguns exemplares.
- Não ocorre crase antes da maior parte dos pronomes: Não queria dar a notícia *a ela*; Entreguei a correspondência *a você*. Antes dos pronomes possessivos femininos, a ocorrência é facultativa: Doou livros *à* sua família/Doou livros *a* sua família.
- Quando a palavra feminina estiver no plural, não haverá crase: O livro não se referia *a revoluções*.
- Usa-se crase antes de alguns nomes de lugares: Foi *à* Bolívia (Voltou da Bolívia); Foi *à* África do Sul (Voltou da África do Sul). Nesse caso, pode-se declamar os versos difundidos nos cursinhos pré-vestibulares: Se você vai a e volta da, crase há. Se você vai a e volta de, crase para quê?

Vírgula

A vírgula é o sinal gráfico que separa fragmentos do enunciado que não dependam essencialmente um do outro. Por isso, não se separa sujeito e predicado ou verbo e seus complementos com vírgulas.

Emprega-se a vírgula:

1. Depois de orações adverbiais antepostas: Se não estiver cansado, comparecerei ao evento; Quando terminou o trabalho, saiu para comemorar; Ao terminar o curso, iniciará outro.
2. Para separar oração explicativa: O livro, que foi escrito com muito esmero, fez um grande sucesso.
3. Para marcar omissão do verbo: Ela gosta de praia; ele, do campo.
4. Para separar conjunções próximas: Irá até o restaurante para a inauguração, mas, se estiver muito lotado, não entrará.
5. Antes de contudo, entretanto, mas (com sentido de porém), porém, por isso, portanto, todavia, no entanto, etc.: Terminou o livro, mas não gostou do resultado; Há muito trânsito, por isso não chegou ainda.
6. Antes de "e" que inicia oração com sujeito diferente do da oração anterior, desde que, na ausência da vírgula, exista a possibilidade de entender o sujeito da segunda oração como complemento do verbo da primeira: O jornalista entrevistou o diretor, e o secretário conversou com o público.
7. Para separar adjuntos adverbiais que vêm antes do verbo: Na semana passada, em São Paulo, sob um calor escaldante, a banda autografou centenas de CDs.
8. Para separar locuções explanatórias, como *isto é*, *por exemplo*, *ou seja*: O bolo não ficou pronto, ou seja, não será colocado à venda.
9. Para separar vocativo: Meninos, vejam que belo carro; Vejam, meninos, que belo carro; Vejam que belo carro, meninos.
10. Para separar o nome do local nas datas: Barueri, 7 de janeiro de 2004.

Regras ortográficas

A ortografia é um conjunto de normas estabelecidas pela gramática que dizem respeito à grafia dos vocábulos. É a padronização da forma de escrita das palavras com o propósito de que todos os falantes do idioma escrevam os vocábulos da mesma forma. Houve várias reformas nesse conjunto de regras. A última ocorreu em 1990 e trouxe mudanças na acentuação e no uso do hífen. Confira, a seguir, algumas regras da língua portuguesa.

1) Usa-se ç:

a) Em palavras derivadas de termos com terminação -to: atento – atenção; canto – canção; conjunto – conjunção; exceto – exceção; inscrito – inscrição; intento – intenção; junto – junção; proposto – proposição.

b) Em palavras que se referem a verbos derivados de ter e terminados por -torcer: abster – abstenção; conter – contenção; contorcer – contorção; deter – detenção; distorcer – distorção; manter – manutenção; reter – retenção; torcer – torção.

c) Em palavras derivadas de vocábulos com terminação -tor: condutor – condução; delator – delação; indutor – indução; infrator – infração; instrutor – instrução; interventor – intervenção; redator – redação; sedutor – sedução; setor – seção; subscritor – subscrição; trator – tração.

d) Em palavras derivadas de vocábulos com terminação -tivo: administrativo – administração; ativo – ação; conversativo – conversação; discriminativo – discriminação; enunciativo – enunciação; espoliativo – espoliação; figurativo – figuração; intuitivo – intuição; introspectivo – introspecção; privativo – privação; radiativo – radiação; relativo – relação.

e) Em palavras derivadas de verbos em que a desinência -r é retirada: educar – educação; exportar – exportação; fundir – fundição; partir – partição; sustentar – sustentação.

f) Após ditongo quando houver som de s: compleição, eleição, feição, traição.

g) Nas palavras de origem árabe, tupi e africana: açude, açaí, caçula.

2) Usa-se s:

a) Em termos derivados de verbos com terminação -nder ou -ndir: apreender – apreensão; ascender – ascensão; compreender – compreensão, compreensivo; confundir – confusão; defender – defesa, defensivo; distender – distensão; estender – extensão; pretender – pretensão, pretensioso; repreender – repreensão; suspender – suspensão; tender – tensão.

b) Em termos derivados de verbos com terminação -erter ou -ertir: converter – conversão; divertir – diversão; inverter – inversão; perverter – perversão; reverter – reversão; subverter – subversão; verter – versão.

c) Em substantivos femininos terminados em -isa: Heloísa, Luísa, poetisa, profetisa.
Obs.: juíza escreve-se com z, pois é o feminino de juiz.

d) Após ditongo mesmo tendo som de z: ausência, causa, Cleusa, coisa, Eusébio, faisão, lousa, maisena, náusea.

e) Em termos derivados de verbos com terminação -correr ou -pelir: correr – curso; concorrer – concurso; decorrer – decurso; discorrer – discurso; incorrer – incurso, incursão; percorrer – percurso; recorrer – recurso; compelir – compulsório; expelir – expulso, expulsão; impelir – impulso, impulsão; propelir – propulsão; repelir – repulsa, repulsão.

f) Na conjugação dos verbos pôr, querer, usar: se puséssemos; ele quis; eles usaram.

g) Em palavras terminadas em -ase, -ese, -ise, -ose: crase, síntese, reprise, neurose. Exceções: deslize e gaze.

h) Nas terminações -oso e -osa que formam adjetivos: caprichosa, delicioso, harmoniosa, talentosa, teimoso, valoroso.

3) Uso de s ou z:

a) O sufixo -inho é usado com s se o radical do termo de origem contiver essa letra; com z se o termo original não tiver s na raiz: Marisa – Marisinha; mesa – mesinha; homem – homenzinho; mão – mãozinha.

b) Quando o s fizer parte da raiz do vocábulo original, a terminação do verbo fica -isar; quando o termo de origem não tiver o radical com essa letra, a terminação é -izar: análise – analisar; aviso – avisar; liso – alisar; pesquisa – pesquisar; reprise – reprisar; banal – banalizar; dinâmico – dinamizar; harmonia – harmonizar; personalidade – personalizar; pólen – polinizar; ótimo – otimizar; sintonia – sintonizar.

c) Quando os vocábulos indicarem nacionalidade, títulos ou nomes próprios, serão escritos com *s* nas terminações -ês e -esa; quando forem substantivos abstratos indicando qualidade, serão escritos com *z*: francês, marquesa, Teresa, gaguez, frieza.

4) Usa-se ss:

a) Em termos derivados de verbos com terminação -ceder: ceder – cessão; conceder – concessão; exceder – excesso, excessivo; proceder – processo; suceder – sucessão, sucesso.
b) Em termos derivados de verbos com terminação -primir: comprimir – compressão, compressa; deprimir – depressão; exprimir – expressão; imprimir – impressão; oprimir – opressão; reprimir – repressão; suprimir – supressão.
c) Em termos derivados de verbos com terminação -gredir: agredir – agressor, agressão, agressivo; progredir – progressão, progresso; regredir – regressão; transgredir – transgressão, transgressor.
d) Em termos derivados de verbos com terminação -meter: cometer – comissão; comprometer – compromisso; intrometer – intromissão; prometer – promessa; remeter – remessa; submeter – submissão.

5) Usa-se j:

a) Na conjugação dos verbos terminados em -jar: alijar (que se alije a carga), almejar (que eu almeje melhores oportunidades), encorajar (que eles se encorajem), enferrujar (que não se enferrujem as dobradiças), engajar (que nós nos engajemos), ensejar (que ele enseje a reunião), forjar (que nós forjemos uma ferradura), manejar (que eu maneje os instrumentos), pestanejar (que nós pestanejemos), praguejar (que ele pragueje), regozijar (que eles se regozijem), sobejar (que os salgados sobejem), solfejar (que eu solfeje a lição), viajar (que eles viajem), vicejar (Vicejemos!).
b) Em termos derivados dos vocábulos com terminação -ja: canja – canjica; gorja – gorjeta; granja – granjeador; laranja – laranjeira; loja – lojista; sarja – sarjeta; tarja – tarjeta.
c) Nas palavras de origem tupi: jatobá, jaú, jenipapo, jiboia, jiló, jipioca, jirau.

6) Usa-se g:

a) Em palavras terminadas em ditongo -io: pedágio, sufrágio, colégio, régio, litígio, vestígio, necrológio, relógio, refúgio, subterfúgio.
b) Em substantivos terminados em -em: aprendizagem, bagagem, barragem, camaradagem, compostagem, coragem, drenagem, embalagem, ferrugem, friagem, fuligem, garagem, homenagem, molecagem, panfletagem, penugem, reciclagem, soldagem, tecelagem, vagem, vantagem, viagem (substantivo).
Exceções: pajem, lambujem.

7) Usa-se x:

a) Em vocábulos começados por me-: mexer, mexerica, mexeriqueiro, mexicano, mexilhão.
Exceção: mecha de cabelos.
b) Em vocábulos começados por en-: enxabido, enxada, enxame, enxaqueca, enxergar, enxerido, enxerto, enxotar, enxoval, enxovalhado, enxugar, enxurrada.
Exceções: encher (deriva de cheio), enchumaçar (deriva de chumaço).
c) Após ditongo: ameixa, baixela, baixo, caixote, eixo, encaixe, faixa, feixe, frouxo, paixão, peixe, queixo, rouxinol, seixo, trouxa.
Exceções: caucho e seus derivados (recauchutar, recauchutagem), guache.
d) Em vocábulos de origem árabe, indígena e inglesa: xeique, xaxim, xampu.

Usos do hífen

1. É usado nos termos compostos sem elementos de ligação: beija-flor, bate-bola, guarda-roupa, joão-bobo, má-fé, mesa-ninho, porta-copos, porta-retratos, quarta-feira, vagão-restaurante, verde-claro.
Obs.: certas palavras não são mais consideradas composição e são grafadas aglutinadamente, sem hífen – girassol, madressilva, mandachuva, pontapé, paraquedas, paraquedista, paraquedismo.
2. É usado nos compostos constituídos dos advérbios bem ou mal, quando formam sentido completo com o elemento que os acompanha e este se inicia com vogal ou h: bem-acondicionado/mal-acondicionado, bem--educado/mal-educado, bem-humorado/mal-humorado. Contudo, o advérbio *mal* pode se aglutinar com termos iniciados por consoante e não trazer hífen: bem-casado/malcasado, bem-dizente/maldizente, bem--fadado/malfadado, bem-mandado/malmandado, bem-nascido/malnascido, bem-sucedido/malsucedido, bem-vestido/malvestido. Obs.: o vocábulo bem acabou se aglutinando com o segundo elemento em muitos compostos – benfazejo, benfeitor, benquerença, etc.
3. O hífen não é empregado em compostos que tragam elementos de ligação: pé de atleta, pé de boi, pai de família, dia a dia, fim de semana, cor de carne, ponto de interrogação, camisa de vênus, cara de anjo, olho de cobra. Fazem parte desse grupo os compostos de base oracional: bicho de sete cabeças, deus me livre, deus nos acuda, diz que diz, faz de conta, leva e traz, maria vai com as outras. Exceções: água-de-colônia, ao deus-dará, à queima-roupa, arco-da-velha, cor-de-rosa, mais-que-perfeito, pé-de-meia.
4. Em vocábulos compostos derivados de nomes próprios de lugares, com ou sem elementos de ligação, deve-se usar hífen: Mato Grosso – mato-grossense, Rio Grande do Sul – rio-grandense-do-sul.
5. O hífen é usado em substantivos compostos que nomeiem espécies animais e botânicas (nomes de plantas, flores, frutos, raízes, sementes), com ou sem elementos de ligação: andorinha-das-minas, cravo-da-terra, erva-cidreira, ervilha-de-vaca, lebre-do-mar, mico-leão-vermelho, peixe-boi, peixe-do-mato, peroba-do-cerrado, pimenta-de-cheiro, quero-quero.

Uso do hífen com prefixos

1. O hífen é utilizado para separar o prefixo de vocábulos iniciados por h: anti-herói, anti-hipertensivo, macro-histórico, mini-horta, proto-homem, sobre-horrendo, super-hidratação, ultra-honesto.
2. O hífen é usado para separar o prefixo que termina com a mesma letra que começa o outro vocábulo: micro--ônibus, anti-indução, sub-base, inter-racial. Com letras diferentes daquelas que se iniciam o outro vocábulo, não se deve usar o hífen: autoadesivo, antiácido, intercelular, superinteligente, supersensível, agroalimentar, aeroelástico, semicerrado. Obs.: nos prefixos terminados em vogal, se o outro termo inicia-se com r ou s, essas letras serão dobradas: minissubmarino, antirracional, ultrassônico, semirrápido.

Casos particulares

1. Com os prefixos sub e sob, o hífen é usado também quando o segundo termo se inicia por r: sub-ramo, sub--reino, sub-reptício, sob-rojar.
2. Com os prefixos circum e pan, o hífen é usado quando o segundo termo começa por m, n ou vogal: circum--meridiano, circum-nutação, circum-escolar, pan-mítico, pan-negritude, pan-americano.
3. O hífen é usado com os prefixos além (além-fronteiras, além-mundo), aquém (aquém-oceano), ex (ex-amigo, ex-general, ex-hóspede, ex-governador, ex-marido), pós (pós-doutorado), pré (pré-humano, pré-vocálico), pró (pró-forma), recém (recém-aberto, recém-nato), sem (sem-teto) e vice (vice-campeão).
4. O hífen não é usado quando os compostos forem formados pelo prefixo co, que se junta ao segundo elemento, mesmo quando este se inicia por o ou h (que deixa de existir). Se o segundo vocábulo se iniciar com r ou s, estes são dobrados. Veja alguns exemplos: coabitante, coocupação, coeducação, coadaptar, cofuncional, corredator, corregência, cossecante.
5. O hífen não é usado com termos formados pelos prefixos pre e re, mesmo diante de vocábulos iniciados por e: preenchimento, preeleger, reeditar, reescrita.
6. O hífen não é usado em vocábulos formados por não e quase: não conformismo, não ficção, quase crime, quase contrato.
7. O hífen é usado com sufixos de origem tupi-guarani que representam formas adjetivas, como açu, guaçu, mirim: andá-açu, Embu-Guaçu, paraná-mirim.

Acentuação gráfica

A língua portuguesa, ao contrário do inglês, possui acentos gráficos que são usados para representar o acento tônico. Isso quer dizer que todos os vocábulos possuem sílaba tônica, exceto os monossílabos átonos: me, se, lhe, em, etc.

Veja os termos tatu, livro e víbora. Em tatu, o acento tônico recai na sílaba "tu"; em livro, na sílaba "li"; e em víbora, os acentos tônico e gráfico recaem na sílaba "ví". Com esses exemplos, percebe-se que o acento tônico pode aparecer em três posições nas palavras: na última sílaba (tatu), na penúltima sílaba (livro) e na antepenúltima sílaba (víbora). Sendo assim, conforme a posição da sílaba tônica, as palavras são classificadas de oxítonas (última sílaba), paroxítonas (penúltima sílaba) e proparoxítonas (antepenúltima sílaba). Também, segundo essa classificação, os vocábulos seguem regras para serem acentuados. Confira a seguir:

1. São acentuados os monossílabos tônicos que terminam em a, e, o, seguidos ou não de s: lá, pé, rés, nó, dó, ás.
2. São acentuadas as oxítonas terminadas em a, e, o, seguidas ou não de s, em, ens: está (verbo estar), sofá, rapé, cafuné, filó, xodó, além, aquém, também, parabéns, maltês, retrô, ninguém, armazém, xerém, mantéis (2ª pessoa do presente do indicativo do verbo manter), vintéis. Obs.: as oxítonas terminadas em i, u e consoantes não são acentuadas. Os verbos terminados em i, seguidos dos pronomes oblíquos lo, la, los, las também não se acentuam: aqui, Morumbi, siri, pequi, Pacaembu, angu, sururu, gentil, amor, qui-lo (verbo querer), parti-la, desmenti-los, ouvi-las.
3. As paroxítonas terminadas em i, is, us, r, l, x, n, um, uns, ão, ãos, ã, ãs, ps e ditongo são acentuadas: táxi, júri, tênis, lápis, bônus, vírus, caráter, éter, ágil, fútil, tórax, hífen, pólen (o plural de hífen e pólen não se acentua: hifens, polens), álbum, médiuns, bênção, órgãos, órfã, ímãs, fórceps, ciência, contínuos, mágoa, óleo, reformatório, régua, série, túneis, várzeas.
4. Todas as proparoxítonas são acentuadas sem exceção: átomo, basílica, cânfora, didático, enfático, fenômeno, gôndola, hemofílico, idílico, Júpiter, lépido, matemática, neoacadêmico, ônibus, periférico, quimérico, rótulo, sorumbático, tímpano, úvula, víveres, xenófobo, zigomático.
5. São acentuadas as oxítonas e monossílabas terminadas em ditongos abertos ei, oi, eu, seguidas ou não de s: anéis, papéis, hotéis, rói (verbo roer), heróis, céu, véus, chapéu. Obs.: segundo a última reforma ortográfica, não são acentuados os ditongos abertos ei, oi, eu, seguidos ou não de s, nas paroxítonas: assembleia, ideia, estreia, geleia, plateia, androide, heroico, jiboia, joia, paranoico.
6. As palavras com hiato oo, seguidas ou não de s, não são mais acentuadas segundo a reforma ortográfica: assoo (assoar), magoo (magoar), perdoo (perdoar), voo (substantivo e verbo voar).
7. Da mesma forma, não são mais acentuados os verbos que, quando conjugados, ficam com o hiato ee: creem (crer), leem (ler), veem (ver), deem (dar).
8. São acentuados o *i* ou o *u* da sílaba tônica das paroxítonas, desde que não sejam seguidos de nh, façam hiato com a vogal anterior e formem, sozinhos ou com um s, uma sílaba: ba-bu-í-no, ba-la-ús-tre, ba-ú, ci-ú-me, e-go-ís-ta, fa-ís-ca, gra-ú-do, he-ro-í-na, he-ro-ís-mo, ju-í-zes, Pi-au-í, ru-í-na, sa-í-da, sa-ís-te (verbo), sa-ú-de, vi-ú-vo. Obs.: não são acentuadas as palavras caiu (o i não está sozinho ou com s na sílaba), feiura (o u é precedido de ditongo), fortuito (não é hiato, mas ditongo), fuinha (i seguido de nh), gratuito (não é hiato, mas ditongo), juiz (o i não está sozinho ou com s na sílaba), niilismo (i repetido).
9. Na reforma ortográfica, o trema foi abolido: aguieiro, ambiguidade, Anhanguera, antiguidade, cinquenta, consequência, equestre, frequência, linguística, sequela, ubiquidade. Exceção: é usado em nomes próprios estrangeiros e seus derivados: Bündchen, beleza bündcheniana.
10. Da mesma forma, foi abolido o acento diferencial, exceto em quatro palavras:
    • pôde (verbo poder no tempo passado)/pode (verbo poder no tempo presente);
    • pôr (verbo)/por (preposição);
    • tem (verbo ter na 3ª pessoa do singular)/têm (verbo ter na 3ª pessoa do plural);
    • vem (verbo vir na 3ª pessoa do singular)/vêm (verbo vir na 3ª pessoa do plural).

Pronomes de tratamento

Os pronomes de tratamento (ou formas de tratamento) são utilizados de acordo com a situação e o grau de formalidade exigido na comunicação entre as pessoas que interagem.

Deve-se ressaltar que esses pronomes são conjugados na terceira pessoa gramatical, mesmo quando dirigidos à pessoa em questão. Por exemplo, *Vossa senhoria/excelência, você, o (a) senhor(a)* é/está/faz/diz, etc.

Você é usado informalmente e com pessoas próximas do convívio social, ao passo que *senhor* e *senhora* são utilizados em situações formais. Portanto, *senhor* e *senhora* são mais comumente utilizados com pessoas desconhecidas ou mais velhas, e de hierarquia superior à do enunciador, como no ambiente de trabalho. *Vossa senhoria* e *vossa excelência* são solenes e usados em ocasiões especiais ou em correspondências oficiais.

Confira, a seguir, alguns pronomes de tratamento, suas abreviaturas e em qual situação deve ser empregados:

Pronome	Abreviaturas - Singular	Abreviaturas - Plural	Emprego
você	v.		informal, pessoas próximas
o(s) senhor(es), a(s) senhora(s)	sr., sra.	srs., sras.	formal ou cerimonioso
meritíssimo	M.		juízes
vossa alteza	V.A.	VV.AA.	príncipes, princesas, duques(as)
vossa eminência	V. Em.ª	V.Em.ªˢ	cardeais
vossa excelência	V.Ex.ª	V.Ex.ªˢ	altas autoridades
vossa majestade	V.M.	VV.MM.	reis, imperadores
vossa reverendíssima	V.Rev.ᵐᵃ	V.Rev.ᵐᵃˢ	sacerdotes
vossa senhoria	V.S.ª	V.S.ªˢ	autoridades, tratamento respeitoso, correspondência comercial
vossa santidade	V.S.		papa, Dalai Lama

Referência

O termo "vossa" que acompanha a expressão será usado quando se referir diretamente à autoridade: vossa excelência salvou a situação.

O termo "sua" será usado quando se referir à autoridade ao falar dela para outra pessoa: sua excelência, o senador, salvou a situação.

O pronome de tratamento também pode ser usado como vocativo. Nesse caso, o pronome possessivo (vossa, sua) é dispensado: Eminência, deseja um café?; É a hora de dar a resposta, alteza; Majestade, pense bem no que vai responder.

Vossa magnificência

Este pronome de tratamento era a forma antiga de se referir a reitores. Entretanto, caiu em desuso e pode ser substituído por "vossa excelência" e, como invocação, pode ser usado "senhor reitor".

Concordância com os pronomes de tratamento

Concordância de gênero

É feita de acordo com o gênero das pessoas a que o pronome de tratamento faz referência: Vossa senhoria foi convocado (condômino/homem) para a reunião de condomínio; Vossa excelência foi convidada (senadora/mulher) a presidir a comissão de inquérito.

Concordância de número

Os pronomes de tratamento flexionam no plural: Vossas excelências não compareceram ao evento.

Concordância de pessoa

São sempre usados o verbo e os pronomes na terceira pessoa gramatical mesmo quando o demonstrativo "vossa" acompanha a expressão de tratamento: Como vossa senhoria convocou a reunião, poderemos ouvir suas considerações; Vossa excelência discutiu com o colega.

Substantivos coletivos

O substantivo coletivo é o nome singular de conjuntos de seres ou objetos da mesma natureza.

Exemplos:

acervo: obras de arte

álbum: retratos, autógrafos, selos

alcateia: lobos

antologia: textos

aparelho: peças, utensílios de chá, de café ou de jantar

armada: navios de guerra

armento: bois, búfalos

arquipélago: ilhas

arsenal: armas

assembleia: parlamentares, membros de qualquer associação

assistência: espectadores

associação: pessoas

atilho: milho

atlas: mapas

auditório: espectadores

baixela: objetos de servir à mesa

banca: examinadores

banda: músicos

bando: pessoas, aves, malfeitores

batalhão: soldados

bateria: canhões, instrumentos de percussão, perguntas

biblioteca: livros

boiada: bois

bosque: árvores

buquê: flores

cabido: cônegos de uma catedral

cacho: bananas, uvas

cáfila: camelos

cambada: desordeiros, malfeitores

cancioneiro: canções, poemas

caravana: viajantes, peregrinos

cardume: peixes

casario: casas

caterva: desordeiros, malfeitores

cavalgada: cavaleiros

choldra: bandidos, malfeitores

chusma: gente, pessoas

cinemateca: filmes

claque: espectadores contratados para aplaudir ou vaiar um espetáculo ou artista

clero: sacerdotes

clientela: clientes

clube: pessoas

coleção: selos, quadros, medalhas, moedas, livros

colégio: eleitores, cardeais

coletânea: textos, canções

colmeia: abelhas

colônia: imigrantes, bactérias, insetos, pescadores

comício: cidadãos

comissão: pessoas

comitiva: acompanhantes

comunidade: cidadãos

concílio: bispos

confraria: religiosos, pessoas com mesmo interesse

congregação: religiosos

congresso: parlamentares, doutores

conselho: pessoas

constelação: estrelas

convenção: pessoas

cordão: formigas, foliões

cordilheira: montanhas

corja: ladrões, desordeiros

coro: anjos, cantores

corporação: pessoas

discoteca: discos

elenco: atores

enxame: abelhas, marimbondos, vespas

enxoval: roupas

esquadra: navios de guerra

esquadrilha: aviões

exército: soldados	**pandilha:** animais, malfeitores
falange: soldados, anjos	**penca:** bananas
farândola: maltrapilhos	**pilha:** coisas colocadas umas sobre as outras
fardo: tecidos, papéis, palha, feno	**pinacoteca:** quadros
fato: cabras	**plantel:** animais de raça (bovinos ou equinos), atletas
fauna: animais	
feixe: lenha	**plateia:** espectadores
fileira: peças de artilharia	**plêiade:** poetas, artistas
flora: plantas ou vegetais	**praga:** insetos nocivos
floresta: árvores	**prole:** filhos
fornada: pães, tijolos	**público:** espectadores
frota: navios e veículos	**quadrilha:** ladrões, bandidos
galeria: objetos de arte	**quarteirão:** casas
girândola: fogos de artifício	**ramalhete:** flores
grupo: pessoas, coisas	**rebanho:** bois, carneiros, cabras
hemeroteca: jornais e revistas	**récua:** animais de carga
herbário: plantas para exposição ou estudo	**réstia:** cebolas, alhos
hinário: hinos	**revoada:** aves
horda: bárbaros, selvagens	**romanceiro:** poesias narrativas
irmandade: religiosos	**romaria:** devotos
junta: médicos, examinadores	**ronda:** policiais
júri: jurados, pessoas que julgam	**saraivada:** tiros, perguntas, vaias
legião: anjos, soldados, demônios	**seleta:** textos escolhidos
leva: presos, recrutas	**sequência:** cartas do mesmo naipe
lote: animais de carga	**sínodo:** párocos
magote: pessoas, coisas	**sociedade:** pessoas
malta: malfeitores, desordeiros	**súcia:** velhacos, desonestos
manada: elefantes, bois, búfalos	**talha:** lenha
matilha: cães	**tertúlia:** amigos
matula: vadios	**time:** jogadores
miríade: insetos, estrelas	**tripulação:** marinheiros ou aviadores
mobília: móveis	**troféu:** despojos do inimigo derrotado
molho: chaves	**tropa:** soldados, animais de carga
multidão: pessoas	**trouxa:** roupas
ninhada: pintos, filhotes	**turma:** estudantes, trabalhadores, amigos
nuvem: gafanhotos	**universidade:** faculdades
orquestra: músicos	**vara:** porcos

Numerais ordinais, cardinais, fracionários e multiplicativos

Veja, a seguir, uma tabela com exemplos de numerais e os respectivos termos relacionados a eles:

Numerais	Cardinais	Ordinais	Fracionários	Multiplicativos	Coletivos
1	um	primeiro		simples	
2	dois	segundo	meio ou metade	duplo, dobro	duo, dupla
3	três	terceiro	terço	triplo	trio, terno
4	quatro	quarto	quarto	quádruplo	quarteto, quaterno
5	cinco	quinto	quinto	quíntuplo	quinteto, quina, quinquênio
6	seis	sexto	sexto	sêxtuplo	sexteto, sena
7	sete	sétimo	sétimo	séptuplo	septeto, septena
8	oito	oitavo	oitavo	óctuplo	octeto
9	nove	nono	nono	nônuplo	noneto, novena
10	dez	décimo	décimo	décuplo	deceto, dezena, década
11	onze	décimo primeiro	undécimo	undécuplo	onzena
12	doze	décimo segundo	duodécimo	duodécuplo	dezena, dúzia
13	treze	décimo terceiro	treze avos		trezena
14	catorze	décimo quarto	catorze avos		catorzena
15	quinze	décimo quinto	quinze avos		quinzena
16	dezesseis	décimo sexto	dezesseis avos		
17	dezessete	décimo sétimo	dezessete avos		
18	dezoito	décimo oitavo	dezoito avos		
19	dezenove	décimo nono	dezenove avos		
20	vinte	vigésimo	vinte avos		vintena
21	vinte e um	vigésimo primeiro	vinte e um avos		
30	trinta	trigésimo	trinta avos		trintena
40	quarenta	quadragésimo	quarenta avos		quarentena
50	cinquenta	quinquagésimo	cinquenta avos		cinquentena
60	sessenta	sexagésimo	sessenta avos		sessentena
70	setenta	septuagésimo	setenta avos		setentena
80	oitenta	octogésimo	oitenta avos		oitentena
90	noventa	nonagésimo	noventa avos		noventena
100	cem	centésimo	centésimo	cêntuplo	centena, cento, século
200	duzentos	ducentésimo	duzentos avos		
300	trezentos	tricentésimo	trezentos avos		
400	quatrocentos	quadrigentésimo	quatrocentos avos		
500	quinhentos	quingentésimo	quinhentos avos		
600	seiscentos	seiscentésimo	seiscentos avos		
700	setecentos	septingentésimo	setecentos avos		
800	oitocentos	octingentésimo	oitocentos avos		
900	novecentos	nongentésimo	novecentos avos		
1.000	mil	milésimo	milésimo		
10.000	dez mil	dez milésimos	dez mil avos		
100.000	cem mil	cem milésimos	cem mil avos		
1.000.000	um milhão	milionésimo	milionésimo		
1.000.000.000	um bilhão	bilionésimo	bilionésimo		
1.000.000.000.000	um trilhão	trilionésimo	trilionésimo		

Tabuada

A palavra tabuada tem a mesma raiz de vocábulos como tábua e tabela. Originalmente, denominava uma tábua com as quatro operações matemáticas dos números de 1 a 10. Com o passar do tempo, convencionou-se usá-la apenas para a multiplicação desses números:

1
$1 \times 1 = 1$
$1 \times 2 = 2$
$1 \times 3 = 3$
$1 \times 4 = 4$
$1 \times 5 = 5$
$1 \times 6 = 6$
$1 \times 7 = 7$
$1 \times 8 = 8$
$1 \times 9 = 9$
$1 \times 10 = 10$

2
$2 \times 1 = 2$
$2 \times 2 = 4$
$2 \times 3 = 6$
$2 \times 4 = 8$
$2 \times 5 = 10$
$2 \times 6 = 12$
$2 \times 7 = 14$
$2 \times 8 = 16$
$2 \times 9 = 18$
$2 \times 10 = 20$

3
$3 \times 1 = 3$
$3 \times 2 = 6$
$3 \times 3 = 9$
$3 \times 4 = 12$
$3 \times 5 = 15$
$3 \times 6 = 18$
$3 \times 7 = 21$
$3 \times 8 = 24$
$3 \times 9 = 27$
$3 \times 10 = 30$

4
$4 \times 1 = 4$
$4 \times 2 = 8$
$4 \times 3 = 12$
$4 \times 4 = 16$
$4 \times 5 = 20$
$4 \times 6 = 24$
$4 \times 7 = 28$
$4 \times 8 = 32$
$4 \times 9 = 36$
$4 \times 10 = 40$

5
$5 \times 1 = 5$
$5 \times 2 = 10$
$5 \times 3 = 15$
$5 \times 4 = 20$
$5 \times 5 = 25$
$5 \times 6 = 30$
$5 \times 7 = 35$
$5 \times 8 = 40$
$5 \times 9 = 45$
$5 \times 10 = 50$

6
$6 \times 1 = 6$
$6 \times 2 = 12$
$6 \times 3 = 18$
$6 \times 4 = 24$
$6 \times 5 = 30$
$6 \times 6 = 36$
$6 \times 7 = 42$
$6 \times 8 = 48$
$6 \times 9 = 54$
$6 \times 10 = 60$

7
$7 \times 1 = 7$
$7 \times 2 = 14$
$7 \times 3 = 21$
$7 \times 4 = 28$
$7 \times 5 = 35$
$7 \times 6 = 42$
$7 \times 7 = 49$
$7 \times 8 = 56$
$7 \times 9 = 63$
$7 \times 10 = 70$

8
$8 \times 1 = 8$
$8 \times 2 = 16$
$8 \times 3 = 24$
$8 \times 4 = 32$
$8 \times 5 = 40$
$8 \times 6 = 48$
$8 \times 7 = 56$
$8 \times 8 = 64$
$8 \times 9 = 72$
$8 \times 10 = 80$

9
$9 \times 1 = 9$
$9 \times 2 = 18$
$9 \times 3 = 27$
$9 \times 4 = 36$
$9 \times 5 = 45$
$9 \times 6 = 54$
$9 \times 7 = 63$
$9 \times 8 = 72$
$9 \times 9 = 81$
$9 \times 10 = 90$

10
$10 \times 1 = 10$
$10 \times 2 = 20$
$10 \times 3 = 30$
$10 \times 4 = 40$
$10 \times 5 = 50$
$10 \times 6 = 60$
$10 \times 7 = 70$
$10 \times 8 = 80$
$10 \times 9 = 90$
$10 \times 10 = 100$

Nomes pátrios

Nome pátrio é a designação que se dá às pessoas no que se refere ao lugar onde nasceram. Pode ser em relação ao continente, ao país, ao estado, à cidade, etc. A seguir, veja as listas de nomes pátrios de países e de estados brasileiros:

Nomes pátrios (países)	
Afeganistão – afegão; afegane	**Cabo Verde** – cabo-verdiano; cabo-verdense
África do Sul – sul-africano	**Camarões** – camaronense; camaronês
Albânia – albanês	**Camboja** – cambojano; cambodjano; cambojiano; campucheano
Alemanha – alemão; germânico	**Canadá** – canadense; canadiano
Andorra – andorrano; andorrense	**Catar** – catarense; catari; catariano
Angola – angolano; angolense	**Cazaquistão** – cazaque; cazaquistanês
Antígua e Barbuda – antiguano	**Chade** – chadiano; chadiense
Arábia Saudita – árabe-saudita; saudi-arábico; saudita	**Chile** – chileno
Argélia – argelino; argeliano	**China** – chinês
Argentina – argentino	**Chipre** – cipriota; cíprio; chiprense
Armênia – armênio	**Cingapura** – cingapurense; cingapuriano
Austrália – australiano; australês; austrálio	**Colômbia** – colombiano
Áustria – austríaco	**Comores** – comorense; comoriano
Azerbaidjão – azerbaidjano; azeri	**Congo** – congolense; congolês
Bahamas – baamês; baamense; baamiano; bahamense; bahamiano	**Coreia do Norte** – norte-coreano
Bangladesh – bangladeshiano; bengali; bengalês	**Coreia do Sul** – sul-coreano
Barbados – barbadense; barbadiano	**Costa do Marfim** – marfinense; ebúrneo; marfiniano
Barein – bareinita; baremês; baremense; baremita	**Costa Rica** – costa-riquenho; costa-ricense; costa--riquense
Belarus – bielorrusso	**Croácia** – croata; croaciano; croácio
Bélgica – belga	**Cuba** – cubano
Belize – belizenho; belizense	**Dinamarca** – dinamarquês; danês; dano
Benin – beninense; beninês	**Djibuti** – djibutiense; djibutiano
Bolívia – boliviano	**Dominica** – dominiquense; dominiquês
Bósnia-Herzegóvina – bósnio	**Egito** – egípcio; egipcíaco; egipciano
Botsuana – botsuano; bechuano; botsuanense; botsuanês	**El Salvador** – salvadorenho; salvadorense; salvatoriano
Brasil – brasileiro; brasilense; brasiliano; brasílico; brasílio	**Emirados Árabes Unidos** – árabe
Brunei – bruneíno; bruneano	**Eritreia** – eritreu
Bulgária – búlgaro	**Eslováquia** – eslovaco
Burkina Fasso – burquinense; burquinabê; burquinês; burquino	**Eslovênia** – esloveno
Burundi – burundiense; burundiano; burundinês; burúndio	**Espanha** – espanhol
Butão – butanense; butanês	**Estados Unidos** – norte-americano; estado--unidense; estadunidense; ianque

Nomes pátrios (países)	
Estônia – estoniano	**Líbano** – libanês
Etiópia – etíope	**Libéria** – liberiano
Fiji – fijiano; vitiano	**Líbia** – líbio; líbico
Filipinas – filipino	**Liechtenstein** – liechtensteinense; liechtensteiniense; listenstainiano
Finlândia – finlandês	**Lituânia** – lituano; lituânico; lituânio
França – francês	**Luxemburgo** – luxemburguês
Gabão – gabonense; gabonês	**Macedônia** – macedônio; macédone; macedoniense; máceta
Gâmbia – gambiano; gambiense	**Madagáscar** – malgaxe; madagascarense
Gana – ganense; ganês	**Malásia** – malásio; malaio
Geórgia – georgiano	**Malauí** – malauiano
Granada – granadino	**Maldivas** – maldívio; maldivano; maldiviano; maldivo
Grécia – grego; argivo; heleno	**Mali** – malinês; maliano
Guatemala – guatemalteco; guatemalense	**Malta** – maltês
Guiana – guianense; guianês	**Marrocos** – marroquino
Guiné – guineano; guinéu	**Maurício** – mauriciano
Guiné-Bissau – guineense	**Mauritânia** – mauritano
Guiné Equatorial – guinéu-equatoriano	**México** – mexicano
Haiti – haitiano	**Mianmar** – mianmarense
Holanda (Países Baixos) – holandês; batavo	**Micronésia** – micronésio
Honduras – hondurenho	**Moçambique** – moçambicano
Hungria – húngaro; hungarês	**Moldávia** – moldávio
Iêmen – iemenita	**Mônaco** – monegasco
Ilhas Marshall – marshallino	**Mongólia** – mongol
Ilhas Salomão – salomoniano	**Montenegro** – montenegrino
Índia – indiano	**Namíbia** – namibiano; namíbio
Irã – iraniano; irânico	**Nauru** – nauruano
Iraque – iraquiano	**Nepal** – nepalês
Irlanda – irlandês	**Nicarágua** – nicaraguense; nicaraguano
Islândia – islandês	**Níger** – nigerino; nigerense
Israel – israelense; israeliano	**Nigéria** – nigeriano
Itália – italiano	**Noruega** – norueguês
Jamaica – jamaicano; jamaicense	**Nova Zelândia** – neozelandês
Japão – japonês	**Omã** – omani; omanense; omaniano
Jordânia – jordaniano; jordaniense, jordânio	**Palau** – palauense
Kiribati – kiribatiano	**Panamá** – panamenho; panamense
Kuweit – kuweitiano	**Papua Nova Guiné** – papua; papuásio
Laos – laosiano; laoense	**Paquistão** – paquistanês; paquistanense
Lesoto – lesotiano; lesotense; lesoto	**Paraguai** – paraguaio
Letônia – letão; leto	**Peru** – peruano; peruviano

Nomes pátrios (países)

Polônia – polonês; polônio	**Sudão do Sul** – sul-sudanês
Portugal – português	**Suécia** – sueco
Quênia – queniano	**Suíça** – suíço; helvécio; helvético
Quirguistão – quirguiz; quirguistanês	**Suriname** – surinamês; surinamense
Reino Unido – britânico; bretão; britano; inglês	**Tadjiquistão** – tadjique; tadjiquistanês, tajiquistanês
República Centro-Africana – centro-africano	**Tailândia** – tailandês
República Democrática do Congo – congolês	**Taiwan** – taiwanês
República Dominicana – dominicano	**Tanzânia** – tanzaniano
República Tcheca – tcheco	**Timor-Leste** – timorense
Romênia – romeno	**Togo** – togolês; togolense; toguense; toguês
Ruanda – ruandês	**Tonga** – tonganês
Rússia – russo	**Trinidad e Tobago** – trinitário-tobagense; trinitário; trinitino; tobaguiano
Samoa – samoano; samoense	**Tunísia** – tunisiano; tunetano
San Marino – samarinês	**Turcomenistão** – turcomeno
Santa Lúcia – santa-lucense	**Turquia** – turco
São Cristóvão e Névis – são-cristovense	**Tuvalu** – tuvaluano
São Tomé e Príncipe – são-tomense; santomense	**Ucrânia** – ucraniano; ucraíno; ucrânio
São Vicente e Granadinas – são-vicentino	**Uganda** – ugandense; ugandês
Seicheles – seichelense	**Uruguai** – uruguaio
Senegal – senegalês	**Uzbequistão** – uzbeque; uzbequistanês
Serra Leoa – leonês	**Vanuatu** – vanuatense; vanuatuense
Sérvia – sérvio	**Vaticano** – vaticano
Síria – sírio; siríaco; sírico; siro	**Venezuela** – venezuelano
Somália – somali; somaliense; somaliano	**Vietnã** – vietnamita; vietnamense; vietnamês; vietnamiano
Sri Lanka – cingalês	**Zâmbia** – zambiense; zambiano; zâmbio
Suazilândia – suázi; suazilandês	**Zimbábue** – zimbabuano; zimbabuense
Sudão – sudanês	

Nomes pátrios (estados brasileiros)

Acre – acriano	**Paraíba** – paraibano
Alagoas – alagoano	**Paraná** – paranaense
Amapá – amapaense	**Pernambuco** – pernambucano
Amazonas – amazonense	**Piauí** – piauiense
Bahia – baiano	**Rio de Janeiro** – fluminense
Ceará – cearense	**Rio Grande do Norte** – potiguar, rio-grandense-do--norte, norte-rio-grandense
Distrito Federal (Brasília) – brasiliense	**Rio Grande do Sul** – gaúcho, rio-grandense-do-sul, sul-rio-grandense
Espírito Santo – capixaba, espírito-santense	**Rondônia** – rondoniano; rondoniense
Goiás – goiano	**Roraima** – roraimense
Maranhão – maranhense	**Santa Catarina** – catarinense, barriga-verde
Mato Grosso – mato-grossense	**São Paulo** – paulista
Mato Grosso do Sul – sul-mato-grossense; mato-grossense-do-sul	**Sergipe** – sergipano
Minas Gerais – mineiro	**Tocantins** – tocantinense
Pará – paraense	

Bandeiras dos estados brasileiros

Cada um dos 26 estados e o Distrito Federal possuem uma bandeira. Eles estão divididos em cinco regiões no mapa político: Norte, Nordeste, Centro-oeste, Sudeste e Sul.

Estados e capitais brasileiros

Região Nordeste

ALAGOAS (AL) Maceió

BAHIA (BA) Salvador

CEARÁ (CE) Fortaleza

MARANHÃO (MA) São Luís

PARAÍBA (PB) João Pessoa

PERNAMBUCO (PE) Recife

PIAUÍ (PI) Teresina

RIO GRANDE DO NORTE (RN) Natal

SERGIPE (SE) Aracaju

Região Norte

ACRE (AC) Rio Branco

AMAPÁ (AP) Macapá

AMAZONAS (AM) Manaus

PARÁ (PA) Belém

RONDÔNIA (RO) Porto Velho

RORAIMA (RR) Boa Vista

TOCANTINS (TO) Palmas

Região Centro-Oeste

DISTRITO FEDERAL (DF) Brasília

GOIÁS (GO) Goiânia

MATO GROSSO (MT) Cuiabá

MATO GROSSO DO SUL (MS) Campo Grande

Região Sudeste

ESPÍRITO SANTO (ES) Vitória

MINAS GERAIS (MG) Belo Horizonte

RIO DE JANEIRO (RJ) Rio de Janeiro

SÃO PAULO (SP) São Paulo

Região Sul

PARANÁ (PR) Curitiba

RIO GRANDE DO SUL (RS) Porto Alegre

SANTA CATARINA (SC) Florianópolis

(http://atlasescolar.ibge.gov.br/download-atlas)

Países e capitais

África

África do Sul – Bloemfontein (judiciária), Cidade do Cabo (legislativa) e Pretória (administrativa)	
Angola – Luanda	
Argélia – Argel	
Benin – Cotonou (sede do governo) e Porto Novo (administrativa)	
Botsuana – Gaborone	
Burkina Fasso – Uagadugu	
Burundi – Bujumbura	
Cabo Verde – Cidade de Praia	
Camarões – Laundê	
Chade – Ndjamena	
Comores – Moroni	
Congo – Brazzaville	
Costa do Marfim – Abidjan (sede do governo) e Yamoussoukro (administrativa)	
Djibuti – Djibuti	
Egito – Cairo	
Eritreia – Asmará	
Etiópia – Adis-Abeba	
Gabão – Libreville	
Gâmbia – Banjul	
Gana – Acra	
Guiné – Conacri	
Guiné-Bissau – Bissau	
Guiné Equatorial – Malabo	
Lesoto – Maseru	
Libéria – Monróvia	
Líbia – Surt (executiva e legislativa) e Trípoli (administrativa)	
Madagáscar – Antananarivo	
Malauí – Lilongue	
Mali – Bamaco	
Marrocos – Rabat	
Maurício – Port Louis	
Mauritânia – Nuakchott	
Moçambique – Maputo	
Namíbia – Windhoek	
Níger – Niamei	
Nigéria – Abuja	
Quênia – Nairóbi	
República Centro-Africana – Bangui	
República Democrática do Congo – Kinshasa	
Ruanda – Kigali	
São Tomé e Príncipe – São Tomé	
Seicheles – Vitória	
Senegal – Dacar	
Serra Leoa – Freetown	
Somália – Mogadíscio	
Suazilândia – Mbabane	
Sudão – Cartum	

Sudão do Sul – Juba
Tanzânia – Dar es Salaam (sede do governo) e Dodoma (administrativa)
Togo – Lomé
Tunísia – Túnis
Uganda – Campala
Zâmbia – Lusaka
Zimbábue – Harare

América do Norte

Canadá – Ottawa
Estados Unidos – Washington D.C.
México – Cidade do México

América Central

Antígua e Barbuda – Saint John's
Bahamas – Nassau
Barbados – Bridgetown
Belize – Belmopan
Costa Rica – San José
Cuba – Havana
Dominica – Roseau
El Salvador – San Salvador
Granada – Saint George's
Guatemala – Cidade da Guatemala
Haiti – Porto Príncipe
Honduras – Tegucigalpa
Jamaica – Kingston
Nicarágua – Manágua
Panamá – Cidade do Panamá
República Dominicana – Santo Domingo
Santa Lúcia – Castries
São Cristóvão e Névis – Basseterre
São Vicente e Granadinas – Kingstown
Trinidad e Tobago – Port of Spain

América do Sul

Argentina – Buenos Aires
Bolívia – La Paz (sede do governo e administrativa) e Sucre (legislativa)
Brasil – Brasília
Chile – Santiago
Colômbia – Bogotá
Equador – Quito
Guiana – Georgetown
Paraguai – Assunção
Peru – Lima
Suriname – Paramaribo
Uruguai – Montevidéu
Venezuela – Caracas

Ásia

Afeganistão – Cabul
Arábia Saudita – Riad
Bangladesh – Daca
Barein – Manama
Brunei – Bandar Seri Begawan
Butão – Timfu
Camboja – Phnom Penh
Catar – Doha
Cazaquistão – Astana
China – Pequim
Cingapura – Cidade de Cingapura
Coreia do Norte – Pyongyang
Coreia do Sul – Seul
Emirados Árabes Unidos – Abu Dhabi
Filipinas – Manila
Iêmen – Sanaa
Índia – Nova Délhi
Indonésia – Jacarta
Irã – Teerã
Iraque – Bagdá
Israel – Jerusalém (não reconhecida pela ONU) e Telaviv (sede da maioria das embaixadas estrangeiras)
Japão – Tóquio
Jordânia – Amã
Kuweit – Cidade do Kuweit
Laos – Vientiane
Líbano – Beirute
Malásia – Kuala Lumpur
Maldivas – Male
Mianmar – Nay Pyi Taw
Mongólia – Ulan Bator
Nepal – Katmandu
Omã – Mascate
Paquistão – Islamabad
Quirguistão – Bishkek
Síria – Damasco
Sri Lanka – Colombo (executiva) e Kotte (administrativa e legislativa)
Tadjiquistão – Dushanbe
Tailândia – Bangcoc
Timor-Leste – Dili
Turcomenistão – Ashkhabad
Uzbequistão – Tashkent
Vietnã – Hanói

Países com território na Europa e na Ásia

Rússia – Moscou
Turquia – Ancara

Europa

Albânia – Tirana
Alemanha – Berlim
Andorra – Andorra la Vella
Armênia – Yerevan
Áustria – Viena
Azerbaidjão – Baku
Belarus – Minsk

Bélgica – Bruxelas
Bósnia-Herzegóvina – Sarajevo
Bulgária – Sófia
Chipre – Nicósia
Croácia – Zagreb
Dinamarca – Copenhague
Eslováquia – Bratislava
Eslovênia – Liubliana
Espanha – Madri
Estônia – Tallinn
Finlândia – Helsinque
França – Paris
Geórgia – Tbilisi
Grécia – Atenas
Holanda (Países Baixos) – Amsterdã e Haia (sede do governo)
Hungria – Budapeste
Irlanda – Dublin
Islândia – Reykjavík
Itália – Roma
Letônia – Riga
Liechtenstein – Vaduz
Lituânia – Vilnius
Luxemburgo – Luxemburgo
Macedônia – Skopje
Malta – Valletta
Moldávia – Chisinau
Mônaco – Cidade de Mônaco
Montenegro – Podgorica
Noruega – Oslo
Polônia – Varsóvia
Portugal – Lisboa
Reino Unido – Londres
República Tcheca – Praga
Romênia – Bucareste
San Marino – San Marino
Sérvia – Belgrado
Suécia – Estocolmo
Suíça – Berna
Ucrânia – Kiev
Vaticano – Cidade do Vaticano

Oceania

Austrália – Canberra
Fiji – Suva
Ilhas Marshall – Dalap-Uliga-Darrit (Atol de Majuro)
Ilhas Salomão – Honiara (Ilha de Guadalcanal)
Kiribati – Bairiki
Micronésia – Palikir (Ilha Pohnpei)
Nauru – Yaren
Nova Zelândia – Wellington
Palau – Melekeiok
Papua Nova Guiné – Port Moresby
Samoa – Ápia
Tonga – Nukualofa
Tuvalu – Fongafale (Atol Funafuti)
Vanuatu – Porto-Vila (Ilha Éfaté)

Planisfério político

Brasil (político)

Presidentes do Brasil

Presidente	Mandato
Marechal Manoel Deodoro da Fonseca (*1827-†1892) Proclamou a República e foi eleito primeiro presidente do Brasil pelo Congresso Nacional. Renunciou ao cargo em 1891.	15/11/1889 a 25/02/1891 26/02/1891 a 23/11/1891
Marechal Floriano Vieira Peixoto (*1839-†1895) Era conhecido como Marechal de Ferro por ter reprimido todos os focos de oposição ao seu governo.	23/11/1891 a 15/11/1894
Prudente José de Morais e Barros (*1841-†1902)	15/11/1894 a 15/11/1898
Manoel Ferraz de Campos Salles (*1841-†1913)	15/11/1898 a 15/11/1902
Francisco de Paula Rodrigues Alves (*1848-†1919)	15/11/1902 a 15/11/1906
Affonso Augusto Moreira Penna (*1847-†1909)	15/11/1906 a 14/06/1909
Nilo Procópio Peçanha (*1867-†1924)	14/06/1909 a 15/11/1910
Marechal Hermes Rodrigues da Fonseca (*1855-†1923) Sobrinho de marechal Deodoro da Fonseca, primeiro presidente da república.	15/11/1910 a 15/11/1914
Wenceslau Braz Pereira Gomes (*1868-†1966)	15/11/1914 a 15/11/1918
Delfim Moreira da Costa Ribeiro (*1868-†1920)	15/11/1918 a 28/07/1919
Epitácio Lindolfo da Silva Pessoa (*1865-†1942)	28/07/1919 a 15/11/1922
Arthur da Silva Bernardes (*1875-†1955)	15/11/1922 a 15/11/1926
Washington Luís Pereira de Sousa (*1869-†1957)	15/11/1926 a 24/10/1930
Júlio Prestes de Albuquerque (*1882-†1946) Foi eleito, mas não empossado, por conta do Movimento Revolucionário de 1930.	–
General João de Deus Menna Barreto (*1874-†1933), contra-almirante José Isaías de Noronha (*1873-†1963) e general de divisão Augusto Tasso Fragoso (*1869-†1945) Eram membros da Junta Governativa do Movimento Revolucionário de 1930.	24/10/1930 a 03/11/1930
Getúlio Dornelles Vargas (*1883-†1954) Apesar de perder as eleições de 1930 para Júlio Prestes, Getúlio Vargas assume o poder ao receber o cargo da Junta Governativa. Foi eleito em 1934 pela Assembleia Nacional Constituinte e deu um golpe de Estado em 1937 para permanecer na presidência.	03/11/1930 a 20/07/1934 20/07/1934 a 10/11/1937 10/11/1937 a 29/10/1945
José Linhares (*1886-†1957)	29/10/1945 a 31/01/1946
Marechal Eurico Gaspar Dutra (*1883-†1974)	31/01/1946 a 31/01/1951
Getúlio Dornelles Vargas (*1883-†1954) Diante de uma grande crise no governo, Vargas cometeu suicídio em 24 de agosto de 1954.	31/01/1951 a 24/08/1954
João Fernandes Campos Café Filho (*1899-†1970)	24/08/1954 a 11/11/1955
Carlos Coimbra da Luz (*1894-†1961)	08/11/1955 a 11/11/1955
Nereu de Oliveira Ramos (*1888-†1958)	11/11/1955 a 31/01/1956

Presidente	Mandato
Juscelino Kubitschek de Oliveira (*1902-†1976) Esse período destacou-se pelo Plano de Metas, cujo lema era "50 anos de progresso em 5 anos de governo", e pela construção de Brasília, a nova capital federal, em 1960.	31/01/1956 a 31/01/1961
Jânio da Silva Quadros (*1917-†1992) Renunciou ao cargo no mesmo ano em que foi eleito.	31/01/1961 a 25/08/1961
Paschoal Ranieri Mazzilli (*1910-†1975)	25/08/1961 a 08/09/1961
João Belchior Marques Goulart (*1918-†1976) Nesse período, o regime parlamentarista foi instaurado e o golpe militar destituiu o presidente em 1964.	08/09/1961 a 24/01/1963 24/01/1963 a 31/03/1964
Paschoal Ranieri Mazzilli (*1910-†1975)	02/04/1964 a 15/04/1964
Marechal Humberto de Alencar Castello Branco (*1900-†1967) Deu-se início a um longo período ditatorial em que não havia eleições diretas e qualquer oposição ao regime militar era violentamente reprimida.	15/04/1964 a 15/03/1967
Arthur da Costa e Silva (*1902-†1969)	15/03/1967 a 31/08/1969
Aurélio Lyra Tavares (*1905-†1998), *Augusto Rademaker* (*1905-†1985) e *Márcio de Souza Mello* (*1906-†1991) Uma Junta Militar ficou no lugar de Costa e Silva, que se ausentou por motivo de saúde.	31/08/1969 a 30/10/1969
Emílio Garrastazu Médici (*1905-†1985)	30/10/1969 a 15/03/1974
General Ernesto Geisel (*1908-†1996)	15/03/1974 a 15/03/1979
João Baptista de Oliveira Figueiredo (*1918-†1999) Com a abertura política, aconteceu a manifestação popular pela realização de eleições diretas.	15/03/1979 a 15/03/1985
Tancredo de Almeida Neves (*1910-†1985)	–
José Sarney (*1930-) Durante esse mandato, foi promulgada a nova Constituição, em 1988, que vigora até os dias de hoje.	15/03/1985 a 15/03/1990
Fernando Afonso Collor de Mello (*1949-) Por acusações de corrupção, Collor foi deposto por *impeachment*, mesmo depois de ter renunciado. Em 2006, foi eleito senador em Alagoas.	15/03/1990 a 02/10/1992
Itamar Augusto Cautiero Franco (*1930-†2011) Nesse período, Fernando Henrique Cardoso foi nomeado ministro da Fazenda e, entre outras medidas, criou o Real em 1994.	29/12/1992 a 01/01/1995
Fernando Henrique Cardoso (*1931-)	01/01/1995 a 01/01/1999 01/01/1999 a 01/01/2003
Luiz Inácio Lula da Silva (*1945-) Migrante nordestino, metalúrgico em São Paulo, Lula candidatou-se para o cargo três vezes antes de ser eleito em 2002.	01/01/2003 a 01/01/2007 01/01/2007 a 01/01/2011
Dilma Rousseff (*1947-) Primeira mulher a se tornar presidente do Brasil, Dilma Rousseff foi destituída do cargo durante seu segundo mandato, em agosto de 2016, por *impeachment*.	01/01/2011 a 01/01/2015 01/01/2015 a 31/08/2016
Michel Temer (*1940-) Vice-presidente de Dilma, assumiu o cargo após o processo de *impeachment*.	31/08/2016 a 31/12/2018
Jair Messias Bolsonaro (*1955-)	01/01/2019

Sistema Esquelético

Sistema Muscular

Músculos da cabeça e do tronco

Sistema Respiratório

Sistema Nervoso

Sistema Circulatório

Esquema geral

Sistema Linfático

Estrutura do linfonodo

Sistema Digestório

Sistema Urinário

O néfron

Rim – Corte frontal

Rim – Vista anterior

Sistema Genital

Masculino

Feminino

Estruturas internas

Estruturas externas

Tabela periódica

Legenda:
- Zn Sólido
- Hg Líquido
- Ne Gás
- Cf Artificial
- ☐ Hidrogênio

- 🟨 Metais representativos alcalinos
- 🟧 Metais representativos alcalinos terrosos
- 🟧 Metais de transição
- 🟪 Metais de transição interna
- 🟥 Outros metais representativos
- 🟩 Outros não metais
- 🟩 Não metais, halogênios
- 🟦 Gases nobres

Grupo

Nº Atômico
Símbolo
Nome do elemento

Período

1	2	3	4	5	6	7	8	9	10	11	12	13	14	15	16	17	18
1 **H** Hidrogênio																	2 **He** Hélio
3 **Li** Lítio	4 **Be** Berílio											5 **B** Boro	6 **C** Carbono	7 **N** Nitrogênio	8 **O** Oxigênio	9 **F** Flúor	10 **Ne** Neônio
11 **Na** Sódio	12 **Mg** Magnésio											13 **Al** Alumínio	14 **Si** Silício	15 **P** Fósforo	16 **S** Enxofre	17 **Cl** Cloro	18 **Ar** Argônio
19 **K** Potássio	20 **Ca** Cálcio	21 **Sc** Escândio	22 **Ti** Titânio	23 **V** Vanádio	24 **Cr** Cromo	25 **Mn** Manganês	26 **Fe** Ferro	27 **Co** Cobalto	28 **Ni** Níquel	29 **Cu** Cobre	30 **Zn** Zinco	31 **Ga** Gálio	32 **Ge** Gemânio	33 **As** Arsênio	34 **Se** Selênio	35 **Br** Bromo	36 **Kr** Criptônio
37 **Rb** Rubídio	38 **Sr** Estrôncio	39 **Y** Ítrio	40 **Zr** Zircônio	41 **Nb** Nióbio	42 **Mo** Molibdênio	43 **Tc** Tecnécio	44 **Ru** Rutênio	45 **Rh** Ródio	46 **Pd** Paládio	47 **Ag** Prata	48 **Cd** Cádmio	49 **In** Índio	50 **Sn** Estanho	51 **Sb** Antimônio	52 **Te** Telúrio	53 **I** Iodo	54 **Xe** Xenônio
55 **Cs** Césio	56 **Ba** Bário	57-71 * Lantanídeos	72 **Hf** Háfnio	73 **Ta** Tântalo	74 **W** Tungstênio	75 **Re** Rênio	76 **Os** Ósmio	77 **Ir** Irídio	78 **Pt** Platina	79 **Au** Ouro	80 **Hg** Mercúrio	81 **Tl** Tálio	82 **Pb** Chumbo	83 **Bi** Bismuto	84 **Po** Polônio	85 **At** Astato	86 **Rn** Radônio
87 **Fr** Frâncio	88 **Ra** Rádio	89-103 ** Actinídeos	104 **Rf** Rutherfórdio	105 **Db** Dúbnio	106 **Sg** Seabórgio	107 **Bh** Bóhrio	108 **Hs** Hássio	109 **Mt** Meitnério	110 **Ds** Darmstádtio	111 **Rg** Roentgênio	112 **Cn** Copernício	113 **Nh** Nihônio	114 **Fl** Fleróvio	115 **Mc** Moscóvio	116 **Lv** Livermório	117 **Ts** Tenesso	118 **Og** Oganessônio

* Lantanídeos

57 **La** Lantânio	58 **Ce** Cério	59 **Pr** Praseodímio	60 **Nd** Neodímio	61 **Pm** Promécio	62 **Sm** Samário	63 **Eu** Európio	64 **Gd** Gadolínio	65 **Tb** Térbio	66 **Dy** Disprósio	67 **Ho** Hólmio	68 **Er** Érbio	69 **Tm** Túlio	70 **Yb** Itérbio	71 **Lu** Lutécio

** Actinídeos

89 **Ac** Actínio	90 **Th** Tório	91 **Pa** Protactínio	92 **U** Urânio	93 **Np** Netúnio	94 **Pu** Plutônio	95 **Am** Amerício	96 **Cm** Cúrio	97 **Bk** Berkélio	98 **Cf** Califórnio	99 **Es** Einstênio	100 **Fm** Férmio	101 **Md** Mendelévio	102 **No** Nobélio	103 **Lr** Laurêncio

Dicionário Escolar da Língua Portuguesa

A *s.m.* 1) Primeira letra do alfabeto e primeira vogal. / 2) art. def. fem. / 3) pron. pess. oblíquo, átono, fem., 3ª pess. do sing. / 4) prep. essencial.
À Contração da prep. "a" com o art. def. "a".
A.BA *s.f.* 1) Parte pendente e lateral de chapéu, roupa ou objetos. 2) Lugar contíguo. 3) Base de montanha.
A.BA.CA.TE *s.m.* Fruto do abacateiro, comestível, de polpa amanteigada e saborosa, de casca áspera, de cor verde ou violeta e de caroço duro.
A.BA.CA.TEI.RO *s.m. Bot.* Árvore da família das Lauráceas, de grande porte, nativa da América Central e México, introduzida no Brasil há menos de 200 anos.
A.BA.CA.XI *s.m.* 1) *Bot.* Planta da família das Bromeliáceas. 2) Fruto comestível do abacaxizeiro; ananás. 3) *pop.* Qualquer coisa difícil de ser realizada ou de resolver ➡ Desista desse abacaxi!
Á.BA.CO *s.m.* 1) *Arit.* Quadro usado em operações aritméticas, composto por dez fios paralelos, nos quais deslizam bolinhas coloridas. 2) *Mús.* Instrumento com que se dividem os intervalos da oitava. 3) Mesa coberta de leve camada de areia, que antigamente era usada para ensinar a escrever.
A.BA.DE *s.m.* 1) Superior de uma ordem religiosa, pároco. 2) O que governa uma abadia. 3) *pop.* Homem muito gordo.
A.BA.DES.CO *adj.* Próprio do abade.
A.BA.DI.A *s.f.* 1) Mosteiro governado por abade ou abadessa. 2) Igreja e propriedade destinada à residência de monges.
A.BA.FA.DO *adj.* 1) Coberto para manter o calor. 2) Em que não há circulação de ar; sufocante. 3) Não divulgado; ocultado. 4) Diz-se de som fraco, pouco audível.
A.BA.FA.DOR (ô) *s.m.* 1) Que ou o que abafa. 2) Peça usada em certos instrumentos musicais para amortecer a vibração dos sons.
A.BA.FAR *v.t.d.* 1) Cobrir algo para conservar o calor. 2) Asfixiar, sufocar, tirar a respiração. 3) Abrandar, amortecer, diminuir o som.
A.BA.FO *s.m.* 1) Ação ou efeito de abafar. 2) O que resguarda do frio, agasalho. 3) Afeto, carinho, cuidado. 4) Ocultação, sonegação. 5) *pop.* Furto.
A.BAI.XA.MEN.TO *s.m.* Ato de abaixar.
A.BAI.XAR *v.t.d.* 1) Tornar baixo ou mais baixo; baixar. 2) Pôr em lugar mais baixo; descer. 3) Tornar raso; aplanar, nivelar. / *v.p.* 4) Humilhar-se; curvar-se, dobrar-se. / *v.i.* 5) Afundar, descer, ceder, assentar.
A.BAI.XO *adv.* 1) Na parte inferior. 2) Em lugar mais baixo. 3) Em direção à parte inferior, para baixo.

abaixo-assinado / abjeção

A.BAI.XO-AS.SI.NA.DO *s.m.* Documento coletivo, assinado por várias pessoas, para fazer uma reclamação, um pedido, um protesto, etc.

A.BA.JUR *s.m.* Peça que se põe ao redor da luz para proteger a vista ou para dirigir a claridade a determinado ponto; quebra-luz.

A.BA.LAR *v.t.d.* 1) Mover, muito pouco, algo pesado. 2) Fazer tremer, estremecer alguma coisa; sacudir. 3) Desassossegar, inquietar, chocar, causar agitação, comover profundamente. / *v.p.* 4) Comover-se, abater-se moralmente.

A.BA.LO *s.m.* 1) Ação ou efeito de abalar; abalamento. 2) Estremecimento, trepidação. 3) Certa rede de pesca. 4) Abalo sísmico: terremoto.

A.BAL.RO.AR *v.t.d.*, *v.t.i.*, *v.i.* e *v.p.* 1) Ir de encontro a; bater, chocar-se. / *v.t.d.* 2) *Náut.* Atracar um navio com balroas.

A.BA.NA.DOR *adj.* e *s.m.* 1) Que ou o que abana. / *s.m.* 2) Abano, leque.

A.BA.NAR *v.t.d.* 1) Mover (o abano) para refrescar. 2) Agitar, balançar, sacudir. / *v.i.* 3) Abalar, sacudir, tremer. / *v.p.* 4) Refrescar-se com abano ou leque.

A.BAN.CAR *v.t.d.* 1) Distribuir por lugares em volta da banca. / *v.i.* ou *v.p.* 2) Sentar-se; acomodar-se em bancos. / *v.i.* 3) Fugir; correr no encalço de alguém.

A.BAN.DAR *v.t.d.* e *v.p.* Reunir(-se) em bando.

A.BAN.DO.NAR *v.t.d.* 1) Desamparar; abjurar, fugir de; desistir de, renunciar. / *v.p.* 2) Deixar-se vencer pela fadiga, pelo vício, entregar-se.

A.BAN.DO.NO *s.m.* Ação ou efeito de abandonar; desamparo, desprezo, desistência, renúncia.

A.BA.NO *s.m.* 1) Ação ou efeito de abanar. 2) Qualquer objeto que sirva para refrescar ou avivar o fogo.

A.BAN.TES.MA (ê) *s.2gên.* Fantasma.

A.BAR.CAR *v.t.d.* 1) Abraçar; abranger com os braços; cingir. 2) Compreender, dominar. 3) Monopolizar.

A.BAR.RO.TAR *v.t.d.* 1) Encher demais. / *v.p.* 2) Comer demais; empanturrar-se.

A.BAS.TA.DO *adj.* Que ou aquele que possui recursos para viver bem, rico.

A.BAS.TE.CER *v.t.d.i.* e *v.p.* 1) Prover(-se), munir (-se). 2) Fornecer o necessário.

A.BA.TE *s.m.* Ato ou efeito de abater.

A.BA.TE.DOU.RO *s.m.* 1) Local onde se abatem os animais para consumo. 2) Matadouro.

A.BA.TER *v.t.d.* 1) Fazer cair, derrubar. 2) Matar. 3) Enfraquecer, debilitar. 4) Entristecer. 5) Diminuir o valor.

AB.DI.CA.ÇÃO *s.f.* 1) Ato ou efeito de abdicar. 2) Desistência, renúncia, resignação.

AB.DI.CAR *v.t.d.* 1) Renunciar voluntariamente a cargo, dignidade ou poder de que estava revestido. 2) Abrir mão de, desistir, abandonar. / *v.i.* 3) Renunciar ao poder soberano, à dignidade ou ao cargo a que estava revestido.

AB.DO.ME (ô) *s.m.* 1) Parte do corpo entre o tórax e a pelve. 2) *pop.* Barriga, ventre, pança. *Var.*: Abdômen.

AB.DO.MI.NAL *adj.2gên.* 1) Relativo a abdome. / *s.2gên.* 2) Exercício para fortalecer os músculos do abdome.

AB.DU.ÇÃO *s.f.* 1) *Anat.* Movimento de afastamento do corpo humano. 2) Rapto por violência, fraude ou sedução.

AB.DU.ZIR *v.t.d.* 1) Raptar; sequestrar; arrebatar. 2) Desviar de um ponto; afastar.

A.BE.CE.DÁ.RIO *s.m.* 1) Alfabeto. 2) Conjunto de sinais gráficos representantes dos fonemas.

A.BE.LHA (ê) *s.f.* 1) Inseto que vive em enxames e fabrica a cera e o mel, sendo a mais comum a abelha-doméstica. 2) Nome de uma constelação austral.

A.BE.LHU.DO *adj.* Curioso; bisbilhoteiro; enxerido; intrometido.

A.BEN.ÇO.AR *v.t.d.* Lançar a benção, benzer, bendizer, glorificar, louvar, amparar, favorecer, proteger. *Var.*: Abendiçoar.

A.BER.RA.ÇÃO *s.f.* 1) Ato ou efeito de aberrar. 2) Extravio, desvio, anomalia. 3) Desarranjo, desordem.

A.BER.TA *s.f.* 1) Abertura, fenda, fresta, vão. 2) Lugar livre entre outros ocupados.

A.BER.TO *adj.* 1) O que ou aquilo que não está fechado. 2) Sem vegetação de porte; limpo, vasto. 3) Inciso, lacerado, rasgado, não cicatrizado.

A.BER.TU.RA *s.f.* 1) Ação de abrir. 2) Aberta, fenda, buraco, orifício, furo.

A.BES.TA.LHAR *v.t.d.* e *v.p.* 1) Tornar-se tolo, imbecil. 2) *Por ext.* Ficar pasmo; surpreender-se.

A.BIS.MAL *adj.2gên.* 1) Relativo a abismo; abissal. 2) *fig.* Que apavora; aterrorizante.

A.BIS.MAR *v.t.d.* e *v.p.* 1) Precipitar(-se), lançar (-se) no abismo. / *v.t.d.* 2) Causar pasmo, assombro, confusão, espanto.

A.BIS.MO *s.m.* 1) Cavidade, geralmente vertical, cuja abertura está na superfície da terra e parece não ter fundo. 2) Lugar profundo, precipício, despenhadeiro. 3) Imensidão.

A.BIS.SAL *adj.2gên.* 1) Relativo a abismo; abismal. 2) *fig.* Imenso, enorme.

AB.JE.ÇÃO *s.f.* Aviltamento, baixeza, humilhação, infâmia, torpeza, último grau de baixeza moral, vileza.

abjeto

AB.JE.TO *adj.* Moralmente baixo; desprezível; infame.

AB.JU.RAR *v.t.d.* e *v.i.* 1) Renunciar a qualquer doutrina. 2) Retratar-se.

AB.NE.GAR *v.t.d.* e *v.p.* 1) Renunciar a; abrir mão de. 2) Sacrificar-se em benefício de alguém ou algo.

A.BÓ.BA.DA *s.f. Arquit.* Construção em arco.

A.BO.BA.DO *adj.* Abobalhado, tolo.

A.BO.BA.LHA.DO *adj.* Bobo, tolo.

A.BÓ.BO.RA *s.f.* 1) *Bot.* Fruto da aboboreira, também conhecido como jerimum. / *s.m.* 2) Cor de abóbora ➡ O abóbora é minha cor preferida.

A.BO.BRI.NHA *s.f.* 1) Abóbora pequena, usada para fins culinários antes de ser amadurecida. 2) *gír.* Dito espirituoso; tolice.

A.BO.CA.NHAR *v.t.d.* 1) Apanhar, pegar com a boca. 2) Morder. 3) *fig.* Obter com astúcia.

A.BO.LI.ÇÃO *s.f.* 1) Ato de abolir. 2) Extinção de qualquer instituição, lei, prática ou costume. 3) Extinção da escravatura.

A.BO.LI.CI.O.NIS.MO *s.m.* Doutrina da extinção da escravatura.

A.BO.LIR *v.t.d.* 1) Anular, suprimir, revogar. 2) Afastar, pôr fora de uso.

A.BO.MI.NA.ÇÃO *s.f.* 1) Ato de abominar, repulsão, asco. 2) Coisa abominável.

A.BO.MI.NAR *v.t.d.* 1) Aborrecer, detestar, odiar, repelir com horror. / *v.p.* 2) Detestar-se, ter horror a si próprio.

A.BO.MI.NÁ.VEL *adj.2gên.* Detestável, odioso, condenável.

A.BO.NAR *v.t.d.* 1) Apresentar como bom. 2) Afiançar, garantir, provar. 3) Justificar a falta ao trabalho.

A.BO.NO *s.m.* 1) Abonação, garantia, recomendação. 2) Gratificação salarial. 3) Ato de relevar falta, não descontando as ausências.

A.BOR.DA.GEM *s.f.* 1) Ato ou efeito de abordar. 2) Aproximação de alguém. 3) *fig.* Maneira ou método pelo qual um assunto é tratado. 4) *Náut.* Aproximação de duas embarcações.

A.BOR.DAR *v.t.d.* 1) Encostar, acercar-se, aproximar-se de alguma pessoa para dirigir-lhe a palavra. 2) Aproximar-se para assaltar.

A.BOR.DÁ.VEL *adj.2gên.* Acessível, aquele ou o que se pode abordar, que oferece contato, permissível.

A.BO.RÍ.GI.NE ou **A.BO.RÍ.GE.NE** *adj.* 1) Natural da própria região em que vive. / *s.2gên.* 2) Nativo, primitivo, indígena.

A.BOR.RE.CER *v.t.d.* e *v.p.* 1) Causar desgosto, contrariedade ou tédio; desagradar(-se). 2) Zangar(-se); irritar(-se).

abrasivo

A.BOR.RE.CI.DO *adj.* 1) Que sente aborrecimento; enfastiado, tristonho, melancólico. 2) Desagradável, maçante.

A.BOR.TAR *v.i.* 1) Sofrer ou efetuar aborto. 2) Ato de expelir o feto. / *v.t.d.* 3) Interromper, espontaneamente ou não, algum processo ou tarefa. 4) Não ter bom êxito; malograr.

A.BOR.TO (ô) *s.m.* 1) Ação ou efeito de abortar; abortamento. 2) *Med.* e *Vet.* Expulsão prematura do útero do produto da concepção; parto extemporâneo.

A.BO.TO.A.DU.RA *s.f.* Adorno usado para fechar os punhos de uma camisa.

A.BO.TO.AR *v.t.d.* 1) Colocar os botões nas respectivas casas para fechar o vestuário. / *v.i.* 2) *Bot.* Deitar (a planta) botões, germinar. 3) *pop.* Morrer ➡ Ele abotoou o paletó.

A.BRA.CA.DA.BRA *s.m.* Palavra à qual se atribuía várias propriedades, como as de curar doenças e de possuir poderes mágicos.

A.BRA.ÇAR *v.t.d.* 1) Estreitar nos braços, abranger, cingir. / *v.p.* 2) Envolver-se com os braços.

A.BRA.ÇO *s.m.* 1) Ato de abraçar; amplexo. 2) *Bot.* Cirro, gavinha. 3) *Arquit.* Entrelaçamento de folhagem lavrada em volta de uma coluna. 4) Ligação, fusão.

A.BRAN.DAR *v.t.d.*, *v.i.* e *v.p.* 1) Tornar(-se) brando, flexível, macio. 2) Diminuir a intensidade. 3) *fig.* Suavizar(-se), amenizar(-se).

A.BRAN.GER *v.t.d.* 1) Abraçar, cingir, abarcar. 2) Conter em si. 3) Apreender, perceber.

A.BRA.SA.DOR (ô) *adj.* 1) Que abrasa, que queima; abrasante, fulgurante. / *s.m.* 2) Que ou aquele que arrebata, que abrasa.

A.BRA.SA.MEN.TO *s.m.* 1) Ato ou efeito de abrasar, de pôr fogo. 2) Afogueamento, ardência, vermelhidão. 3) *fig.* Paixão ou excitação sexual.

A.BRA.SAN.TE *adj.* Que abrasa, que queima.

A.BRA.SÃO *s.f.* 1) Desgaste por fricção; raspagem. 2) Erosão de rocha por fricção ou impacto do vento, água corrente, etc.

A.BRA.SAR *v.t.d.* 1) Tornar em brasa; queimar. / *v.t.d.* e *v.i.* 2) Aquecer, esquentar. / *v.t.d.* 3) Agitar, entusiasmar, exaltar, excitar. / *v.p.* 4) Arder-se, queimar-se. 5) *fig.* Entusiasmar-se, tornar-se da cor da brasa, vermelho.

A.BRA.SI.LEI.RAR *v.t.d.* e *v.p.* Dar caráter brasileiro; adaptar(-se) ao modo de ser ou costumes brasileiros.

A.BRA.SI.VO *adj.* 1) Que produz abrasão. / *s.m.* 2) Qualquer substância muito dura, natural ou fabricada, para desgastar, afiar, polir, alisar ou limpar, em pó, pasta ou sólida.

abreviar

A.BRE.VI.AR *v.t.d.* 1) Tornar breve, encurtar, reduzir. 2) Compendiar, resumir, sintetizar. 3) Acabar, concluir em tempo breve.

A.BRI.GAR *v.t.d.* e *v.p.* 1) Acolher(-se), aceitar, hospedar. 2) Proteger(-se), amparar(-se).

A.BRI.GO *s.m.* 1) Tudo que serve para abrigar, abrigadouro. 2) Cobertura. 3) Algo que oferece proteção ou refúgio contra exposição, dano físico, ataque, observação, perigo. / 4) *fig.* Amparo, acolhimento.

A.BRIL *s.m.* Quarto mês do ano no calendário gregoriano, composto de 30 dias.

A.BRIR *v.t.d.* 1) Descerrar. 2) Desimpedir, desunir as partes juntas. 3) Desanuviar o tempo. 4) *fig.* Fazer confidências, desabafar.

AB.RUP.TO *adj.* 1) Muito inclinado, íngreme. 2) *fig.* Que ocorre de maneira súbita; repentino.

AB.SO.LU.TO *adj.* 1) Independente. 2) Ilimitado; infinito. 3) Total, completo. 4) Único, supremo.

AB.SOL.VER *v.t.d.i.* 1) Isentar alguém da culpa; declarar inocente. / *v.t.d.i.* e *v.p.* 2) Perdoar(-se), desconsiderando erros passados.

AB.SOL.VI.ÇÃO *s.f.* Perdão de pecados, culpas, erros ou faltas.

AB.SOR.TO *adj.* Concentrado em seus pensamentos.

AB.SOR.VER *v.t.d.* 1) Embeber-se de. 2) Sorver, como na ação osmótica, capilar, química, solvente, etc.

ABS.TER *v.t.d.i.* e *v.p.* 1) Privar-se do exercício de um direito ou de uma função. / *v.t.d.* 2) Conter, deter. / *v.p.* 3) Praticar a abstinência. 4) Não intervir, não pronunciar.

ABS.TI.NÊN.CIA *s.f.* Privação de algo, especialmente prazeres ou drogas.

ABS.TRA.ÇÃO *s.f.* 1) Ato ou efeito de abstrair ou abstrair-se; abstraimento. 2) *Filos.* Operação pela qual o espírito considera separadamente coisas inseparáveis na natureza. 3) Estado de alheamento do espírito; devaneio, meditação. 4) Trabalho de arte abstrata.

ABS.TRA.IR *v.t.d.* 1) Separar, apartar. / *v.t.i.* 2) Fazer abstração de; excluir. / *v.p.* 3) Deter toda atenção em; concentrar-se.

ABS.TRA.TO *adj.* 1) Que resulta de abstração. 2) Que significa uma qualidade com exclusão do objeto. / *s.m.* 3) O que se considera somente no campo das ideias; de difícil compreensão; obscuro.

AB.SUR.DE.ZA (ê) *s.f.* 1) Absurdo. 2) Caráter ou qualidade de absurdo.

AB.SUR.DO *adj.* 1) Contrário e oposto à razão, ao bom senso. / *s.m.* 2) Coisa absurda; absurdez, absurdeza, absurdidade. 3) Quimera, utopia.

acalentar

A.BU.LI.A *s.f. Med.* Perturbação mental caracterizada pela ausência ou diminuição da vontade.

A.BÚ.LI.CO *adj.* e *s.m.* Que ou o que sofre de abulia, sem vontade.

A.BUN.DÂN.CIA *s.f.* 1) Fartura, grande quantidade. 2) Excesso, exagero.

A.BUN.DAN.TE *adj.2gên.* 1) Que abunda, que existe ou tem em abundância. 2) Copioso, farto.

A.BU.SA.DO *adj.* 1) Que abusa. 2) Intrometido, confiado, abelhudo.

A.BU.SAR *v.t.i.* 1) Cometer abusos, desregrar, exorbitar, exceder-se. 2) Exorbitar, usar mal; enganar, faltar à confiança, prevaricar. 3) Causar dano, desonrar, estuprar; acanalhar, ridicularizar.

A.BU.SI.VO *adj.* Em que há agressão, violência, brutalidade.

A.BU.SO *s.m.* 1) Uso errado, excessivo ou injusto. 2) Prática contrária às leis e aos bons usos e costumes. 3) Descomedimento, excesso.

A.BU.TRE *s.m.* 1) *Ornit.* Ave de rapina de grande porte, com asas e cauda negras, que se alimenta de carniça. 2) *fig. pej.* Pessoa ambiciosa e sem escrúpulos.

A.CA.BA.MEN.TO *s.m.* 1) Ato ou efeito de acabar. 2) Operação que completa ou aperfeiçoa algo; arremate. 3) Tratamento final de obra de pintura, de madeira, etc.

A.CA.BAR *v.t.d.* 1) Levar a cabo; terminar. 2) Aperfeiçoar, concluir uma obra, dar a última demão, rematar. / *v.t.i.* 3) Dar cabo de, findar, terminar ➡ Eu acabei de ler a revista. / *v.i.* 4) Esgotar, exaurir; morrer, perecer.

A.CA.BRU.NHA.DO *adj.* 1) Abatido, desanimado. 2) Humilhado, envergonhado.

A.CA.DE.MI.A *s.f.* 1) Escola de ensino superior, faculdade. 2) Instituto ou agremiação científica, literária ou artística, particular ou oficial. 3) Local para práticas desportivas ou recreativas.

A.CA.DÊ.MI.CO *adj.* e *s.m.* 1) Relativo a uma academia ou a seus membros. / *adj.* 2) Que segue os modelos clássicos.

A.ÇA.Í *s.m.* 1) *Bot.* Palmeira do Amazonas, de cujo fruto se faz um refresco saudável. 2) Fruto do açaizeiro. 3) Calda feita desse fruto.

A.CAI.PI.RAR *v.p.* 1) Adquirir aparência, modos ou costumes de caipira; tornar-se caipira. 2) Mostrar-se acanhado, tímido.

A.CA.JU *s.m.* 1) Mogno. 2) Madeira castanho--avermelhada como o mogno.

A.CA.LAN.TO *s.m.* 1) Ato de acalentar. 2) *Mús.* Cantiga de ninar.

A.CA.LEN.TAR *v.t.d.* e *v.p.* 1) Aquecer(-se); afagar (-se), agasalhar(-se), embalar(-se). / *v.t.d.* 2) Sosacalento / acelga

segar, tranquilizar, consolar, mitigar a dor; animar, favorecer; manter no íntimo; embalar.

A.CA.LEN.TO *s.m.* Ação de acalentar; canto para fazer adormecer; acalanto.

A.CAL.MAR *v.t.d.* e *v.p.* 1) Tornar(-se) calmo; tranquilizar(-se). / *v.t.d.*, *v.i.* e *v.p.* 2) Abrandar, moderar, serenar. / *v.t.d.* 3) Apaziguar, aplacar, pacificar.

A.CA.LO.RAR *v.t.d.* 1) Aquecer, dar calor a. 2) Entusiasmar, excitar, iniciar. / *v.p.* 3) Excitar-se.

A.CA.MAR *v.t.d.* 1) Deitar ou pôr na cama; estender horizontalmente, lançar no chão; abater, humilhar; dispor em camadas. / *v.i.* 2) Cair de cama, adoecer. / *v.p.* 3) Abater-se.

A.CAM.PA.MEN.TO *s.m.* 1) Ato ou efeito de acampar. 2) Local onde se acampa.

A.CAM.PAR *v.t.d.* 1) Estabelecer(-se) em campo; estacionar, tomar assento ou lugar, com intenção de demorar. / *v.i.* 2) Instalar-se no campo.

A.CA.MUR.ÇAR *v.t.d.* 1) Dar cor ou forma de camurça a. 2) Preparar (peles) como camurça.

A.CA.NHA.MEN.TO *s.m.* Ato de acanhar; acanho; estado de acanhado.

A.CA.NHAR *v.t.d.* e *v.p.* Tornar(-se) tímido ou irresoluto; causar ou sentir vergonha, intimidar(-se).

A.ÇÃO *s.f.* 1) Ato ou efeito de atuar, de agir; ato, feito, obra. 2) Manifestação de uma força. 3) Possibilidade de executar alguma coisa; atividade, energia, movimento. 4) Maneira de proceder.

A.CA.RA.JÉ *s.m.* *Cul.* Espécie de bolinho feito com feijão-fradinho e frito em azeite de dendê.

A.CA.RE.AR *v.t.d.* Pôr cara a cara, ou frente a frente. 2) Pôr em presença uma das outras testemunhas cujos depoimentos não são concordes, confrontar.

A.CA.RI.CI.AR *v.t.d.* 1) Fazer carícias em; acarinhar, afagar, amimar; lisonjear. 2) Seduzir. 3) Roçar de leve.

A.CA.RI.NHAR *v.t.d.* Dar carinho a, tratar com carinho; acariciar, afagar.

Á.CA.RO *s.m.* Nome dado aos aracnídeos da ordem Acarinos, artrópodes pequenos que se desenvolvem nos mais diversos meios.

A.CAR.RE.TAR *v.t.d.* 1) Transportar em carreta, carro ou carroça; conduzir; levar à cabeça, às costas ou de qualquer outro modo. 2) Arrastar. 3) Causar, ocasionar, trazer consigo.

A.CA.SA.LA.MEN.TO *s.m.* 1) União de macho e fêmea para procriação; cruzamento. 2) Ato sexual.

A.CA.SA.LAR *v.t.d.* e *v.p.* 1) Reunir(-se) em casal; juntar(-se) macho e fêmea para a procriação; amancebar(-se). / *v.t.d.* 2) Emparelhar, reunir, unir-se em pares.

A.CA.SO *s.m.* 1) Acontecimento incerto ou imprevisível; casualidade, eventualidade. 2) Caso fortuito.

A.CAS.TE.LAR *v.t.d.* 1) Construir em forma de castelo; defender com castelo; fortificar. / *v.t.d.* e *v.p.* 2) Amontoar(-se); prevenir-se; refugiar-se em local seguro; encastelar-se.

A.CA.TA.MEN.TO *s.m.* Ato ou efeito de acatar; respeito.

A.CA.TAR *v.t.d.* Agir de acordo com, respeitar, venerar; cumprir, obedecer, observar, seguir.

A.CAU.TE.LAR *v.p.* 1) Pôr(-se) de sobreaviso; prevenir(-se); resguardar(-se). / *v.t.d.* 2) Tornar cauto ou prudente; guardar com cautela; proteger.

A.CA.VA.LAR *v.t.d.* 1) *Vet.* Cobrir a égua (o garanhão). 2) Pôr umas coisas sobre outras; sobrepor, amontoar. / *v.p.* 3) Pôr objetos sobre outros; amontoar.

A.CE.DER *v.i.* 1) Aderir, assentir (à opinião, ao convite, à proposta de alguém). / *v.t.i.* 2) Conformar-se com o estipulado pela maioria dos credores. / *v.t.d.* 3) Acrescer, ajuntar.

A.CE.FA.LIA *s.m.* Anomalia caracterizada por ausência de cabeça.

A.CÉ.FA.LO *adj.* 1) Sem cabeça; sem inteligência. 2) *fig.* Sem chefe.

A.CEI.TA.ÇÃO *s.f.* 1) Ato ou efeito de aceitar; aceitamento. 2) Acolhimento por parte do público comprador. 3) Aplauso, aprovação, aquiescência. 4) Boa fama, consideração, crédito.

A.CEI.TAR *v.t.d.* 1) Receber o que é dado ou oferecido. 2) Submeter-se sem revolta a. 3) Aprovar, concordar com; obedecer, seguir. 4) Admitir.

A.CEI.TÁ.VEL *adj.2gên.* Digno de ser aceito; satisfatório, admissível, plausível.

A.CEI.TE *s.m.* 1) Ato de aceitar letra de câmbio ou duplicata de fatura. 2) Assinatura do responsável pelo pagamento de um título de crédito.

A.CEI.TO *adj.* Admitido, recebido.

A.CE.LE.RA.ÇÃO *s.f.* 1) Ato ou efeito de acelerar; aceleramento. 2) Aumentar a velocidade.

A.CE.LE.RA.DOR (ô) *adj.* e *s.m.* 1) Aquele ou aquilo que acelera. 2) Dispositivo ou pedal para acelerar veículos. 3) Aparelho que provoca a aceleração nos motores de explosão.

A.CE.LE.RAR *v.t.d.* 1) Apressar o movimento de, aumentar a velocidade de. 2) Abreviar. 3) Adiantar, antecipar. / *v.p.* 4) Adquirir velocidade, precipitar-se. 5) Tornar célere.

A.CE.LE.RÔ.ME.TRO *s.m.* 1) *Tecn.* Instrumento para medir a aceleração de um veículo ou um corpo em movimento. 2) Instrumento de medição da pressão de gás em qualquer ponto particular em uma arma de fogo.

A.CEL.GA *s.f.* *Bot.* Planta hortense da família das Quenopodiáceas.

55

acelular · achar

A.CE.LU.LAR *adj. Biol.* Que não é formado por células.

A.CÉM *s.m.* Carne de primeira qualidade, do lombo do boi, entre a pá e o cupim.

A.CE.NAR *v.t.i.* e *v.i.* Fazer acenos para; aprovar, avisar, induzir, dar a entender, chamar a atenção para despedir-se.

A.CEN.DE.DOR (ô) *s.m.* 1) Aquele ou aquilo que acende. 2) Isqueiro ou aparelho elétrico destinado a acender bicos de gás.

A.CEN.DER *v.t.d.* 1) Pôr fogo a; fazer arder; queimar, incendiar. 2) Acionar a chave que regula o circuito da instalação de luz elétrica; pôr em funcionamento (luz, aparelho, equipamento, etc.).

A.CEN.DI.MEN.TO *s.m.* Ato ou efeito de acender.

A.CE.NO *s.m.* 1) Sinal feito com a cabeça, com as mãos, com os braços, com os olhos para exprimir ideias. 2) Chamamento. 3) Convite, gesto.

A.CEN.TO *s.m.* 1) Inflexão da voz numa sílaba para indicar a altura ou intensidade. 2) *Gram.* Sinal diacrítico que indica sílaba com acento. 3) Tom de voz.

A.CEN.TU.A.ÇÃO *s.f.* 1) Ato ou efeito de acentuar tanto na fala como na escrita. 2) Algo definido, marcante, claro.

A.CEN.TU.A.DO *adj.* 1) Que se destaca. 2) Que leva acento gráfico. 3) Que é bem marcado; enfático.

A.CEN.TU.AR *v.t.d.* 1) Empregar os acentos gráficos em. 2) Tornar(-se) intenso. 3) Dar ênfase a certas palavras de uma frase. / *v.t.d.* e *v.p.* 4) Pôr ou estar em destaque; realçar(-se).

A.CEP.ÇÃO *s.f.* 1) Sentido em que se toma uma palavra; significação, significado. 2) Interpretação, entendimento.

A.CE.RAR *v.t.d.* 1) Converter (o ferro) em aço, dar têmpera de aço a. 2) Guarnecer, revestir de aço. 3) Afiar, aguçar, amolar. 4) Tornar agudo, mordaz, satírico.

A.CE.RO.LA *s.f.* Fruta pequena e vermelha rica em vitamina C.

A.CER.TAR *v.t.d.* 1) Descobrir, fazer andar certo. 2) Endireitar. 3) Atingir o alvo. 4) Ajustar. 5) Combinar, condizer, harmonizar, igualar. / *v.t.i.* 6) Agir com acerto, resolver em conjunto.

A.CER.TO (ê) *s.m.* 1) Ato ou efeito de acertar. 2) Juízo, tino. 3) Ato ou dito acertado. 4) Ajuste.

A.CER.VO (ê) *s.m.* 1) Conjunto, massa. 2) Conjunto dos bens que constituem um patrimônio. 3) Conjunto das obras de uma biblioteca, um museu, etc.

A.CE.SO (ê) *adj.* 1) Que se acendeu. 2) Acendido, inflamado. 3) Arrebatado. 4) Excitado, furioso. 5) Brilhante, vivo.

A.CES.SÃO *adj.* 1) Ato ou efeito de aceder; consentimento. 2) Acréscimo, aumento. 3) Adesão. 4) Aquisição. 5) Acesso, promoção. 6) Aproximação, chegada. 7) Subida ao trono.

A.CES.SAR *v.t.d. Inform.* Obter acesso a.

A.CES.SÍ.VEL *adj.2gên.* 1) De fácil acesso. 2) Que se pode alcançar, obter ou possuir. 3) Compreensível, inteligível.

A.CES.SI.VO *adj.* Que se acrescenta.

A.CES.SO *s.m.* 1) Ingresso, entrada. 2) Aproximação, chegada. 3) Possibilidade de alcançar (algo difícil). 4) Comunicação, trato social. 5) Passagem, trânsito. 6) *Med.* Ataque repentino; fenômeno patológico que aparece e desaparece periodicamente. 7) Arrebatamento, transporte.

A.CES.SÓ.RIO *adj.* e *s.m.* 1) Que não é principal, não é essencial. 2) Que se junta a alguma coisa, principal, sem dela fazer parte integrante. 3) Complementar, suplementar. 4) Coisa de importância secundária; complemento. 5) Pertences de qualquer instrumento ou máquina.

A.CE.TA.TO *s.m. Quím.* Nome comum aos sais e ésteres proveniente do ácido acético.

A.CÉ.TI.CO *adj.* 1) Relativo ao vinagre; ácido, acre. 2) *Quím.* Diz-se de um líquido corrosivo, incolor, obtido pela oxidação do álcool etílico com eliminação de água.

A.CE.TI.FI.CA.ÇÃO *s.f.* 1) Ato ou efeito de acetificar. 2) *Quím.* Conversão de certas substâncias em ácido acético. 3) É a transformação do vinho em vinagre.

A.CE.TI.FI.CAR *v.t.d.* e *v.p.* 1) *Quím.* Transformar (-se) em ácido acético. 2) Azedar.

A.CE.TI.LE.NA.ÇÃO *s.f. Quím.* Processo de combinar com acetileno.

A.CE.TI.LE.NO *s.m.* 1) *Quím.* Gás explosivo que se emprega na iluminação e em maçaricos para soldas. 2) *Quím.* Substância formada pela ação da água sobre o carboneto de cálcio.

A.CE.TI.NA *s.f.* Qualquer acetato de glicerina.

A.CE.TO.NA (ô) *s.f. Quím.* Líquido inflamável, volátil, incolor e fragrante muito usado como solvente, obtido por destilação seca do acetato de cálcio.

A.CHA *s.f.* 1) Pedaço de madeira; lenha. 2) Arma antiga com forma de machado.

A.CHA.DO *adj.* 1) Encontrado; descoberto. / *s.m.* 2) Aquilo que se achou. 3) Coisa muito conveniente, interessante, proveitosa, encontrada por acaso.

A.CHA.QUE *s.m.* 1) Mal-estar, indisposição. 2) Imputação infundada, imperfeição.

A.CHAR *v.t.d.* 1) Encontrar por acaso ou procurando; deparar. 2) Atinar com, descobrir, inventar.

achatado | acne

3) Conseguir, obter. / *v.p.* 4) Acreditar-se, considerar-se, julgar-se.

A.CHA.TA.DO *adj.* 1) Que possui forma chata; plano. 2) Que foi diminuído ou rebaixado.

A.CHA.TA.MEN.TO *s.m.* 1) Ato ou efeito de achatar(-se). 2) Rebaixamento. 3) O mesmo que achatadura.

A.CHA.TAR *v.t.d.* 1) Tornar chato ou plano; aplanar, abater. 2) Aniquilar moralmente; reduzir (salários). 3) *fig.* Abater(-se), humilhar(-se).

A.CHE.GA.MEN.TO *s.m.* Ato ou efeito de achegar; aproximação.

A.CHE.GAR *v.t.d.* e *v.p.* 1) Aproximar(-se). 2) Avizinhar(-se), ligar(-se). 3) Acolher-se, buscar amparo.

A.CHE.GO (ê) *s.m.* 1) Ato de achegar-se. 2) O mesmo que achegar, auxílio, recurso, proteção, amparo.

A.CHIN.CA.LHA.MEN.TO *s.m.* Achincalhação, ofensa.

A.CHIN.CA.LHAR *v.t.d.* Chacotear, escarnecer, ridicularizar, ofender.

A.CHI.NE.SAR *v.t.d.* Dar forma chinesa a; tomar modos ou hábitos chineses; achinar.

-**A.CHO** *suf.* 1) Exprime ideia diminutiva; entra na formação de substantivos e adjetivos ➡ riacho, fogacho. 2) Exprime ideia pejorativa ➡ populacho, vulgacho.

A.CHO.CO.LA.TA.DO *adj.* 1) Que parece ou tem sabor de chocolate. 2) Que contém chocolate. / *s.m.* 3) Alimento achocolatado.

A.CI.DEN.TAL *adj.2gên.* 1) Casual, fortuito, imprevisto. 2) Que não é essencial; acessório.

A.CI.DEN.TE *s.m.* 1) O que é casual, fortuito, imprevisto. 2) Desastre, desgraça. 3) Disposição variada de um terreno; alteração de relevo. 4) *Filos.* O que não faz parte da substância ou a ela se opõe. 5) *Med.* O que sobrevém no curso de uma doença.

A.CI.DEZ (ê) *s.f.* 1) Qualidade do que é acre e picante ao gosto ou ao olfato. 2) *Quím.* Caráter ácido de uma substância, opondo-se à alcalinidade. 3) Azedume.

A.CI.DÍ.FE.RO *adj.* Que contém ou produz ácido.

A.CI.DI.FI.CA.ÇÃO *s.f.* 1) Conversão em ácido. 2) Ação ou efeito de acidificar.

A.CI.DI.FI.CAR *v.t.d.* e *v.p.* Converter(-se) em ácido; acidular.

A.CI.DI.ME.TRI.A *s.f.* Processo volumétrico de análise que permite avaliar a quantidade de ácidos contida em um soluto.

A.CI.DÍ.ME.TRO *s.m.* Instrumento para medir o grau de acidez de um líquido.

A.CI.DI.O.SO *adj.* Que tem preguiça, enfraquecimento físico.

Á.CI.DO *adj.* 1) Que tem sabor acre, azedo, picante. 2) *Quím.* Que tem um pH menor que 7. / *s.m.* 3) *Quím.* Nome genérico dos compostos químicos, de sabor azedo, que contêm um ou mais átomos de hidrogênio e podem ser substituídos por um metal para formar um sal.

A.CI.DO.SE *s.f.* 1) *Med.* Estado de diminuição de alcalinidade no sangue e nos tecidos, causado por excesso de produção de ácidos. 2) Impregnação ácida dos tecidos do organismo.

A.CI.DU.LAR *v.t.d.* 1) Tornar ácido ou acídulo. 2) Acidificar.

A.CÍ.DU.LO *adj.* Pouco ácido.

A.CI.MA *adv.* 1) Em lugar mais alto, mais elevado. 2) Da parte inferior para a superior. 3) Anteriormente, atrás. 4) Em grau ou categoria superior.

A.CIN.ZEN.TAR *v.t.d.* Dar cor cinzenta a. / *v.p.* 2) Tornar-se cinzento.

A.CI.O.NAR *v.t.d.* 1) Pôr em ação, fazer funcionar, processar. 2) Incorporar por ações.

A.CIO.NÁ.RIO *adj.* Relativo a posse de ações de uma empresa; acionista.

A.CI.O.NIS.TA *s.2gên.* Pessoa que possui ações de sociedade anônima; acionário.

A.CIR.RA.DO *adj.* 1) Incitado; atiçado, instigado. 2) Que está com raiva; irritado. 3) Que foi levado a agir ou reagir; estimulado. 4) Obstinado, intransigente, teimoso.

A.CLA.MA.ÇÃO *s.f.* Ato ou efeito de aclamar; ovação.

A.CLA.MAR *v.t.d.* 1) Aplaudir ou aprovar com brados; saudar. 2) Proclamar, reconhecer solenemente. 3) Eleger, proclamar. / *v.i.* 4) Levantar clamor em sinal de aprovação batendo palmas.

A.CLA.MA.TI.VO *adj.* 1) Relativo à aclamação. 2) Que encerra aclamação.

A.CLA.RAR *v.t.d.* 1) Dar alvura a, fazer branco; tornar claro; purificar. 2) Averiguar. 3) Engrandecer. 4) Elucidar, esclarecer.

A.CLI.MA.ÇÃO *s.f.* Ato ou efeito de aclimar, adaptar; aclimatação, aclimatização.

A.CLI.MAR *v.p.* 1) Identificar-se com as condições vitais de um clima. 2) Habituar-se a um determinado clima; aclimatar; aclimatizar.

A.CLI.MÁ.VEL *adj.* 1) Que se pode aclimar; aclimatável. 2) Fácil de se adaptar.

A.CLI.VE *s.m.* Inclinação do terreno; ladeira, rampa.

AC.ME *s.m.* 1) O ponto culminante, o ponto mais alto. 2) *Med.* Período em que uma doença chega ao mais alto grau de intensidade. 3) Perfeição, período mais grave de uma doença.

AC.NE *s.f. Med.* Dermatose causada por inflamação das glândulas sebáceas e dos folículos da pele; mais comum entre os jovens.

A.ÇO *s.m.* 1) *Quím.* Liga de ferro com carbono que se torna extremamente dura quando, depois de aquecida, é esfriada repentinamente. 2) Arma branca. 3) Amálgama de estanho que, na fabricação de espelhos, confere a eles a propriedade de refletir imagens e raios luminosos. / *adj.* 4) *fig.* Diz-se da pessoa insensível ➡ coração de aço.

A.CO.BAR.DAR *v.p.* 1) Acovardar(-se). 2) Tornar-se cobarde, amedrontar, perder o ânimo.

A.CO.BER.TAR *v.t.d.* 1) Cobrir; resguardar, proteger. 2) Disfarçar, dissimular. / *v.t.d.* e *v.p.* 3) Agasalhar(-se), resguardar(-se) contra o frio.

A.CO.BRE.AR *v.t.d.* Dar aspecto ou cor de cobre a.

A.CO.CHAR *v.t.d.* e *v.p.* 1) Apertar um cabo, calcar. 2) Acamar, apertar. 3) Comprimir, aconchegar.

A.CO.CHO (ô) *s.m.* Ato de acochar.

A.CO.CO.RAR *v.t.d.* e *v.i.* 1) Pôr(-se) de cócoras; agachar. 2) *fig.* Rebaixar(-se), humilhar(-se).

A.ÇO.DAR *v.t.d.* 1) Acelerar, apressar. 2) Instigar. / *v.p.* 3) Afrontar-se.

A.COI.TAR *v.t.d.* Dar coito ou guarida a; abrigar, acolher; defender.

A.ÇOI.TAR *v.t.d.* 1) Dar com açoite em; castigar, punir; bater em, dar golpes em; ferir, magoar. / *v.p.* 2) Disciplinar-se; golpear-se com açoite.

A.ÇOI.TE *s.m.* 1) Instrumento de tiras de couro para punir; chicote. 2) Pancada com esse instrumento.

A.CO.LÁ *adv.* Naquele lugar; lá, adiante.

A.COL.CHO.AR *v.t.d.* Revestir com material macio.

A.CO.LHE.DOR *adj.* e *s.m.* Que ou o que acolhe bem; agasalhador.

A.CO.LHER *v.t.d.* 1) Dar acolhida; hospedar. 2) Atender, deferir, receber. 3) Dar crédito a, dar ouvido a. / *v.p.* 4) Abrigar-se, refugiar-se.

A.CO.LHI.DA *s.f.* 1) Ato ou efeito de acolher; acolhimento. 2) Atenção, consideração. 3) Refúgio, abrigo, recepção, agasalho.

A.CÓ.LI.TO *s.m.* 1) Aquele que na carreira eclesiástica tinha a ordem do acolitato. 2) O que acompanha o padre nas missas. 3) Aquele que ajuda, sacristão.

A.CO.ME.TER *v.t.d.* 1) Investir contra ou sobre; atacar; assaltar. 2) Ir de encontro a; chocar-se com; abalroar. 3) Manifestar-se de repente, atacar. / *v.i.* 4) Encetar briga.

A.CO.ME.TI.DA *s.f.* Acometimento, ataque, investida.

A.CO.MO.DA.ÇÃO *s.f.* 1) Ato ou efeito de acomodar; acomodamento. 2) Alojamento, aposentos. 3) Adaptação. 4) Arranjo, combinação. 5) *Ópt.* Focalização espontânea que se opera no olho e permite uma visão distinta em distâncias diversas.

A.CO.MO.DAR *v.t.d.* 1) Pôr em ordem; arrumar. 2) Dar acomodação a. 3) Agasalhar, deitar. 4) Apaziguar, compor, conciliar. 5) Alojar, hospedar. 6) Adaptar, adequar. / *v.t.d.* e *v.p.* 7) Instalar-se de modo provisório ou não.

A.COM.PA.NHA.MEN.TO *s.m.* 1) Ato ou efeito de acompanhar. 2) Cortejo composto de várias pessoas; comitiva, séquito. 3) *Mús.* Parte da música destinada a acompanhar vozes ou instrumentos.

A.COM.PA.NHAN.TE *adj.* e *s.2gên.* Que ou quem acompanha.

A.COM.PA.NHAR *v.t.d.* 1) Fazer companhia a, ir em companhia de. 2) Tomar parte em. 3) Seguir a mesma direção de. 4) Imitar, seguir. 5) *Mús.* Seguir com instrumento. 6) Seguir com atenção, com o pensamento ou o sentimento. 7) Ser da mesma opinião, da mesma política. / *v.p.* 8) Fazer acompanhamento musical ao próprio canto. 9) Cercar-se, rodear-se.

A.CON.CHE.GAN.TE *adj.2gên.* Que aconchega; acolhedor.

A.CON.CHE.GAR *v.t.d.* Aproximar, unir, juntar.

A.CON.SE.LHAR *v.t.d.*, *v.t.d.i.*, *v.i.* e *v.p.* 1) Dar ou pedir conselho. / *v.t.d.* e *v.t.d.i.* 2) Recomendar, sugerir.

A.CON.SE.LHÁ.VEL *adj.2gên.* 1) Que se pode ou deve aconselhar. 2) Digno de acatamento.

A.CON.TE.CER *v.i.* 1) Ser ou tornar-se realidade. 2) Suceder de forma inesperada; sobrevir. 3) *gír.* Fazer sucesso ➡ As meninas aconteceram naquela festa. / *v.t.i.* 4) Suceder.

A.CON.TE.CI.MEN.TO *s.m.* 1) Aquilo que acontece; acontecido, sucesso, evento. 2) Fato sucedido. 3) Ocorrência que produza viva sensação.

A.CO.PLAR *v.t.d.* 1) *Eletr.* e *Astronáut.* Realizar ou estabelecer o acoplamento de. / *v.p.* 2) Juntar-se por acoplamento. 3) Juntar aos pares; reunir dois a dois; encaixar.

A.COR.CUN.DAR *v.i.* Ficar corcunda.

A.COR.DAR *v.i.* 1) Sair do sono; despertar. / *v.t.d.* e *v.t.i.* 2) Animar, avivar, excitar. / *v.t.d.* e *v.p.* 3) Lembrar(-se), trazer à memória. / *v.t.d.* e *v.t.i.* 4) Ajustar, combinar, concertar. / *v.t.i.* 5) Recobrar os sentidos, voltar a si. / *v.t.d.* 6) Acomodar, conciliar. / *v.p.* 7) Harmonizar-se, reconciliar-se, pôr-se de acordo.

A.COR.DE *adj.* 1) Concorde, harmonioso. / *s.m.* 2) *Mús.* Som complexo, resultante da emissão simultânea de vários sons que produzem certa harmonia.

A.COR.DE.ÃO *s.m.* *Mús.* Instrumento de sopro, formado de um teclado de lâminas metálicas postas em vibração por um fole; acordeom, harmônica, sanfona.

A.COR.DO *s.m.* 1) Concordância de sentimentos ou ideias. 2) Convenção, pacto. 3) *Dir. trab.* Ajuste, concordância de vontades para determinado fim jurídico.

A.CO.RO.ÇO.AR *v.t.d.* Inspirar ânimo, alentar, animar, encorajar.

A.COR.REN.TAR *v.t.d.* 1) Prender com corrente; encadear. 2) Escravizar, sujeitar. / *v.p.* 3) Pôr na dependência forçada.

A.COR.TI.NAR *v.t.d.* Guarnecer com cortina.

A.COS.TA.MEN.TO *s.m.* Faixa que margeia uma rodovia e se destina principalmente a paradas de emergência dos veículos.

A.COS.TAR *v.t.d.* 1) Aproximar; encostar, juntar. / *v.p.* 2) Navegar junto à costa.

A.COS.TU.MAR *v.t.d.* 1) Fazer adquirir um costume; habituar. / *v.p.* 2) Costumar, fazer por costume, por hábito.

A.CO.TO.VE.LAR *v.t.d.* 1) Dar ou tocar com o cotovelo em. 2) Dar encontrões em; empurrar. / *v.p.* 3) Achar-se em grande aperto, tocar-se.

A.ÇOU.GUE *s.m.* Lugar onde se vende carne.

A.ÇOU.GUEI.RO *s.m.* 1) Proprietário ou funcionário de açougue. 2) *Pej.* Cirurgião de pouca habilidade profissional, carniceiro.

A.CO.VAR.DAR *v.t.d.* e *v.p.* 1) Tornar(-se) covarde; intimidar(-se). 2) Acanhar(-se). 3) Acobardar(-se).

A.CRA.CI.A *s.f.* 1) Ausência de governo, anarquia, desordem social. 2) *Med.* Falta de forças, debilidade física.

A.CRE *adj.* 1) De ação picante e corrosiva. 2) *fig.* Áspero, irritante. 3) Azedo. 4) Acerbo, desabrido. 5) Estado da região Norte do Brasil.

A.CRE.DI.TAR *v.t.i.* e *v.i.* 1) Dar crédito a; crer. / *v.p.* 2) Adquirir crédito. / *v.t.d.* e *v.p.* 3) Julgar(-se), crer(-se).

A.CRE.DI.TÁ.VEL *adj.2gên.* Que se pode acreditar; crível.

A.CRES.CEN.TAR *v.t.d.* Ajuntar alguma coisa a outra; adicionar.

A.CRES.CER *v.t.d.* Aumentar; acrescentar, ajuntar; incluir, incorporar.

A.CRÉS.CI.MO *s.m.* Aquilo que se acrescenta.

A.CRI.A.NO Nascido ou que habita no Acre.

A.CRÍ.LI.CO *adj.* e *s.m.* Resina sintética transparente usada em vários utensílios.

A.CRO.BA.CI.A *s.f.* 1) Arte ou profissão do acrobata. 2) Manobra espetacular realizada por aeronaves.

A.CRO.BA.TA *s.2gên.* 1) Dançarino de corda; malabarista, equilibrista. 2) Aviador que pratica acrobacias; acróbata.

A.CRO.FO.BI.A *s.f.* Medo de altura, de lugares elevados.

A.CRO.MÁ.TI.CO *adj.* 1) Sem cor. 2) Que não percebe as cores.

A.CRÔ.NI.MO *adj.* e *s.m.* Linguíst. Diz-se de ou palavra formada com as letras ou sílabas iniciais de grupo de palavras.

A.CRÓ.PO.LE *s.f.* Local mais elevado das antigas cidades gregas.

A.CRÓS.TI.CO *s.m.* Poesia em que as letras iniciais de cada verso, quando lidas verticalmente, formam uma palavra ou frase.

A.CU.AR *v.i.* 1) Sentar-se (o cão) sobre as patas traseiras para dar o salto. / *v.i.* 2) Recuar, retroceder. / *v.t.d.* 3) Perseguir a caça com o objetivo de levá-la até a toca.

A.ÇÚ.CAR *s.m.* 1) Substância doce extraída da cana-de-açúcar ou da beterraba; sacarose. 2) *Quím.* Qualquer carboidrato simples, solúvel em água, de sabor adocicado.

A.ÇU.CA.RAR *v.t.d.* 1) Adoçar com açúcar. / *v.t.d.*, *v.i.* e *v.p.* 2) Transformar(-se) em açúcar; cristalizar(-se).

A.ÇU.CA.REI.RO *s.m.* 1) Recipiente para guardar açúcar. / *adj.* 2) Relativo a açúcar.

A.ÇU.DE *s.m.* 1) Construção destinada a represar águas pluviais com finalidade econômica. 2) Represa, dique.

A.CU.DIR *v.t.i.* 1) Ir em auxílio ou em socorro. 2) Obedecer a um chamamento ou mandado. 3) Afluir, concorrer. 4) Ocorrer. 5) Recorrer a alguém. 6) Atender, dar providência. / *v.i.* 7) Responder; retorquir.

A.CU.I.DA.DE *s.f.* 1) Qualidade de agudo. 2) Por analogia, qualidade dos sons agudos, da finura do olhar e da finura do espírito em observar e concluir; perspicácia, finura. 3) Grande capacidade de percepção.

A.ÇU.LAR *v.t.d.* e *v.t.d.i.* 1) Incitar cães para que mordam. 2) Enfurecer, exacerbar, excitar, irritar, provocar.

A.CU.MU.LAR *v.t.d.* 1) Amontoar, aumentar, guardar, pôr em acúmulo ou montão. 2) Exercer simultaneamente. 3) Armazenar; amontoar.

A.CÚ.MU.LO *s.m.* Acumulação, aglomeração, união.

A.CU.PUN.TU.RA *s.f.* 1) Introdução de agulhas muito finas em determinados pontos do corpo do paciente. 2) Método terapêutico de origem chinesa.

A.CU.SA.ÇÃO *s.f.* 1) Ato ou efeito de acusar. 2) Imputação de erro ou crime. 3) Confissão espontânea. 4) Exposição oral ou escrita de culpas do réu. 5) A parte que acusa ou crimina a outra.

acusar | adiantamento

A.CU.SAR *v.t.d.* 1) Imputar erro, culpa ou crime a alguém; criminar, increpar; denunciar; acusar. 2) Revelar, confessar. / *v.p.* 3) Declarar-se culpado.

A.CÚS.TI.CA *s.f.* 1) *Fís.* Estudo dos sons e dos fenômenos que lhes são relativos. 2) Conjunto de qualidades de uma sala ou de um edifício que influem na percepção de sons.

A.CÚS.TI.CO *adj.* Que se refere aos sons ou à audição.

A.DA.GA *s.f.* Arma branca, curta, de dois gumes, ou de ponta afiada; faca.

A.DÁ.GIO *s.m.* 1) Sentença breve; rifão, provérbio. 2) Trecho musical de andamento vagaroso.

A.DA.MAN.TI.NO *adj.* Como o diamante; diamantino.

A.DA.MAS.CAR *v.t.d.* 1) Dar a cor avermelhada ou o lavor do damasco a. 2) Forrar de damasco.

A.DAP.TA.BI.LI.DA.DE *s.f.* Qualidade de adaptável.

A.DAP.TA.ÇÃO *s.f.* 1) Ação ou efeito de adaptar. 2) Acomodação. 3) *Biol.* Poder normal do olho de ajustar-se às variações da intensidade da luz. 4) *Biol.* Processo pelo qual os indivíduos passam a possuir caracteres adequados para viverem em determinado ambiente.

A.DAP.TA.DOR *adj.* e *s.m.* Que ou aquele que adapta.

A.DAP.TAR *v.t.d.* 1) Ajustar uma coisa a outra; apropriar, combinar, encaixar, justapor. 2) Fazer acomodar a visão. 3) Pôr em harmonia. 4) Aclimar.

A.DAP.TÁ.VEL *adj.2gên.* Que pode ser adaptado, fácil de se adaptar.

A.DE.GA *s.f.* Lugar térreo ou subterrâneo onde se guardam bebidas, especialmente vinhos, depósito de bebidas.

A.DE.MAIS *adv.* Além disso, além do mais.

A.DEN.DO *s.m.* O que se acrescenta a um texto para completá-lo.

A.DE.NOI.DE *adj.* *Anat.* Em forma de gânglio ou de glândula.

A.DE.NO.PA.TI.A *s.f.* *Med.* Termo genético para as afecções dos gânglios linfáticos.

A.DE.NO.PÁ.TI.CO *adj.* Relativo à adenopatia.

A.DE.NO.SE *s.f.* *Med.* Nome genérico das moléstias das glândulas; adenopatia.

A.DEN.SA.MEN.TO *s.m.* 1) Ato ou efeito de adensar. 2) *Constr.* Ação de socar o concreto com hastes de ferro, para que se encha toda a forma, sem deixar lacunas.

A.DEN.SAR *v.t.d.* e *v.p.* 1) Tornar ou tornar-se denso, compacto, espesso. / *v.t.d.* 2) Aumentar em número. / *v.p.* 3) Acumular-se, avolumar-se.

A.DEN.TRAR *v.i.* Entrar, penetrar.

A.DEN.TRO *adv.* 1) No interior; dentro. 2) Para o interior, para dentro.

A.DEP.TO *s.m.* 1) Partidário, sectário. 2) Admirador. 3) Conhecedor dos princípios de uma seita, religião, partido político, etc.

A.DE.QUA.DO *adj.* 1) Que está em perfeita conformidade com algo; adaptado, ajustado. 2) Próprio para determinado uso ou fim; apropriado.

A.DE.QUAR *v.t.d.i.* e *v.i.* Tornar próprio, conveniente, oportuno; acomodar, apropriar, proporcionar, adaptar(-se).

A.DE.RE.ÇAR *v.t.d.* e *v.p.* Adornar(-se), enfeitar(-se), ornar(-se) com adereços.

A.DE.RE.ÇO *s.m.* 1) Objeto de adorno; adorno, enfeite. 2) Conjunto de brinco, broche e pulseira. 3) Trastes de casa. 4) Utensílios de cenas teatrais. 5) Arreios de cavalo.

A.DE.RÊN.CIA *s.f.* 1) Ato de aderir; adesão. 2) Qualidade do que é aderente. 3) Junção de uma coisa a outra. 4) União acidental de superfícies contíguas.

A.DE.REN.TE *adj.2gên.* 1) Que adere, unido. / *s.2gên.* 2) Pessoa que adere; partidário, sectário.

A.DE.RIR *v.t.i.* e *v.i.* 1) Tornar-se aderente, prender-se. 2) Conformar-se com alguma coisa, aprovando. / *v.t.i.* 3) Tornar-se adepto. 4) Fixar-se permanentemente. / *v.t.d.* 5) Adaptar, juntar, unir.

A.DE.SÃO *s.f.* 1) Ato ou efeito de aderir. 2) Acordo, ligação. 3) Anuência, consentimento. 4) *Fís.* Atração molecular que se manifesta entre os corpos em contato.

A.DE.SIS.MO *s.m.* 1) Adesão sistemática. 2) Oportunismo político dos aderentes inescrupulosos.

A.DE.SI.VO *adj.* 1) Que adere. 2) Que tem a capacidade de colar ou grudar coisas umas às outras. / *s.m.* 3) Fita de largura variável, revestida em um lado de uma substância adesiva.

A.DES.TRA.DOR (ô) *adj.* e *s.m.* Que ou quem adestra; treinador.

A.DES.TRA.MEN.TO *s.m.* Ato ou efeito de adestrar; adestração.

A.DES.TRAR *v.t.d.* e *v.p.* 1) Tornar(-se) destro, hábil. 2) Ensinar (animais) a ter certas habilidades; treinar.

A.DEUS *s.m.* 1) Forma de despedida. 2) Gesto, palavra, sinal de despedida.

A.DI.A.MEN.TO *s.m.* Ato ou efeito de adiar; transferência de algo para outra data ou horário.

A.DI.AN.TA.MEN.TO *s.m.* 1) Ato ou efeito de adiantar. 2) Movimento para a frente. 3) Aceleração. 4) Progresso, desenvolvimento. 5) Pagamento antecipado.

adiantar / admoestação

A.DI.AN.TAR *v.t.d.* e *v.p.* 1) Movimentar(-se) para diante; avançar. / *v.t.d.* e *v.t.d.i.* 2) Ocorrer ou fazer com que algo ocorra antes do tempo previsto; antecipar. / *v.t.d.* 3) Apressar, acelerar. / *v.i.* 4) Trazer proveito, benefício.

A.DI.AN.TE *adv.* 1) Na dianteira, na frente, na vanguarda, em primeiro lugar. 2) No lugar imediato. 3) No futuro. 4) Posteriormente, sucessivamente. / *interj.* 5) À frente! Para frente! Avante!

A.DI.AR *v.t.d.* Deixar para outro dia, marcar para depois; procrastinar, protelar.

A.DI.ÇÃO *s.f.* 1) Ato ou efeito de adir. 2) *Arit.* Reunião de todas as unidades ou frações de unidade de vários números; soma, total. 3) Acréscimo, aumento. 4) *Quím.* Combinação direta de duas ou mais substâncias para formar um só produto.

A.DI.CI.O.NAL *adj.2gên.* 1) Que se adiciona. 2) Complementar.

A.DI.CI.O.NAR *v.t.d.i.* 1) Acrescentar, aditar, juntar. / *v.t.d.* 2) Fazer, realizar a adição; somar.

A.DIM.PLEN.TE *adj.* Que cumpre no devido termo todas as obrigações contratuais.

A.DIM.PLIR *v.t.d.* Completar, preencher, executar.

A.DI.PO.SI.DA.DE *s.f.* Qualidade de ser gordo; obesidade, gordura.

A.DI.PO.SO *adj.* Que tem gordura; gordo, gorduroso.

A.DI.TA.MEN.TO *s.m.* Ato de aditar ou adicionar, suplemento.

A.DI.TAR *v.t.d.* 1) Acrescentar, adicionar, juntar. 2) Tornar ditoso. / *v.p.* 3) Ligar-se, associar-se.

A.DI.TI.VO *adj.* e *s.m.* 1) Que se adita; adicional. 2) *Quím.* Substância adicionada a uma solução para aumentar, diminuir ou eliminar determinada propriedade desta.

A.DI.VI.NHA *s.f.* 1) Adivinhação, enigma. 2) Mulher que se diz, ou se crê, adivinhar o futuro.

A.DI.VI.NHA.ÇÃO *s.f.* 1) Ato ou efeito de adivinhar. 2) Arte de predizer o futuro. 3) Jogo em que se propõem enigmas fáceis para serem decifrados; adivinha.

A.DI.VI.NHAR *v.t.d.* 1) Descobrir, revelar por artifícios hábeis ou por meios sobrenaturais; decifrar, desvendar; interpretar. 2) Predizer, pressagiar, pressentir, prever, prognosticar. 3) Calcular, conjeturar, presumir.

A.DI.VI.NHO *s.m.* Pessoa que se diz capaz de adivinhar; adivinhador; agoureiro.

AD.JA.CÊN.CIA *s.f.* Situação aproximada de um lugar com outro; contiguidade, proximidade, vizinhança.

AD.JA.CEN.TE *adj.* Confinante, contíguo, próximo, vizinho a.

AD.JE.TI.VAR *v.t.d.* 1) Ornar com adjetivos. 2) Tomar como adjetivo uma palavra. 3) Ajustar, concordar, harmonizar. 4) Atribuir qualidade a.

AD.JE.TI.VO *s.m. Gram.* Palavra que se junta a um substantivo para atribuir a ele uma ou mais qualidades, modo de ser.

AD.JU.DI.CA.ÇÃO *s.f.* 1) Ato ou efeito de adjudicar. 2) *Dir.* Ato judicial ou administrativo, pelo qual se dá a alguém a posse de certos bens.

AD.JU.DI.CAR *v.t.d.* e *v.t.i.* 1) Conceder, por sentença, a posse de algo a alguém. / *v.t.d.i.* e *v.p.* 2) Atribuir(-se), considerar(-se) responsável por.

AD.JUN.TO *adj.* 1) Contíguo, junto, pegado, perto, próximo, unido. / *s.m.* 2) Ajudante, auxiliar, coadjuvante. 3) Substituto. 4) Funcionário auxiliar ou substituto. 5) *Gram.* Elemento acessório que se prende a outro para caracterizá-lo ou modificá-lo.

AD.JU.TÓ.RIO *s.m.* 1) Ajuda, auxílio; ajutório. 2) Ajuda coletiva entre trabalhadores do campo.

AD.JU.VAN.TE *adj.* Aquele que ajuda, que presta auxílio.

AD.MI.NIS.TRA.ÇÃO *s.f.* 1) Ato de administrar. 2) Governo. 3) Direção de estabelecimento. 4) Casa onde se trata de assuntos de administração pública ou particular.

AD.MI.NIS.TRAR *v.t.d.* 1) Exercer cargo, emprego ou ofício; governar. 2) Dar, subministrar; ministrar.

AD.MI.NIS.TRA.TI.VO *adj.* Relativo à administração.

AD.MI.RA.ÇÃO *s.f.* 1) Ato de admirar. 2) Assombro, espanto, estranheza, pasmo, surpresa. 3) Afeição.

AD.MI.RA.DOR (ô) *adj.* e *s.m.* 1) Que ou quem admira, venera; apreciador. 2) *Por ext.* Que ou quem se sente atraído por alguém; amante, apaixonado.

AD.MI.RAR *v.t.d.* 1) Olhar ou considerar com espanto, surpresa ou deslumbramento. 2) Ter em grande apreço, considerar com respeito e simpatia.

AD.MI.RÁ.VEL *adj.2gên.* 1) Que merece admiração. 2) Que causa admiração.

AD.MIS.SÃO *s.f.* 1) Ato ou efeito de admitir. 2) Ingresso, acesso, entrada. 3) *Mec.* Instante, no ciclo de operações de um motor, em que o combustível entra no cilindro do motor.

AD.MIS.SÍ.VEL *adj.2gên.* Que se pode admitir, aceitar.

AD.MI.TI.DO *adj.* 1) Que se admitiu. 2) Que recebeu aprovação.

AD.MI.TIR *v.t.d.* 1) Receber, acolher, deixar entrar. 2) Aceitar como bom ou válido; adotar. 3) Permitir, comportar. 4) Nomear, contratar para uma atividade certa.

AD.MO.ES.TA.ÇÃO *s.f.* 1) Ato ou efeito de admoestar. 2) Advertência, aviso, conselho, reparo. 3) Leve repreensão.

admoestar

AD.MO.ES.TAR *v.t.d.* 1) Advertir amigável ou benevolamente; fazer ver. 2) Lembrar, avisar.
AD.NO.MI.NAL *adj. Gram.* Diz-se de toda palavra ou expressão que se refere ao substantivo modificando-lhe a significação ➡ férias de julho.
A.DO.BE (ô) *s.m.* Bloco de barro, seco ao sol, um pouco maior que o tijolo comum, usado na construção de casas rústicas; adobo.
A.DO.ÇA.DO *adj.* Aquilo que se adoçou, tornou doce, melado.
A.DO.ÇAN.TE *s.m.* Substância que adoça.
A.DO.ÇÃO *s.f.* 1) Ato ou efeito de adotar. 2) Aceitação legal.
A.DO.ÇAR *v.t.d.* 1) Tornar doce. 2) Mitigar o sofrimento de. 3) Atenuar o efeito de. 4) Abrandar, suavizar. 5) *Metal.* Tornar dúctil um metal por meio do fogo.
A.DO.CI.CA.DO *adj.* Levemente adoçado.
A.DO.CI.CAR *v.t.d.* 1) Tornar um tanto doce. 2) Atenuar, abrandar. 3) Tornar harmonioso, suave.
A.DO.E.CER *v.t.d. e v.i.* 1) Tornar(-se) doente, enfermar. / *v.i.* 2) Padecer de algum vício, defeito, mal, etc.
A.DO.EN.TA.DO *adj.* Estar ou sentir-se um pouco doente.
A.DOI.DA.DO *adj.* 1) Um tanto maluco. / *adv.* 2) *pop.* Muito, demais, à beça.
A.DO.LES.CÊN.CIA *s.f.* 1) Crescimento após a puberdade; período desse crescimento. 2) Período da vida humana entre a infância e a idade adulta.
A.DO.LES.CEN.TE *adj. e s.2gên.* Pessoa que está na adolescência.
A.DO.LES.CER *v.i.* 1) Atingir a adolescência. 2) Crescer, desenvolver-se.
A.DO.NI.SAR *v.t.d. e v.p.* Tornar galante e presumido, embelezar-se, adornar-se.
A.DO.RA.ÇÃO *s.f.* 1) Ato de adorar. 2) Culto, reverência a uma divindade. 3) Amor excessivo.
A.DO.RA.DO *adj.* 1) Que se adora; cultuado. 2) Venerado, reverenciado. 3) Extremosamente amado, idolatrado.
A.DO.RA.DOR *adj. e s.m.* Que ou aquele que adora.
A.DO.RAR *v.t.d.* 1) Render culto a uma divindade. 2) Venerar. 3) Amar extremamente, idolatrar.
A.DO.RA.TI.VO *adj.* Que exprime adoração.
A.DO.RÁ.VEL *adj.2gên.* 1) Digno de adoração. 2) Fascinante, encantador.
A.DOR.ME.CER *v.t.d.* 1) Fazer dormir. 2) Abrandar, enfraquecer. 3) Embotar. / *v.i.* 4) Dormir. 5) Cessar a atividade. 6) Esfriar-se. 7) Ficar mudo. 8) Cessar os movimentos. 9) *fig.* Entorpecer, anestesiar sentimentos, sensibilidade. 10) *fig.* Serenar inquietações.

adubo

A.DOR.NAR *v.t.d.* 1) Ataviar, enfeitar, ornar. 2) Embelezar, enriquecer, opulentar com conhecimentos ou qualidades. / *v.p.* 3) Tornar-se atraente, brilhante, interessante por meio de enfeites.
A.DOR.NO (ô) *s.m.* Enfeite, ornato.
A.DO.TAR *v.t.d.* 1) Decidir-se por; optar, escolher, preferir. 2) Tomar como próprio. 3) Assumir, tomar. 4) Aprovar. 5) Aceitar, admitir, receber, reconhecer. / *v.t.d. e v.i.* 6) Tomar por filho; legitimar.
A.DO.TÁ.VEL *adj.2gên.* Que pode ser adotado.
A.DO.TI.VO *adj.* Que foi adotado ou que se adotou.
AD.QUI.RIR *v.t.d.* 1) Comprar; tornar-se dono de algo. 2) Passar a ter. 3) Alcançar, conquistar.
A.DRE.NA.LI.NA *s.f. Farm.* Hormônio produzido pela região medular das suprarrenais. 2) Disposição física; vigor.
A.DRI.Á.TI.CO *adj.* Que ou quem é do Mar Adriático ou de suas imediações.
A.DRI.ÇA *s.f.* Cabo para içar velas ou bandeiras. O mesmo que driça.
A.DRI.ÇAR *v.t.d.* Arvorar, erguer, içar por meio de adriça.
A.DRO *s.m.* 1) Terreno em frente ou em torno de uma igreja. 2) Cemitério em terreno dessa natureza, pátio.
AD.SOR.ÇÃO *s.f.* Processo químico em que moléculas, átomos ou íons são retidos na superfície de um líquido ou um sólido.
ADS.TRIN.GIR *v.t.d. e v.p.* 1) Apertar(-se), estreitar(-se), ligar(-se), prender(-se). 2) Diminuir(-se), restringir(-se); limitar(-se). / *v.t.d.* 3) *Med.* Produzir contração em (tecidos orgânicos).
ADS.TRI.TO *adj.* Dependente, estreitado, ligado, preso, submetido, incorporado.
A.DU.A *s.f.* 1) Coletivo especial de cães, matilha. 2) Rebanho de bois ou bestas. 3) Chamamento à guerra, alistamento; imposto medieval destinado a obras militares.
A.DU.A.NA *s.f.* 1) Alfândega. 2) Organização alfandegária.
A.DU.A.NAR *v.t.d.* Despachar ou registrar na aduana ou alfândega; alfandegar.
A.DU.A.NEI.RO *adj.* 1) Referente à aduana. / *s.m.* 2) Alfandegário.
A.DU.BA.ÇÃO *s.f.* 1) Ato ou efeito de adubar; estrumação, adubagem. 2) Condimento, tempero.
A.DU.BA.GEM *s.f.* Adubação.
A.DU.BAR *v.t.d.* 1) Preparar com adubos. 2) *Agr.* Aplicar adubo ao solo; fertilizar. 3) Condimentar, temperar.
A.DU.BO *s.m.* 1) Resíduos animais ou vegetais que se misturam à terra, para torná-la mais fértil. 2) Condimento, tempero.

adução · **aeração**

A.DU.ÇÃO *s.f.* Ato ou efeito de aduzir, trazer.

A.DU.E.LA *s.f.* 1) Tábua encurvada com que se fazem tonéis, barris, etc. 2) Pedra em forma de cunha, que entra na composição dos arcos e abóbadas de cantaria, ripa que forra o vão das ombreiras das portas.

A.DU.FE *s.m. Mús.* Instrumento musical de origem árabe, espécie de pandeiro quadrado.

A.DU.FEI.RO *s.m.* Aquele que toca ou fabrica adufe.

A.DU.LA.ÇÃO *s.f.* 1) Ato ou efeito de adular. 2) Bajulação, lisonja, subserviência.

A.DU.LA.DOR *adj. e s.m.* Que ou aquele que adula; bajulador.

A.DU.LAR *v.t.d.* Cortejar servilmente; bajular, lisonjear servilmente.

A.DU.LA.TÓ.RIO *adj.* Que envolve adulação, lisonjeiro.

A.DUL.TE.RA.ÇÃO *s.f.* Ato ou efeito de adulterar, falsificação.

A.DUL.TE.RA.DOR *s.m.* Que ou quem adultera.

A.DUL.TE.RAN.TE *adj.* Que adultera.

A.DUL.TE.RAR *v.t.d.* 1) Falsificar, contrafazer. / *v.i.* 2) Cometer adultério. / *v.p.* 3) Corromper-se, viciar-se.

A.DUL.TE.RI.NO *adj.* 1) Nascido de adultério. 2) Adulterado, falsificado. 3) Artificial.

A.DUL.TÉ.RIO *s.m.* 1) Quebra da fidelidade conjugal. 2) Adulteração, falsificação.

A.DÚL.TE.RO *adj.* 1) Que violou ou viola a fidelidade conjugal. 2) Falso. 3) Corrupto, espúrio, vicioso.

A.DUL.TO *adj. e s.m.* 1) Que ou quem atingiu o máximo de seu crescimento e a plenitude de suas funções biológicas. 2) Aquele que chegou à maioridade. 3) Fase que vem após a adolescência.

A.DU.RIR *v.t.d.* Queimar, causticar.

A.DUS.TÃO *s.f.* 1) Calor excessivo, abrasamento. 2) *Quím.* Calcinação. 3) *Med.* Cauterização com fogo.

A.DUS.TI.VO *adj.* Adurente, que causa sensação de calor.

A.DUS.TO *adj.* 1) Queimado. 2) Da cor do café. 3) Abrasado, aderente. 4) *fig.* Melancólico, triste.

A.DU.TOR *adj.* 1) Que produz adução. 2) *Anat.* Diz-se de qualquer músculo que aduz.

A.DU.TO.RA (ô) *s.f.* Canal, galeria ou encanamento que leva água de um manancial para um reservatório.

A.DU.ZIR *v.t.d.* 1) Expor, apresentar. 2) Conduzir, introduzir.

AD.VEN.TÍ.CIO *adj. e s.m.* 1) Aquele que chega de fora; estranho, estrangeiro. 2) Acidental, casual. 3) Deslocado do sítio que lhe é próprio. 4) *Biol.* Aquilo que se encontra fora de seu local ou de sua época normal (folha, raiz).

AD.VEN.TO *s.m.* 1) Vinda, chegada. 2) Período das quatro semanas que antecedem o Natal.

AD.VER.BAL *adj. Gram.* Diz-se da forma gramatical que se constrói com um verbo ➤ O viver de alegrias.

AD.VER.BI.AL *adj.* 1) Referente a advérbio. 2) Que tem valor ou função de advérbio.

AD.VER.BI.A.LI.DA.DE *s.f.* Qualidade ou caráter de adverbial.

AD.VER.BI.A.LI.ZAR *v.t.d.* Transformar em advérbio.

AD.VÉR.BIO *s.m. Gram.* Palavra invariável que expressa uma circunstância do verbo ou a intensidade da qualidade dos adjetivos ou reforça outro advérbio e, em alguns casos, modifica a oração.

AD.VER.SÁ.RIO *adj.* 1) Que se opõe a; que luta contra, inimigo. / *s.m.* 2) Antagonista, opositor, rival. 3) Pessoa que pertence a outro partido. 4) Parte contra quem se litiga.

AD.VER.SA.TI.VO *adj.* 1) Adverso, contrário, oposto. 2) Que denota diferença ou oposição entre o que precede e o que se segue.

AD.VER.SI.DA.DE *s.f.* 1) Percalço, infortúnio. 2) Contrariedade, infelicidade, má sorte. 3) Qualidade ou caráter de adverso.

AD.VER.SO *adj.* 1) Contrário, desfavorável, inimigo, oposto. 2) Que traz dificuldade, infelicidade.

AD.VER.TÊN.CIA *s.f.* 1) Ação ou efeito de advertir. 2) Admoestação, aviso, conselho, observação, repreensão.

AD.VER.TI.DO *adj.* 1) Que recebeu advertência; avisado. 2) Prudente, acautelado. 3) Admoestado.

AD.VER.TIR *v.t.d. e v.t.d.i.* 1) Fazer advertência; admoestar; avisar, repreender alguém de alguma coisa. 2) Explicar, dar informações a.

AD.VIN.DO *adj.* Que adveio ou sobreveio, acrescido.

AD.VIR *v.t.i.* 1) Ocorrer como consequência; resultar, proceder, provir. / *v.i.* 2) Acontecer, suceder, sobrevir.

AD.VO.CA.CI.A *s.f.* 1) Ação de advogar. 2) Ofício de advogado.

AD.VO.GA.DO *s.m.* 1) Profissional graduado em Direito, habilitado a advogar. 2) Defensor, patrono, protetor. 3) Medianeiro, formado em leis.

AD.VO.GAR *v.t.d.* 1) Defender em juízo, interceder / *v.i.* 2) Exercer a profissão de advogado.

A.E.DO (é) *s.m.* Quem cantava em versos as ações heroicas na Grécia antiga.

A.E.RA.ÇÃO *s.f.* Renovação do ar; arejamento, ventilação.

aéreo

A.É.REO *adj.* 1) Relativo ao ar, próprio dele, que tem sua natureza ou semelhança. 2) Que está no ar, nele se mantém ou nele se passa. 3) Relativo a avião ou aviação. 4) *fig.* Distraído, desatento.
A.E.RÓ.BIO *adj.* 1) Que precisa de oxigênio. / *s.m.* 2) Micro-organismo que precisa de oxigênio para sobreviver.
A.E.RO.CLU.BE *s.m.* 1) Centro de aviação para formação de pilotos civis. 2) Clube para a prática amadora de voos.
A.E.RO.DI.NÂ.MI.CA *s.f. Fís.* Ramo da dinâmica que trata dos fenômenos que acompanham todo movimento relativo entre um corpo e o ar que o envolve.
A.E.RO.DI.NÂ.MI.CO *adj.* 1) Relativo à aerodinâmica. 2) Modelado de forma a minimizar a resistência na passagem por um meio fluido.
A.E.RO.DRO.MO *s.m.* Área circunscrita a pouso e decolagem de aeronaves com a infraestrutura necessária para assistir os aparelhos, suas tripulações e passageiros.
A.E.RO.DU.TO *s.m.* Conduto de ar nas instalações de ventilação.
A.E.RO.ES.PA.ÇO *s.m. Astronáut.* Invólucro atmosférico da Terra e espaço acima dele.
A.E.RÓ.LI.TO *s.m.* Meteorito composto, originário do espaço interplanetário, que cai em planetas e cuja queda é ordinariamente acompanhada de fenômenos luminosos e estampidos.
A.E.RO.MO.ÇA *s.f.* Moça incumbida, nos aviões comerciais, de vários serviços indispensáveis à segurança e ao conforto dos passageiros.
A.E.RO.MO.DE.LIS.MO *s.m.* Ciência que trata da projeção e construção de aeromodelos.
A.E.RO.MO.DE.LO *s.m.* Modelo de aeronave em miniatura, para experimentação ou para recreação juvenil.
A.E.RO.NAU.TA *s.2gên.* Pessoa que tripula aeronaves, navegador aéreo.
A.E.RO.NÁU.TI.CA *s.f.* 1) Ciência, arte e prática da navegação aérea. 2) Aviação militar de um país.
A.E.RO.NÁU.TI.CO *adj.* Que diz respeito à aeronáutica.
A.E.RO.NA.VE *s.f.* Veículo capaz de se sustentar e conduzir-se no ar.
A.E.RO.NA.VE.GA.ÇÃO *s.f.* Navegação aérea.
A.E.RO.PLA.NO *s.m.* Designação genérica dos veículos aéreos mais pesados que o ar; avião.
A.E.RO.POR.TO *s.m.* Conjunto de instalações técnicas e comerciais necessárias ao pouso e decolagem de aeronaves.
A.E.RÓS.TA.TO *s.m.* Aparelho que se eleva no ar graças à leveza específica do gás de que é cheio ou aquecido.

afazeres

A.E.RO.VI.A *s.f.* 1) Espaço aéreo navegável, de largura determinada, estabelecido pelo Ministério da Aeronáutica. 2) Rota de aviões.
A.E.RO.VI.Á.RIO *adj.* 1) Relativo a aerovia ou a aerotransporte. / *s.m.* 2) Aquele que trabalha em aerovia.
A.FÃ *s.m.* 1) Cansaço, fadiga. 2) Trabalho intenso. 3) Ânsia, sofreguidão. 4) Cuidado, diligência. 5) Empenho, esforço.
A.FA.BI.LI.DA.DE *s.f.* Qualidade de quem é afável, facilidade e agrado no trato; delicadeza.
A.FA.DI.GAR *v.t.d.* 1) Causar fadiga a, cansar. 2) Importunar, incomodar, molestar, vexar. / *v.p.* 3) Afligir-se, apressar-se, cansar-se; trabalhar com afã.
A.FA.GA.MEN.TO *s.m.* Ato ou efeito de afagar.
A.FA.GAR *v.t.d.* e *v.p.* 1) Fazer afagos a, tratar com afago; acariciar, acarinhar, amimar. 2) Conservar com prazer na mente; nutrir, entreter. 3) Roçar levemente. 4) Alisar, aplainar.
A.FA.GO *s.m.* Ato de afagar; carícia, mimo, meiguice, bom agasalho.
A.FA.MA.DO *adj.* Que possui fama; célebre, famoso.
A.FA.MAR *v.t.d.* 1) Dar fama a, tornar célebre, famoso. / *v.p.* 2) Adquirir fama.
A.FA.NA.ÇÃO *s.f. pop.* Ato ou efeito de afanar, roubar; afano.
A.FA.NAR *v.i.* e *v.p.* 1) Trabalhar com afã; afadigar-se. / *v.t.d.* e *v.i.* 2) Furtar.
A.FA.NO *s.m.* 1) Afanação. 2) Furto, roubo.
A.FA.SI.A *s.f. Med.* e *Psiq.* Perda da capacidade da fala, escrita, mímica ou tátil, consequente a lesão no cérebro.
A.FÁ.SI.CO *adj. Med.* Que sofre de afasia.
A.FAS.TA.DO *adj.* 1) Que está muito longe; longínquo. 2) Separado, distante. 3) Que está de licença de um cargo.
A.FAS.TA.MEN.TO *s.m.* 1) Ato ou efeito de afastar. 2) Distância entre coisas consideradas. 3) Distância.
A.FAS.TAR *v.t.d.* e *v.t.d.i.* 1) Tirar de perto, manter distante. 2) Pôr a certa distância de; afugentar. 3) Arredar, tirar do caminho. / *v.p.* 4) Distanciar(-se).
A.FAS.TO *s.m.* Ato de afastar.
A.FA.TI.AR *v.t.d.* Dar forma de fatia a, cortar em fatias, golpear.
A.FÁ.VEL *adj.2gên.* 1) Delicado ao trato, benévolo, cortês. 2) Agradável nas maneiras e na conversação.
A.FA.ZER *v.t.d.i.* e *v.p.* 1) Acostumar(-se), habituar (-se) em harmonia. / *v.p.* 2) Aclimar-se.
A.FA.ZE.RES *s.m.pl.* 1) Trabalhos. 2) Ocupações. 3) Negócios, serviços, tarefas.

afeamento — aflorar

A.FE.A.MEN.TO *s.m.* Ação ou efeito de afear(-se).

A.FE.AR *v.t.d.* e *v.p.* 1) Tornar(-se) feio; enfear. / *v.t.d.* 2) Exagerar a gravidade de uma coisa.

A.FEC.ÇÃO *s.f. Med.* Processo mórbido considerado em suas manifestações atuais, abstraindo-se de sua causa; doença física ou psíquica.

A.FEI.ÇÃO *s.f.* 1) Sentimento de apego sincero por alguém ou algo; carinho, amizade, afeto. 2) Inclinação para algo.

A.FEI.ÇO.AR *v.t.d.* e *v.p.* 1) Sentir afeto por. 2) Fazer tomar gosto por. / *v.t.d.* 3) Dar feição ou forma a; modelar(-se). / *v.p.* 4) Adaptar(-se), ajustar(-se).

A.FE.TAR *v.t.d.* 1) Aparentar, fazer crer, fingir. 2) Abalar, afligir, agitar, impressionar. 3) Comover, sensibilizar.

A.FE.TI.VO *adj.* 1) Relativo a afeto. 2) Que tem ou demonstra afeição; afetuoso.

A.FE.TO *s.m.* 1) Sentimento de afeição ou inclinação por alguém. / *adj.* 2) Admirador, afeiçoado, dedicado.

A.FE.TU.O.SO *adj.* Que tem ou indica afeto.

A.FI.A.ÇÃO *s.f.* Ato ou efeito de afiar; aguçamento; afiamento.

A.FI.A.DO *adj.* 1) Que tem fio; amolado, aguçado, cortante. 2) Diz-se de quem está completamente a par de uma matéria.

A.FI.AR *v.t.d.* 1) Dar o fio a, tornar mais cortante; amolar; aguçar. / *v.t.d.* e *v.p.* 2) Apurar(-se), tornar(-se) refinado; aprimorar(-se).

A.FI.CIO.NA.DO *adj.* e *s.m.* 1) Que ou quem tem inclinação ou gosto por algo; afeiçoado. 2) Que ou quem tem propensão para determinada atividade artística, esportiva, etc.

A.FI.LHA.DO *s.m.* 1) O que recebe o batismo ou confirmação em relação ao padrinho ou madrinha. 2) Toda pessoa que tem padrinho. 3) Protegido.

A.FI.LI.A.ÇÃO *s.f.* 1) Ato de afiliar. 2) Adjunção a uma sociedade ou companhia. 3) Tornar-se filho.

A.FI.LI.AR *v.t.d.i.* e *v.p.* Agregar(-se); filiar(-se); inscrever como membro ou filho.

A.FIM *adj.2gên.* 1) Que tem afinidade, analogia, semelhança ou relação com. / *s.m.* 2) Que possui parentesco por afinidade.

A.FI.NA.DO *adj.* 1) Diz-se do instrumento que recebeu afinação, estando, assim, em concorde com outros instrumentos. 2) *Mús.* Que se afinou. 3) Entendido ou combinado com outros, ajustado.

A.FI.NAL *adv.* 1) Enfim; finalmente. 2) Em conclusão.

A.FI.NAR *v.t.d.* 1) Tornar fino ou mais fino. 2) *Mús.* Ajustar o som, dar tom musical, harmonizar. 3) Aperfeiçoar, engrandecendo. 4) Refinar, purificar. / *v.t.d.* e *v.p.* 5) Educar(-se), polir(-se). / *v.i.* 6) Cantar ou tocar, ajustando o tom da voz ao da música.

A.FIN.CO *s.m.* 1) Ato de afincar. 2) Insistência. 3) Persistência. 4) Teimosia.

A.FI.NI.DA.DE *s.f.* 1) Semelhança. 2) Conformidade, identidade. 3) Coincidência ou semelhança de gostos ou de sentimentos. 4) Vínculo de parentesco originado no casamento.

A.FIR.MA.ÇÃO *s.f.* 1) Ato de dizer sim ou seu efeito; asserção. 2) O que se afirma como verdade; afirmativa. 3) Confirmação.

A.FIR.MAR *v.t.d.* e *v.t.d.i.* 1) Fazer firme, tornar firme. 2) Declarar com firmeza; assegurar. 3) Estabelecer a existência de. 4) Confessar, proclamar. 5) Consolidar. 6) Confirmar. / *v.t.d.* e *v.p.* 7) Tornar(-se) firme; estabelecer(-se), consolidar(-se).

A.FIR.MA.TI.VA *s.f.* 1) Afirmação. 2) Proposição pela qual se afirma que uma coisa é verdadeira.

A.FIR.MA.TI.VO *adj.* 1) Que afirma ou confirma. 2) Positivo.

A.FI.VE.LAR *v.t.d.* 1) Apertar, prender ou segurar com fivela. 2) Colocar fivela em. 3) Ajustar, firmar.

A.FI.XA.ÇÃO *s.f.* Ato ou efeito de afixar; emprego de afixos.

A.FI.XAR *v.t.d.* 1) Tornar(-se) fixo. 2) Pregar, em lugar visível ao público, qualquer edital, aviso ou citação.

A.FI.XO *adj.* 1) Fixado, unido. / *s.m.* 2) *Gram.* Elemento que se agrega ao princípio (prefixo) ou ao fim (sufixo) do tema das palavras.

A.FLAR *v.t.d.* 1) Bafejar, soprar. 2) Inspirar. 3) Insuflar. / *v.i.* 4) Arfar, estar ofegante, palpitar; mover-se ao vento.

A.FLAU.TAR *v.t.d.* e *v.p.* 1) Dar som parecido ao da flauta. 2) Adoçar a voz.

A.FLEI.MAR *v.p. pop.* Afligir-se, impacientar-se; irritar-se.

A.FLI.ÇÃO *s.f.* 1) Padecimento físico; tormento, tortura; agonia. 2) Desassossego, inquietação.

A.FLI.GIR *v.t.d.* 1) Causar aflição a; angustiar, mortificar, agoniar, agonizar. 2) Assolar, devastar. / *v.p.* 3) Sentir aflição; mortificar-se.

A.FLI.TI.VO *adj.* Que aflige, que produz aflição.

A.FLI.TO *adj.* 1) Que está com aflição; angustiado, preocupado. / *s.m.* 2) Que está em aflição.

A.FLO.RA.ÇÃO *s.f.* Ato ou efeito de aflorar; afloramento.

A.FLO.RA.MEN.TO *s.m.* 1) Afloração. 2) *Geol.* Exposição diretamente observável da parte superior de uma rocha ou minério.

A.FLO.RAR *v.i.* 1) Vir à superfície; emergir. / *v.t.d.* e *v.i.* 2) *fig.* Tornar(-se) visível; manifestar(-se).

afluência / afrontar

A.FLU.ÊN.CIA *s.f.* 1) Ato ou efeito de afluir; afluxo. 2) Concorrência de dois ou mais rios a um ponto. 3) Grande quantidade de pessoas ou de coisas. 4) Convergência. 5) Riqueza material.

A.FLU.EN.TE *adj.2gên.* 1) Que aflui, que corre. / *s.m.* 2) Rio que despeja suas águas em outro.

A.FLU.IR *v.i.* 1) Correr ou escorrer para. 2) Concorrer, vir em grande quantidade.

A.FLU.XO *s.m.* 1) Fluxo, enchente. 2) Convergência em quantidade grande; abundância.

A.FO.BA.ÇÃO *s.f.* 1) *pop.* Atrapalhação, azáfama, pressa. 2) Cansaço. 3) Afobamento.

A.FO.BA.MEN.TO *s.m.* Afobação.

A.FO.BAR *v.t.d.* 1) Ficar com muita pressa ou precipitação. / *v.p.* 2) Atrapalhar-se. 3) Cansar-se, afadigar-se.

A.FO.CI.NHA.MEN.TO *s.m.* Ato ou efeito de afocinhar.

A.FO.CI.NHAR *v.t.d.* 1) Escavar com o focinho; fossar. 2) Atacar ou investir com o focinho. / *v.i.* 3) Cair para frente; ir ao chão.

A.FO.FA.MEN.TO *s.m.* Ato ou efeito de afofar.

A.FO.FAR *v.t.d.* 1) Tornar fofo ou mole. 2) Tornar vaidoso; envaidecer.

A.FO.GA.DE.LA *s.f.* 1) Ato de afogar, afogadilho. 2) Pressa.

A.FO.GA.DI.ÇO *adj.* 1) Que facilmente se afoga. 2) Que promove sufocação.

A.FO.GA.DI.LHO *s.m.* 1) Precipitação, pressa. 2) Ansiedade, apressadamente, às pressas.

A.FO.GA.DO *adj.* 1) Que se afogou. 2) Diz-se do vestido que sobe até o pescoço. 3) Diz-se da voz baixa ou cava. 4) *Autom.* Diz-se do motor que não arranca por estar com excesso de combustível nos cilindros. / *s.m.* 5) Pessoa asfixiada por imersão.

A.FO.GAR *v.t.d.* e *v.p.* 1) Matar(-se) ou morrer por asfixia, imergindo em líquido. 2) Impedir o crescimento de; reprimir; interromper. 3) Exterminar, extinguir.

A.FO.GUE.A.DO *adj.* 1) Posto em brasa; abraseado. 2) Cor de fogo; vermelho. 3) Entusiasmado, caloroso, quente.

A.FOI.TO *adj.* 1) Audaz, corajoso, destemido, atrevido. 2) Precipitado, ansioso.

A.FO.NI.A *s.f.* Perda total ou parcial da voz.

A.FO.RA *adv.* 1) Para fora. 2) Adiante, ao longo. / *prep.* 3) Exceto. 4) Além de.

A.FO.RIS.MO *s.m.* Sentença que exprime um preceito moral.

A.FOR.TU.NA.DO *adj.* e *s.m.* Que ou quem tem boa sorte, felicidade; venturoso.

A.FRES.CO *s.m.* 1) Gênero de pintura que consiste em revestir de argamassa uma parede e, sobre a massa ainda fresca, pintar a cores, embebendo as tintas na parede; fresco. 2) Pintura feita deste modo.

A.FRI.CA.NIS.MO *s.m.* 1) Estudo das coisas africanas. 2) Influência africana na cultura dos demais continentes. 3) Vocábulo ou expressão tomado a qualquer das línguas africanas.

A.FRI.CA.NIS.TA *adj.* e *s.2gên.* 1) Relativo a coisas ou assuntos da África. 2) Especialista no estudo de línguas e culturas africanas.

A.FRI.CA.NI.ZA.ÇÃO *s.f.* Ação ou efeito de africanizar.

A.FRI.CA.NI.ZAR *v.t.d.* e *v.p.* Dar aspecto ou feição de coisa africana a.

A.FRI.CA.NO *adj.* e *s.m.* 1) Relativo à África. 2) Natural da África; áfrico.

A.FRI.CA.NO.LO.GI.A *s.f.* Estudo dos costumes, história, cultura e folclore das raças e povos africanos.

A.FRI.CA.NÓ.LO.GO *s.m.* Especialista em africanologia.

A.FRO-A.ME.RI.CA.NO *adj.* Relativo a americanos de descendência africana, especialmente negroide.

A.FRO-A.SI.Á.TI.CO *adj.* Relativo à África e à Ásia, simultaneamente.

A.FRO-BRA.SI.LEI.RO *adj.* Relativo aos africanos e brasileiros, simultaneamente.

A.FRO.DES.CEN.DEN.TE *adj.2gên.* e *s.2gên.* Que ou quem descende de africanos.

A.FRO.DI.SI.A *s.f.* Desejo sexual, especialmente quando mórbido ou excessivo.

A.FRO.DI.SÍ.A.CO *adj.* e *s.m.* Que ou o que aumenta os desejos sexuais.

AFRO.DI.TE *s.f.* A deusa grega da beleza e do amor.

A.FRÔ.ME.TRO *s.m. Fís.* Manômetro para medir a pressão dentro das garrafas de vinho espumante.

A.FRO-NE.GRO *adj.* Relativo aos negros oriundos da África.

A.FRON.TA *s.f.* 1) Ofensa, insulto, ultraje. 2) Descrédito, infâmia. 3) Angústia, fadiga. 4) Arrojo, cometimento. 5) Assalto, combate. 6) *Dir.* Declaração do maior lanço em arrematação judicial.

A.FRON.TA.ÇÃO *s.f.* 1) Afrontamento. 2) Falta de ar; dispneia.

A.FRON.TA.MEN.TO *s.m.* Ato ou efeito de afrontar; afrontação.

A.FRON.TAR *v.t.d.* 1) Colocar frente a frente; confrontar; acarear. 2) Estar situado defronte de. 3) Encarar, arrostar. 4) Fazer afronta a; insultar; ultrajar. 5) Resistir a; aguentar; suportar. / *v.p.* 6) Esfalfar-se; fatigar-se. 7) Comparar-se; medir-se.

afrouxar · aglomerado

A.FROU.XAR *v.t.d.* e *v.i.* 1) Tornar(-se) frouxo; desapertar, soltar. 2) Abrandar, acalmar. / *v.t.d.* e *v.i.* 3) Diminuir a rapidez de. / *v.i.* 4) Enfraquecer.

A.FRU.TAR *v.i.* Carregar-se de frutos.

AF.TA *s.f. Med.* Ulceração superficial das mucosas, na maioria, bucais.

AF.TO.SA *s.f.* Febre aftosa.

AF.TO.SE *s.f. Med.* Estado mórbido, caracterizado pela formação de aftas.

A.FU.GEN.TAR *v.t.d.* 1) Pôr em fuga; expulsar; enxotar. 2) Fazer desaparecer, extinguir.

A.FUN.DAR *v.t.d.* 1) Pôr no fundo. 2) Tornar fundo, escavar. / *v.p.* 3) Ir ao fundo, submergir. / *v.t.d.* e *v.p.* 4) *fig.* Sair-se mal ➡ O vestibular difícil afundou toda a turma.

A.FU.NI.LAR *v.t.d.* 1) Dar forma de funil. / *v.t.d.* e *v.p.* 2) Afinar(-se) na extremidade; estreitar(-se).

A.GA.CHAR *v.t.d.* e *v.p.* 1) Ficar abaixado, de cócoras. / *v.p.* 2) Entregar-se, humilhar-se, sujeitar-se.

A.GA.LAC.TA.ÇÃO *s.f. Med.* Falta de leite nas glândulas mamárias da mulher para amamentação.

A.GA.LO.A.DU.RA *s.f.* 1) Ato ou efeito de agaloar; agaloamento. 2) Guarnição de galões. 3) Distinção, honra, promoção militar.

A.GA.LO.AR *v.t.d.* 1) Guarnecer de galões. 2) Enaltecer. 3) Distinguir, honrar.

Á.GA.PE *s.2gên.* 1) Refeição em comum celebrada entre os primeiros cristãos. 2) Qualquer refeição em comum, principalmente as em que os comensais são amigos.

A.GAR.RA *s.m.* Agarramento, afeição exagerada.

A.GAR.RA.ÇÃO *s.f.* 1) Agarramento. 2) Grande amizade, amizade inseparável.

A.GAR.RA.DEI.RA *s.f.* Saliência que se faz na planta do casco do cavalo para lhe permitir melhor firmeza em terrenos úmidos ou escorregadios.

A.GAR.RA.DI.ÇO *adj.* 1) Que se agarra ou pega facilmente. 2) Importuno, maçador.

A.GAR.RA.MEN.TO *s.m.* 1) Ato ou efeito de agarrar; agarra, agarração. 2) Afeição exagerada.

A.GAR.RAR *v.t.d.* 1) Prender com garra. 2) Prender ou segurar com força e por violência. 3) Lançar mão de, valer-se de. / *v.t.d.* e *v.p.* 4) Segurar (-se) com força.

A.GA.SA.LHAN.TE *adj.2gên.* Que agasalha.

A.GA.SA.LHAR *v.t.d.* 1) Dar agasalho a; hospedar; acolher. 2) Cobrir com agasalho. 3) Recolher em si; conter. / *v.p.* 4) Aquecer-se; enroupar-se.

A.GA.SA.LHO *s.m.* 1) Roupa que protege da chuva ou do frio. 2) *fig.* O que possa proteger ou amparar.

A.GAS.TAR *v.t.d.* e *v.p.* Excitar(-se) por leves provocações; irritar(-se), agoniar(-se); deprimir(-se).

A.GÊN.CIA *s.f.* 1) Estabelecimento cujo fim é prestar determinados serviços, públicos ou particulares. 2) Sucursal de casas bancárias ou comerciais ou empresas fora das sedes.

A.GEN.CI.AR *v.t.d.* 1) Tratar ou cuidar de, como agente. 2) Esforçar-se por obter; diligenciar. 3) Solicitar, requerer.

A.GEN.DA *s.f.* Livro em que se anota dia a dia o que se tem a fazer.

A.GEN.DAR *v.t.d.* Marcar na agenda.

A.GEN.TE *adj.2gên.* e *s.2gên.* 1) Que age, que exerce alguma ação, agencia; que produz algum efeito. 2) Pessoa encarregada da direção de uma agência; agenciador.

Á.GIL *adj.2gên.* 1) Que se move com destreza; ligeiro. 2) Rápido, desembaraçado. 3) Rápido nos movimentos.

A.GI.LI.DA.DE *s.f.* 1) Qualidade de ágil; ligeireza, rapidez. 2) *fig.* Desenvoltura, vivacidade.

A.GI.LI.ZAR *v.t.d.* e *v.p.* Tornar(-se) mais rápido, mais ativo, mais eficiente; agilitar.

Á.GIO *s.m.* 1) Lucro sobre a diferença de valor da moeda. 2) Juro de dinheiro emprestado; usura. 3) Especulação sobre a alta ou a baixa dos fundos públicos.

A.GI.O.TA *s.m.* Pessoa que se entrega à agiotagem; usurário.

A.GI.O.TA.GEM *s.f.* 1) Especulação de bolsa. 2) Operações ilícitas com o fim de obter grandes lucros. 3) Empréstimo de dinheiro a juros excessivos.

A.GI.O.TAR *v.i.* Praticar a agiotagem.

A.GIR *v.i.* 1) Tomar providências; atuar. 2) Produzir efeito ou reação. 3) Exercer atividade; atuar.

A.GI.TA.BI.LI.DA.DE *s.f.* Qualidade do que é agitável.

A.GI.TA.ÇÃO *s.f.* 1) Ato ou efeito de agitar. 2) Movimento, abalo. 3) Perturbação. 4) Comoção política; desordem. 5) *Med.* Estado das faculdades psíquicas, traduzido por inquietação, nervosismo, angústia e insônia.

A.GI.TA.DI.ÇO *adj.* Que se agita facilmente.

A.GI.TAR *v.t.d.* e *v.p.* 1) Mover(-se) com frequência. 2) Mover brusca e irregularmente; sacudir; abalar; alvoroçar. 3) Tornar(-se) inquieto; perturbar(-se). 4) Propor, suscitar, ventilar.

A.GI.TO *s.m. pop.* 1) Estado de agitação. 2) Aglomeração ruidosa, principalmente de jovens; muvuca.

A.GLO.ME.RA.ÇÃO *s.f.* 1) Ato ou efeito de juntar (-se); aglomerado. 2) Grande quantidade de coisas ou pessoas juntas.

A.GLO.ME.RA.DO *adj.* e *s.m.* 1) Ajuntado, amontoado. 2) Conjunto de coisas ou pessoas reunidas. **67**

aglomerante · agreste

3) *Constr.* Mistura de cimento e pedras variadas para imitação de mármores naturais. 4) Qualquer material constituído de fragmentos de uma substância, coesos geralmente por prensagem.

A.GLO.ME.RAN.TE *adj.2gên.* Que aglomera.

A.GLO.ME.RAR *v.t.d.* e *v.p.* Acumular(-se), ajuntar(-se), reunir(-se) em massa.

A.GLU.TI.NA.ÇÃO *s.f.* 1) Ato ou efeito de aglutinar. 2) *Gram.* Processo de formação de palavras compostas, em que os elementos ficam de tal modo ligados que somente se tornam perceptíveis por meio da análise etimológica.

A.GLU.TI.NAR *v.t.d.*, *v.t.d.i.* e *v.p.* 1) Unir(-se) com cola ou grude. 2) Causar aderência; tornar coesivo; unir(-se). 3) *Cir.* Juntar os lábios das feridas. 4) *Linguíst.* Juntar por aglutinação.

AG.NOS.TI.CIS.MO *s.m. Filos.* Qualquer doutrina que afirma a impossibilidade de conhecer a natureza última das coisas.

AG.NÓS.TI.CO *adj.* 1) Relativo ao agnosticismo. / *s.m.* 2) Partidário do agnosticismo.

A.GO.GÔ *s.m.* Instrumento afro-brasileiro formado de dois cones metálicos interligados, percutidos com vareta de metal.

A.GO.NI.A *s.f.* 1) Estado de transição que precede a morte. 2) Espaço de tempo que dura esse estado. 3) Fase de decadência que prenuncia o fim. 4) Dor intensa; aflição. 5) Desejo veemente de conseguir alguma coisa; ânsia.

A.GO.NI.A.DO *adj.* 1) Que sente agonia. 2) Muito penalizado; amargurado. 3) Aflito moralmente; angustiado; indisposto; nauseado.

A.GO.NI.AR *v.t.d.* 1) Causar agonia a. 2) Afligir; ansiar. 3) Amargurar. 4) Afligir moralmente. / *v.p.* 5) Sentir agonia.

A.GÔ.NI.CO *adj.* Relativo à agonia.

A.GO.NI.ZAN.TE *adj.* e *s.m.* 1) Que ou aquele que está em agonia, à morte; moribundo. 2) Que declina rapidamente, que está em decadência.

A.GO.NI.ZAR *v.i.* 1) Estar moribundo; achar-se em declínio ou decadência. / *v.t.d.* 2) Afligir, penalizar.

A.GO.RA *adv.* 1) Nesta hora, neste instante, neste momento. 2) Atualmente, presentemente.

Á.GO.RA *s.f.* Na Grécia Antiga, praça principal das cidades.

A.GO.RA.FO.BI.A *s.f.* Medo de lugares públicos e grandes espaços abertos.

A.GOS.TO *s.m.* Oitavo mês do ano.

A.GOU.RAR *v.t.d.*, *v.t.i.*, *v.t.d.i.* e *v.p.* 1) Adivinhar, pressentir. / *v.t.d.* 2) *Por ext.* Desejar ou anunciar mau agouro a.

A.GOU.REN.TO *adj.* e *s.m.* 1) Que crê em agouros; supersticioso. / *adj.* 2) O que envolve, anuncia ou traz mau agouro, desgraças.

A.GOU.RO *s.m.* 1) Profecia. 2) Presságio de acontecimento ou notícia ruim.

A.GRA.CI.A.MEN.TO *s.m.* Ato ou efeito de agraciar.

A.GRA.CI.AR *v.t.d.* e *v.t.d.i.* Conceder graças, honras, etc. a alguém.

A.GRA.ÇO *s.m.* 1) Uva verde, suco de uva verde. 2) *fig.* Verdura, viço.

A.GRA.DAR *v.t.i.* 1) Ser agradável. / *v.t.d.* 2) Cair no gosto de; satisfazer, contentar. / *v.p.* 3) Ter prazer; comprazer-se.

A.GRA.DÁ.VEL *adj.2gên.* Que agrada; aprazível.

A.GRA.DE.CER *v.t.d.*, *v.t.d.i.*, *v.t.i.* e *v.i.* 1) Mostrar-se grato; reconhecer. / *v.t.d.* 2) Retribuir, recompensar.

A.GRA.DE.CI.MEN.TO *s.m.* 1) Ato ou efeito de agradecer. 2) Gratidão, reconhecimento.

A.GRA.DO *s.m.* 1) Ato ou efeito de agradar(-se). 2) Beneplácito, consentimento. 3) Encanto, enlevo. 4) *pop.* Gratificação.

A.GRA.MA.TI.CAL *adj.2gên.* Que não está de acordo com a estrutura gramatical de determinada língua.

A.GRÁ.RIO *adj.* Relativo ao campo e à agricultura.

A.GRA.VA.DO *adj.* e *s.m.* 1) Que se agravou. 2) Que sofreu agravo ou injustiça por despacho do juiz. 3) Em juízo, parte contrária ao agravante.

A.GRA.VAN.TE *adj.2gên.* e *s.2gên.* 1) Que ou o que agrava. 2) Que ou o que torna mais grave um crime.

A.GRA.VAR *v.t.d.*, *v.t.d.i.* e *v.p.* 1) Tornar(-se) grave ou mais grave. / *v.t.d.* 2) Provocar inflamação.

A.GRE.DIR *v.t.d.* 1) Acometer, assaltar, atacar. 2) Injuriar, insultar.

A.GRE.GA.ÇÃO *s.f.* 1) Ato ou efeito de agregar. 2) Reunião em grupo; associação; agregado.

A.GRE.GA.DO *adj.* e *s.m.* 1) Anexado, associado, reunido. 2) Agregação, conjunto. 3) Reunião de partes que aderem entre si e formam um todo. 4) Quem vive em uma família como se fosse parente. 5) Lavrador pobre estabelecido em terra de outrem e que a cultiva sob certas condições.

A.GRE.GAR *v.t.d.* e *v.p.* 1) Juntar(-se), misturar(-se) acrescentar(-se), associar(-se). / *v.t.d.* 2) Reunir(-se), agrupar(-se).

A.GRES.SÃO *s.f.* 1) Ataque à integridade física ou moral de alguém. 2) Insulto, ofensa.

A.GRES.SI.VI.DA.DE *s.f.* 1) Disposição para agredir. 2) *Com.* Ação dinâmica na oferta de mercadorias.

A.GRES.TE *adj.2gên.* e *s.m.* 1) Que ou o que se refere aos campos. 2) *fig.* Que ou quem é áspero,

agrícola

rústico, grosso. / *s.m.* 3) Zona árida no Nordeste do Brasil, entre a mata e a caatinga.

A.GRÍ.CO.LA *adj.* Relativo à agricultura ou ao agricultor.

A.GRI.CUL.TOR (ô) *adj.* e *s.m.* Que ou quem se dedica à agricultura.

A.GRI.CUL.TU.RA *s.f.* Cultivo do solo para a produção de vegetais úteis ao ser humano.

A.GRI.DO.CE (ô) *adj.2gên.* Diz-se do que tem sabor ácido e doce ao mesmo tempo.

A.GRI.SA.LHAR *v.t.d.* e *v.p.* Fazer(-se) ou tornar (-se) grisalho.

A.GRO.IN.DÚS.TRIA *s.f.* Atividade econômica da industrialização do produto agrícola.

A.GRO.NO.MI.A *s.f.* Ciência que tem por objetivo a cultura dos campos; teoria da agricultura.

A.GRO.PE.CU.Á.RIA *s.f.* Teoria e prática da agricultura associada à pecuária.

A.GRO.TÓ.XI.CO (cs) *adj.* e *s.m.* Diz-se de ou produto usado no combate e prevenção de pragas da lavoura.

A.GRU.PA.MEN.TO *s.m.* 1) Ato ou efeito de agrupar. 2) Grupo, reunião.

A.GRU.PAR *v.t.d.* e *v.p.* 1) Associar(-se), reunir (-se) em grupos. / *v.t.d.* 2) Dispor em grupo; grupar.

Á.GUA *s.f.* 1) Líquido formado de dois átomos de hidrogênio e um de oxigênio, sem cor, cheiro ou sabor, transparente em seu estado de pureza. 2) Chuva. 3) Líquido aquoso. 4) Sucos que têm aparência de água. 5) Líquido destilado das plantas e de qualquer dissolução em água de um mineral ou de outra substância química.

A.GUA.ÇAL *s.m.* Pântano; charco, local onde existe água estagnada.

A.GUA.CEI.RO *s.m.* Chuva forte, passageira e de pouca duração.

A.GUA.CEN.TO *adj.* 1) Semelhante à água. 2) Impregnado de água.

A.GUA.DA *s.f.* 1) Provisão de água que o navio faz para a viagem. 2) Lugar onde se faz provisão de água para as embarcações.

A.GUA.DEI.RO *s.m.* Vendedor, carregador ou distribuidor de água.

A.GUA.DO *adj.* 1) Diluído em água. 2) Diz-se do fruto que contém muita água. 3) *Vet.* Diz-se do animal que sofre aguamento.

A.GUA.PÉ *s.m. Bot.* Nome comum a várias plantas que se criam à superfície das águas: lagos, rios, etc.

A.GUAR *v.t.d.* 1) Borrifar com água ou outro líquido; regar. 2) Diluir em água; misturar água com qualquer outro líquido. / *v.t.d.* e *v.p.* 3) Encher

aguilhoada

(-se) de água. / *v.t.d.* 4) *Pint.* Adoçar (as cores) misturando água.

A.GUAR.DAR *v.t.d.*, *v.t.i.* e *v.i.* 1) Esperar por, permanecer na expectativa de. / *v.t.d.* 2) Acatar, respeitar, espreitar, guardar, vigiar.

A.GUAR.DEN.TE *s.f.* 1) Bebida alcoólica (40 a 60%) extraída por destilação de inúmeras plantas, raízes, frutos, sementes, etc., suscetíveis de fermentação. 2) Cachaça.

Á.GUA-VI.VA *s.f. Zool.* Denominação popular dada aos celenterados quando sob a forma de medusa.

A.GU.ÇA.DO *adj.* 1) Que termina em ponta; agudo, bicudo. 2) Que possui forma fina. 3) Que tem gume; afiado. 4) *fig.* Capaz de perceber sensações com exatidão; apurado, atento. 5) *fig.* Que apresenta perspicácia, sagacidade; astuto.

A.GU.ÇAR *v.t.d.* e *v.i.* 1) Tornar(-se) pontiagudo. / *v.t.d.* 2) Afiar, amolar. 3) Avivar, sutilizar, tornar perspicaz. / *v.i.* 4) Adelgaçar-se, afunilar-se. / *v.i.* 5) Escapulir, fugir.

A.GU.DAR *v.t.d.* Aguçar.

A.GU.DE.ZA (ê) *s.f.* 1) Qualidade do que é agudo. 2) Qualidade do que é afiado. 3) *fig.* Inteligência, sagacidade, perspicácia. 4) *Mús.* Qualidade de som agudo, alto.

A.GU.DO *adj.* 1) Terminado em gume ou em ponta. 2) Diz-se da sílaba pronunciada mais fortemente. 3) Diz-se dos sentidos da vista, ouvido e olfato, quando perspicazes e rápidos em suas sensações.

A.GUEN.TAR *v.t.d.* 1) Suportar, sustentar (carga, peso ou trabalho). / *v.t.d.* e *v.i.* 2) Aturar, tolerar, resistir, suportar.

A.GUER.RIR *v.t.d.* 1) Acostumar às fadigas, aos perigos e trabalhos da guerra. 2) Habituar (o corpo ou o espírito) a estudos ou trabalhos exaustivos. / *v.p.* 3) Preparar-se para a guerra, exercitar-se nas armas.

Á.GUIA *s.f.* 1) *Ornit.* Designação comum a várias aves de rapina de grande porte, diurnas, da ordem dos Falconiformes, notáveis pelo seu tamanho, força, figura imponente, agudeza de vista e voo poderoso. / *s.2gên.* 2) Pessoa de alto engenho ou de grande perspicácia. 3) Pessoa atilada, discreta, astuta; espertalhão.

A.GUI.LHA.DA *s.f.* Vara com ferrão numa ponta, destinada a picar os bois, no jugo ou na canga.

A.GUI.LHÃO *s.m.* 1) A ponta de ferro colocada na extremidade da aguilhada. 2) Ferrão. 3) Bico ou ponta aguçada. 4) Estímulo, incentivo, impulso.

A.GUI.LHO.A.DA *s.f.* 1) Picada com aguilhão. / 2) *fig.* Dor forte e súbita, pontada.

A.GUI.LHO.A.MEN.TO *s.m.* Ato ou efeito de aguilhoar.

A.GUI.LHO.AR *v.t.d.* 1) Ferir ou picar com aguilhão. 2) *fig.* Provocar, estimular. 3) *fig.* Fazer sofrer (física ou moralmente); espetar.

A.GU.LHA *s.f.* 1) Hastezinha delgada de aço, pontiaguda numa das extremidades (bico, ponta) e com um orifício (fundo, furo) na outra, por onde se enfia a linha, retrós, lã, fita, fio, para coser, bordar ou tecer. 2) Varinha de metal, chifre, osso, marfim, etc., com gancho próprio, usada para fazer crochê, tricô, etc. 3) *Cir.* Instrumento delgado, oco, com uma canelura numa das extremidades e, na outra, com um dispositivo de adaptação à seringa, para fazer injeções ou punções.

A.GU.LHÃO *s.m.* 1) Peixe-agulha, da família dos Belonídeos. 2) *Náut.* Grande agulha de marear. 3) Pedra aguda, submersa no leito de um rio.

A.GU.LHAR *v.t.d.* 1) Ferir com agulha. 2) Ferir, incomodar.

A.GU.LHEI.RO *s.m.* Estojo onde se guardam agulhas.

A.GU.LHE.TA (ê) *s.f.* 1) Agulha para enfiar cordões ou fitas. 2) Remate metálico de um cordão, que facilita o enfiamento em um orifício. 3) Extremidade metálica das mangueiras. 4) Enfeite em que terminam os cordões de alguns uniformes.

A.GU.LHE.TEI.RO *s.m.* Quem faz ou vende agulhas ou agulhetas.

AI *interj.* 1) Exprime dor, tristeza, aflição. / *s.m.* 2) Manifestação de dor, de lamento, de sofrimento.

A.Í *adv.* Em posição próxima à pessoa a quem se fala; nesse lugar.

AI.A *s.f.* 1) Preceptora de crianças, em casa de famílias nobres. 2) Dama de companhia. 3) Camareira, criada de quarto.

AIDS *s.f.* Acrônimo de Acquired Immunological Deficiency Syndrome: síndrome da deficiência imunológica adquirida. Doença adquirida de origem viral, de elevada incidência por via sexual, transfusão de sangue contaminado ou uso compartilhado de seringas infectadas.

AI.MO.RÉ *adj.2gên.* e *s.2gên. Etnol.* Relativo aos aimorés, indígenas que viviam nas serranias entre a Bahia, Espírito Santo e Rio de Janeiro. Indígena dessa tribo.

A.IN.DA *adv.* 1) Até agora, até este momento. 2) Até então. 3) Além disso. 4) Não obstante. 5) Também. 6) Até mesmo. 7) Novamente.

AI.PIM *s.m. Bot.* Mandioca, macaxeira.

AI.PO *s.m. Bot.* Planta herbácea da família das Umbelíferas, de sementes usadas como condimento. Erva com propriedades para combater a febre, os gases intestinais e o escorbuto, usada em saladas e sopas; salsão.

A.JAR.DI.NAR *v.t.d.* Transformar em jardim; ornar de flores.

A.JEI.TAR *v.t.d.* 1) Pôr a jeito ou de jeito. 2) Facilitar, concorrendo para o bom êxito. 3) Acomodar, adaptar, pôr a jeito. / *v.p.* 4) Acomodar-se, pôr-se a jeito.

A.JO.E.LHAR *v.t.d.* 1) Fazer dobrar os joelhos, pôr de joelhos. / *v.i.* e *v.p.* 2) *fig.* Fraquear, submeter--se, humilhar-se.

A.JU.DA *s.f.* 1) Ato ou efeito de ajudar. 2) Auxílio, assistência, socorro, favor.

A.JU.DAN.TE *adj.2gên.* e *s.2gên.* 1) Que ajuda. 2) Pessoa que ajuda. 3) Funcionário às ordens de outro.

A.JU.DAR *v.t.d., v.t.d.i., v.t.i., v.i.* e *v.p.* 1) Prestar socorro, assistência, dar ajuda ou auxílio a, favorecer, socorrer. / *v.t.d.* 2) Facilitar, promover.

A.JU.I.ZA.DO *adj.* Que tem juízo; sensato, prudente.

A.JUI.ZAR *v.t.d.* e *v.t.i.* 1) Formar juízo a respeito de; julgar, ponderar, avaliar. / *v.t.d.* 2) Calcular, conjeturar, supor.

A.JUN.TA.MEN.TO *s.m.* 1) Ato ou efeito de ajuntar(-se). 2) Reunião de pessoas; agrupamento.

A.JUN.TAR *v.t.d.* e *v.t.d.i.* 1) Pôr junto; aproximar, unir. 2) Colecionar, reunir, acumular, amontoar. / *v.p.* 3) Unir-se, juntar-se.

A.JU.RA.MEN.TAR *v.t.d.* 1) Fazer jurar. 2) Deferir juramento a; tomar juramento de. / *v.p.* 3) Obrigar-se por juramento.

A.JUS.TA.DO *adj.* 1) Que se ajustou; conforme, concorde. 2) Acertado, afinado. 3) Combinado, contratado. 4) Acomodado, conformado.

A.JUS.TA.GEM *s.f.* 1) Ato ou efeito de ajustar peças de uma máquina. 2) *Tecn.* Regulagem, afinação.

A.JUS.TA.MEN.TO *s.m.* 1) Ato ou efeito de ajustar; ajuste. 2) Combinação, pacto. 3) *Mec.* Grau de folga ou justeza existente entre duas peças justapostas.

A.JUS.TAR *v.t.d.* 1) Tornar justo ou exato; unir bem; apertar peças (de vestes, equipamentos). / *v.t.d.* e *v.p.* 2) Acomodar(-se), conformar(-se). / *v.t.i.* 3) Adaptar-se, quadrar. / *v.p.* 4) Adornar-se, enfeitar-se. 5) Contratar (trabalhadores, peões, empregados).

A.JUS.TÁ.VEL *adj.2gên.* Que admite ajuste; adaptável.

A.JUS.TE *s.m.* 1) Ajustamento. 2) Pacto, acordo; convenção, contrato.

A.JU.TÓ.RIO *s.m.* 1) Ajuda, auxílio, mutirão. 2) *pop.* Dar uma mão.

A.LA *s.f.* 1) Fileira. 2) Cada um dos agrupamentos que, em quaisquer formas de associação, têm conformidade própria. 3) Cada um dos lados de uma esquadra, em formação de batalha. 4) Cada um dos grupos de um partido político. 5) Parte lateral de um edifício.

A.LA.DO *adj.* 1) Que tem asas. 2) Em forma de asa. 3) *fig.* Leve, aéreo.

A.LA.GA.DI.ÇO *adj.* 1) Sujeito a inundações. 2) Alagado, encharcado. / *s.m.* 3) Terreno alagadiço, próprio para o cultivo de arroz.

A.LA.GA.DO *adj.* 1) Coberto de água; inundado. / *s.m.* 2) Terreno inundado; alagamento.

A.LA.GA.MEN.TO *s.m.* 1) Ato ou efeito de alagar; alagação. 2) Enchente d'água, ruína.

A.LA.GAR *v.t.d.* e *v.p.* 1) Converter(-se) em lago, inundar(-se); encher(-se) de qualquer líquido. / *v.t.d.* 2) Arruinar, destruir.

A.LAM.BI.QUE *s.m.* 1) Aparelho de destilação. 2) Local onde se faz essa destilação.

A.LAM.BRA.DO *s.m.* 1) Cerca de arame. 2) Terreno cercado com arame. / *adj.* 3) Que possui cerca de arame.

A.LA.ME.DA *s.f.* 1) Avenida ou rua com árvores enfileiradas. 2) Lugar arborizado para passeio.

Á.LA.MO *s.m. Bot.* Choupo-branco, espécie de árvore da família das Salicáceas.

A.LAN.CE.A.MEN.TO *s.m.* Ato ou efeito de alancear.

A.LAN.CE.AR *v.t.d.* 1) Ferir com lança. 2) Amargurar, angustiar, pungir.

A.LA.NHAR *v.t.d.* Fazer lanhos em; estripar; golpear; rachar.

A.LÃO *s.m.* 1) Cão de fila; cão dos alanos, grande cão de caça. 2) O mesmo que alano.

A.LAR *v.t.d.* Dar asa(s) a; dispor em alas; içar, levantar.

A.LAR.DE *s.m.* Atitude exibicionista e ostensiva.

A.LAR.DE.AR *v.t.d.* 1) Fazer alarde de, ostentar. / *v.i.* 2) Contar bazófias. / *v.p.* 3) Gabar(-se), jactar(-se).

A.LAR.GAR *v.t.d.*, *v.i.* e *v.p.* 1) Tornar(-se) mais largo; ampliar(-se), tornar(-se) menos apertado. / *v.t.d.* 2) Dar maior duração a, prolongar; afrouxar, desapertar. / *v.i.* e *v.p.* 3) Dilatar(-se).

A.LA.RI.DO *s.m.* Clamor de vozes e gritos; gritaria; algazarra.

A.LAR.MA *s.m.* 1) Alarme; tumulto; confusão. 2) Brado às armas.

A.LAR.MAN.TE *adj.2gên.* 1) Que causa alarme, assustador. 2) Que apresenta gravidade, perigo.

A.LAR.MAR *v.t.d.* e *v.p.* Dar voz de alarme; assustar(-se), inquietar(-se), alvorotar.

A.LAR.ME *s.m.* 1) Aviso de algum perigo. 2) Inquietação causada pela ameaça de perigo real ou suposto. 3) Dispositivo para avisar alguém de algum inconveniente. 4) O mesmo que alarma. (Do italiano *all'arme*, às armas).

A.LAS.TRA.DO *adj.* 1) Que contém lastro. 2) Cobertura disposta no fundo da embarcação, como o lastro.

A.LAS.TRA.MEN.TO *s.m.* Ato ou efeito de alastrar.

A.LAS.TRAR *v.t.d.* 1) Cobrir com lastro; lastrar; estender. / *v.i.* 2) Alargar-se, estender-se gradualmente. / *v.p.* 3) Cobrir-se; espalhar-se.

A.LA.TI.NA.DO *adj.* Semelhante ao latim na forma ou na construção.

A.LA.TI.NAR *v.t.d.* Dar feição latina (à linguagem).

A.LA.TO.AR *v.t.d.* Adornar com cintas ou incrustações de latão.

A.LA.Ú.DE *s.m. Mús.* Instrumento musical de cordas dedilháveis.

A.LA.VAN.CA *s.f. Mec.* Barra inflexível, reta ou curva, constituída de ferro ou de madeira resistente, apoiada ou fixa num ponto de apoio fora da sua extensão, e destinada a mover, levantar ou sustentar qualquer corpo.

A.LA.VAN.CAR *v.t.d.* 1) Levantar com alavanca. 2) Favorecer o desenvolvimento; incentivar, promover.

A.LA.ZÃO *adj.* 1) Que tem cor de canela (falando-se de equino). / *s.m.* 2) Equino de cor castanho-avermelhada. *Fem.*: alazã. *Pl.*: alazães e alazões.

AL.BA *s.f.* Primeira claridade da manhã; aurora.

AL.BER.GUE *s.m.* 1) Hospedaria, pousada, estalagem. 2) Local de refúgio; abrigo; retiro.

AL.BI.NIS.MO *s.m.* 1) *Med.* Anomalia orgânica caracterizada pela ausência total ou parcial de pigmentação da pele, dos pelos, da íris e da coroide. 2) Doença que, nas plantas, as partes verdes se tornam brancas.

AL.BI.NO *adj.* e *s.m.* Que ou aquele que tem albinismo.

ÁL.BUM *s.m.* Livro ou caderno reservado para guardar fotografias, gravuras, selos de correio, versos, pensamentos, discos ou quaisquer objetos que merecerem recordação.

AL.ÇA *s.f.* 1) Parte de um objeto em forma de asa ou presilha, usada para segurá-lo ou movê-lo. 2) Tira que sustenta parte do vestuário, vestido, etc. 3) Suspensório. 4) *Mil.* Parte móvel das peças de artilharia adaptada às armas para graduar a pontaria e a distância.

AL.ÇA.DA *s.f.* 1) *Jur.* Jurisdição; limite de competência ou autoridade. 2) *fig.* Campo de atuação; atribuição.

alcalino

AL.CA.LI.NO *adj.* 1) *Quím.* Relativo a álcali (básico). 2) Que contém álcali. 3) Que contém carbonato ou bicarbonato de sódio. 4) Que tem pH maior que 7; básico.

AL.CAN.ÇAR *v.t.d.* 1) Ir até; apanhar, encontrar; atingir; conseguir, obter; compreender; vencer; ver. / *v.i.* 2) Conseguir algo pretendido.

AL.CAN.CE *s.m.* 1) Ato ou efeito de alcançar. 2) Intervalo no espaço ou distância atingível.

AL.CAN.TIL *s.m.* 1) Rocha talhada a pique, despenhadeiro escarpado, penhasco vertical. 2) Culminância. 3) Lugar alto e íngreme.

AL.ÇA.PÃO *s.m.* 1) *Constr.* Porta ou tampa horizontal, que comunica um pavimento com outro que lhe fica inferior. 2) Armadilha para pássaro.

AL.ÇAR *v.t.d.* e *v.p.* 1) Tornar(-se) mais alto, erguer para o alto; içar. / *v.t.d.* 2) Edificar, erigir. 3) *Tip.* Juntar, pondo em ordem (as folhas impressas, depois de secas) em cadernos. / *v.p.* 4) Alcançar posição de destaque; elevar(-se). 5) Tornar-se bravio (o gado).

AL.CA.TRA *s.f.* 1) Pedaço de carne da rês situado onde termina o fio do lombo. 2) Anca do boi ou da vaca.

AL.CA.TRUZ *s.m.* Vaso, engenho, que levanta a água nas cisternas ou poços; caçamba.

AL.CE *s.m. Zool.* O maior cervídeo que se conhece, pois chega a mais de 2 metros de comprimento, de galhada de chifres fortes palmados e de pescoço curto; vive nas regiões polares da América do Norte, Europa e Ásia.

ÁL.CO.OL *s.m.* 1) *Quím.* Substância líquida transparente, de cheiro forte, volátil e inflamável, obtida pela destilação de certos líquidos açucarados quando fermentados. 2) Bebida alcoólica.

AL.CO.O.LA.TO *s.m. Farm.* Resultado da destilação de uma substância volátil com álcool; nome dado aos produtos formados pela substituição do hidrogênio da oxidrila alcoólica por um metal.

AL.CO.Ó.LA.TRA *adj.2gên.* e *s.2gên.* Pessoa viciada em bebidas alcoólicas; alcoólico; que(m) sofre de alcoolismo.

AL.CO.Ó.LI.CO *adj.* 1) Relativo ao álcool. 2) Que contém álcool. / *s.m.* 3) Alcoólatra.

AL.CO.RÃO *s.m.* Livro sagrado do islamismo que contém as doutrinas de Maomé.

AL.CO.VA (ô) *s.f.* 1) Em casas antigas, pequeno quarto de dormir, ordinariamente sem janelas. 2) Esconderijo; recâmara.

AL.CO.VI.TAR *v.t.d.* e *v.t.d.i.* 1) Servir de intermediário em relações amorosas. / *v.i.* 2) Fazer intrigas; mexericar.

AL.CU.NHA *s.f.* Apelido que se põe a qualquer pessoa, pelo qual fica conhecido, quase sempre denotativo de uma particularidade física ou moral.

AL.DE.A.MEN.TO *s.m.* 1) Conjunto de aldeias. 2) Povoação de indígenas dirigida por missionários ou autoridade leiga.

AL.DE.ÃO *adj.* 1) Pertencente à aldeia. 2) Próprio de aldeia; rústico; camponês. / *s.m.* 3) O natural ou habitante de aldeia.

AL.DEI.A *s.f.* 1) Pequena povoação, de categoria inferior à vila. 2) Povoação rústica. 3) Povoação formada de indígenas exclusivamente. 4) Cada uma das casas que formam uma povoação de indígenas.

AL.DE.Í.DO *s.m. Quím.* Composto orgânico formado a partir da desidrogenação de um álcool.

AL.DRA.VA *s.f. Constr.* 1) Tranqueta para fechar a porta. 2) Argola ou peça de ferro para bater às portas ou abri-las.

A.LE.A.TÓ.RIO *adj.* 1) Que depende de acontecimentos incertos, favoráveis ou não. 2) Casual, eventual, fortuito.

A.LE.CRIM *s.m.* 1) *Bot.* Arbusto da família das Labiadas, aromático; o óleo obtido das sementes serve como cicatrizante e também usado como condimento. 2) O ramo, a folha ou a flor desse arbusto.

A.LÉC.TI.CO *adj.* 1) Que diz respeito à alexia. 2) Que sofre de alexia.

A.LE.GA.ÇÃO *s.f.* O que se apresenta como argumento; explicação; prova.

A.LE.GAR *v.t.d.* e *v.t.d.i.* 1) Citar como prova, referir. 2) Expor fatos, razões ou argumentos como explicação de algo ou justificativa.

A.LE.GÁ.VEL *adj.2gên.* Que pode ser alegado, justificado ou desculpado.

A.LE.GO.RI.A *s.f.* 1) Exposição de uma ideia sob forma figurada. 2) Ficção que representa um objeto para dar ideia de outro.

A.LE.GRE *adj.* 1) Que sente alegria; contente; satisfeito. 2) Que causa alegria. 3) Diz-se das cores agradáveis à vista.

A.LE.GRI.A *s.f.* 1) Característica expressa em forma de júbilo; festa; prazer moral. 2) Estado de contentamento; satisfação; felicidade.

A.LEI.JA.DO *adj.* e *s.m.* 1) Que ou quem possui algum defeito ou imperfeição física por natureza ou acidental. 2) Incapacitado do uso natural de algum membro deformado ou mutilado; paralítico.

A.LEI.JAR *v.t.d.* 1) Causar deformação em; adulterar. 2) Mutilar. / *v.i.* e *v.p.* 3) Ficar aleijado. / *v.t.d.* e *v.p.* 4) *fig.* Magoar(-se) muito.

aleluia · algodão

A.LE.LUI.A *s.f.* 1) Cântico de alegria, louvor a Deus entoado no tempo da Páscoa. 2) Alegria; júbilo. 3) O sábado da Ressurreição. 4) *Bot.* Planta ornamental da família das Leguminosas, Cesalpinioídeas, que floresce pela Páscoa. / *interj.* 5) Exclamação de alegria, de satisfação.

A.LÉM *adv.* 1) Da parte de lá, acolá. 2) Mais longe. 3) Afora. / *s.m.* 4) Lugar longínquo, distante, horizonte. 5) Outras terras. 6) Local fronteiro a outro, separado por um rio, lago, estrada, etc. 7) Elemento de composição de palavras com o sentido de "além de": além-mar; além-túmulo.

A.LE.MÃO *adj.* 1) Relativo à Alemanha. / *s.m.* 2) Natural ou habitante da Alemanha. 3) Língua oficial da Alemanha. *Pl.*: alemães. *Fem.*: alemã.

A.LÉM-MAR *adv.* 1) Do outro lado do mar, ultramar. / *s.m.* 2) Território situado do outro lado do mar.

A.LEN.TA.DOR (ô) *adj.* e *s.m.* Quem ou o que alenta; encorajador.

A.LEN.TAR *v.t.d.* 1) Dar alento a; animar; incentivar. / *v.i.* e *v.p.* 2) Tomar alento, respirar. / *v.p.* 3) Animar-se, encorajar-se. 4) *fig.* Tornar vigoroso, alimentar ➨ Um bom sonho alenta o espírito.

A.LEN.TO *s.m.* 1) Bafo, respiração. 2) Aragem, sopro. 3) Coragem, intrepidez, ousadia. 4) Alimento, sustento, nutrição. 5) *Poét.* Dedicação, entusiasmo, paixão viva, inspiração, o que revigora.

A.LER.GI.A *s.f.* 1) *Med.* Intolerância do organismo para certos agentes físicos, químicos ou biológicos, aos quais ele reage de forma exagerada. 2) *fig.* Ojeriza, aversão a ➨ Tenho alergia a pessoas preguiçosas.

A.LÉR.GI.CO *adj.* e *s.m. Med.* 1) Relativo à alergia. 2) Que tem alergia.

A.LER.TA *adv.* 1) Atentamente, vigilantemente. / *adj.2gên.* 2) Atento, vigilante. / *s.m.* 3) Sinal para avisar o perigo; precaução. / *interj.* 4) Atenção!; cautela; grito de aviso.

A.LER.TAR *v.t.d.*, *v.t.d.i.*, *v.i.* e *v.p.* Colocar(-se) em alerta; tornar(-se) atento.

AL.FA *s.m.* 1) Primeira letra do alfabeto grego. 2) *fig.* Começo, princípio. / *adj.2gên.* e *s.f.* 3) *Astr.* A estrela principal de uma constelação.

AL.FA.BE.TI.ZA.ÇÃO *s.f.* 1) Ato ou efeito de alfabetizar. 2) Difusão da instrução primária.

AL.FA.BE.TI.ZA.DO *adj.* e *s.m.* Quem ou o que sabe ler e escrever.

AL.FA.BE.TO *s.m.* 1) Conjunto das letras usadas na grafia de uma língua; abecedário. 2) Noções primárias de qualquer ciência ou arte.

AL.FA.CE *s.f. Bot.* Erva da família das Compostas, muito usada para saladas.

AL.FA.FA *s.f.* Planta usada para alimentar animais.

AL.FAI.A.TA.RI.A *s.f.* Oficina ou loja de alfaiate.

AL.FAI.A.TE *s.m.* Aquele que faz roupas masculinas.

AL.FÂN.DE.GA *s.f.* 1) Secretaria ou repartição pública que fiscaliza os direitos de entrada e saída de mercadorias exportadas ou importadas. 2) Aduana.

AL.FA.NU.MÉ.RI.CO *adj.* Composto por letras e números.

AL.FAR.RÁ.BI.O *s.m.* Livro antigo ou velho.

AL.FE.RES *s.m. Mil.* Antigo posto do exército brasileiro, abaixo de tenente.

AL.FI.NE.TA.DA *s.f.* 1) Picada de alfinete. 2) Dor aguda e rápida; fisgada. 3) *fig.* Dito sarcástico; insinuação.

AL.FI.NE.TAR *v.t.d.* 1) Espetar ou prender com alfinete. 2) *fig.* Ferir com palavras; criticar.

AL.FI.NE.TE *s.m.* 1) Fina haste de metal com ponta aguçada, usada para prender panos, papéis, etc. 2) Enfeite que se espeta em gravata, chapéu, etc.

AL.FOR.JE *s.m.* Saco duplo, fechado nos extremos e aberto no meio, usado para transportar cargas.

AL.FOR.RIA *s.f.* 1) Liberdade concedida ao escravizado. 2) Libertação.

AL.GA *s.f.* 1) *Bot.* Espécime da classe das algas. 2) Plantas talófitas clorofiladas que abrangem grande variedade de formas e são encontradas em grandes acumulações de água doce ou salgada.

AL.GA.RIS.MO *s.m.* Cada um dos símbolos utilizados para representar a escrita dos números.

AL.GA.ZAR.RA *s.f.* Barulheira, gritaria.

ÁL.GE.BRA *s.f.* Parte da matemática que ensina a calcular, generalizando e simplificando as questões aritméticas por meio de letras do alfabeto, analisando, de um ponto de vista geral, as possíveis soluções.

AL.GE.MA *s.f.* 1) Objeto de ferro utilizado para prender alguém pelos pulsos ou pelos tornozelos. 2) *fig.* Opressão.

AL.GI.BEI.RA *s.f.* 1) Pequeno bolso costurado do lado de dentro da roupa. 2) Pequena bolsa que se prende à cintura.

AL.GO *pron. indef.* 1) Alguma coisa, qualquer coisa; algo a realizar. / *adv.* 2) Um tanto, um pouco, algum tanto. / *s.m.* 3) Aquilo que se possui; cabedal.

AL.GO.DÃO *s.m.* 1) Fibra vegetal muito alva e fina que envolve as sementes do algodoeiro. 2) Fio ou tecido que se fabrica com essa fibra. 3) Penugem que cobre a superfície de alguns órgãos vegetais. 4) Algodoeiro.

algodoal

AL.GO.DO.AL *s.m.* Plantação de algodão.

AL.GO.RIT.MO *s.m.* Sistema formal de disposição dada a uma sucessão de cálculos numéricos que fornece soluções de certos problemas.

AL.GOZ (ó ou ô) *s.m.* 1) Carrasco. 2) *fig.* Pessoa cruel.

AL.GUÉM *pron. indef.* 1) Pessoa sem identidade definida. 2) Pessoa de relevo intelectual ou social. / *s.m.* 3) Pessoa, indivíduo, ser humano.

AL.GU.RES *adv.* Em algum lugar.

A.LHE.AR *v.t.d.* e *v.p.* 1) Tornar(-se) alheio, afastar(-se), apartar(-se), desviar(-se). / *v.t.d.* 2) Passar para outro o domínio de; alienar. / *v.t.d.* 3) Indispor, perder. / *v.p.* 4) Arrebatar-se, enlevar-se.

A.LHEI.O *adj.* 1) Que pertence a outra pessoa. 2) Que não se relaciona com o assunto de que se trata; impróprio. 3) Indiferente; distraído; desatento.

A.LHO *s.m. Bot.* Gênero de ervas bulbosas da família das Liliáceas que se distinguem por seu cheiro característico cujo bulbo é empregado como condimento culinário e possui propriedades medicinais.

A.LHU.RES *adv.* Em outro lugar.

A.LI *adv.* 1) Naquele lugar. 2) Naquele tempo, naquela situação.

A.LI.Á *s.f.* Fêmea do elefante.

A.LI.A.DO *adj.* e *s.m.* 1) Que ou quem unido a outro para ação em defesa ou ataque a uma mesma causa; solidário, cúmplice. / *s.m.* 2) Indivíduo que contraiu aliança em associação.

A.LI.AN.ÇA *s.f.* 1) Ato ou efeito de aliar(-se). 2) Acordo, pacto, união. 3) Anel usado como símbolo de noivado ou casamento.

A.LI.AR *v.t.d.* e *v.p.* Firmar união, ligação, pacto; associar(-se).

A.LI.ÁS *adv.* 1) De outro modo. 2) Além disso. 3) A propósito. 4) Isto é; ou seja.

Á.LI.BI *s.m.* 1) Prova que inocenta o réu do crime de que foi acusado. 2) Justificação ou desculpa aceitável.

A.LI.CA.TE *s.m.* Pequena torquês, geralmente terminada em ponta mais ou menos estreita, que serve para segurar, prender ou cortar objetos.

A.LI.CER.CE *s.m.* 1) Maciço de alvenaria que serve de base às paredes de um edifício. 2) *fig.* O que serve de fundamento para uma ideia.

A.LI.CI.AR *v.t.d.* 1) Atrair, chamar a si, convidar, seduzir. 2) Peitar, subornar.

A.LI.E.NA.ÇÃO *s.f.* 1) Ato ou efeito de alienar. 2) Cessão de bens. 3) Desarranjo das faculdades mentais. 4) Arrebatamento, enlevo. 5) Indiferentismo moral, político, social ou mesmo apenas intelectual. 6) Loucura.

aliteração

A.LI.E.NAR *v.t.d.* e *v.t.d.i.* 1) Tornar alheios determinados bens ou direitos, a título legítimo; transferir a outrem. / *v.t.d.* 2) Indispor, malquistar. 3) Afastar, desviar. / *v.p.* 4) Endoidecer, enlouquecer. 5) Desvirtuar-se.

A.LI.E.NÍ.GE.NA *adj.* e *s.2gên.* 1) De origem de país estrangeiro; estranho, forasteiro. 2) Que ou o que é de outro planeta.

A.LI.E.NIS.TA *s.2gên.* 1) Relativo ao tratamento dos alienados. 2) *Med.* Especialista no tratamento dos alienados; psiquiatra que julga, na justiça, a sanidade mental do indivíduo.

A.LI.MEN.TA.ÇÃO *s.f.* 1) Ato ou efeito de alimentar(-se). 2) Conjunto de substâncias nutritivas necessárias à conservação da vida; sustento. 3) *Por ext.* Abastecimento de algo ou do que é necessário ao seu funcionamento.

A.LI.MEN.TAR *v.t.d.* e *v.p.* 1) Dar alimento a; nutrir(-se), sustentar(-se), conservar(-se). 2) *fig.* Manter(-se) vivo. / *v.t.d.* 3) Fornecer, abastecer ➡ É preciso alimentar a caldeira.

A.LI.MEN.TÍ.CIO *adj.* Próprio para alimentar; nutritivo; que sustenta.

A.LI.MEN.TO *s.m.* 1) Toda substância alimentícia que, introduzida no organismo, nutre os tecidos. 2) *fig.* Aquilo que sustenta a alma.

A.LÍ.NEA *s.f.* 1) Primeira linha de um parágrafo. 2) Subdivisão de artigo de lei, decreto ou contrato, indicada por letras seguidas do traço que fecha os parênteses.

A.LI.NHA.MEN.TO *s.m.* 1) Ato de alinhar; alinho. 2) Direção do eixo de uma autoestrada, de uma rua, de um canal, etc. 3) Colocação correta dos tipos em linhas horizontais e colunas verticais. 4) *fig.* Apuro, esmero.

A.LI.NHAR *v.t.d.* e *v.p.* 1) Pôr em linha reta; dispor (-se) em linha reta, enfileirar(-se). / *v.p.* 2) Pôr-se no mesmo nível; equiparar-se, ombrear.

A.LI.NHA.VAR *v.t.d.* 1) Coser com pontos largos como preparo de costura. 2) Preparar. 3) Executar apressadamente sem muito acabamento. 4) Esboçar.

A.LÍ.QUO.TA (co) *s.f.* 1) Parte que divide exatamente um número. 2) O percentual tributado.

A.LI.SAR *v.t.d.* 1) Tornar liso, plano; nivelar. 2) Deslizar a mão num gesto de carícia. / *v.t.d.* e *v.i.* 3) Tornar(-se) liso, sem ondulações, rugas ou pregas.

A.LIS.TAR *v.t.d.* 1) Pôr em lista; relacionar. / *v.t.d.* e *v.p.* 2) Inscrever(-se), voluntariamente ou não para um serviço.

A.LI.TE.RA.ÇÃO *s.f. Poét.* Repetição de sons consonantais idênticos ou semelhantes em verso ou frase ➡ O rato roeu a roupa do rei de Roma.

aliterar | alteração

A.LI.TE.RAR *v.i.* 1) Formar uma aliteração. / *v.t.d.* 2) Dispor em aliteração.

A.LI.VI.AR *v.t.d.* 1) Tornar (mais) leve o peso. 2) Tranquilizar, suavizar; serenar. 3) Descarregar o peso, desembaraçar. 4) Atenuar, diminuir (a dor, o cansaço, a tristeza).

A.LÍ.VIO *s.m.* 1) Diminuição de peso, sofrimento, dor, trabalho, etc. 2) Consolo.

AL.MA *s.f.* 1) Fôlego da vida. 2) *Teol.* Parte espiritual, imaterial, invisível e imortal do homem, criada por Deus à sua semelhança; fonte e motor de todos os atos humanos. 3) Faculdades mentais, afetivas e morais de um ser humano.

AL.MA.ÇO *adj.* 1) Diz-se de papel branco encorpado, próprio para documentos, registros, etc. / *s.m.* 2) Papel almaço.

AL.MA.NA.QUE *s.m.* Publicação que, além do calendário do ano, contém indicações úteis, trechos literários, poesias, anedotas.

AL.ME.JAR *v.t.d.* e *v.t.i.* Desejar intensamente; ansiar.

AL.MI.RAN.TE *s.m.* 1) Oficial superior da Marinha. 2) Navio em que vai o almirante.

AL.MO.ÇAR *v.t.d.* 1) Fazer a principal refeição do dia (o almoço). / *v.i.* 2) Tomar o almoço.

AL.MO.ÇO (ô) *s.m.* Refeição principal após o desjejum, feita, normalmente, ao meio-dia.

AL.MO.FA.DA *s.f.* Espécie de travesseiro recheado de qualquer substância macia ou elástica e que serve de encosto, assento, etc.

AL.MO.FA.DI.NHA *s.f.* 1) Pregadeira de alfinetes. 2) Travesseirinho, mais macio, para ser sobreposto ao travesseiro. / *s.m.* 3) *fig.* Homem casquilho, afeminado.

AL.MÔN.DE.GA *s.f.* Bolo de carne picada e temperada, cozido em molho espesso ou frito.

AL.MO.XA.RI.FA.DO *s.m.* Depósito de materiais e peças de reposição, numa empresa ou instituição, necessários aos demais setores.

A.LÔ *interj.* Usado para chamar a atenção; exprime saudação ou surpresa.

A.LO.CA.ÇÃO *s.f.* Ato ou efeito de alocar.

A.LO.CAR *v.t.d.* 1) Colocar alguma coisa ou alguém num lugar de uma sequência de lugares. 2) Destinar verba ou fundo orçamentário a um fim específico.

A.LÓC.TO.NE *adj.2gên.* e *s.2gên.* Que ou quem não é originário do país onde habita.

A.LO.JA.MEN.TO *s.m.* Local onde se vive provisoriamente; pousada.

A.LO.JAR *v.t.d.* 1) Pôr em loja. 2) Acomodar dentro de alguma coisa que serve para conter ou guardar objetos. / *v.t.d.*, *v.i.* e *v.p.* 3) Oferecer abri-

go, hospedar(-se). 4) *Tecn.* Acamar, apoiar, assentar em cavidade, ranhura, encaixe, etc.

A.LON.GA.DO *adj.* 1) Que se tornou longo. 2) Distante, encomprido.

A.LON.GA.MEN.TO *s.m.* 1) Ato ou efeito de alongar, acrescentar. 2) Afastamento, extensão, prolongamento. 3) Exercício físico destinado a estender os músculos.

A.LON.GAR *v.t.d.* e *v.p.* 1) Tornar(-se) longo. 2) Estender(-se); esticar(-se). 3) Distanciar-se, afastar-se. 4) Prolongar a duração de.

A.LO.PA.TI.A *s.f. Med.* Sistema terapêutico que consiste no emprego de medicamentos, cujos efeitos produzidos no organismo são contrários aos da doença.

A.LO.PE.CI.A *s.f. Med.* Perda total ou parcial de cabelo ou pelos.

A.LO.PRA.DO *adj.* 1) Muito agitado. 2) Doido.

AL.PA.CA *s.f.* 1) *Zool.* Mamífero ruminante de pelo longo e lanoso. 2) A lã desse animal. 3) Tecido feito com essa lã.

AL.PAR.GA.TA *s.f.* Sandália que se prende ao pé por meio de tiras de couro ou cadarço. O mesmo que alparcata, alpercata.

AL.PEN.DRE *s.m. Arquit.* 1) Cobertura saliente na entrada de um edifício. 2) Varanda ou pátio coberto.

AL.PI.NIS.MO *s.m.* Esporte que consiste em escalar montanhas; montanhismo.

AL.PI.NIS.TA *s.2gên.* 1) Aquele que pratica alpinismo. / *adj.2gên.* 2) Relativo a alpinismo.

AL.PIS.TE *s.m.* Planta gramínea usada na alimentação de pássaros.

AL.QUEI.RE *s.m.* 1) Unidade de medida de superfície agrária variável. 2) Antiga medida de capacidade para secos e líquidos, variável de lugar para lugar. 3) Terreno que comporta um alqueire de semeadura.

AL.QUI.MI.A *s.f.* A química da Idade Média que buscava descobrir a pedra filosofal, para transformar metais em ouro.

AL.QUI.MIS.TA *adj.2gên.* e *s.2gên.* Que ou quem se dedicava à alquimia.

AL.TA *s.f.* 1) Elevação de preço ou de valor. 2) Autorização dada ao paciente para sair do hospital. 3) Parte mais elevada de uma vila, cidade, etc.

AL.TA.NEI.RO *adj.* 1) Que se eleva ou voa muito alto. 2) Altivo; soberbo.

AL.TAR *s.m.* 1) Mesa onde se realizam cultos religiosos. 2) Estrutura destinada a sacrifícios ou imolações. 3) *fig.* Religião, culto.

AL.TE.RA.ÇÃO *s.f.* 1) Modificação, mudança. 2) Adulteração voluntária de algo; falsificação.

alterar · alvéolo

3) Discussão, bate-boca, confusão. 4) Modificação feita por um autor em texto já composto.

AL.TE.RAR *v.t.d.* 1) Causar alteração. 2) Desorganizar, perturbar. 3) Adulterar. / *v.t.d.* e *v.p.* 4) Modificar(-se), mudar(-se), variar(-se). / *v.p.* 5) Agastar-se, encolerizar-se.

AL.TER.CA.ÇÃO *s.f.* Ato ou efeito de altercar; bate-boca, contestação, disputa, contenda.

AL.TER.CAR *v.t.i.* e *v.i.* 1) Discutir com veemência; provocar polêmica. / *v.t.d.* 2) Defender em polêmica: uma doutrina, uma ideia, um ponto de vista.

AL.TE.RI.DA.DE *s.f.* Estado ou condição do que é outro; diversidade.

AL.TER.NÂN.CIA *s.f.* 1) Ato ou efeito de alternar; alternação. 2) *Bot.* Disposição de folhas e flores em que há uma em cada nó caulinar. 3) *Eletr.* Metade de um ciclo de corrente alternada. 4) *Geol.* Sucessão regular de estratos de duas rochas ou de dois minerais diferentes.

AL.TER.NAR *v.t.d., v.i.* e *v.p.* Suceder, cada qual por sua vez, repetida e regularmente; revezar(-se), variar(-se) sucessivamente.

AL.TER.NA.TI.VA *s.f.* 1) Sucessão de duas ou mais coisas ou pessoas que são mutuamente exclusivas. 2) Opção entre duas ou mais coisas ou pessoas. 3) Mudança, alternação.

AL.TER.NA.TI.VO *adj.* 1) Que oferece possibilidade de escolha. 2) Que representa uma opção não convencional.

AL.TE.ZA *s.f.* 1) Título dado aos príncipes. 2) Elevação moral; grandeza. 3) Qualidade de alto.

AL.TIS.SO.NAN.TE *adj.2gên.* Que soa muito alto; retumbante.

AL.TI.TU.DE *s.f.* 1) Elevação vertical de um lugar acima do nível do mar. 2) O ponto mais alto de uma elevação.

AL.TI.VO *adj.* Brioso, orgulhoso, altaneiro, arrogante.

AL.TO *adj.* 1) De grande extensão vertical, elevado. 2) Ilustre. 3) Vantajoso. 4) Grande, importante. / *s.m.* 5) Grande elevação vertical (considerada de baixo para cima).

AL.TO-FA.LAN.TE *s.m.* Ampliador do som nos aparelhos radiofônicos.

AL.TO-MAR *s.m.* Parte do mar além do limite territorial de qualquer país, considerada livre para navegação.

AL.TRU.ÍS.MO *s.m.* Amor ao próximo; abnegação, filantropia.

AL.TRU.ÍS.TA *adj.* 1) Relativo ao altruísmo. / *s.2gên.* 2) Praticante do altruísmo. 3) Filantropo.

AL.TU.RA *s.f.* 1) Distância perpendicular da base para cima. 2) Distância entre o ponto mais baixo e o ponto mais alto de algum lugar ou coisa em direção ereta. 3) Tamanho, estatura. 4) Elevação, colina.

A.LU.CI.NA.ÇÃO *s.f. Por ext.* Impressão falsa; delírio, ilusão.

A.LU.CI.NAR *v.t.d.* e *v.p.* 1) Fazer perder ou perder momentaneamente a razão; desvairar(-se). / *v.t.d.* 2) Fazer ficar ou ficar fascinado.

A.LU.CI.NÓ.GE.NO *adj.* e *s.m.* Diz-se de ou substância que provoca alucinações.

A.LU.DIR *v.t.i.* Fazer alusão a, referir-se indiretamente.

A.LU.GAR *v.t.d.* Dar ou tomar de aluguel de determinado bem (normalmente imóvel para morar), mediante um valor pré-combinado que será pago periodicamente (mensal, semanal ou diariamente), pelo uso do mesmo.

A.LU.GUEL *s.m.* 1) Cessão ou aquisição de objeto ou serviço por tempo e preço combinados. 2) O preço dessa cessão ou aquisição.

A.LUM.BRAR *v.t.d.* e *v.p.* 1) Iluminar(-se). 2) Deslumbrar(-se), maravilhar(-se).

A.LU.MI.AR *v.t.d.i.* e *v.p.* 1) Encher de luz; dar luz a, iluminar(-se). / *v.i.* 2) Brilhar; resplandecer.

A.LU.NO *s.m.* Quem recebe instrução ou educação em um estabelecimento de ensino ou de uma pessoa; estudante.

A.LU.SÃO *s.f.* 1) Ato ou efeito de aludir. 2) Referência vaga e indireta a alguém, coisas ou fatos.

A.LU.SI.VO *adj.* 1) Que contém alusão. 2) Que diz respeito a; referente. 3) Que tem sentido figurado.

A.LU.VI.ÃO *s.f.* 1) Acumulação sucessiva de materiais (areias, cascalho, lodo, etc.) pelas águas correntes, resultante do trabalho de erosão dessas águas. 2) Enxurrada; inundação; cheia. 3) Grande quantidade, grande número.

AL.VA *s.f.* 1) Vestimenta branca e comprida usada pelos padres. 2) Alba, aurora. 3) *fig.* Parte branca do olho.

AL.VA.RÁ *s.m.* 1) Licença concedida por autoridade para o exercício de determinadas atividades. 2) *Jur.* Documento em favor de alguém que autoriza ou ordena determinados atos.

AL.VE.JAR *v.t.d.* 1) Tornar branco ou mais branco. 2) Acertar com precisão; atingir.

AL.VE.NA.RI.A *s.f.* 1) Pedra, tijolo, etc., usados em construção. 2) Qualquer obra de pedra e cal.

AL.VÉO.LO *s.m.* 1) Cavidade pequena onde se implantam os dentes, alvéolo dental. 2) Pequenas valas de alicerce. 3) Célula do favo de mel ➡ Alvéolo pulmonar: cada uma das pequenas cavidades, em forma de saco, no fundo do pulmão.

AL.VI.TRE *s.m.* 1) Sugestão, conselho, proposta. 2) *Por ext. Ant.* Novidade, notícia.

AL.VO *adj.* 1) Branco, claro. / *s.m.* 2) A cor branca. 3) Ponto a que se direciona o tiro; mira. 4) Objeto a que se dirige algum intento; objetivo, escopo, fito, fim.

AL.VO.RA.DA *s.f.* 1) Amanhecer; aurora. 2) Toque militar nos quartéis, de madrugada; toque de qualquer música ao responder da manhã. 3) Canto das aves ao amanhecer. 4) O desabrochar da vida, a juventude.

AL.VO.RE.CER *v.i.* Amanhecer; romper do dia.

AL.VO.RO.ÇAR *v.t.d.* e *v.p.* 1) Pôr(-se) em alvoroço; agitar(-se). 2) Alegrar(-se), entusiasmar(-se). 3) Revoltar(-se), sublevar(-se). 4) Assustar(-se), espantar(-se).

AL.VO.RO.ÇO (ô) *s.m.* 1) Comoção, sobressalto. 2) Alarido, alvoroto, tumulto. 3) Pressa, azáfama. 4) Agitação.

A.MA *s.f.* 1) A dona da casa em relação aos seus criados. 2) Mulher encarregada de amamentar uma criança. 3) Ama-seca; babá.

A.MA.BI.LI.DA.DE *s.f.* Delicadeza, gentileza, qualidade de quem é amável.

A.MA.CI.AR *v.t.d.* 1) Fazer ficar macio. 2) Fazer amaciamento de (motor); rodar. / *v.t.d.* e *v.p.* 3) *fig.* Tornar(-se) brando; acalmar(-se); suavizar(-se).

A.MA.DA *s.f.* 1) Mulher a quem se ama. 2) Namorada. / *adj.* 3) Querida com predileção.

A.MA.DOR (ô) *adj.* e *s.m.* 1) Que ama. 2) Que se dedica a uma arte ou esporte por prazer, sem fazer deles um meio de vida. 3) Amante; apreciador.

A.MA.DO.RIS.MO *s.m.* 1) Condição de amador. 2) Doutrina contrária ao profissionalismo.

A.MA.DU.RE.CER *v.t.d.*, *v.i.* e *v.p.* 1) Desenvolver(-se) plenamente. / *v.t.d.* 2) Fazer chegar a estado comparável à madureza dos frutos. / *v.i.* 3) *fig.* Chegar a completo desenvolvimento; tornar mais experiente.

Â.MA.GO *s.m.* 1) Medula das plantas; cerne. 2) O centro interno de alguma coisa. 3) *fig.* A essência; o principal, a alma, o fundamento de qualquer coisa.

A.MAL.DI.ÇO.AR *v.t.d.* Lançar maldição a; praguejar, maldizer.

A.MA.MEN.TA.ÇÃO *s.f.* 1) Ato ou efeito de amamentar. 2) Lactação.

A.MA.MEN.TAR *v.t.d.* e *v.i.* Criar ao peito, dar de mamar; aleitar, lactar.

A.MA.NEI.RAR *v.t.d.* e *v.p.* Tornar-se afetado, pretensioso.

A.MA.NHÃ *adv.* 1) No dia seguinte ao atual. / *s.m.* 2) O dia seguinte. 3) O futuro.

A.MA.NHE.CER *v.i.* 1) Começar a manhã, surgir o dia. 2) Começar a manifestar-se. / *s.m.* 3) O princípio do dia. 4) O começo; origem.

A.MAN.SAR *v.t.d.* 1) Tornar manso; domesticar. / *v.t.d.* e *v.p.* 2) Aplacar(-se), sossegar(-se). / *v.p.* 3) Moderar-se, refrear-se; apaziguar-se.

A.MAN.TE *adj.2gên.* e *s.2gên.* 1) Que ou aquele que ama. 2) Que gosta de alguma coisa; apreciador; apaixonado. 3) Pessoa que ama, que tem relações extraconjugais com outra. 4) Amásio ou amásia.

A.MAN.TEI.GA.DO *adj.* 1) Semelhante à manteiga no gosto, na cor ou na brandura. / *adj.* e *s.m.* 2) Que ou o que é feito com muita manteiga.

A.MAR *v.t.d.*, *v.i.* e *v.p.* 1) Ter ou sentir amor, afeição, ternura por si próprio ou por alguém; querer bem a. / *v.t.d.* 2) Gostar muito de; estimar. / *v.p.* 3) Ter muito amor-próprio.

A.MA.RE.LAR *v.t.d.* e *v.p.* 1) Tornar(-se) amarelo. / *v.i.* 2) Empalidecer. 3) *gír.* Perder a coragem; acovardar-se.

A.MA.RE.LI.NHA *s.f.* Brincadeira infantil em que se pula com uma perna só sobre quadrados riscados no chão.

A.MAR.GAR *v.i.* 1) Ter gosto amargo. / *v.t.d.* 2) Tornar amargo ou penoso. / *v.t.d.* 3) *fig.* Padecer, sofrer. 4) *fig.* Causar penas a. / *v.t.d.* e *v.p.* 5) *fig.* Causar amargura a si próprio; afligir(-se).

A.MAR.GO *adj.* 1) Que tem sabor acre, desagradável, como o absinto, o fel, etc.; amargoso. 2) *fig.* Doloroso, penoso, triste. 3) *fig.* Áspero, cruel; duro. 4) *pop.* Azedo.

A.MAR.GOR *s.m.* 1) Sabor amargo. 2) *fig.* Desgosto, mágoa, angústia.

A.MAR.GU.RA *s.f.* 1) Gosto amargo; amargor. 2) *fig.* Tristeza acumulada de dor e sofrimento, aflição, angústia, desgosto, dor moral.

A.MAR.GU.RAR *v.t.d.* e *v.p.* Causar ou sentir amargura, angústia, aflição.

A.MAR.RA *s.f.* 1) Cabo, corda ou corrente grossa cuja função é prender o navio à âncora ou a um ponto fixo. 2) *fig.* Dependência, proteção.

A.MAR.RAR *v.t.d.*, *v.t.d.i.* e *v.p.* 1) Ligar fortemente; atar, prender. / *v.t.d.* 2) Acorrentar, ligar, segurar. 3) Atar, cingir com corda ou cordel. / *v.i.* 4) *Náut.* Atracar, fundear. / *v.p.* 5) *fig.* Ficar fortemente atraído. 6) *fig.* Casar-se ou amasiar-se.

A.MAR.RO.TAR *v.t.d.* e *v.p.* 1) Comprimir, deixando sinais de vincos ou dobras; amassar(-se). 2) Enrugar; encrespar. 3) *fig.* Machucar com pancadas.

A.MÁ.SIA *s.f.* Amante, concubina.

amasiar-se · amenorreia

A.MA.SI.AR-SE *v.p.* Unir-se em casamento sem registro legal; amigar-se.

A.MÁ.SIO *s.m.* 1) Casado sem contrato; amigado. 2) Amante (pessoa).

A.MAS.SA.DEI.RA *s.f.* 1) Máquina de amassar ou misturar. 2) Mulher que amassa farinha para fazer pão. 3) Vaso em que se amassa o pão.

A.MAS.SA.DO *adj.* 1) Achatado, amarrotado. / *s.m.* 2) Amassadura.

A.MAS.SAR *v.t.d.* 1) Transformar em massa ou pasta. / *v.t.d.* e *v.p.* 2) Achatar(-se), esmagar(-se). / *v.t.d.*, *v.i.* e *v.p.* 3) Amarrotar(-se), dobrar(-se), enrugar(-se).

A.MÁ.VEL *adj.2gên.* 1) Digno de ser amado. 2) Cortês, gentil. 3) Agradável, encantador.

A.MA.ZO.NA *s.f.* 1) Mulher que anda a cavalo. 2) Mulher corajosa.

A.MA.ZÔ.NIA *s.f.* Região setentrional da América do Sul, situada na bacia do Rio Amazonas.

ÂM.BAR *s.m.* 1) Resina fóssil, translúcida, amarelo-pálida, transparente e quebradiça, originária de um pinheiro da época terciária. 2) Substância sólida, parda ou preta, da consistência da cera e de cheiro almiscarado, que se forma no intestino do cachalote. 3) Cor de âmbar, castanho e amarelo.

AM.BI.ÇÃO *s.f.* 1) Desejo intenso (de riquezas), de poder, de glória ou de honras). 2) Aspiração, pretensão. 3) Cobiça.

AM.BI.CI.O.SO (ô) *adj.* 1) Que tem ambição. 2) Ganancioso.

AM.BI.DES.TRO *adj.* e *s.m.* Que habilmente se serve tanto da mão direita quanto da esquerda sem dificuldades.

AM.BI.EN.TAL *adj.* Que se refere ao ambiente.

AM.BI.EN.TAR *v.t.d.* 1) Criar ambiente adequado a. / *v.t.d.* e *v.p.* 2) Adaptar(-se) a um ambiente.

AM.BI.EN.TE *adj.2gên.* 1) Relativo ao meio que nos envolve. / *s.m.* 2) Lugar, espaço, em que se está ou vive. 3) Conjunto de circunstâncias que envolve os seres vivos e as coisas; atmosfera.

AM.BI.GUI.DA.DE (gü) *s.f.* 1) Característica ou condição do que é ambíguo. 2) Dúvida, incerteza, ambivalência.

AM.BÍ.GUO *adj.* 1) Que pode ter significados diversos; equívoco. 2) Incerto, inseguro, duvidoso, indeciso. 3) *Bot.* Diz-se dos órgãos que possuem forma ou disposição indefinida.

ÂM.BI.TO *s.m.* 1) Contorno, circunferência. 2) Extensão delimitada de espaço dentro da qual se exerce uma atividade; recinto. 3) Campo de ação; esfera.

AM.BI.VA.LEN.TE *adj.2gên.* Em que há ambivalência.

AM.BOS *pron.* Um e outro, os dois, referente a pessoas ou coisas mencionadas; par.

AM.BU.LÂN.CIA *s.f.* Veículo composto de ambulatório para primeiros socorros; utilizado para transporte de doentes e feridos, na emergência.

AM.BU.LAN.TE *adj.2gên.* 1) Que anda de um lugar a outro, sem ponto fixo, móvel; errante. / *adj.2gên.* e *s.2gên.* 2) Que ou aquele que não se fixa em um só lugar para exercer o seu comércio; vendedor.

AM.BU.LA.TÓ.RIO *s.m.* 1) Pequena enfermaria onde se prestam primeiros socorros, curativos e pequenas cirurgias. / *adj.* 2) Que ambula, anda; que servem para andar: pés, patas.

A.ME.A.ÇA *s.f.* 1) Aceno, gesto, sinal ou palavra que tem por objetivo amedrontar alguém; intimidar. 2) Aviso de castigo ou desgraça.

A.ME.A.ÇA.DOR (ô) *adj.* Amedrontador; que ameaça. / *s.m.* 2) Fanfarrão.

A.ME.A.ÇAR *v.t.d.* 1) Dirigir ameaças a. 2) Pôr medo em. 3) Prometer (maldade); intimidar. 4) Tentar alguém com covardias.

A.ME.BA *s.f.* 1) *Zool.* Ser vivo unicelular que pertence ao gênero dos protozoários e se movimenta por pseudópodes. 2) Parasita encontrado em ambientes aquáticos; causador da disenteria amebiana.

A.ME.DRON.TA.DOR (ô) *adj.* Que faz medo; assustador; ameaçador.

A.ME.DRON.TAR *v.t.d.*, *v.i.* e *v.p.* Causar ou ficar com medo; aterrorizar(-se), assustar(-se).

A.MEI.A *s.f.* Cada uma das partes retangulares, separadas por intervalos iguais, na parte superior das muralhas de fortalezas, torres e castelos.

A.MÉM *interj.* 1) Palavra hebraica utilizada no fim de orações para expressar a ideia de "assim seja". / *s.m.* 2) Concordância, aprovação, anuência ➡ um amém.

A.MÊN.DOA *s.f.* 1) Fruto da amendoeira. 2) Qualquer semente contida em caroço.

A.MEN.DO.A.DO *adj.* 1) Semelhante à amêndoa na forma, na cor ou no aspecto. 2) Que contém amêndoas.

A.ME.NI.DA.DE *s.f.* 1) O que é ameno, aprazível. 2) Conjunto de qualidades e condições que despertam o bem-estar. 3) Delicadeza.

A.ME.NI.ZAR *v.t.d.*, *v.i.* e *v.p.* Tornar(-se) ameno, suave; abrandar(-se).

A.ME.NO *adj.* 1) Aprazível, de trato suave; afável. 2) Que se processa de maneira agradável. 3) Moderado; temperado.

A.ME.NOR.REI.A *s.f.* Ausência de menstruação.

americanismo | amor-próprio

A.ME.RI.CA.NIS.MO *s.m.* 1) Admiração ou imitação da cultura norte-americana. 2) Palavra, locução ou expressão própria dos Estados Unidos.

A.ME.RI.CA.NO *adj.* e *s.m.* 1) Referente à América. 2) Próprio ou natural da América; natural ou habitante da América; norte-americano, estadunidense.

A.ME.RÍN.DIO *adj.* 1) *Etnol.* Referente aos indígenas da América. / *s.m.* 2) O indígena americano.

A.ME.RIS.SA.GEM *s.f.* Ato ou efeito de amerissar; amaragem.

A.ME.RIS.SAR *v.i.* Pousar (o hidroavião) na superfície da água; o mesmo que amarar.

A.MES.TRAR *v.t.d.* 1) Ensinar habilidades para animais; treinar, adestrar. 2) *Por ext.* Tornar manso; domar.

A.ME.TIS.TA *s.f. Miner.* Variedade roxa de quartzo, considerada pedra semipreciosa.

A.MÍ.DA.LA ou **A.MÍG.DA.LA** *s.f. Anat.* Cada uma das glândulas ovoides, em forma de amêndoa, existentes de cada lado da garganta.

A.MI.DA.LI.TE ou **A.MIG.DA.LI.TE** *s.f.* Inflamação das amígdalas; tonsilite.

A.MI.DO *s.m.* 1) *Quím.* Substância branca e sem sabor, encontrada na natureza nos órgãos vegetais subterrâneos (tubérculos de batatas) e nos grãos (albume do trigo), constituindo o principal elemento da alimentação humana. 2) Glucídio que constitui uma das reservas hidrocarbonadas dos vegetais. 3) Fécula em pó extraída dos vegetais; polvilho.

A.MI.GAR *v.t.d.* 1) Tornar amigo. / *v.t.d.* e *v.p.* 2) Unir(-se) por amizade. / *v.p.* 3) Amancebar-se.

A.MI.GÁ.VEL *adj.2gên.* 1) Próprio de amigos; amical. 2) Feito ou dito de forma amistosa.

A.MI.GO *adj.* 1) Que gosta, que ama, que aprecia alguém por laços de amizade. / *s.m.* 2) Companheiro, protetor, aliado, defensor, concorde.

A.MI.NO.Á.CI.DO *s.m. Quím.* Ácido orgânico nos quais foram substituídos um ou mais átomos de hidrogênio pelo radical NH.

A.MIS.TO.SO (ô) *adj.* 1) Próprio de amigo; amigável, amigo; com boas intenções. 2) Propenso à amizade. / *s.m.* 3) *Esp.* Partida fora do campeonato, com fins beneficentes e festivos.

A.MI.Ú.DE *adv.* Repetidas vezes; com frequência.

A.MI.ZA.DE *s.f.* 1) Sentimento de afeição. 2) Estima. 3) Benevolência, bondade. 4) Pessoa amiga. 5) Amor, em geral não aparentado.

AM.NÉ.SIA ou **AM.NE.SI.A** *s.f. Med.* Diminuição ou perda da memória.

A.MO *s.m.* 1) Dono da casa (em relação aos criados). 2) Chefe, senhor.

A.MO.CAM.BA.DO *adj.* 1) Escondido. 2) Refugiado. 3) Oculto.

A.MO.CAM.BAR *v.t.d.* e *v.p.* 1) Reunir(-se) em mocambo. 2) Esconder(-se).

A.MO.LA.DOR *adj.* e *s.m.* 1) Que ou o que amola. 2) Que ou o que aborrece. 3) Instrumento utilizado para amolar facas, tesouras, etc.

A.MO.LAR *v.t.d.* 1) Afiar um objeto cortante. / *v.t.d.* e *v.p.* 2) *fig.* Aborrecer(-se), importunar(-se).

A.MO.LE.CER *v.t.d.* 1) Tornar flexível, tornar mole, causar amolecimento. / *v.i.* 2) *fig.* Tornar (-se) mole, menos rígido, enternecer ➡ Diante do choro da criança, amoleci. 3) *fig.* Enfraquecer o ânimo de, tirar a energia a ➡ A partir dos comentários negativos, amoleci.

A.MO.LE.CI.DO *adj.* 1) Brando, frouxo, mole. 2) Comovido, enternecido.

A.MÔ.NIA *s.f. Quím.* Solução aquosa do gás amoníaco.

A.MO.NÍ.A.CO *s.m. Quím.* Produto gasoso, incolor, de odor intenso e picante, muito solúvel em água, formado pela combinação de nitrogênio e hidrogênio, de fórmula NH_3; o mesmo que álcali volátil.

A.MÔ.NIO *s.m. Quím.* Radical NH que tem a função alcalina nos compostos dos metais alcalinos; formado por um átomo de azoto e quatro de hidrogênio.

A.MON.TO.AR *v.t.d.* 1) Pôr em montão. 2) Chegar terra ao pé das plantas. / *v.p.* 3) Juntar(-se) em grande quantidade, desordenadamente.

A.MOR (ô) *s.m.* 1) Sentimento que induz alguém a desejar o bem de outrem; que leva as pessoas para o que se lhes parece belo, digno ou grandioso. 2) Forte inclinação, de caráter sexual, por outra pessoa. 3) Afeição profunda; paixão; entusiasmo. 4) Objeto dessa afeição. 5) Caridade. 6) *Filos.* Tendência da alma para se apegar aos objetos.

A.MO.RA *s.f.* Fruto da amoreira, de cor roxa ou negra, comestível ao natural ou em geleias.

A.MO.RAL *adj.2gên.* 1) Que não leva em consideração preceitos morais. / *s.2gên.* 2) Pessoa destituída de senso moral.

A.MOR.DA.ÇAR *v.t.d.* 1) Pôr mordaça em. 2) Não deixar falar; silenciar.

A.MOR.FO *adj.* 1) Sem forma definida. 2) Destituído de caráter. / *s.m.* 3) *Zool.* Espécime dos amorfos.

A.MO.RO.SO *adj.* 1) Cheio de amor; carinhoso, terno, afetuoso. / *adj.* e *s.m.* 2) Que ou aquele que tem inclinação para o amor.

A.MOR-PRÓ.PRIO *s.m.* Sentimento de dignidade, estima ou respeito por si mesmo.

79

A.MOR.TE.CE.DOR (ô) *adj.* 1) Que amortece. 2) Abafador (som). / *s.m.* 3) Dispositivo mecânico para diminuir ou anular os choques ou vibrações em máquinas e veículos.

A.MOR.TE.CER *v.t.d.* 1) Tornar como morto, adormecer. 2) Tornar menos ativo ou menos violento. 3) Abrandar, diminuir de intensidade. 4) Enfraquecer o som de. 5) Desbotar, diminuir a cor de. / *v.i.* 6) Perder grande parte da força ou do impulso.

A.MOR.TI.ZAR *v.t.d.* Extinguir (dívidas) aos poucos ou em prestações.

A.MOS.TRA *s.f.* 1) Ato de amostrar. 2) Pequena porção de produto natural ou fabricado, sem valor comercial, exibida para exame ou prova de sua natureza, qualidade e tipo. 3) Indício. 4) Exposição. 5) Mostra, exteriorização.

A.MOS.TRA.GEM *s.f. Estat.* Técnica de pesquisa na qual um sistema preestabelecido de amostras é considerado idôneo para representar o universo pesquisado, com margem de erro aceitável.

A.MOS.TRAR *v.t.d.* e *v.p.* Mostrar.

A.MO.TI.NA.ÇÃO *s.f.* 1) Ato ou efeito de amotinar(-se); amotinamento. 2) Insubordinação, revolta. 3) Motim.

A.MO.TI.NAR *v.t.d.* e *v.p.* Pôr(-se) em motim; revoltar(-se), sublevar(-se).

AM.PA.RA.DO *adj.* 1) Apoiado. 2) Que desfruta de amparo.

AM.PA.RAR *v.t.d.* 1) Sustentar para não cair. 2) Abrigar, resguardar. 3) Dar meios de vida a; sustentar, proteger.

AM.PA.RO *s.m.* 1) Patrocínio, proteção. 2) Coisa ou pessoa que ampara; esteio. 3) Auxílio, ajuda.

AM.PE.RA.GEM *s.f. Fís.* Intensidade de uma corrente elétrica medida em amperes.

AM.PE.RE *s.m. Fís.* Unidade prática de intensidade de corrente elétrica.

AM.PLI.A.ÇÃO *s.f.* Ato ou efeito de ampliar(-se), aumentar.

AM.PLI.A.DO *adj.* 1) Tornado amplo; aumentado. 2) Reproduzido em formato maior.

AM.PLI.AR *v.t.d.* 1) Tornar mais amplo ou maior. 2) Alargar, aumentar (em área), dilatar. 3) Tornar extensivo a maior número de pessoas ou de coisas. 4) Reproduzir em formato maior. 5) Exagerar. 6) Ter o poder de fazer os objetos parecerem maiores do que são.

AM.PLI.FI.CA.DOR (ô) *adj.* 1) Que amplifica; amplificativo. / *s.m.* 2) Aparelho utilizado para reproduzir o som ou as correntes elétricas. 3) Qualquer dispositivo para aumentar, estender, intensificar ou multiplicar alguma coisa.

AM.PLI.FI.CAR *v.t.d.* e *v.p.* Ampliar(-se).

AM.PLI.TU.DE *s.f.* 1) Grande extensão; vastidão, amplidão. 2) *fig.* Importância, relevância.

AM.PLO *adj.* 1) Que ocupa vasto espaço; espaçoso. 2) Extenso. 3) Abundante. 4) Irrestrito.

AM.PO.LA *s.f.* 1) Pequeno tubo inteiriço e totalmente fechado. 2) O conteúdo desse tubo.

AM.PU.LHE.TA (ê) *s.f.* Aparelho constituído de dois vasos cônicos, de vidro, que se comunicam nos vértices por pequeno orifício, utilizado para medir o tempo pela passagem de certa quantidade de areia fina do vaso superior ao inferior; relógio de areia.

AM.PU.TAR *v.t.d.* 1) Cortar (um membro do corpo). 2) Decepar. 3) Eliminar.

A.MU.A.DO *adj.* Enfadado, mal-humorado, carrancudo.

A.MU.AR *v.i.* e *v.p.* 1) Ficar mal-humorado, aborrecido. / *v.t.i.* 2) Teimar com insistência; insistir.

A.MU.LE.TO (ê) *s.m.* Aquilo que alguém guarda consigo para proteger de azar, desgraças, etc.

A.MU.RA.LHAR *v.t.d.* Cercar de muralhas.

A.MU.RAR ou **MU.RAR** *v.t.d.* Cercar de muros.

A.NÃ *s.f.* 1) Feminino de anão. 2) Mulher de estatura inferior à normal. 3) *Astr.* Estrela de pequeno diâmetro e grande intensidade.

A.NA.BO.LIS.MO *s.m. Fisiol.* Processo metabólico por meio do qual o organismo transforma e incorpora material nutritivo. 2) Assimilação.

A.NA.BO.LI.ZAN.TE *adj.2gên.* e *s.m.* Substância que favorece o anabolismo, capaz de provocar aumento da massa muscular.

A.NA.CRÔ.NI.CO *adj.* 1) Próprio de outra época. 2) Retrógrado.

A.NA.CRO.NIS.MO *s.m.* 1) Erro de atribuir a uma época algo que pertence a outra. 2) Atitude ou fato que não está de acordo com a sua época.

A.NA.E.RÓ.BIO *s.m. Biol.* Diz-se de micro-organismo capaz de viver sem ar ou oxigênio.

A.NA.FI.LA.XI.A *s.f.* Reação violenta de um organismo a determinados alimentos ou medicamentos.

A.NA.GRA.MA *s.m.* Palavra formada pela reordenação das letras de outra palavra.

A.NÁ.GUA *s.f.* Saia usada por baixo de outra saia ou vestido.

A.NA.IS *s.m. pl.* 1) Registro de acontecimentos organizado ano por ano. 2) Publicação periódica de caráter científico ou cultural.

A.NAL *adj.2gên.* Relativo a ânus.

A.NAL.FA.BE.TIS.MO *s.m.* 1) Estado de analfabeto. 2) Falta de instrução.

A.NAL.FA.BE.TO *adj.* e *s.m.* Que não sabe ler nem escrever.

analgésico / andrógino

A.NAL.GÉ.SI.CO *adj.* 1) Que atenua ou suprime a dor. / *s.m.* 2) Remédio que diminui ou elimina a dor.

A.NA.LI.SA.DOR (ô) *adj.* 1) Que analisa. / *s.m.* 2) Aquele que analisa com minúcia.

A.NA.LI.SAR *v.t.d.* 1) Decompor (um todo) em suas partes componentes. 2) *Gram.* Fazer análise. 3) Examinar minuciosamente; esquadrinhar. 4) *Quím.* Efetuar análise química.

A.NÁ.LI.SE *s.f.* 1) Decomposição em seus elementos constituintes. 2) *Gram.* Exame dos vários elementos de uma oração. 3) *Filos.* Processo pelo qual se vai do composto ao simples, dos resultados às causas. 4) Exame, ensaio, experiência. 5) Crítica.

A.NA.LIS.TA *s.2gên.* e *adj.2gên.* 1) Pessoa que faz análises. 2) Pessoa que é versada em álgebra. 3) Pessoa que se dedica a anais.

A.NA.LÍ.TI.CO *adj.* 1) Relativo à análise. 2) Que procede por análise.

A.NA.LO.GI.A *s.f.* 1) Relação de semelhança entre coisas que se diferem. 2) Semelhança. 3) Comparação.

A.NA.LÓ.GI.CO *adj.* 1) Referente a analogia. 2) Baseado em analogia. 3) Semelhante a. 4) *Cibern.* Diz-se do dado representado por outras grandezas que podem variar segundo o sistema mecânico, elétrico ou eletrônico empregado.

A.NA.LO.GIS.MO *s.m.* Maneira de raciocínio por analogia.

A.NÁ.LO.GO *adj.* e *s.m.* 1) Em que há analogia. 2) Fundado em analogia. 3) Similar por certo aspecto. 4) *Biol.* Órgãos que exercem a mesma função, sendo de origem e estrutura diferentes.

A.NA.NÁS *s.m.* 1) *Bot.* Nome da planta da família das Bromeliáceas, comum na América. 2) O fruto dessa planta. 3) Abacaxi.

A.NA.NA.SEI.RO *s.m. Bot.* Abacaxizeiro.

A.NÃO *s.m.* e *adj.* 1) Pessoa, animal ou planta de estatura bem menor que a normal. 2) Indivíduo raquítico. 3) Pequeno, reduzido.

A.NAR.QUI.A *s.f.* 1) Estado de um povo em que o poder público está ausente. 2) Carência do princípio da autoridade. 3) Confusão, desordem.

A.NAR.QUIS.MO *s.m.* 1) Doutrina que prega a eliminação de toda autoridade; teoria política fundada na ideia de que a sociedade deve organizar-se de forma voluntária, sem fazer uso da força ou da imposição de obrigações. 2) Ação ou movimento anarquista.

A.NA.TÍ.DEO *adj.* 1) *Ornit.* Relativo aos Anatídeos. / *s.m.* 2) Família de aves anseriformes, com pés palmados, à qual pertencem os patos, gansos, cisnes e marrecos.

A.NA.TO.MI.A *s.f.* 1) Ciência que estuda a estrutura e a forma dos seres organizados. 2) A própria estrutura anatômica. 3) *fig.* Aspecto externo do corpo humano. 4) *fig.* Exame minucioso ou exaustivo, crítico de obra literária.

AN.CA *s.f.* 1) *Anat.* Região lateral do corpo humano, da cintura à articulação da coxa; quadril. 2) *Zool.* Quarto traseiro dos animais; garupa; nádega.

AN.CES.TRAL *adj.2gên.* 1) Relativo a antepassados. 2) Muito remoto; antiquíssimo. 3) Primitivo.

AN.CI.ÃO *s.m.* 1) Pessoa idosa. / *adj.* 2) Antigo, velho.

ÂN.CO.RA *s.f.* 1) *Náut.* Peça de ferro ou aço que, lançada à água, mantém a embarcação no mesmo local. 2) *s.2gên.* Jornalista do rádio ou da televisão que coordena as informações transmitidas.

AN.CO.RA.DOU.RO *s.m.* Local para a ancoragem de embarcações.

AN.DA.ÇO *s.m.* 1) Doença que se propaga numa localidade. 2) Pequena epidemia. 3) Incômodo ligeiro. 4) Diarreia, disenteria.

AN.DA.DOR (ô) *adj.* 1) Andarilho. 2) Aquele que anda muito; andejo. 3) Rápido no andar, veloz. / *s.m.* 4) Aparelho de apoio para ajudar a andar.

AN.DAI.ME *s.m.* Armação de madeira ou metal, provisória, que serve como estrado de que se utilizam os pedreiros e serventes para erguer uma obra ou edifício.

AN.DAN.ÇA *s.f.* Ato de andar, passear ou viajar, de um lado para outro.

AN.DAN.TE *adj.* 1) Que anda. 2) Errante, aventureiro. / *s.m.* 3) Composição musical ou composição em andamento moderado, entre adágio e alegro.

AN.DAR *v.i.* 1) Caminhar; mover-se dando passos. 2) Decorrer (o tempo). 3) Funcionar. 4) Continuar, prosseguir. 5) *fig.* Estar acompanhado ➡ Ele sempre anda com artistas. / *s.m.* 6) Maneira de andar; andadura, andamento. 7) Pavimento de um edifício.

AN.DA.RI.LHO *adj.* e *s.m.* Que ou aquele que anda muito.

AN.DO.RI.NHA *s.f.* Nome comum dos pássaros da família dos Hirundinídeos, de rabo em forquilha, costas negras e peito branco que se alimentam da caça aos insetos em pleno voo.

AN.DRA.JO *s.m.* Pano velho e rasgado; trapo.

AN.DRO.FO.BI.A *s.f.* Aversão a indivíduos do sexo masculino.

AN.DRÓ.GI.NO *adj.* e *s.m.* 1) Que apresenta características dos dois sexos; hermafrodita. 2) Que ou o que tem aspecto sexualmente indefinido.

AN.DROI.DE (ói) *adj.2gên.* 1) Semelhante ao ser humano. / *s.m.* 2) Robô que imita um ser humano no aspecto.

A.NE.DO.TA *s.f.* 1) Relato breve de um fato jocoso real ou inventado. 2) Particularidade de uma história ou lenda. 3) Historieta de efeito cômico. 4) Piada.

A.NEL *s.m.* 1) Pequeno objeto circular como argola. 2) Cada elo de corrente. 3) Circunferência. 4) Qualquer figura ou objeto em forma de aro. 5) Aro de metal, geralmente precioso, que se traz no dedo, como ornato ou símbolo de algum fato significativo, por exemplo, noivado, casamento, formatura, etc. 6) Aliança. 7) Caracol (de cabelos).

A.NE.LAR *v.t.d.* 1) Dar forma de anel a. 2) Cercar com anel. / *v.t.i.* 3) Aspirar a, desejar ardentemente. / *v.i.* 4) Respirar com dificuldade; ofegar.

A.NE.MI.A *s.f.* 1) Diminuição de hemácias ou hemoglobinas no sangue, produzindo sintomas como palidez e fadiga. 2) *fig.* Estado de debilidade; fraqueza, abatimento.

A.NÊ.MI.CO *adj.* e *s.m.* 1) *Med.* Que sofre de anemia. 2) Débil, amarelado. 3) Enfraquecido. 4) Indivíduo que sofre de anemia. 5) *fig.* Pessoa sem destaque, sem brilho.

A.NÊ.MO.NA *s.f. Bot.* Nome comum a várias plantas herbáceas, ornamentais, da família das Ranunculáceas, largamente cultivadas por suas flores apétalas e sépalas vistosas.

A.NES.TE.SI.A *s.f. Med.* 1) Perda parcial ou total da sensibilidade do corpo, ou provocada com o fim de aliviar a dor ou evitar o aparecimento desta no curso de uma cirurgia. 2) Anestésico.

A.NEU.RIS.MA *s.m. Med.* Dilatação circunscrita que se forma no trajeto de uma artéria ou do coração, pelo enfraquecimento de suas paredes.

A.NE.XAR (cs) *v.t.d.i.* 1) Juntar, como anexo, a uma coisa considerada como principal. 2) Reunir; unir; ligar.

AN.FÍ.BIO *adj.* 1) *Biol.* Diz-se de animais ou plantas que vivem ou crescem tanto em terra como na água. 2) Diz-se de (avião, carro) que é utilizado na terra e na água. 3) Que se desenrola em terra e na água. / *s.m.* 4) *Zool.* Classe de vertebrados, em geral com pele nua que, durante as primeiras fases da vida, respiram por meio de brânquias e, no estado adulto, através de pulmões. Inclui os sapos, as rãs, as pererecas e as salamandras.

AN.FI.TE.A.TRO *s.m.* 1) Teatro de ambos os lados. 2) Antiga obra, circular ou oval, com arquibancadas em escadaria, para combates de feras, gladiadores e para jogos e representações. 3) Sala circular ou semicircular, com degraus, para aulas práticas de ciências, em universidades.

AN.FI.TRI.ÃO *s.m.* 1) Pessoa que recebe convidados em sua casa para festa ou banquete. 2) O que paga as despesas de uma refeição.

ÂN.FO.RA *s.f.* Vaso grande de cerâmica, com duas asas, usado pelos antigos gregos e romanos para guardar grãos e líquidos.

AN.GA.RI.AR *v.t.d.* 1) Adquirir, pedindo a um e a outro; arrecadar. 2) Atrair com boas palavras; aliciar.

AN.GE.LI.CAL *adj.2gên.* 1) Relativo a ou próprio de anjo. 2) *fig.* Puro, imaculado. 3) Que se assemelha a um anjo; angélico.

AN.GI.OS.PER.MA *s.f.* 1) *Bot.* Planta das Angiospermas. 2) Subdivisão do reino vegetal que inclui todas as plantas floríferas e frutíferas possuidoras de sementes revestidas de pericarpo distinto.

AN.GO.LA.NO *adj.* 1) Relativo ou natural de Angola. / *s.m.* 2) Habitante de Angola. 3) Angolense.

AN.GO.RÁ *adj.2gên.* 1) Pertencente a Angorá, cidade da Turquia asiática. 2) Diz-se dos gatos, coelhos, cabras, procedentes de Angorá, notáveis pelo seu pelo comprido e fino.

AN.GRA *s.f.* Pequena baía; enseada.

AN.GU *s.m.* 1) *Bras.* Massa espessa de farinha de milho (fubá), de arroz ou de mandioca, água e sal, e cozido ao fogo. 2) *pop.* Confusão, complicação. 3) Coisa embaraçada; intriga.

AN.GU.LAR *adj.2gên.* 1) Referente a ângulo(s). 2) Que tem um ou mais ângulos; angulado. 3) Em forma de ângulo.

ÂN.GU.LO *s.m.* 1) *Mat.* Qualquer figura ou parte de um plano situada em duas semirretas que partem do mesmo ponto ou se encontram num mesmo ponto. 2) *Geom.* Medida de afastamento entre essas retas. 3) Aresta, canto, esquina. 4) *fig.* Perspectiva; ponto de vista.

AN.GÚS.TIA *s.f.* 1) Redução de espaço; estreiteza. 2) Carência, falta. 3) Situação de grande angústia, aflição, ansiedade que aperta o coração. 4) Sofrimento excessivo. 5) *Med.* Estenose.

A.NHO *s.m.* Cordeiro.

A.NI.LI.NA *s.f.* Substância muito usada em corantes.

A.NI.MA.ÇÃO *s.f.* 1) Agitação, movimento, rebuliço. 2) *fig.* Entusiasmo, paixão, vivacidade. 3) Técnica de produzir a ilusão de movimento por meio de sequências de desenhos ou imagens fixos.

A.NI.MAL *s.m.* 1) Ser organizado, dotado de sensibilidade e de movimento voluntário. 2) Ser vivo não integrante do reino vegetal. 3) *fig.* Ser humano estúpido, grosseiro, insensível e ignorante. 4) Ser vivo irracional.

A.NI.MA.LES.CO *adj.* 1) Relativo a ou próprio de animal. 2) *fig.* Bruto.

A.NI.MA.LI.ZAR *v.t.d.* e *v.p. fig.* Brutalizar(-se), embrutecer(-se). / *v.t.d.* 2) Povoar de animais.

A.NI.MAR *v.t.d.* 1) Dar alma ou vida a. / *v.t.d.* e *v.p.* 2) Entusiasmar(-se), alegrar(-se). / *v.t.d., v.t.d.i., v.i.* e *v.p.* 3) *fig.* Dar ou adquirir ânimo, coragem; encorajar(-se).

Â.NI.MO *s.m.* 1) Vontade. 2) Coragem, entusiasmo. 3) Índole natural; caráter, temperamento. 4) Alma, espírito. / *interj.* 5) Coragem, força ➡ Ânimo, crianças, não desistam.

A.NI.MO.SI.DA.DE *s.f.* 1) Aversão persistente. 2) Hostilidade.

A.NI.NHAR *v.t.d.* e *v.p.* 1) Recolher(-se) em ninho. / *v.t.d.i.* e *v.p.* 2) Acomodar(-se) confortavelmente em; aconchegar(-se). 3) Fazer ninho em.

A.NI.QUI.LAR *v.t.d.* 1) Destruir, reduzir a nada. 2) Tornar sem efeito, anular. / *v.t.d.* e *v.p.* 3) Abater(-se).

A.NIS.TI.A *s.f.* 1) Ato pelo qual se extinguem as consequências de um fato punível (geralmente coletivo) e, em resultado, qualquer processo sobre ele. Concedido principalmente a criminosos políticos. 2) Perdão geral.

A.NIS.TI.AR *v.t.d.* 1) Dar ou conceder anistia a. 2) Perdoar.

A.NI.VER.SA.RI.AN.TE *adj.* e *s.m.* Que ou quem faz aniversário.

A.NI.VER.SÁ.RIO *s.m.* Dia ou data em que se completam anos de idade, ou da ocorrência de um acontecimento marcante.

AN.JO *s.m.* 1) *Teol.* Ente puramente espiritual, dotado de personalidade própria, que exerce o ofício de mensageiro entre Deus e os homens e habita o Céu. 2) Criança que se veste de anjo para uma procissão. 3) *fig.* Pessoa tranquila, calma.

A.NO *s.m.* 1) Espaço de tempo necessário para a Terra completar uma volta ao redor do Sol chamado movimento de translação. 2) Espaço de 12 meses. 3) Período cíclico anual, durante o qual se realiza certa atividade.

A.NOI.TE.CER *v.i.* 1) Começar a noite, fazer-se noite. 2) Achar-se em certo lugar ou situação ao pôr do sol.

A.NO-LUZ *s.m. Astr.* Unidade astronômica que equivale à distância percorrida por um raio de luz em um ano. Corresponde aproximadamente a 9,463 x 1.012 km, ou seja, 300.000 km por segundo.

A.NO.MA.LI.A *s.f.* Anormalidade, irregularidade ou desvio notável de um padrão normal; desigualdade.

A.NO.NI.MA.TO *s.m.* 1) Estado de anônimo, do que não tem nome ou que o esconde. 2) Método de escrever sem assinar.

A.NÔ.NI.MO *adj.* 1) Sem nome ou assinatura do autor. / *s.m.* 2) Pessoa que oculta seu nome.

A.NO.RE.XI.A (cs) *s.f. Med.* Falta de apetite com grande perda de peso e outras consequências resultantes de alteração emocional; inapetência.

A.NOR.MAL *adj.2gên.* 1) Contrário à regra comum; sem norma; anômalo, irregular. / *s.2gên.* 2) Pessoa cujo desenvolvimento físico, mental ou social apresenta defeito. 3) Aquilo que não é normal. 4) Pessoa que não é normal.

A.NO.TA.ÇÃO *s.f.* 1) Ato ou efeito de anotar, de tomar notas. 2) Apontamento, nota. 3) Comentário; observação.

A.NO.TAR *v.t.d.* 1) Fazer anotações a, pôr notas a. 2) Tomar nota de. 3) Registrar. 4) Averbar.

AN.SEI.O *s.m.* 1) Sentimento de preocupação; angústia. 2) *fig.* Desejo forte; ânsia.

ÂN.SIA *s.f.* 1) Náusea, enjoo. 2) Angústia, agonia. 3) Anseio, desejo.

AN.SI.E.DA.DE *s.f.* 1) *Psicol.* Estado emotivo caracterizado por um sentimento de insegurança. 2) Ânsia. 3) Angústia. 4) Expectativa. 5) Desejo ardente.

AN.SI.O.SO (ô) *adj.* 1) Que tem ânsia ou ansiedade. 2) *fig.* Muito desejoso; ávido.

AN.TA *s.f. Zool.* Mamífero quadrúpede, de corpo semelhante ao do porco, um dos maiores animais da fauna brasileira; tapir.

AN.TA.GO.NIS.MO *s.m.* 1) Tendência contrária; rivalidade, oposição. 2) Incompatibilidade de ideias, sistemas, opiniões, etc.

AN.TA.GO.NIS.TA *adj.2gên.* e *s.2gên.* 1) Quem atua em sentido oposto. 2) Quem é contra alguém ou alguma coisa; adversário, rival, opositor.

AN.TE *prep.* Em frente a; diante de.

AN.TE.BRA.ÇO *s.m. Anat.* Parte do braço entre o cotovelo e o punho.

AN.TE.CE.DÊN.CIA *s.f.* Qualidade do que é antecedente; anterioridade.

AN.TE.CE.DEN.TE *adj.2gên.* 1) Que antecede; precedente; anterior. / *s.m.* 2) Coisa que precede outra no tempo. 3) *Gram.* Termo ou oração a que se refere o pronome relativo.

AN.TE.CE.DER *v.t.d.* e *v.t.i.* 1) Vir antes de; preceder. 2) Exceder, ser superior a. / *v.p.* 3) Antecipar-se.

AN.TE.CES.SOR *adj.* e *s.m.* Que antecede; predecessor.

AN.TE.CI.PAR *v.t.d., v.i.* e *v.p.* 1) Realizar, dizer antes do tempo previsto ou oportuno; adiantar (-se); precipitar(-se). 2) Chegar antes do tempo. 3) Prever, prognosticar. / *v.t.d.* e *v.p.* 4) Chegar an-

antena

tes; anteceder(-se). / *v.t.d.i.* 5) Comunicar alguém com antecedência.

AN.TE.NA *s.f.* 1) Apêndice cefálico da cabeça dos artrópodes (insetos, crustáceos, etc.), que serve de sensor olfativo, tátil e, talvez, auditivo. 2) Dispositivo de condutores metálicos ligados a um aparelho emissor ou receptor para transmissão ou recepção de ondas hertzianas (rádio e televisão).

AN.TE.NA.DO *adj.* 1) Com antena. 2) *fig.* Pessoa bem informada, atenta.

AN.TE.ON.TEM *adv.* No dia anterior ao de ontem.

AN.TE.PAS.SA.DO *adj.* 1) Relativo ao que passou ou aconteceu antes. 2) Que viveu no passado. / *s.m.* 3) Ascendente (anterior aos avós); ancestrais.

AN.TE.RI.OR *adj.2gên.* 1) Que vem antes. 2) Situado na frente.

AN.TES *adv.* 1) Referente a tempo ou lugar anterior. 2) Primeiro. 3) De preferência. 4) Pelo contrário. 5) Dantes.

AN.TI.Á.CI.DO *adj.* 1) *Quím.* Que atua sobre os ácidos, neutralizando-lhes a ação. / *adj. e s.m.* 2) Substância que combate a acidez gástrica.

AN.TI.A.DE.REN.TE *adj.2gên.* e *s.2gên.* Que ou o que impede a aderência.

AN.TI.A.LÉR.GI.CO *adj.* 1) Que não provoca alergia. / *s.m.* 2) Medicamento que combate a alergia.

AN.TI.BI.Ó.TI.CO *adj.* e *s.m.* Que ou o que combate micro-organismos causadores de doenças infecciosas.

AN.TI.CONS.TI.TU.CIO.NAL *adj.2gên.* Que vai contra a constituição de um país.

AN.TI.COR.PO (ô) *s.m. Biol.* Substância específica, com os caracteres da gamaglobulina, produzida pelo organismo, para reagir contra substâncias estranhas capazes de penetrar no corpo e produzir moléstias.

AN.TÍ.DO.TO *s.m. Med.* Medicamento que combate a ação de toxina ou veneno.

AN.TÍ.FRA.SE *s.f.* Palavra ou expressão usada com sentido contrário ao verdadeiro.

AN.TI.GO *adj.* 1) Que existe há muito tempo; velho. 2) Que existiu em época remota. 3) Não atual.

AN.TI.GUI.DA.DE *s.f.* 1) Qualidade de antigo. 2) Período histórico anterior à Idade Média. 3) Tempos muito antigos.

AN.TI-HI.GI.Ê.NI.CO *adj.* Contrário à higiene.

AN.TÍ.LO.PE *s.m. Zool.* Animal mamífero, ruminantes do Velho Mundo, de chifres ocos, forma delgada e carreira veloz.

AN.TI.MÔ.NIO *s.m. Quím.* 1) Mineral fraco, acinzentado e de brilho metálico, encontrado geralmente sob forma de sulfeto. 2) Elemento simples, sólido.

anuência

AN.TI.O.XI.DAN.TE *adj.2gên.* e *s.m.* 1) Que ou o que inibe a oxidação.

AN.TI.PA.TI.A *s.f.* Sentimento de repulsa espontânea; aversão.

AN.TI.PÁ.TI.CO *adj.* 1) Quem provoca ou sente antipatia. / *s.m.* 2) Pessoa desagradável.

AN.TI.PO.PU.LAR *adj.2gên.* Contrário aos desejos do povo e à opinião pública.

AN.TI.QUA.DO *adj.* 1) Que pensa ou age de maneira antiga. 2) Ultrapassado, fora de uso.

AN.TI.QUÁ.RIO *s.m.* 1) Colecionador ou vendedor de antiguidades. 2) Loja de objetos antigos.

AN.TIR.RU.Í.DO *adj.2gên.* Que elimina ou diminui sons e ruídos.

AN.TIS.SÉP.TI.CO *adj.* e *s.m. Farm.* Diz-se de ou medicamento que impede a contaminação e evita infecção.

AN.TIS.SO.CI.AL *adj.2gên.* 1) Contrário à sociedade. 2) Avesso à convivência social.

AN.TI.TÉR.MI.CO *adj.* 1) Que protege do calor. / *adj. e s.m.* 2) *Farm.* Diz-se de ou medicamento para diminuir a febre.

AN.TÍ.TE.SE *s.f.* 1) Contrariedade ou contradição entre duas ideias. 2) Figura de retórica que opõe duas ideias.

AN.TI.TUS.SÍ.GE.NO *adj.* e *s.m. Farm.* Que ou o que combate a tosse.

AN.TI.VI.RAL *adj.2gên.* Que combate vírus.

AN.TO.LO.GIA *s.f.* 1) *Bot.* Estudo e/ou coleção de flores. 2) Coleção de textos reunidos de acordo com um tema.

AN.TO.NÍ.MIA *s.f.* Oposição entre os significados de duas palavras.

AN.TÔ.NI.MO *adj.* e *s.m.* Palavra de sentido contrário a outra.

AN.TRO *s.m.* 1) Caverna profunda e escura. 2) Lugar de perdição e vícios.

AN.TRO.PO.CÊN.TRI.CO *adj.* Relativo à doutrina que designa o homem como o centro do universo e a ele atribui todas as coisas.

AN.TRO.PO.FA.GI.A *s.f.* Ato de comer carne humana; canibalismo.

AN.TRO.PO.LO.GI.A *s.f.* Ciência que estuda o ser humano e tudo o que lhe é característico.

AN.TRO.PO.MOR.FIS.MO *s.m.* Atribuição de características humanas a animais, objetos ou divindades.

A.NU.AL *adj.2gên.* 1) Que dura um ano. 2) Que se faz, acontece, ocorre ou se repete uma vez ao ano, todos os anos.

A.NU.ÊN.CIA *s.f.* 1) Ato ou efeito de anuir. 2) Aprovação; concordância; consentimento.

anuidade · apartheid

A.NU.I.DA.DE *s.f.* 1) Pagamento que se faz para cobrir o período de um ano. 2) Prestação periódica, anual, destinada a constituir um capital ou amortizar um débito.

A.NU.IR *v.t.d.* e *v.t.d.i.* Estar de acordo; aprovar, consentir.

A.NU.LAR *v.t.d.* e *v.p.* 1) Tornar(-se) nulo ou sem mérito; invalidar(-se). 2) Reduzir a nada; aniquilar. 3) Destruir o efeito. 4) Desfazer-se, destruir-se. / *adj.* 5) Relativo a anel.

A.NUN.CI.AR *v.t.d.* 1) Noticiar; fazer anúncio de; fazer conhecer. / *v.i.* 2) Promover e custear a divulgação de anúncios. 3) Predizer. 4) Servir de sinal; manifestar.

Â.NUS *s.m. Anat.* Abertura localizada na extremidade terminal do intestino por onde saem as fezes.

AN.ZOL *s.m.* 1) Pequeno gancho com farpa, a que se prende a isca para pescar. 2) Isca, engodo.

AO 1) Combinação da preposição a com o artigo definido o. 2) Combinação da preposição a com o pronome demonstrativo o.

A.ON.DE *adv.* Para onde, a que lugar; que indica movimento.

A.OR.TA *s.f. Anat.* Principal artéria que nasce no ventrículo esquerdo do coração. É o tronco comum de todas as artérias que levam o sangue oxigenado a todo o corpo.

A.PA.GA.DO *adj.* 1) Extinto, que já não arde, que está sem fogo ou luz. 2) Sem brilho, embaciado, escurecido. 3) *fig.* Diz-se da pessoa que não se sobressai; medíocre.

A.PA.GA.DOR (ô) *adj.* e *s.m.* 1) Que ou o que apaga. 2) Diz-se de ou objeto com uma superfície de feltro ou esponja usado para apagar o que foi escrito em quadro-negro ou similar.

A.PA.GÃO *s.m.* Falta repentina de eletricidade em uma área; blecaute.

A.PA.GAR *v.t.d.* 1) Fazer desaparecer; extinguir (o fogo, a luz). 2) Desbotar, desvanecer. 3) Limpar o que estava escrito; raspar, rasurar. 4) Fazer perder o brilho; embaciar. 5) Obscurecer. 6) Deslustrar.

A.PAI.XO.NA.DO *adj.* 1) Tomado de paixão; enamorado. 2) Excitado por sentimento forte, como o amor. 3) Amante. 4) Entusiasta.

A.PAI.XO.NAR *v.t.d.* 1) Fazer despertar amor em. 2) Inspirar paixão. 3) Enamorar. 4) Entusiasmar. / *v.p.* 5) Dedicar-se com ardor ou gosto a alguma coisa. 6) Encher-se de paixão por.

A.PAL.PAR *v.t.d.* 1) Tocar com a mão a fim de examinar ou conhecer pelo tato; tatear. 2) Sondar a capacidade, a opinião, o ânimo de. / *v.p.* 3) Tocar-se com a mão para procurar, ou examinar alguma coisa em si mesmo; o mesmo que palpar.

A.PA.NHA.DO *adj.* 1) Que foi pego, recolhido. / *s.m.* 2) Resumo, síntese.

A.PA.NHAR *v.t.d.* 1) Alcançar, colher, recolher. 2) Pegar com a mão, tomar. 3) Levantar do chão. 4) Obter. / *v.i.* 5) Levar surra; ser espancado.

A.PA.RA.DOR (ô) *s.m.* Móvel da sala de jantar ou de restaurante, onde se coloca o material necessário para o serviço da mesa de refeição; bufê.

A.PA.RA.FU.SAR *v.t.d.* Fixar, prender com parafuso.

A.PA.RAR *v.t.d.* 1) Desbastar as beiras de; alisar. 2) Apanhar, tomar (coisa caída ou atirada). 3) Cortar alguma porção inútil de. 4) Adelgaçar, aguçar, apontar. 5) Aplainar.

A.PA.RA.TO *s.m.* 1) Fausto na arte do vestuário de uma pessoa, ou na ornamentação de uma cerimônia; resplendor, magnificência, pompa. 2) Ostentação. 3) Conjunto de princípios utilizados para aparentar poder, força, erudição, etc.

A.PA.RE.CER *v.i.* 1) Surgir, apresentar-se, tornar-se visível. 2) Suceder. 3) Comparecer, estar presente.

A.PA.RE.LHA.GEM *s.f.* Conjunto de peças que compõem um equipamento.

A.PA.RE.LHAR *v.t.d.*, *v.i.* e *v.p.* 1) Prover(-se) do que é necessário; equipar(-se), preparar(-se). / *v.t.d.* 2) Pôr arreios em. / *v.t.d.* e *v.p.* 3) Adornar (-se), enfeitar(-se).

A.PA.RE.LHO (ê) *s.m.* 1) Conjunto de utensílios, peças ou instrumentos, com fins de executar um trabalho ou prestar um serviço. 2) Preparo, disposição. 3) *Aeron.* Avião. 4) *Biol.* Conjunto de órgãos que cumprem funções vitais. 5) Conjunto de peças para serviço culinário; baixela.

A.PA.RÊN.CIA *s.f.* 1) Aspecto exterior de alguma coisa; exterioridade. 2) Ficção, disfarce. 3) O que parece, mas não é real.

A.PA.REN.TAR *v.t.d.* 1) Ter aparência de. / *v.t.i.* e *v.p.* 2) Dar aparência de; fingir, demonstrar. / *v.p.* 3) Tornar-se semelhante, especialmente na forma. / *v.t.d.*, *v.t.d.i.* e *v.p.* 4) Tornar(-se) parente.

A.PA.REN.TE *adj.2gên.* 1) Visível, evidente. 2) Cuja aparência não corresponde à realidade; falso, suposto. 3) Semelhante, parecido.

A.PA.RI.ÇÃO *s.f.* 1) Ato ou efeito de aparecer. 2) Fantasma, assombração.

A.PAR.TA.MEN.TO *s.m.* Residência particular localizada em um prédio.

A.PAR.TAR *v.t.d.* e *v.p.* 1) Afastar(-se), desunir (-se). / *v.t.d.* 2) Separar os que estão brigando.

APARTHEID (apartáide) *s.m. ingl.* Política de separação racial e discriminatória contra os povos não europeus, principalmente o negro, negando a condição de ser humano.

85

apartidário

A.PAR.TI.DÁ.RIO *adj.* 1) Que não segue ou não tem ligação com nenhum partido. 2) Que não apoia nenhuma das partes de uma disputa.

A.PAR.VA.LHA.DO *adj.* 1) Tolo, idiota. 2) Desorientado, desnorteado.

A.PAS.CEN.TAR *v.t.d.* 1) Levar ao pasto ou pastagem. 2) Cuidar durante o pasto; pastorear. 3) Doutrinar.

A.PAS.SI.VAR *v.t.d.* 1) Tornar passivo, inerte. 2) *Gram.* Empregar passivamente. 3) Pôr na voz passiva.

A.PA.TI.A *s.f.* 1) Estado de insensibilidade de sentimentos; indiferença. 2) Falta de energia; indolência; preguiça.

A.PA.VO.RA.DO *adj.* Que sente muito pavor; assustado, aterrorizado.

A.PA.VO.RAR *v.t.d.* 1) Provocar pavor a. / *v.i.* 2) Impor pavor; ser pavoroso. / *v.p.* 3) Encher-se de pavor, sentir medo, assustar-se.

A.PA.ZI.GUAR *v.t.d.* 1) Aplacar, tranquilizar, reconciliar, pacificar, acalmar, aquietar. 2) Tornar menos intenso qualquer sentimento.

A.PE.DRE.JAR *v.t.d.* 1) Atirar pedras em. 2) Matar a pedradas. 3) *fig.* Insultar.

A.PE.GAR *v.t.d.* 1) Fazer pegar; colar, juntar. / *v.p.* 2) *fig.* Afeiçoar-se; dedicar-se com afeto ➡ Apegou-se à neta. 3) *fig.* Valer-se de ➡ Apegou-se a desculpas para não comparecer à festa.

A.PE.GO *s.m.* 1) Ligação afetuosa; estima, afeto. 2) Dedicação excessiva.

A.PE.LA.ÇÃO *s.f.* 1) *Dir.* Recurso judicial para revisão de processo. 2) *pop.* Uso de artimanhas ou recursos baixos para explorar a ingenuidade ou a boa-fé de alguém.

A.PE.LAR *v.t.i.* e *v.i.* 1) *Dir.* Recorrer de sentença por apelação. 2) Obter vantagem por meio da exploração da ingenuidade ou da boa-fé de alguém. / *v.t.i.* 3) Pedir auxílio, socorro, proteção.

A.PE.LI.DAR *v.t.d.* e *v.p.* Dar ou chamar(-se) por apelido.

A.PE.LI.DO *s.m.* 1) Nome, com valor expressivo, dado a alguém; alcunha. 2) Sobrenome.

A.PE.LO (ê) *s.m.* 1) Chamamento, invocação. 2) *Jur.* Recurso judicial, apelação.

A.PE.NAS *adv.* 1) Só, somente, único. 2) Escassamente, levemente. / *conj.* 3) Logo que, assim que.

A.PÊN.DI.CE *s.m.* 1) Parte menor anexa a outra sem ser essencial; acrescentamento. 2) *Anat.* Parte de um órgão principal, mas distinto pela sua forma e posição (apêndices ileocecal, nasal, caudal, etc.). 3) Suplemento que se junta ao texto de um livro com esclarecimento ou documentação.

apito

A.PER.FEI.ÇO.AR *v.t.d.* e *v.p.* Tornar(-se) melhor ou perfeito; aprimorar(-se).

A.PE.RI.TI.VO *adj.* 1) Aquilo que abre o apetite. / *s.m.* 2) Bebida ou alimento servido para abrir o apetite.

A.PER.TA.DO *adj.* 1) Que se apertou em volta com força, sem deixar folga ou espaço; arrochado. 2) Estreito ou estreitado; comprimido. 3) Ajustado. 4) Difícil, dificultoso. 5) Severo, rigoroso. 6) Sem recursos de ordem financeira.

A.PER.TAR *v.t.d.* e *v.p.* 1) Segurar(-se) com força. 2) Unir(-se) muito; amontoar(-se), comprimir(-se). 3) Afligir(-se), angustiar(-se). / *v.t.d.* 4) Fixar com força. 5) Fazer pressão sobre; pressionar. 6) Tornar menos largo; ajustar. 7) *fig.* Acelerar, apressar. / *v.p.* 8) Estar com dificuldades financeiras.

A.PER.TO (ê) *s.m.* 1) Ato ou efeito de apertar. 2) Multidão compacta. 3) Ajuste; pressão. 4) *Mec.* Folga negativa no ajuste de duas peças. 5) Cumprimento com as mãos. 6) Pressa, urgência. 7) Austeridade, rigor. 8) *fig.* Situação difícil, embaraçosa ➡ Acabo de sair do aperto.

A.PE.TE.CER *v.t.d.* 1) Ter apetite. / *v.t.i.* e *v.i.* 2) Interessar, agradar.

A.PE.TI.TE *s.m.* 1) Vontade ou desejo de comer. 2) Desejo por alguma coisa para a satisfação de uma necessidade.

A.PE.TI.TO.SO *adj.* 1) Que desperta o apetite; saboroso. 2) Que provoca o desejo; tentador.

A.PE.TRE.CHO *s.m.* Objeto necessário para a realização de algo; utensílios.

A.PI.Á.RIO *s.m.* 1) Local onde se criam abelhas. / *adj.* 2) Relativo a abelhas.

Á.PI.CE *s.m.* 1) Ponto mais alto; cume; topo. 2) *fig.* Auge; apogeu.

A.PÍ.CO.LA *adj.* 1) Relativo à apicultura. / *s.m.* 2) Pessoa que trata abelhas; apicultor.

A.PI.CUL.TU.RA *s.f.* Criação de abelhas.

A.PI.E.DAR *v.t.d.* e *v.p.* Sentir ou causar piedade; comover(-se).

A.PI.MEN.TA.DO *adj.* 1) Temperado com pimenta; picante. 2) *Por ext.* Excitante, provocante. 3) *fig.* Malicioso.

A.PI.MEN.TAR *v.t.d.* 1) Temperar com pimenta. 2) *fig.* Tornar malicioso.

A.PI.NHA.DO *adj.* Muito cheio; lotado, abarrotado.

A.PI.TAR *v.i.* 1) Emitir som agudo com apito; soar o apito; sibilar; silvar. 2) Tocar o apito; estridular. 3) Dar sinal por meio de apito.

A.PI.TO *s.m.* 1) Pequeno instrumento de assobio usado para dirigir manobras, pedir socorro, orientar trânsito, etc. 2) Silvo.

aplacar / apostila

A.PLA.CAR *v.t.d.* e *v.p.* 1) Tranquilizar(-se), aquietar(-se). 2) Abrandar(-se); suavizar(-se).

A.PLA.NAR *v.t.d.* 1) Tornar plano; nivelar. 2) Desembaraçar, remover obstáculos.

A.PLAU.DIR *v.t.d.* e *v.i.* 1) Dar aplausos a; bater palmas. / *v.t.d.* e *v.p.* 2) Aprovar(-se), elogiar(-se).

A.PLAU.SO *s.m.* 1) Manifestação pública de elogio ou satisfação com palmas, vozes, ruídos, etc. 2) Ato de aplaudir por gestos ou palavras. 3) Júbilo com que se recebe alguém ou alguma coisa. 4) Aprovação.

A.PLI.CA.ÇÃO *s.f.* 1) Ato ou efeito de aplicar(-se). 2) Centralização da atenção ou da inteligência no estudo; dedicação. 3) Assiduidade no trabalho.

A.PLI.CAR *v.t.d.* 1) Colocar em prática; executar. 2) Empregar; investir (capitais). 3) Adaptar, ajuntar, justapor. 4) Adequar, apropriar. 5) Atribuir. 6) Administrar, receitar. / *v.p.* 7) Dedicar-se, entregar-se com anseio a algum estudo ou trabalho.

A.PLI.QUE *s.m.* Enfeite aplicado em tecido, parede ou nos cabelos.

AP.NEI.A *s.f. Med.* Interrupção temporária da respiração.

A.PO.CA.LIP.SE *s.m.* 1) O último livro da Bíblia escrito pelo apóstolo Evangelista S. João que traz revelações sobre o juízo final (fim do mundo). 2) Acontecimento catastrófico. 3) *fig.* Discurso de difícil compreensão.

A.PO.DE.RAR-SE *v.p.* Tomar posse; apossar-se; senhorear-se.

A.PO.DRE.CER *v.t.d.*, *v.i.* e *v.p.* 1) Tornar(-se) podre; estragar(-se). 2) *fig.* Corromper(-se) moralmente, deteriorar(-se). 3) *fig.* Demorar-se muito tempo em algum lugar ➡ Ele vai apodrecer na cadeia.

A.PO.GEU *s.m.* 1) O mais alto grau de elevação, o auge, o ápice. 2) *Astr.* Ponto em que a órbita de um astro, mais comumente da Lua, cometa ou de um satélite artificial, encontra-se mais afastada do centro da Terra. 3) O ponto culminante; clímax.

A.POI.AR *v.t.d.* 1) Dar apoio a. 2) Ajudar, amparar. 3) Encostar.

A.POI.O (ô) *s.m.* 1) Coisa sobre a qual algo ou alguém se apoia; suporte, sustentáculo. 2) Ajuda, amparo.

A.PÓ.LI.CE *s.f.* 1) Certificado de obrigação mercantil para indenização de prejuízos. 2) Documento ou título do empréstimo público.

A.PO.LO.GI.A *s.f.* 1) Discurso ou escrito de defesa ou elogio para justificar ou defender alguém ou alguma coisa. 2) Encômio, louvor.

A.PON.TA.DO *adj.* 1) Provido de ponta; que termina em ponta; aguçado. 2) Indicado. 3) Marcado com ponto; assinalado. 4) De que se tomou nota; anotado. 5) Assentado, determinado. 6) Posto em pontaria.

A.PON.TA.DOR (ô) *s.m.* 1) Indivíduo que faz pontas de instrumentos. 2) Instrumento utilizado para fazer ponta em lápis. 3) Encarregado de formar o rol dos operários, apontar as faltas e serviços deles.

A.PON.TA.MEN.TO *s.m.* 1) Ato ou efeito de apontar. 2) Resumo, nota ou registro de algo.

A.PON.TAR *v.t.d.* 1) Fazer ponta no bico em; aguçar. 2) Indicar, indigitar; recomendar. 3) Citar, referir. 4) Alegar. 5) *Náut.* Dirigir a ponta ou a proa da embarcação para alguma parte. 6) Fazer pontaria contra alguém ou alguma coisa; assestar.

A.PO.QUEN.TAR *v.t.d.* e *v.p.* Aborrecer(-se) com coisas pouco importantes; aporrinhar(-se).

A.POR.TAR *v.t.d.* 1) Conduzir ao porto o navio, a embarcação. / *v.i.* 2) Chegar ao porto; ancorar. 3) Desembarcar.

A.PÓS *prep.* 1) Atrás de, depois de. / *adv.* 2) Em seguida. 3) Depois de (no tempo).

A.PO.SEN.TA.DO *adj.* e *s.m.* Que ou quem se aposentou.

A.PO.SEN.TA.DO.RI.A *s.f.* 1) Ato ou efeito de aposentar. 2) Estado de inatividade daquele que se aposentou. 3) *Bras.* Direito trabalhista garantido por lei a quem, trabalhador ou empregado, depois de ter completado certo tempo de serviço ou por invalidez definitiva, deixou de trabalhar, mas continua recebendo vencimentos. 4) Mensalidade que o aposentado recebe. 5) Hospedagem, agasalho.

A.PO.SEN.TAR *v.t.d.* e *v.p.* 1) Afastar(-se) do serviço por motivo de idade ou doença. 2) Conceder ou receber aposentadoria. / *v.t.d.* 3) Pôr de lado; deixar de usar.

A.PO.SEN.TO *s.m.* 1) Casa de residência, moradia, hospedagem. 2) Compartimento de casa, especialmente quarto de dormir.

A.POS.SAR *v.t.d.* 1) Conceder posse a. / *v.t.d.* e *v.p.* 2) Apoderar-se, ser possuído por emoção forte ➡ A indiferença apossou seu coração.

A.POS.TA *s.f.* 1) Contrato que fazem duas ou mais pessoas em defesa de opiniões diferentes e que obriga o perdedor a pagar ao ganhador uma certa quantia ajustada de antemão. 2) A coisa ou quantia que se aposta. 3) Desafio, porfia.

A.POS.TA.SI.A *s.f.* 1) Abandono público da fé religiosa (espec. a cristã), de uma doutrina ou de antiga opinião. 2) Abjuração. 3) Mudanças de crenças. 4) Abandono do grupo ao qual se pertencia.

A.POS.TI.LA *s.f.* Publicação com resumo de textos e matérias de aulas para uso de alunos.

aposto

A.POS.TO (ô) *adj.* 1) Que se apôs; adjunto. / *s.m.* 2) *Gram.* Termo que explica um outro.

A.PÓS.TO.LO *s.m.* 1) Cada um dos 12 discípulos de Jesus Cristo. 2) O que evangeliza. 3) Propagador convicto de uma doutrina ou ideia. 4) Missionário.

A.PO.TE.O.SE *s.f.* 1) Glorificação. 2) Momento mais importante de algo; apogeu.

A.PRA.ZÍ.VEL *adj.2gên.* 1) Que causa prazer; agradável. 2) Diz-se de lugar agradável, de clima ameno.

A.PRE.CI.AR *v.t.d.* 1) Avaliar, julgar. 2) Dar merecimento, apreço a. 3) Admirar; valorizar; prezar. 4) Considerar.

A.PRE.ÇO (ê) *s.m.* 1) Estima. 2) Importância ou valor em que alguma coisa é tida. 3) Consideração.

A.PRE.EN.DER *v.t.d.* 1) Efetuar apreensão de. 2) Apropriar-se de; tomar posse de. 3) Compreender mentalmente; absorver ideias, entender. / *v.i.* 4) Cismar.

A.PRE.EN.SÃO *s.f.* 1) Compreensão, percepção. 2) Preocupação, receio, temor. 3) Confisco.

A.PRE.EN.SI.VO *adj.* Preocupado, receoso.

A.PRE.GO.AR *v.t.d.* 1) Promulgar com pregão; anunciar. 2) Convocar por pregoeiros. 3) Publicar; divulgar. / *v.p.* 4) Gabar-se, inculcar-se.

A.PREN.DER *v.t.d.* e *v.i.* 1) Arquivar na memória; memorizar. 2) Adquirir conhecimentos; instruir-se. 3) Entender; informar-se. 4) Ficar sabendo, reter; sabedoria.

A.PREN.DIZ *s.m.* 1) Quem aprende ofício ou arte. 2) Principiante; novato.

A.PREN.DI.ZA.DO *s.m.* 1) Processo de aprender; aprendizagem.

A.PREN.DI.ZA.GEM *s.f.* Aprendizado.

A.PRE.SEN.TA.ÇÃO *s.f.* 1) Ato ou efeito de apresentar. 2) Espetáculo. 3) Aparência pessoal. 4) Texto inicial de uma obra; prefácio.

A.PRE.SEN.TAR *v.t.d.* 1) Colocar à vista ou na presença de. 2) Oferecer para ser visto ou recebido. 3) Mostrar, exibir. 4) Anunciar, revelar, explicar. / *v.p.* 5) Identificar-se, comparecer.

A.PRES.SAR *v.t.d.* 1) Dar pressa a; acelerar, avivar. 2) Tornar rápido, veloz. 3) Abreviar, antecipar. 4) Estimular, excitar, incitar. / *v.p.* 5) Tornar-se dinâmico, breve ou instantâneo.

A.PRI.MO.RAR *v.t.d.* 1) Fazer com primor. 2) Aperfeiçoar; tornar primoroso, completo. / *v.p.* 3) Aperfeiçoar(-se), completar(-se), esmerar(-se); esforçar-se para atingir a perfeição.

A PRIORI *loc. lat.* Diz-se da afirmação, ideia ou conhecimento baseado na criatividade e não nos fatos já demonstrados; pode ser anterior a esses fatos.

88

apurar

A.PRI.SIO.NAR *v.t.d.* Tornar prisioneiro; prender.

A.PRO.FUN.DAR *v.t.d.* e *v.p.* 1) Fazer(-se) ou tornar(-se) mais fundo. 2) Empenhar(-se) minuciosamente no estudo ou conhecimento de determinado assunto.

A.PRON.TAR *v.t.d.* e *v.p.* 1) Preparar(-se). 2) Vestir (-se), arrumar(-se). 3) Dar como pronto. / *v.t.d.* e *v.i.* 4) Agir de modo impróprio, gerando confusão.

A.PRO.PRI.A.ÇÃO *s.f.* Ato ou efeito de apropriar(-se).

A.PRO.PRI.A.DO *adj.* Adequado, conveniente, útil, próprio.

A.PRO.PRI.AR *v.t.d.i.* e *v.p.* 1) Tomar para si; apoderar(-se). 2) Adequar(-se), adaptar(-se).

A.PRO.VA.ÇÃO *s.f.* 1) Ato ou efeito de aprovar. 2) Manifestação de consentimento; anuência. 3) Ato pelo qual se considera alguém aprovado em exame, concurso, etc.

A.PRO.VA.DO *adj.* e *s.m.* Que ou quem obteve aprovação.

A.PRO.VAR *v.t.d.* 1) Dar por habilitado. 2) Dar aprovação a, considerar bom. 3) Autorizar, ratificar, sancionar. 4) Aplaudir.

A.PRO.VEI.TA.DOR *adj.* e *s.m.* 1) Que ou quem aproveita. 2) Que ou quem tira vantagem de algo de forma inescrupulosa.

A.PRO.VEI.TAR *v.t.d.* 1) Tirar proveito de. / *v.p.* 2) Utilizar(-se), servir(-se), levar vantagem. / *v.t.i.* 3) Ser proveitoso, útil ou rendoso.

A.PRO.XI.MA.ÇÃO *s.f.* 1) Ato ou efeito de aproximar(-se). 2) Proximidade no espaço ou no tempo. 3) Avaliação próxima a determinado resultado; estimativa. 4) Comparação entre coisas, situações ou ideias.

A.PRO.XI.MAR (ss) *v.t.d.* 1) Tornar próximo uma coisa de outra. 2) Relacionar; avizinhar pessoas. / *v.p.* 3) Acercar-se.

A.PRU.MAR *v.t.d.* e *v.p.* 1) Endireitar(-se). 2) Colocar(-se) em posição vertical. / *v.p.* 3) *fig.* Vestir-se com elegância. 4) *fig.* Melhorar de sorte ou saúde.

AP.TI.DÃO *s.f.* 1) Vocação, inclinação. 2) Requisitos para a realização de determinada atividade ou tarefa.

AP.TO *adj.* 1) Que tem aptidão por natureza ou alcançada; capaz, hábil, habilitado, idôneo. 2) Aprovado.

A.PU.NHA.LAR *v.t.d.* e *v.p.* 1) Ferir(-se) ou matar(-se) com punhal. / *v.t.d.* e *v.i.* 2) *fig.* Magoar. 3) *fig.* Trair, enganar.

A.PU.RAR *v.t.d.* 1) Tornar puro. 2) Concluir. 3) Reunir dinheiro a partir da venda de alguma coisa. /

apuro / arbusto

v.i. e *v.p.* 4) Aperfeiçoar-se. 5) Ficar em dificuldades. 6) Sobrecarregar-se de serviço.

A.PU.RO *s.m.* 1) Requinte, esmero. 2) Situação difícil, angustiante.

A.QUA.PLA.NA.GEM *s.f.* 1) Pouso ou deslizamento sobre a água. 2) *pop.* Derrapagem em pista molhada.

A.QUA.RE.LA *s.f.* 1) Tinta diluída em água. 2) Técnica de pintura usando essa tinta. 3) A pintura feita com essa tinta.

A.QUÁ.RIO *s.m.* 1) Depósito de água utilizado para criação e observação de animais e vegetais aquáticos, em especial peixes ornamentais. 2) *Astrol.* Signo do zodíaco. 3) *Astr.* Constelação. / *adj.* 4) Que vive na água, aquático.

A.QUÁ.TI.CO *adj.* 1) Da água. 2) Que vive na água ou sobre ela.

A.QUE.CE.DOR *adj.* e *s.m.* 1) Que aquece. / *s.m.* 2) Aparelho usado para aquecer coisas ou lugares. 3) Aparelho doméstico usado para aquecer água.

A.QUE.CER *v.t.d.* 1) Tornar quente, aquentar, esquentar. 2) Estimular os músculos; excitar. / *v.i.* e *v.p.* 3) Dar calor. 4) Animar(-se), entusiasmar(-se). 5) Encolerizar(-se), irar(-se). 6) Exercitar(-se) antes da prova ou do treino.

A.QUE.DU.TO *s.m.* Sistema de canalização para condução de água.

A.QUE.LE (ê) *pron. dem.* Indica que o ser ou coisa está relativamente próximo à pessoa de quem se fala, ou distante dos interlocutores tanto na ordem de lugar como na de tempo; no discurso refere-se ao termo mais afastado.

A.QUÉM *adv.* Da parte ou do lado de cá.

A.QUI *adv.* 1) Neste lugar. 2) A este lugar. 3) Nesta ocasião. 4) Momento atual; agora ➡ Até aqui está tudo bem.

A.QUI.E.TAR *v.t.d.* e *v.p.* Tornar(-se) quieto, tranquilizar(-se).

A.QUI.LO *pron.* Designa algo distante tanto do falante quanto do ouvinte; aquela coisa.

A.QUI.SI.ÇÃO *s.f.* 1) Ato ou efeito de adquirir. 2) A coisa adquirida.

A.QUO.SO (ô) *adj.* 1) Que tem ou contém água. 2) Da natureza da água; semelhante à água.

AR *s.m.* 1) Composto gasoso que constitui a atmosfera. 2) Atmosfera. 3) Aragem. 4) Vento, viração. 5) Clima. 6) Espaço vazio. 7) Maneira ou modo de proceder ou de apresentar-se. 8) *fig.* Expressão do rosto ➡ Ele está com ar de cansaço. 9) *fig.* Aparência, aspecto ➡ Seu ar é de inocência. 10) Ar condicionado: aparelho elétrico utilizado para manter a temperatura num ambiente sob desejada condição; condicionador de ar.

A.RAC.NO.FO.BI.A *s.f.* Medo de aranhas.

A.RA.DO *s.m.* 1) Instrumento usado para lavrar a terra. / *adj.* 2) Com muita fome; faminto.

A.RA.GEM *s.f.* Vento brando; brisa.

A.RA.MAI.CO *adj.* 1) Referente aos naturais do Aram ou à sua língua, o arameu. / *s.m.* 2) Membro dos Aramaicos, designação genérica da tribo dos semitas que habitavam regiões do Tigre e Eufrates.

A.RA.ME *s.m.* 1) Qualquer fio de metal, delgado e flexível, de comprimento indeterminado. 2) Liga de cobre com zinco ou outros metais.

A.RA.NHA *s.f.* 1) *Zool.* Qualquer animal aracnídeo articulado da ordem dos Araneídeos. 2) Nome comum a diversos objetos, cuja forma é semelhante a da aranha.

A.RA.PU.CA *s.f.* 1) Armadilha para apanhar pássaros pequenos. 2) *fig.* Armadilha, cilada, embuste. 3) *fig.* Negócios fraudulentos.

A.RAR *v.t.d.* 1) Lavrar (a terra). / *v.i.* 2) Estar sem ar. 3) Estar faminto.

A.RA.RA *s.f.* Nome de várias aves da família dos Psitacídeos, de cauda longa e que se distinguem pelo colorido, em que predominam as cores mais vivas: amarelo, vermelho e azul.

A.RAU.CÁ.RIA *s.f.* *Bot.* Árvore de pinha, com amêndoas carnosas e comestível; natural das florestas e campos do sul do Brasil, Oceania e América do Sul.

A.RAU.TO *s.m.* *Hist.* Oficial das monarquias medievais encarregado de anunciar oficial e solenemente algumas notícias. 2) *fig.* Aquele que anuncia; porta-voz.

AR.BI.TRA.RIE.DA.DE *s.f.* 1) *Jur.* Abuso de autoridade; violência. 2) Comportamento ilógico; capricho.

AR.BI.TRÁ.RIO *adj.* 1) Que depende da vontade de quem age; que não segue regras. 2) *Por ext.* Facultativo, eventual. 3) *Por ext.* Abusivo, violento.

AR.BÍ.TRIO *s.m.* 1) Vontade própria. 2) Domínio ou poder absoluto. 3) *Jur.* Decisão ou sentença de juiz ou árbitro.

ÁR.BI.TRO *s.m.* 1) *Jur.* Aquele que soluciona questões por acordo das partes litigantes. 2) Autoridade absoluta ou suprema; soberano. 3) Pessoa encarregada de dirigir uma partida.

AR.BÓ.REO *adj.* 1) Relativo à árvore. 2) Que possui características de árvore.

AR.BO.RIS.MO *s.m.* Prática esportiva que consiste em percorrer um circuito montado entre copas de árvores.

AR.BO.RI.ZAR *v.t.d.* Plantar árvores em.

AR.BUS.TO *s.m.* *Bot.* Pequena árvore ou vegetal lenhoso, ramificado desde a base, de tronco principal não distinguível.

89

AR.CA *s.f.* 1) Caixa ampla, grande, normalmente de madeira, com tampa chata, designada a guardar roupas. 2) Cofre de guardar valores. 3) Tesouro. 4) Tórax, costado.

AR.CA.BOU.ÇO *s.m.* 1) Esqueleto. 2) Ossatura do tórax. 3) Estrutura que sustenta uma construção. 4) Esboço.

AR.CA.DA *s.f.* 1) Sequência de arcos adjacentes suportados por colunas ou pilar. 2) Abóbada arqueada em curva. 3) Construção em forma de arco.

AR.CAI.CO *adj.* Qualquer coisa que está fora de uso; muito antigo; antiquado; obsoleto.

AR.CAN.JO *s.m.* 1) *Teol.* Anjo de ordem superior aos demais. 2) Espírito celeste.

AR.CA.NO *adj.* e *s.m.* Que ou o que é misterioso, enigmático, secreto.

AR.CAR *v.t.i.* e *v.i.* 1) Lutar corpo a corpo. / *v.t.d.* 2) Dar forma de arco a. / *v.t.i.* 3) Responsabilizar-se; assumir.

AR.CE.BIS.PO *s.m.* Autoridade eclesiástica superior aos bispos que está à frente de uma arquidiocese; cardeal.

AR.CO *s.m.* 1) *Mat.* Qualquer porção contínua da circunferência; segmento curvo. 2) Aro, anel, colar, cinta. 3) Parte complementar de alguns instrumentos de corda.

AR.CO-Í.RIS *s.m. Meteor.* Fenômeno luminoso em forma de arco de círculo, resultante da refração e da reflexão dos raios solares nas gotas d'água de chuva. Suas cores são: vermelho, alaranjado, amarelo, verde, azul-turquesa, anil e violeta.

AR-CON.DI.CIO.NA.DO *s.m.* Aparelho usado para resfriar ambientes fechados; condicionador de ar.

AR.DÊN.CIA *s.f.* 1) Qualidade ou estado do que arde, queima; ardor. 2) Sensação de queimação. 3) Sabor picante.

AR.DEN.TE *adj.2gên.* 1) Que está em fogo, em brasa. 2) Que produz muito calor; aceso. 3) Acre, picante. 4) *fig.* Tomado de paixão; intenso, impetuoso.

AR.DER *v.i.* 1) Acender; abrasar-se, inflamar-se. 2) Estar em labaredas; queimar-se. 3) Sentir muito calor. 4) *fig.* Sentir-se apaixonado, colérico ou entusiasmado ➡ Meu coração arde em chamas.

AR.DI.DO *adj.* 1) Que ardeu; queimado. 2) *fig.* Corajoso, valente. 3) Fermentado. 4) Picante: pimenta ardida. / *s.m.* 5) Irritação na pele.

AR.DIL *s.m.* Artimanha, estratagema.

AR.DI.LO.SO *adj.* Que utiliza ardis; cheio de astúcia; esperto, velhaco.

AR.DOR (ô) *s.m.* 1) Calor forte. 2) Atividade, vivacidade ➡ Ele exerce seu trabalho com ardor. 3) Amor intenso; entusiasmo; paixão.

AR.DO.RO.SO *adj.* Que tem ardor; entusiástico, apaixonado.

AR.DÓ.SIA *s.f.* 1) Pedra cinzento-escura ou azulada, de granulação finíssima, separável em lâminas resistentes, usada para cobrir casas ou como pisos residenciais. 2) Lousa; pedra de escrever.

ÁR.DUO *adj.* 1) Alcantilado, escarpado. 2) Penoso, atribulado. 3) Espinhoso, áspero, bruto, difícil.

A.RE *s.m.* Unidade das medidas agrárias de superfície, equivalente a 100 metros quadrados.

Á.REA *s.f.* 1) Superfície plana demarcada; espaço. 2) *Geom.* Medida de superfície. 3) Extensão; expansão; amplidão.

A.REI.A *s.f.* 1) Substância mineral, em grânulos ou em pó, geralmente de quartzo, feldspato e mica, não consolidados, derivados de erosões rochosas, cujos diâmetros não excedem os 2 milímetros e que se acumula nas praias, nos rios, desertos, etc. 2) Qualquer pó. 3) Praia. 4) *Med.* Cálculo renal na bexiga ou nos rins.

A.RE.JAR *v.t.d.* e *v.p.* 1) Fazer circular o ar; ventilar. 2) Expor(-se) ao ar. 3) Renovar o ar. / *v.i.* e *v.p.* 4) *fig.* Tomar novo ânimo; espairecer(-se).

A.RE.NA *s.f.* 1) Espaço central dos antigos circos romanos, coberto de areia, destinado à luta dos gladiadores e feras; atualmente, área onde se exibe o pessoal do circo. 2) Círculo dos teatros.

A.RE.NO.SO *adj.* 1) Constituído de areia. 2) Com aspecto semelhante ao da areia.

AR.FAR *v.i.* 1) Respirar com dificuldade; ofegar, arquejar. 2) Balançar, oscilar.

AR.GA.MAS.SA *s.f.* Mistura de areia, água e cal usada em construções.

AR.GO.LA *s.f.* 1) Aro ou círculo, geralmente de metal. 2) Brinco de forma circular.

AR.GO.NAU.TA *s.m.* 1) *Mit.* Na mitologia grega, cada um dos heróis que viajaram na nau Argo em busca do velocino de ouro. / *s.2gên.* 2) Grande navegador. 3) Pessoa com espírito de aventura.

AR.GÚ.CIA *s.f.* 1) Percepção apurada; sagacidade. 2) Sutileza de raciocínio e de argumentos.

AR.GUI.ÇÃO *s.f.* 1) Alegação, argumentação. 2) Teste oral.

AR.GU.MEN.TAR *v.t.d., v.t.i.* e *v.i.* 1) Apresentar argumentos; alegar. 2) Expor ideias para acusar ou defender algo.

AR.GU.MEN.TO *s.m.* 1) Juízo ou raciocínio pelo qual se extrai uma conclusão. 2) Prova que serve para afirmar ou negar um fato. 3) Indício.

AR.GU.TO *adj.* Sagaz, perspicaz.

ária / arquivo

Á.RIA *s.f.* Parte de uma ópera, cantata ou oratório, para voz solista.

Á.RI.DO *adj.* 1) Seco. 2) Improdutivo, estéril. 3) *fig.* Árduo, fastidioso, fatigante.

A.RIS.CO *adj.* 1) *fig.* Diz-se de pessoa difícil de lidar, por agressividade ou timidez. 2) Que tem muita areia. 3) *fig.* Que não se deixa domesticar.

A.RIS.TO.CRA.CI.A *s.f.* 1) Classe social dos nobres; nobreza. 2) Forma de governo em que o poder é exercido por um grupo de pessoas privilegiadas.

A.RIT.MÉ.TI.CA *s.f.* 1) *Mat.* Parte da matemática que estuda os cálculos numéricos. 2) Tudo que exige algum cálculo.

AR.MA *s.f.* 1) Todo aparelho de ataque ou de defesa. 2) Qualquer objeto ou recurso ofensivo ou defensivo. 3) Cada categoria estratégica do exército (artilharia, cavalaria, infantaria, etc.). 4) Recurso, habilitação, expediente. 5) Profissional militar. 6) Tropas. 7) Insígnias de brasão e divisas.

AR.MA.ÇÃO *s.f.* 1) Conjunto de peças que sustenta algo. 2) *fig.* O que se planeja para enganar alguém; golpe.

AR.MA.DI.LHA *s.f.* 1) Qualquer artifício ou laço para apanhar caça. 2) Arapuca. 3) Maneira ardilosa de enganar alguém; emboscada, cilada, estratagema, mentira.

AR.MA.DU.RA *s.f.* 1) Vestimenta de guerra dos antigos guerreiros. 2) *fig.* Sistema de defesa, de proteção.

AR.MA.MEN.TO *s.m.* 1) Ato ou efeito de munir (-se) de armas. 2) Conjunto de armas.

AR.MAR *v.t.d.* 1) Abastecer-se ou equipar-se de armas; preparar-se, prevenir-se. 2) Aparelhar de munições e utensílios necessários à guerra. 3) Organizar ou montar uma arma, aparelho ou mecanismo que possa funcionar. / *v.p.* 4) Resguardar-se contra o frio. 5) *fig.* Fortalecer-se, prevenir-se ➡ Armou-se de coragem para enfrentar o pai da namorada.

AR.MÁ.RIO *s.m.* Móvel de madeira, aço ou outro material, normalmente fechado, com divisórias horizontais internas (prateleiras), para guardar quaisquer objetos ou utensílios, geralmente domésticos.

AR.MA.ZÉM *s.m.* 1) Estabelecimento onde se vendem produtos alimentícios e de uso doméstico; mercearia. 2) Depósito de mercadorias, munições, etc.

AR.MA.ZE.NAR *v.t.d.* 1) Colocar em depósito ou armazém; guardar. 2) Reunir em depósito. / *v.i.* 3) Criar provisão, estoque de alimentos para uso futuro. 4) *fig.* Acumular energias.

AR.MIS.TÍ.CIO *s.m.* Suspensão, por acordo, das hostilidades entre aqueles que estão em guerra, continuando o estado de guerra.

A.RO *s.m.* 1) Arco pequeno. 2) Anel, argola. 3) Guarnição circular, metálica, das rodas de certos veículos. 4) Círculo. 5) Marco das portas.

A.RO.MA *s.m.* 1) Odor agradável de certas substâncias de origem animal ou vegetal. 2) Exalação odorífica de um corpo ou composto químico. 3) Perfume, fragrância.

A.RO.MÁ.TI.CO *adj.* 1) Relativo a aroma. 2) Que tem aroma agradável.

A.RO.MA.TI.ZAR *v.t.d.*, *v.i.* e *v.p.* Ficar ou deixar com aroma; perfumar(-se).

AR.PÃO *s.m.* Peça de ferro com formato de seta que se usa na pesca de peixes grandes e baleias.

AR.QUE.AR *v.t.d.* e *v.p.* Dobrar(-se) em forma de arco; curvar(-se).

AR.QUEI.RO *s.m.* 1) Aquele que fabrica ou vende arcos para pipas; tanoeiro. 2) *Mil.* Combatente armado com arco. 3) Goleiro de futebol.

AR.QUE.O.LO.GI.A *s.f.* Estudo das velhas civilizações, a partir dos monumentos e demais testemunhos não escritos.

AR.QUE.Ó.LO.GO *s.m.* Profissional formado em Arqueologia.

AR.QUÉ.TI.PO *s.m.* Modelo, protótipo.

AR.QUI.BAN.CA.DA *s.f.* 1) Bancada principal. 2) Série de assentos dispostos em fileiras, em diversos planos, para alojar espectadores.

AR.QUI.DI.O.CE.SE *s.f.* Diocese que tem poder sobre outras dioceses e é dirigida por um arcebispo.

AR.QUI-I.NI.MI.GO *adj.* e *s.m.* O maior inimigo ou rival.

AR.QUI.PÉ.LA.GO *s.m.* Coletivo de ilhas próximas.

AR.QUI.TE.TO *s.m.* Profissional graduado em arquitetura que concebe a construção e a decoração de edifícios de todo tipo; também dirige a sua execução.

AR.QUI.TE.TU.RA *s.f.* 1) Arte de projetar e construir edifícios, prédios, etc. 2) Conjunto de construções que caracterizam uma época, um povo, uma cultura ou um lugar. 3) Projeto ou estilo de uma construção. 4) Estrutura.

AR.QUI.VAR *v.t.d.* 1) Guardar em arquivo. 2) *Jur.* Interromper, dar por encerrado ou deixar de lado (inquérito, processo, etc.). 3) *fig.* Memorizar.

AR.QUI.VO *s.m.* 1) Coleção de qualquer espécie de documentos relativos à história de um lugar ou pessoa. 2) Local em que são guardados esses documentos. 3) Móvel que facilita o manuseio desses documentos. 4) Registro.

arrancar

AR.RAN.CAR *v.t.d.* 1) Fazer sair puxando; despegar. 2) Obter à força; extorquir. 3) Conseguir com muita insistência e importunação. / *v.i.* 4) Partir ou sair de algum lugar com ímpeto e de repente. / *v.t.d.i.* 5) Suscitar, provocar aplausos de alguém ou de plateia.

AR.RAN.CA-RA.BO *s.m.* Briga, discussão, bate-boca.

AR.RA.NHA-CÉU *s.m.* Prédio muito alto, com muitos andares.

AR.RA.NHÃO *s.m.* 1) Ferimento superficial na pele. 2) Ranhura ou risco em uma superfície polida.

AR.RA.NHAR *v.p.* e *v.t.d.* 1) Ferir-se ligeiramente com a unha ou algum objeto. / *v.i.* 2) Causar arranhão. / *v.t.d.* 3) Tocar mal ou um pouco algum instrumento musical. 4) Falar, conhecer pouco uma língua.

AR.RAN.JA.DO *adj.* 1) Disposto em ordem, preparado. 2) Diz-se daquele que tem situação financeira regular.

AR.RAN.JAR *v.t.d.* 1) Pôr em ordem; arrumar; dispor. 2) Conseguir, obter. 3) Consertar, reparar. 4) Conciliar, resolver. 5) *Mús.* Fazer o arranjo de uma composição. / *v.p.* 6) Governar bem a vida, economicamente. 7) Avir-se. 8) Preparar-se, ataviar-se.

AR.RAN.JO *s.m.* 1) Ato ou efeito de arranjar; arrumação, disposição. 2) Transação entre particulares; acordo. 3) *Mús.* Adaptação de uma composição a vozes ou a instrumentos para os quais originalmente não havia sido escrita.

AR.RA.SAR *v.t.d.* 1) Tornar raso, nivelar. 2) *fig.* Humilhar; abater moral ou fisicamente.

AR.RAS.TÃO *s.m.* 1) Ação de arrastar. 2) Rede de pesca que é arrastada pelo mar. 3) Assalto cometido por um grupo em locais públicos.

AR.RAS.TAR *v.t.d.* 1) Levar ou trazer de rastros ou à força. 2) Ir de rojo ou rojando o corpo ou parte dele pelo chão.

AR.RE.BA.TAR *v.t.d.* 1) Tirar com violência, arrancar. 2) Levar para longe e de imprevisto. 3) Raptar; roubar. 4) Arrancar, arrastar; arrojar. 5) Atrair com força; cativar. 6) Extasiar, entusiasmar.

AR.RE.BEN.TAR *v.t.d.*, *v.i.* e *v.p.* 1) Romper(-se) de modo mais ou menos violento; quebrar(-se). 2) Estourar, estatelar. / *v.i.* 3) *gír.* Ter sucesso; destacar(-se).

AR.RE.BI.TAR *v.t.d.* 1) Revirar para cima a ponta, aba, etc. / *v.p.* 2) Tornar-se mais alto, erguer-se. 3) *fig.* Exasperar, enfurecer.

AR.RE.CA.DAR *v.t.d.* 1) Recolher; receber. 2) Ter ou guardar em segurança.

arrogância

AR.RE.DAR *v.t.d.* e *v.p.* 1) Recuar(-se), afastar (-se). / *v.t.d.* 2) Remover, retirar. / *v.p.* 3) Dissuadir (-se), demover(-se).

AR.RE.DON.DAR *v.t.d.* 1) Tornar redondo, dar forma de círculo a. 2) Completar uma quantia. / *v.p.* 3) Tornar forma ou feição redonda.

AR.RE.GA.ÇAR *v.t.d.* Dobrar ou puxar para cima (parte de uma vestimenta).

AR.RE.GA.LAR *v.t.d.* Abrir muito (os olhos); esbugalhar.

AR.RE.GA.NHAR *v.t.d.* 1) Abrir muito. / *v.t.d.* e *v.p.* 2) Mostrar (os dentes), abrindo os lábios.

AR.REI.O *s.m.* Conjunto de peças usadas para preparar a cavalgadura para a montaria ou para a carga.

AR.RE.MA.TAR *v.t.d.* e *v.p.* 1) Finalizar, concluir. / *v.t.d.* 2) Dar os retoques finais. 3) Encerrar conversa ou discussão. 4) Comprar algo em um leilão.

AR.RE.MES.SAR *v.t.d.* 1) Arrojar, lançar com ousadia. 2) Lançar, atirar com força. 3) *Esp.* Fazer arremesso. / *v.p.* 4) Lançar-se em ataque, com ímpeto. 5) Arriscar-se, expor-se, aventurar-se. 6) Abordar, investir.

AR.RE.PEN.DER *v.p.* 1) Ter amargura ou pesar dos erros, faltas ou pecados cometidos. 2) Sentir remorso. 3) Mudar de ideia, parecer ou propósito.

AR.RE.PI.AR *v.t.d.* 1) Fazer eriçar cabelos ou pelos; amedrontar; horripilar. / *v.p.* 2) Levantar-se, eriçar-se. / *v.t.d.* e *v.p.* 3) Tremer ou fazer tremer de frio, horror ou medo. / *v.i.* 4) Causar arrepios. 5) Franzir; eriçar.

AR.RE.PIO *s.m.* Rápido tremor involuntário; estremecimento, calafrio.

AR.RI.AR *v.t.d.* 1) Abaixar, descer. 2) Colocar (um objeto) no chão ou em outra superfície plana. / *v.i.* 3) Cair ou vergar-se sob peso. 4) *fig.* Perder as energias, o ânimo. 5) *Autom.* Descarregar.

AR.RIS.CA.DO *adj.* Que oferece ou é de risco; arrojado, temerário.

AR.RIS.CAR *v.t.d.* e *v.p.* 1) Pôr(-se) em ou expor (-se) a risco ou perigo; aventurar(-se). 2) Oferecer(-se) ao arbítrio do bom ou mau sucesso.

AR.RIT.MI.A *s.f.* 1) Perturbação ou irregularidade do ritmo. 2) *Med.* Desigualdade e perturbação dos batimentos cardíacos.

AR.RO.BA *s.f.* Sinal gráfico (@) usado em endereços de correio eletrônico.

AR.RO.GÂN.CIA *s.f.* 1) Qualidade ou atitude de arrogante. 2) Ato ou efeito de atribuir a si mesmo direitos, poderes ou privilégios. 3) *Por ext.* Desprezo com relação aos outros; orgulho ostensivo; altivez.

arrogante   asa

AR.RO.GAN.TE *adj.2gên.* Que tem ou revela arrogância; insolente; orgulhoso, petulante.

AR.RO.JA.DO *adj.* 1) Temerário, arriscado. 2) Inovador, ousado.

AR.RO.JAR *v.t.d.* e *v.p.* 1) Arremessar(-se) com força; lançar(-se) com ímpeto. / *v.t.d.* 2) Lançar fora.

AR.RO.LAR *v.t.d.* 1) Pôr em lista. / *v.t.d.* e *v.p.* 2) Inscrever(-se), alistar(-se).

AR.ROM.BA *s.f.* 1) Canção ruidosa para viola. 2) Usado na locução *de arromba*: excelente; magnífico, de espantar.

AR.ROM.BAR *v.t.d.* 1) Fazer rombo em. 2) Destroçar, quebrar, estilhaçar; causar ruína a. 3) Abrir com força e violência.

AR.RO.TAR *v.t.d.* e *v.i.* Soltar gases estomacais pela boca, acompanhados de ruídos.

AR.RO.TO (ô) *s.m.* 1) Emissão ruidosa de gases provenientes do estômago pela boca; eructação. 2) Respiradouro de gruta ou caverna.

AR.ROZ (ô) *s.m.* 1) *Bot.* Planta graminácea que produz grãos comestíveis, cultivada em alagados. 2) Grão produzido por essa planta. 3) *Cul.* Prato preparado com esses grãos.

AR.RU.A.ÇA *s.f.* 1) Tumulto, motim, desordem de rua. 2) Barulheira.

AR.RU.A.CEI.RO *adj.* e *s.m.* Que ou quem faz arruaça; baderneiro.

AR.RUI.NAR *v.t.d.* 1) Causar ruína; destruir. 2) Estragar. 3) Demolir. 4) Prejudicar. / *v.p.* 5) Perder a saúde ou o dinheiro, empobrecer; arrasar-se à miséria.

AR.RU.MA.DO *adj.* 1) Que se arrumou; ajeitado. 2) Colocado em ordem; organizado. 3) Vestido de acordo para sair a passeio; pronto. 4) Preparado.

AR.RU.MAR *v.t.d.* 1) Pôr em ordem; arranjar; acomodar. 2) Organizar; ajeitar. 3) Empregar num serviço ou indústria.

AR.SE.NAL *s.m.* 1) Fábrica e depósito de armas e munições. 2) Grande quantidade de qualquer coisa.

AR.TE *s.f.* 1) Conjunto de regras para a execução aprimorada de qualquer obra. 2) Conjunto de determinações de um ofício ou profissão.

AR.TE.FA.TO *s.m.* 1) Objeto, produto manufaturado. 2) Aparelho construído ou usado para determinado fim.

AR.TEI.RO *adj.* Que apronta artes ou travessuras; travesso.

AR.TÉ.RIA *s.f. Anat.* Vaso que transporta sangue do coração para o resto do corpo.

AR.TE.SA.NAL *adj.2gên.* Relativo a artesão ou a artesanato.

AR.TE.SA.NA.TO *s.m.* 1) Técnica e exercício do artesão. 2) Processo primitivo de fabricação de produtos manufaturados.

AR.TE.SÃO *s.m.* Quem faz determinados trabalhos manuais.

AR.TI.CU.LA.ÇÃO *s.f.* 1) Ato ou efeito de articular; junção; conexão. 2) *Anat.* e *Zool.* Região de contato e fixação entre duas partes do corpo; conexão entre dois ou mais ossos.

AR.TI.FI.CI.AL *adj.2gên.* 1) Produzido pela arte ou pela indústria; fabricado. 2) Que não é natural; que envolve artifício. 3) Contrafeito, sofisticado, postiço. 4) Disfarçado; dissimulado. 5) Falso; enganador.

AR.TI.FÍ.CIO *s.m.* 1) Processo ou meio pelo qual se obtém algo. 2) *Por ext.* Uso da astúcia a fim de enganar; sagacidade.

AR.TI.GO *s.m.* 1) Mercadoria. 2) *Jur.* Cada uma das partes em que se divide uma constituição, lei, tratado, etc. 3) Texto publicado em jornal ou revista. 4) *Gram.* Palavra que precede os substantivos, indicando-lhes gênero e número.

AR.TI.LHA.RI.A *s.f.* 1) *Mil.* Conjunto de materiais de guerra. 2) Conjunto dos militares; tropa.

AR.TI.LHEI.RO *s.m.* 1) Soldado de artilharia. 2) *Esp.* Jogador de futebol que faz muitos gols numa partida ou num campeonato; goleador.

AR.TI.MA.NHA *s.f.* Esperteza; estratagema; artifício; manha; astúcia.

AR.TIS.TA *s.2gên.* 1) Aquele que revela sentimento artístico. 2) Indivíduo que se dedica às belas-artes. 3) Indivíduo que tem talento. 4) Artesão, artífice. / *adj.* 5) Engenhoso; inteligente.

AR.TRÓ.PO.DES *s.m. pl. Zool.* Grupo de animais invertebrados, com corpo segmentado e patas articuladas, como insetos, aranhas, etc.

ÁR.VO.RE *s.f.* 1) *Bot.* Vegetal lenhoso, de tronco alto, que se ramifica na parte superior. 2) *Mec. Autom.* Peça, geralmente alongada, que serve para transmitir ou receber o movimento nas máquinas.

ÁS *s.m.* 1) Carta de jogar marcada com um só ponto; o início ou o fim de cada naipe. 2) Pessoa magnífica em uma atividade desportiva ou qualquer outra atividade.

A.SA *s.f.* 1) *Ornit.* Cada um dos dois membros superiores das aves equipado de penas e apropriado para voar, como nos pássaros; auxilia para correr, como nas galinhas; auxilia a nadar, como nos pinguins. 2) *Zool.* Extensão membranosa ou córnea do tórax de alguns insetos. 3) Parte da superfície do avião que ajuda na sustentação da aerodinâmica. 4) Parte saliente por meio da qual se seguram certos utensílios ➡ asa da xícara. **93**

AS.CEN.DÊN.CIA *s.f.* 1) Movimento para cima; subida. 2) Origem, genealogia de um indivíduo. 3) Influência; predomínio que se exerce sobre alguém.

AS.CEN.DER *v.i.* e *v.p.* 1) Mover(-se) para cima; subir. / *v.t.i.* 2) Subir de cargo, posto, etc. Elevar (-se).

AS.CEN.SÃO *s.f.* Ato de ascender; ascendência, elevação, subida.

AS.CEN.SOR *adj.* e *s.m.* 1) Que ou o que ascende, eleva. / *s.m.* 2) Elevador.

AS.CEN.SO.RIS.TA *s.2gên.* Pessoa que maneja um elevador ou ascensor.

AS.CO *s.m.* 1) Sentimento de repulsa pelo que seja hediondo ou repugnante; nojo, enjoo. 2) *fig.* Aversão, desprezo.

AS.FAL.TO *s.m.* Substância preparada com breu de petróleo que pode ser utilizada na pavimentação e impermeabilização das estradas.

AS.FI.XI.A (cs) *s.f. Med.* Dificuldade ou impossibilidade de respirar, que pode levar à anoxia.

AS.FI.XI.AR *v.t.d.* e *v.i.* 1) Sufocar. / *v.t.d.* e *v.p.* 2) Matar(-se) ou morrer por asfixia. / *v.i.* e *v.p.* 3) Não poder respirar livremente.

A.SI.LO *s.m.* 1) Abrigo; guarida; acolhimento; proteção para crianças, desabrigados, doentes mentais e idosos. 2) Todo lugar onde se está a salvo de perigo.

AS.MA *s.f. Med.* Doença do aparelho respiratório, caracterizada por acessos recorrentes de dispneia devido à contração espasmódica dos brônquios.

AS.NEI.RA *s.f.* Bobagem, tolice, disparate.

AS.NO *s.m.* 1) *Zool.* Jumento; burro. 2) *fig.* Indivíduo imbecil.

AS.PAR.TA.ME *s.m.* Adoçante artificial que substitui o açúcar em dietas especiais.

AS.PAS *s.f. pl. Gram.* Sinal gráfico (" ") usado para indicar uma citação, título de obras ou palavra especial.

AS.PEC.TO *s.m.* 1) Aparência exterior de uma pessoa ou coisa. 2) Cada um dos lados ou pontos de vista pelo qual se considera uma questão.

AS.PE.RE.ZA (ê) *s.f.* 1) Que não é liso. 2) Crespidão, rugosidade. 3) *fig.* Acidez, azedume. 4) Rudeza, indelicadeza, grosseria.

ÁS.PE.RO *adj.* 1) De superfície desigual. 2) Com irregularidades. 3) Desagradável ao paladar, à audição ou ao tato. 4) *fig.* Severo, rude, ríspido.

AS.PER.SOR *s.m.* Aparelho usado na irrigação de plantas.

AS.PI.RAN.TE *adj.2gên.* e *s.2gên.* 1) Que ou o que aspira, suga. 2) Que ou o que ambiciona. / *s.m.* 3) *Mil.* Posição inicial da hierarquia militar.

AS.PI.RAR *v.t.d.* 1) Atrair por sucção. 2) Inalar, inspirar. 3) Sorver, cheirar. / *v.t.i.* 4) Desejar ardentemente; almejar.

AS.PI.RI.NA *s.f. Farm.* Nome comum do ácido acetilsalicílico, medicamento analgésico e antitérmico.

AS.QUE.RO.SO *adj.* 1) Que causa asco; nojento, repugnante. 2) *fig.* Que tem conduta condenável; sórdido.

AS.SA.DEI.RA *s.f.* Utensílio de cozinha em que se assam alimentos.

AS.SA.DO *adj.* 1) Pele que apresenta assaduras. / *s.m.* 2) Carne assada.

AS.SA.DU.RA *s.f.* 1) Ação ou efeito de assar. 2) Inflamação nas dobras da pele causada por transpiração ou atrito.

AS.SA.LA.RI.AR *v.t.d.* 1) Contratar para um trabalho em troca de um salário. / *v.t.d.* e *v.p.* 2) Empregar(-se) por salário.

AS.SAL.TAN.TE *adj.2gên.* e *s.2gên.* Que ou quem assalta; criminoso, ladrão.

AS.SAL.TAR *v.t.d.* 1) Atacar de repente; surpreender. 2) Atacar uma pessoa ou lugar para levar bens e pertences; roubar.

AS.SAL.TO *s.m.* 1) Ataque; acometimento inesperado. 2) Ato ou efeito de assaltar. 3) Agressão; ofensiva; violência. 4) Ataque traiçoeiro para roubar. 5) *Esp.* Cada um dos períodos de três minutos em que se divide a luta de boxe.

AS.SA.NHAR *v.t.d.* e *v.p.* 1) Causar ou ter raiva ou fúria. 2) Ficar irrequieto; animar(-se). 3) Alvoroçar(-se), excitar(-se).

AS.SAR *v.t.d.* 1) *Cul.* Submeter alimento à ação do calor até ficar cozido e levemente tostado; dourar. 2) Queimar; tostar; inflamar; abrasar. 3) Causar assadura em. / *v.i.* 4) *fig.* Usado para referir-se à ação daquele que se expõe à ação direta do sol ➥ Com esse sol, você vai assar.

AS.SAS.SI.NAR *v.t.d.* 1) Matar alguém; cometer homicídio. 2) Extinguir, aniquilar; apagar. 3) *fig.* Falar ou fazer mal alguma coisa.

AS.SAS.SI.NA.TO *s.m.* 1) Destruição premeditada ou cruel da vida; assassínio, homicídio, morte. 2) *fig.* Destruição, ruína moral.

AS.SAS.SÍ.NIO *s.m.* Assassinato.

AS.SAS.SI.NO *adj.* e *s.m.* Aquilo ou aquele que assassina; destruidor; tirano.

AS.SAZ *adv.* 1) Muito, demais. 2) Suficientemente.

AS.SE.AR *v.t.d.* e *v.p.* Tornar(-se) limpo; lavar(-se).

AS.SE.DI.AR *v.t.d.* 1) Pôr cerco a. 2) Importunar; molestar com propostas ou perguntas insistentes.

AS.SÉ.DIO *s.m.* 1) Ato de assediar; sítio. 2) Cerco militar; bloqueio. 3) *fig.* Insistência impertinente,

AS.SE.GU.RAR *v.t.d.* e *v.t.d.i.* 1) Garantir; tornar seguro. 2) Afirmar algo com certeza; asseverar. / *v.p.* 3) Ter certeza; certificar(-se).

AS.SEI.O *s.m.* 1) Qualidade do que é asseado; higiene, limpeza. 2) Esmero na aparência pessoal, alinho.

AS.SEM.BLEI.A *s.f.* 1) Reunião de muitas pessoas com o mesmo objetivo. 2) Congregação, associação. 3) Congresso; seminário; conferência.

AS.SE.ME.LHAR *v.p.* 1) Tornar(-se) semelhante ou parecido; parecer-se. / *v.t.d.i.* e *v.t.d.* 2) Dar valor semelhante; comparar. 3) Ser semelhante a; imitar.

AS.SEN.TAR *v.t.d.* e *v.p.* 1) Colocar(-se) sobre o assento; fazer sentar-se; acomodar-se. / *v.t.d.* 2) Montar; sobrepor. 3) Dar posse legal de terra a. 4) Registrar, anotar despesas. / *v.i.* 5) Pousar, abaixar ➡ A poeira assentou.

AS.SEN.TO *s.m.* 1) Coisa sobre a qual se pode sentar. 2) Parte de cadeira, sofá, etc., sobre a qual se senta. 3) *pop.* Conjunto das nádegas.

AS.SEP.SI.A *s.f. Med.* Conjunto de medidas para impedir a entrada de germes patogênicos no organismo e o aparecimento de infecções.

AS.SER.TO (ê) *s.m.* Suposição positiva, afirmativa; asserção, assertiva.

AS.SES.SOR (ô) *s.m.* 1) Assistente; adjunto, auxiliar. 2) Aquele que auxilia um magistrado, um funcionário ou alguém que exerce autoridade em suas funções.

AS.SES.SO.RI.A *s.f.* 1) Cargo ou papel de assessor. 2) Conjunto de pessoas que assessora um chefe. 3) Local de trabalho dos assessores. 4) Assessoramento.

AS.SE.XU.A.DO *adj.* 1) Que não possui órgãos sexuais. 2) Que não possui células sexuais diferenciadas. 3) Que prescinde de atividade sexual. / *s.m.* 4) Pessoa assexuada.

AS.SE.XU.AL *adj.2gên. Bio.* Diz-se da reprodução que ocorre sem união de gametas femininos e masculinos.

AS.SÍ.DUO *adj.* 1) Que está sempre presente; constante, ininterrupto. 2) Esforçado, pontual.

AS.SIM *adv.* 1) Igualmente. 2) Deste, desse ou daquele modo. 3) De tal sorte. 4) Do mesmo modo. 5) Ao mesmo tempo. / *conj.* 6) Estabelece relação de conclusão: portanto, por consequência.

AS.SI.ME.TRI.A *s.f.* 1) Ausência de simetria. 2) Diferença; discrepância.

AS.SI.MI.LAR *v.t.d.* 1) Apropriar, absorver. 2) Incorporar. 3) Compreender, aprender. / *v.t.d.* e *v.p.* 4) Tornar-se igual ou parecido a.

AS.SI.NA.DO *adj.* 1) Firmado com assinatura. 2) Em que há assinatura.

AS.SI.NA.LA.DO *adj.* 1) Célebre, ilustre, notável. 2) Marcado com um sinal.

AS.SI.NA.LAR *v.t.d.* 1) Marcar com um sinal. 2) Dar sinal, indício, notícia. / *v.t.d.* e *v.p.* 3) Destacar(-se), evidenciar(-se).

AS.SI.NAN.TE *adj.2gên.* e *s.2gên.* 1) Que ou quem assina um papel, documento, etc. 2) Que ou quem assina um contrato para receber um produto ou serviço.

AS.SI.NAR *v.t.d.* 1) Firmar com o nome, assumindo autoria, responsabilidade, etc. 2) Fazer uma assinatura, um contrato de.

AS.SI.NA.TU.RA *s.f.* 1) Ação ou efeito de assinar. 2) Inscrição de nome, firma ou rubrica. 3) Contrato para receber um impresso.

AS.SIN.TO.MÁ.TI.CO *adj.* Que não tem sintomas.

AS.SÍ.RIO *adj.* e *s.m.* Natural ou habitante da Assíria.

AS.SIS.TÊN.CIA *s.f.* 1) Ato ou efeito de assistir. 2) Proteção, ajuda, amparo. 3) Socorro médico. 4) Presença em um lugar. 5) Ambulância.

AS.SIS.TEN.TE *s.2gên.* 1) Auxiliar, ajudante. 2) Quem presencia; espectador. / *adj.2gên.* 3) Que assiste ou dá assistência.

AS.SIS.TI.DO *adj.* 1) Ajudado; auxiliado; socorrido. 2) Amparado; defendido. 3) Assessorado.

AS.SIS.TIR *v.t.i.* 1) Estar presente a; ver. / *v.i.* 2) Residir, morar ➡ O presidente assiste em Brasília. / *v.t.d.* 3) Ajudar, socorrer, prestar assistência. / *v.t.d.i.* 4) Caber, pertencer, dizer respeito ➡ Assiste aos trabalhadores o direito de greve.

AS.SO.A.LHO *s.m.* Revestimento feito com tábuas para piso nas construções; soalho.

AS.SO.AR *v.t.d.* e *v.p.* Soprar o ar pelo nariz para expelir a secreção; limpar-se do muco nasal.

AS.SO.BI.AR *v.i.* 1) Emitir assobio ou som semelhante. 2) Executar um som (música) por meio de assobios.

AS.SO.BI.O *s.m.* Som agudo produzido pela passagem do ar através dos lábios comprimidos.

AS.SO.CI.A.ÇÃO *s.f.* 1) Ato ou efeito de associar (-se), aproximar; sociedade. 2) Conjunto de associados; agremiação; corporação. 3) Agrupamento permanente de pessoas com fins sociais. 4) Encontro de ideias; convenção. 5) Reunião de coisas para aquisição de um resultado único.

AS.SO.CI.AR *v.t.d.* 1) Tomar como sócio ➡ Associou o filho em seus negócios. / *v.t.d.* e *v.p.* 2) Juntar(-se), ligar(-se). 3) Reunir em sociedade, tornar-se sócio.

assolar · atentado

AS.SO.LAR *v.t.d.* 1) Devastar, destruir, arrasar. 2) *fig.* Agoniar.

AS.SOM.BRA.ÇÃO *s.f.* 1) Pânico proveniente de causa inexplicável ou desconhecida. 2) Alma do outro mundo; fantasma; duende. 3) Aparição imaginária; fantasia.

AS.SOM.BRAR *v.t.d.* 1) Fazer sombra a; toldar; obscurecer. 2) Causar assombro. / *v.p.* 3) Cobrir-se de sombra. / *v.t.d.* e *v.p.* 4) Amedrontar(-se); tornar(-se) sombrio.

AS.SOM.BRO.SO *adj.* Que causa assombro; espantoso, maravilhoso, impressionante.

AS.SO.PRAR *v.t.d.*, *v.t.d.i.* e *v.i.* Soprar.

AS.SU.MIR *v.t.d.* 1) Tomar para si; apropriar-se. 2) Aceitar. 3) Adquirir, apresentar. 4) Vir a ter; alcançar, tomar. 5) Tomar posse de um cargo ou função. / *v.t.d.* e *v.p.* 6) Revelar(-se), declarar(-se).

AS.SUN.TO *s.m.* Aquilo de que se trata; tema, objeto, questão.

AS.SUS.TA.DOR *adj.* e *s.m.* Que ou o que assusta.

AS.SUS.TAR *v.t.d.* 1) Pregar susto em; intimidar; amedrontar. / *v.p.* 2) Ter susto, espanto ou temor; atemorizar-se, apavorar(-se).

AS.TE.CA *adj.* 1) *Etnol.* Relativo aos astecas. / *s.m.* 2) Indivíduo do povo que dominava o México antes da conquista espanhola.

AS.TE.RIS.CO *s.m.* Sinal gráfico em forma de estrela (*).

AS.TE.ROI.DE *adj.2gên.* 1) Que tem forma de estrela. / *s.m.* 2) *Astr.* Pequeno corpo celeste rochoso que orbita o Sol.

AS.TIG.MA.TIS.MO *s.m.* Perturbação da vista causada por deformação na curvatura da córnea.

AS.TRAL *adj.2gên.* 1) Relativo aos astros; sideral. / *s.m.* 2) Estado de espírito, humor.

AS.TRO *s.m.* 1) *Astr.* Corpo celeste. 2) Pessoa que se destaca na sua atividade. 3) Ator famoso.

AS.TRO.LO.GI.A *s.f.* Estudo das relações dos astros com a vida das pessoas.

AS.TRO.NAU.TA *s.2gên.* 1) Pessoa que viaja ao espaço; cosmonauta. 2) Tripulante do satélite artificial.

AS.TRO.NA.VE *s.f.* Nave espacial; veículo projetado para fazer viagens interplanetárias.

AS.TRO.NO.MI.A *s.f.* Ciência que se ocupa da constituição, da posição e do movimento dos astros.

AS.TÚ.CIA *s.f.* Meio usado para se conseguir algo; malícia, artimanha.

A.TA *s.f.* 1) Relato por escrito de sessão ou assembleia de algum grupo ou congregação. 2) *Bot.* Fruto da ateira; pinha.

A.TA.CA.DO *adj.* 1) Que ou aquele que sofreu ataque; assaltado. 2) *fig.* Pessoa mal-humorada. / *s.m.* 3) Forma de comercializar produtos em maior quantidade, geralmente em fardos fechados; vendas por atacado.

A.TA.CAN.TE *adj.2gên.* e *s.2gên.* 1) Que ou aquele que ataca; assaltante. 2) *Esp.* Jogador de futebol na linha de ataque.

A.TA.CAR *v.t.d.* e *v.p.* 1) Assaltar com precipitação; avançar contra; arremessar-se. 2) Agredir (-se) fisicamente. 3) Agredir; abordar; acometer.

A.TA.DU.RA *s.f.* 1) Ação de atar. 2) Tira de gaze ou tecido usada para fazer curativos.

A.TA.LHO *s.m.* 1) Passagem ou caminho mais curto. 2) Estrada que se desvia da estrada comum encurtando a distância. 3) Estorvo, obstáculo.

A.TA.QUE *s.m.* 1) Agressão, investida. 2) Ofensa, acusação, injúria. 3) Manifestação inesperada. 4) *Esp.* Jogada ofensiva. 5) *Esp.* Grupo de jogadores que tem a função de atacar.

A.TAR *v.t.d.* e *v.t.d.i.* 1) Prender com corda; amarrar. 2) Criar vínculo; unir.

A.TA.RAN.TA.DO *adj.* Confuso, atrapalhado, desnorteado.

A.TA.RAN.TAR *v.t.d.* e *v.p.* Perturbar o raciocínio; desnortear(-se), confundir(-se), aturdir(-se).

A.TA.RE.FAR *v.t.d.* 1) Dar tarefa a. / *v.p.* 2) Sobrecarregar-se de tarefas.

A.TA.Ú.DE *s.m.* Caixão de defunto; esquife; féretro.

A.TA.ZA.NAR *v.t.d.* 1) *fig.* Afligir, atormentar. 2) Importunar, aborrecer. 3) Torturar; atenazar.

A.TÉ *prep.* 1) Designativo de um limite ou fim no tempo, no espaço ou nas ações. / *adv.* 2) Ainda, mesmo, também.

A.TE.AR *v.t.d.i.* Provocar (fogo, incêndio).

A.TE.ÍS.MO *s.m.* 1) Doutrina dos ateus que nega a existência de Deus. 2) Materialismo.

A.TE.LI.Ê *s.m.* Oficina de artesãos ou artistas; estúdio.

A.TE.MO.RI.ZAR *v.t.d.* e *v.p.* Causar ou sentir temor; assustar(-se).

A.TEM.PO.RAL *adj.2gên.* Que não está preso ao passar do tempo.

A.TEN.ÇÃO *s.f.* 1) Concentração; meditação; reflexão. 2) Consideração; aplicação; reparo. / *interj.* 3) Expressa advertência ➡ Pare! Cuidado!

A.TEN.CI.O.SO *adj.* Que presta atenção; atento, concentrado. 2) Cuidadoso, gentil, solícito.

A.TEN.DER *v.t.d.* e *v.t.i.* 1) Dar ou prestar atenção a. / *v.t.i.* e *v.i.* 2) Estar atento; considerar.

A.TEN.TA.DO *s.m.* 1) Violação das normas; ofensa grave à lei ou à moral. 2) Ato criminoso contra pessoas ou instituições. / *adj.* 3) Muito levado.

atentar / atrair

A.TEN.TAR *v.t.d.* 1) Induzir, seduzir alguém para o mal; tentar. / *v.t.i.* 2) Cometer crime, ofensa ou abuso contra. / *v.t.d.* e *v.t.i.* 3) Observar com atenção; reparar, olhar. / *v.t.d.*, *v.t.i.* e *v.i.* 4) Fazer reflexões; ponderar, considerar.

A.TEN.TO *adj.* 1) Atencioso, cuidadoso. 2) Feito com atenção. 3) Que presta atenção.

A.TE.NU.AR *v.t.d.* 1) Tornar tênue; afinar. 2) Reduzir a pena do crime; diminuir; enfraquecer.

A.TER *v.p.* 1) Encostar-se, apoiar-se. 2) Inclinar-se, conformar-se, subordinar-se.

A.TER.RA.DO *adj.* 1) Em que se fez aterro. 2) Pousado em terra. / *s.m.* 3) Terra firme no meio do pantanal. 4) Lugar que se aterrou.

A.TER.RAR *v.t.d.* 1) Lançar por terra; arrasar. / *v.t.d.* e *v.p.* 2) Aterrorizar(-se). / *v.i.* 3) *Aeron.* Descer o avião ao solo; aterrissar.

A.TER.RIS.SA.GEM *s.f.* Descida em terra de aeronave, paraquedas, etc.; pouso.

A.TER.RIS.SAR *v.i.* Pousar em terra.

A.TER.RO *s.m.* 1) Ato de aterrar. 2) Terra ou entulho usado para nivelar um terreno. 3) Superfície aterrada.

A.TER.RO.RI.ZAR *v.t.d.* e *v.p.* Encher(-se) de terror; apavorar.

A.TES.TA.DO *s.m.* 1) *Jur.* Documento assinado no qual se afirma algo. 2) Prova, evidência. / *adj.* 3) Que se atestou.

A.TES.TAR *v.t.d.* 1) Afirmar ou provar oficialmente; comprovar. 2) Declarar, certificar por escrito; passar atestado de. / *v.t.d.* e *v.t.d.i.* 3) Dar prova ou demonstração de.

A.TEU *adj.* e *s.m.* Quem não crê em divindade; descrente.

A.TI.ÇAR *v.t.d.* 1) Ativar ou avivar (o fogo). 2) Estimular, promover, instigar. / *v.t.d.* e *v.t.d.i.* 3) Incentivar alguém a fazer algo; incitar.

A.TIN.GIR *v.t.d.* 1) Obter; atingir; conquistar. 2) Alcançar, abranger. 3) Perceber, entender.

A.TÍ.PI.CO *adj.* Incomum, raro.

A.TI.RA.DO *adj.* e *s.m.* Que ou quem é destemido, ousado, desembaraçado.

A.TI.RAR *v.t.d.* e *v.p.* 1) Lançar(-se) longe, com força; jogar(-se), arremessar(-se). / *v.t.d.i.* 2) *fig.* Proferir com violência. / *v.p.* 3) Lançar-se, pôr-se. / *v.t.d.*, *v.t.i.* e *v.t.d.i.* 4) Disparar arma de fogo.

A.TI.TU.DE *s.f.* 1) Postura expressiva do corpo; posição, pose. 2) Modo de agir.

A.TI.VAR *v.t.d.* e *v.p.* Tornar(-se) ativo ou mais ativo; intensificar(-se).

A.TI.VI.DA.DE *s.f.* 1) Qualidade de ativo. 2) Ocupação profissional ou trabalho produtivo. 3) Realização de várias ações de modo acelerado e vigoroso.

A.TI.VO *adj.* 1) Que envolve ação ou movimento. 2) Que é mais dado à ação do que à contemplação. 3) Que exerce ação intensa. 4) Diz-se de vulcão que está ou que pode entrar em erupção. 5) Esperto, vivo.

A.TLAS *s.m.* 1) *Geogr.* Livro que contém uma coletânea de mapas ou cartas geográficas. 2) *Anat.* Primeira vértebra cervical sobre a qual a cabeça se equilibra.

A.TLE.TA *s.2gên.* 1) Pessoa que pratica esportes. 2) Indivíduo valente, robusto.

A.TLE.TIS.MO *s.m.* Conjunto de atividades esportivas que compreende corridas, saltos e lançamentos.

AT.MOS.FE.RA *s.f.* 1) *Fís.* Camada de gases que envolve um planeta. 2) Camada de ar que envolve a Terra. 3) Céu. 4) Ambiente.

A.TO *s.m.* 1) Aquilo que se faz; ação. 2) Solenidade social ou política. 3) Cada parte de uma peça de teatro, de balé, etc. 4) *Dir.* Documento público que expõe a deliberação de uma autoridade.

A.TO.LAR *v.t.d.*, *v.i.* e *v.p.* 1) Afundar(-se) na lama, no lodo. / *v.t.i.* e *v.p.* 2) Sobrecarregar(-se) de trabalho ou outras atividades. / *v.p.* 3) Meter-se em situação difícil.

Á.TO.MO *s.m.* *Fís.* e *Quím.* Menor partícula de qualquer elemento, formada de prótons, nêutrons e elétrons.

A.TÔ.NI.TO *adj.* 1) Assombrado, admirado. 2) Confuso, atrapalhado, perturbado.

A.TOR (ô) *s.m.* 1) Indivíduo que representa em teatro, cinema e televisão. 2) Indivíduo que sabe fingir.

A.TOR.DO.AR *v.t.d.* e *v.p.* 1) Causar abalo ou perturbação da mente e dos sentidos; aturdir(-se). / *v.t.d.* 2) Surpreender, maravilhar.

A.TOR.MEN.TAR *v.t.d.* e *v.i.* 1) Submeter a tormento; torturar. 2) Incomodar, importunar, aborrecer. / *v.t.d.* e *v.p.* 3) *fig.* Sofrer desgosto, angustiar(-se).

A.TÓ.XI.CO (cs) *adj.* Que não é tóxico; não venenoso.

A.TRA.ÇÃO *s.f.* 1) Ação de atrair. 2) Poder de atrair, de encantar; fascínio. 3) Divertimento. 4) Destaque de um espetáculo.

A.TRA.CAR *v.t.d.* 1) Aproximar (uma embarcação) do cais ou de outra embarcação. / *v.t.d.i.* 2) Amarrar (uma embarcação) à terra. / *v.p.* 3) Lutar corpo a corpo; engalfinhar-se. 4) Agarrar(-se); abraçar (-se) fortemente.

A.TRA.EN.TE *adj.2gên.* Que atrai; fascinante.

A.TRA.IR *v.t.d.* 1) Aproximar; trazer para si. 2) Exercer atração, seduzir. / *v.t.d.i.* 3) Fazer aderir; aliciar.

atrapalhar · auréola

A.TRA.PA.LHAR *v.t.d.* 1) Agir de forma a impedir algo. / *v.t.d.* e *v.p.* 2) Embaraçar(-se), bloquear (-se), confundir(-se).

A.TRÁS *adv.* 1) Detrás. 2) Anteriormente. 3) Em tempo passado. 4) No lugar precedente.

A.TRA.SA.DO *adj.* 1) Que se atrasou. 2) Que não se desenvolveu como deveria. / *adj.* e *s.m.* 3) Ultrapassado, antiquado. / *adv.* 4) Depois do momento marcado ➡ Aquele aluno sempre chega atrasado.

A.TRA.SAR *v.t.d.* 1) Pôr para trás; regressar. 2) Retroceder; retrogradar; retardar.

A.TRA.SO *s.m.* 1) Demora; retardamento. 2) Subdesenvolvimento.

A.TRA.TI.VO *s.m.* 1) O que atrai, seduz. 2) Incentivo, estímulo. / *adj.* 3) Que desperta interesse; atraente.

A.TRA.VAN.CAR *v.t.d.* 1) Pôr obstáculos em; impedir a passagem. 2) Causar dificuldade a; atrapalhar.

A.TRA.VÉS *adv.* 1) De lado a lado. 2) Por entre. 3) Por meio de.

A.TRA.VES.SAR *v.t.d.* 1) Passar para o outro lado de. 2) Pôr obliquamente. 3) Passar pelo meio de. 4) Ir de uma ponta a outra. 5) Perfurar, trespassar. 6) Passar, viver.

A.TRE.LAR *v.t.d.* e *v.t.d.i.* 1) Prender com trela. 2) Prender, ligar, vincular.

A.TRE.VER *v.p.* 1) Ter ousadia; afoitar-se, arriscar-se. 2) Insultar. 3) Ousar; resolver-se. 4) Fiar-se.

A.TRE.VI.DO *adj.* e *s.m.* 1) Ousado, destemido, audaz. 2) Desrespeitoso, insolente.

A.TRE.VI.MEN.TO *s.m.* 1) Petulância, audácia. 2) Falta de respeito; desaforo.

A.TRI.BU.I.ÇÃO *s.f.* 1) Ação de atribuir. 2) O que foi atribuído. 3) Responsabilidade de um cargo.

A.TRI.BU.IR *v.t.d.* 1) Outorgar, entregar. 2) Apropriar; imputar.

A.TRI.BU.LAR *v.t.d.* e *v.p.* Sofrer adversidades; angustiar(-se), afligir(-se).

A.TRI.BU.TO *s.m.* 1) Qualidade, característica própria de alguém ou alguma coisa. 2) Símbolo.

Á.TRIO *s.m.* 1) Pátio central de uma construção. 2) Pátio externo de algumas igrejas; adro. 3) Saguão, vestíbulo. 4) *Anat.* Cavidade do coração.

A.TRI.TO *s.m.* 1) Fricção entre dois corpos. 2) Resistência a um corpo, ao ar; dificuldade. 3) Desarmonia, discórdia.

A.TRO.CI.DA.DE *s.f.* Ato cruel e perverso.

A.TRO.FI.A *s.f. Biol.* Falta de desenvolvimento de um membro, órgão ou corpo; definhamento.

A.TRO.FI.AR *v.t.d.*, *v.i.* e *v.p.* 1) Causar ou sofrer atrofia. 2) *fig.* Debilitar(-se), enfraquecer.

A.TRO.PE.LAR *v.t.d.* 1) Derrubar, por impacto ou com violência, passando por cima. 2) Fazer algo

malfeito ou com pressa. 3) Passar dando esbarrões; empurrar. 4) Agir ou falar abruptamente.

A.TROZ *adj.2gên.* Impiedoso, desumano, monstruoso, cruel.

A.TU.A.ÇÃO *s.f.* 1) Ato ou efeito de atuar. 2) Interpretação; representação. 3) *Linguíst.* Desempenho.

A.TU.AL *adj.2gên.* Da época presente.

A.TU.A.LI.DA.DE *s.f.* 1) O tempo presente. 2) Qualidade de atual. 3) Notícias atuais.

A.TU.A.LI.ZAR *v.t.d.* e *v.p.* 1) Tornar(-se) atual; modernizar(-se). 2) Informar(-se) sobre coisas atuais.

A.TU.AR *v.i.* 1) Realizar uma atividade; agir. / *v.t.i.* e *v.i.* 2) Interpretar um personagem; representar. / *v.t.i.* 3) Exercer influência; pressionar.

A.TU.RAR *v.t.d.* Suportar (algo ruim), com paciência e resignação; tolerar.

A.TUR.DI.DO *adj.* 1) Que sofreu perturbação. 2) Assombrado; espantado.

AU.DÁ.CIA *s.f.* 1) Impulso que leva uma pessoa a praticar ações difíceis, ignorando os perigos; coragem, ousadia. 2) Falta de respeito; atrevimento, insolência.

AU.DA.CI.O.SO (ô) *adj.* 1) Valente; corajoso. 2) Impetuoso, atrevido. 3) Inovador.

AU.DAZ *adj.2gên.* Audacioso.

AU.DI.ÇÃO *s.f.* 1) Sentido pelo qual se percebem os sons. 2) Apresentação pública de obra musical ou teatral.

AU.DI.ÊN.CIA *s.f.* 1) Ouvintes, espectadores, público. 2) Reunião de uma autoridade com pessoas que desejam tratar assuntos com ela. 3) *Jur.* Sessão de tribunal.

ÁU.DIO *s.m.* 1) Som. 2) *Eletr.* Transmissão, recepção e reprodução de sons.

AU.DI.TÓ.RIO *s.m.* 1) Sala para concertos, conferências, etc. 2) Público de um discurso, concerto, etc.

AU.DÍ.VEL *adj.2gên.* Que pode ser ouvido.

AU.GE *s.m.* O ponto mais alto; apogeu.

AU.GÚ.RIO *s.m.* Profecia, presságio, agouro.

AU.LA *s.f.* 1) Lição; explicação sobre algo. 2) Sala em que se ensina; classe.

AU.MEN.TAR *v.t.d.* e *v.i.* 1) Tornar maior (em tamanho, número, intensidade, etc.). / *v.t.d.i.* 2) Adicionar; acrescentar. / *v.t.i.* 3) Progredir; desenvolver.

AU.MEN.TO *s.m.* 1) Ato ou efeito de aumentar. 2) Acréscimo no valor do salário.

AU.RA *s.f.* 1) Brisa. 2) Atmosfera espiritual que circunda os seres e as coisas. 3) Suposta qualidade imaterial que caracteriza uma coisa ou pessoa.

AU.RÉ.O.LA *s.f.* 1) Círculo brilhante colocado sobre a cabeça de imagens de santos. 2) Brilho, esplendor moral; prestígio.

AU.RÍ.CU.LA *s.f.* 1) *Anat.* Parte externa da orelha. 2) *Anat.* Cada uma das cavidades cardíacas superiores.

AU.RO.RA *s.f.* 1) *Astr.* Claridade que precede o nascer do Sol. 2) *fig.* Primeiros anos da infância.

AUS.CUL.TAR *v.t.d.* 1) *Med.* Escutar os sons produzidos dentro do corpo para fazer diagnóstico. 2) Investigar.

AU.SÊN.CIA *s.f.* 1) Afastamento. 2) Não comparecimento. 3) Inexistência, falta, carência.

AU.SEN.TAR *v.t.d.i.* e *v.p.* 1) Afastar(-se); retirar (-se). / *v.p.* 2) Não comparecer.

AUS.PI.CI.AR *v.t.d.* e *v.t.d.i.* Prever, augurar, prenunciar.

AUS.PI.CI.O.SO *adj.* De bom agouro; promissor.

AUS.TE.RO *adj.* 1) Severo, rigoroso, sério, grave. 2) Ríspido, áspero.

AU.TAR.QUI.A *s.f.* 1) Entidade pública que possui autonomia administrativa. 2) *Pol.* Sistema de governo em que um indivíduo ou grupo tem poder absoluto sobre a nação. 3) *Pol.* Governo de unidade política conduzido por seus cidadãos.

AU.TEN.TI.CAR *v.t.d.* 1) Reconhecer como autêntico ou verdadeiro. 2) *Jur.* Legitimar juridicamente ato ou documento.

AU.TEN.TI.CI.DA.DE *s.f.* Qualidade de autêntico, de genuíno.

AU.TÊN.TI.CO *adj.* 1) Verdadeiro, legítimo; fidedigno. 2) De origem ou qualidade comprovada; genuíno.

AU.TIS.MO *s.m.* *Psiq.* Fenômeno patológico no qual um indivíduo se desliga da realidade exterior e cria mentalmente um mundo próprio e autônomo.

AU.TO.CEN.SU.RA *s.f.* Censura dos próprios atos, das próprias palavras, etc.

AU.TO.CON.FI.AN.ÇA *s.f.* Confiança em si mesmo.

AU.TO.CON.TRO.LE *s.m.* Domínio de si mesmo.

AU.TO.DE.FE.SA *s.f.* Defesa de si mesmo.

AU.TO.DES.TRU.I.ÇÃO *s.f.* Destruição de si mesmo.

AU.TO.DI.DA.TA *adj.2gên.* e *s.2gên.* Que ou quem se instrui sozinho, sem auxílio de professor.

AU.TÓ.DRO.MO *s.m.* *Esp.* Local destinado a corridas de automóveis.

AU.TO.ES.CO.LA *s.f.* Escola em que se aprende a dirigir automóveis.

AU.TO.ES.TI.MA *s.f.* Valorização de si mesmo, amor-próprio.

AU.TO.E.XA.ME *s.m.* Exame de si mesmo.

AU.TO.GRA.FAR *v.t.d.* Ação de uma pessoa famosa ou autor escrever a sua assinatura.

AU.TÓ.GRA.FO *s.m.* 1) Assinatura de pessoa famosa ou autor. / *adj.* e *s.m.* 2) Escrito pela mão do autor.

AU.TO.MÁ.TI.CO *adj.* 1) Que funciona sozinho, por meio de mecanismos. 2) Involuntário, instintivo, inconsciente.

AU.TO.MÓ.VEL *s.m.* Veículo movido a motor; auto, carro.

AU.TO.NO.MI.A *s.f.* 1) Independência, liberdade. 2) Capacidade de governar a si próprio segundo suas próprias leis.

AU.TÔ.NO.MO *adj.* 1) Que tem autonomia. / *adj.* e *s.m.* 2) Quem exerce por conta própria uma atividade profissional remunerada.

AU.TOP.SI.A ou **AU.TÓP.SI.A** *s.f.* Exame médico de um cadáver; necropsia.

AU.TOR (ô) *s.m.* 1) Inventor; descobridor. 2) Criador; instituidor. 3) Escritor.

AU.TO.RAL *adj.2gên.* Relativo a ou próprio de autor.

AU.TO.RI.A *s.f.* 1) Condição de autor. 2) Causa.

AU.TO.RI.DA.DE *s.f.* 1) Poder legítimo. 2) Poder político ou administrativo.

AU.TO.RI.TÁ.RIO *adj.* 1) Relativo a autoridade. 2) Que não é democrático; ditatorial. 3) Diz-se de pessoa que quer ser obedecida sem discussão.

AU.TO.RI.ZAR *v.t.d.* e *v.t.d.i.* 1) Permitir, consentir. 2) Dar motivo, razão para.

AU.TOR.RE.TRA.TO *s.m.* Retrato feito de si mesmo.

AU.TOS.SUS.TEN.TÁ.VEL *adj.2gên.* Que pode se sustentar por si mesmo.

AU.TU.AR *v.t.d.* 1) *Jur.* Promover um auto de infração contra. 2) *Jur.* Reunir e ordenar documentos em forma de processo.

AU.XI.LI.AR (ss) *adj.2gên.* e *s.2gên.* 1) Que ou quem auxilia, socorre. 2) Quem ajuda alguém em uma função. / *v.t.d.* e *v.t.d.i.* 3) Ajudar; socorrer.

AU.XÍ.LIO (ss) *s.m.* 1) Apoio para realização de alguma tarefa; ajuda. 2) Amparo; abrigo. 3) *pop.* Doação material; esmola.

A.VA.CA.LHAR *v.t.d.* 1) Fazer algo de forma descuidada. / *v.t.d.* e *v.p.* 2) *pop.* Desmoralizar(-se), perverter(-se); expor(-se) a ridículo.

A.VAL *s.m.* Caução; fiança.

A.VA.LAN.CHE *s.f.* 1) *Geol.* Massa de neve e gelo que cai rolando pela encosta de montanhas. 2) *fig.* Surgimento ou invasão súbitos.

A.VA.LI.A.ÇÃO *s.f.* 1) Cálculo do valor de um bem. 2) Conjectura sobre condições, qualidade, intensidade, etc. 3) Análise.

A.VA.LI.AR *v.t.d.* e *v.t.d.i.* 1) Estabelecer o valor de. / *v.t.d.* 2) Determinar a quantidade, a qualidade, a intensidade, etc.; analisar.

A.VAN.ÇA.DO *adj.* 1) Que vai para diante. 2) Adiantado; evoluído; moderno. 3) Exótico, excêntrico.

A.VAN.TE *adv.* 1) Para a frente; adiante. / *interj.* 2) Incitamento para que se prossiga ➡ Avante, companheiros!

A.VA.REN.TO *adj.* e *s.m.* Que ou quem é obceca-do por juntar dinheiro; sovina, avaro.

A.VA.RE.ZA (ê) *s.f.* 1) Apego desmedido a dinhei-ro. 2) Mesquinhez, pão-durismo.

A.VA.RI.A *s.f.* Dano, deterioração, estrago.

A.VA.RO *adj.* e *s.m.* Avarento.

A.VAS.SA.LA.DOR *adj.* 1) Que avassala; que opri-me, subjuga a mente, o espírito. 2) Que causa de-vastação, arrasa, destrói.

A.VAS.SA.LAR *v.t.d.* 1) Tornar vassalo; dominar. 2) Devastar, arrasar. 3) Oprimir.

A.VE *s.f.* 1) *Zool.* Animal vertebrado, de sangue quente, ovíparo, corpo revestido de penas e de bico córneo. / *interj.* 2) De saudação ➡ Salve!

A.VEI.A *s.f.* Cereal com grãos altamente nutritivos usado na alimentação humana e de animais.

A.VE.LU.DA.DO *adj.* 1) Que tem textura ou aparên-cia de veludo. 2) *fig.* Agradável aos sentidos; suave.

A.VE.NI.DA *s.f.* 1) Via mais larga e importante que a rua. 2) Alameda.

A.VEN.TAL *s.m.* Peça usada para evitar que a rou-pa suje ou estrague.

A.VEN.TU.RA *s.f.* 1) Sucesso, circunstância ou fato imprevisto. 2) Experiência arriscada. 3) Proe-za; façanha. 4) Sorte; acaso. 5) Caso amoroso passageiro.

A.VEN.TU.REI.RO *adj.* e *s.m.* 1) Que ou quem ama aventuras; audacioso. / *adj.* 2) Em que há risco.

A.VER.BAR *v.t.d.* 1) Registrar por escrito; anotar em um documento. 2) Transformar (nome) em verbo.

A.VE.RI.GUAR *v.t.d.* 1) Certificar(-se) de; apurar. 2) Tentar descobrir por meio de pesquisa. / *v.t.d.i.* e *v.t.i.* 3) Indagar; inquirir.

A.VER.SÃO *s.f.* Sentimento de rejeição, repug-nância, repulsa, ódio.

A.VES.SO (ê) *adj.* 1) Contrário, oposto. 2) Antagô-nico; adverso. / *s.m.* 3) Lado oposto ao principal. 4) O reverso.

A.VI.A.DOR *s.m.* 1) Quem pilota avião. / *adj.* e *s.m.* 2) Que ou quem avia receitas.

A.VI.ÃO *s.m.* 1) Aparelho mais pesado que o ar e impulsionado por motor; empregado em nave-gação aérea para o transporte de passageiros ou mercadorias; aeroplano. 2) *pop.* Mulher atraente.

A.VI.AR *v.t.d.* 1) Fazer, executar, concluir. 2) Pre-parar medicamento, seguindo receita médica; manipular.

A.VI.Á.RIO *s.m.* 1) Viveiro de aves. 2) Local onde se criam ou vendem aves. / *adj.* 3) Relativo a aves.

A.VI.DEZ (ê) *s.f.* Desejo ardente; ansiedade.

Á.VI.DO *adj.* 1) Que deseja ardentemente; in-saciável. 2) Ambicioso. 3) Avarento; mesquinho. 4) Apreensivo, sôfrego.

A.VIL.TAR *v.t.d.* e *v.p.* 1) Tornar(-se) vil, abomi-nável, detestável. 2) Baixar o preço de; depreciar (-se); menosprezar.

A.VI.SAR *v.t.d.i.*, *v.i.* e *v.p.* 1) Informar(-se), comu-nicar(-se). / *v.t.d.i.* e *v.i.* 2) Aconselhar, recomendar.

A.VI.SO *s.m.* 1) Ato ou efeito de avisar. 2) Anún-cio; declaração; informação. 3) Advertência; conselho. 4) Repreensão. 5) Discrição, cautela. 6) Apreciação, opinião.

A.VIS.TAR *v.t.d.* 1) Ver ao longe; enxergar; distin-guir. 2) Alcançar com a vista; observar, discernir. 3) *fig.* Pressentir perigo.

A.VI.VAR *v.t.d.* e *v.p.* 1) Tornar(-se) mais vivo; rea-nimar(-se). 2) Intensificar(-se).

A.VO *s.m. Mat.* 1) Fração de unidade. 2) Designa cada uma das partes iguais em que foi dividida a unidade e se aplica na leitura das frações, cujo de-nominador é maior do que dez.

A.VÓ *s.f.* Mãe do pai ou da mãe.

A.VÔ *s.m.* Pai do pai ou da mãe.

A.VO.A.DO *adj.* 1) Distraído. 2) Estabanado.

A.VUL.SO *adj.* 1) Solto; separado. 2) Desunido da coleção de que faz parte.

A.XI.LA (cs) *s.f. Anat.* Cavidade localizada na jun-ção do braço com o tórax; sovaco.

A.ZAR *s.m.* 1) Infortúnio, má sorte. 2) Acaso. / *v.t.d.* 3) Dar oportunidade a; causar ➡ A chuva azou o trânsito. / *v.p.* 4) Vir a propósito.

A.ZA.RÃO *s.m.* 1) Cavalo com poucas chances de vencer uma corrida. 2) *Por ext.* O que tem poucas chances de vencer algo; resultado inesperado; zebra.

A.ZA.RAR *v.t.d.* 1) Transmitir azar. / *v.t.d.* e *v.i.* 2) Mostrar interesse amoroso por; paquerar, flertar.

A.ZE.DAR *v.t.d.* 1) Ficar azedo; estragar. 2) *fig.* Irritar.

A.ZE.DO *adj.* 1) De sabor ácido; acre. 2) Estragado. 3) *pop.* Amargo. 4) *fig.* De mau humor; irritado.

A.ZE.DU.ME *s.m.* 1) Sabor ácido; acidez. 2) Mau humor; irritação.

A.ZEI.TE *s.m.* 1) Substância oleosa extraída da azeitona. 2) Óleo extraído de outros frutos ou da gordura de animais.

A.ZEI.TO.NA *s.f. Bot.* Fruto da oliveira; oliva.

A.ZI.A *s.f. Med.* Mal-estar provocado por hipera-cidez estomacal; pirose.

A.ZU.CRI.NAR *v.t.d.*, *v.i.* e *v.p.* Importunar(-se), atormentar(-se), irritar(-se).

A.ZUL *adj.2gên.* 1) Da cor, ou do céu sem nu-vens; anil. / *s.m.* 2) A cor azul.

A.ZU.LE.JO (ê) *s.m.* Ladrilho vidrado para revestir paredes.

Bb

B *s.m.* 1) Segunda letra do alfabeto. 2) *Quím.* Símbolo do boro.

BA Sigla do estado da Bahia.

BA.BA *s.f.* Saliva viscosa que escorre da boca, gosma.

BA.BÁ *s.f.* Ama-seca; acompanhante que cuida de crianças.

BA.BA.DO *s.m.* 1) Faixa de pano pregueado ou franzido, folho do vestido. / *adj.* 2) Molhado da baba. 3) *gír.* Fofoca, mexerico; problema, dificuldade.

BA.BA.DOR (ô) *s.m.* Peça usada para proteger a roupa de crianças da comida e de baba.

BA.BÃO *adj.* e *s.m.* 1) Que ou quem fala ou faz tolices; bobo. 2) Que ou aquele que baba muito. 3) *fig.* Que ou quem está muito apaixonado. / *s.m.* 4) Pessoa tola.

BA.BA.QUI.CE *s.f.* Comportamento de babaca, asneira, idiotice.

BA.BAR *v.i.* e *v.p.* 1) Derramar baba; babar(-se). / *v.t.d.* 2) Espumar, salivar. / *v.p.* 3) *pop.* Ficar bobo de alegria, gostar muito, estar apaixonado.

BA.BEL *s.f.* 1) Confusão de línguas ou de vozes. 2) *fig.* Balbúrdia; algazarra.

BA.BO.SEI.RA *s.f.* Coisa irrelevante; asneira; tolice.

BA.BU.Í.NO *s.m.* Espécie de macaco africano de focinho saliente e cauda curta.

BA.CA.LHAU *s.m.* 1) *Ictiol.* Peixe comum dos mares do norte, geralmente, vendido seco e salgado. 2) Chicote de couro usado para açoite de escravizados.

BA.CA.NA *adj.* 1) Excelente, muito bom. 2) Ricaço.

BA.CA.NAL *s.f.* 1) Festa em homenagem ao deus romano do vinho, Baco. 2) Orgia.

BA.CHA.REL *s.m.* 1) Pessoa formada em curso universitário. 2) Pessoa formada em Direito.

BA.CHA.RE.LA.DO *s.m.* 1) Curso universitário que confere o grau de bacharel. 2) Esse grau. / *adj.* e *s.m.* 3) Que ou quem recebeu esse grau.

BA.CI.A *s.f.* 1) Vaso redondo, pouco profundo, de bordas largas. 2) *Anat.* Cavidade óssea que forma os quadris. 3) Depressão de terreno cercada de montes. 4) Conjunto de terras banhadas por um rio e seus afluentes.

BA.ÇO *s.m.* 1) *Anat.* Víscera glandular. / *adj.* 2) Embaciado, sem brilho; de cor escura.

BACON (bêicon) *s.m. ingl.* Toucinho de porco defumado.

BAC.TÉ.RIA *s.f.* Micro-organismo unicelular desprovido de membrana nuclear.

BAC.TE.RI.CI.DA *adj.2gên.* e *s.m.* Substância que destrói bactérias.

bacteriologia / balancê

BAC.TE.RIO.LO.GI.A *s.f.* 1) Ciência que estuda as bactérias. / *adj.* 2) Bacteriologista.

BA.CU.RI *s.m.* 1) *Bot.* Fruto do bacurizeiro. 2) *fig.* Criança, menino.

BA.DA.LAR *v.t.d.* e *v.i.* 1) Dar badaladas. 2) Divulgar alguma coisa. / *v.i.* 3) Ir a diversas festas e eventos.

BA.DER.NA *s.f.* Farra; tumulto; conflito; briga; desordem; arruaça.

BA.DER.NEI.RO *adj.* e *s.m.* Badernista.

BA.DER.NIS.TA *adj.2gên.* e *s.2gên.* Que ou quem se dá a badernas; baderneiro, bagunceiro.

BA.DU.LA.QUE *s.m.* 1) Penduricalho. 2) Objeto de pouco valor.

BA.FA.FÁ *s.m.* Tumulto, baderna, confusão.

BA.FE.JAR *v.t.d.* 1) Aquecer com bafo. 2) Estimular, favorecer. / *v.i.* 3) Soprar levemente. / *s.m.* 4) Bafejo.

BA.FO *s.m.* 1) Hálito, ar exalado dos pulmões. 2) Sopro quente, mormaço.

BA.FÔ.ME.TRO *s.m. Tecn.* Aparelho que serve para detectar o teor alcoólico do organismo.

BA.FO.RA.DA *s.f.* 1) Fumaça expelida ao fumar. 2) Exalação de vapor. 3) Bafo prolongado.

BA.GA.CEI.RA *s.f.* 1) Local onde se acumula bagaço da uva ou da cana. 2) Aguardente extraída do bagaço da cana ou da uva. 3) *pop.* Palavreado sem sentido.

BA.GA.ÇO *s.m.* 1) Restos de frutos ou caules espremidos. 2) Coisa usada demais, imprestável.

BA.GA.GEI.RO *s.m.* 1) Condutor de bagagens. 2) Local destinado ao transporte de bagagens.

BA.GA.GEM *s.f.* 1) Conjunto de malas e objetos que viajantes levam consigo. 2) Conjunto de obras de um profissional. 3) *fig.* Soma de conhecimentos.

BA.GA.TE.LA *s.f.* Coisa de pouco valor, insignificante; ninharia.

BA.GO *s.m.* 1) Cada um dos frutos do cacho de uvas. 2) *gír.* Testículo.

BA.GRE *s.m. Ictiol.* Nome comum de vários peixes sem escama.

BA.GUE.TE *s.f.* 1) Pão francês fino e alongado. 2) Bordado vertical das meias.

BA.GUN.ÇA *s.f.* 1) Desordem, confusão. 2) Máquina para remover aterros.

BA.GUN.ÇAR *v.t.d.* e *v.i.* Promover bagunça.

BA.Í.A *s.f. Geogr.* 1) Golfo pequeno. 2) Lagoa que se liga a um rio.

BAI.A.NO *adj.* 1) Da Bahia. / *s.m.* 2) O natural ou habitante do estado da Bahia.

BAI.ÃO *s.m. Folc.* Canto e dança popular do Nordeste.

BAI.LA.DO *s.m.* Dança para fins teatrais executada por bailarinos.

BAI.LAR *v.i.* 1) Executar bailados; dançar. 2) Oscilar, tremer, dançar. / *v.t.d.* 3) Executar dançando.

BAI.LA.RI.NO *s.m.* Aquele que dança por profissão; dançarino clássico.

BAI.LE *s.m.* Reunião festiva na qual se dança.

BA.I.NHA *s.f.* 1) Estojo onde se guarda a lâmina de uma arma branca. 2) Dobra costurada na extremidade de uma peça de roupa para que não se desfie. 3) *Bot.* Base achatada da folha que a prende ao caule.

BA.I.NHAR *v.t.d.* Fazer bainha.

BAI.O *adj.* Da cor castanha ou amarelo-torrado; diz-se do cavalo que tem essa cor.

BAI.O.NE.TA *s.f.* Arma pontiaguda que se adapta ao cano da espingarda.

BAIR.RIS.MO *s.m.* Defesa exagerada de seu bairro ou de sua terra.

BAIR.RO *s.m.* Cada parte em que se divide a área urbana de uma cidade.

BAI.TA *adj.* Muito grande, enorme.

BAI.XA *s.f.* 1) Redução de altura ou de valor. 2) Perda sofrida por força armada. 3) Queda nas bolsas de valores. 4) *Mil.* Dispensa de serviço militar.

BAI.XAR *v.t.d.* 1) Abaixar, fazer descer. 2) Expedir ordens. / *v.t.i.* 3) Decair. / *v.p.* 4) Curvar-se. 5) *fig.* Humilhar-se.

BAI.XA.RI.A *s.f.* Proceder de modo inoportuno; baixo nível no momento de proceder ou agir.

BAI.XE.LA *s.f.* Conjunto de utensílios usados no serviço de mesa.

BAI.XIS.TA *s.m.* 1) Músico que toca contrabaixo ou baixo. / *adj.* 2) Pessoa que especula na baixa do câmbio das bolsas de valores.

BAI.XO *adj.* 1) De pouca altura. 2) Barato; inferior.

BA.JU.LAR *v.t.d.* Adular, lisonjear de modo servil.

BA.LA *s.f.* 1) Projétil de arma de fogo. 2) Pequeno doce para chupar, feito de açúcar e outras substâncias.

BA.LA.DA *s.f.* 1) Tipo de poema narrativo de temas lendários. 2) Peça de música instrumental. 3) *pop.* Festa em danceterias em que os jovens vão para dançar.

BA.LAN.ÇA *s.f.* 1) Aparelho para determinar o peso relativo dos corpos. 2) Constelação do Zodíaco. 3) *fig.* Ponderação, equilíbrio.

BA.LAN.ÇAR *v.t.d.* 1) Equilibrar, compensar. 2) Fazer oscilar alternadamente. / *v.i.* e *v.p.* 3) Mover (-se) de um lado para outro. 4) Balancear.

BA.LAN.CÊ *s.m.* Certo passo de dança numa quadrilha.

102

BA.LAN.CE.A.MEN.TO *s.m.* 1) Ato de balancear. 2) *Autom.* Ato de equilibrar as rodas de veículo automotor para lhe proporcionar segurança e estabilidade.

BA.LAN.CE.AR *v.t.d., v.i.* e *v.p.* 1) Balançar. 2) Equilibrar. 3) Hesitar, vacilar.

BA.LAN.ÇO *s.m.* 1) Movimento de oscilação. 2) *Cont.* Verificação de saldos comerciais.

BA.LÃO *s.m.* 1) Aeróstato. 2) Globo de papel que se lança ao ar em festas juninas. 3) Pequena bola de borracha que se enche com ar para a decoração de festas.

BA.LA.ÚS.TRE *s.m.* 1) Pequena coluna de sustentação. 2) Haste usada em transportes coletivos para auxiliar o embarque e desembarque.

BAL.BU.CI.AR *v.t.d.* e *v.i.* 1) Emitir sons sem sentido. 2) Pronunciar algo gaguejando, com hesitação. 3) *fig.* Falar sobre (algum assunto) sem conhecimento suficiente.

BAL.BÚR.DIA *s.f.* 1) Algazarra, tumulto. 2) Confusão.

BAL.CÃO *s.m.* 1) Sacada, varanda. 2) Móvel em repartições comerciais para o atendimento de clientes. 3) Localidade entre os camarotes e as galerias.

BAL.CO.NIS.TA *adj.2gên.* Pessoa que trabalha em balcão de repartições comerciais.

BAL.DE *s.m.* Recipiente cilíndrico, geralmente de metal ou plástico, alça curta, destinado a usos diversos como: retirar água de poços e reter quaisquer outros líquidos, colocar gelo, etc.

BAL.DE.AR *v.t.d.* 1) Tirar com balde. 2) Transportar em balde. 3) Transferir de um balde a outro ou de um veículo para outro.

BAL.DIO *adj.* 1) Inculto, agreste, abandonado. / *s.m.* 2) Terreno inculto ou inútil.

BA.LÉ *s.m.* Representação artística com vários bailarinos em que se combinam a dança, o gesto e a música.

BA.LE.EI.RA *s.f.* Barco utilizado na pesca da baleia.

BA.LEI.A *s.f.* 1) *Zool.* Grande mamífero marinho da ordem dos cetáceos. 2) *fig.* Pessoa muito gorda.

BA.LEI.RO *s.m.* Vendedor ambulante de balas e doces.

BA.LE.LA *s.f.* Falsidade, notícia sem fundamento, boato.

BA.LI.DO *s.m.* 1) Voz da ovelha e do cordeiro. / *v.i.* 2) Balir.

BA.LIS.TA *s.f.* Máquina de guerra utilizada para arremessar pedras e flechas.

BA.LÍS.TI.CA *s.f.* Ciência que estuda o movimento de projéteis, especialmente os lançados por armas de fogo.

BA.LI.ZA *s.f.* 1) Marco ou estaca que define um limite. / *s.2gên.* 2) Pessoa que vai à frente em desfiles cívicos agitando arma ou vara, que indica os movimentos ou caminhos a seguir.

BAL.NE.Á.RIO *s.m.* 1) Estabelecimento de banhos, termas. 2) Estância de águas minerais. / *adj.* 3) Relativo a banhos.

BAL.NE.O.TE.RA.PI.A *s.f. Med.* Tratamento de doenças por meio de banhos.

BA.LO.FO *adj.* Sem consistência, fofo, volumoso; muito gordo.

BA.LO.NIS.MO *s.m.* Arte da navegação aérea com balões.

BAL.SA *s.f.* Jangada de tábuas ou troncos, de grande dimensão, usada nos rios para transporte de cargas.

BÁL.SA.MO *s.m.* 1) Perfume. 2) Substância aromática. 3) *fig.* Conforto, alívio.

BA.LU.AR.TE *s.m.* 1) Construção sustentada por muralhas; fortaleza. 2) Local seguro. 3) *fig.* Suporte, base, apoio.

BAM.BA *adj.2gên.* e *s.2gên.* 1) *pop.* Valente, corajoso. 2) Perito em determinado assunto; bambambã.

BÂM.BI *s.m.* Filhote de gazela.

BAM.BO *adj.* Sem firmeza, mole, instável.

BAM.BO.LÊ *s.m.* Aro de plástico ou metal que gira com o movimento do corpo.

BAM.BO.LE.AR *v.i.* 1) Agitar-se, oscilar, abanar, vacilar. / *v.t.d., v.i.* e *v.p.* 2) Menear(-se), balançar o corpo; saracotear(-se); gingar.

BAM.BU *s.m. Bot.* Planta da família das Gramíneas cujo caule pode ser usado como vara de pesca e para fazer bengalas; taboca, taquara.

BA.NAL *adj.2gên.* Comum, trivial, fútil.

BA.NA.LI.ZAR *v.t.d.* e *v.p.* Vulgarizar(-se), tornar (-se) banal.

BA.NA.NA *s.f.* 1) *Bot.* Fruto da bananeira. 2) Carga de dinamite em cartuchos./ *s.2gên.* 3) *fig.* Pessoa sem vontade própria, palerma.

BA.NA.NA.DA *s.f.* Doce de banana.

BA.NA.NAL *s.m.* Grupo de bananeiras.

BA.NA.NEI.RA *s.f. Bot.* Planta de folhas largas e compridas cujo fruto é a banana.

BAN.CA *s.f.* 1) Mesa de trabalho. 2) Jogo de azar. 3) Escritório de advogado. 4) Comissão examinadora de provas e concursos. 5) Local onde se vendem revistas, jornais, frutas e verduras em feiras.

BAN.CA.DA *s.f.* 1) Banco comprido; conjunto de bancos. 2) Representação política de um partido em Assembleias, Câmaras e Senado. 3) Mesa onde estão dispostos equipamentos de trabalho.

bancar

BAN.CAR *v.i.* 1) Ser o responsável por uma banca de jogo. / *v.t.d.* 2) Dar-se ares de; fingir o que não é. 3) Financiar.
BAN.CÁ.RIO *adj.* 1) Relativo a banco. / *s.m.* 2) Funcionário de banco ou casa bancária.
BAN.CAR.RO.TA (ô) *s.f.* 1) Falência. 2) *fig.* Decadência.
BAN.CO *s.m.* 1) Assento comprido e estreito sem encosto. 2) Estabelecimento de crédito. 3) *Hidrogr.* Acumulação de areia, coral, etc., que se forma em mares ou rios perto da costa. 4) Lugar onde se assentam os jogadores que são reservas de um time esportivo.
BAN.DA *s.f.* 1) Lado, flanco, parte lateral. 2) Conjunto de músicos que cantam e tocam. 3) Faixa de tecido na orla de uma veste.
BAN.DA.GEM *s.f.* Atadura para cobrir ferimentos.
BAN.DA.LHEI.RA *s.f.* 1) Ação ou atitude de bandalho; patifaria; pouca-vergonha; sem dignidade, sem moral. 2) Bandalhice.
BAN.DAS *s.f.* 1) Rumo, direção. 2) Lugar, localidade.
BAN.DE.AR *v.t.d.* 1) Inclinar para o lado. / *v.p.* 2) Passar-se para o lado oposto, mudar de opinião. 3) Formar bando.
BAN.DEI.RA *s.f.* 1) Pedaço de pano retangular que simboliza uma nação ou corporação, estandarte. 2) Chapa metálica dos taxímetros. 3) Expedição armada que se destinava a explorar os sertões, descobrir minas e capturar indígenas.
BAN.DEI.RAN.TE *s.m.* 1) Aquele que fazia parte de uma bandeira (expedição). / *s.f.* 2) Menina ou moça que pratica o bandeirantismo. / *adj.2gên.* 3) Pessoa natural do estado de São Paulo, paulista.
BAN.DEI.RI.NHA *s.2gên.* 1) Bandeira pequena. 2) *Esp.* Juiz de linha, pessoa que auxilia o árbitro em jogos de futebol.
BAN.DE.JA *s.f.* 1) Tabuleiro utilizado em serviços de mesa. 2) No basquete, jogada em que o atacante dá dois passos dentro do garrafão e arremessa a bola à cesta.
BAN.DI.DO *s.m.* Criminoso, fora da lei, pessoa maldosa.
BAN.DO *s.m.* 1) Grupo de pessoas ou animais; multidão. 2) Partido, facção. 3) Grupo de malfeitores.
BAN.DO.LEI.RO *s.m.* 1) Bandido, malfeitor. 2) Cangaceiro. 3) Trapaceiro. / *adj.* 4) Inconstante (especialmente no amor ou na amizade). 5) Errante. 6) Sem ocupação.
BAN.DO.LIM *s.m. Mús.* Instrumento musical de oito cordas, agrupadas duas a duas, que se toca com uma palheta.

BAN.GA.LÔ *s.m.* Casa de campo de construção simples.
BAN.GUÊ *s.m.* 1) Padiola para conduzir cadáveres de escravizados. 2) Padiola para conduzir materiais de construção. 3) Engenho de açúcar movido à tração animal.
BAN.GUE.LA *adj.2gên.* e *s.2gên.* Quem não tem um ou mais dentes na frente; desdentado.
BA.NHA *s.f.* Gordura animal, especialmente do porco.
BA.NHA.DO *s.m.* 1) Brejo, pântano. 2) Charco encoberto por ervagem ou coberto de vegetação.
BA.NHAR *v.t.d.* Dar banho, molhar, tomar banho.
BA.NHEI.RA *s.f.* Recipiente apropriado para se tomar banho.
BA.NHEI.RO *s.m.* Aposento da casa apropriado para se tomar banho; aposento com vaso sanitário.
BA.NHIS.TA *s.2gên.* Pessoa que frequenta praias e balneários.
BA.NHO *s.m.* 1) Ato de banhar-se; imersão na água. 2) Exposição a raios solares. 3) *Esp.* e *gír.* Derrota por vários gols ou pontos de diferença.
BA.NHO-MA.RI.A *s.m.* Processo de aquecer ou cozinhar uma substância colocada no recipiente que a contém em outro recipiente com água fervente.
BA.NI.DO *adj.* Exilado, expulso por sentença, proscrito.
BA.NIR *v.t.d.* Expulsar, excluir, eliminar, com perda de direitos.
BAN.JO *s.m. Mús.* Instrumento de cordas de origem norte-americana com caixa de tambor.
BAN.QUEI.RO *s.m.* 1) Dono ou sócio de banco. 2) Dono de banca de jogo.
BAN.QUE.TA *s.f.* 1) Pequeno banco sem encosto. 2) *Liturg.* Primeiro degrau acima da mesa do altar, onde se colocam os castiçais.
BAN.QUE.TE *s.m.* Refeição festiva e abundante oferecida a muitos convidados.
BAN.QUE.TE.AR *v.t.d.* 1) Dar banquete a ou em honra de. / *v.p.* 2) Comer bem e muito.
BAN.ZÉ *s.m. fig.* Barulho, conflito, desordem.
BA.QUE *s.m.* 1) Ruído de corpos que se batem. 2) Queda, tombo. 3) Desastre ou fracasso súbito.
BA.QUE.AR *v.i.* 1) Cair de repente, produzindo baque. 2) Vir abaixo; desabar; arruinar-se; falir. / *v.t.d.* 3) Enfraquecer ➡ A notícia da morte do irmão o baqueou. / *v.p.* 4) Cair por terra, prostrar-se.
BA.QUE.TA *s.f.* Pequena vara com que se tocam instrumentos de percussão.
BAR *s.m.* 1) Lugar em que se vendem bebidas, botequim. 2) Móvel onde se guardam bebidas.

barafunda

barragem

BA.RA.FUN.DA *s.f.* 1) Confusão, tumulto, bagunça. 2) Bordado de agulha sobre pano desfiado, imitando renda; crivo.

BA.RA.FUS.TAR *v.t.i.* e *v.p.* 1) Entrar com violência. / *v.i.* 2) Fazer birra; espernear.

BA.RA.LHO *s.m.* Coleção de 52 cartas distribuídas em naipes que servem para jogar.

BA.RÃO *s.m.* Título de menor grau da nobreza, imediatamente seguido pelo de visconde.

BA.RA.TA *s.f. Entom.* Inseto doméstico de corpo achatado e oval e antenas compridas.

BA.RA.TE.AR *v.t.d.* 1) Vender por baixo preço. 2) Menosprezar, dar pouco valor. / *v.i.* 3) Diminuir o preço.

BA.RA.TI.NAR *v.t.d.* e *v.p.* Perturbar(-se); transtornar(-se); desnortear(-se).

BA.RA.TO *adj.* 1) De preço baixo. 2) Comum, vulgar. 3) *fig.* Que se consegue com facilidade. 4) *pop.* Aquilo que está na moda, na onda.

BAR.BA *s.f.* Pelos do rosto do homem; pelos do focinho ou do bico de certos animais.

BAR.BA-A.ZUL *s.m.* 1) Homem que mata sucessivamente as mulheres com quem se casa. 2) Homem viúvo muitas vezes.

BAR.BAN.TE *s.m.* Cordão delgado usado para amarrar.

BAR.BAR *v.i.* Criar barba, começar a ter barba.

BAR.BA.RI.DA.DE *s.f.* 1) Ação de bárbaros, selvageria, crueldade, barbaria. / *interj.* 2) Que exprime espanto.

BAR.BÁ.RIE *s.f.* Barbarismo, condição ou estado de bárbaro.

BAR.BA.RIS.MO *s.m.* 1) Condição ou estado de bárbaro. 2) Ação de gente bárbara. 3) *Gram.* Todo e qualquer desvio gramatical em relação à palavra.

BAR.BA.RI.ZAR *v.t.d.* e *v.p.* 1) Tornar(-se) bárbaro. / *v.i.* 2) *Gram.* Dizer ou escrever barbarismos; vício de linguagem.

BÁR.BA.RO *s.m.* 1) Indivíduo dos povos bárbaros. / *adj.* 2) Sem civilização, selvagem; cruel, grosseiro. 3) *gír.* Sensacional, excelente.

BAR.BA.TA.NA *s.f.* 1) *Ictiol.* Membrana exterior do peixe que permite seu deslocamento na água, nadadeira. 2) Haste flexível na armação de roupas. 3) Cada uma das varetas de aço que servem para a armação de guarda-chuvas.

BAR.BE.A.DOR (ô) *s.m.* Aparelho de barbear.

BAR.BE.AR *v.t.d.* e *v.p.* Fazer a barba.

BAR.BE.A.RI.A *s.f.* Salão ou loja de barbeiro.

BAR.BEI.RO *s.m.* 1) Indivíduo que faz a barba e corta cabelo. 2) *pop.* Motorista que conduz mal um veículo. 3) *Entom.* Nome dado a certo besouro causador da doença de Chagas.

BAR.BI.CHA *s.f.* 1) Barba pequena e rala. 2) A barba do bode.

BAR.BU.DO *adj.* e *s.m.* Aquele que tem muita barba.

BAR.CA *s.f. Náut.* Embarcação larga e pouco profunda utilizada no transporte de cargas e passageiros.

BAR.CA.ÇA *s.f. Náut.* Embarcação para carga e descarga de mercadorias em portos; grande barca.

BAR.CA.RO.LA *s.f. Mús.* Canção romântica dos gondoleiros de Veneza cujo ritmo lembra o embalo de uma barca.

BAR.CO *s.m. Náut.* Embarcação de pequeno porte, sem cobertura.

BAR.DO *s.m.* Poeta entre os celtas, trovador.

BAR.GA.NHA *s.f.* 1) Ato de barganhar. 2) Troca, transação, negócio.

BAR.GA.NHAR *v.t.d.* Trocar, negociar, fazer barganha.

BA.RI.ME.TRI.A *s.f.* Medição do peso ou gravidade.

BÁ.RIO *s.m. Quím.* Elemento cujo símbolo é o Ba, metal alcalinoterroso, número atômico 56, massa atômica 137,36 e ponto de fusão 830ºC.

BA.RÍ.TO.NO *s.m. Mús.* Cantor que tem a voz intermediária entre o grave e o agudo.

BA.RÔ.ME.TRO *s.m. Meteor.* Instrumento que mede a pressão atmosférica.

BA.RO.NA.TO *s.m.* Título ou dignidade de barão.

BA.RO.NE.SA *s.f.* Esposa de barão; feminino de barão.

BAR.QUEI.RO *s.m.* Condutor de barco ou barca.

BAR.RA *s.f.* 1) Qualquer porção estreita e alongada de material sólido. 2) *Geogr.* Entrada estreita e apertada de um porto. 3) Pedaço retangular de sabão, chocolate, etc. 4) Aparelho de ginástica. 5) Borda das calças e saias. 6) *Gram.* Traço inclinado (/) usado para separar datas, abreviaturas, etc. 7) *gír.* Estado, situação complicada ➡ Esta situação já se tornou uma barra.

BAR.RA.CA *s.f.* 1) Abrigo desmontável para acampamentos. 2) Construções temporárias para feiras. 3) Abrigo precário.

BAR.RA.CÃO *s.m.* 1) Grande barraca. 2) Construção rústica para guardar utensílios ou depositar materiais de construção. 3) Barraco.

BAR.RA.CO *s.m.* Habitação modesta de madeira ou zinco comum em bairros pobres, especialmente favelas.

BAR.RA.DO *adj.* 1) Coberto com barro. 2) Proibido de entrar.

BAR.RA.GEM *s.f.* 1) Construção que impede o curso livre da água; represa. 2) Impedimento, obstrução.

BAR.RA-LIM.PA *adj.2gên* e *s.2gên*. Que ou o que é confiável, honesto.

BAR.RAN.CA *s.f.* 1) Escavação resultante de enxurradas ou da ação do homem. 2) Margem alta e íngreme de rios ou estradas. 3) Barranco.

BAR.RA-PE.SA.DA *adj.2gên*. e *s.2gên*. 1) Diz-se de indivíduo perigoso, violento. 2) Situação complicada.

BAR.RA.QUEI.RO *s.m.* 1) Dono de barraca, feirante. 2) *gír.* Escandaloso; gritador.

BAR.RAR *v.t.d.* 1) Atravessar com barras. 2) Cobrir com barro. 3) Impedir a passagem, o avanço.

BAR.REI.RA *s.f.* 1) Obstáculo que impede o avanço ou a passagem de alguém ou algo. 2) Posto fiscal que controla a passagem de veículos e mercadorias. 3) Lugar de onde se tira barro. 4) Grupo de jogadores que encobrem o gol na cobrança de uma falta próxima à área.

BAR.REN.TO *adj.* 1) Que contém barro. 2) Da cor do barro.

BAR.RE.TE (ê) *s.m.* 1) Gorro de tecido mole. 2) Chapéu quadrangular usado por cardeais e bispos. 3) *Anat.* e *Zool.* Segunda cavidade do estômago dos ruminantes.

BAR.RI.CA *s.f.* Tonel de madeira.

BAR.RI.CA.DA *s.f.* Barreira improvisada feita com barricas, estacas ou outros objetos.

BAR.RI.GA *s.f.* 1) Abdome, ventre. 2) Saliência. 3) Gravidez.

BAR.RI.GA.DA *s.f.* 1) Pancada na ou com a barriga. 2) Vísceras de animais abatidos. 3) Conjunto de filhotes nascidos de um só parto.

BAR.RI.GU.DO *adj.* 1) Que tem barriga grande. / *s.m.* 2) *Zool.* Nome dado a várias espécies de macacos brasileiros.

BAR.RIL *s.m.* Tonel pequeno em forma de pipa usado para guardar ou transportar líquidos.

BAR.RI.TO *s.m.* Som emitido pelo elefante e por alguns outros animais; barrido.

BAR.RO *s.m.* Argila; mistura de terra e água.

BAR.RO.CO (ô) *s.m.* 1) Estilo de arte em que predominava o exagero e a extravagância. 2) Pérola de formato desigual.

BAR.RO.TE *s.m. Constr.* Viga de madeira na qual se pregam os assoalhos e tetos.

BA.RU.LHEI.RA *s.f.* Grande barulho, gritaria, algazarra, barulhada.

BA.RU.LHO *s.m.* 1) Rumor, ruído, estrondo. 2) Alvoroço, tumulto, algazarra.

BA.SAL.TO *s.m.* Rocha vulcânica escura.

BAS.BA.QUE *adj.2gên*. e *s.2gên*. Pessoa facilmente impressionável, tolo, palerma, pateta.

BAS.CU.LAN.TE *s.m.* 1) Janela de vidraças móveis. / *adj.2gên*. 2) Que tem movimento para cima e para baixo.

BA.SE *s.f.* 1) Tudo que suporta peso e mantém um corpo em pé. 2) Princípio, fundamento, apoio. 3) Camada de tinta ou maquiagem sobre a qual se põe uma definitiva. 4) *Mil.* Conjunto de construções e instalações para fins científicos e militares. 5) *Quím.* Substância que ao ser misturada com um ácido forma um sal. 6) *Polít.* Conjunto de militantes que dão sustentação política de um partido.

BA.SE.A.DO *adj.* 1) Firmado, fundamentado. / *s.m.* 2) *pop.* Cigarro de maconha.

BA.SE.AR *v.t.d.* e *v.p.* Servir(-se) de base; fundamentar a base, firmar(-se).

BÁ.SI.CO *adj.* 1) Que serve de base. 2) Principal, fundamental. 3) *Quím.* Que tem reação alcalina.

BA.SI.DIO.MI.CE.TOS *s.m. pl.* Classe de fungos.

BA.SÍ.LI.CA *s.f.* Igreja principal; igreja católica com certos privilégios.

BA.SI.LIS.CO *s.m.* 1) *Mit.* Criatura lendária capaz de matar com o olhar. 2) Lagarto da família dos Iguanídeos. 3) *Mil.* Canhão de bronze usado antigamente.

BAS.QUE.TE.BOL *s.m. Esp.* Jogo disputado por duas equipes de cinco jogadores que lutam pela posse da bola e tentam arremessá-la à cesta e obter o maior número de pontos.

BAS.SÊ *s.m.* 1) Raça de cão de pernas curtas, orelhas grandes e pendentes e corpo comprido, originário da França. 2) *pop.* Cachorro conhecido por salsicha.

BAS.TA *interj.* Chega!; Não mais!

BAS.TAN.TE *adj.* 1) Que basta; que é suficiente ou que satisfaz ➠ Teve de apresentar bastantes razões para sua ausência. / *s.m.* 2) Aquilo que é suficiente, satisfatório ➠ Não se esforçou o bastante para passar no vestibular. / *adv.* 3) Suficientemente, muito ➠ Sinto-me bastante cansado hoje.

BAS.TÃO *s.m.* 1) Bordão que se traz na mão para usar de várias formas e em várias situações. 2) Forma em que se apresentam vários produtos industriais.

BAS.TAR.DO *adj.* 1) Aquele que nasceu fora do matrimônio. / *s.m.* 2) Filho bastardo.

BAS.TI.DOR *s.m.* 1) Caixilho de madeira que mantém preso o tecido a ser bordado. 2) Cada um dos quadros que decoram os palcos teatrais. 3) Lado não público de artista e cenários.

BAS.TI.LHA *s.f.* Forte, fortaleza; cadeia, prisão.

BAS.TO.NE.TE *s.m.* 1) Pequeno bastão. 2) *Bacter.* Bacilo alongado.

BA.TA *s.f.* 1) Espécie de roupão completamente abotoado na frente. 2) Blusa folgada de mulher.

BA.TA.LHA *s.f.* 1) Combate travado entre forças militares opostas envolvidas numa guerra. 2) Luta. 3) *fig.* Matéria de discussão. 4) Empenho para vencer dificuldades.

BA.TA.LHA.DOR *adj.* e *s.m.* Lutador, aquele que se esforça para alcançar determinado objetivo; aquele que trabalha incansavelmente.

BA.TA.LHÃO *s.m.* 1) *Mil.* Corpo de infantaria que faz parte de um regimento e que se divide em companhias. 2) Multidão, grande número de pessoas juntas.

BA.TA.LHAR *v.i.* 1) Entrar em batalha, combater, lutar. / *v.t.i.* 2) Discutir, teimar, argumentar. / *v.t.d.* 3) Travar batalha.

BA.TA.TA *s.f.* 1) *Bot.* Planta que produz tubérculos comestíveis. 2) *Bot.* Tubérculo de planta, comestível ou não. 3) *pop.* Diz-se de nariz muito grosso e chato.

BA.TE-BO.CA *s.m.* 1) Discussão agressiva, violenta. 2) Conversa amigável e sem assunto específico; bate-papo.

BA.TE.DEI.RA *s.f.* 1) Aparelho usado para bater os ingredientes de massas e misturas. 2) Palpitação cardíaca.

BA.TE.DOR *s.m.* 1) Aquele ou aquilo que bate. 2) Utensílio de cozinha para bater ou mexer. 3) Parte da batedeira elétrica que faz a batedura. 4) Pessoa que lava o cascalho na mineração do diamante. 5) Soldado que vai à frente das altas personalidades para abrir caminho.

BA.TE.DOU.RO *s.m.* 1) Pedra usada pelas lavadeiras para bater a roupa no rio. 2) Lugar onde se bate alguma coisa.

BÁ.TE.GA *s.f.* 1) Chuva forte e súbita. 2) *Ant.* Bacia metálica.

BA.TEL *s.m.* Barco pequeno, canoa.

BA.TE.LÃO *s.m.* Grande barca usada para transportar cargas pesadas.

BA.TEN.TE *adj.* 1) Que bate. / *s.m.* 2) Ombreira em que bate a porta quando se fecha. 3) *gír.* Trabalho efetivo de onde se tira o sustento.

BA.TE-PA.PO *s.m.* Conversa descontraída, amigável.

BA.TER *v.t.d.* 1) Dar pancadas em. 2) *fig.* Agitar (asas). 3) Sovar alimento (massa de bolo, de pão). / *v.i.* 4) Pulsar, palpitar. / *v.p.* 5) Lutar, empenhar-se.

BA.TE.RI.A *s.f.* 1) Barulho produzido por objetos que batem uns nos outros. 2) *Mil.* Conjunto das bocas de fogo de características idênticas. 3) *Mil.* Fração de um regimento de artilharia de campanha sob o comando de um capitão. 4) *Eletr.* Grupo de geradores (pilhas ou acumuladores) ligados em série. 5) *Mús.* Instrumento de percussão numa banda ou orquestra.

BA.TE.RIS.TA *s.2gên.* Músico que toca bateria.

BA.TI.DA *s.f.* 1) Ato ou efeito de bater. 2) Exploração do campo ou do mato. 3) Colisão de um corpo com outro. 4) Busca policial feita em lugares considerados suspeitos. 5) Bebida preparada com aguardente, açúcar, gelo picado e suco ou essência de fruta.

BA.TI.DO *adj.* 1) Que levou pancada. 2) Pisado. 3) Vencido, derrotado. 4) *fig.* Muito repetido ➡ Esse argumento já está muito batido.

BA.TI.MEN.TO *s.m.* 1) Ato de bater. 2) *Med.* Pulsação.

BA.TI.NA *s.f.* Túnica usada pelos eclesiásticos.

BA.TIS.MO *s.m.* 1) *Teol.* Um dos sacramentos da Igreja Cristã. 2) A administração desse sacramento. 3) *pop.* Adulteração de um líquido (em geral leite ou vinho) acrescentando outro líquido (em geral água).

BA.TIS.TA *adj.2gên.* 1) Relativo ao batismo. 2) Doutrina cristã em que só se ministra o batismo aos adultos. 3) Aquele que faz parte dessa doutrina. / *s.m.* 4) Aquele que batiza.

BA.TIS.TÉ.RIO *s.m.* 1) Parte da igreja na qual se encontra a pia batismal. 2) Capela construída perto das catedrais como local de administração de batismos.

BA.TI.ZAR *v.t.d.* 1) Administrar o batismo a. 2) Pôr nome ou apelido a. 3) *pop.* Acrescentar água a certos líquidos, adulterando-os.

BA.TOM *s.m.* Cosmético, em forma de bastão, utilizado para colorir os lábios.

BA.TO.TA *s.f.* 1) Trapaça no jogo; logro. 2) Casa de jogo. 3) Jogo de azar. 4) Peixe marítimo do Brasil.

BA.TRÁ.QUIO *adj.* e *s.m.* Anfíbio sem cauda, como o sapo e a rã; anuro.

BA.TU.CA.DA *s.f.* 1) Ação de batucar. 2) Ritmo ou música do batuque. 3) Toque dos instrumentos de percussão.

BA.TU.CAR *v.i.* 1) Dançar o batuque; tocar o batuque. 2) Fazer barulho batendo repetidas vezes com força.

BA.TU.QUE *s.m.* 1) Ato de batucar. 2) *pop.* Dança afro-brasileira.

BA.TU.TA *adj.* 1) *pop.* Indivíduo entendido, ativo, hábil, notável. 2) *Mús.* Bastão com que os maestros regem as orquestras.

BA.Ú *s.m.* Caixa de madeira, com tampa convexa.

BAU.NI.LHA *s.f.* 1) *Bot.* Nome comum de várias trepadeiras. 2) Essência aromática extraída de suas vagens.

bauxita • belida

BAU.XI.TA *s.f. Miner.* Principal minério de alumínio.

BA.ZAR *s.m.* 1) Mercado público, coberto, dos países árabes. 2) Loja de comércio de objetos variados.

BA.ZU.CA *s.f.* Arma de guerra que lança foguetes contra tanques.

BÊ *s.m.* Nome da segunda letra do alfabeto e primeira consoante (B / b).

BÊ-Á-BÁ *s.m.* 1) Abecedário. 2) *fig.* Primeiras noções de qualquer ciência ou arte.

BE.A.TA *s.f.* 1) Mulher devota; que se entrega em excesso às práticas religiosas. 2) Mulher que finge devoção.

BE.A.TI.FI.CA.ÇÃO *s.f. Rel.* Ato e cerimônia na qual um indivíduo virtuoso e falecido é declarado beato ou bem-aventurado pelo papa.

BE.A.TI.FI.CAR *v.t.d.* 1) Declarar beato por cerimônia de beatificação. /*v.t.d.* e *v.p.* 2) Declarar (-se) feliz, bem-aventurado / *v.t.d.* 3) Louvar exageradamente.

BE.A.TI.TU.DE *s.f.* 1) *Teol.* e *Rel.* Bem-aventurança; felicidade. 2) Serenidade, felicidade.

BE.A.TO *adj.* e *s.m.* 1) Bem-aventurado. 2) Que foi beatificado pela Igreja Católica. 3) Que é muito devoto.

BÊ.BA.DO *adj.* e *s.m. pop.* Indivíduo que está tonto por motivo da bebida alcoólica; embriagado.

BE.BÊ *s.m.* Nenê, criança de peito ou de colo.

BE.BE.DOR *adj.* e *s.m.* Que ou quem bebe muito.

BE.BE.DOU.RO *s.m.* 1) Vasilha ou tanque em que os animais bebem água. 2) Aparelho munido de torneira, que fornece jatos de água para beber.

BE.BER *v.t.d.* 1) Engolir ou ingerir líquidos. 2) Tomar bebidas alcoólicas. 3) Gastar em bebidas alcoólicas.

BE.BE.RI.CAR *v.t.d.* 1) Beber a goles pequenos. / *v.t.d.* e *v.i.* 2) Beber pouco, mas com frequência.

BE.BI.DA *s.f.* Qualquer líquido que se bebe, especialmente alcoólico.

BE.CA *s.f.* 1) Veste talar preta, usada por professores, magistrados e formandos de grau superior. 2) A magistratura.

BE.ÇA *s.f.* Usada para formação da loc. adv. à beça: em grande ou indeterminada quantidade.

BE.CO *s.m.* 1) Rua estreita e curta. 2) *fig.* Embaraço, situação difícil ➡ Estou num beco sem saída.

BE.DEL *s.m.* Empregado que faz a chamada e aponta a frequência dos alunos.

BE.DE.LHO *s.m.* 1) Tranqueta ou ferrolho de porta. 2) *fig.* Meter o bedelho em; intrometer-se; dar palpite onde não foi chamado.

BE.DU.Í.NO *s.m.* Árabe nômade do deserto.

BE.GE (é) *adj.2gên.* 1) De cor amarelada, como a lã em seu estado natural. / *s.m.* 2) Essa cor.

BE.GÔ.NIA *s.f. Bot.* 1) Gênero de plantas ornamentais. 2) A flor dessas plantas.

BEI.ÇO *s.m.* Cada uma das partes exteriores que formam o contorno da boca; lábio.

BEI.ÇO.LA *s.f.* 1) Beiço grande; beiçorra. / *s.2gên.* 2) Pessoa com beiços grandes.

BEI.JA-FLOR *s.m.* Nome que se dá a pequenas aves de bico alongado, plumagem colorida e muito velozes que se alimentam de néctar das flores e de insetos; colibri.

BEI.JAR *v.t.d.* 1) Dar beijo. 2) Oscular. / *v.p.* 3) Trocar beijos.

BEI.JO *s.m.* Ato de tocar com os lábios em alguém ou em alguma coisa, ato de beijar; ósculo.

BEI.JO.CA *s.f.* Beijo breve em que os lábios estalam.

BEI.JO.QUEI.RO *adj.* e *s.m.* Que gosta de beijar ou beijocar.

BEI.JU *s.m. Cul.* 1) Quitute feito de massa de tapioca ou de mandioca assada; tapioca. 2) Espécie de biscoito muito fino, enrolado como canudo.

BEI.RA *s.f.* 1) Borda, extremidade, orla. 2) Proximidade. 3) Aba de telhado.

BEI.RA.DA *s.f.* 1) Borda, margem, beira. 2) Parte pequena tirada do canto de algo.

BEI.RAR *v.t.d.* 1) Andar à beira ou margem de. / *v.t.i.* 2) Defrontar, confinar.

BEI.RU.TE *s.m. Cul.* Sanduíche feito com pão árabe.

BEI.SE.BOL *s.m. Esp.* Jogo de bola, popular nos Estados Unidos: a bola é arremessada a um jogador que deve rebatê-la com um bastão e tentar dar uma volta completa pelo campo.

BE.LA *s.f.* Mulher bonita e formosa.

BE.LAS-AR.TES *s.f. pl.* Designação comum dada às artes que têm por objeto representar o belo.

BE.LAS-LE.TRAS *s.f. pl.* As artes cuja expressão é falada ou escrita, como a literatura, a gramática, a poesia, etc, vistas a partir de critérios estéticos.

BEL.DA.DE *s.f.* 1) Relativo à beleza, ao belo. 2) Pessoa bela.

BE.LE.LÉU *s.m.* 1) Morte. 2) Desaparecimento. 3) Lugar distante, além.

BE.LE.ZA *s.f.* Qualidade do que é belo.

BE.LI.CHE *s.m.* 1) Duas camas sobrepostas. 2) Camarote de navio.

BÉ.LI.CO *adj.* Relacionado à guerra; próprio da guerra.

BE.LI.DA *s.f.* Mancha esbranquiçada na córnea do olho.

beligerante — **bequadro**

BE.LI.GE.RAN.TE *adj.2gên.* Que está em guerra, que faz guerra, guerreiro, combatente.

BE.LIS.CÃO *s.m.* Ato ou efeito de beliscar.

BE.LIS.CAR *v.t.d.* 1) Apertar entre as pontas dos dedos ou com as unhas a pele de; ferir de leve. 2) Arrancar com as pontas dos dedos uma porção mínima de. 3) Comer pouco de.

BE.LO *adj.* e *s.m.* Que tem beleza; formoso, lindo; de formas agradáveis à visão; caráter ou natureza do que é belo.

BEL-PRA.ZER *s.m.* Arbítrio, vontade própria ➡ A seu bel-prazer: do seu jeito; de acordo com sua vontade.

BEL.TRA.NO *s.m.* Pessoa indeterminada que é citada depois de outra que foi designada pela palavra *fulano*.

BEL.ZE.BU *s.m.* Príncipe dos demônios; satanás.

BEM *s.m.* 1) Tudo o que é bom; virtude; felicidade; benefício. 2) Pessoa amada. 3) Propriedade, domínio. / *adv.* 4) De modo bom e conveniente; com afeição. 5) Com saúde. 6) Com perfeição.

BEM-A.MA.DO *adj.* Muito amado, muito querido; alvo de afeição particular.

BEM-A.PES.SO.A.DO *adj.* De boa aparência.

BEM-A.VEN.TU.RA.DO *adj.* 1) Muito feliz; venturoso. / *s.m.* 2) O que tem a felicidade celestial. 3) Santo.

BEM-A.VEN.TU.RAN.ÇA *s.f.* 1) A felicidade perfeita. 2) *Teol.* Felicidade eterna de que os santos gozam no Céu.

BEM-BOM *s.m.* Comodidade; bem-estar.

BEM-ES.TAR *s.m.* Estado de conforto físico, comodidade.

BEM-FA.LAN.TE *adj.2gên.* Quem fala bem e fluentemente.

BEM-FEI.TO *adj.* Bem acabado; caprichado.

BEM-HU.MO.RA.DO *adj.* De bom humor, com boa disposição.

BEM-IN.TEN.CIO.NA.DO *adj.* Indivíduo que está com boas intenções.

BEM-NAS.CI.DO *adj.* De família nobre, ilustre; nascido para o bem.

BE.MOL *s.m. Mús.* Sinal indicativo de que a nota à sua esquerda deve baixar meio-tom.

BEM-POS.TO *adj.* Elegante no traje, bem-vestido; bem-apessoado.

BEM-QUE.RER *v.t.i.* 1) Querer bem, estimar, amar. / *s.m.* 2) A pessoa amada. 3) Sentimento de amizade.

BEM-SU.CE.DI.DO *adj.* 1) Que obteve sucesso. 2) Que possui boa situação financeira.

BEM-TE-VI *s.m.* Pássaro insetívoro dos campos, de peito amarelo.

BEM-VIN.DO *adj.* 1) Que chegou bem. 2) Bem recebido, recebido de bom agrado.

BÊN.ÇÃO *s.f.* 1) Ação de benzer ou de abençoar. 2) Favor divino; graça recebida.

BEN.DI.TO *adj.* 1) Abençoado, feliz. 2) Que faz o bem. / *s.m.* 3) Cântico religioso iniciado por esta palavra.

BEN.DI.ZER *v.t.d.* Dizer bem de; louvar, glorificar.

BE.NE.FI.CEN.TE *adj.2gên.* 1) Que faz benefício; caridoso. 2) Filantrópico.

BE.NE.FI.CI.AR *v.t.d.* 1) Fazer benefício a; favorecer; ajudar. 2) Reparar. 3) Apurar, limpar.

BE.NE.FÍ.CIO *s.m.* 1) Ato de bondade; bem; favor; graça. 2) Vantagem concedida por lei.

BE.NÉ.FI.CO *adj.* 1) Que faz o bem. 2) Que benéfica; favorável.

BE.NE.MÉ.RI.TO *adj.* e *s.m.* Que merece honras ou recompensas; benemerente; distinto, ilustre.

BE.NE.PLÁ.CI.TO *s.m.* Consentimento, aprovação, licença.

BE.NE.VO.LÊN.CIA *s.f.* 1) Boa vontade para com alguém. 2) Estima, afeto. 3) Tolerância, cordialidade.

BEN.FA.ZE.JO (ê) *adj.* Que pratica o bem; caritativo.

BEN.FEI.TOR (ô) *adj.* e *s.m.* Que ou o que faz o bem.

BEN.FEI.TO.RI.A *s.f.* Melhoramento feito em imóvel ou propriedade valorizando-o; ação de fazer o bem.

BEN.GA.LA *s.f.* Bastão de madeira usado para apoiar o corpo.

BE.NIG.NO *adj.* Complacente em fazer o bem; bondoso; generoso; benevolente.

BEN.JA.MIM *s.m.* 1) Peça usada como extensão para tomadas. 2) Filho mais jovem ou predileto.

BEN.QUE.RER *v.t.d.* Querer bem; estimar muito; amar.

BEN.TO *adj.* 1) Consagrado pela bênção eclesiástica. 2) Diz-se do que foi benzido, santificado.

BEN.ZE.DEI.RA *s.f.* Mulher que benze, capaz de curar por meio de orações e bênçãos.

BEN.ZE.NO *s.m. Quím.* Líquido incolor, inflamável, tóxico, usado para fabricar corantes e inseticidas.

BEN.ZER *v.t.d.* 1) Deitar a bênção a; abençoar. 2) Fazer benzeduras em. / *v.p.* 3) Fazer uma cruz com a mão direita aberta da testa ao peito e do ombro esquerdo ao direito.

BEN.ZI.NA *s.f. Quím.* Solvente usado em detergentes e corantes, etc.

BE.QUA.DRO *s.m. Mús.* Acidente musical que repõe a nota ao seu tom natural desfazendo a alteração produzida por sustenido ou bemol; sinal que indica esse acidente.

berçário | bibliotecário

BER.ÇÁ.RIO *s.m.* Compartimento em que, nas maternidades e hospitais, estão os berços destinados aos recém-nascidos.

BER.ÇO *s.m.* 1) Leito para crianças de colo. 2) A primeira infância. 3) Lugar de nascimento ou origem; pátria. 4) Nascente do rio.

BE.RI.BÉ.RI *s.m.* Doença causada pela falta de vitamina B1.

BE.RIM.BAU *s.m. Mús.* e *Folc.* Instrumento de percussão, de origem africana, utilizado para dar ritmo a uma luta de capoeira.

BE.RIN.JE.LA *s.f. Bot.* Planta de frutos comestíveis, quando cozidos ou fritos.

BER.LIN.DA *s.f.* 1) Pequeno coche de quatro rodas, suspenso entre dois varais, puxado a cavalo. 2) Jogo infantil em que um dos participantes é alvo de comentários.

BER.MU.DAS *s.f. pl.* Peça de vestuário que se assemelha a calças, que vai até a altura dos joelhos.

BER.NE *s.m. Entom.* Larva de inseto que penetra na pele de vários animais e do homem.

BER.NI.CI.DA *s.m.* Preparado que mata bernes.

BER.RAN.TE *adj.* 1) Que berra; berrador. 2) De cor muito viva ou que dá muito na vista. / *s.m.* 3) *Reg.* Buzina de chifre de boi usada por boiadeiros.

BER.RAR *v.i.* 1) Dar berros. 2) *fig.* Chorar muito alto e forte. / *v.t.d., v.t.i.* e *v.i.* 3) Falar, pedir muito alto; gritar.

BER.REI.RO *s.m.* Berros altos e frequentes; gritaria; choro.

BER.RO *s.m.* 1) Voz de alguns animais como boi, cabrito, ovelha, etc. 2) Voz humana, alta e áspera. 3) Bramido, rugido. 4) *gír.* Revólver.

BE.SOU.RO *s.m. Entom.* Designação comum de vários insetos coleópteros que zumbem fortemente ao voar.

BES.TA *s.f.* 1) Quadrúpede, principalmente de grande porte. 2) Arma antiga com a qual se disparavam setas. / *adj.2gên.* e *s.2gên.* 3) Pessoa estúpida, ignorante, de inteligência curta, tolo, pateta, paspalhão. 4) Indivíduo pretensioso, pedante.

BES.TAR *v.i.* 1) Andar à toa, sem rumo certo; vadiar. 2) Dizer asneiras. 3) Praticar inconveniências.

BES.TEI.RA *s.f.* Asneira, disparate, tolice, coisa sem importância.

BES.TI.AL *adj.2gên.* 1) Próprio de besta. 2) *fig.* Brutal, cruel. 3) Repugnante, sórdido, repulsivo. 4) *fig.* Enorme. 5) *fig.* Magnífico, lindo.

BES.TI.A.LI.ZAR *v.t.d.* e *v.p.* Tornar(-se) bestial; animalizar(-se); brutalizar(-se); bestificar.

BES.TI.FI.CAR *v.t.d.* e *v.p.* Fazer(-se) como besta; tornar(-se) estúpido; bestificar(-se).

BEST-SELLER *s.m. ingl.* Livro ou outro produto que é sucesso de venda num dado período; êxito de venda.

BE.SUN.TÃO *s.m.* 1) *pop.* Indivíduo que traz a roupa cheia de nódoas ou de gordura; pessoa muito suja. 2) Pessoa pouco asseada.

BE.SUN.TAR *v.t.d.* e *v.p.* 1) Untar com substância gordurosa. 2) Sujar(-se); lambuzar(-se).

BE.TA *s.f.* 1) Segunda letra do alfabeto grego. 2) Produto emitido pelo núcleo atômico das substâncias radioativas no decorrer de sua desintegração espontânea: partícula beta. 3) Listra de outra cor em um tecido.

BE.TER.RA.BA *s.f. Bot.* 1) Erva de raízes comestíveis, ricas em açúcar. 2) A raiz dessa erva.

BE.TO.NEI.RA *s.f.* Máquina utilizada para preparar concreto; misturador.

BE.TU.ME *s.m.* Mistura de hidrocarbonetos, encontrados na natureza.

BE.XI.GA *s.f.* 1) *Anat.* Reservatório musculo-membranoso em que se acumula a urina vinda dos ureteres, situado na parte inferior do abdome. 2) Pequeno saco de borracha, que se infla para brinquedo de crianças; balão. 3) Varíola.

BE.ZER.RA *s.f.* 1) Novilha, vitela. 2) Bezerrada.

BE.ZER.REI.RO *s.m.* Pequeno curral onde ficam os bezerros durante a noite.

BI- *pref. Gram.* Elemento prefixal que indica dois, duas vezes ➡ bisavô, bisneto.

BI.BE.LÔ *s.m.* 1) Pequeno objeto de adorno para colocar-se sobre os móveis. 2) Coisa fútil, de pouco valor.

BÍ.BLIA *s.f.* 1) O conjunto de livros sagrados do Antigo e Novo Testamentos, a Sagrada Escritura. 2) Obra fundamental de uma especialidade.

BI.BLI.Ó.FI.LO *adj.* e *s.m.* Que ou aquele que ama e coleciona livros, principalmente os raros.

BI.BLI.O.GRA.FI.A *s.f.* 1) Ciência que trata da história, descrição e classificação dos livros, considerados como objeto físico; descrição dos caracteres exteriores dos livros; seção de uma publicação periódica destinada ao registro das publicações recentes. 2) Relação das obras consultadas pelo autor, geralmente no fim do trabalho a que serviram de subsídio.

BI.BLI.O.TE.CA *s.f.* 1) Grande quantidade ou coleção de livros, dispostos ordenadamente, para estudos, consultas e leitura. 2) Edifício público ou particular onde se instalam grandes coleções de livros para uso.

BI.BLI.O.TE.CÁ.RIO *s.m.* O que tem a seu cargo uma biblioteca.

BI.BLI.O.TE.CO.NO.MI.A *s.f.* Ciência e técnica relativas à organização e administração de uma biblioteca.

BI.BO.CA *s.f.* 1) Local perigoso ou de difícil acesso. 2) Casa pequena e pobre. 3) Mercearia pequena e simples. 4) Barranco criado por águas de enxurrada.

BI.CA *s.f.* 1) Pequeno canal ou tubo por onde corre água; qualquer orifício por onde escorre líquido. *gír.* 2) Grande número de aprovações em exames. 3) Facilidade de ser aprovado sem saber nada.

BI.CA.DA *s.f.* 1) Picada ou golpe com o bico. 2) Aquilo que uma ave leva no bico, de uma vez. 3) Gole de aguardente.

BI.CA.MA *s.f.* Tipo de cama que possui em sua parte inferior outra cama embutida.

BI.CAM.PE.ÃO *adj.* Campeão pela segunda vez.

BI.CAR *v.t.d.* 1) Picar com o bico. / *v.t.i.* e *v.i.* 2) Dar bicadas. / *v.i.* 3) Desbeiçar-se (a garrafa).

BI.CAR.BO.NA.TO *s.m. Quím.* Sal ácido resultante de uma ação do ácido carbônico com uma substância básica.

BI.CEN.TE.NÁ.RIO *adj.* Que tem dois séculos, ou 200 anos.

BÍ.CEPS *s.m. Anat.* Nome de diferentes músculos que estão fixados na extremidade superior por dois tendões; bicípite.

BI.CHA *s.f.* 1) *Ant.* Verme como a lombriga. 2) *pop.* Indivíduo afeminado.

BI.CHA.DO *adj.* 1) Atacado ou comido por bichos. 2) *pop.* Defeituoso, estragado.

BI.CHA.NO *s.m.* Gato manso; gato novo.

BI.CHAR *v.i.* 1) Encher-se de bichos. 2) *pop.* Juntar dinheiro.

BI.CHA.RA.DA *s.f.* Uma porção de animais; bicharia.

BI.CHA.RI.A *s.f.* 1) Multidão de bichos; bicharada. 2) Aglomeração de gente de várias categorias.

BI.CHEI.RA *s.f. Vet.* Denominação comum de ferida com larvas de moscas-varejeiras.

BI.CHEI.RO *s.m.* 1) Frasco de vidro em que se guardam sanguessugas. 2) O que recebe as apostas no jogo do bicho.

BI.CHO *s.m.* 1) Nome comum que se dá aos animais terrestres, exceto o homem, as aves e os peixes; animal feroz. 2) Pessoa intratável e solitária; gente vulgar, de pouca conta. 3) Jogo de azar, à base de sorteios lotéricos. 4) Estudante novato nas escolas e academias; calouro.

BI.CHO-PA.PÃO *s.m.* Entidade fantástica com a qual se assustam as crianças.

BI.CI.CLE.TA *s.f.* 1) Veículo de duas rodas, movido a pedal. 2) Lance no futebol em que o jogador salta e, em posição horizontal, sem contato com o solo, chuta a bola por cima da própria cabeça.

BI.CO *s.m.* 1) Extremidade córnea da boca das aves e de alguns outros animais. 2) Ponta ou extremidade aguçada de vários objetos. 3) *pop.* Pequeno emprego, tarefa passageira.

BI.CO.LOR (ô) *adj.2gên.* Que tem duas cores.

BI.CÔN.CA.VO *adj.* Que possui duas faces côncavas opostas.

BI.CON.VE.XO (cs) *adj.* Que possui duas faces convexas opostas.

BI.CO.TA *s.f.* Beijo rápido e com estalo.

BI.CU.DO *adj.* 1) Que tem bico grande. 2) Aguçado, pontiagudo. 3) *pop.* Complicado, difícil. 4) *Fam.* Que está em princípios de embriaguez.

BI.DÊ *s.m.* Bacia oblonga, sanitária, para lavagem das partes íntimas.

BI.DI.MEN.SIO.NAL *adj.2gên.* Que possui duas dimensões.

BI.E.NAL *adj.2gên.* Que dura dois anos; referente ao espaço de dois anos.

BI.Ê.NIO *s.m.* Relativo ao espaço de dois anos consecutivos.

BI.FÁ.SI.CO *adj. Fís.* e *Biol.* Que tem duas fases.

BI.FE *s.m.* Fatia de carne frita, cozida ou grelhada.

BI.FO.CAL *adj.2gên.* Que tem dois focos; diz-se especialmente dos óculos com dois focos, uma para visão a curta distância e outro para visão a longa distância.

BI.FOR.ME *adj.* 1) De duas formas. 2) Pessoa que pensa de duas maneiras diferentes, simultaneamente. 3) *Gram.* O que tem duas formas para representar o masculino e o feminino ➡ bonito/bonita.

BI.FRON.TE *adj.2gên.* Que tem duas frontes, ou caras; falso.

BI.FUR.CA.ÇÃO *s.f.* 1) Ato de bifurcar. 2) Ponto em que algo se divide em dois ramos.

BI.GA *s.f.* Carro da Roma Antiga puxado por dois cavalos.

BI.GA.MI.A *s.f.* Estado matrimonial em que um homem convive com duas mulheres ou uma mulher com dois homens.

BÍ.GA.MO *adj.* e *s.m.* Que ou quem é casado ao mesmo tempo com duas pessoas.

BI.GO.DE *s.m.* 1) Parte da barba que cresce por cima do lábio superior. 2) *Náut.* Friso de água que as embarcações levantam na proa, quando navegam.

BI.GOR.NA *s.f.* 1) Utensílio de ferro sobre o qual se malham e amoldam metais. 2) *Anat.* Um dos ossículos do ouvido médio.

bijuteria / bióxido

BI.JU.TE.RI.A *s.f.* Adorno que imita joia, como brincos, anéis, etc.

BI.LA.TE.RAL *adj.2gên.* 1) Que possui dois lados. 2) Diz-se dos contratos em que as duas partes ficam com obrigações recíprocas.

BI.LE *s.f.* Bílis.

BI.LHÃO *s.m.* Mil milhões.

BI.LHAR *s.m.* 1) Jogo de bolas de marfim, impelidas com um taco sobre mesa forrada de pano. 2) A mesa ou sala onde se joga o bilhar.

BI.LHE.TE *s.m.* 1) Pequena e breve comunicação escrita. 2) Cartão de ingresso a espetáculos ou outras reuniões. 3) Passagem em transportes coletivos. 4) Cédula numerada de habilitação em jogos de rifa ou loteria.

BI.LHE.TE.RI.A *s.f.* Lugar onde se compram bilhetes de teatros, cinemas, passagens de transportes, etc.

BI.LÍN.GUE *adj.* Que fala duas línguas; escrito em duas línguas.

BI.LI.O.NÁ.RIO *adj.* e *s.m.* Que ou aquele que possui bens, valores ou patrimônio cujo montante é da ordem do bilhão.

BI.LI.O.SO *adj.* 1) Procedente da bílis ou relativo a ela; que tem muita bílis. 2) Indivíduo de mau gênio.

BÍ.LIS *s.f.* 1) *Fisiol.* Líquido amargo, amarelo ou esverdeado, segregado pelo fígado que auxilia a digestão; fel. 2) Mau gênio; mau humor; melancolia. Bile.

BI.LON.TRA *adj.2gên.* e *s.m.* 1) Frequentador de prostíbulos. / *adj.2gên. s.2gên.* 2) Espertalhão, velhaco.

BIM.BA.LHAR *v.i.* Repicar (sinos); soar, tocar.

BI.MEN.SAL *adj.2gên.* Que ocorre duas vezes por mês; quinzenal.

BI.MES.TRAL *adj.2gên.* Que dura dois meses; que aparece ou se realiza de dois em dois meses.

BI.MES.TRE *s.m.* Período de dois meses sucessivos.

BI.MO.TOR (ô) *adj.* 1) Que possui dois motores. / *s.m.* 2) Veículo com dois motores.

BI.NA *s.m.* Dispositivo do telefone que identifica o número de origem de uma chamada.

BI.NÁ.RIO *adj.* 1) *Arit.* Composto de duas unidades. 2) *Geom.* Figura que possui duas faces, dois lados. 3) *Quím.* Composto que encerra dois elementos. 4) *Mús.* Compasso musical de dois tempos.

BIN.GA *s.2gên.* 1) Isqueiro de fuzil; estojo onde se guarda esse isqueiro. 2) Tabaqueira de chifre. 3) Bolsa d'água.

BIN.GO *s.m.* Jogo com prêmios em que são usados cartões com números que devem ser preenchidos à medida que forem sorteados.

BI.NÓ.CU.LO *s.m.* Instrumento portátil formado por dois óculos com grande grau de aumento que permite ver à distância.

BI.NÔ.MI.NO *adj.* Que tem dois nomes.

BI.NÔ.MIO *adj.* e *s.m. Mat.* Expressão algébrica composta de dois termos.

BI.O- *Gram.* Elemento de composição cujo significado é vida.

BI.O.COM.BUS.TÍ.VEL *s.m.* Combustível produzido a partir de matéria orgânica.

BI.O.DE.GRA.DÁ.VEL *adj.2gên. Quím.* Substância que se decompõe pela ação de micro-organismos.

BI.O.DI.VER.SI.DA.DE *s.f.* Conjunto dos seres vivos de uma determinada região.

BI.O.FÍ.SI.CA *s.f.* Estudo dos fenômenos biológicos pelos métodos da Física.

BI.O.GÊ.NE.SE *s.f.* Teoria segundo a qual os seres vivos só se desenvolvem a partir de outros seres vivos preexistentes; biogenia.

BI.O.GRA.FI.A *s.f.* Descrição ou história da vida de uma pessoa.

BI.Ó.GRA.FO *s.m.* Quem escreve biografias.

BI.O.LO.GI.A *s.f.* Ciência que estuda os seres vivos, suas relações e as leis da vida.

BI.O.MA *s.m.* Comunidade ecológica caracterizada por um tipo de vegetação predominante.

BI.OM.BO *s.m.* 1) Tabique móvel, feito de caixilhos ligados por dobradiças. 2) Compartimento móvel de peças de madeira ou pano, fácil de armar e desarmar.

BI.Ô.NI.CA *s.f.* Ciência cuja finalidade é solucionar problemas mecânicos e de engenharia aplicando dados que correspondem ao funcionamento de sistemas biológicos.

BI.ÓP.SIA *s.f. Med.* Retirada de tecidos vivos para análise; biopse, biopsia.

BI.O.QUÍ.MI.CA *s.f. Biol.* Estudo dos fenômenos químicos que ocorrem nos organismos vivos; química biológica; química fisiológica.

BI.OS.FE.RA *s.f.* Parte da Terra, e de sua atmosfera, onde se encontra a vida.

BI.O.TEC.NO.LO.GI.A *s.f.* Aplicação de conhecimentos tecnológicos às ciências biológicas.

BI.Ó.TI.CO *adj.* 1) Relativo aos organismos vivos e aos processos vitais. 2) Relativo a bioma.

BI.Ó.TI.PO *s.m. Biol.* O conjunto dos seres geneticamente iguais; biotipo.

BI.O.TI.PO.LO.GI.A *s.f.* Ciência que classifica os indivíduos humanos em número limitado de tipos, segundo suas constituições, temperamentos ou caracteres.

BI.Ó.XI.DO *s.m. Quím.* Óxido que possui dois átomos de oxigênio na molécula.

BI.PAR.TIR *v.t.d.* e *v.p.* Partir(-se) ou dividir(-se) em duas partes.

BÍ.PE.DE *adj.2gên.* e *s.m.* Que tem ou anda em dois pés.

BI.PLA.NO *s.m.* 1) Aeroplano com dois planos de sustentação. / *adj.* 2) Que age em dois planos. 3) Que sucede partindo de dois planos.

BI.PO.LAR *adj.2gên.* 1) Que tem dois polos. 2) *Psiq.* Diz-se de indivíduo que possui esse transtorno mental; maníaco-depressivo.

BI.QUA.DRA.DO *adj.* Duas vezes quadrado; equações matemáticas e trinômios de quarto grau.

BI.QUEI.RA *s.f.* 1) Telha ou tubo por onde jorra a água que cai do telhado. 2) Extremidade, ponta; remate que se ajusta na ponta de alguma coisa. 3) Peça metálica que guarnece o bico do sapato, para reforço.

BI.QUÍ.NI *s.m.* Maiô feminino de duas peças.

BIR.RA *s.f.* 1) Teimosia, insistência, pirraça. 2) Antipatia, implicância. 3) Mau humor.

BIS *s.m.* 1) Repetição de alguma coisa. / *interj.* 2) Expressa pedido de repetição, normalmente, de algum espetáculo ➡ Bis! Outra vez! / *pref.* 3) Termo que significa duas vezes ➡ bisavô, bisneto. / *adv.* 4) Duas vezes. / *s.m.* 5) Repetição de palavras cantadas ou declamadas.

BI.SÃO *s.m.* Mamífero bovídeo com pelagem longa na parte anterior do dorso e chifres curtos e firmes.

BI.SA.VÓ *s.f.* Mãe do avô ou da avó.

BI.SA.VÔ *s.m.* Pai do avô ou da avó.

BIS.BI.LHO.TAR *v.i.* 1) Intrometer-se na vida dos outros; andar em mexericos, mexericar. / *v.t.d.* 2) Investigar por curiosidade. / *v.t.i.* 3) Conversar a respeito da vida alheia.

BIS.BI.LHO.TEI.RO *adj.* e *s.m.* Que ou quem bisbilhota; mexeriqueiro.

BIS.CA *s.f.* 1) Denominação de diversos jogos de baralho. 2) Pessoa de mau-caráter, dissimulada.

BIS.CA.TE *s.f.* 1) Prostituta. / *s.m.* 2) *gír.* Serviço pequeno e avulso; bico, galho, gancho.

BIS.COI.TO *s.m.* Bolinho doce ou salgado cuja massa é cozida ao forno até ficar seca; bolacha.

BI.SEL *s.m.* Corte diagonal feito na borda de um objeto de vidro, cristal, etc.

BIS.MU.TO *s.m.* *Quím.* Elemento metálico, de símbolo Bi, facilmente reduzido a pó, utilizado como medicamento.

BIS.NA.GA *s.f.* 1) Tubo de folha de chumbo ou de matéria plástica, que contém qualquer substância pastosa. 2) Tipo de pão comprido e roliço.

BIS.NE.TO *s.m.* Filho de neto ou de neta.

BI.SO.NHO *adj.* Inexperiente, inábil, acanhado.

BIS.PO *s.m.* 1) Prelado que exerce regularmente o governo espiritual de uma diocese. 2) Peça do jogo de xadrez, que só se movimenta em diagonal.

BIS.SEC.ÇÃO ou **BIS.SE.ÇÃO** *s.f.* Divisão em duas partes iguais.

BIS.SE.TRIZ *s.f.* Linha reta que divide um ângulo ao meio.

BIS.SEX.TO *adj.* 1) Diz-se do ano que tem 366 dias. / *s.m.* 2) O dia que de quatro em quatro anos se acrescenta ao mês de fevereiro.

BIS.SE.XU.AL *adj.2gên.* 1) *Zool.* Que reúne os dois sexos, hermafrodita. 2) *Bot.* Planta que tem ao mesmo tempo estames e pistilos. 3) Relativo ao comportamento sexual com indivíduos de ambos os sexos.

BIS.TRÔ *s.m.* Bar, cafeteria ou restaurante pequeno e aconchegante.

BIS.TU.RI *s.m.* *Cir.* Instrumento em formato de pequena faca, reta ou curva, para praticar incisões.

BI.TO.LA *s.f.* 1) Medida ou modelo por onde alguma obra deve ser feita; padrão; norma. 2) Distância entre os trilhos de via férrea.

BI.TO.LA.DO *adj.* Que tem visão limitada; que segue padrões rígidos e limitados.

BI.TO.NAL *adj.2gên.* *Mús.* Em que há presença simultânea de acordes de tonalidades distintas.

BI.TRAN.SI.TI.VO *adj.* *Gram.* Verbo que pede dois complementos: direto e indireto.

BI.VA.LEN.TE *adj.2gên.* 1) *Quím.* Que tem valência dupla. 2) *fig.* Que possui duas funções.

BI.VOLT *adj.2gên.* Que pode ser ligado em duas voltagens diferentes.

BI.ZAR.RO *adj.* 1) Bem-apossado, alto e esbelto, elegante. 2) Generoso, nobre. 3) Extravagante, excêntrico, esquisito.

BLAS.FE.MAR *v.t.i.* e *v.i.* 1) Proferir blasfêmias. / *v.i.* 2) Rogar pragas; amaldiçoar. / *v.t.i.* 3) Ofender; insultar.

BLAS.FÊ.MIA *s.f.* Palavra que ofende a divindade ou a religião; ultraje dirigido contra pessoa ou coisa respeitável.

BLA.SO.NAR *v.t.d.* 1) Anunciar; alardear. / *v.t.i.*, *v.i.* e *v.p.* 2) Gabar-se; vangloriar-se.

BLA.TE.RAR *v.i.* 1) A voz emitida pelo camelo. / *v.t.d.* e *v.i.* 2) Falar muito, com ênfase.

BLAZER (blêizer) *s.m. ingl.* Japona, casaco esportivo, paletó.

BLE.CAU.TE *s.m.* Escurecimento total; colapso no sistema de transmissão de energia elétrica; *blackout*.

BLE.FAR *v.t.d.* e *v.i.* 1) Iludir no jogo, simulando ter boas cartas. 2) Enganar, lograr. 3) Esconder, ocultar uma situação precária.

blindado   bodoque

BLIN.DA.DO *adj.* Revestido de chapas de aço; protegido; defendido; couraçado.

BLIN.DAR *v.t.d.* 1) *Náut.* Cobrir ou revestir de chapas de aço; proteger contra efeitos elétricos ou radiativos. / *v.t.d.* e *v.p.* 2) Proteger(-se).

BLO.CO *s.m.* 1) Porção de grande volume e sólida de uma substância pesada. 2) Caderno de papel, com folhas destacáveis. 3) Chapa de determinada altura que se usa para assentamento de clichês. 4) Grupo de pessoas que se aliam para um fim comum ➡ bloco de carnaval. 5) Grupo carnavalesco. 6) *Autom.* Parte fixa do motor do automóvel que encerra os êmbolos e as válvulas. 7) Cada um dos edifícios de um conjunto de prédios geralmente residencial.

BLO.QUE.AR *v.t.d.* 1) Aplicar bloqueio, impor bloqueio; sitiar, cercar. 2) Impedir o movimento ou a circulação de; interditar.

BLO.QUEI.O *s.m.* 1) Ato ou efeito de bloquear. 2) Cerco ou operação militar que corta as comunicações de um local com o exterior. 3) No vôlei, jogada que visa a impedir a passagem da bola vinda do campo adversário.

BLU.SA *s.f.* 1) Peça do vestuário, de tecido leve, que cobre o corpo do pescoço à cintura ou pouco abaixo. 2) Espécie de veste folgada usada por operários, artistas, etc.

BLU.SÃO *s.m.* Blusa que se usa por fora da calça.

BO.A *adj.* 1) Forma feminina de bom. / *s.f.* 2) Gênero das serpentes a que pertence a jiboia.

BO.A-PIN.TA *adj.2gên.* Indivíduo que causa boa impressão visual.

BO.A-PRA.ÇA *adj.2gên. pop.* Pessoa comunicativa, simpática.

BO.AS-VIN.DAS *s.f.* Expressão de felicitação pela chegada de alguém.

BO.A.TE *s.f.* Casa de vida noturna, com serviços de bar e restaurante, salão de danças e palco para atrações; cabaré.

BO.A.TO *s.m.* Notícia anônima divulgada sem confirmação; rumor.

BO.A-VI.DA *s.2gên. pop.* Pessoa folgada, sem preocupações, pouco afeita ao trabalho, não amiga do trabalho.

BO.BA.GEM *s.f.* 1) Tolice, asneira. 2) Coisa de pouca importância.

BO.BE.AR *v.i.* 1) Fazer ou dizer bobices; comportar-se como tolo. / *v.t.d.* 2) Enganar, lograr.

BO.BI.NA *s.f.* 1) Pequeno cilindro com rebordos para enrolar fios, fitas ou filmes. 2) Tira contínua de papel enrolada sobre si mesma para impressão de jornais e revistas. 3) *Eletr.* Suporte com fios metálicos condutores enrolados em torno de si usado em dispositivos elétricos.

BO.BO *s.m.* e *adj.* 1) Indivíduo tolo; aquele que diz asneiras; parvo, tolo, ingênuo. 2) Artista medieval que divertia os nobres da corte. 3) *pop.* Boboca; bobalhão.

BO.BO.CA *adj.2gên.* e *s.2gên.* Bobo, ingênuo, tolo.

BO.CA *s.f.* 1) *Anat.* Cavidade do rosto, orifício de entrada do tubo digestivo, que contém a língua e os dentes, e que está em ligação também com o aparelho respiratório e os órgãos de fonação. 2) Qualquer abertura ou orifício que dê ideia de boca. 3) Abertura na parte superior de alguns recipientes. 4) Entrada de rio, canal, etc. 5) Extremidade inferior da calça. 6) Emprego arranjado, colocação vantajosa. 7) Pessoa a alimentar.

BO.CA.DO *s.m.* 1) Porção de alimento que se leva à boca de uma vez; bocada. 2) Porção de qualquer coisa, pedaço; período.

BO.CAL *s.m.* 1) Abertura de cano, tubo, castiçal, frasco, etc. 2) Embocadura de alguns instrumentos de sopro metálicos. 3) Parte do freio que se coloca na boca dos cavalos.

BO.ÇAL *adj.2gên.* Ignorante; grosseiro; estúpido.

BO.CAR.RA *s.f.* Boca enorme; aumentativo de boca.

BO.CE.JAR *v.i.* Dar bocejos; fazer movimento involuntário de abrir a boca.

BO.CE.JO *s.m.* Abrimento involuntário da boca com aspiração seguida de expiração prolongada de ar, devido a tédio, sono ou enfado.

BO.CHA *s.f.* 1) Jogo no qual os participantes devem atirar bolas grandes para fazê-las se aproximar de uma bola pequena. 2) Bola usada nesse jogo.

BO.CHE.CHA *s.f.* Parte saliente e carnuda de cada lado do rosto.

BO.CHE.CHAR *v.t.d.* e *v.i.* Agitar um líquido na boca, movimentando as bochechas.

BO.CHI.CHO *s.m.* 1) *pop.* Aglomeração ruidosa de pessoas; tumulto. 2) Rumor; boato.

BO.CHIN.CHE *s.m.* 1) Espécie de baile popular. 2) Confusão, desordem, arruaça.

BO.CÓ *adj.* e *s.2gên. pop.* Bobo, tolo, pateta.

BO.DAS *s.f.* 1) Celebração de aniversário de casamento. 2) Festa para celebrar esse evento.

BO.DE *s.m.* 1) *Zool.* Macho da cabra. 2) *gír.* Complicação, barulho, encrenca, cansaço, sonolência.

BO.DE.GA *s.f.* 1) Taberna pouco asseada; baiuca; botequim. 2) Coisa que não presta.

BO.DO.QUE *s.m.* Brinquedo usado para atirar pedras por meio de um elástico preso a uma forquilha; atiradeira, estilingue.

BO.Ê.MIA *s.f.* 1) Vadiagem; vida de farra, sem compromissos; boemia. / *adj.* 2) Boêmio.

BÔ.ER *adj.* e *s.m.* Pessoa sul-africana descendente de holandeses.

BO.FE *s.m.* 1) *pop.* Pulmão. 2) Indivíduo sem atrativos estéticos. 3) Vísceras dos animais. 4) Indivíduo do sexo masculino.

BO.FE.TA.DA *s.f.* 1) Pancada com a mão, no rosto. 2) Desfeita, injúria grande.

BOI *s.m. Zool.* Mamífero quadrúpede utilizado para alimentação ou serviço.

BOI.A *s.f.* 1) *Náut.* Objeto flutuante, destinado a indicar perigo ou para auxiliar aprendizes de natação. 2) Peça flutuante, existente nas caixas d'água ou tanques de veículos para vedar a passagem de líquido quando o reservatório estiver cheio. 3) *Pop.* Qualquer comida.

BOI.A.DA *s.f.* Rebanho de bois.

BOI.A.DEI.RO *adj.* e *s.m.* 1) Quem toca a boiada. 2) Proprietário de boiada.

BOI.A-FRI.A *adj.2gên.* e *s.2gên.* 1) Trabalhador rural itinerante que se ocupa em tarefas temporárias na época do plantio ou colheita. 2) Trabalhador que come no local de trabalho a comida que traz de casa.

BOI.AR *v.i.* 1) Flutuar, sobrenadar. 2) *pop.* Ficar sem entender. / *v.t.d.* 3) Fazer flutuar.

BOI.CO.TAR *v.t.d.* Punir relações sociais e comerciais com pessoa, classe ou nação, mediante recusa; fazer boicote.

BOI.CO.TE *s.m.* Recusa de fazer transação com alguém ou algum país; sabotagem.

BOI.NA *s.f.* Boné redondo e chato, sem pala.

BO.JO (ô) *s.m.* 1) Parte saliente e arredondada. 2) Parte interna de algum objeto.

BO.LA *s.f.* 1) Esfera; corpo esférico ou arredondado. 2) Objeto esférico ou ovoide de material diverso, maciço ou inflado de ar comprimido usado como brinquedo ou na prática de vários esportes. 3) Propina, suborno. 4) Cometer engano ➡ Pisou na bola.

BO.LA.CHA *s.f.* 1) Biscoito achatado e seco, de farinha. 2) Bofetada.

BO.LA.DA *s.f.* 1) Grande soma de dinheiro. 2) Pancada com bola. 3) Ocasião, vez.

BO.LÃO *s.m.* 1) Grande bola. 2) Espécie de loteria.

BO.LAR *v.t.d.* 1) Acertar com a bola em. 2) *pop.* Arquitetar, conceber; imaginar.

BO.LEI.A (éi) *s.f.* 1) Cabine do caminhão. 2) Assento do cocheiro ou do motorista.

BO.LE.RO *s.m.* 1) Dança e música espanholas.

2) Casaco curto usado sobre a blusa.

BO.LE.TIM *s.m.* 1) Impresso com informações oficiais sobre operações militares ou policiais e observações científicas ou resumo das notícias do dia. 2) Impresso de propaganda.

BO.LE.TO (ê) *s.m. Com.* 1) Documento para se efetuar um pagamento, emitido por banco, loja ou empresa. 2) Bilhete de aposta. 3) Parte superior do trilho, sobre a qual se deslocam as rodas da locomotiva.

BO.LHA *s.f.* 1) *Med.* Vesícula de ar à superfície da pele. 2) Glóbulo de ar, em líquidos na fase de ebulição ou fermentação.

BO.LI.CHE *s.m.* Jogo que consiste em atirar uma bola em direção a um agrupamento de pinos, derrubando-os.

BO.LI.NAR *v.t.d.* 1) Aproximar a proa da linha do vento. 2) Amolar, chatear. / *v.t.d.* e *v.i.* 3) *pop.* Fazer contato físico com fins libidinosos; apalpar, molestar.

BO.LO *s.m.* 1) *Cul.* Massa de farinha com açúcar, manteiga, ovos, etc., assada ou frita. 2) Aglomeração confusa de pessoas, rolo. 3) Conjunto de apostas.

BO.LOR *s.m.* 1) Nome comum dos fungos que se desenvolvem em matérias orgânicas, alimentos e produtos manufaturados, onde produzem alterações químicas; mofo. 2) Velhice, decadência.

BOL.SA *s.f.* 1) Saquinho para guardar dinheiro. 2) Carteira de couro, pano, matéria plástica, etc., com fecho e alça que faz parte do vestuário feminino. 3) *Med.* Cavidade em forma de saco onde se acumula o pus. 4) Dinheiro para as despesas ordinárias. 5) Instituição pública oficial de compra e venda de valores. 6) Pensão gratuita para estudantes ou pesquisadores.

BOL.SIS.TA *s.2gên.* 1) Pessoa que faz operações na bolsa de valores. 2) Aquele que foi beneficiado por uma bolsa de estudos.

BOL.SO *s.m.* Saquinho costurado por dentro ou por fora de uma peça de vestuário para guardar objetos; algibeira.

BOM *adj.* 1) Aquele que pratica o bem. 2) Que faz bem; benévolo; beneficente. 3) Que adquiriu certo grau de perfeição. 4) Adequado, próprio. 5) Sadio, são.

BOM.BA *s.f.* 1) Máquina apropriada para sugar ou impelir líquidos. 2) Instrumento para encher câmaras de ar. 3) Canudo de metal ou de madeira para se tomar o mate. 4) Doce cilíndrico com recheio de creme. 5) Projétil ou outro dispositivo que contém substância explosiva que, ao explodir, provoca danos ou destruição. 6) Acontecimento lamentável e inesperado; coisa ruim. 7) *gír.* Reprovação em exame.

115

BOM.BA.CHAS *s.f. pl.* Calças largas, apertadas à altura dos tornozelos, usadas pelos gaúchos.

BOM.BAR *v.t.d.* e *v.i.* 1) Bombear. 2) *gír.* Ser reprovado em alguma prova ou exame. 3) Ser muito animado; ser um sucesso.

BOM.BAR.DE.AR *v.t.d.* 1) Atacar, lançar bombas ou outros projéteis. 2) Desintegrar o núcleo de átomos submetendo-os ao impacto de partículas.

BOM.BAR.DEI.RO *s.m.* 1) *Aeron.* Avião usado para lançar bombas. 2) *Mil.* Soldado que operava a bombarda. / *adj.* 3) Que bombardeia.

BOM.BÁS.TI.CO *adj.* 1) Estrondoso. 2) Extravagante; empolado.

BOM.BE.AR *v.i.* 1) Movimentar líquido com manejo de bomba. / *v.t.d.* 2) Dar formato redondo a. 3) *pop.* Reprovar em exames.

BOM.BEI.RO *s.m.* 1) Aquele que combate incêndios e atua em salvamentos. 2) Encanador.

BOM.BOM *s.m. Cul.* Doce geralmente de chocolate, com algum recheio.

BOM.BO.NE.RI.A *s.f.* Local onde se vendem doces, bombons, etc.

BOM.BOR.DO *s.m. Náut.* Lado esquerdo de uma embarcação, olhando da popa à proa.

BO.NA.CHÃO *adj.* e *s.m.* Que ou quem é simples e extremamente bondoso.

BO.NAN.ÇA *s.f.* 1) Bom tempo no mar, favorável à navegação. 2) *fig.* Tranquilidade, sossego.

BON.DA.DE *s.f.* 1) Qualidade de bom. 2) Amabilidade, benevolência. 3) Favor, mercê.

BON.DE *s.m.* Veículo elétrico que roda sobre trilhos e serve para transporte de passageiros.

BON.DO.SO (ô) *adj.* Que tem bondade; bom.

BO.NÉ *s.m.* Cobertura da cabeça, de copa redonda e com uma aba sobre a testa.

BO.NE.CA *s.f.* 1) Brinquedo em forma de corpo humano feminino. 2) Mulher bela; mulher muito enfeitada. 3) A espiga de milho ainda em formação. 4) Embrulho de algodão ou trapos, que se embebe numa substância solúvel para envernizar. 5) *pop.* Travesti masculino.

BO.NE.CO *s.m.* 1) Brinquedo de criança que imita um menino ou um homem; o equivalente masculino de boneca. 2) Manequim. 3) Projeto gráfico de um livro que se deseja imprimir; boneca.

BO.NI.FI.CA.ÇÃO *s.f.* 1) Ato ou efeito de bonificar. 2) Gratificação, prêmio.

BO.NI.TO *adj.* 1) Agradável à vista ou ao espírito; belo, formoso. 2) Diz-se do dia ensolarado. / *interj.* 3) Expressa aprovação ou censura.

BON.SAI *s.m.* 1) Técnica japonesa de fazer plantas em miniaturas. 2) Plantas em miniatura, cultivadas com essa técnica.

BÔ.NUS *s.m.* 1) *Econ.* Prêmio ou vantagem concedido a pessoas, clientes, empregados, etc. 2) Algo que se dá ou recebe além do esperado.

BO.QUEI.RÃO *s.m.* 1) Grande boca. 2) Abertura grande de rio ou canal. 3) Saída larga para um campo, depois de uma estrada estreita. 4) Cova grande e profunda.

BO.QUI.A.BER.TO *adj.* 1) De boca aberta. 2) *fig.* Estupefato, espantado, surpreso.

BOR.BO.LE.TA *s.f.* 1) *Entom.* Denominação dos insetos, diurnos ou noturnos, que geralmente, ao pousarem, suas asas, coloridas e aveludadas, ficam em posição perpendicular ao corpo. 2) Pessoa leviana, inconstante. 3) Ferragem que permite manter suspensas as vidraças. 4) Aparelho giratório, em forma de cruz, que registra as passagens nas barcas, estradas de ferro, ônibus, etc.; roleta.

BOR.BO.TAR *v.t.d.*, *v.t.i.* e *v.i.* 1) Jorrar, lançar. / *v.t.i.* e *v.i.* 2) *fig.* Surgir em grande quantidade.

BOR.BU.LHAR *v.t.i.* e *v.i.* 1) Sair em borbulhas, em bolhas ou gotas sucessivas; efervescer; ferver. / *v.i.* 2) *Bot.* Cobrir-se de borbulhas; germinar. / *v.t.d.* 3) Dizer aos borbotões.

BOR.DA *s.f.* Extremidade limite de uma superfície; margem; orla.

BOR.DA.DO *s.m.* 1) Ato de bordar. 2) Trabalho ornamentado feito em tecido usando agulha e linha. / *adj.* 3) Que se bordou.

BOR.DÃO *s.m.* 1) Cajado, bastão. 2) *fig.* O que ampara; proteção. 3) Palavra ou frase empregada repetidamente. 4) *Mús.* Nota ou corda mais grave de um instrumento musical.

BOR.DAR *v.t.d*, *v.t.d.i* e *v.i.* 1) Enfeitar um tecido usando agulha e linha. / *v.t.d.* 2) *fig.* Inventar, construir na imaginação (histórias, ideias, etc.).

BOR.DEL *s.m.* Prostíbulo.

BOR.DÔ *s.m.* 1) A cor do vinho tinto. / *adj.2gên.* 2) Que tem essa cor.

BOR.DO.A.DA *s.f.* Pancada com bordão; cacetada, paulada.

BO.RE.AL *adj.2gên.* 1) Situado do lado do norte; setentrional. 2) Opõe-se a austral ou meridional.

BÓ.RI.CO *adj.* e *s.m. Quím.* Ácido derivado do elemento químico boro de poder desinfetante.

BOR.NAL *s.m.* 1) Saco para provisões, ferramentas, etc. 2) Saco que se pendura no focinho das cavalgaduras, para que nele comam; emborral.

BO.RO.CO.XÔ *adj.2gên.* e *s.2gên.* Que ou quem está desanimado, mole, fraco.

BOR.RA (ô) *s.f.* 1) Substância espessa que se acumula no fundo de um recipiente após estar misturada com um líquido ➡ borra de café. 2) A parte mais grossa da lã que serve para fazer tecidos de borracha

braço

qualidade inferior. 3) Parte do casulo do bicho-da-seda que não se fia e que serve para fazer cadarços ou tecidos mais grossos. 4) *fig.* A pior parte, pior qualidade de algo.

BOR.RA.CHA *s.f.* 1) Substância obtida pela coagulação do látex de muitas plantas tropicais. 2) Seringa feita com essa substância e destinada a clisteres. 3) Pedacinho de borracha apropriado para apagar traços de lápis ou caneta.

BOR.RA.CHEI.RO *s.m.* 1) Aquele que vende ou conserta pneus. 2) Indivíduo que extrai substâncias que produzem borracha; seringueiro.

BOR.RA.CHU.DO *s.m. Entom.* Denominação popular de certos insetos sugadores de sangue, mosquito.

BOR.RA.DO *adj.* Manchado de borrões.

BOR.RA.DOR *adj.* 1) Aquele que borra. / *s.m.* 2) *Fam.* Mau pintor ou mau escritor. 3) *Com.* Caderno ou livro em que são registradas as operações comerciais do dia as quais servem de base à escrituração regular.

BOR.RA.LHEI.RO *adj.* 1) Que vive junto ao borralho. 2) Sujo de cinzas. 3) Que sai pouco de casa.

BOR.RA.LHO *s.m.* 1) Braseiro coberto de cinzas. 2) Cinzas quentes.

BOR.RÃO *s.m.* 1) Mancha de tinta, na escrita. 2) Rascunho; coisa malfeita.

BOR.RAR *v.t.d.* 1) Manchar com borrões; desenhar ou pintar mal. / *v.t.d.* e *v.p.* 2) Sujar(-se).

BOR.RAS.CA *s.f.* 1) Vento forte e súbito com chuva; tempestade; furacão. 2) Ocorrência súbita de contrariedades; acesso de cólera ou de mau humor.

BOR.RI.FAR *v.t.d.* 1) Salpicar com pequeninas gotas; regar; orvalhar. / *v.i.* 2) Chuviscar.

BOR.RI.FO *s.m.* Difusão de pequenas gotas; chuvisco; aspersão.

BOS.QUE *s.m.* 1) Arvoredo basto, que ocupa extensão considerável de terreno. 2) Mata, floresta.

BOS.TA *s.f.* Fezes de animais grandes.

BO.TA *s.f.* Calçado de cano alto, que cobre o pé e parte da perna.

BO.TÂ.NI.CA *s.f.* Ciência que estuda as plantas.

BO.TÃO *s.m.* 1) *Bot.* Gomo que, nos vegetais, dá origem a novos ramos; flor antes de desabrochar. 2) *Med.* Verruga. 3) Pequena peça de qualquer forma (redonda, quadrada, triangular) usada para fechar (abotoar) a roupa.

BO.TAR *v.t.d.i.* 1) Colocar. 2) Lançar, expelir. 3) Introduzir, meter. / *v.t.d.* 4) *pop.* Vestir, calçar. 5) Arrumar, preparar. 6) Encostar. / *v.t.i.* 7) Estender-se. / *v.t.d., v.t.d.i.* e *v.i.* 8) *pop.* Pôr (ovos).

BO.TE *s.m.* 1) Barco pequeno. 2) Salto (de animal, como a cobra) sobre sua presa. 3) Ataque, investida.

BO.TE.LHA (ê) *s.f.* 1) Frasco para líquidos. 2) O conteúdo desse frasco.

BO.TE.QUIM *s.m.* Estabelecimento comercial; bar, boteco.

BO.TI.CÁ.RIO *s.m.* Farmacêutico; dono de botica.

BO.TI.JA *s.f.* Frasco com gargalo fino e curto e asa pequena.

BO.TI.NA *s.f.* Bota de cano curto.

BO.TO (ô) *s.m.* 1) Pequeno mamífero cetáceo marinho ou de água doce. / *adj.* 2) Que perdeu o fio. 3) Que ouve mal.

BO.TO.EI.RA *s.f.* 1) Casa do botão. 2) Bolso do casaco usado como enfeite ou para colocar flor, etc. 3) *Constr.* Painel com os botões dos elevadores.

BO.TO.QUE *s.m.* 1) Enfeite indígena. 2) Rolha para vedar orifícios. 3) Carretel no qual se bobina o filme.

BO.TU.LIS.MO *s.m. Med.* e *Vet.* Intoxicação alimentar causada por uma bactéria.

BO.VI.NO *adj.* e *s.m.* Que se refere ao boi; da espécie do boi.

BO.XE *s.m.* 1) *Esp.* Jogo de ataque e defesa a socos, segundo certas regras. 2) Compartimento de uma cavalariça, para um só cavalo; de uma garagem, para um automóvel; de um banheiro, para o banho de chuveiro.

BRA.BE.ZA *s.f. pop.* Braveza, ferocidade.

BRA.BO *adj. pop.* Bravo, zangado.

BRA.ÇA *s.f. Náut.* Medida que corresponde a 1,83 metro.

BRA.ÇA.DA *s.f.* 1) O que se pode abranger ou mover com os braços. 2) Movimento dos braços em natação.

BRA.ÇA.DEI.RA *s.f.* 1) Presilha. 2) Correia por onde se enfia o braço no escudo. 3) Designação de várias ferragens para fixar ou reforçar qualquer coisa. 4) Distintivo envolvendo o braço.

BRA.ÇAL *adj.2gên.* 1) Que se refere aos braços; feito com os braços. / *s.m.* 2) Parte da armadura que servia para proteger os braços.

BRA.CE.JAR *v.t.d.* 1) Mover os braços; agitar com os braços, balançar. / *v.i.* 2) Agitar(-se), mover-se como braços.

BRA.CE.LE.TE *s.m.* 1) Argola de adorno usada pelas mulheres, no braço; pulseira. 2) Algema, cadeia.

BRA.ÇO *s.m.* 1) Membros superiores do corpo humano. 2) *Zool.* Membros anteriores dos quadrúpedes. 3) *Mec.* Qualquer peça que se movimenta como um braço. 4) Parte estreita de mar ou rio, que penetra profundamente pela terra. 5) Poder, autoridade.

BRA.DAR *v.t.d* e *v.i.* Dizer ou chamar em brados, ou em voz muito alta; gritar.

BRA.DO *s.m.* Grito forte, clamor.

BRA.GUI.LHA ou **BAR.GUI.LHA** *s.m.* Abertura na parte da frente das calças.

BRAI.LE *s.m.* Sistema de escrita e impressão em relevo para cegos.

BRA.MA.NIS.MO *s.m.* Regime religioso e social dos brâmanes.

BRA.MAR *v.i.* 1) Dar bramidos; berrar; gritar; vociferar. / *v.t.i.* 2) Enfurecer-se, irritar-se, zangar-se.

BRA.MIR *v.i.* Dar bramidos; rugir; urrar; gritar como as feras; fazer estrondo.

BRAN.CO *adj.* e *s.m.* 1) Que tem a cor do leite ou da neve; alvo. 2) Aquele que é da raça caucásica. 3) Pálido. 4) Limpo. 5) Que não tem nada escrito; espaço livre deixado na escrita. 6) Incapacidade de recordar-se de algo.

BRAN.CU.RA *s.f.* Qualidade de branco; alvura.

BRAN.DIR *v.t.d.* e *v.t.i.* 1) Agitar (a mão ou algo) em sinal de ataque. 2) Balançar, agitar. / *v.t.d.* 3) Erguer a arma antes do ataque.

BRAN.DO *adj.* 1) Macio, mole, flexível. 2) Meigo, terno, afável, delicado. 3) Fraco, de pouco vigor. 4) Moderado.

BRAN.DU.RA *s.f.* Qualidade de brando; suavidade, meiguice, ternura.

BRAN.QUE.AR *v.t.d.* Tornar branco, ou mais branco; limpar.

BRAN.QUE.JAR *v.i.* Branquear, tornar branco; alvejar.

BRÂN.QUIA *s.f. Zool.* Órgão respiratório dos animais aquáticos; guelra.

BRAN.QUI.AL *adj.2gên.* Que se refere às brânquias.

BRAN.QUI.NHA *s.f.* 1) Aguardente, cachaça, pinga. 2) Muito branca.

BRA.SA *s.f.* 1) Carvão incandescente sem chamas. 2) Ardor, paixão.

BRA.SÃO *s.m.* 1) Escudo de armas. 2) Emblema de família ou pessoa nobre. 3) Fama, glória, honra.

BRA.SEI.RO *s.m.* 1) Recipiente para colocar brasas. 2) Fogareiro. 3) Brasido.

BRA.SIL *s.m.* 1) Relativo a brasa. 2) Relativo ao Brasil ou o que é seu natural ou habitante.

BRA.SI.LEI.RI.CE *s.f.* Características do Brasil e dos brasileiros.

BRA.SI.LEI.RIS.MO *s.m.* 1) Modismos próprios dos brasileiros. 2) Sentimento de amor ao Brasil.

BRA.SI.LI.A.NA *s.f.* Coleção de livros, estudos e publicações sobre o Brasil.

BRA.SI.LI.EN.SE *adj.2gên.* e *s.2gên.* Referente à Brasília; natural ou habitante de Brasília.

BRA.SÍ.LIO *s.m.* Substância metálica descoberta no Espírito Santo em 1918.

BRA.VE.ZA *s.f.* 1) Qualidade de bravo, coragem, bravura. 2) Ferocidade; zanga; brabeza.

BRA.VI.O *adj.* 1) Bravo, feroz; selvagem; bruto; rude. 2) Agreste; terreno não cultivado.

BRA.VO *adj.* 1) Corajoso, valente, que não teme o perigo. 2) Irritado, furioso, irado, brabo. / *interj.* 3) Que exprime aplauso, admiração ➡ Bravo!

BRE.CA.DA *s.f.* Ato ou efeito de brecar.

BRE.CAR *v.t.d.* Acionar o breque ou freio de; frear; fazer parar.

BRE.CHA *s.f.* 1) Abertura, fenda, passagem estreita. 2) Espaço vazio. 3) Ocasião, oportunidade, saída.

BRE.CHÓ *s.m.* Loja de objetos usados; belchior.

BRE.GA *adj.2gên.* Que quer ser fino e requintado, mas tem mau gosto; cafona.

BRE.JEI.RO *adj.* 1) Grosseiro. 2) Malicioso, galanteador, gaiato. 3) Ocioso, vadio, velhaco. 4) Relativo a brejo.

BRE.JO *s.m.* Lameiro, terreno alagadiço ou pantanoso.

BRE.NHA *s.f.* 1) Mata espessa e emaranhada, matagal. 2) Complicação, confusão.

BRE.QUE *s.m.* Freio, trava.

BREU *s.m.* Substância sólida semelhante ao pez negro, que se obtém pela destilação da hulha; escuridão.

BRE.VE *adj.2gên.* 1) Que dura pouco, rápido; curto; resumido. / *s.f.* 2) *Mús.* Nota que equivale a duas semibreves. / *adv.* 3) Em breve, em pouco tempo.

BRE.VÊ *s.m. Aeron.* Diploma de piloto de avião.

BRE.VI.Á.RIO *s.m.* 1) Resumo, sinopse. 2) Livro das rezas cotidianas dos sacerdotes.

BRE.VI.DA.DE *s.f.* Qualidade de breve; rapidez.

BRIDGE *s.m. ingl.* Jogo de cartas.

BRI.GA *s.f.* Ato de brigar; disputa, contenda, peleja; desavença.

BRI.GA.DA *s.f.* 1) *Mil.* Unidade militar. 2) Corporação voltada à execução de certo serviço.

BRI.GA.DEI.RO *s.m.* 1) *Mil.* Comandante de uma brigada. 2) O mais alto posto da Aeronáutica militar. 3) *Cul.* Docinho feito com leite condensado cozido ao qual é adicionado chocolate.

BRI.GAR *v.t.i.* e *v.i.* 1) Lutar, combater braço a braço; disputar. / *v.t.i.* 2) Não condizer; discutir.

BRI.LHAN.TE *adj.2gên.* 1) Que brilha, luminoso. 2) Saliente. 3) Magnífico, pomposo. / *s.m.* 4) Diamante lapidado.

brilhantina — bruaca

BRI.LHAN.TI.NA *s.f.* Cosmético para tornar lustroso e fixar o cabelo e a barba.

BRI.LHAR *v.i.* 1) Luzir, ter brilho; cintilar. 2) Destacar-se, notabilizar-se. 3) Manifestar-se.

BRI.LHO *s.m.* 1) Luz viva; cintilação. 2) Magnificência, suntuosidade, esplendor. 3) Celebridade, glória.

BRIM *s.m.* Tecido forte de linho ou algodão.

BRIN.CA.DEI.RA *s.f.* 1) Ação de brincar; brinquedo. 2) Festa familiar. 3) Baile improvisado. 4) Gracejo, zombaria. 5) Palavra ou ato que não pretende ser real.

BRIN.CA.LHÃO *adj. e s.m.* Aquele que está sempre disposto a brincar, brincador.

BRIN.CAR *v.t.i. e v.i.* 1) Divertir-se; entreter-se; distrair-se. / *v.t.i.* 2) Não levar as coisas a sério. 3) Fazer ou falar por brincadeira.

BRIN.CO *s.m.* 1) Pingente ou adorno para as orelhas. 2) Pessoa ou coisa delicada, fina.

BRIN.DAR *v.t.d. e v.t.i.* 1) Dirigir brinde a; beber à saúde de, saudar. / *v.t.d.* 2) Conceder brinde a; presentear.

BRIN.DE *s.m.* 1) Ação de brindar. 2) Saudação a alguém acompanhada de bebida. 3) Objeto que se oferece; presente.

BRIN.QUE.DO *s.m.* 1) Objeto para divertimento de crianças. 2) Atividade de diversão, divertimento, passatempo. 3) Folguedo, folia.

BRI.O.CHE *s.m.* Pãozinho feito com farinha, manteiga e ovos.

BRI.SA *s.f.* 1) Vento brando e ameno; aragem, viração. 2) *gír.* Falta de dinheiro.

BRI.TA.DEI.RA *s.f.* Máquina usada para quebrar pedras, concreto, etc.

BRI.TÂ.NI.CO *adj. e s.m.* Que se refere à Grã-Bretanha; habitante ou natural da Grã-Bretanha; inglês.

BRI.TAR *v.t.d.* Quebrar; triturar.

BRO.A *s.f.* Pão de fubá de milho.

BRO.CA *s.f.* 1) Instrumento de arestas cortantes para fazer furos em materiais duros. 2) *Vet.* Moléstia que ataca o casco do animal cavalar ou muar. 3) *Entom.* Larva de inseto que se nutre no interior de qualquer parte de um vegetal. 4) Doença do café.

BRO.CA.DO *s.m.* 1) Tecido entremeado de fios de ouro ou de prata, com formas em relevo. / *adj.* 2) Furado com broca.

BRO.CHA *s.f.* Prego curto, de cabeça larga e chata; tacha.

BRO.CHA.DO *adj.* Livros que têm as folhas costuradas e capa de cartolina, sem encadernação.

BRO.CHE *s.m.* Joia ou adorno com presilha, usado geralmente pelas mulheres.

BRO.CHU.RA *s.f.* 1) Técnica de encadernação na qual se usa uma capa fina e flexível. 2) O livro com essa capa.

BRO.ME.TO *s.m. Quím.* Qualquer sal do ácido bromídrico.

BRO.MÍ.DRI.CO *adj. Quím.* Ácido que é uma solução aquosa resultante da combinação do bromo com o hidrogênio.

BRO.MO *s.m. Quím.* Elemento não metálico, líquido, de símbolo Br.

BRON.CA *s.f. pop.* 1) Ato de bronquear. 2) Censura, repreensão.

BRON.CO *adj.* 1) Estúpido, obtuso. 2) Ignorante, burro. 3) Áspero, tosco.

BRON.QUE.AR *v.i. e v.t.i. pop.* Repreender severamente; reclamar; dar bronca.

BRÔN.QUIO *s.m. Anat.* Cada um dos canais em que se divide a traqueia e que se ramificam nos pulmões.

BRON.QUÍ.O.LO *s.m. Anat.* Cada uma das ramificações terminais dos brônquios.

BRON.QUI.TE *s.f. Med.* Inflamação dos brônquios.

BRON.ZE *s.m.* 1) Liga à base de cobre. 2) Escultura ou medalha feita desta liga. 3) Sino. 4) Dureza, insensibilidade.

BRON.ZE.A.DO *adj.* 1) Que tem a cor do bronze. 2) Crestado pelo sol, amorenado, trigueiro.

BRON.ZE.A.DOR *adj. e s.m.* 1) Que bronzeia; aquele que bronzeia objetos de arte, armas, etc. 2) Produto que escurece a pele das pessoas, geralmente mediante exposição à luz solar.

BRO.TAR *v.t.d. e v.i.* 1) Desabrochar, germinar, nascer; lançar broto. 2) Derivar, proceder, surgir. / *v.t.d.* 3) Dar saída a, deitar de si; segregar. 4) Soltar da boca; proferir. *v.i.* 5) Sair de jato; jorrar. / *v.t.i.* 6) Sair fluentemente; irromper.

BRO.TI.NHO *s.m.* Jovem nas vésperas ou início da puberdade; broto.

BRO.TO *s.m.* 1) Órgão que brota nos vegetais; gomo; rebento. 2) *pop.* Namorado ou namorada.

BRO.TO.E.JA (ê) *s.f.* Erupção cutânea que forma prurido.

BRO.XA *s.f.* 1) Pincel grande e grosso para caiar ou para pintura ordinária. / *adj. e s.m.* 2) Indivíduo sexualmente impotente.

BRO.XAR *v.t.d.* 1) Pintar, pincelar com broxa. / *v.i.* 2) Perder a capacidade de praticar o ato sexual.

BRU.A.CA *s.f.* 1) Mala de couro cru para condução de objetos sobre cavalgaduras. 2) Mulher velha e feia; mulher sem dignidade.

BRU.ÇOS *s.m.* Usado na locução de bruços: com a barriga e o rosto voltados para baixo.

BRU.MA *s.f.* Nevoeiro, cerração, principalmente no mar.

BRU.NI.DO *adj.* Engomado; polido, luzido, brilhoso.

BRU.NIR *v.t.d.* Tornar brilhante, luzido; polir.

BRUS.CO *adj.* 1) Repentino, súbito, imprevisto. 2) Rude, indelicado, grosseiro.

BRU.TAL *adj.2gên.* 1) Próprio de bruto. 2) Grosseiro, rude, violento, selvagem, desumano.

BRU.TA.LI.ZAR *v.t.d.* e *v.p.* 1) Tornar(-se) bruto, estúpido. / *v.t.d.* 2) Tratar com brutalidade.

BRU.TA.MON.TES *s.2gên. pl.* Indivíduo corpulento, forte, rude, selvagem.

BRU.TO *adj.* 1) Que está da forma que se encontra na natureza. 2) Que ainda não foi trabalhado. 3) Grosseiro, rude, estúpido. 4) Inteiro, sem descontos.

BRU.XA *s.f.* 1) Mulher que pratica bruxarias; feiticeira. 2) Boneca de pano. 3) Mariposa noturna. 4) Mulher feia e má.

BRU.XA.RI.A *s.f.* 1) Ação de bruxo ou bruxa; feitiçaria. 2) Coisa inexplicável e que se atribui a artes diabólicas.

BRU.XIS.MO (cs) *s.m. Med.* Ato de ranger os dentes durante o sono.

BRU.XU.LE.AR *v.t.d.* e *v.i.* 1) Brilhar fracamente, tremeluzir. 2) No carteado, revelar devagar (uma carta). / *v.i.* 3) Estar para acabar, extinguir-se.

BU.BÔ.NI.CO *adj. Med.* 1) Relativo a bubão. 2) Diz-se da doença que se manifesta pelo aparecimento de bubões.

BU.CAL *adj.2gên.* Relativo à boca; oral.

BU.CÉ.FA.LO *s.m.* Cavalo de batalha, fogoso.

BU.CHA *s.f.* 1) Objeto usado para tapar um orifício em itens de madeira. 2) Peça colocada dentro de um furo na parede para fixar parafusos. 3) Objeto usado como esfregão no banho ou para lavar louça. 4) Contratempo, situação desagradável.

BU.CHO *s.m.* 1) Estômago de animais. 2) *pop.* Barriga, ventre.

BU.ÇO *s.m.* 1) Penugem que fica acima do lábio superior. 2) Pelos no focinho de vários animais. 3) Cão muito novo.

BU.CÓ.LI.CO *adj.* 1) Relativo à vida e aos costumes do campo, aos pastores e animais; campestre. 2) *fig.* Simples, ingênuo, sossegado.

BU.DIS.MO *s.m.* Doutrina filosófica, social e religiosa criada por Buda, na Índia.

BU.EI.RO *s.m.* 1) Cano ou tubo para escoamento de esgoto. 2) Buraco no muro ou cano subterrâneo nas estradas para escoamento das águas pluviais.

BÚ.FA.LO *s.m. Zool.* Mamífero selvagem bovino, de chifres achatados.

BU.FÃO *s.m.* 1) Fanfarrão. 2) Ator que provoca o riso da plateia com mímicas e caretas. 3) Bobo, truão; ridículo.

BU.FAR *v.i.* Expelir o ar ou fumaça pela boca com grande força e ruído; enfurecer-se.

BU.FÊ *s.m.* 1) Serviço que fornece comidas e bebidas em festas. 2) *Cul.* As comidas e bebidas de uma festa. 3) Mesa, aparador.

BU.GI.GAN.GA *s.f.* 1) Objeto de pouco ou nenhum valor. 2) Certa rede de pescar.

BU.JÃO *s.m.* 1) *Mec.* Peça destinada a fechar um orifício. 2) Recipiente metálico onde se armazenam produtos voláteis e para entrega doméstica de gás; botijão.

BU.LA *s.f.* 1) Impresso que acompanha um medicamento e que contém as informações necessárias para o uso. 2) Decreto pontifício. 3) Selo de documentos antigos, afixado às cartas ou documentos papais.

BUL.BO *s.m.* 1) Caule subterrâneo de certas plantas, como da cebola. 2) *Anat.* Dilatação arredondada da extremidade de uma parte do corpo ou de um objeto. 3) Expansão entre a medula espinhal e o cérebro.

BUL.DO.GUE *s.m.* Raça canina inglesa, de cabeça grande e arredondada.

BU.LE *s.m.* Recipiente com asa e bico, em que se serve café, chá, leite, etc.

BU.LHU.FAS *pron. indef. pop.* Nada; coisa nenhuma.

BU.LI.ÇO.SO (ô) *adj.* Agitado, inquieto, travesso.

BU.LI.MI.A *s.f. Med.* Distúrbio alimentar caracterizado por ingestão excessiva de alimentos seguida de indução ao vômito.

BULLYING *s.m. ingl.* Agressão física ou psicológica feita a alguém mais fraco, tímido ou incapaz de se defender; geralmente ocorre em ambiente escolar.

BUM.BO *s.m.* Bombo; tambor grande.

BUM.BUM *s.m.* 1) Som de pancadas repetidas, estrondo constante. 2) *pop.* Nádegas.

BU.ME.RAN.GUE *s.m.* Peça curva que, ao ser arremessada, retorna ao ponto de onde foi lançada.

BUN.DA *s.f.* 1) Nádegas, traseiro. 2) Indivíduo ordinário, sem valor. 3) Mulher da raça dos bundos. 4) Certa língua falada pelos indígenas de Angola.

BU.QUÊ *s.m.* 1) Ramo de flores. 2) Aroma de vinhos envelhecidos.

BU.RA.CO *s.m.* 1) Furo, orifício; abertura. 2) Cavidade; cova, toca. 3) Lacuna, falta. 4) Certo jogo de cartas.

BUR.BU.RI.NHO *s.m.* Ruído confuso de vozes; murmúrio.

BUR.CA *s.f.* Vestimenta que cobre todo o corpo e a cabeça, usada por mulheres muçulmanas.

BUR.GO *s.m.* Aldeia; povoação que se forma à volta de um castelo; vila.

BUR.GUE.SI.A *s.f.* 1) Classe social que compreende as pessoas que não trabalham braçalmente e possuem uma situação econômica cômoda; classe média. 2) Classe social dominante que, na Idade Média, era constituída de comerciantes e intermediários.

BUR.LAR *v.t.d.* 1) Enganar, fraudar, lograr. / *v.t.d.* e *v.t.i.* 2) Escarnecer, gracejar.

BU.RO.CRA.CI.A *s.f.* 1) Influência exercida pelos funcionários públicos. 2) Classe formada por esses funcionários. 3) *Pej.* Administração com excesso de formalidades.

BUR.RA *s.f.* 1) Fêmea do burro. 2) *Náut.* Cabo de mezena. 3) Cofre de segurança para guardar dinheiro.

BUR.RA.DA *s.f.* 1) Ajuntamento de burros. 2) Ato estúpido; asneira, burrice.

BUR.RI.CE *s.f.* Falta de inteligência; asneira, tolice.

BUR.RO *s.m.* e *adj.* 1) *Zool.* Animal resultante do cruzamento da égua com o jumento. 2) *Fam.* Indivíduo estúpido, grosseiro, teimoso, ignorante, imbecil.

BUS.CA-PÉ *s.m.* Peça de fogo de artifício que corre no chão, ziguezagueando, e termina em um estampido.

BUS.CAR *v.t.d.* 1) Tratar de descobrir ou encontrar; procurar. 2) Examinar, investigar. 3) Trazer. 4) Tratar de obter, de conseguir. 5) Recorrer a.

BÚS.SO.LA *s.f.* 1) *Fís.* Instrumento de orientação, composto de uma agulha imantada, que aponta sempre para o norte. 2) Tudo que serve de guia ou norte.

BUS.TO *s.m.* 1) O tronco humano da cintura para cima. 2) Escultura ou pintura a meio corpo. 3) Os seios da mulher.

BU.TI.QUE *s.f.* Loja pequena requintada onde se vendem vestuários e bijuterias.

BU.XO *s.m.* Arbustos e pequenas árvores sempre verdes.

BU.ZI.NA *s.f.* 1) Instrumento usado na caça para orientar os cães. 2) Porta-voz. 3) Instrumento de carros motorizados para sinal de advertência. 4) Trombeta. 5) Indivíduo colérico, raivoso.

BU.ZI.NAR *v.i.* 1) Tocar buzina; soprar fortemente, imitando o som da buzina. / *v.t.d.*, *v.t.i.* e *v.t.d.i.* 2) *fig.* Repetir várias vezes ➡ Desesperada, buzinou repetidamente seus problemas aos diretores.

C (cê) *s.m.* 1) Terceira letra do alfabeto. 2) *Mús.* Sinal indicativo de compasso quaternário. 3) Na numeração romana, notação de 100. 4) *Quím.* Símbolo do Carbono. 5) Nas notas musicais, representa o dó.
CÁ *adv.* Aqui, neste lugar.
CÃ *s.f.* 1) Cabelo branco. / *s.m.* 2) Título de alguns soberanos asiáticos.
CA.A.TIN.GA *s.f.* 1) Vegetação típica de algumas regiões, de clima quente e seco, com plantas espinhosas e cactos. 2) Área onde predomina essa vegetação.
CA.BA.ÇO *s.m.* 1) Cabaça, cuia. 2) Mulher ou homem virgem.
CA.BAL *adj.2gên.* 1) Completo, pleno, acabado. 2) Rigoroso, severo. 3) Decisivo.
CA.BA.LA *s.f.* 1) Ocultismo tradicional dos israelitas. 2) Interpretação secreta dada ao Velho Testamento da Bíblia. 3) Combinação secreta, conspiração.
CA.BA.LAR *v.i.* 1) Conspirar, tramar, enredar. / *v.t. e v.i.* 2) Obter votos por meios ilícitos.
CA.BA.LÍS.TI.CO *adj.* 1) Relativo à cabala. 2) *fig.* Que tem significado oculto; misterioso, obscuro, secreto.
CA.BA.NA *s.f.* Casa rústica, casebre, choça; abrigo, pousada, rancho.

CA.BA.NO *adj.* Diz-se de animais que têm chifres ou orelhas voltados para baixo.
CA.BA.RÉ *s.m.* 1) Boate, estabelecimento onde se bebe e dança. 2) Casa noturna de diversões; prostíbulo.
CA.BE.ÇA *s.f.* 1) Parte superior do corpo humano. 2) Uma das três partes em que se divide o corpo humano. 3) *fig.* Inteligência, talento, memória. 4) A parte superior, quase sempre maior, de legumes, plantas e objetos. 5) *Tip.* Parte superior de qualquer página. / *s.m.* 6) Chefe, guia.
CA.BE.ÇA.DA *s.f.* 1) Pancada com a cabeça. 2) No futebol, rebater ou passar a bola com a cabeça. 3) *fig.* Ato impensado; tolice.
CA.BE.ÇA-DU.RA *s.2gên.* 1) Pessoa teimosa, insistente ou obstinada. 2) Pessoa estúpida, sem inteligência ou instrução.
CA.BE.ÇA.LHO *s.m.* 1) Timão que se prende à canga, nos carros de boi. 2) Parte superior da primeira página de um jornal. 3) Título e primeiros dizeres de um livro.
CA.BE.CE.A.DOR *adj.* Que cabeceia; que joga com a cabeça no futebol.
CA.BE.CE.AR *v.i.* 1) Menear, sacudir a cabeça. / *v.t.d. e v.i.* 2) *Esp.* Atirar a bola com a cabeça.
CA.BE.CEI.RA *s.f.* 1) Parte superior e alta da cama. 2) Dianteira, frente, vanguarda. 3) Lugar

ocupado à mesa pelo chefe de família. 4) Divisa de terreno. 5) Nascente de rio ou riacho.

CA.BE.ÇO.TE *s.m.* 1) *Mec.* Parte de uma máquina-ferramenta que suporta uma parte rotativa ou movente. 2) Cabeça magnética de um gravador. 3) *Mec.* Parte superior do motor de carros e caminhões que contém a câmara de combustão.

CA.BE.ÇU.DO *adj.* e *s.m.* 1) Que tem cabeça grande. 2) *fig.* Pessoa casmurra, obstinada, teimosa.

CA.BE.DAL *s.m.* Bem material, intelectual ou moral.

CA.BE.LEI.RA *s.f.* 1) Cabelos compridos; cabelos postiços. / *s.m.* 2) *pop.* Diz-se do indivíduo que usa cabelos muito compridos.

CA.BE.LEI.REI.RO *s.m.* 1) Profissional que corta e trata cabelos. 2) Local de trabalho do cabeleireiro.

CA.BE.LO *s.m.* Pelos que recobrem a cabeça ou qualquer outra parte do corpo humano.

CA.BE.LU.DO *adj.* 1) Que tem muito cabelo; peludo. 2) Complicado, difícil, intricado. 3) Imoral, obsceno.

CA.BER *v.i.* 1) Poder estar dentro ou ser contido ➡ Neste espaço, cabem apenas duas pessoas. 2) Poder entrar; ser capaz de ocupar certo espaço ➡ A geladeira cabe neste espaço. / *v.t.i.* 3) Ter obrigação de; competir a. 4) Pertencer por equidade ➡ O direito à greve cabe a todos.

CA.BI.DE *s.m.* Suporte para pendurar chapéu, roupa, etc.

CA.BI.MEN.TO *s.m.* O que é aceitável, conveniente, apropriado.

CA.BI.NA *s.f.* 1) Camarote para passageiros em navios ou trens. 2) *Av.* Local onde fica a tripulação de um avião. 3) Guarita dos vigias e sinaleiros, nas estradas de ferro. 4) Local fechado para votação eleitoral; cabine.

CA.BI.NE *s.f.* Cabina.

CA.BIS.BAI.XO *adj.* 1) Com a cabeça baixa. 2) Triste, abatido.

CA.BO *s.m.* 1) *Mil.* Comandante, chefe; graduação militar, anterior ao posto de sargento. 2) Ponta de terra que avança pelo mar. 3) Extremidade em que se segura um objeto.

CA.BO.CLO (ô) *s.m.* 1) Descendente de indígena e branco. / *adj.* 2) Relativo a caboclo.

CA.BRA *s.f.* 1) Mamífero ruminante. 2) Fêmea do bode; cabrita. / *s.m.* 3) *Reg.* Mestiço de mulato e negra. 4) Indivíduo valentão ou provocador. 5) Indivíduo qualquer.

CA.BRA-CE.GA *s.f.* Jogo infantil em que uma pessoa vendada tenta pegar alguém para substituí-la.

CA.BRA-MA.CHO *s.m. pop.* Pessoa corajosa, valente.

CÁ.BREA *s.f.* Espécie de guindaste para grandes pesos.

CA.BRES.TO (ê) *s.m.* 1) Peça do arreio, sem freio, colocada na cabeça do animal para guiá-lo. 2) Boi manso que serve de guia aos touros.

CA.BRIO.LA (ó) *s.f.* 1) Salto da cabra. 2) Cambalhota. 3) *fig.* Mudança repentina de comportamento; reviravolta. 4) Salto em que o bailarino bate com os pés ou os calcanhares um contra o outro no ar.

CA.BRI.O.LÉ *s.m.* Carruagem de duas rodas e capota móvel puxada por um cavalo.

CA.BRI.TO *s.m.* 1) Pequeno bode; chibo. 2) Criança traquina, irrequieta. 3) Moreno, mulato.

CÁ.BU.LA *s.f.* 1) Falta às aulas ou ao trabalho. / *adj.* e *s.m.* 2) Que ou quem falta às aulas ou ao trabalho.

CA.BU.LAR *v.i.* Não ir à aula, por vadiagem.

CA.BU.LO.SO (ô) *adj.* 1) Que traz azar. 2) Complicado, obscuro. 3) Desagradável.

CA.CA *s.f.* Excremento humano; imundície, porcaria, sujeira.

CA.ÇA *s.f.* 1) Ato ou efeito de caçar. 2) Qualquer animal apanhado na caçada. 3) Perseguição ao inimigo; perseguição policial. / *s.m.* 4) *Av.* Tipo de avião de combate.

CA.ÇA.DOR (ô) *adj.* e *s.m.* 1) Que ou aquele que caça. / *s.m.* 2) *Av.* Piloto ou tripulante de avião de caça. 3) *Mil.* Soldado de infantaria.

CA.ÇAM.BA *s.f.* 1) Balde para tirar água dos poços. 2) Estribo em forma de chinelo. 3) Carroça puxada por um único animal que serve para remover terra.

CA.ÇA-NÍ.QUEIS *s.m.* Máquina de jogo de azar, que funciona com a introdução de moedas.

CA.ÇA.PA *s.f.* Na mesa de sinuca, cada um dos seis buracos com rede onde caem as bolas.

CA.ÇAR *v.t.d.* 1) Perseguir para abater; apanhar. 2) Catar; procurar; buscar. 3) Colher, recolher. 4) Fazer caçadas.

CA.CA.RE.CO *s.m.* Objeto velho, muito usado ou sem valor.

CA.CA.RE.JAR *v.i.* 1) Cantar (a galinha). 2) *fig. pej.* Falar muito; tagarelar.

CA.CA.RE.JO (ê) *s.m.* 1) Ato de cacarejar; o canto da galinha e de outras aves. 2) *fig.* Garrulice.

CA.ÇA.RO.LA *s.f.* Panela alta, com alças e tampa.

CA.CA.TU.A *s.f. Zool.* Nome comum às aves com plumagem geralmente branca e topete de penas na cabeça.

CA.CAU *s.m. Bot.* Fruto do cacaueiro que contém amêndoas das quais se faz chocolate e manteiga.

CA.CAU.EI.RO *s.m. Bot.* Árvore originária da parte tropical da América do Sul, cujo fruto é o cacau; cacauzeiro.

CA.CAU.ZEI.RO *s.m.* Cacaueiro.

CA.CE.TA.DA *s.f.* 1) Golpe com cacete; bordoada. 2) *fig.* Pancada muito forte. 3) *pop.* Grande quantidade.

CA.CE.TE (ê) *s.m.* 1) Bordão; pedaço de pau; bengala, porrete. 2) Pênis. / *adj.* e *s.2gên.* 3) Indivíduo maçante, impertinente, importuno.

CA.CHA.ÇA *s.f.* 1) Aguardente feita com cana-de-açúcar e obtida por sua destilação; branquinha, caninha, pinga. 2) Inclinação por alguma coisa, gosto, paixão. 3) Mania, vício.

CA.CHA.CEI.RO *adj.* e *s.m.* Diz-se de ou quem bebe muita cachaça ou outras bebidas alcoólicas; beberrão.

CA.CHÊ *s.m.* Pagamento adicional a artistas que se apresentam em espetáculos, shows, etc.

CA.CHE.A.DO *adj.* Que tem cachos.

CA.CHE.AR *v.t.d.* e *v.i.* Fazer cachos (nos cabelos).

CA.CHE.COL *s.m.* Manta longa e estreita para proteger e agasalhar o pescoço.

CA.CHIM.BA.DA *s.f.* Ato de aspirar e soltar a fumaça do cachimbo; tragada.

CA.CHIM.BAR *v.i.* 1) Fumar cachimbo. 2) *fig.* Exalar vapor ou fumaça.

CA.CHIM.BO *s.m.* 1) Instrumento para fumar; pito. 2) Buraco em que se encaixa a vela no castiçal.

CA.CHI.MÔ.NIA *s.f.* 1) *pop.* Centro do intelecto; mente, cabeça. 2) Sagacidade, perspicácia. 3) Capacidade de lembrar-se; memória.

CA.CHO *s.m.* 1) *Bot.* Conjunto de flores ou frutos, aglomerados e sustentados por um talo comum; penca. 2) Mechas de cabelo, dispostas em anéis, canudos ou caracóis. 3) Caso amoroso.

CA.CHO.EI.RA *s.f. Geogr.* Queda d'água de grande volume, em rio ou ribeirão; catarata.

CA.CHO.LA *s.f. pop.* Cabeça.

CA.CHOR.RA.DA *s.f.* 1) Bando de cachorros. 2) *fig. pop.* Ato ou comportamento indigno; safadeza.

CA.CHOR.RO (ô) *s.m.* 1) Cão. 2) *fig.* Indivíduo de gênio mau ou malicioso; canalha, patife.

CA.CHOR.RO-QUEN.TE *s.m.* Lanche feito com pão alongado e salsicha quente, com ou sem molho.

CA.CI.FE *s.m.* 1) Quantia mínima que cada jogador deve ter para participar de um jogo de aposta. 2) *fig. pop.* Conjunto de condições necessárias para fazer alguma coisa.

CA.CIM.BA *s.f.* Poço escavado no solo que atinge um lençol de água subterrâneo.

CA.CI.QUE *s.m.* 1) Chefe de tribo indígena. 2) *fig.* Indivíduo poderoso; chefe político.

CA.CO *s.m.* 1) Pedaço quebrado de algo; fragmento. 2) *pop.* Pessoa envelhecida, doente. 3) Coisa sem valor.

CA.ÇO.AR *v.t.d.*, *v.t.i.* e *v.i.* Fazer caçoada, troça; zombar.

CA.CO.E.TE *s.m.* 1) Contração muscular involuntária e repetitiva; tique. 2) *Por ext.* Prática repetitiva; mania.

CA.CO.FO.NI.A *s.f. Gram.* Encontro de palavras que geram sons desagradáveis; cacófato ➡ Amo ela. Pago R$ 100,00 por cada.

CA.CO.GRA.FAR *v.t.d.* e *v.i.* Escrever com erros de ortografia.

CAC.TO *s.m.* Planta carnuda, com caule cheio de espinhos.

CA.ÇU.LA *s.2gên.* O filho ou irmão mais moço.

CA.DA *pron. indef.* 1) Indica uma parte ou um elemento de um conjunto, categoria ou grupo. 2) *Gram.* Forma as locuções pronominais "cada um" e "cada qual".

CA.DA.FAL.SO *s.m.* 1) Palanque ou estrado em local aberto. 2) Tablado para a execução pública de condenados; patíbulo.

CA.DAR.ÇO *s.m.* Fita estreita; cordão com que se amarra o sapato.

CA.DAS.TRAR *v.t.d.* 1) Registrar dados sobre algo em um cadastro. / *v.t.d.* e *v.p.* 2) Incluir nome ou informações em um cadastro.

CA.DAS.TRO *s.m.* 1) Registro público dos bens imóveis de um determinado território. 2) Recenseamento. 3) Registro de informações econômicas ou comerciais.

CA.DÁ.VER *s.m.* Corpo morto do homem e dos animais em geral; defunto.

CA.DA.VÉ.RI.CO *adj.* 1) Relativo ou semelhante a cadáver. 2) *fig.* Muito magro.

CA.DÊ *adv.* 1) Forma popular interrogativa de ➡ Que é de? 2) Forma equivalente a ➡ Onde está?

CA.DE.A.DO *s.m.* Fechadura portátil, para prender qualquer coisa.

CA.DEI.A *s.f.* 1) Corrente de anéis ou elos metálicos; algema; grilheta para acorrentar presos. 2) Corrente de relógio de bolso. 3) Série de interrupção de coisas semelhantes; continuidade, sucessão. 4) Edifício público onde se prende bandidos e suspeitos; cárcere; prisão; xadrez.

CA.DEI.RA *s.f.* 1) Assento com costas para uma pessoa. 2) Lugar ocupado por um membro de corporação científica, política ou literária. 3) Cátedra de professor. 4) Disciplina de um curso.

CA.DEI.RAN.TE *adj.2gên.* e *s.2gên.* Pessoa que usa cadeira de rodas para se locomover.

CA.DEI.RAS *s.f. pl.* Quadris.

CA.DE.LA *s.f.* 1) Fêmea do cão. 2) Mulher de mau procedimento; prostituta, meretriz.

CA.DÊN.CIA *s.f.* 1) Regularidade de sons e movimentos. 2) *Por ext.* Ritmo, compasso. 3) *fig.* Vocação, tendência, inclinação natural.

CA.DEN.TE *adj.2gên.* 1) Que cai ou vai caindo. 2) Que tem cadência; ritmado; harmonioso.

caderneta / caixeiro

CA.DER.NE.TA (ê) *s.f.* 1) Pequeno caderno ou livro para apontamentos gerais. 2) Registro do movimento dos depósitos em estabelecimento de crédito.

CA.DER.NO *s.m.* 1) Conjunto de folhas de papel sobrepostas para uso escolar. 2) Cada uma das partes em que se divide um grande jornal.

CA.DE.TE (ê) *s.m.* Aluno da escola militar superior do Exército e da Aeronáutica que faz o curso de oficiais.

CA.DU.CAR *v.i.* 1) Envelhecer. 2) Tornar-se antigo, ultrapassado. 3) Perder a lucidez. 4) Desaparecer. 5) Perder a força.

CA.DU.CO *adj.* 1) Que cai ou vai cair. 2) Que perdeu o viço, as forças. 3) Mente enfraquecida por causa da velhice. 4) Que perdeu o valor, que se tornou nulo.

CA.FA.JES.TE *adj.2gên.* e *s.2gên.* 1) Que ou quem é mau-caráter; canalha, velhaco. 2) Que ou quem tem modos grosseiros, abusados.

CA.FÉ *s.m.* 1) Fruto do cafeeiro. 2) Sementes desse fruto torradas, moídas em formato de pó ou grãos, embaladas e comercializadas. 3) Bebida aromática feita com essas sementes.

CA.FE.EI.RO *s.m. Bot.* Arbusto originário da Arábia que produz o café.

CA.FE.I.CUL.TU.RA *s.f.* Cultivo ou plantação de cafeeiros.

CA.FE.Í.NA *s.f.* Substância estimulante do cérebro e do coração, existente no café, no chá, no mate e no guaraná.

CA.FE.TÃO *s.m.* 1) Quem explora a prostituição. 2) Dono de bordel.

CA.FE.TEI.RA *s.f. Por ext.* Máquina ou recipiente para fazer ou guardar café.

CA.FE.TI.NA *s.f.* 1) Mulher que vive da exploração de prostitutas. 2) Dona de bordel.

CA.FE.ZAL *s.m.* Plantação de café.

CA.FO.NA *adj.2gên.* e *s.2gên. pop.* Que ou o que possui mau gosto, gosto duvidoso, pouca sofisticação.

CA.FU.A *s.f.* 1) *Por ext.* Lugar isolado e escuro. 2) Antro, esconderijo. 3) Habitação muito pobre.

CA.FUN.DÓ *s.m.* Lugar distante, isolado, de difícil acesso.

CA.FU.NÉ *s.m.* Carícia que consiste em coçar levemente a cabeça de alguém, para fazê-lo adormecer; afago.

CÁ.GA.DO *s.m.* Réptil de água doce da mesma família da tartaruga.

CA.GAR *v.i.* 1) Defecar; expelir fezes. / *v.p.* 2) Borrar-se; sujar-se de fezes. 3) *fig.* Sentir-se amedrontado, temeroso ➡ Rodrigo cagou-se de medo diante dos pais da namorada.

CAI.A.QUE *s.m.* 1) Pequena embarcação esquimó. 2) Canoa usada para esporte e lazer.

CÃI.BRA ou **CÃ.IM.BRA** *s.f. Med.* Contração involuntária e dolorosa dos músculos.

CAI.ÇA.RA *s.f.* 1) Cerca feita de varas. 2) Abrigo em que o caçador se esconde. 3) Armadilha para pegar peixes, feita de ramos de árvore colocados dentro da água. / *s.2gên.* 4) Habitante do litoral fluminense e paulista.

CA.Í.DA *s.f.* Queda, declive; decadência, ruína moral.

CA.Í.DO *adj.* 1) Tombado pelo próprio peso. 2) Abatido. 3) Apaixonado.

CA.I.MEN.TO *s.m.* 1) Queda, ruína. 2) *fig.* Abatimento, prostração. 3) Modo como se ajusta uma roupa em quem a veste.

CAI.PI.RA *s.2gên.* 1) Pessoa da roça ou do mato, de pouca instrução; capiau. 2) Indivíduo tímido e acanhado.

CAI.PI.RI.NHA *s.f.* Bebida feita à base de aguardente, limão e açúcar.

CAI.PO.RA *s.2gên.* 1) Morador do mato. 2) *Folc.* Personagem fantástico, da mitologia indígena, do qual se diz que habita as matas e traz má sorte a quem o encontra; caapora. / *adj.2gên.* e *s.2gên.* 3) Indivíduo infeliz, sem sorte, azarado.

CAI.PO.RI.CE *s.f.* Má sorte constante; caiporismo.

CA.IR *v.i.* 1) Ir ao chão, por desequilíbrio ou escorregão; sucumbir; tombar; ir abaixo. 2) Deixar-se vencer; decair, declinar, entrar em decadência. 3) Ser enganado, logrado. 4) Fraquejar, perder a força; perder o valor. / *v.t.i.* 5) Deixar-se surpreender. 6) Pender livremente, descambar. / *v.lig.* 7) Tornar-se, ficar. 8) Reconhecer o próprio erro ➡ Cair em si.

CAIS *s.m.* Local onde os navios atracam no porto para embarque e desembarque de pessoas e cargas.

CÁI.SER *s.m.* Antigo imperador alemão.

CAI.XA *s.f.* 1) Receptáculo para guardar ou transportar objetos; cofre-forte; estojo. 2) Seção de um banco ou casa comercial, em que se fazem os recebimentos e os pagamentos.

CAI.XA-AL.TA *s.f.* Letra maiúscula.

CAI.XA-BAI.XA *s.f.* Letra minúscula.

CAI.XA-D'Á.GUA *s.f.* Reservatório de água.

CAI.XA-FOR.TE *s.f.* Local de alta segurança em instituições bancárias onde se guarda dinheiro, documento e outros objetos de valor.

CAI.XÃO *s.m.* Ataúde; caixa comprida, de tampa abaulada, onde são colocados os mortos; féretro, esquife.

CAI.XA-PRE.TA *s.f.* Equipamento eletrônico de aviões no qual ficam registradas todas as comunicações e operações ocorridas durante um voo, sendo útil nas investigações em caso de acidente.

CAI.XEI.RO *s.m.* 1) Operário que faz caixas. 2) Empregado que atende ao balcão; balconista.

caixilho / calhar

3) Encarregado de entregar nas casas a mercadoria comprada.

CAI.XI.LHO *s.m.* Moldura onde são fixados vidros de janelas e portas.

CAI.XI.NHA *s.f.* 1) Caixa pequena. 2) *pop.* Gorjeta. 3) *pop.* Coleta de dinheiro para algum fim.

CAI.XO.TE *s.m.* Caixa tosca de madeira utilizada no transporte de mercadorias.

CA.JÁ *s.m.* Fruto da cajazeira.

CA.JA.DO *s.m.* 1) Bordão de pastor; bastão; báculo. 2) *fig.* Amparo, arrimo, proteção.

CA.JU *s.m.* Fruto do cajueiro.

CAL *s.f.* Substância sólida cáustica, de cor branca, constituída principalmente de óxido de cálcio.

CA.LA.BOU.ÇO *s.m.* 1) *Jur.* Prisão subterrânea; cárcere. 2) Local escuro nos subterrâneos de castelos ou fortalezas, usado como prisão.

CA.LA.DA *s.f.* Silêncio completo.

CA.LA.DO *adj.* e *s.m.* Que ou quem fala muito pouco ou não fala.

CA.LA.FRI.O *s.m.* Contração muscular involuntária, com arrepio da pele, causada por frio, febre, medo, etc.

CA.LA.MI.DA.DE *s.f.* Desgraça que atinge muita gente; catástrofe.

CA.LA.MI.TO.SO (ô) *adj.* Que causa calamidade; catastrófico.

CA.LAR *v.i.* 1) Não falar, não dizer o que sabe; ficar em silêncio. / *v.t.d.* 2) Impor silêncio a. 3) Fazer cessar. / *v.p.* 4) Não responder, deixar de se manifestar.

CAL.ÇA *s.f.* Peça do vestuário de dois canos que cobre separadamente as pernas e vai da cintura aos pés.

CAL.ÇA.DA *s.f.* 1) Caminho ou rua revestido de pedra. 2) Parte lateral da rua mais elevada que é destinada ao trânsito de pedestres.

CAL.ÇA.DO *adj.* 1) Que tem os pés metidos em botinas, sapatos, etc. 2) Revestido de pedras, lajeado. / *s.m.* 3) Peça de vestuário que serve para proteger os pés.

CAL.CA.NHAR *s.m.* 1) Parte posterior do pé humano; talão. 2) Parte do calçado ou da meia correspondente a essa parte do pé. 3) Tacão.

CAL.ÇAR *v.t.d.* e *v.p.* 1) Revestir pés ou mãos (com sapatos, luvas, etc.). 2) Dar ou fornecer calçados. 3) Pavimentar. 4) Pôr calço em.

CAL.ÇÃO *s.m.* 1) Traje de banho masculino. 2) Calça curta, de boca larga.

CAL.CÁ.RIO *adj.* 1) Relativo à cal, ao carbonato de cálcio ou a rochas que contêm carbonato de cálcio. / *s.m.* 2) Rocha formada pelo carbonato de cálcio.

CAL.CI.FI.CA.ÇÃO *s.f.* 1) Ossificação de tecidos moles. 2) Aplicação de cálcio ao solo para corrigir a acidez.

CAL.CI.FI.CAR *v.t.d.* e *v.p.* Sofrer calcificação.

CAL.CI.NHA *s.f.* Peça do vestuário íntimo feminino que vai da cintura até as virilhas; calça.

CÁL.CIO *s.m.* *Quím.* Elemento metálico cor de prata, de símbolo Ca, obtido pela decomposição de certos sais.

CAL.ÇO *s.m.* Qualquer coisa que se põe por baixo de um objeto para nivelá-lo, firmá-lo ou elevá-lo.

CAL.CU.LA.DO.RA (ô) *s.f.* Máquina que realiza cálculos matemáticos.

CAL.CU.LAR *v.t.d.* e *v.i.* 1) Fazer cálculos matemáticos. / *v.t.d.* 2) Avaliar; estimar. 3) Imaginar, fazer ideia de. 4) Adivinhar, prever. 5) Contar, medir.

CAL.CU.LIS.TA *adj.2gên.* e *s.2gên.* 1) Que ou quem faz cálculos. 2) Quem é friamente interesseiro; quem age com premeditação.

CÁL.CU.LO *s.m.* 1) *Mat.* Execução de uma operação matemática. 2) Avaliação, estimativa. 3) Pedra que se forma em alguns órgãos do corpo, como nos rins.

CAL.DA *s.f.* Líquido grosso obtido da fervura de água com açúcar, ou outros ingredientes.

CAL.DEI.RA *s.f.* 1) Grande recipiente para aquecer líquidos e produzir vapor. 2) Concavidade em terreno formada no fundo de lagos, tanques, etc. 3) Cova aberta em torno das árvores, destinada a receber adubo e recolher a água das chuvas.

CAL.DEI.RÃO *s.m.* Panela grande e alta, com alças.

CAL.DO *s.m.* 1) Alimento líquido preparado com o cozimento de carnes, legumes, etc. 2) Sumo de frutas e vegetais. 3) *Por ext. pop.* Empurrar a cabeça de alguém para baixo da água.

CA.LE.CHE (é) *s.f.* Carruagem com quatro rodas e dois assentos, puxada por dois cavalos.

CA.LE.FA.ÇÃO *s.f.* Sistema de aquecimento de lugares fechados.

CA.LEI.DOS.CÓ.PIO *s.m.* Tubo cilíndrico que produz imagens simétricas por meio de um jogo de espelhos e de fragmentos coloridos.

CA.LE.JAR *v.t.d.* 1) Formar calos, tornar caloso, endurecer a pele. 2) Habituar ao sofrimento, tornar insensível.

CA.LEN.DÁ.RIO *s.m.* 1) Tabela, folhinha ou folheto onde estão indicados os dias, semanas e meses do ano, as fases da Lua, as festas religiosas e os feriados nacionais. 2) Almanaque.

CA.LHA *s.f.* Cano semicilíndrico que serve para conduzir um líquido ou escoar a água das chuvas.

CA.LHA.MA.ÇO *s.m. pop.* Livro ou caderno grosso, com muitas folhas.

CA.LHAM.BE.QUE *s.m.* 1) Pequena embarcação costeira. 2) *pop.* Automóvel antigo, da década de 1920; automóvel em mau estado de conservação.

CA.LHAR *v.i.* 1) Entrar ou penetrar em calha ou em cavidade. / *v.t.i.* 2) Convir, ser oportuno. 3) Adaptar-se. 4) Cair bem.

CA.LHOR.DA (ó) *adj.2gên.* e *s.2gên.* Que ou quem é desprezível, ordinário, sem valor.

CA.LI.BRAR *v.t.d.* 1) Ajustar ou medir o calibre. 2) Dar a pressão de ar adequada.

CA.LI.BRE *s.m.* 1) Diâmetro interior de tubo ou de boca de arma de fogo. 2) Diâmetro exterior de um projétil. 3) *fig.* Dimensão, tamanho, importância, volume.

CÁ.LI.CE *s.m.* 1) Copo alto, com pé, para licores ou bebidas fortes. 2) Vaso sagrado, empregado na missa, para a consagração do vinho. 3) *Bot.* Envoltório externo do botão floral. 4) *Anat.* Canal excretor da urina, situado nos rins.

CÁ.LI.DO *adj.* 1) Quente. 2) *fig.* Que irradia entusiasmo; ardente, caloroso.

CA.LI.FA *s.m.* Título de soberano e chefe religioso muçulmano.

CA.LI.GRA.FI.A *s.f.* 1) Arte de escrever à mão de modo elegante, com letra bonita. 2) Maneira própria de cada pessoa escrever; letra. 3) Forma de letra manuscrita.

CA.LIS.TA *s.2gên.* Profissional que trata os pés, principalmente os calos.

CAL.MA *s.f.* 1) Calor atmosférico, sem vento. 2) Hora do dia em que há mais calor. 3) Bonança, calmaria. 4) Quietude, serenidade, tranquilidade, sossego.

CAL.MAN.TE *adj.2gên.* e *s.2gên.* 1) Que ou o que acalma. / *adj.2gên.* e *s.m.* 2) *Farm.* Medicamento que acalma; sedativo.

CAL.MA.RI.A *s.f.* 1) Ausência de ventos. 2) *fig.* Calma, tranquilidade.

CAL.MO *adj.* Quieto, sossegado, sereno, tranquilo.

CA.LO *s.m.* 1) Pele endurecida em determinado ponto por causa de atrito ou compressão. 2) *fig.* Assunto em relação ao qual alguém é particularmente sensível ➡ Aquele comentário pisou forte no seu calo.

CA.LOM.BO *s.m.* 1) Protuberância na pele resultante de queda ou pancada. 2) Ondulação ou saliência numa superfície.

CA.LOR (ô) *s.m.* 1) *Fís.* Temperatura elevada de um corpo. 2) Sensação que se experimenta na proximidade ou contato de um corpo quente. 3) *fig.* Ardor, animação, vivacidade; coragem. 4) *fig.* Acolhimento cordial.

CA.LO.REN.TO *adj.* 1) Quente. 2) Que sente muito calor.

CA.LO.RI.A *s.f.* 1) *Fís.* Unidade de medição do calor. 2) Unidade fisiológica com que se mede o valor nutritivo dos alimentos.

CA.LÓ.RI.CO *adj.* 1) Referente a calor ou a caloria. 2) Que contém muitas calorias.

CA.LO.RÍ.FE.RO *adj.* Que produz ou transmite calor.

CA.LO.RO.SO (ô) *adj.* 1) Que tem calor. 2) Com entusiasmo, ardoroso. 3) Simpático, cordial, afetuoso.

CA.LO.SI.DA.DE *s.f.* Saliência dura na pele causada por atrito ou irritação; calo.

CA.LO.TA *s.f.* 1) Parte superior de uma esfera. 2) *Autom.* Peça que protege a extremidade dos eixos das rodas do automóvel.

CA.LO.TE *s.m. pop.* Dívida não paga.

CA.LO.TEI.RO *adj.* e *s.m. pop.* Que ou quem não paga uma dívida; quem dá calotes.

CA.LOU.RO *s.m.* 1) Estudante recém-chegado em uma escola ou universidade. 2) Novato em um grupo ou instituição. 3) *Por ext.* Indivíduo inexperiente.

CA.LÚ.NIA *s.f. pop.* Afirmação falsa sobre alguém; difamação, mentira.

CA.LU.NI.AR *v.t.d.* e *v.i.* Dizer calúnias contra alguém; acusar injustamente; difamar.

CA.LU.NI.O.SO *adj.* 1) Que faz calúnia, difamação. 2) Que contém calúnia.

CAL.VÁ.RIO *s.m.* 1) *fig.* Sofrimento; martírio; aflição. 2) Elevação de terreno com uma cruz, que simboliza a crucificação de Jesus.

CAL.VÍ.CIE *s.f.* Ausência parcial ou total de cabelos.

CAL.VO *adj.* e *s.m.* 1) Quem não tem cabelos na cabeça, ou tem poucos cabelos. / *adj.* 2) Terreno que tem pouca ou nenhuma vegetação.

CA.MA *s.f.* 1) Móvel com colchão sobre o qual se deita e/ou dorme. 2) Camada de material macio. 3) Lugar onde se deita. 4) *fig.* Estado de permanecer deitado para se recuperar de uma doença; descanso.

CA.MA.DA *s.f.* 1) Porção de algo estendido sobre uma superfície. 2) *Por ext.* Classe social.

CA.MA.FEU *s.m.* 1) Pedra semipreciosa com duas camadas de cores diferentes, com uma figura esculpida em alto-relevo em uma de suas camadas. 2) *Por ext.* Qualquer figura em alto-relevo.

CA.MA.LE.ÃO *s.m.* 1) *Zool.* Espécie de lagarto capaz de mudar de cor para se camuflar e se proteger dos predadores. 2) *fig.* Aquele que muda rápida ou frequentemente de aparência, de opinião ou de atitude, intencionalmente ou não.

CÂ.MA.RA *s.f.* 1) Quarto de dormir ou aposento destinado a uma pessoa. 2) Compartimento do navio em que se alojam os passageiros e os oficiais. 3) *Anat.* Parte do olho localizada entre a córnea transparente e a íris (câmara anterior) e entre esta e o cristalino (câmara posterior). 4) Corporação municipal. 5) Aparelho para fotografar. 6) *Telev.* Aparelho para captar imagens e transmiti-las; câmera.

CA.MA.RA.DA *s.2gên.* 1) Companheiro, colega. 2) *pop.* Indivíduo. / *adj.2gên.* 3) Que expressa **127**

camarão / *campus*

companheirismo, amizade. 4) *fig.* Benevolente, amigável.

CA.MA.RÃO *s.m.* 1) Nome comum a alguns crustáceos de água doce ou salgada. 2) *fig. pop.* Pessoa muito vermelha por exposição excessiva ao sol.

CA.MA.REI.RO *s.m.* 1) Criado que arruma quartos em hotéis e navios. 2) Profissional que organiza os figurinos e auxilia os artistas em espetáculos e gravações.

CA.MA.RIM *s.m.* 1) Local do teatro onde os artistas se preparam para as apresentações. 2) Compartimento a bordo dos navios para guardar equipamentos especiais.

CA.MA.RO.TE *s.m.* Local especial para se assistir a um espetáculo, reservado e separado da plateia.

CAM.BA.DA *s.f.* 1) Porção de objetos pendurados em algum lugar. 2) Porção de coisas. 3) Corja.

CAM.BA.LA.CHO *s.m.* 1) *pop.* Negócio fraudulento. 2) *pop.* Tramoia, logro, conluio.

CAM.BA.LE.AR *v.i.* 1) Caminhar sem equilíbrio. 2) Balançar, oscilar.

CAM.BA.LHO.TA *s.f.* 1) Movimento no qual se gira o corpo sobre a cabeça e se volta à posição normal. 2) *fig.* Mudança repentina em uma situação. 3) Acrobacia no ar.

CÂM.BIO *s.m.* 1) Permuta. 2) Operação financeira de troca, venda ou compra da moeda de um país pela de outro. 3) Mudança, transformação. 4) *Autom.* Dispositivo que muda a marcha dos automóveis.

CAM.BIS.TA *s.2gên.* 1) Pessoa que faz negócios de câmbio. 2) Indivíduo que vende bilhetes de loteria ou ingressos com ágio.

CAM.BRAI.A *s.f.* Tecido fino de linho ou algodão.

CAM.BU.RÃO *s.m.* Carro de polícia com compartimento fechado usado para transporte de presos.

CA.ME.LO (ê) *s.m. Zool.* Mamífero ruminante que possui duas corcovas e é muito usado como meio de transporte nas regiões desérticas.

CA.ME.LÔ *s.m.* Vendedor que monta barraca nas ruas e calçadas e vende, ilegalmente, objetos de pouco valor.

CÂ.ME.RA *s.f.* 1) *Telev.* Aparelho que capta e transmite imagens; câmara. 2) Máquina fotográfica. / *s.m.* 3) Indivíduo que opera a câmera em cinema ou televisão; câmara.

CA.MI.CA.SE *s.m.* 1) Avião japonês usado em ataques suicidas contra alvos inimigos durante a Segunda Guerra Mundial. 2) Piloto treinado para pilotar esse avião. 3) Quem se arrisca muito ao agir. / *adj.2gên.* 4) Relativo a camicase.

CA.MI.NHA.DA *s.f.* 1) Ação de caminhar. 2) Jornada ou passeio a pé. 3) Longo percurso.

CA.MI.NHÃO *s.m. Autom.* Veículo apropriado para transportar cargas pesadas.

CA.MI.NHAR *v.i.* 1) Percorrer caminho a pé; andar; locomover-se. 2) Progredir.

CA.MI.NHO *s.m.* 1) Via de comunicação entre um lugar e outro; estrada. 2) Extensão ou espaço percorrido. 3) Rumo, direção, destino. 4) *Rel.* Via de salvação.

CA.MI.NHO.NEI.RO *s.m.* Motorista de caminhão.

CA.MI.NHO.NE.TE *s.f.* Caminhão pequeno utilizado para transportar passageiros ou cargas pequenas; caminhoneta.

CA.MI.SA *s.f.* 1) Peça de vestuário de pano leve de mangas curtas ou compridas. 2) *Tecn.* Envoltório externo dos cilindros dos motores de explosão. 3) Revestimento. 4) Invólucro incandescente que produz a luz em lampiões.

CA.MI.SEI.RA *s.f.* 1) Móvel onde se guardam camisas; camiseiro. 2) Costureira especializada em fazer camisas.

CA.MI.SE.TA (ê) *s.f.* Camisa de mangas curtas, ou sem mangas, de pano leve, usada diretamente sobre a pele.

CA.MI.SI.NHA *s.f.* Envoltório de borracha resistente para proteção durante o ato sexual, evitando a contaminação por doenças sexualmente transmissíveis ou impedindo a fecundação da mulher; camisa de vênus.

CA.MI.SO.LA *s.f.* Roupa feminina usada para dormir.

CA.MO.MI.LA *s.f.* Plantas com flores amarelas e brancas que são muito usadas em chás, por suas propriedades digestivas e calmantes.

CAM.PA.I.NHA (a-i) *s.f.* 1) Dispositivo instalado em portas e telefones que, ao ser acionado, emite um som característico. 2) Pequeno sino de mão.

CAM.PA.NÁ.RIO *s.m.* 1) *Arquit.* Torre da igreja onde se encontram os sinos. 2) *Arquit.* Abertura da torre onde ficam os sinos.

CAM.PA.NHA *s.f.* 1) Conjunto de esforços ou meios para alcançar um objetivo. 2) *Mil.* Série de operações militares. 3) Campo extenso; planície.

CAM.PE.ÃO *adj.* e *s.m.* 1) Que ou aquele que vence. / *s.m.* 2) Paladino, defensor. 3) *fig.* Aquele que se destaca por fazer algo melhor que os demais.

CAM.PE.O.NA.TO *s.m. Esp.* Competição esportiva na qual o vencedor recebe o título de campeão.

CAM.PES.TRE *adj.2gên.* Relativo ao campo; rural.

CAM.PI.NA *s.f.* Campo extenso e sem árvores.

CAM.PO *s.m.* 1) Terreno usado para agricultura ou pastagem. 2) Extensão de terra sem mata. 3) Zona fora da região urbana. 3) *fig.* Matéria, assunto. 4) *fig.* Área de conhecimento. 5) *Esp.* Local para a prática de alguns esportes.

CAM.PO.NÊS *s.m.* Quem vive e trabalha no campo.

CAMPUS *s.m. lat.* Conjunto de edifícios e terrenos de uma universidade.

camuflar / cano

CA.MU.FLAR *v.t.d.* e *v.p.* Disfarçar(-se), confundindo(-se) com o meio ambiente.

CA.MUN.DON.GO *s.m. Zool.* Pequeno roedor doméstico, de orelhas grandes e arredondadas e cauda longa.

CA.MUR.ÇA *s.f.* 1) Animal semelhante à cabra. 2) A pele desse animal.

CA.NA *s.f.* 1) Caule de plantas como a cana-de-açúcar e o bambu. 2) *pop.* Cachaça. 3) *pop.* Cadeia.

CA.NAL *s.m.* 1) Sulco, natural ou artificial, por onde corre a água. 2) Duto para transportar líquidos ou gases. 3) Faixa de frequência de televisão ou rádio.

CA.NA.LE.TA (ê) *s.f.* 1) Calha. 2) Duto de concreto.

CA.NA.LHA *adj.2gên.* e *s.2gên.* Pessoa desprezível, infame, vil.

CA.NA.LI.ZA.ÇÃO *s.f.* 1) Ato ou efeito de canalizar. 2) Conjunto de canos.

CA.NA.LI.ZAR *v.t.d.* 1) Instalar rede de água e esgoto. / *v.t.d.* e *v.t.d.i.* 2) Fazer escorrer por canos ou valas. / *v.t.d.i.* 3) *fig.* Conduzir, dirigir.

CA.NA.PÉ *s.m.* 1) Espécie de sofá com encosto e braços. 2) *Cul.* Pequena fatia de pão coberta com patê.

CA.NAS.TRÃO *s.m. pop.* Mau ator.

CA.NA.VI.AL *s.m.* Plantação de cana-de-açúcar.

CAN.CÃ *s.m.* Dança típica dos cabarés de Paris.

CAN.ÇÃO *s.f.* 1) *Mús.* Composição musical, para ser cantada. 2) Composição poética medieval.

CAN.CE.LA *s.f.* 1) Porteira. 2) Armação metálica que dá passagem a veículos.

CAN.CE.LAR *v.t.d.* 1) Declarar nulo ou sem efeito; invalidar. 2) Eliminar, excluir. 3) Concluir, não mais prosseguir.

CÂN.CER *s.m.* 1) Constelação do zodíaco. 2) O trópico do hemisfério norte. 3) Tumor maligno; carcinoma. 4) Gênero de caranguejos comestíveis, da Europa.

CAN.CE.RÍ.GE.NO *adj.* Que produz câncer.

CAN.CIO.NEI.RO *s.m.* Coleção de canções ou de poesias líricas medievais.

CAN.CIO.NIS.TA *s.2gên.* Quem compõe canções.

CAN.DAN.GO *s.m.* 1) Nome com que os africanos designavam os portugueses. 2) *gír.* Tipo desprezível, vicioso. 3) Trabalhador braçal, operário que contribuiu para a construção de Brasília.

CAN.CRO *s.m.* 1) *Med.* Úlcera venérea; câncer. 2) *fig.* Mal crescente, que destrói gradativamente.

CAN.DE.EI.RO *s.m.* Utensílio com líquido combustível usado para iluminação.

CAN.DEI.A *s.f.* Aparelho de iluminação, com óleo ou gás inflamável; lamparina.

CAN.DE.LA.BRO *s.m.* Grande castiçal, com vários ramos para luz.

CAN.DI.DA.TAR *v.t.d.i.* e *v.p.* Apresentar(-se) como candidato.

CAN.DI.DA.TO *s.m.* 1) Pretendente ou aspirante a emprego ou dignidade. 2) O que se propõe ou é proposto para cargo de eleição.

CAN.DI.DA.TU.RA *s.f.* 1) Condição de candidato. 2) Ato de apresentar(-se) como candidato.

CÂN.DI.DO *adj.* 1) Muito branco. 2) *fig.* Puro, inocente.

CAN.DOM.BLÉ *s.m. Rel.* 1) Celebração religiosa dos negros, na Bahia, que rende culto aos Orixás. 2) Santuário em que tal celebração se realiza.

CAN.DU.RA *s.f.* Pureza, inocência.

CA.NE.CA *s.f.* Pequeno vaso, com asa, para líquidos.

CA.NE.CO *s.m.* 1) Caneca alta e estreita. 2) *pop.* Troféu ou taça de campeonatos.

CA.NE.LA *s.f.* 1) Parte anterior da perna, entre o joelho e o pé. 2) Árvore cuja casca é usada como condimento. 3) Essa casca, em pedaços ou em pó.

CA.NE.LA.DA *s.f.* Pancada na canela da perna.

CA.NE.LEI.RA *s.f.* 1) Proteção acolchoada que se coloca em volta da canela da perna. 2) Tornozeleira pesada usada em musculação.

CA.NE.TA (ê) *s.f.* 1) Pequeno instrumento de escrita ou desenho. 2) *Cir.* Cabo ou pinça com que se segura o cautério.

CAN.GA *s.f.* 1) Tecido usado sobre a roupa de banho, que serve como saída de praia. 2) Peça de madeira que prende os bois ao carro ou ao arado.

CAN.GA.CEI.RO *s.m.* Bandido armado que andava em grupos pelo Nordeste brasileiro.

CAN.GO.TE *s.m.* Nuca.

CA.NHÃO *s.m.* 1) Peça de artilharia grande, de cano longo, com a qual se lançam bolas, mísseis e outros projéteis a uma longa distância. 2) *pop.* Pessoa muito feia. 3) Refletor usado em teatros, etc.

CA.NHO.TO (ô) *adj.* 1) Que tem mais habilidade com a mão e o pé esquerdo. / *s.m.* 2) A parte não destacável de talões de cheque. 3) *pop.* Diabo, demônio.

CA.NI.BAL *adj.2gên.* e *s.2gên.* 1) *Zool.* Que ou o que devora seres da mesma espécie. 2) Antropófago.

CA.NI.BA.LIS.MO *s.m.* Condição ou condição de canibal.

CA.NIL *s.m.* 1) Local onde se criam e abrigam cães. 2) *Por ext.* Casinha de cachorro.

CA.NI.NO *adj.* 1) Relativo a ou próprio de cão. / *s.m.* 2) Dente pontudo, que permite rasgar os alimentos.

CA.NI.VE.TE *s.m.* 1) Pequena faca com uma ou mais lâminas dobráveis. 2) *pop.* Bisturi; instrumento cirúrgico.

CAN.JA *s.f.* 1) *Cul.* Caldo de galinha com arroz. 2) *pop.* O que é muito fácil. 3) *pop.* Apresentação informal e de graça de um artista.

CA.NO *s.m.* 1) Tubo para escoamento de líquidos e gases. 2) Tubo da arma de fogo por onde sai a bala. 3) Parte da bota que cobre a perna.

CA.NO.A *s.f.* 1) Pequena embarcação a remo. 2) Qualquer objeto que tem forma semelhante a essa embarcação.

CA.NO.A.GEM *s.f. Esp.* Esporte no qual as pessoas descem rios em canoas.

CA.NO.EI.RO *s.m.* 1) Quem dirige canoas. 2) Aquele que faz canoas.

CÂ.NO.NE *s.m.* 1) Conjunto de normas; modelo. 2) A parte central, mais solene e invariável da missa católica. 3) *Rel.* Lista dos santos canonizados. 4) As obras consideradas as mais importantes da literatura.

CA.NÔ.NI.CO *adj.* Relativo a cânone.

CA.NO.NI.ZAR *v.t.d.* Declarar santo; santificar.

CAN.SA.ÇO *s.m.* 1) Falta de forças causada por excesso de exercício, esforço ou doença; fadiga. 2) *fig.* Aborrecimento, tédio.

CAN.SA.DO *adj.* 1) Que se cansou; fatigado. 2) Aborrecido.

CAN.SAR *v.t.d., v.i.* e *v.p.* 1) Causar ou sentir cansaço, esgotamento físico ou mental. 2) *fig.* Aborrecer(-se). / *v.t.i.* e *v.p.* 3) Desistir, parar.

CAN.SA.TI.VO *adj.* Que causa cansaço.

CAN.SEI.RA *s.f.* 1) Cansaço; fadiga. 2) Esforço intenso. 3) Trabalho cansativo.

CAN.TA.DA *s.f.* 1) Resultado de cantar; canto. 2) *pop.* Conversa na qual se tenta convencer ou seduzir alguém.

CAN.TAR *v.t.d.* e *v.i.* 1) Emitir sons ritmados e musicais e frases melódicas com a voz. / *v.i.* 2) Emitir sons (aves). / *v.t.d.i.* 3) Tentar convencer ou seduzir alguém.

CAN.TA.RO.LAR *v.t.d.* e *v.i.* 1) Cantar baixinho. 2) *fig.* Emitir sons harmoniosos; cantar.

CAN.TEI.RO *s.m.* 1) Parte de um terreno usada para cultivar plantas. 2) Faixa de terreno gramado entre duas pistas de avenidas, rodovias, etc.

CÂN.TI.CO *s.m.* 1) Canto religioso. 2) *Por ext.* Poema de louvor; ode.

CAN.TI.GA *s.f.* 1) Canção. 2) Composição lírica dos trovadores.

CAN.TIL *s.m.* Recipiente usado para transportar água.

CAN.TI.LE.NA *s.f.* 1) *Mús.* Cantiga suave. 2) *fig.* Queixa repetida e monótona; lenga-lenga.

CAN.TI.NA *s.f.* 1) *Por ext.* Local onde se vendem alimentos e bebidas em escolas, etc. 2) Restaurante de comida italiana. 3) *Por ext.* Lanchonete em escolas, quartéis, etc. 4) Loja de vinhos.

CAN.TO *s.m.* 1) Som vocal modulado. 2) Música, poesia ou hino para ser cantado. 3) Ângulo; ponto de encontro de dois lados, duas paredes, etc. 4) Junção das pálpebras da boca, etc.

CAN.TOR (ô) *s.m.* 1) Aquele que canta. 2) Artista que canta por profissão. 3) Cantador.

CAN.TO.RI.A *s.f.* 1) Concerto de vozes. 2) Ato de cantar.

CA.NU.DO *s.m.* 1) Tubo estreito e longo. 2) *pop.* Diploma universitário.

CÃO *s.m.* 1) *Zool.* Mamífero carnívoro doméstico; cachorro. 2) *fig.* Designação que se dá a alguém por desprezo. 3) Peça que percute a cápsula em certas armas de fogo portáteis. 4) *pop.* Diabo.

CA.O.LHO (ô) *adj.* Diz-se do indivíduo que não possui um olho ou possui um olho torto; zarolho.

CA.OS *s.m.* 1) Confusão geral de todos os elementos, antes da formação do mundo. 2) Total confusão, grande desordem.

CA.Ó.TI.CO *adj.* Em estado de caos, desordenado.

CA.PA *s.f.* 1) Abrigo; agasalho; manto. 2) O que envolve algo; cobertura; proteção. 3) Aparência, pretexto.

CA.PA.CE.TE (ê) *s.m.* 1) Armadura para proteger a cabeça. 2) Teto móvel do moinho de vento.

CA.PA.CHO *s.m.* 1) *Por ext.* Tapete colocado na porta de entrada para limpar a sola dos sapatos. 2) *pop.* Pessoa subserviente; bajulador; puxa-saco.

CA.PA.CI.DA.DE *s.f.* 1) Volume interior; espaço interno de um corpo; propriedade de conter. 2) Qualidade de receber impressões, assimilar ideias, analisar, raciocinar, julgar, arrostar problemas; aptidão, habilidade mental.

CA.PA.CI.TA.ÇÃO *s.f.* Ato ou efeito de capacitar (-se); aptidão, habilitação.

CA.PA.CI.TAR *v.t.d.* 1) Tornar capaz; habilitar. 2) Convencer, persuadir.

CA.PA.CI.TOR *s.m.* Dispositivo elétrico formado de duas placas metálicas separadas por material dielétrico; condensador.

CA.PA.DO *adj.* Castrado.

CA.PAN.GA *s.m.* 1) Valentão que se põe a serviço de quem lhe paga; guarda-costas, jagunço. 2) Assassino profissional. / *s.f.* 3) Bolsa pequena para levar pequenos objetos.

CA.PAR *v.t.d.* 1) Castrar; esterilizar os animais. 2) *Agr.* Cortar os brotos das plantas. 3) Mutilar.

CA.PA.TAZ *s.m.* Chefe, administrador de um grupo de trabalhadores; feitor de fazenda.

CA.PAZ *adj.2gên.* 1) Que tem capacidade. 2) Competente; que desempenha bem as suas funções; bom, adequado, apropriado; hábil. / *interj.* 3) *pop.* Nunca! De modo nenhum!

CAP.CI.O.SO *adj.* Que engana ou tenta confundir por meio do uso de astúcia.

CA.PE.LA *s.f.* 1) Templo religioso com um só altar. 2) Aposento consagrado ao culto, numa instituição ou moradia. 3) Grupo de músicos que cantam em uma igreja.

CA.PE.LÃO *s.m.* Padre de uma capela.

CA.PEN.GA *adj.2gên.* e *s.2gên.* 1) Manco; coxo. / *adj.2gên.* 2) Incompleto; defeituoso.

capengar / caracterizar

CA.PEN.GAR *v.t.i.* e *v.i.* 1) Mancar, coxear. 2) Não funcionar direito.

CA.PE.TA (ê) *s.m.* 1) *pop.* O diabo. / *adj.2gên.* e *s.2gên.* 2) *pop.* Quem é muito travesso, levado, traquinas.

CA.PI.AU *adj.* e *s.m.* Caipira, roceiro, matuto.

CA.PI.LAR *adj.2gên.* 1) Relativo a cabelo. 2) Que se produz em tubos estreitos. / *s.m.* 3) *Anat.* Vaso sanguíneo de calibre pequeníssimo, que liga entre si as pequenas artérias e as veias.

CA.PIM *s.m.* 1) *Bot.* Nome de várias plantas Gramíneas e Ciperáceas; grama; relva. 2) *gír.* Dinheiro.

CA.PI.NA.DEI.RA *s.f.* Máquina agrícola para capina mecânica.

CA.PI.NAR *v.t.d.* Limpar; carpir; arrancar as ervas de uma plantação com a enxada.

CA.PIN.ZAL *s.m.* Lugar coberto de capim.

CA.PIS.CAR *v.t.d.* 1) Descobrir (trama, ardil). 2) *Por ext.* Entender, compreender.

CA.PIS.TA *s.2gên.* Profissional que cria capa de livros, revistas, etc.

CA.PI.TAL *adj.2gên.* 1) Referente à cabeça. 2) Que se refere à pena de morte; mortal. 3) Essencial, fundamental, muito importante. / *s.m.* 4) Cidade que aloja o governo do país ou de um estado. 5) Posses de um indivíduo em uma empresa, firma ou corporação. 6) Importância que se põe a render juros; principal. 7) *Econ. polít.* Riqueza ou valores acumulados, destinados à produção de novos valores.

CA.PI.TA.LIS.MO *s.m.* Influência ou predomínio do capital ou do dinheiro.

CA.PI.TA.NI.A *s.f.* 1) Dignidade ou posto de capitão. 2) Comando militar. 3) Designação das primeiras divisões administrativas do Brasil.

CA.PI.TÃO *s.m.* 1) *Mil.* Oficial do Exército, da Polícia, da Aeronáutica ou da Marinha de posto inferior ao de major e superior ao de primeiro-tenente. 2) Comandante de navio mercante; capitão mercante. 3) Chefe militar; caudilho, chefe. 4) Jogador que, em certos desportos, representa o time perante as autoridades que dirigem a partida. 5) *Ornit.* Pássaro da família dos Icterídeos. 6) Capitão de corveta: posto da Marinha, superior ao de capitão-tenente e inferior ao de capitão de fragata.

CA.PI.TU.LAR *v.i.* 1) Entregar-se, render-se; ceder, transigir. / *v.t.d.* 2) Descrever por capítulos; classificar, qualificar. / *adj.2gên.* 3) Relativo a capítulo.

CA.PÍ.TU.LO *s.m.* 1) Cada uma das divisões principais de um livro, de um tratado ou de uma lei. 2) Artigo de acusação, contrato, etc.

CA.PÔ *s.m. Autom.* Cobertura ou tampa metálica que protege o motor nos veículos de combustão interna.

CA.PO.EI.RA *s.f.* 1) *Agr.* Terreno desmatado. 2) Vegetação que cresce em terreno desmatado. 3) Arte marcial introduzida no Brasil pelos negros bantos. 4) Gaiola grande usada para guardar capões e outras aves.

CA.PO.TA *s.f.* 1) Cobertura de automóveis. 2) *Ant.* Peça de vestuário, especialmente feminino, que cobria a cabeça e os ombros.

CA.PO.TAR *v.i.* Cair, virar ou tombar, virando sobre a capota (aviões e automóveis).

CA.PO.TE *s.m.* Casacão longo, geralmente impermeável ou de lã.

CA.PRI.CHAR *v.t.i.* e *v.i.* Fazer com apuro; esmerar-se.

CA.PRI.CHO *s.m.* 1) Vontade súbita, desejo injustificado. 2) Obstinação; inconstância. 3) Brio, timbre; esmero, primor. 4) *Mús.* Instrumento de forma livre, algo fantasioso.

CA.PRI.CHO.SO *adj.* 1) Que faz as coisas com capricho. 2) Feito com capricho, com esmero. 3) Que age por capricho; inconstante, mutável.

CÁP.SU.LA *s.f.* 1) Pequeno envoltório ou receptáculo semelhante a uma caixa. 2) *Bot.* Fruto de pericarpo seco e deiscente. 3) *Mil.* Pequeno tubo com a massa fulminante para armas de percussão.

CAP.TAR *v.t.d.* 1) Atrair; apanhar; segurar. 2) Granjear, conquistar por meios astuciosos ou fazendo valer o próprio mérito. 3) Trazer para dentro do âmbito de audição ou visão; receber mensagens.

CAP.TU.RA *s.f.* Ato ou efeito de capturar; prisão.

CAP.TU.RAR *v.t.d.* Prender, deter, aprisionar, pegar.

CA.PUZ *s.m.* Cobertura para a cabeça, geralmente presa ao casaco, hábito ou capa.

CA.QUI *s.m.* Fruto do caquizeiro, de cor avermelhada e sabor doce.

CA.RA *s.f.* 1) Parte anterior da cabeça; rosto, face. 2) Expressão do rosto; fisionomia, semblante. 3) Face da moeda, oposta à coroa. / *s.2gên.* 4) *gír.* Tratamento que se dá a uma pessoa; indivíduo.

CA.RA.BI.NA *s.f.* 1) Espingarda, fuzil curto e leve. 2) Carabinada.

CA.RA.COL *s.m. Zool.* 1) Molusco terrestre de concha espiralada. 2) Cacho de cabelo.

CA.RAC.TE.RE *s.m. Inf.* Qualquer letra, algarismo, sinal ou outro símbolo que pode ser armazenado em computador.

CA.RAC.TE.RÍS.TI.CA *s.f.* 1) Aquilo que caracteriza; característico. 2) Parte inteira de um logaritmo, de uma matriz retangular.

CA.RAC.TE.RÍS.TI.CO *adj.* Que caracteriza; distintivo, particular.

CA.RAC.TE.RI.ZAR *v.t.d.* e *v.p.* 1) Evidenciar; distinguir(-se). 2) Descrever, destacando as características. 3) Construir a caracterização, o aspecto físico, de um personagem.

131

CA.RAM.BA *interj. pop.* Expressa surpresa, admiração, espanto ou ironia.

CA.RAM.BO.LA *s.f.* 1) Bola vermelha de bilhar. 2) Batida de uma bola de bilhar sucessivamente sobre as outras duas. 3) Embuste, tramoia. 4) *Bot.* Fruto da caramboleira.

CA.RA.ME.LO *s.m.* 1) Calda de açúcar queimado em ponto vítreo. 2) Guloseima feita de açúcar derretido; bala, doce.

CA.RA‑ME.TA.DE *s.f.* 1) *pop.* Cônjuge. 2) *pop.* Parceiro amoroso ideal.

CA.RA.MI.NHO.LAS *s.f.pl.* 1) *pop.* Histórias falsas; mentiras. 2) Sonhos impossíveis; fantasias.

CA.RA.MU.JO *s.m.* 1) *Zool.* Moluscos aquáticos, pulmonados ou branquiados, providos de conchas espessas. 2) *pop.* Caracol.

CA.RAN.GUE.JAR *v.i.* 1) *pop.* Andar como caranguejo. 2) Hesitar, vacilar.

CA.RAN.GUE.JO (ê) *s.m. Zool.* Crustáceo decápode encontrados nos mangues e nos rios.

CA.RA.PA.ÇA *s.f.* Parte rígida do dorso de alguns animais, como a tartaruga e o caranguejo, que serve para proteção.

CA.RA.PU.ÇA *s.f.* 1) Espécie de gorro, em forma cônica. 2) *fig.* Crítica indireta.

CA.RA.TÊ *s.m. Esp.* Arte marcial, oriental, de defesa pessoal em que se usam apenas os pés e as mãos.

CA.RÁ.TER *s.m.* 1) *Por ext.* Personalidade, temperamento. 2) Característica. 3) *Por ext.* Honestidade. 4) Sinal (letra, número, símbolo) usado na escrita; caractere.

CA.RA.VA.NA *s.f.* 1) Grupo de pessoas que se juntam para atravessar o deserto em segurança. 2) *Por ext.* Grupo de pessoas que viajam juntas.

CA.RA.VE.LA *s.f.* 1) Antiga embarcação a vela. 2) Vara de mandioca. 3) Antiga moeda de prata, de pouco valor.

CAR.BO.I.DRA.TO *s.m.* Composto ternário da química orgânica que compreende os açúcares, amidos e a celulose; glucídio.

CAR.BO.NI.ZAR *v.t.d.* 1) Queimar completamente. / *v.t.d* e *v.p.* 2) Reduzir(-se) a carvão.

CAR.BU.RA.DOR (ô) *s.m.* Aparelho que mistura ar e combustível em motores de explosão.

CAR.CA.ÇA *s.f.* 1) Esqueleto de animal. 2) Estrutura de uma máquina. 3) *Por ext.* Casco velho de navio. 4) *pop.* Corpo velho e cansado.

CÁR.CE.RE *s.m.* Cadeia, prisão.

CAR.CE.REI.RO *s.m.* Guarda que vigia os prisioneiros.

CAR.CI.NO.MA *s.m. Med.* Tumor maligno; câncer.

CAR.CO.MER *v.t.d.* 1) Reduzir a pó; roer. 2) *Por ext.* Corroer, desgastar. 3) *fig.* Destruir.

CAR.DÁ.PIO *s.m.* 1) Lista de pratos de um restaurante; menu. 2) Lista dos pratos de uma refeição.

CAR.DE.AL *adj.* 1) Principal, fundamental (diz-se principalmente dos quatro pontos do horizonte: Norte, Sul, Leste e Oeste, para distingui-los dos intermediários). / *s.m.* 2) Prelado do Sacro Colégio pontifício. 3) Nome de vários pássaros de cor predominantemente vermelha.

CAR.DÍ.A.CO *adj.* 1) Relativo ao coração ou à cárdia. / *s.m.* 2) Aquele que sofre do coração.

CAR.DI.GÃ *s.m.* Casaco de malha sem gola e aberto na frente.

CAR.DI.NAL *adj.2gên.* 1) Principal; cardeal. 2) Relativo a gonzos. 3) Diz-se do número absoluto, por oposição ao ordinal.

CAR.DIO.GRA.FI.A *s.f.* Registro dos movimentos do coração.

CAR.DI.O.LO.GI.A *s.f.* Parte da medicina que estuda as doenças do coração e dos vasos sanguíneos.

CAR.DU.ME *s.m.* 1) Conjunto de peixes. 2) *pop.* Aglomeração.

CA.RE.CA *adj.2gên.* e *s.2gên.* 1) *pop.* Quem não tem cabelos. / *s.f.* 2) Parte da cabeça que não tem cabelos; calvície. / *adj.2gên.* 3) *pop.* Diz-se de pneu gasto.

CA.RE.CER *v.t.i.* 1) Precisar, necessitar. 2) Não ter.

CA.REI.RO *adj.* Que vende ou cobra caro.

CA.RÊN.CIA *s.f.* 1) Falta; privação; necessidade. 2) Decurso de um prazo estabelecido para entrada em vigor de um direito e da obrigação correspondente.

CA.REN.TE *adj.* Que carece, precisa, necessita.

CA.RE.TA (ê) *s.f.* 1) Contração facial, esgar; carranca, momice. 2) Ameaça. / *s.m.* 3) *gír.* Indivíduo muito apegado aos costumes e aos padrões tradicionais; quadrado.

CAR.GA *s.f.* 1) Tudo aquilo que é ou pode ser transportado por alguém ou por alguma coisa; peso. 2) Ato ou efeito de carregar; carregamento, carregação. 3) Grande quantidade. 4) Embaraço, opressão, reprimenda. 5) Encargo, responsabilidade. 6) *Mil.* Investida violenta; tropel. 7) Acusação, crítica. 8) Quantidade de eletricidade contida num corpo. 9) Metal, quantidade de minério ou de carvão lançada de uma só vez nos fornos metalúrgicos. 10) Quantidade de pólvora e projéteis em arma de fogo. 11) Voltar à carga: insistir.

CAR.GO *s.m.* 1) Função, emprego. 2) Responsabilidade.

CAR.GUEI.RO *adj.* 1) Que transporta carga. / *s.m.* 2) Navio que transporta carga.

CA.RI.CA.TO *adj.* 1) Semelhante a caricatura. 2) Ridículo; burlesco.

CA.RI.CA.TU.RA *s.f.* 1) Desenho no qual se exageram as características principais de uma pessoa ou situação. 2) Imitação ridícula.

CA.RÍ.CIA *s.f.* Manifestação física de afeição; carinho.

CA.RI.DA.DE *s.f.* 1) Ação que beneficia outra pessoa; benevolência, compaixão. 2) Doação ou ajuda que se dá aos pobres; esmola.

CÁ.RIE *s.f.* Lesão inflamatória no dente ou osso.

CA.RI.JÓ *adj.2gên.* e *s.2gên.* (Galo ou galinha) de penas pretas e brancas.

CA.RIM.BAR *v.t.d.* 1) Fazer marca com carimbo. 2) *Esp.* Acertar com a bola. 3) *fig.* Assinalar.

CA.RIM.BO *s.m.* 1) Instrumento que possui uma base com imagem ou texto em relevo, que deixa marca por meio do uso de tinta. 2) Marca produzida pelo carimbo.

CA.RI.NHO *s.m.* Afago, carícia; meiguice; cuidado, afeição.

CA.RI.NHO.SO *adj.* 1) Que trata com carinho; afetuoso. 2) Em que há manifestação de carinho.

CA.RI.O.CA *adj.* e *s.2gên.* 1) Relativo à cidade do Rio de Janeiro; natural ou habitante desta cidade. / *adj.* 2) Diz-se do café misturado com água. 3) Qualificativo de uma raça de porcos domésticos. 4) Variedade de feijão.

CA.RIS.MA *s.m.* 1) Dons divinos concedidos a pessoas ou grupos. 2) Capacidade de atrair e conquistar pessoas.

CA.RIS.MÁ.TI.CO *adj.* 1) Relativo a carisma. 2) Que tem carisma.

CAR.MA *s.m.* No budismo e no hinduísmo, conjunto das ações de uma pessoa que a afetam nesta ou em outras encarnações.

CAR.MIM *s.m.* 1) Substância corante de tom vermelho forte. 2) Essa cor. / *adj.2gên.* 3) Dessa cor.

CAR.NAL *adj.2gên.* 1) Relativo ao corpo, em oposição ao espírito. 2) Relativo ao instinto sexual. 3) Consanguíneo. / *s.m.* 4) Tempo em que a igreja permite o consumo de carne, especialmente no período da Páscoa.

CAR.NA.VAL *s.m.* 1) *Folc.* Período de três dias de folia que precede a quarta-feira de cinzas. 2) Folguedo, orgia.

CAR.NA.VA.LES.CO (ê) *adj.* 1) Relativo ou semelhante ao carnaval. 2) Grotesco, ridículo.

CAR.NE *s.f.* 1) Tecido muscular do homem e dos animais. 2) Parte vermelha dos músculos; consanguinidade. 3) Natureza humana. 4) Concupiscência. 5) Polpa comestível dos frutos.

CAR.NÊ *s.m.* 1) Caderneta de apontamentos. 2) Ficha pessoal onde são registrados os pagamentos mensais de compras a crédito.

CAR.NEI.RO *s.m.* 1) *Zool.* Mamífero quadrúpede ruminante de chifres recurvos. 2) Pessoa de índole mansa; indivíduo que segue sempre os outros. 3) Ossuário, carneira.

CAR.NE-SE.CA *s.f.* Carne bovina salgada e desidratada; charque.

CAR.NI.ÇA *s.f.* 1) Carne podre de animal morto. 2) Jogo infantil no qual uma criança pula sobre as costas de outras crianças que estão abaixadas em fila.

CAR.NI.CEI.RO *adj.* 1) Que se alimenta de carne; carnívoro. / *adj.* e *s.m.* 2) Sanguinário, feroz, cruel.

CAR.NI.FI.CI.NA *s.f.* Massacre, extermínio, matança.

CAR.NÍ.VO.RO *adj.* 1) Que se alimenta exclusivamente de carne. / *s.m.* 2) *Zool.* Animal da ordem dos Carnívoros, que se nutrem de carne e possuem molares providos de cúspides aguçadas.

CAR.NO.SO *adj.* 1) Cheio de carne. 2) Diz-se do fruto que tem a polpa espessa.

CAR.NU.DO *adj.* 1) Cheio de carne. 2) Com músculos desenvolvidos; musculoso.

CA.RO *adj.* 1) Que possui preço alto. 2) Obtido com grande sacrifício. 3) Que é tido em grande estima e valor; querido, amado.

CA.RO.CHI.NHA *s.f. pop.* Mulher velha, bruxa, feiticeira.

CA.RO.ÇO (ô) *s.m.* 1) Parte dura e óssea de certos frutos, que é ou contém a semente. 2) *Tecn.* Cilindro de argila usado na fundição das peças de fogo para lhes formar a alma. 3) *Med.* Íngua, glândula inflamada.

CA.RO.LA *adj.2gên.* e *s.2gên.* Que ou quem é muito devoto e vai muito à igreja.

CA.RO.NA *s.f.* 1) Peça de couro dos arreios que se usa por baixo do lombilho. 2) *pop.* Condução gratuita em qualquer veículo. / *s.m.* 3) Indivíduo caloteiro.

CA.RÓ.TI.DA *s.f.* Artéria que leva sangue do coração à cabeça.

CAR.PA *s.f.* Peixe grande de água doce.

CAR.PE.TE *s.m.* Tapete que forra ou cobre um cômodo.

CAR.PIN.TA.RI.A *s.f.* Ofício ou oficina de carpinteiro.

CAR.PIN.TEI.RO *s.m.* Ocupação daquele que constrói, monta e repara armações em geral, móveis, portas, janelas e outras peças de madeira.

CAR.RAN.CA *s.f.* 1) Fisionomia de mau-humor. 2) Figura ornamental que se coloca na proa de embarcações.

CAR.RAN.CU.DO *adj.* Mal-humorado; emburrado; de cara fechada.

CAR.RAS.CO *s.m.* 1) Pessoa que executa a pena de morte; algoz. 2) *fig.* Pessoa cruel; tirano.

CAR.RE.A.TA *s.f.* Passeata ou desfile de carros.

CAR.RE.GA.DOR *adj.* e *s.m.* 1) Que ou quem transporta bagagens ou cargas. / *s.m.* 2) Aparelho usado para carregar baterias.

CAR.RE.GAR *v.t.d.* 1) Pôr a carga em. 2) Pesar sobre; sobrecarregar. 3) Abastecer, alimentar, encher, suprir, saturar. 4) Conduzir ou levar carga; acarretar. 5) Meter pólvora ou projéteis em. 6) *Eletr.* Acumular eletricidade em; renovar a carga de uma bateria.

carreira | **casal**

CAR.REI.RA *s.f.* 1) Corrida veloz, rápida; correria. 2) Caminho de carro. 3) Curso, trajetória; trilho. 4) Caminho para corridas de cavalos. 5) Fileira, fiada; fila. 6) Profissão. 7) Procedimento. 8) Rota de navios e aviões.

CAR.REI.RO *s.m.* 1) Condutor de carro de bois. 2) Caminho estreito; carreira; atalho; trilho. 3) Lugar da passagem habitual da caça. 4) Caminho habitual das formigas; fila de formigas.

CAR.RE.TA (ê) *s.f.* 1) Pequeno carro; carroça. 2) Viatura de artilharia. 3) *pop.* Jamanta; grande caminhão para transporte de veículos ou cargas pesadas.

CAR.RE.TEI.RO *s.m.* Quem dirige carreta.

CAR.RE.TEL *s.m.* 1) Cilindro usado para enrolar linhas, fitas, arames, etc. 2) Molinete de pesca.

CAR.RE.TO (ê) *s.m.* Preço do frete; carretagem; carregamento.

CAR.RO *s.m.* 1) Veículo de rodas, para transporte de pessoas ou carga; veículo automóvel. 2) Vagão, nas estradas de ferro. 3) *Tecn.* Parte móvel de uma máquina de escrever.

CAR.RO.ÇA *s.f.* 1) Carro grosseiro, de tração animal, para transportar cargas. 2) Pessoa lerda ou vagarosa. 3) *pop.* Automóvel gasto, velho; calhambeque. 4) Pessoa que paga atrasado o seu débito. 5) Diz-se da pessoa que anda muito devagar.

CAR.RO.CE.RI.A *s.f.* 1) Parte dos veículos que fica sobre o chassi e é destinada ao motorista e aos passageiros. 2) Parte traseira do caminhão, em que vai a carga.

CAR.RO-FOR.TE *s.m.* Carro blindado que transporta valores elevados.

CAR.RO-PI.PA *s.m.* Caminhão utilizado para transportar água.

CAR.ROS.SEL *s.m.* Maquinismo, encontrado em parques de diversões, que consiste em um rodízio que tem suspensos assentos em forma de cavalos para divertimento de crianças.

CAR.RU.A.GEM *s.f.* 1) Nome genérico de qualquer veículo. 2) Carro de caixa, sobre molas, puxado por cavalos e destinado a transporte de pessoas.

CAR.TA *s.f.* 1) Escrito, fechado em envelope, que se dirige a alguém, missiva; epístola. 2) *Náut.* e *Aeronáut.* Mapa. 3) Designação de diversos títulos ou documentos oficiais. 4) Cada uma das peças do jogo de baralho. 5) Diploma.

CAR.TÃO *s.m.* 1) Papel espesso; papelão. 2) Bilhete de visita. 3) Ingresso, senha.

CAR.TÃO-POS.TAL *s.m.* Cartão com um lado ilustrado e outro reservado para correspondência.

CAR.TAZ *s.m.* 1) Papel grande, com anúncio, que se fixa em lugar público. 2) *pop.* Popularidade, prestígio, notoriedade. 3) *pop.* Sucesso.

CAR.TE.A.DO *s.m.* Qualquer jogo com cartas de baralho.

CAR.TEI.RA *s.f.* 1) Bolsa para guardar dinheiro ou papéis. 2) Livrinho de lembranças. 3) Mesa escolar com banco. 4) Nome das várias seções dos estabelecimentos de crédito.

CAR.TEI.RO *s.m.* Funcionário que distribui a correspondência postal; condutor de malas postais.

CAR.TEL *s.m.* 1) Rótulo, legenda. 2) *Econ.* Acordo feito entre empresas, que dividem entre si os mercados, com monopólio, mas sem concorrência.

CAR.TE.LA *s.f.* 1) Mostruário portátil de coisas pequenas, como tecidos e rendas. 2) Embalagem de pequenos produtos, como remédios, etc. 3) Cartão de jogos, como bingo.

CAR.TI.LA.GEM *s.f. Anat.* Tecido flexível encontrado principalmente na extremidade dos ossos.

CAR.TI.LHA *s.f.* 1) Livro de primeiras letras. 2) Tratado elementar de qualquer arte, ciência ou doutrina. 3) Iniciação, opinião.

CAR.TO.GRA.FI.A *s.f.* Arte de compor cartas geográficas, fazer mapas.

CAR.TO.LA *s.f.* Chapéu masculino de copa alta e cilíndrica.

CAR.TO.LI.NA *s.f.* Folha de espessura intermediária entre a do papel e a do papelão e superfície lisa.

CAR.TO.MAN.CI.A *s.f.* Adivinhação do futuro por meio de cartas de baralho.

CAR.TÓ.RIO *s.m.* Lugar onde se arquivam documentos de importância e onde funcionam os tabelionatos, os registros públicos, etc.

CAR.TU.CHO *s.m.* 1) Canudo de papel ou cartão. 2) Tubo que contém carga de projeção de uma arma de fogo. 3) *pop.* Proteção, pistolão.

CAR.VA.LHO *s.m.* 1) *Bot.* Grande árvore de madeira muito empregada em construções. 2) Madeira desta árvore.

CAR.VÃO *s.m.* 1) Substância combustível resultante da combustão incompleta de materiais orgânicos. 2) Pedaço de madeira mal queimada.

CAR.VO.A.RI.A *s.f.* 1) Estabelecimento em que se faz ou vende carvão. 2) Depósito de carvão; carvoeira.

CA.SA *s.f.* 1) Moradia, residência, vivenda, habitação. 2) Estabelecimento, firma comercial. 3) Família; lar. 4) Abertura em que entram os botões do vestuário.

CA.SA.CO *s.m.* Peça do vestuário para agasalhar o corpo, de mangas longas e que pode ser fechada na frente.

CA.SA.DO *adj.* 1) Que está unido pelo casamento. 2) Unido, ligado. 3) Combinado.

CA.SAL *s.m.* 1) Pequeno povoado; lugar de poucas casas; lugarejo. 2) Par de macho e fêmea ou de homem e mulher. 3) Par de pessoas que têm relação amorosa.

CA.SA.MEN.TO *s.m.* 1) União legítima de homem e mulher; enlace; matrimônio; bodas. 2) Cerimônia ou festa em que se celebra esta união; casório.

CA.SAR *v.t.d.* 1) Ligar, unir pelo casamento; promover ou realizar o casamento de. / *v.t.d.* e *v.p.* 2) Aliar(-se), ligar(-se); combinar-se.

CA.SA.RÃO *s.m.* 1) Casa muito grande. 2) Casa rica; mansão. 3) Sobrado antigo.

CAS.CA *s.f.* 1) Envoltório externo de plantas, frutos, ovos, tubérculos, sementes, etc. 2) Exterioridade, aparência. / *adj.* e *s.m.* 3) *fig.* Casca-grossa: indivíduo grosseiro, mal-educado, rude.

CAS.CA.LHO *s.m.* Pedra miúda, fragmentos de pedra; calhau, seixo; pedregulho.

CAS.CA.TA *s.f.* 1) Queda de água; cachoeira; salto. 2) *gír.* Conversa fiada, mentira.

CAS.CA.VEL *s.f.* 1) Cobra venenosa que se caracteriza por uma série de anéis córneos enfileirados na parte terminal da cauda, os quais produzem um som sibilante quando vibrados; víbora. 2) Mulher de má língua e mau gênio.

CAS.CO *s.m.* 1) Couro cabeludo, pele da cabeça. 2) Crânio; inteligência, juízo. 3) Quilha e costado do navio. 4) Vasilha para bebidas. 5) Unha de vários paquidermes (equídeos, bovídeos, etc.). 6) Armadura para a cabeça; capacete.

CAS.CU.DO *s.m.* 1) Pancada na cabeça dada com os nós dos dedos. 2) *Zool.* Denominação comum a vários peixes teleósteos, da família dos Loricariídeos, que vivem nos rios e possuem o corpo revestido de placas ósseas, cabeça chata e corpo delgado. / *adj.* 3) Que tem casca grossa ou dura.

CA.SE.BRE *s.m.* Casa pequena e velha ou em ruínas, pardieiro; casa pobre, humilde; cabana; choupana.

CA.SEI.RO *adj.* 1) Relativo a casa; doméstico. 2) Feito, usado ou criado em casa. 3) Que gosta de ficar em casa. 4) Modesto, simples. / *s.m.* 5) Indivíduo que se encarrega da guarda e conservação da casa na ausência do dono.

CAS.MUR.RO *adj.* e *s.m.* 1) Cabeçudo, teimoso; indivíduo calado. 2) Sorumbático, triste.

CA.SO *s.m.* 1) Acontecimento, evento, fato, ocorrência; circunstância. 2) Eventualidade, hipótese; casualidade, acaso. 3) Dificuldade.

CA.SÓ.RIO *s.m. pop.* Casamento

CAS.PA *s.f.* Descamação do couro cabeludo.

CAS.QUI.NHA *s.f.* 1) Casca muito fina. 2) Cone de biscoito para servir sorvete. 3) O sorvete servido com a casquinha.

CAS.SAR *v.t.d.* Tornar nulo ou sem efeito; anular; romper.

CAS.SE.TE *s.m.* Estojo equipado com filmes, fitas ou discos prontos para entrar em funcionamento; gravador.

CAS.SE.TE.TE (é) *s.m.* Bastão curto de madeira ou borracha usado por policiais.

CAS.SI.NO *s.m.* Casa, clube ou lugar de reunião para jogar, dançar e beber.

CAS.TA *s.f.* 1) Classe social separada das outras por diferenças de riqueza, posição social, etc.; grupo social. 2) Qualidade, natureza, gênero, linhagem.

CAS.TA.NHO.LA *s.f. Mús.* Instrumento de percussão formado por duas partes ocas e côncavas de madeira, unidas por um barbante, que são batidas uma na outra.

CAS.TE.LO *s.m.* 1) Grande residência fortificada. 2) Palácio. 3) Praça fortificada, cercada por muralhas, torres, etc.

CAS.TI.ÇAL *s.m.* Utensílio com bocal no qual se põe a vela.

CAS.TI.DA.DE *s.f.* 1) Abstinência sexual. 2) *Por ext.* Pureza.

CAS.TI.GAR *v.t.d., v.i.* e *v.p.* 1) Infligir um castigo, punição. / *v.t.d.* 2) Sobrecarregar.

CAS.TI.GO *s.m.* 1) Punição, pena. 2) Repreensão. 3) Sofrimento, tormento.

CAS.TO *adj.* Que se abstém de quaisquer relações sexuais; puro; inocente.

CAS.TRAR *v.t.d.* Extrair os órgãos da reprodução animal; capar; impedir de ser útil.

CA.SU.AL *adj.2gên.* Que depende do acaso; acidental, sem intenção, fortuito, eventual.

CA.SU.A.LI.DA.DE *s.f.* Qualidade do que é casual; acaso, eventualidade.

CA.SU.LO *s.m. Entom.* Invólucro construído pela larva de alguns insetos em volta do próprio corpo.

CA.TA.BO.LIS.MO *s.m. Fisiol.* Processo metabólico no qual ocorre a quebra de moléculas nutritivas e, com isso, liberação de energia.

CA.TA.CUM.BA *s.f.* Cemitério subterrâneo; sepultura.

CA.TA.LEP.SI.A *s.f.* Estado temporário de rigidez muscular, perda de movimentos voluntários e de sensibilidade.

CA.TA.LI.SA.DOR (ô) *adj.* e *s.m.* 1) Diz-se de ou substância que aumenta a velocidade de uma reação química sem se alterar no processo. 2) *fig.* Estimulante, dinamizador.

CA.TA.LI.SAR *v.t.d.* 1) Produzir catálise. 2) Aumentar a velocidade de uma reação química.

CA.TA.LO.GAR *v.t.d.* Enumerar; inventariar; inscrever em catálogo.

CA.TÁ.LO.GO *s.m.* Lista descritiva; relação de coisas ou pessoas.

CA.TA.PO.RA *s.f.* Doença contagiosa caracterizada por bolhas na pele.

CA.TA.PUL.TA *s.f.* 1) Antiga máquina de guerra usada para arremessar pedras e outros projéteis. *Aeron.* 2) Em porta-aviões, aparelho usado no lançamento de aviões ou mísseis.

CA.TAR *v.t.d.* 1) Buscar, pesquisar, procurar. 2) Recolher um a um, procurando entre outras coisas. 3) Buscar piolhos, pulgas, etc., em (corpo ou parte do corpo), matando-os.

CA.TA.RA.TA *s.f.* 1) Cachoeira, cascata. 2) *Med.* Opacidade do cristalino do olho, ou da sua membrana, que impede a chegada dos raios luminosos à retina.

CA.TAR.RO *s.m.* Secreção produzida pela inflamação das membranas mucosas.

CA.TAR.SE *s.f.* 1) Eliminação, purgação, purificação. 2) *Psicol.* Liberação de emoções reprimidas.

CA.TÁS.TRO.FE *s.f.* Grande desgraça; calamidade; acontecimento funesto.

CA.TA.TAU *s.m.* 1) *pop.* Coisa grande ou volumosa. 2) Indivíduo muito baixo. 3) Pancada.

CA.TA-VEN.TO *s.m.* 1) Aparelho que indica a velocidade e a direção do vento. 2) Mecanismo que usa a força do vento para retirar água de poços. 3) Brinquedo composto de papel em forma de pás de moinho preso a uma haste.

CA.TE.CIS.MO *s.m.* 1) Livro elementar de instrução religiosa cristã. 2) Doutrinação elementar sobre qualquer ciência ou arte.

CA.TE.DRAL *s.f.* Igreja principal de uma diocese.

CA.TE.GO.RI.A *s.f.* 1) *Filos.* Cada uma das classes em que se dividem ideias ou termos. 2) Classe, grupo, série, camada, ordem. 3) Gradação em uma hierarquia. 4) Posição social.

CA.TE.GÓ.RI.CO *adj.* 1) Relativo a categoria. 2) Claro; explícito; indiscutível; que não deixa dúvidas.

CA.TE.GO.RI.ZAR *v.t.d.* Dispor em categorias; classificar, ordenar.

CA.TE.TO (ê) *s.m.* 1) Catete. 2) *Zool.* Caititu. 3) *Geom.* Cada um dos lados do ângulo reto no triângulo retângulo.

CÁ.TION *s.m. Fís.* Átomo carregado positivamente, ou seja, que perdeu elétrons.

CA.TI.VAR *v.t.d.* e *v.p.* 1) Tornar(-se) cativo; prender (-se). / *v.t.d.* 2) Ganhar a estima ou simpatia de. 3) Atrair; encantar, seduzir.

CA.TI.VEI.RO *s.m.* 1) Estado ou caráter de cativo. 2) Escravidão, servidão, ausência de liberdade; sofrimento. 3) Opressão, tirania. 4) Local em que se mantém um indivíduo cativo ou sequestrado.

CA.TI.VO *adj.* e *s.m.* 1) Que não goza de liberdade; preso, prisioneiro, encarcerado. 2) Escravizado. 3) Atraído, seduzido.

CÁ.TO.DO *s.m. Fís.* Eletrodo ou pólo negativos de um circuito; catodo.

CA.TÓ.LI.CO *adj.* e *s.m.* 1) Relativo à religião católica. 2) O que professa ou segue a religião católica.

CA.TRA.CA *s.f.* Mecanismo com barras ou alça giratórias que controla a entrada ou saída.

CAU.BÓI *s.m.* 1) Figura heroica de vaqueiro. 2) *Por ext.* Vaqueiro.

CAU.DA *s.f.* 1) Apêndice posterior do tronco de alguns animais; rabo. 2) *Ornit.* O conjunto das penas do rabo das aves. 3) Parte do vestido que se arrasta. 4) Prolongação luminosa dos cometas.

CAU.LE *s.m. Bot.* Haste das plantas; tronco.

CAU.SA *s.f.* 1) Aquilo ou aquele que determina a existência de uma coisa; agente. 2) Origem, princípio. 3) Motivo, razão. 4) Pleito judicial, partido, facção.

CAU.SAL *adj.2gên.* Relativo a causa.

CAU.SA.LI.DA.DE *s.f.* 1) Qualidade do que é causal. 2) Ligação entre causa e efeito.

CAU.SAR *v.t.d.* e *v.t.d.i.* Ser causa de; originar, produzir; ocasionar; motivar.

CAU.SO *s.m.* 1) *pop.* Caso, conto. 2) *pop.* Caso sério; problema.

CÁUS.TI.CO *adj.* e *s.m.* 1) *Por ext.* Que corrói, queima ou cauteriza. 2) *fig.* Sarcástico, mordaz, irônico.

CAU.TE.LA *s.f.* 1) Cuidado, precaução, previdência. 2) Documento provisório como caução. 3) Título que representa ações.

CAU.TE.LO.SO (ô) *adj.* Que procede com cautela; cuidadoso; precavido; prudente.

CAU.TE.RI.ZAR *v.t.d.* 1) Aplicar cautério a. 2) *fig.* Extinguir, destruir.

CA.VA *s.f.* 1) Ato de cavar. 2) Lugar cavado; cova, fossa. 3) Abertura no vestuário no local que corresponde às axilas. 4) *Constr.* Adega ou frasqueira subterrânea.

CA.VA.CO *s.m.* 1) Lasca ou pedaço de madeira; apara; graveto. 2) Mostras de enfado ou zanga. 3) Conversa de amigos; bate-papo.

CA.VA.LA.RI.A *s.f.* 1) Grande número de cavalos. 2) Multidão de gente a cavalo. 3) Tropa que serve a cavalo. 4) Equitação. 5) Façanha de cavaleiro; proeza.

CA.VA.LA.RI.ÇA *s.f.* Casa destinada ao abrigo de cavalos; cocheira, estrebaria.

CA.VA.LEI.RO *adj.* 1) Que anda a cavalo. / *s.m.* 2) Homem montado ou que sabe andar a cavalo. 3) Membro de uma ordem de cavalaria. 4) Nobre, paladino.

CA.VA.LE.TE (ê) *s.m.* 1) Armação na qual se colocam tela para pintar, quadro-negro para escrever, máquina fotográfica, etc. 2) *Tip.* Mesa que sustenta as caixas de tipos.

CA.VAL.GAR *v.i.* 1) Andar ou montar a cavalo. 2) Montar a cavalo. / *v.t.d.* e *v.t.i.* 3) Montar sobre o cavalo ou outro animal qualquer. 4) Sentar-se escarranchado em.

CA.VA.LHEI.RIS.MO *s.m.* Gentileza, cortesia.

CA.VA.LHEI.RO *s.m.* 1) Homem de boas ações, sentimentos nobres, boa sociedade e educação. 2) Par de uma dama na dança.

cavalo — celulose

CA.VA.LO *s.m.* 1) *Zool.* Animal doméstico que serve de montaria, na tração de carruagens e nos trabalhos agrícolas. 2) *Agr.* Ramo ou tronco, sobre que se faz o enxerto. 3) Peça do jogo de xadrez.

CA.VA.NHA.QUE *s.m.* Barba na parte inferior do queixo.

CA.VA.QUI.NHO *s.m. Mús.* Pequeno instrumento musical de quatro cordas usado para tocar principalmente samba e choro.

CA.VAR *v.t.d.* 1) Furar ou revolver a terra. 2) *Por ext.* Abrir uma cavidade na terra. 3) *Por ext.* Escavar. 4) Abrir cava em uma roupa. 5) *Por ext.* Extrair, com escavações. 6) *fig.* Conseguir algo depois de muito esforço. / *v.t.i.* 7) *fig.* Buscar com afinco; procurar.

CA.VEI.RA *s.f.* 1) Cabeça descarnada. 2) Rosto excessivamente magro.

CA.VER.NA *s.f.* 1) Cavidade natural, profunda, na terra; antro, gruta, furna, hipogeu. 2) *Náut.* A parte inferior das balizas compostas de uma embarcação. 3) *Med.* Cavidade num órgão resultante de processo patológico destrutivo.

CA.VER.NO.SO (ô) *adj.* 1) Que tem cavernas; esburacado. 2) Semelhante à caverna. 3) Que tem som cavo, abafado, profundo e rouco.

CA.VI.AR *s.m.* 1) Ovas de esturjão em conserva. 2) Iguaria feita com essas ovas.

CA.VI.DA.DE *s.f.* 1) Espaço cavado ou vazio de um corpo sólido. 2) Buraco, depressão; concavidade, cova. 3) *Med.* Escavação mórbida.

CA.VOU.CAR *v.t.d.* 1) Cutucar, mexer. / *v.t.d.* e *v.i.* 2) Abrir cova, buraco.

CA.XUM.BA *s.f.* Doença contagiosa que causa febre e inflamação das parótidas; parotidite.

CE.AR *v.i.* 1) Comer a ceia. / *v.t.d.* 2) Comer na ocasião da ceia.

CE.A.REN.SE *adj.2gên.* 1) Relativo ao estado do Ceará. / *s.2gên.* 2) Pessoa habitante ou natural do Ceará.

CE.BO.LA (ô) *s.f.* 1) *Bot.* Planta hortense, bulbosa, da família das Liliáceas, cujo bulbo entra como tempero em várias comidas. 2) Bulbo dessa planta.

CE.DER *v.t.d.i.* 1) Transferir a alguém o direito ou posse de algo. 2) Emprestar; colocar à disposição de alguém. / *v.t.i.* e *v.i.* 3) Não resistir, sucumbir. 4) Anuir. / *v.i.* 5) Diminuir, cessar. 6) Alargar, afrouxar.

CE.DI.LHA *s.f.* Sinal gráfico que se põe debaixo do *c* antes de *a*, *o*, *u*, para indicar que tem o valor de *ss*.

CE.DO (ê) *adv.* 1) Antes da ocasião propícia, com antecedência. 2) Prematuramente. 3) Ao alvorecer, de madrugada. 4) De pronto; logo.

CÉ.DU.LA *s.f.* 1) Documento escrito com efeitos legais. 2) Dinheiro em papel; nota. 3) Declaração de dívida, escrita, mas sem caráter legal. 4) Bilhete de banco; apólice. 5) Papeleta com nome de candidato a cargo eletivo.

CE.FA.LEI.A (éi) *s.f. Med.* Dor de cabeça.

CE.GAR *v.t.d.* 1) Privar da vista, tornar cego. / *v.t.d.* e *v.p.* 2) Deslumbrar(-se), fascinar(-se). / *v.t.d.* e *v.t.i.* 3) Fazer perder a razão; alucinar. / *v.t.d.* 4) Tirar fio ou gume de facas e outros instrumentos.

CE.GO *adj.* 1) Privado da vista. 2) *fig.* Alucinado; inconsciente; impedido de raciocínio. 3) Total, absoluto. 4) Instrumento sem fio ou gume.

CE.GO.NHA *s.f. Ornit.* Nome dado a aves pernaltas.

CE.GUEI.RA *s.f.* 1) Estado de quem é cego; perda da visão. 2) *fig.* Falta de lucidez. 3) *fig.* Falta de bom senso por excesso de afeição.

CEI.A *s.f.* 1) Refeição da noite, a última em cada dia. 2) Quadro representando a última ceia de Cristo com os apóstolos.

CEI.FA *s.f.* 1) Ato de ceifar. 2) Tempo ou época de ceifar; colheita.

CEI.FAR *v.t.d.* Cortar hastes; abater searas com foice ou outro instrumento apropriado.

CE.LA *s.f.* 1) Cubículo; alcova; prisão. 2) Aposento de frades ou freiras nos conventos. 3) Alvéolo do favo.

CE.LE.BRA.ÇÃO *s.f.* 1) Ato ou efeito de celebrar. 2) Comemoração. 3) Realização formal de um contrato, acordo, etc. 4) Realização de um ritual ou ofício religioso.

CE.LE.BRAR *v.t.d.* 1) Realizar com solenidade; comemorar, festejar. 2) Publicar com louvor; exaltar.

CÉ.LE.BRE *adj.2gên.* 1) Que tem grande fama; notável. 2) *pop.* Esquisito, extravagante, singular.

CE.LE.BRI.DA.DE *s.f.* 1) Fama, notabilidade, glória. 2) Pessoa famosa.

CE.LEI.RO *s.m.* 1) Casa onde se guardam ou juntam cereais. 2) Depósito de provisões; tulha; silo.

CE.LES.TE *adj.* 1) Que se refere ao céu. 2) Que está ou aparece no céu. 3) Da divindade ou a ele relativo. 4) Sobrenatural; divinal; celestial. 5) Delicioso, perfeito.

CE.LES.TI.AL *adj.2gên.* 1) Relativo ao céu. 2) Divino. 3) *fig.* Perfeito; de qualidade excelente.

CE.LI.BA.TO *s.m.* Estado de pessoa que permanece solteira.

CÉ.LU.LA *s.f.* 1) Cela pequena. 2) Pequena cavidade. 3) Alvéolo dos cortiços. 4) Casulo de semente. 5) *Biol.* Unidade fundamental de todo ser vivo.

CE.LU.LAR *adj.2gên.* 1) *Biol.* Relativo a célula. 2) *Biol.* Que tem ou é formado de células. / *s.m.* 3) Telefone celular.

CE.LU.LI.TE *s.f.* Inflamação da pele ou do tecido subcutâneo.

CE.LU.LO.SE *s.f. Quím.* e *Biol.* Substância formada por hidrato de carbono que constitui as membranas das células vegetais, com inúmeros empregos industriais.

cem | cereal

CEM *num.* 1) Noventa mais dez. / *s.m.* 2) A representação gráfica desse número.

CE.MI.TÉ.RIO *s.m.* Terreno onde se enterram os mortos; campo-santo.

CE.NA *s.f.* 1) Vista, espetáculo, panorama, paisagem. 2) Cada uma das unidades de ação de uma peça. 3) Ato censurável ou escandaloso.

CE.NÁ.RIO *s.m.* 1) Conjunto de bastidores e vistas, apropriados aos fatos representados. 2) Lugar onde se passa algum fato. 3) Panorama.

CE.NHO *s.m.* 1) Rosto, semblante. 2) Expressão ou fisionomia fechada; aspecto carrancudo.

CÊ.NI.CO *adj.* Da cena ou referente a ela; representações teatrais.

CE.NO.GRA.FI.A *s.f.* Arte de elaborar e criar cenários.

CE.NÓ.GRA.FO *s.m.* Especialista em cenografia; pintor de cenários; cenarista.

CE.NOU.RA *s.f. Bot.* Planta hortense de raiz comestível.

CEN.SO *s.m.* 1) Contagem ou alistamento geral da população; recenseamento. 2) Rendimento dos cidadãos, que servia de base ao exercício de certos direitos políticos.

CEN.SU.RA *s.f.* 1) Ato ou efeito de censurar; repreensão. 2) Cargo, dignidade ou função de censor. 3) Exame crítico de obras literárias ou artísticas. 4) Condenação eclesiástica de certas obras.

CEN.SU.RAR *v.t.d.* 1) Exercer censura sobre algo. 2) Proibir a divulgação ou exibição. 3) Desaprovar, reprovar. 4) Repreender.

CEN.TAU.RO *s.m. Mit.* Ser mitológico, metade homem, metade cavalo.

CEN.TA.VO *s.m.* 1) A centésima parte; centésimo. 2) Moeda divisionária que representa a centésima parte da unidade monetária do Brasil e de alguns outros países.

CEN.TEI.O *s.m.* 1) *Bot.* Planta cerealífera da família das Gramíneas, largamente cultivada. 2) Semente dessa planta.

CEN.TE.LHA (ê) *s.f.* 1) Partícula luminosa; fagulha, faísca. 2) Luz forte resultante do choque de dois corpos duros. 3) Inspiração; intuição.

CEN.TE.NA *s.f.* 1) Quantidade de 100; cento. 2) *Mat.* Unidade de terceira ordem no sistema decimal de numeração.

CEN.TE.NÁ.RIO *s.m.* 1) Período de 100 anos; século. 2) Que possui 100 anos ou mais. / *adj.* 3) Relativo ao número 100.

CEN.TÉ.SI.MO *num.* 1) Que, numa série, ocupa o lugar de 100. / *s.m.* 2) Cada uma das 100 partes em que se dividiu um todo.

CEN.TÍ.GRA.DO *adj.* 1) Dividido em 100 graus. 2) Cada uma das 100 partes, na escala de temperatura centesimal, entre os pontos de congelação e ebulição da água.

CEN.TÍ.ME.TRO *s.m.* Unidade de medida de comprimento, equivalente à centésima parte do metro.

CEN.TO *s.m.* 1) O número 100; centena. 2) Coleção ou grupo de 100 objetos.

CEN.TRAL *adj.2gên.* 1) Referente a centro; sede; ponto principal. / *s.f.* 2) Estação distribuidora.

CEN.TRA.LI.ZAR *v.t.d.* Tornar central; reunir em centro; fazer convergir para um centro; concentrar; centrar.

CEN.TRI.FU.GA.ÇÃO *s.f.* 1) Ato ou efeito de centrifugar. 2) Separação de elementos de mistura por meio de centrifugador.

CEN.TRI.FU.GA.DOR *s.m.* Aparelho que promove a separação dos componentes de uma mistura, ao ser girado seu disco central.

CEN.TRI.FU.GAR *v.t.d.* 1) Submeter à força centrífuga. / *v.t.d.* e *v.p.* 2) *Por ext.* Afastar(-se) do centro.

CEN.TRÍ.PE.TO *adj.* Que se aproxima do eixo de rotação.

CEN.TRO *s.m.* 1) *Geom.* Ponto situado a igual distância de todos os pontos de uma circunferência ou da superfície de uma esfera. 2) Meio de qualquer espaço.

CE.PO (ê) *s.m.* 1) Cepa. 2) Pedaço de tronco de árvore, cortado transversalmente. 3) Prancha grossa de madeira na qual estão embutidas as cravelhas, no piano.

CE.RA (ê) *s.f.* 1) Substância secretada pelas abelhas para a construção dos favos. 2) Velas ou tochas dessa substância. 3) Substância vegetal, semelhante à cera animal. 4) Preparado para dar brilho aos assoalhos.

CE.RÂ.MI.CA *s.f.* Arte ou processo de fazer artefatos de argila.

CER.CA (ê) *adv.* 1) Junto, perto, próximo. 2) Cerca de: pouco mais ou menos, quase. / *s.f.* 3) Obra destinada a limitar ou fechar uma porção de terreno; vedação.

CER.CA.DO *adj.* e *s.m.* 1) Provido de cerca. 2) Terreno fechado com cerca.

CER.CAR *v.t.d.* 1) Fechar com cerca ou muro. 2) Rodear como uma cerca; cingir, circundar; fazer círculo; estar em volta de.

CER.CE.AR *v.t.d.* 1) Cortar rente. / *v.t.d.i.* 2) *fig.* Restringir, limitar.

CER.CO (ê) *s.m.* 1) Ato de cercar. 2) Aquilo que cerca ou circunda; círculo. 3) Assédio militar ou policial. 4) *fig.* Insistência importuna junto a alguém.

CER.DA (é ou ê) *s.f.* 1) Pelo áspero e duro de alguns animais. 2) *Por ext.* Fibra natural ou sintética de escova, pincel, etc.

CE.RE.AL *adj.2gên.* 1) Relativo a grão, como trigo, arroz, cevada, milho, etc. / *s.m.* 2) Nome das Gramíneas cujos grãos, reduzidos a farinha, servem para alimento.

cerebelo — chalé

CE.RE.BE.LO (ê) *s.m. Anat.* Parte do encéfalo situada na fossa cerebral posterior.

CE.RE.BRAL *adj.* Referente ao cérebro.

CÉ.RE.BRO *s.m.* 1) *Anat.* Parte maior do encéfalo, que ocupa a parte anterior e superior do crânio. 2) *fig.* Inteligência, razão, espírito; talento.

CE.RE.JA (ê) *s.f.* 1) Fruto da cerejeira. 2) Fruto de outras plantas parecido com o da cerejeira. / *adj.* 3) Que tem a cor vermelha da cereja.

CE.RE.JEI.RA *s.f.* Árvore de casca lisa e cinzenta, flores brancas e frutos vermelhos comestíveis.

CE.RI.MÔ.NIA *s.f.* 1) Forma exterior de um culto religioso. 2) Solenidade.

CE.RI.MO.NI.AL *adj.2gên.* 1) Relativo a cerimônia. 2) Cerimonioso, formal. / *s.m.* 3) O conjunto das formalidades de determinado evento ou cerimônia.

CE.RI.MO.NI.O.SO *adj.* Cheio de cerimônias, de mesuras.

CER.NE *s.m.* 1) *Bot.* Parte interna do tronco das árvores. 2) *fig.* A parte essencial; centro, âmago.

CE.ROL *s.m.* Mistura de vidro moído e cola que se passa na linha da pipa.

CE.ROU.LAS *s.f.pl.* Peça do vestuário masculino que vai da cintura ao tornozelo e é usada por baixo das calças.

CER.RAR *v.t.d.* 1) Fechar; cercar, vedar; tapar. / *v.t.d.* e *v.p.* 2) Concluir(-se), terminar(-se). 3) Apertar(-se), unir(-se). / *v.p.* 4) Cobrir-se de nuvens; escurecer.

CER.TA *s.f.* 1) Aquilo que é certo, certeza. 2) Usado na locução *na certa* ➡ Na certa, ele será aprovado.

CER.TEI.RO *adj.* Que é certo, com exatidão, sem erros; preciso.

CER.TE.ZA (ê) *s.f.* 1) Qualidade do que é certo. 2) Convicção; coisa certa.

CER.TI.DÃO *s.f.* Documento em que se certifica fielmente um registro; atestado.

CER.TI.FI.CA.DO *adj.* 1) Dado por certo. / *s.m.* 2) Documento legal em que se certifica alguma coisa; diploma.

CER.TI.FI.CAR *v.t.d.* e *v.t.d.i.* 1) Afirmar a verdade de; atestar, confirmar. / *v.t.d.* 2) Passar certidão de. / *v.t.d.* e *v.p.* 3) Dar ou ter certeza de; assegurar(-se).

CER.TO *adj.* 1) Verdadeiro; sem erro; evidente; infalível. 2) Aprazado, combinado. 3) Que sabe bem; convencido, inteirado. 4) Exato, preciso.

CE.RU.ME *s.m.* Cera do ouvido.

CER.VE.JA (ê) *s.f.* Bebida alcoólica fermentada feita de cevada ou outros cereais.

CER.VE.JA.RI.A *s.f.* 1) Fábrica de cerveja. 2) Estabelecimento onde se vende cerveja.

CER.VO *s.m. Zool.* Nome comum a diversas espécies de veado.

CE.SÁ.REA *s.f.* Cesariana.

CE.SA.RI.A.NA *adj.* e *s.f. Cir.* Operação que consiste em abrir o abdome materno para extrair o feto; cesárea.

CÉ.SIO *s.m. Quím.* Elemento metálico cor de prata, do grupo dos metais alcalinos, de símbolo Cs.

CES.SÃO *s.f.* 1) Ato de ceder. 2) Transferência de bem ou de direito. 3) Renúncia, desistência.

CES.SAR *v.t.i.* e *v.i.* 1) Acabar, parar; desistir. / *v.t.d.* 2) Interromper; suspender.

CES.TA (ê) *s.f.* 1) Utensílio, geralmente de verga e com asa para guardar ou transportar qualquer coisa; cesto. 2) *Esp.* No basquetebol, rede de malha por onde se faz passar a bola.

CES.TO *s.m.* Cesta.

CE.TÁ.CEO *adj.* 1) *Zool.* Relativo ou pertencente aos Cetáceos. / *s.m.* 2) Ordem de mamíferos aquáticos, a qual pertencem baleias, golfinhos e outros animais.

CE.TI.CIS.MO *s.m.* 1) Cepticismo. 2) Qualidade de quem é cético.

CÉ.TI.CO *adj.* e *s.m.* Que ou quem duvida de tudo; descrente.

CE.TIM *s.m.* Tecido macio e lustroso de seda ou algodão.

CE.TRO *s.m.* 1) Bastão de comando, um dos emblemas da realeza. 2) Autoridade ou poder real. 3) Superioridade.

CÉU *s.m.* 1) Espaço ilimitado onde giram os astros. 2) Abóboda celeste, firmamento. 3) Ar, atmosfera. 4) Lugar, segundo a crença religiosa, habitado por Deus, os anjos e onde estão as almas dos justos.

CE.VA.DA *s.f. Bot.* Planta gramínea cerealífera cujo grão fornece farinha alimentícia e é utilizado na fabricação da cerveja.

CHÁ *s.m.* 1) *Bot.* Planta da família das Teáceas. 2) As folhas preparadas e secas dessa planta. 3) Infusão medicinal dessas folhas. 4) Reunião em que se serve chá.

CHÁ.CA.RA *s.f.* Pequena propriedade em zona rural; sítio.

CHA.CI.NA *s.f. Por ext.* Assassinato de várias pessoas em uma mesma ação; matança.

CHA.COA.LHAR *v.t.d.* e *v.i.* 1) Sacudir, balançar. 2) Zombar.

CHA.CO.TA *s.f.* 1) Deboche, zombaria. 2) Canção ou trova de versos satíricos.

CHA.FA.RIZ *s.m.* Construção com uma ou várias bicas por onde jorra água.

CHA.FUR.DAR *v.t.i., v.i.* e *v.p.* 1) Atolar, revolver-se na lama. / *v.t.i.* 2) *fig.* Envolver-se em vícios. / *v.t.d.i.* 3) *fig.* Sujar, macular.

CHA.GA *s.f.* 1) Ferida aberta, úlcera. 2) *fig.* O que causa prejuízos. 3) *fig.* Desgraça, infortúnio.

CHA.LÉ *s.m.* Casa campestre de madeira, em estilo suíço.

chaleira | **chega**

CHA.LEI.RA *s.f.* 1) Vasilha de metal, com bico, alça e tampa, na qual se aquece água. 2) *fig.* Adulador, bajulador.

CHA.MA *s.f.* 1) O mesmo que chamada; chamariz. 2) Pássaro que se põe no alçapão para atrair outro. 3) Luz que se eleva de matérias incendiadas e é resultante da combustão dos gases por ela produzidos. 4) Labareda. 5) Ardor, paixão.

CHA.MA.DA *s.f.* 1) Ato de chamar; chamamento, chamado. 2) Toque para reunir. 3) *Tip.* Sinal que o revisor põe nas provas para indicar a emenda a fazer. 4) Advertência, censura, observação. 5) *pop.* Puxão.

CHA.MA.DO *adj.* 1) Que se chamou. / *s.m.* 2) Apelo, chamamento.

CHA.MAR *v.t.d.* 1) Invocar alguém pelo seu nome; verificar se está presente. 2) Mandar vir alguém. 3) Convocar por meio de toque para reunião; atrair. 4) Dar nome a.

CHA.MA.RIZ *s.m.* Coisa usada para atrair; isca.

CHAM.BRE *s.m.* Roupão.

CHA.ME.GO *s.m.* 1) Amizade muito íntima; atração amistosa. 2) Namoro.

CHA.MI.NÉ *s.f.* 1) Tubo que comunica o fogão com o exterior para dar saída à fumaça. 2) Tubo de vidro dos lampiões de querosene.

CHA.MUS.CAR *v.t.d.* e *v.p.* Queimar(-se) de leve.

CHAN.CE *s.f.* Ocasião favorável; oportunidade.

CHAN.CE.LER *s.m.* 1) Ministro das Relações Exteriores de um país. 2) Magistrado encarregado de chancelar documentos ou diplomas.

CHAN.FRAR *v.t.d.* Cortar na diagonal ou obliquamente.

CHAN.TA.GE.AR *v.t.d.* e *v.i.* Fazer chantagem.

CHAN.TA.GEM *s.f.* Ato de extorquir dinheiro ou favores sob a ameaça de revelações escandalosas, verdadeiras ou não.

CHAN.TI.LI *s.m.* Creme de leite batido com açúcar, usado como sobremesa ou como cobertura e recheio de bolos.

CHÃO *s.m.* 1) Solo; terra; terreno em que pisamos. 2) Lugar onde se nasceu ou se vive. 3) *pop.* Distância ➡ Daqui até sua casa tem chão. / *adj.* 4) Liso, plano. 5) Tranquilo; singelo.

CHA.PA *s.f.* 1) Folha metálica; peça lisa e plana de espessura uniforme; lâmina. 2) Desenho, aberto em metal, para ser reproduzido. 3) *Fot.* Placa rígida, geralmente de vidro, recoberta de emulsão fotográfica.

CHA.PA.DA *s.f.* Esplanada no alto de um monte; planalto.

CHA.PA.DO *adj.* 1) Estatelado, estirado. 2) *fig. pop.* Prostrado por excesso de cansaço, de álcool ou de droga.

CHA.PAR *v.t.d.* 1) Pôr chapa em. 2) Dar a forma de chapa. / *v.p.* 3) Cair estendido; estatelar-se.

CHA.PE.LA.RI.A *s.f.* 1) Local onde se fabricam ou se vendem chapéus. 2) Local em cinemas, teatros, etc., onde se guardam chapéus, guarda-chuvas e outras coisas.

CHA.PÉU *s.m.* 1) Cobertura de feltro, palha ou outro material, com copa e abas, para cabeça. 2) Dignidade cardinalícia.

CHA.RA.DA *s.f.* 1) Espécie de problema proposto, no qual se deve adivinhar a palavra segundo o conceito dado. 2) Linguagem obscura, adivinhação.

CHAR.CO *s.m. Por ext.* Terreno alagadiço, com água parada e lamacenta, pouco profunda.

CHAR.GE *s.f.* Desenho ou pintura satírica ou humorística de um acontecimento, social ou político, o qual geralmente é do conhecimento de todos.

CHAR.LA.TÃO *adj.* e *s.m. Por ext. pej.* Quem engana as pessoas; trapaceiro, impostor.

CHAR.ME *s.m.* Atração; encanto; beleza; sedução; graça; fascínio.

CHAR.QUE *s.m.* Carne bovina, salgada, comprimida e seca ao sol.

CHAR.RE.TE *s.f.* Carro, de duas rodas altas, puxado por um cavalo; cabriolé.

CHA.RU.TO *s.m.* Rolo de folhas secas de tabaco, preparado para ser fumado.

CHAS.SI *s.m.* Estrutura de aço sobre a qual se monta a carroceria de um veículo.

CHA.TA *s.f.* 1) Embarcação larga e pouco funda. / *adj.* 2) Diz-se da pessoa que não é agradável.

CHA.TE.AR *v.t.d., v.i.* e *v.p.* 1) Aborrecer, irritar(-se), amolar, importunar. 2) Tornar chato, sem relevo.

CHA.TI.CE *s.f. pop.* Qualidade do que é chato; o que aborrece; chateação.

CHA.TO *s.m.* 1) Que não tem relevo; liso, plano; rasteiro. 2) Piolho que vive nos pelos da região pubiana do corpo humano. / *adj.* 3) Importuno, inconveniente, maçante.

CHA.VE *s.f.* 1) Peça de metal que abre as fechaduras. 2) Instrumento usado para apertar ou desapertar porcas, parafusos e outros objetos. 3) Posição ou ponto estratégico que acessa alguma coisa.

CHA.VEI.RO *s.m.* 1) Aparelho ou objeto para guardar ou prender chaves. 2) Indivíduo que faz chaves e conserta fechaduras. 3) Carcereiro; porteiro.

CHE.CAR *v.t.d.* Controlar; comparar; verificar; examinar; experimentar; fiscalizar.

CHE.FE *s.m.* 1) Pessoa que comanda, que dirige; o cabeça. 2) Caudilho; capitão. 3) *gír.* Tratamento irônico que geralmente é dado a um desconhecido.

CHE.FI.A *s.f.* 1) Repartição onde o chefe dá expediente e exerce suas funções; chefatura. 2) Direção, governo, comando, liderança.

CHE.FI.AR *v.t.d.* e *v.i.* Exercer cargo ou função de chefe; comandar, governar.

CHE.GA *interj.* Basta.

chegada — choradeira

CHE.GA.DA *s.f.* 1) Ato ou efeito de chegar. 2) Término do movimento de ida ou vinda; fim.

CHE.GA.DO *adj.* 1) Muito próximo no espaço; muito perto. 2) Ligado por amizade. 3) Propenso, inclinado.

CHE.GAR *v.i.* 1) Vir; aproximar-se de um ponto; ficar perto de. 2) Nascer. 3) Começar, acontecer ➡ O inverno chegou. / *v.t.d.i.* 4) Juntar duas coisas, aproximar ➡ Chegar o lenço às mãos. / *v.p.* 5) Achegar-se, aproximar-se.

CHEI.A *s.f.* 1) Enchente de rio; inundação. 2) *fig.* Grande número, quantidade. 3) Fase lunar.

CHEI.O *adj.* 1) Que não pode conter mais; pleno; completo. 2) Não oco; maciço; compacto. 3) Diz-se do traço não interrompido.

CHEI.RAR *v.t.d.* 1) Sentir o cheiro de. 2) Introduzir no nariz rapé ou droga. 3) Indagar. / *v.t.i.* e *v.i.* 4) Exalar cheiro. 5) Ter aparência ou semelhança. 6) *pop.* Agradar.

CHEI.RO *s.m.* 1) Odor; cheiro desagradável; fedor. 2) Cheiro agradável; aroma; perfume; essência aromática. 3) Faro, olfato. 4) Aparência, indício, rasto, reputação.

CHEI.RO.SO (ô) *adj.* Que tem cheiro agradável; perfumado.

CHE.QUE *s.m.* Ordem de pagamento autorizada pelo titular da conta a favor de outra pessoa ou firma.

CHI.A.DO *s.m.* 1) Ato ou efeito de chiar. 2) Ruído.

CHI.AR *v.i.* 1) Emitir chiados. 2) Produzir ruído prolongado. 3) Produzir som semelhante ao de algo fervendo ou fritando. 4) *pop.* Reclamar, protestar.

CHI.BA.TA *s.f.* 1) Vara comprida e flexível usada para bater. 2) Chicote.

CHI.BA.TA.DA *s.f.* Golpe com chibata; chicotada.

CHI.CLE.TE *s.m.* Goma de mascar; chicle.

CHI.CO *s.m.* 1) *pop.* Mico ou macaco doméstico. 2) *pop.* Menstruação.

CHI.CO.TA.DA *s.f.* Golpe dado com chicote.

CHI.CO.TE *s.m.* 1) Tira de couro com cabo usado para castigar animais; açoite; guasca. 2) *Náut.* Extremidade de um cabo. 3) *Autom.* Conjunto de fios de estopa longos, que serve para lavar automóveis.

CHI.FRA.DA *s.f.* Golpe com chifres.

CHI.FRE *s.m.* Apêndice córneo que forma o par que guarnece a fronte de alguns animais adultos; corno; guampa.

CHI.FRU.DO *adj.* 1) Que tem chifres. 2) *pop.* Que é enganado ou traído pelo cônjuge. / *s.m.* 3) *pop.* Homem traído pela mulher. 4) *pop.* O diabo.

CHI.LI.QUE *s.m.* 1) *pop.* Ataque de nervos de pouca duração; faniquito. 2) *pop.* Desmaio.

CHI.MAR.RÃO *s.m.* Mate amargo que se bebe em uma cuia com um canudo.

CHIM.PAN.ZÉ *s.m.* 1) *Zool.* Macaco antropoide habitante das florestas equatoriais da África; chimpanzé. 2) *pop.* Indivíduo muito feio e desajeitado.

CHI.NA *s.f.* 1) País da Ásia. / *adj.2gên.* e *s.f.* 2) Pessoa do sexo feminino que apresenta certos traços das mulheres indígenas; cabocla.

CHI.NE.LA.DA *s.f.* Golpe com chinelo.

CHI.NE.LO *s.m.* Calçado confortável, geralmente utilizado em casa.

CHI.NÊS *adj.* e *s.m.* 1) Referente à China. 2) Natural ou habitante da China. 3) Grupo de línguas faladas nesse país.

CHIN.FRIM *adj.2gên. pej.* Ordinário, de mau gosto, de má qualidade.

CHI.QUE *adj.* Bonito, catita, elegante, luxuoso.

CHI.QUEI.RO *s.m.* 1) Curral de porcos. 2) *fig. pop.* Lugar imundo.

CHIS.PAR *v.t.d.i.* e *v.i.* 1) Lançar chispas/faíscas. / *v.i.* 2) *fig.* Encolerizar-se. 3) Correr em disparada ➡ Chispa daqui!

CHI.TA *s.f.* Pano ordinário de algodão, estampado em cores.

CHO.CA.LHA.DA *s.f.* 1) Ato de chocalhar. 2) Barulho de chocalhos. 3) Grande número de chocalhos.

CHO.CA.LHAR *v.i.* 1) Tocar chocalho. / *v.t.d.* 2) Agitar, fazer soar chocalho ou objeto similar; chacoalhar. 3) Divulgar segredos (fofocar).

CHO.CA.LHO *s.m.* 1) Campainha cilíndrica de som surdo; guizo. 2) Cabaça que se agita para produzir som como o do chocalho.

CHO.CAN.TE *adj.* 1) Que choca; escandaloso. 2) *pop.* Muito bom ou bonito.

CHO.CAR *v.t.d.* 1) Diz-se da ave que aquece o ovo, incubar. 2) *fig.* Pensar longamente em; premeditar. / *v.t.i.* e *v.p.* 3) Produzir choque; colidir; ir de encontro a. / *v.t.d.* e *v.p.* 4) Ofender(-se), escandalizar(-se). / *v.i.* 5) *fig.* Esperar por muito tempo.

CHO.CO (ô) *adj.* e *s.m.* 1) Nome dado ao ovo no qual está se desenvolvendo o germe. 2) Diz-se da galinha que está incubando. 3) Ovo podre, estragado.

CHO.CO.LA.TE *s.m.* 1) Pasta alimentar feita de cacau, açúcar e várias substâncias aromáticas. 2) Bebida preparada com o produto em pó.

CHO.FER *s.m.* Indivíduo que conduz automóvel; motorista.

CHO.PE (ô) *s.m.* Bebida de barril, espécie de cerveja.

CHO.QUE *s.m.* 1) Encontro de dois corpos, impacto; colisão. 2) Encontro de forças militares que se opõem violentamente. 3) *fig.* Antagonismo, conflito, oposição. 4) Comoção, abalo emocional. 5) Ação de cargas elétricas.

CHO.RA.MIN.GAR *v.i.* 1) Chorar com frequência e com poucas lágrimas por motivos fúteis. 2) Chorar baixo. / *v.t.d.* e *v.i.* 3) Falar, reclamar ou pedir com voz chorosa.

CHO.RA.DEI.RA *s.f.* 1) Choro longo e intenso. 2) *Por ext.* Lamentação, lamúria.

CHO.RÃO *adj.* e *s.m.* 1) Que ou quem chora muito. 2) Que ou quem toca choro.

CHO.RAR *v.i.* 1) Derramar ou verter lágrimas. / *v.t.d.* 2) Lamentar, queixar-se de. / *v.t.d.i.* 3) Pechinchar em relação a preço.

CHO.RI.NHO *s.m.* Variante da música choro.

CHO.RO (ô) *s.m.* 1) Ato ou efeito de chorar; pranto, lágrimas. 2) *Mús.* Conjunto instrumental de música popular. 3) Música sentimental tocada por esse conjunto.

CHO.RO.SO *adj.* 1) Que chora; lacrimoso. 2) *fig.* Que indica tristeza, sofrimento.

CHO.RU.ME *s.m.* 1) Gordura, banha secretada da pele do animal. 2) *fig.* Fartura, riqueza. 3) Resíduo líquido que se forma da decomposição de matéria orgânica presente no lixo.

CHO.RU.ME.LA *s.f.* Coisa sem valor.

CHOU.PA.NA *s.f.* Casa pequena e humilde; cabana; casebre.

CHO.VER *v.i.* 1) Cair água das nuvens. / *v.t.d.* 2) *fig.* Fazer cair; derramar ➡ Em seu casamento, choveu pétalas de rosa.

CHU.CHU *s.m.* 1) *Bot.* Planta trepadeira de fruto verde e comestível; chuchuzeiro. 2) Fruto dessa planta. 3) *pop.* Moça ou mulher bonita.

CHU.CRO *adj.* 1) Bravo; indomado; selvagem. 2) *Por ext.* Desprovido de cultura; ignorante.

CHU.LÉ *s.m. pop.* Mau cheiro desprendente dos pés sujos.

CHU.LO *adj.* Grosseiro, rude, ofensivo.

CHU.MA.ÇO *s.m.* Pequena porção de material mole que faz volume, como algodão, cabelo, etc.

CHUM.BO *s.m.* 1) *Quím.* Elemento metálico, de símbolo Pb. 2) Grãos desse metal usados para caça. 3) Coisa muito pesada. 4) *pop.* Reprovação em exame.

CHU.PAR *v.t.d.* 1) Sorver, sugar, absorver. 2) Extrair com a boca o suco de.

CHU.PE.TA (ê) *s.f.* Espécie de mamilo de borracha para crianças; bico de mamadeira.

CHUR.RAS.CA.RI.A *s.f.* Restaurante que serve principalmente churrasco.

CHUR.RAS.CO *s.m.* Carne assada sobre brasas.

CHUR.RAS.QUEI.RA *s.f.* Aparelho ou local para fazer churrasco.

CHUR.RO *s.m.* Cilindro de massa de farinha frito, recheado ou não com doce.

CHU.TAR *v.t.d.* e *v.i.* 1) Dar chute na bola ou em qualquer objeto. 2) Tentar acertar uma resposta. 3) *fig.* Contar gabolices, mentir.

CHU.TE *s.m.* 1) *Esp.* Pontapé dado na bola. 2) Pontapé. 3) Tentativa de acertar algo, uma resposta, ao acaso. 4) *gír.* Mentira, balela.

CHU.TEI.RA *s.f.* Botina apropriada para o futebol.

CHU.VA *s.f.* 1) *Meteor.* Água que cai das nuvens em forma de gotas. 2) *fig.* Tudo que cai do alto em grande quantidade. 3) Bebedeira, embriaguez.

CHU.VA.RA.DA *s.f.* Chuva torrencial e forte.

CHU.VEI.RO *s.m.* 1) Aparelho elétrico com crivo para banho em forma de chuva. 2) Crivo dos regadores, pelo qual se rega. 3) Chuva súbita, abundante e passageira. 4) *fig.* Grande porção de coisas que caem ou se sucedem com rapidez.

CHU.VIS.CAR *v.i.* Cair chuva fina e rala; chover pouco.

CHU.VO.SO *adj.* 1) Com chuva. 2) Em que chove muito ou frequentemente.

CI.BER.NÉ.TI.CA *s.f.* Ciência que estuda o funcionamento e controle das conexões nervosas nos organismos vivos e nas máquinas.

CI.BOR.GUE *s.m.* Criatura que é parte humana e parte máquina.

CI.CA.TRIZ *s.f.* 1) *Med.* Sinal deixado por ferida ou lesão depois de curadas. 2) Sinal ou vestígio de uma destruição. 3) Lembrança duradoura de uma ofensa.

CÍ.CLI.CO *adj.* 1) Relativo a um ciclo. 2) Que volta por intervalos regulares. 3) *Med.* Doença que se repete periodicamente.

CI.CLIS.MO *s.m.* Prática esportiva de andar ou correr de bicicleta.

CI.CLIS.TA *s.2gên.* Aquele que pratica o ciclismo.

CI.CLO *s.m.* 1) Sequência de fenômenos que se produzem em ordem determinada. 2) *Astr.* Período de mesma duração após o qual os fenômenos astronômicos se repetem.

CI.CLO.NE *s.m. Meteor.* Tempestade violenta que se caracteriza por ventos e chuvas fortes.

CI.CLO.VIA *s.f.* Pista especial para trânsito de bicicletas.

CI.DA.DA.NI.A *s.f.* Qualidade de cidadão.

CI.DA.DÃO *s.m.* Habitante de uma cidade; aquele que goza dos direitos civis e políticos de um Estado.

CI.DA.DE *s.f.* 1) Parte central, centro comercial e financeiro de uma povoação. 2) Povoação de primeira categoria num país; no Brasil, toda sede de município, qualquer que seja a sua importância. 3) Conjunto de habitantes da cidade. 4) Grupo de imóveis que tem o mesmo objetivo ➡ Cidade Universitária.

CI.DRA *s.f.* 1) Fruto da cidreira. 2) Doce que se faz com esse fruto.

CI.DREI.RA *s.f. Bot.* Árvore medicinal da família das Rutáceas, usada como calmante.

CI.ÊN.CIA *s.f.* 1) Conhecimento exato e racional de coisa determinada. 2) Sistema de conhecimentos adquiridos pela leitura e meditação. 3) Conjunto de disciplinas visando uma mesma ordem de conhecimentos.

CI.EN.TE *adj.2gên.* 1) Que tem ciência ou conhecimento; informado, sabedor. / *s.m.* 2) Assinatura feita em comunicados e/ou documentos para indicar que se tomou conhecimento de seu conteúdo.

CI.EN.TÍ.FI.CO *adj.* 1) Que se refere à ciência ou às ciências. 2) Que tem o rigor da ciência.

CI.EN.TIS.TA *s.2gên.* Pessoa que cultiva alguma ciência ou se dedica a estudos científicos.

CI.FO.SE *s.f. Med.* Curvatura da coluna vertebral de convexidade posterior ou corcova.

CI.FRA *s.f.* 1) Zero. 2) Número ou importância total. 3) Escrita com caracteres secretos ou a chave dessa escrita. 4) *Mús.* Caracteres numéricos que indicam os acordes.

CI.FRA.DO *adj.* Em código.

CI.FRÃO *s.m.* Sinal gráfico ($) que indica a unidade monetária em vários países.

CI.GA.NA.DA *s.f.* Ação ou multidão de ciganos; ciganaria, ciganice.

CI.GA.NO *s.m.* Indivíduo errante; nômade de origem controvertida.

CI.GAR.RA *s.f. Entom.* Nome comum a vários insetos homópteros conhecidos pelo canto estrídulo e monótono dos machos.

CI.GAR.RO *s.m.* Porção de tabaco picado, enrolado em papel ou palha, para se fumar.

CI.LA.DA *s.f.* Emboscada; armadilha; traição.

CI.LI.AR *adj.2gên.* Que se refere aos cílios.

CI.LÍ.CIO *s.m.* 1) Túnica ou cinturão áspero de crina, que se trazia sobre a pele por penitência. 2) Sacrifício voluntário.

CI.LIN.DRA.DA *s.f. Mec.* Volume máximo admitido em um cilindro no ciclo completo de um pistão.

CI.LIN.DRO *s.m.* 1) Sólido alongado e roliço. 2) Peça na qual se move o êmbolo de máquina a vapor. 3) *Geom.* Superfície gerada por uma reta que se desloca paralelamente a si mesma e é interceptada por uma curva fechada plana.

CÍ.LIO *s.m.* 1) Pelo da borda da pálpebra; pestana. 2) Filamento muito fino da superfície de diversas células e bactérias.

CI.MA *s.f.* 1) A parte mais elevada. 2) Cume, cumeeira, topo. 3) Parte de locução adverbial ➡ De cima, em cima, por cima.

CI.MEN.TAR *v.t.d.* 1) Unir ou pavimentar com cimento. 2) Consolidar, firmar.

CI.MEN.TO *s.m.* 1) Substância em pó que misturada com água serve para unir tijolos, pedras, etc. 2) *Odont.* Composição plástica, usada por dentistas, para obturar dentes. 3) Alicerce, fundamento.

CI.MO *s.m.* Topo; cume; o alto das coisas.

CIN.DIR *v.t.d.* Dividir, separar; cortar; bifurcar.

CI.NE *s.m.* Forma reduzida de cinema.

CI.NE.AS.TA *s.2gên.* 1) Artista criador do cinema. 2) Técnico de cinema.

CI.NÉ.FI.LO *adj.* e *s.m.* Que ou quem ama cinema.

CI.NE.GRA.FIS.TA *s.2gên.* Operador de câmara de cinema ou televisão.

CI.NE.MA *s.m.* 1) Arte ou ciência da cinematografia. 2) Estabelecimento ou sala de projeções cinematográficas; cine; cinematógrafo.

CI.NE.MA.TE.CA *s.f.* 1) Coleção de filmes. 2) Local onde são conservados filmes. 3) Entidade que guarda e exibe esses filmes.

CI.NE.MÁ.TI.CA *s.f. Fís.* Parte da mecânica que estuda os movimentos em função do tempo, independentemente das forças que os produzem.

CI.NE.MÁ.TI.CO *adj.* Relativo ao movimento mecânico.

CI.NÉ.TI.CO *adj.* 1) Que se refere ou pertence ao movimento. 2) Que produz movimento.

CIN.GIR *v.t.d.* 1) Cercar, rodear; ligar; prender; apertar. 2) Ornar em roda; coroar. 3) Pôr à cintura. / *v.p.* 4) Conformar-se, limitar-se ➡ Eu me cinjo às decisões da diretoria.

CÍN.GU.LO *s.m.* Cordão longo usado pelo sacerdote para prender a veste.

CÍ.NI.CO *adj.* e *s.m.* 1) Que ou quem pertence à escola filosófica grega dos que desprezavam as conveniências e fórmulas sociais. / *adj.* 2) Que ostenta princípios e atos imorais; desavergonhado, descarado.

CI.NIS.MO *s.m.* Atitude ou qualidade de cínico.

CI.NO.LO.GI.A *s.f.* Estudo sobre os cães.

CIN.QUEN.TÃO *adj.* e *s.m. pop.* Que ou quem está na faixa dos 50 anos.

CIN.TA *s.f.* Faixa para apertar na cintura; cinto; cinturão.

CIN.TI.LA.ÇÃO *s.f.* 1) Ato ou efeito de cintilar. 2) Vibração de raios luminosos. 3) Fulgor do espírito. 4) Brilho intenso, trepidante.

CIN.TI.LAN.TE *adj.* Que cintila; muito brilhante; resplandecente.

CIN.TI.LAR *v.i.* 1) Apresentar o brilho das faíscas; tremeluzir; desprender centelhas; faiscar. / *v.t.i.* e *v.i.* 2) Refletir luz; brilhar muito.

CIN.TO *s.m.* 1) Faixa que cerca a cintura com uma só volta, que segura as calças; cinta. 2) Cós. 3) Cerco.

CIN.TU.RA *s.f.* 1) Parte mais estreita do tronco humano, situada abaixo do tórax e acima dos quadris. 2) Parte do vestuário que rodeia essa parte do corpo.

CIN.ZA *s.f.* 1) Resíduo da combustão de certas substâncias. 2) Sinal de aniquilamento, luto, mortificação. 3) Restos mortais incinerados. / *s.m.* 4) A cor cinzenta. / *adj.* 5) Da cor de cinza, cinzento.

CIN.ZEI.RO *s.m.* Objeto no qual os fumantes despejam as cinzas do cigarro.

CIN.ZEN.TO *adj.* 1) De cor cinza. 2) *fig.* Sem luz ou sem brilho; apagado. 3) Sombrio, triste.

CI.O *s.m.* Apetite sexual intenso de certos mamíferos, em determinados períodos.

CI.PÓ *s.m.* Nome comum a plantas trepadeiras que pendem das árvores.

CI.RAN.DA *s.f.* 1) Peneira grossa, para separação de grãos, areia, etc. 2) Cantiga e dança de roda infantil.

CI.RAN.DAR *v.t.d.* 1) Limpar com ciranda; peneirar. / *v.i.* 2) Brincar de ciranda. 3) Andar de um lado para outro, dar voltas.

CIR.CEN.SE *adj.2gên.* Referente a circo.

CIR.CO *s.m.* 1) Grande e antigo recinto destinado a jogos públicos. 2) Círculo. 3) Pavilhão circular onde se realizam espetáculos de acrobacia, equilibrismo, palhaçadas, etc.

CIR.CUI.TO *s.m.* 1) Linha que limita uma área fechada; perímetro. 2) Circunferência. 3) Giro, volta. 4) Sucessão de fenômenos periódicos; ciclo. 5) *Eletr.* Série ininterrupta de condutores da corrente elétrica; curto-circuito.

CIR.CU.LAR *adj.2gên.* 1) Em forma de círculo. / *s.f.* 2) Que foi reproduzido várias vezes (carta, ofício) e endereçado a várias pessoas ao mesmo tempo. / *v.i.* 3) Mover-se em círculo voltando sempre ao ponto de partida. / *v.t.d.* 4) Percorrer ao redor de; rodear, cercar.

CÍR.CU.LO *s.m.* 1) *Geom.* Superfície plana, limitada por uma circunferência. 2) Circunferência; circo. 3) Qualquer objeto circular; anel; arco, etc. 4) Giro, rodeio. 5) Área, limite. 6) Circunscrição territorial. 7) Associação, grêmio.

CIR.CUN.CI.SÃO *s.f.* 1) Corte do prepúcio, usado como rito religioso e como medida sanitária na cirurgia moderna. 2) Corte, supressão.

CIR.CUN.DAR *v.t.d.* Andar à volta de; cercar, rodear.

CIR.CUN.FE.RÊN.CIA *s.f.* 1) *Mat.* Linha curva plana fechada, cujos pontos equidistam de um ponto interior chamado centro. 2) Contorno de um círculo. 3) Periferia, circuito.

CIR.CUN.FLE.XO (cs) *adj.* 1) Recurvado como um arco. 2) Diz-se do acento gráfico (^) que se coloca sobre as vogais para conferir a elas um som fechado.

CIR.CUNS.CRI.TO *adj.* Limitado de todos os lados por uma linha; localizado.

CIR.CUNS.PE.ÇÃO *s.f.* 1) Qualidade de circunspeto. 2) Análise demorada de alguma coisa, considerada por todos os lados. 3) Prudência, ponderação.

CIR.CUNS.TÂN.CIA *s.f.* 1) Acidente que acompanha um fato. 2) Estado das coisas, em determinado momento.

CIR.RO.SE *s.f. Med.* 1) Inflamação crônica do fígado. 2) Doença crônica caracterizada pela formação excessiva de tecido conetivo, causando o endurecimento de um órgão, especialmente o fígado.

CI.RUR.GI.A *s.f. Med.* Parte da medicina que trata dos processos operatórios de doenças ou lesões, por meios instrumentais ou manuais.

CI.RUR.GI.ÃO *s.m.* Profissional que faz cirurgias.

CI.SÃO *s.f.* 1) Ato ou efeito de cindir. 2) Divergência de opiniões e interesses; dissidência.

CIS.CA.DA *s.f.* Bocado de cisco; ciscalhada.

CIS.CAR *v.t.d.* 1) Revolver o cisco de; limpar. / *v.i.* e *v.p.* 2) *pop.* Safar-se, escapulir-se.

CIS.CO *s.m.* 1) Pó de carvão. 2) Aparas miúdas; graveto. 3) Lixo; argueiro.

CIS.MA *s.f.* 1) Ato de cismar; devaneio, sonho, fantasia. 2) Preocupação, inquietação; suspeita, desconfiança.

CIS.MAR *v.i.* 1) Ficar absorto em pensamentos. / *v.t.i.* 2) Pensar com insistência em; desconfiar.

CIS.NE *s.m.* 1) *Ornit.* Ave palmípede aquática da família dos Anatídeos, de pescoço longo. 2) *fig.* Poeta, orador ou músico célebre. 3) *Astr.* Constelação setentrional.

CIS.PLA.TI.NO *adj. Geogr.* Que está situado aquém do Rio da Prata.

CIS.TER.NA *s.f.* Reservatório de águas pluviais; poço; caimba.

CIS.TO *s.m.* Quisto; tumor.

CI.TA.ÇÃO *s.f.* 1) Ato ou efeito de citar. 2) Frase ou trecho de uma obra, reproduzido em outro lugar. 3) Frase ou sentença de autoridades usada como argumento.

CI.TAR *v.t.d.* 1) Fazer comparecer em juízo ou cumprir uma ordem judicial. 2) Mencionar como autoridade ou exemplo; fazer referência a.

CÍ.TA.RA *s.f.* Instrumento indiano de cordas, com longo braço e corpo em forma de cebola.

CI.TO.LO.GI.A *s.f.* Estudo da célula em geral.

CI.TO.PLAS.MA *s.m. Biol.* Parte da célula localizada entre a membrana e o núcleo; protoplasma.

CÍ.TRI.CO *adj.* 1) *Bot.* Referente às plantas do gênero Citrus, como a laranja. 2) *Quím.* Nome dado ao ácido contido no limão e outros frutos azedos.

CI.TRI.CUL.TU.RA *s.f.* Cultivo de árvores cítricas.

CI.Ú.ME *s.m.* Inquietação mental, inveja, zelo exagerado.

CÍ.VEL *adj.2gên.* Relativo ao direito civil.

CÍ.VI.CO *adj.* 1) Referente aos cidadãos como membros do Estado. 2) Patriótico.

CI.VIL *adj.2gên.* 1) Que se refere às relações dos cidadãos entre si; social. 2) Cortês, delicado, educado.

CI.VI.LI.DA.DE *s.f.* Conjunto de formalidades adotadas para demonstrar mútuo respeito e consideração.

CI.VI.LI.ZA.ÇÃO *s.f.* 1) Estado de progresso e cultura social. 2) Ação de civilizar.

CI.VI.LI.ZA.DO *adj.* 1) Que tem civilização. 2) Que é bem-educado, cortês.

CI.VI.LI.ZAR *v.t.d.* 1) Sair do estado primitivo. 2) Instruir. / *v.p.* 3) Tornar(-se) cortês, educado. 4) Converter(-se) ao estado de civilização.

CI.VIS.MO *s.m.* 1) Dedicação pelo interesse público. 2) Patriotismo.

clã · clínico

CLÃ *s.m.* 1) Tribo formada de pessoas de descendência comum. 2) Grei, casta. 3) *fig.* Partido ➡ clã dos encrenqueiros.

CLA.MAR *v.t.d.* 1) Gritar, proferir em voz alta. / *v.i.* 2) Protestar, bradar. / *v.t.i.* 3) Suplicar, implorar, exigir.

CLA.MOR (ô) *s.m.* 1) Ato ou efeito de clamar. 2) Súplica feita em voz alta; berro; grito.

CLAN.DES.TI.NO *adj.* 1) Que não apresenta as condições de publicidade prescritas na lei; ilegal. 2) Feito às escondidas. / *s.m.* 3) Indivíduo que viaja sem documentos e passagem.

CLA.RA *s.f.* 1) Albumina que envolve a gema do ovo. 2) Esclerótica.

CLA.RA.BOI.A (ói) *s.f.* Abertura no teto que permite a entrada de luz.

CLA.RÃO *s.m.* 1) Claridade intensa. 2) Luz instantânea. 3) *fig.* Momento breve em que um sentimento ou estado de espírito se manifesta de modo mais intenso ➡ clarão de lucidez, clarão de generosidade.

CLA.RE.AR *v.t.d.* 1) Tornar claro; aclarar. 2) Tornar assuntos compreensíveis. / *v.i.* 3) Ficar o céu limpo de nuvens ➡ O céu já clareou.

CLA.REI.RA *s.f.* Lugar descoberto, sem vegetação, no meio de mata ou bosque; lacuna, vão.

CLA.RE.ZA (ê) *s.f.* 1) Qualidade de claro ou inteligível. 2) Limpidez, transparência.

CLA.RI.DA.DE *s.f.* 1) Qualidade de claro. 2) Alvura, brancura. 3) Brilho luminoso, luz viva.

CLA.RI.NE.TE (ê) *s.m.* Instrumento de sopro com bocal de palheta utilizado em orquestras.

CLA.RI.VI.DÊN.CIA *s.f.* 1) Capacidade de pensar e ver as coisas com clareza. 2) Percepção extrassensorial.

CLA.RO *adj.* 1) Que ilumina ou que está iluminado. 2) Brilhante, luminoso. 3) Que reflete bem a luz; translúcido. 4) Límpido, puro. 5) De cor alva; branco. 6) Fácil de entender; evidente.

CLAS.SE *s.f.* 1) Grupo de pessoas, animais ou coisas com atributos semelhantes. 2) Cada uma das divisões de uma série ou conjunto. 3) Categoria, ordem, ramo, seção. 4) Sala de estudos de escola; aula.

CLAS.SI.CIS.MO *s.m.* 1) Doutrina artística que surgiu na Renascença, sendo fundamentada na literatura e nas artes da Antiguidade. 2) Frase ou estilo clássico. 3) A literatura clássica.

CLÁS.SI.CO *adj.* 1) Que se refere à literatura grega ou latina. 2) Diz-se dos artistas e escritores do século XVII e parte do século XVIII. 3) Que é modelo em belas-artes. 4) Digno de ser imitado. / *s.m.* 5) Escritor grego ou latino. 6) Escritor, artista, ou obra consagrada de alta categoria. 7) Tudo que está em conformidade com o gosto tradicional.

CLAS.SI.FI.CA.ÇÃO *s.f.* 1) Ordenamento de pessoas ou coisas segundo suas características ou qualidades. 2) Posição que um indivíduo ocupa dentro de um conjunto. 3) Conjunto de regras e métodos usados para classificação.

CLAS.SI.FI.CAR *v.t.d.* 1) Distribuir em classes. 2) Aprovar candidato em concurso ou torneio; qualificar. 3) Etiquetar.

CLAU.DI.CAR *v.i.* 1) Mancar, capengar. 2) Ter defeito, imperfeição. / *v.t.i.* 3) *fig.* Cometer falta; errar.

CLAUS.TRO *s.m.* 1) Pátio interno de um convento ou mosteiro. 2) *Por ext.* Convento, mosteiro.

CLAUS.TRO.FO.BI.A *s.f. Med.* Medo mórbido de lugares fechados.

CLÁU.SU.LA *s.f.* Condição ou preceito que faz parte de um documento público ou particular.

CLAU.SU.RA *s.f.* 1) Local fechado. 2) Vida de claustro. 3) Convento. 4) Reclusão.

CLA.VA *s.f.* Tora com uma extremidade mais grossa, usada como arma.

CLA.VE *s.f. Mús.* Símbolo no início da partitura musical que indica o tom das notas.

CLA.VÍ.CU.LA *s.f.* 1) Pequena clave. 2) *Anat.* Osso localizado na parte dianteira do ombro e articulado com o esterno e o acrômio umeral.

CLE.MÊN.CIA *s.f.* 1) Indulgência; bondade; amenidade; brandura. 2) Disposição para perdoar.

CLEP.TO.MA.NI.A *s.f.* Impulso mórbido para roubar.

CLÉ.RI.GO *s.m.* Pessoa que pertence à Igreja e tem alguma ordem sacra; sacerdote, padre.

CLE.RO *s.m.* 1) Classe eclesiástica. 2) Corporação de clérigos.

CLI.CHÊ *s.m.* 1) Frase ou ideia repetida excessivamente; lugar-comum. 2) *Art. Gráf.* Placa metálica com textos e imagens em relevo, usado para impressão tipográfica.

CLI.EN.TE *s.2gên.* 1) Pessoa que recorre a um médico, a um advogado ou a qualquer prestador de serviços em geral. 2) Aquele que compra; freguês.

CLI.EN.TE.LA *s.f.* 1) Conjunto de clientes. 2) *Por ext.* Conjunto de frequentadores de um estabelecimento.

CLI.MA *s.m.* 1) Conjunto de condições atmosféricas ou meteorológicas, as quais caracterizam uma determinada região. 2) Ambiente, meio.

CLI.MA.TI.ZA.ÇÃO *s.f.* Conjunto de processos usados para criar ou manter certa temperatura e umidade em um local fechado.

CLÍ.MAX (cs) *s.m.* O ponto culminante, ápice, auge.

CLÍ.NI.CA *s.f.* 1) *Med.* Prática da medicina. 2) *Por ext.* Local para consulta médica e realização de exames, cirurgias, etc.

CLÍ.NI.CO *adj.* 1) Que se refere ao tratamento médico ou à clínica. / *s.m.* 2) Médico que exerce a medicina geral.

clipe — cocô

CLI.PE *s.m.* Pequeno grampo de fio metálico ou plástico utilizado para prender papéis.

CLI.QUE *interj.* 1) Termo onomatopaico que exprime estalido seco. / *s.m.* 2) Ação ou efeito de clicar.

CLI.TÓ.RIS *s.m. Anat.* Saliência carnuda e erétil na parte superior da vulva; grelo.

CLO.NAR *v.t.d.* 1) Reproduzir por meio de clonagem. 2) *fig.* Fazer cópia ou imitação de.

CLO.NE *s.m.* 1) *Biol.* Ser originário de outro por reprodução assexual, mas que conserva o mesmo patrimônio genético. 2) *fig.* Cópia de um produto.

CLO.RE.TO *s.m. Quím.* Sal derivado do ácido clorídrico.

CLO.RO.FI.LA *s.f.* Pigmento verde das plantas, usado para a realização da fotossíntese.

CLU.BE *s.m.* 1) Local onde se reúnem pessoas para atividades culturais, esportivas, etc. 2) Associação onde se discutem assuntos literários, científicos, etc.

CO.A.BI.TAR *v.t.d., v.t.i.* e *v.i.* 1) Morar ou viver junto. / *v.t.i.* e *v.i.* 2) Viver juntos como marido e mulher.

CO.A.ÇÃO *s.f.* 1) Ato ou efeito de coagir. 2) Ato de coar.

CO.AD.JU.VAN.TE *adj.2gên.* e *s.2gên.* 1) Que ou aquele que coadjuva; que ajuda ou concorre para um fim comum. 2) Diz-se de ator profissional que desempenha papel de segundo plano.

CO.A.DOR (ô) *adj.* 1) Que coa. / *s.m.* 2) Filtro para coar; peneira, escumadeira.

CO.A.DU.RA *s.f.* 1) Passagem de um líquido pelo coador. 2) O líquido coado.

CO.A.GIR *v.t.d.* Constranger, forçar, obrigar.

CO.A.GU.LA.ÇÃO *s.f.* 1) Ato ou efeito de coagular. 2) Passagem de um líquido ao estado sólido. 3) *Quím.* A junção de partículas coloidais no meio de dispersão em agregados muito maiores.

CO.A.GU.LAR *v.t.d., v.i.* e *v.p.* Passar ao estado sólido ou semissólido.

CO.Á.GU.LO *s.m.* 1) Parte coagulada de um líquido. 2) Substância que promove a coagulação.

CO.A.LA *s.m. Zool.* Marsupial australiano, arbóreo e indolente.

CO.A.LHA.DA *s.f.* Leite coalhado.

CO.A.LHAR *v.t.d., v.i.* e *v.p.* Tornar(-se) sólido, coagular(-se).

CO.A.LI.ZÃO *s.f.* 1) Acordo entre pessoas, partidos ou outros grupos visando um fim comum; aliança; liga. 2) Acordo entre nações.

CO.AR *v.t.d.* 1) Passar por coador ou filtro; filtrar; destilar. 2) Fazer correr (o metal fundido) para dentro de um molde; vazar.

CO.AU.TOR *s.m.* Autor de uma obra ou trabalho em conjunto com outra(s) pessoa(s).

CO.A.XAR *v.i.* Soltar a voz (o sapo, a rã).

CO.A.XO *s.m.* A voz das rãs e dos sapos.

CO.BAI.A *s.f.* 1) Animal, geralmente roedor, usado em experiências de laboratório. 2) *Por ext.* Qualquer animal ou pessoa usado em experimentos.

CO.BER.TA *s.f.* 1) Aquilo que serve para cobrir ou envolver; cobertor; teto; tampa. 2) *fig.* Proteção, abrigo.

CO.BER.TO *adj.* Tapado; abrigado; revestido; protegido.

CO.BER.TOR (ô) *s.m.* Peça de tecido usada para agasalhar e aquecer o corpo.

CO.BER.TU.RA *s.f.* 1) Ato de cobrir. 2) Tudo o que cobre ou serve para cobrir. 3) *Com.* Garantia financeira para uma operação mercantil. 4) Apartamento construído sobre a laje de um edifício.

CO.BI.ÇA *s.f.* Desejo intenso de conseguir alguma coisa; ambição; ganância.

CO.BRA *s.f.* 1) *Zool.* Nome comum dado aos répteis ofídios; serpente. 2) *fig.* Pessoa de má índole. / *s.m.* 3) *fig.* Indivíduo perfeito naquilo que faz.

CO.BRA.DOR (ô) *adj.* e *s.m.* Que ou aquele que faz cobranças.

CO.BRAN.ÇA *s.f.* 1) Ato ou efeito de cobrar. 2) Quantias cobradas.

CO.BRAR *v.t.d.* 1) Proceder à cobrança, receber. 2) Fazer ser pago. 3) Recobrar, recuperar.

CO.BRE *s.m. Quím.* Elemento metálico, castanho-avermelhado, de símbolo Cu. 2) *pop.* Dinheiro.

CO.BRIR *v.t.d.* 1) Colocar cobertura em; resguardar; tapar; vedar; ocultar. / *v.p.* 2) Envolver-se, proteger-se.

CO.CA.DA *s.f.* Doce feito com coco e açúcar.

CO.CA.Í.NA *s.f. Quím.* Alcaloide obtido das folhas de coca, muito usado como anestésico e narcotizante.

CO.ÇAR *v.t.d.* 1) Esfregar ou roçar com as unhas; arranhar. / *v.p.* 2) Coçar a própria pele para fazer cessar comichão; coçar-se ➤ Ela se coça demais.

CÓC.CIX (csis) *s.m. Anat.* Pequeno osso que termina a coluna vertebral na parte inferior; coccige.

CÓ.CE.GAS *s.f.* 1) Sensação provocada por leves toques em certas partes do corpo, acompanhada de riso convulsivo; também usado no singular: cócega. 2) *fig.* Desejo, vontade, tentação, impaciência.

CO.CEI.RA *s.f.* Comichão; prurido.

CO.CHE (ô) *s.m.* Carruagem fechada, de luxo.

CO.CHEI.RA *s.f.* Local onde se guardam coches e carruagens.

CO.CHI.CHAR *v.t.i.* e *v.i.* Falar em voz baixa; segredar.

CO.CHI.LAR *v.i.* 1) Dormir levemente. 2) *fig.* Descuidar-se, errar.

CO.CO (ô) *s.m.* 1) O fruto do coqueiro; coqueiro. 2) *pop.* Cabeça, crânio.

CO.CÔ *s.m. pop.* Fezes, excremento.

CO.CU.RU.TO *s.m.* 1) O ponto mais alto de algum lugar. 2) O alto da cabeça. 3) Calombo, inchaço.

CO.DI.FI.CAR *v.t.d.* 1) *Jur.* Reunir em código. 2) Converter em código.

CÓ.DI.GO *s.m.* 1) Conjunto de leis ou regulamentos. 2) Coleção de convenções; norma, regra. 3) Sistema linguístico convencional ou secreto.

CO.DI.NO.ME *s.m.* Nome falso que oculta a identidade de alguém ou de algo.

CO.E.FI.CI.EN.TE *s.m.* 1) Número pelo qual outro é multiplicado. 2) Propriedade de ser avaliado numericamente; grau.

CO.E.LHO (ê) *s.m. Zool.* Mamífero roedor, selvagem ou doméstico, do gênero Lepus.

CO.E.RÊN.CIA *s.f.* 1) Estado ou qualidade daquele que é coerente. 2) Vínculo entre fatos ou ideias; acordo.

CO.E.SÃO *s.f.* 1) *Fís.* Força que une entre si as moléculas de uma substância. 2) Concordância; harmonia; união. 3) Conexão, coerência, lógica. 4) Caráter de um pensamento e/ou enunciado em que as partes estão ligadas entre si.

CO.E.SO (ê) *adj.* Unido; ligado; concorde; harmônico.

CO.E.XIS.TIR (z) *v.t.i.* e *v.i.* Existir junto ou ao mesmo tempo que.

CO.FRE *s.m.* 1) Móvel ou caixa resistente em que se guardam valores. 2) Tesouro, erário.

CO.GI.TAR *v.t.d.* 1) Pôr pensamento em; imaginar. / *v.i.* 2) Raciocinar; refletir; meditar. / *v.t.i.* 3) Cuidar, imaginar.

COG.NI.ÇÃO *s.f.* 1) Capacidade de adquirir conhecimento. 2) *Por ext.* Conhecimento.

COG.NI.TI.VO *adj.* Relativo à cognição, ao conhecimento.

CÓG.NI.TO *adj. Ant.* Conhecido, sabido.

COG.NO.ME *s.m.* 1) Epíteto nominal; apelido, alcunha. 2) Sobrenome familiar.

CO.GU.ME.LO *s.m. Bot.* Denominação comum de vários vegetais sem clorofila, pertencentes à família das Agaricáceas; fungo; orelha-de-pau.

CO.I.BIR *v.t.d.* 1) Impedir a continuação de; fazer parar; proibir; conter; reprimir. 2) Forçar, obrigar. / *v.p.* 3) Conter-se, privar-se.

COI.CE *s.m.* 1) Golpe dado com as patas traseiras por certos quadrúpedes, como cavalo, burro, etc. 2) Recuo da arma de fogo ao ser disparada.

COI.FA *s.f.* 1) Exaustor usado em cima de fogão ou em chaminé, lareira, etc. 2) Touca usada pelas mulheres para cobrir o cabelo.

CO.IN.CI.DÊN.CIA *s.f.* 1) O que ocorre por acaso, mas parece planejado. 2) Identidade, igualdade de formas, ideias, interesses, etc. 3) Ocorrência simultânea.

CO.IN.CI.DIR *v.t.d.* e *v.i.* 1) Ser condizente com; combinar, concordar. 2) Ser idêntico a / *v.t.i.* 3) Ocorrer ao mesmo tempo.

COI.SA *s.f.* 1) O que existe. 2) Objeto inanimado. 3) O que não se quer ou não se pode nomear. 4) Acontecimento, realidade, fato. 5) Objeto, item. 6) Assunto, tema. 7) Ato, empreendimento. 8) O que não se sabe. 9) Bem material. 10) *pop.* Indisposição súbita e indeterminada.

COI.TA.DO *adj.* 1) Infeliz, mísero, sofredor. / *interj.* 2) Exclamação que exprime dó.

COI.TO *s.m.* Cópula carnal, relação sexual.

CO.LA *s.f.* 1) Substância glutinosa usada para fazer aderir papéis, madeiras e outros materiais. 2) *pop.* Ato de copiar fraudulentamente numa prova.

CO.LA.BO.RAR *v.t.i.* 1) Auxiliar; ajudar; cooperar. 2) Concorrer para a realização de alguma coisa.

CO.LA.ÇÃO *s.f.* 1) Concessão de título ou grau superior. 2) Cotejo, comparação. 3) Refeição leve.

CO.LA.GEM *s.f.* 1) Ato de unir, grudar. 2) *Bel-art.* Composição artística de fragmentos de material impresso, colados sobre a superfície de um quadro.

CO.LAP.SO *s.m.* 1) *Med.* Diminuição súbita da excitabilidade nervosa e das funções do sistema nervoso; desmaio. 2) *fig.* Diminuição súbita de forças, de poder.

CO.LAR *s.m.* 1) Adorno para o pescoço. / *v.t.d.* 2) Fazer aderir com cola; grudar; juntar; unir. 3) Receber (grau superior) ➡ colar grau. / *v.i.* 4) Valer-se de cola, de forma clandestina, nos exames escritos. 5) *pop.* Dar certo.

CO.LA.RI.NHO *s.m.* 1) Gola de camisa. 2) *pop.* Espuma que se forma no copo de cerveja ou chope.

CO.LA.TE.RAL *adj.2gên.* 1) Que está ao lado; paralelo. 2) Que é parente, mas não em linha reta; transversal.

COL.CHA (ô) *s.f.* Cobertura de cama, estampada ou com lavores, usada sobre o lençol.

COL.CHÃO *s.m.* Objeto forrado de material macio e flexível sobre o qual se deita, geralmente usado sobre a cama.

COL.CHE.TE (ê) *s.m.* 1) Cada um dos dois sinais de pontuação [ ], usados para isolar palavras ou frases em um texto. 2) Pequeno gancho de metal para prender uma parte de uma peça de roupa em outra.

COL.CHO.NE.TE (é) *s.m.* Pequeno colchão fino e portátil.

COL.DRE *s.m.* 1) Local onde se guarda o revólver, geralmente usado preso ao cinto. 2) *Por ext.* Estojo no qual se guardam as armas.

CO.LE.ÇÃO *s.f.* 1) Reunião de objetos da mesma natureza; compilação; ajuntamento; série. 2) Reunião de pessoas, ajuntamento.

CO.LE.CIO.NA.DOR (ô) *adj.* e *s.m.* Que ou quem coleciona algo.

CO.LE.CIO.NAR *v.t.d.* Reunir objetos com características em comum, formando uma coleção.

colega

CO.LE.GA *s.2gên.* 1) Pessoa que pertence ao mesmo colégio, corporação, comunidade, profissão, escola, etc. 2) *pop.* Companheiro de estudos; camarada.

CO.LÉ.GIO *s.m.* 1) *pop.* Estabelecimento de ensino fundamental ou médio. 2) Conjunto de indivíduos com igual categoria ou dignidade.

CO.LEI.RA *s.f.* Correia usada em volta do pescoço de animais, principalmente do cão.

CÓ.LE.RA *s.f.* 1) Raiva intensa; ira. / *s.2gên.* 2) Doença infecciosa, aguda e endêmica.

CO.LÉ.RI.CO *adj.* 1) Que está cheio de cólera. 2) Propenso à cólera. / *adj.* e *s.m.* 3) Que se contagiou de cólera.

CO.LES.TE.ROL *s.m.* Substância existente nas células, presente em gorduras animais, cujo nível elevado indica problemas cardiovasculares.

CO.LE.TA *s.f.* 1) Ato ou efeito de colher ou recolher. 2) Arrecadação. 3) Quantia que se paga de imposto.

CO.LE.TÂ.NEA *s.f.* Conjunto de textos selecionados de um ou mais autores.

CO.LE.TAR *v.t.d.* Fazer a coleta de; colher, arrecadar.

CO.LE.TE (ê) *s.m.* 1) Peça do vestuário, curta, sem mangas e sem gola, usada por cima da camisa. 2) Colete salva-vidas: vestimenta impermeável e inflável que permite a um náufrago não afundar.

CO.LE.TI.VA *s.f.* Entrevista à imprensa.

CO.LE.TI.VO *adj.* 1) Que abrange, pertence ou é utilizado por muitas pessoas. 2) Que resulta do trabalho de muitos. / *adj.* e *s.m.* 3) Que indica conjunto. / *s.m.* 4) Veículo público para transporte de muitas pessoas. 5) O que diz respeito à comunidade.

CO.LE.TOR (ô) *adj.* e *s.m.* 1) Que coleta. / *s.m.* 2) *Jur.* Funcionário que recebe os impostos.

CO.LHEI.TA *s.f.* 1) Ato de colher, principalmente produtos agrícolas. 2) *Por ext.* O conjunto dos produtos colhidos em determinada época.

CO.LHER (é) *s.f.* 1) Utensílio de mesa, composto de um cabo e de uma parte côncava. 2) Colherada. 3) *Por ext.* Instrumento semelhante à colher.

CO.LHER (ê) *v.t.d.i.* 1) Tirar (flores, frutos, etc.) da haste, do ramo, do galho onde estavam. 2) Retirar, recolher. / *v.t.d.* 3) Obter, conseguir. 4) Arrecadar.

CO.LHE.RA.DA *s.f.* O conteúdo de uma colher.

CÓ.LI.CA *s.f. Med.* Dor aguda na cavidade abdominal.

CO.LI.DIR *v.t.i.*, *v.t.d.i.* e *v.i.* Ir de encontro; chocar(-se).

CO.LI.GA.ÇÃO *s.f.* Aliança de pessoas ou organizações visando a um objetivo comum.

CO.LI.NA *s.f.* Pequeno monte ou elevação de terreno.

CO.LÍ.RIO *s.m.* 1) Medicamento líquido que se aplica nos olhos. 2) *pop.* Pessoa muito bonita.

coma

CO.LI.SÃO *s.f.* 1) Choque entre dois corpos. 2) Luta, embate. 3) Contradição, divergência.

COL.MEI.A (éi ou êi) *s.f.* 1) Casa das abelhas. 2) *fig.* Acúmulo de coisas ou pessoas.

CO.LO *s.m.* 1) *Anat.* Parte superior do peito logo abaixo do pescoço. 2) *Anat.* A parte do intestino grosso entre o íleo e o reto; cólon. 3) Regaço. 4) Passagem estreita entre duas montanhas; desfiladeiro.

CO.LO.CA.ÇÃO *s.f.* 1) Ato ou efeito de colocar. 2) Situação. 3) Emprego.

CO.LO.CAR *v.t.d.* 1) Pôr alguma coisa em algum lugar. / *v.p.* 2) Colocar-se em determinado lugar; instalar-se. 3) Empregar(-se), conseguir trabalho.

CO.LÔ.NIA *s.f.* 1) Território ocupado e administrado por uma nação fora de suas fronteiras. 2) Grupo de pessoas de mesma nacionalidade que vivem juntas em outro país. 3) *Biol.* Conjunto de organismos de uma mesma espécie que vivem juntos.

CO.LO.NI.ZAR *v.t.d.* 1) Criar ou transformar em colônia; ocupar e administrar uma região. 2) Habitar como colono.

CO.LO.NO *s.m.* 1) Membro de uma colônia. 2) Aquele que cultiva terra pertencente a outrem; camponês.

CO.LO.QUI.AL *adj.2gên.* 1) Referente a colóquio; em tom de colóquio. 2) Nome dado ao estilo de linguagem do cotidiano, sem muita correção gramatical.

CO.LO.RA.ÇÃO *s.f.* 1) Ato de colorir. 2) Efeito produzido pelas cores.

CO.LO.RI.DO *adj.* e *s.m.* 1) Feito a cores. 2) Que tem cores vivas. 3) Cor ou combinação de cores. 4) Vivacidade, brilho, realce. 5) *Pint.* Matiz, tonalidade, tom.

CO.LO.RIR *v.t.d.* 1) Dar cor a, tingir ou matizar de cores; colorar. 2) Descrever imaginosamente. 3) Ornar, enfeitar, tornar brilhante. 4) Encobrir, disfarçar. 5) Avivar, reforçar.

CO.LOS.SAL *adj.* Que tem proporções de colosso.

CO.LOS.SO (ô) *s.m.* 1) Estátua gigantesca. 2) *Por ext.* Pessoa ou coisa muito grande ou de qualidades extraordinárias.

CO.LU.NA *s.f.* 1) *Arquit.* Pilar arquitetônico cilíndrico que sustenta abóbada, estátua, etc., formado de base, fuste e capitel. 2) Objeto semelhante a esse pilar. 3) *Anat.* Nome genérico de estrutura em forma de pilar ➡ Coluna vertebral. 4) *fig.* Esteio, sustentáculo. 5) Seção publicada regularmente em um periódico. 6) *fig.* Cada uma das divisões verticais de uma página ou tabela.

CO.LU.NIS.TA *adj.2gên.* e *s.2gên.* Que ou quem escreve textos em colunas.

CO.MA *s.f.* 1) Cabelo abundante e crescido. 2) Juba. 3) Crinas. 4) Penachos. 5) Copa de árvore. 6) Cauda luminosa de um cometa. / *s.m.* 7) *Med.* Estado de comadre / comitê

inconsciência profunda, com perda total ou parcial da sensibilidade e da motricidade.

CO.MA.DRE *s.f.* 1) Madrinha, em relação aos pais do afilhado. 2) Mãe do afilhado, em relação aos padrinhos. 3) *pop.* Amiga.

CO.MAN.DA *s.f.* Papel no qual são anotados os pedidos dos clientes em bares, restaurantes, etc.

CO.MAN.DAN.TE *s.2gên.* 1) Que ou aquele que comanda. / *adj.* 2) Título que se dá aos oficiais superiores da marinha e da aviação.

CO.MAN.DAR *v.t.d.* e *v.i.* 1) Ter autoridade sobre. 2) Administrar, governar. / *v.t.d.* 3) Chefiar, liderar.

CO.MAN.DO *s.m.* 1) Ato de comandar; chefia; liderança. 2) Governo de uma divisão de tropas. 3) Autoridade, dignidade ou funções de quem comanda.

COM.BA.TE *s.m.* 1) Ato ou efeito de combater. 2) Luta ou ação militar; batalha.

COM.BA.TER *v.t.d.* 1) Bater-se contra; contender; impugnar. 2) Fazer diligência por dominar, vencer ou extinguir. 3) Discutir; contestar. 4) Pelejar; lutar. 5) *fig.* Opor-se a ➡ Combater os próprios sentimentos.

COM.BI.NAR *v.t.d.* 1) Agrupar, reunir em certa ordem. 2) Ajustar, pactuar. 3) *Quím.* Fazer a combinação de. 4) Arquitetar, calcular. 5) Harmonizar, ligar. / *v.i.* 6) Estar de acordo, em conformidade. 7) Harmonizar-se. / *v.t.i.* 8) Concordar, convir.

COM.BOI.O (ôi) *s.m.* 1) Conjunto de veículos que se deslocam juntos para o mesmo destino. 2) Grupo de navios mercantes que navegam juntos, escoltados. 3) Conjunto de vagões engatados e puxados por uma locomotiva; trem.

COM.BUS.TÃO *s.f.* 1) Ato ou efeito de queimar. 2) Estado de um corpo que arde gerando luz e calor.

COM.BUS.TÍ.VEL *adj.2gên.* 1) Que tem a propriedade de se consumir pela combustão; que arde. / *s.m.* 2) Material usado para produzir calor ou força por combustão. 3) Lenha ou qualquer outro material que alimenta fogo.

CO.ME.ÇAR *v.t.d.* 1) Dar começo a; iniciar; principiar. / *v.i.* 2) Ter começo ou princípio. / *v.t.i.* 3) Principiar alguma coisa.

CO.ME.ÇO (ê) *s.m.* A primeira parte da execução de uma ação ou coisa; princípio, origem.

CO.MÉ.DIA *s.f.* 1) Obra ou representação teatral jocosa e satírica. 2) Dissimulação. 3) Fato ridículo.

CO.ME.DI.DO *adj.* Moderado, criterioso, contido.

CO.ME.DI.MEN.TO *s.m.* 1) Moderação. 2) Prudência.

CO.ME.DOR (ô) *adj.* e *s.m.* 1) Que ou aquele que come muito; comilão; glutão. 2) *pop.* Aproveitador.

CO.ME.MO.RA.ÇÃO *s.f.* Festa, celebração.

CO.ME.MO.RAR *v.t.d.* Trazer à memória; lembrar; fazer recordar; celebrar; solenizar.

CO.MEN.TAR *v.t.d.* 1) Explicar através de interpretações. 2) Falar sobre. 3) Criticar; analisar.

CO.MEN.TÁ.RIO *s.m.* 1) Série de notas ou observações esclarecedoras ou críticas sobre quaisquer assuntos. 2) Análise. 3) Crítica maliciosa; censura; repressão.

CO.MEN.TA.RIS.TA *adj.2gên.* e *s.2gên.* Que ou quem faz comentários na imprensa.

CO.MER *v.t.d.* 1) Ingerir; mastigar; deglutir; alimentar. 2) Gastar; dissipar; esbanjar. 3) Acreditar facilmente. 4) *fig.* Omitir; suprimir. / *v.p.* 5) Amofinar-se; mortificar-se. / *s.m.* 6) Comida.

CO.MER.CI.AL *adj.2gên.* 1) Relativo a comércio. 2) Que dá ou pode dar lucro. / *s.m.* 3) Anúncio publicitário veiculado em rádio ou televisão; propaganda.

CO.MER.CI.A.LI.ZAR *v.t.d.* 1) Pôr no comércio. / *v.t.d.i.* 2) Fazer negócio.

CO.MER.CI.AN.TE *adj.2gên.* e *s.2gên.* Que ou quem trabalha com comércio.

CO.MÉR.CIO *s.m.* 1) Negócio de compra e venda. 2) Ato de comprar mercadorias para revender ou fazer operações para este fim. 3) Relações de negócio, intercâmbio. 4) A classe dos comerciantes. 5) *fig.* Trato social, convivência. 6) *fig.* Relações sexuais ilícitas. 7) *fig.* Trato, conversação com alguém. 8) A vila ou o distrito, na linguagem campônia.

CO.MES.TÍ.VEL *adj.2gên.* e *s.m.* 1) Próprio para ser comido; comível. 2) Aquilo que se come.

CO.ME.TA (ê) *s.m.* 1) *Astr.* Astro de cauda luminosa que gira em torno do Sol. 2) Cobrador, caixeiro-viajante.

CO.ME.TER *v.t.d.* 1) Fazer, perpetrar, praticar, realizar. 2) Confiar, encarregar. 3) Oferecer, propor. 4) Afrontar, empreender, tentar.

CO.MI.CHÃO *s.f.* 1) *pop.* Coceira. 2) *fig.* Desejo.

CO.MÍ.CIO *s.m.* Reunião de cidadãos em local público para reivindicar ou para ouvir candidatos a cargos políticos discursarem.

CÔ.MI.CO *adj.* 1) Relativo à comédia. 2) Que causa riso.

CO.MI.DA *s.f.* 1) O que se come; alimento. 2) Refeição. 3) O conjunto de pratos típicos de uma região.

CO.MI.GO *pron.* 1) Com a minha pessoa. 2) Em minha companhia. 3) De mim para mim. 4) Em mim.

CO.MI.LAN.ÇA *s.f. pop.* Ato de comer muito.

CO.MI.SE.RA.ÇÃO *s.f.* Sentimento de piedade, compaixão.

CO.MIS.SÃO *s.f.* 1) Grupo de pessoas encarregadas de tratar de um assunto. 2) Incumbência, missão. 3) Porcentagem paga a um prestador de serviço.

CO.MIS.SÁ.RIO *s.m.* 1) Aquele que exerce uma incumbência. 2) Autoridade policial.

CO.MI.TÊ *s.m.* 1) Comissão. 2) *Por ext.* Grupo de pessoas encarregadas de resolver um assunto. 3) O local de reunião desse grupo.

CO.MI.TI.VA *s.f.* 1) Grupo de pessoas que acompanha alguém ou algo; séquito. 2) Pessoas que vão juntas a algum lugar resolver algum assunto.

CO.MO *adv.* 1) De que modo; quão; a quanto. / *conj.* 2) Da mesma forma que; assim que; porque; visto que; uma vez que. / *s.m.* 3) A maneira pela qual se faz alguma coisa ➡ É preciso saber o porquê e o como das coisas.

CO.MO.ÇÃO *s.f.* 1) Emoção forte. 2) Agitação; revolta.

CÔ.MO.DA *s.f.* Móvel com gavetas para guardar roupas.

CO.MO.DI.DA.DE *s.f.* 1) Conforto, bem-estar. 2) Facilidade, conveniência.

CO.MO.DIS.TA *adj.2gên.* e *s.2gên.* Que preserva sua própria comodidade.

CÔ.MO.DO *s.m.* 1) Cada divisão de uma casa; aposento. / *adj.* 2) Útil, conveniente, favorável. 3) *Por ext.* Confortável.

CO.MO.VEN.TE *adj.2gên.* Que comove, que emociona.

CO.MO.VER *v.t.d.*, *v.t.d.i.*, *v.i.* e *v.p.* 1) Causar ou provocar emoção. 2) Emocionar(-se), impressionar(-se).

COM.PAC.TO *adj.* 1) Que tem as partes muito próximas; comprimido. 2) Maciço; denso. 3) De tamanho reduzido.

COM.PAC.TU.AR *v.t.i.* Pôr-se de acordo com; ser conivente com.

COM.PA.DE.CER *v.t.d.* e *v.p.* Sentir compaixão por; apiedar-se, condoer(-se).

COM.PA.DRE *s.m.* 1) Padrinho, em relação aos pais do afilhado. 2) Pai do afilhado, em relação aos padrinhos. 3) *Por ext. pop.* Amigo.

COM.PAI.XÃO *s.f.* Piedade, dó; pesar.

COM.PA.NHEI.RO *adj.* e *s.m.* 1) Que ou quem acompanha. / *s.m.* 2) Camarada, amigo. 3) Pessoa que mantém uma relação conjugal estável com outra.

COM.PA.NHI.A *s.f.* 1) Ato de acompanhar. 2) Que ou quem acompanha. 3) Convívio. 4) Sociedade comercial ou industrial. 5) Grupo de pessoas que trabalham no teatro ou no circo.

COM.PA.RA.ÇÃO *s.f.* Ato ou efeito de comparar; confronto.

COM.PA.RAR *v.t.d.i.* 1) Examinar duas ou mais coisas para achar as semelhanças e diferenças. 2) Confrontar, cotejar. / *v.t.d.i.* e *v.p.* 3) Igualar(-se), equiparar(-se).

COM.PA.RA.TI.VO *adj.* 1) Que serve para comparar. 2) Que emprega comparação. / *s.m.* 3) *Gram.* Grau de significação, que exprime superioridade, inferioridade ou igualdade de uma coisa comparada a outra.

COM.PA.RE.CER *v.i.* Ir ou estar em determinado local; aparecer.

COM.PA.RE.CI.MEN.TO *s.m.* 1) Presença de alguém num determinado lugar. 2) *Dir.* Apresentação em juízo.

COM.PAR.SA *s.2gên.* Parceiro de alguém em um ato ilícito; cúmplice.

COM.PAR.TI.LHAR *v.t.d.i.* 1) Repartir algo com alguém; partilhar. / *v.t.d.* e *v.t.i.* 2) Tomar parte em; participar.

COM.PAR.TI.MEN.TO *s.m.* Divisão de um móvel, de uma casa, etc.

COM.PAS.SO *s.m.* 1) Instrumento composto de duas hastes usado para traçar circunferências ou tirar medidas. 2) *Mús.* Espaço entre dois travessões.

COM.PA.TÍ.VEL *adj.2gên.* 1) Que pode coexistir. 2) Conciliável, harmonizável.

COM.PA.TRI.O.TA *adj.2gên.* e *s.2gên.* Que tem origem no mesmo país ou região.

COM.PE.LIR *v.t.d.i.* 1) *fig.* Coagir; obrigar; impelir. / *v.t.d.* 2) Empurrar.

COM.PE.NE.TRA.DO *adj.* Concentrado, atento, absorto.

COM.PE.NE.TRAR *v.t.d.i.* e *v.p.* 1) Convencer(-se); persuadir(-se). / *v.t.d.* 2) Fazer penetrar bem; fincar.

COM.PEN.SAR *v.t.d.i.*, *v.i.* e *v.p.* 1) Reparar um dano, um incômodo, etc. com uma ação oposta. / *v.t.d.* e *v.p.* 2) Equilibrar(-se); contrabalançar(-se). / *v.t.d.i.* 3) Recompensar; indenizar; ressarcir.

COM.PE.TÊN.CIA *s.f.* 1) Capacidade legal que um funcionário ou um tribunal tem de apreciar ou julgar um pleito ou questão. 2) Capacidade de quem é capaz de resolver certo assunto; aptidão, idoneidade. 3) Conflito; luta; oposição.

COM.PE.TEN.TE *adj.2gên.* 1) Que tem competência; idôneo; apto; capaz. 2) Adequado; próprio. 3) Suficiente; legal.

COM.PE.TI.ÇÃO *s.f.* 1) Ato ou efeito de competir. 2) Luta; desafio; disputa; rivalidade.

COM.PE.TI.DOR (ô) *s.m.* 1) Que ou aquele que compete. 2) Adversário, antagonista, rival. / *adj.* 3) Que compete.

COM.PE.TIR *v.t.i.* 1) Concorrer com outrem na mesma pretensão. 2) Ser da competência de; cumprir; caber; tocar; pertencer por direito. / *v.p.* 3) Rivalizar-se.

COM.PI.LAR *v.t.d.* Coligir; reunir escritos; copilar.

COM.PLA.CÊN.CIA *s.f.* 1) Tolerância; aceitação do comportamento dos outros. 2) *fig.* Benevolência, benignidade, condescendência.

COM.PLEI.ÇÃO *s.f.* 1) Constituição física de uma pessoa. 2) Traço de personalidade; índole, temperamento.

COM.PLE.MEN.TAR *v.t.d.* e *v.p.* 1) Acrescentar; completar(-se). / *adj.2gên.* 2) Relativo ao complemento de algo. 3) O que completa algo.

COM.PLE.MEN.TO *s.m.* 1) Ato ou efeito de completar. 2) *Gram.* Palavra ou oração que se junta a outra para completar o sentido.

completar · comunicação

COM.PLE.TAR *v.t.d.* 1) Tornar completo. 2) Acabar, concluir, rematar. 3) Perfazer, preencher.
COM.PLE.TO *adj.* 1) Que tem todas as partes; concluído; inteiro; perfeito; preenchido; total. 2) Cumprido, satisfeito. 3) Aquilo que está acabado, completo.
COM.PLE.TU.DE *s.f.* Qualidade do que está completo.
COM.PLE.XO (cs) *s.m.* 1) Conjunto de coisas que têm ligação entre si. / *adj.* 2) Que abrange ou encerra muitos elementos ou partes. 3) Que pode ser observado sob vários pontos de vista. 4) Complicado.
COM.PLI.CA.ÇÃO *s.f.* 1) Ato ou efeito de complicar. 2) Estado ou caráter de complicado. 3) Dificuldade, embaraço, impedimento.
COM.PLI.CA.DO *adj.* Que apresenta complicação; difícil, complexo, confuso.
COM.PLI.CAR *v.t.d.* 1) Tornar complexo, confuso, difícil. 2) Atar, enlaçar; reunir coisas distintas. 3) Envolver, implicar. / *v.p.* 4) Enredar-se; tornar-se difícil.
COM.PLÔ *s.m.* Conspiração, trama.
COM.PO.NEN.TE *s.2gên.* e *adj.* Que compõe ou entra na composição de alguma coisa; parte constituinte.
COM.POR *v.t.d.* 1) Formar de coisas ou de partes diferentes. 2) Entrar na composição de; fazer parte de. 3) Criar; escrever; inventar; produzir. 4) Arranjar. 5) *Mús.* Conceber e escrever uma música. / *v.p.* 6) Harmonizar-se; conciliar-se.
COM.POR.TA *s.f.* Tipo de porta que retém e regula a água.
COM.POR.TA.MEN.TO *s.m.* Modo de agir; procedimento, conduta.
COM.POR.TAR *v.t.d.* 1) Ser capaz de conter. 2) Ter como consequência; envolver. / *v.p.* 3) Agir de determinada maneira. 4) Portar-se bem.
COM.PO.SI.ÇÃO *s.f.* 1) Ato ou efeito de compor. 2) Constituição; disposição. 3) Produção artística ou científica, principalmente musical. 3) *Por ext.* Redação escolar. 4) *Linguíst.* Um dos processos de formação de palavras.
COM.PO.SI.TOR (ô) *s.m.* 1) Quem compõe. 2) *Mús.* Quem compõe músicas.
COM.POS.TU.RA *s.f.* Boas maneiras, recato, comedimento.
COM.PO.TA *s.f.* Doce de fruta cozida em calda de açúcar.
COM.PRA *s.f.* 1) Ato ou efeito de comprar. 2) Aquilo que se compra.
COM.PRAR *v.t.d.i.* 1) Adquirir algo por dinheiro. / *v.t.d.* 2) Subornar. 3) *fig.* Conseguir com muito esforço. 4) Em alguns jogos, pegar uma carta do baralho.
COM.PRE.EN.DER *v.t.d.* e *v.i.* 1) Apreender o sentido ou a intenção de; entender. / *v.t.d.* e *v.p.*

2) Conter em si, incluir. / *v.t.d.* 3) Ter compreensão, simpatia.
COM.PRE.EN.SÃO *s.f.* 1) Entendimento; percepção. 2) Domínio intelectual de um assunto. 3) Ato de aceitar e respeitar os outros.
COM.PRE.EN.SÍ.VEL *adj.2gên.* Que se pode compreender.
COM.PRES.SA *s.f.* Pedaço de tecido embebido em água ou medicamento que se aplica sobre uma ferida ou parte do corpo.
COM.PRES.SÃO *s.f.* 1) Ação de comprimir. 2) Aperto, pressão.
COM.PRI.DO *adj.* 1) Longo, extenso. 2) *Por ext.* Alto.
COM.PRI.MEN.TO *s.m.* 1) Dimensão longitudinal de um objeto; distância; extensão de linha. 2) Grandeza, tamanho.
COM.PRI.MI.DO *adj.* 1) Que sofreu compressão. / *s.m.* 2) Pequena pastilha de medicamento para ser ingerida.
COM.PRI.MIR *v.t.d.* e *v.p.* 1) Apertar, pressionar. 2) Reduzir o volume por pressão.
COM.PRO.ME.TER *v.t.d.i.* e *v.p.* 1) Expor(-se) a perigo ou a situação constrangedora. 2) Obrigar-se a fazer algo. / *v.t.d.* 3) Causar dano a; prejudicar. / *v.t.d.i.* 4) Dar como garantia moral. / *v.p.* 5) Combinar casamento.
COM.PRO.MIS.SO *s.m.* 1) *Dir.* Acordo entre litigantes pelo qual se sujeita a arbitragem à decisão de um pleito. 2) Ajuste, convenção. 3) Obrigação ou promessa; trato a ser cumprido.
COM.PRO.VAN.TE *adj.2gên.* 1) Que comprova. / *s.m.* 2) Documento que comprova algo.
COM.PRO.VAR *v.t.d.* 1) Cooperar para provar. 2) Demonstrar, evidenciar, confirmar.
COM.PUL.SÃO *s.f.* 1) Ato de compelir. 2) *Psicol.* Atos compulsivos e obsessivos, muitas vezes desadaptados e que comprometem a atividade social realizada por um indivíduo.
COM.PUL.SI.VO *adj.* 1) Relativo a compulsão. / *adj.* e *s.m.* 2) *Psicol.* Que age por compulsão.
COM.PUL.SÓ.RIO *adj.* Obrigatório.
COM.PU.TA.DOR (ô) *s.m.* 1) Aquele que faz cômputos. 2) Calculista. 3) *Inform.* Aparelho eletrônico capaz de efetuar operações sem intervenção de um operador humano durante seu funcionamento.
COM.PU.TAR *v.t.d.* e *v.t.d.i.* 1) Fazer cálculo do montante de alguma coisa; calcular. / *v.t.d.i.* 2) Incluir, inscrever. / *v.i.* 3) *Inf.* Processar ou analisar em computador.
CO.MUM *adj.2gên.* 1) Que pertence a muitos ou a todos. 2) Habitual, normal, ordinário. 3) Vulgar. 4) De pouca importância, de pouco valor; insignificante. 5) Abundante.
CO.MU.NI.CA.ÇÃO *s.f.* 1) Ato ou efeito de comunicar. 2) Transmissão de uma mensagem. 3) A

mensagem transmitida. 4) *Por ext.* Capacidade de entendimento, de diálogo. 5) Passagem que liga dois locais.

CO.MU.NI.CA.DO *s.m.* 1) Aviso ou informação divulgada. / *adj.* 2) Que se comunicou.

CO.MU.NI.CAR *v.t.d.* 1) Fazer saber; participar; informar. 2) Pôr em contato ou ligação; unir. 3) Tornar comum; transmitir. / *v.p.* 4) Propagar-se. 5) Corresponder-se.

CO.MU.NI.CA.TI.VO *adj.* Pessoa sociável, extrovertida.

CO.MU.NI.DA.DE *s.f.* 1) Qualidade do que é comum. 2) Participação em comum; grupo. 3) Sociedade. 4) Pessoas religiosas que vivem em grupo. 5) Lugar que elas habitam em comum. 6) Colônia.

CO.MU.NIS.MO *s.m.* Doutrina ou sistema social e econômico que só admite a comunidade de bens e a supressão da propriedade privada dos meios de produção.

CO.MU.NI.TÁ.RIO *adj.* Nome dado ao processo de formação dos povos em que domina o sentimento de comunidade.

CON.CA.TE.NAR *v.t.d.i.* e *v.p.* 1) Estabelecer conexão entre. 2) Articular de forma apropriada.

CÔN.CA.VO *adj.* 1) Mais fundo no centro do que nas bordas. / *s.m.* 2) Concavidade.

CON.CE.BER *v.t.d.*, *v.t.i.* e *v.i.* 1) Formar o embrião pela fecundação do óvulo; gerar. / *v.t.d.* 2) *fig.* Ter uma ideia; criar, imaginar. 3) Compreender, entender.

CON.CE.DER *v.t.d.i.* 1) Dar, oferecer, proporcionar. / *v.t.d.*, *v.t.i.* e *v.t.d.i.* 2) Permitir, consentir.

CON.CEI.TO *s.m.* 1) *Filos.* Ideia, abstração. 2) Opinião, pensamento, reputação. 3) Sentença, máxima.

CON.CEI.TU.AR *v.t.d.* 1) Formar conceito acerca de; avaliar, classificar. / *v.t.i.* 2) Ajuizar.

CON.CEN.TRA.ÇÃO *s.f.* 1) Ato ou efeito de concentrar(-se). 2) Estado de quem se concentra. 3) Aglomeração. 4) Condensação. 5) Isolamento. 6) Solidão. 7) *Quím.* Quantidade de moléculas ou íons numa substância. 8) Local onde os esportistas se reúnem às vésperas de uma competição.

CON.CEN.TRAR *v.t.d.* e *v.p.* 1) Fazer convergir para um mesmo ponto. 2) Apresentar(-se) em grande número ou intensidade; acumular(-se). 3) Aplicar em um objeto único. / *v.t.d.i.* e *v.p.* 4) Dedicar totalmente a atenção ou a disposição para. 5) Tornar mais denso ou ativo.

CON.CÊN.TRI.CO *adj.* Que possui o mesmo centro.

CON.CEP.ÇÃO *s.f.* 1) Ato ou efeito de conceber. 2) Fecundação de um óvulo. 3) Compreensão, percepção. 4) Ponto de vista; opinião.

CON.CER.NEN.TE *adj.2gên.* Que diz respeito; referente.

CON.CER.TO (ê) *s.m.* 1) *Mús.* Obra musical para orquestra e solista. 2) Apresentação de obras musicais. 3) *Mús.* Harmonia; arranjo.

CON.CES.SIO.NÁ.RIA *s.f.* 1) Empresa que recebeu uma concessão. 2) Empresa revendedora de automóveis.

CON.CHA *s.f.* 1) Casca que envolve alguns moluscos. 2) Colher grande e funda de cabo longo. 3) *fig.* Residência, moradia, casa.

CON.CHA.VO *s.m.* 1) Acordo, combinação. 2) Trama, conluio.

CON.CI.DA.DÃO *s.m.* Pessoa do mesmo país ou cidade que outra.

CON.CI.LI.A.ÇÃO *s.f.* Acordo, harmonização.

CON.CI.LI.AR *v.t.d.i.* e *v.p.* 1) Pôr(-se) em acordo. 2) Pôr(-se) em harmonia.

CON.CI.SO *adj.* Resumido, breve.

CON.CLA.MAR *v.t.d.* 1) Gritar em conjunto. 2) Aclamar; eleger. / *v.t.d.i.* 3) Convocar, chamar. / *v.i.* 4) Protestar aos gritos.

CON.CLU.IR *v.t.d.* 1) Terminar, acabar. 2) Chegar a um acordo sobre. / *v.t.d.i.* 3) Deduzir, inferir.

CON.CLU.SÃO *s.f.* 1) Ato ou efeito de concluir. 2) Fim; acabamento; encerramento. 3) Epílogo; fecho. 4) Dedução.

CON.CLU.SI.VO *adj.* Que contém ou leva a uma conclusão.

CON.CO.MI.TAN.TE *adj.2gên.* e *s.m.* Que ou o que ocorre ao mesmo tempo; simultâneo; coexistente.

CON.COR.DÂN.CIA *s.f.* 1) Ato de concordar. 2) Acordo, consonância, harmonia. 3) *Gram.* Harmonização de flexões nas palavras. 4) *Geol.* O mesmo que conformidade.

CON.COR.DAR *v.t.d.* 1) Pôr de acordo; conciliar; concertar. / *v.t.i.* 2) *Gram.* Estar em concordância; convir. / *v.i.* 3) Ajustar-se, combinar-se, harmonizar-se. 4) Assentir, consentir.

CON.CÓR.DIA *s.f.* 1) Entendimento, harmonia, acordo. 2) Paz.

CON.COR.RÊN.CIA *s.f.* 1) Ato ou efeito de concorrer. 2) Afluência de pessoas no mesmo momento para o mesmo lugar. 3) Rivalidade; disputa.

CON.COR.RER *v.t.i.* 1) Juntar-se para uma ação ou fim comum; contribuir; cooperar. 2) Afluir ao mesmo lugar, juntamente com outros. 3) Ir a concurso; apresentar-se como candidato. 4) Rivalizar com outrem na oferta de produtos; disputar.

CON.COR.RI.DO *adj.* 1) Muito disputado. 2) Muito frequentado.

CON.CRE.TI.ZAR *v.t.d.* 1) Tornar concreto; efetivar. 2) Realizar, alcançar um objetivo.

CON.CRE.TO *adj.* 1) Referente à realidade; real; efetivo; preciso. 2) Claro, definido. / *s.m.* 3) Material artificial composto de pedra britada, água, areia e cimento. 4) Aquilo que é concreto.

concursado   confessionário

CON.CUR.SA.DO *adj.* e *s.m.* Que ou quem foi aprovado em concurso.

CON.CUR.SO *s.m.* 1) Ato ou efeito de concorrer. 2) Afluência de pessoas ao mesmo lugar. 3) Encontro. 4) Prestação de provas ou apresentação de documentos ou títulos exigidos para admissão a um emprego. 5) *Dir.* Concorrência.

CON.CUS.SÃO *s.f.* 1) Choque ou pancada violenta. 2) Obtenção de vantagens ilícitas por funcionário público ou autoridade pública.

CON.DA.DO *s.m.* 1) Título de conde. 2) Território sob domínio de um conde. 3) Divisão administrativa em alguns países.

CON.DÃO *s.m.* Poder mágico, sobrenatural.

CON.DE *s.m.* 1) Título hierárquico da antiga nobreza, entre marquês e visconde. 2) Valete, nos baralhos comuns.

CON.DE.CO.RAR *v.t.d.* 1) Distinguir com condecoração; nobilitar. 2) Dar designação honrosa ou um título a; agraciar.

CON.DE.NA.ÇÃO *s.f.* 1) Ato ou efeito de condenar. 2) Sentença condenatória. 3) Pena imposta por sentença. 4) Censura; multa; reprovação.

CON.DE.NAR *v.t.d.* 1) *Dir.* Declarar incurso em pena; sentenciar. 2) Mostrar a criminalidade de; culpar. 3) Considerar em culpa ou erro. 4) Censurar; reprovar. 5) Julgar caso perdido. 6) Obrigar. / *v.p.* 7) Dar provas contra si; culpar-se.

CON.DEN.SA.ÇÃO *s.f.* 1) *Fís.* Passagem do estado gasoso para o estado líquido. 2) *fig.* Agregação, concentração. 3) *fig.* Síntese, resumo.

CON.DEN.SAR *v.t.d.* e *v.p.* 1) Tornar(-se) denso, espesso; engrossar(-se). 2) Passar do estado gasoso para o estado líquido. / *v.t.d.i.* e *v.p.* 3) *fig.* Resumir; exprimir em poucas palavras.

CON.DI.ÇÃO *s.f.* 1) Requisito, exigência. 2) Modo de ser, estado ou situação. 3) Estado de algo ou alguém. 4) Situação social; classe.

CON.DI.CIO.NAL *adj.2gên.* 1) Que contém uma condição. / *s.f.* 2) *pop. Jur.* Permissão concedida a presos de cumprir pena em liberdade.

CON.DI.CIO.NAR *v.t.d.* 1) Determinar o comportamento. / *v.t.d.i.* 2) Impor uma condição. 3) *Por ext.* Influenciar, sugestionar. / *v.p.* 4) Adaptar(-se); habituar(-se).

CON.DI.MEN.TAR *v.t.d.* Colocar condimentos; temperar.

CON.DI.MEN.TO *s.m. Cul.* Aquilo que realça o sabor dos alimentos; tempero.

CON.DI.ZER *v.t.i.* e *v.i.* Estar de acordo com; combinar.

CON.DO.ER *v.t.d.* e *v.p.* Inspirar ou sentir tristeza, dó, compaixão; comover(-se).

CON.DO.LÊN.CIA *s.f.* Piedade, compaixão.

CON.DO.MÍ.NIO *s.m.* 1) Domínio exercido em comum. 2) Contribuição para as despesas comuns em edifícios de apartamentos.

CON.DU.ÇÃO *s.f.* 1) Ato, efeito ou meio de conduzir. 2) Meio de transporte.

CON.DU.TA *s.f.* 1) Ação de conduzir. 2) Comportamento; procedimento.

CON.DU.TO *s.m.* 1) Caminho; via; meio. 2) Tubo pelo qual passa um fluido. 3) *Anat.* Canal.

CON.DU.TOR (ô) *adj.* 1) Que conduz. / *s.m.* 2) Aquele que conduz. 3) *Fís.* O que transporta corrente elétrica.

CON.DU.ZIR *v.t.d.i.* 1) Guiar; dirigir. / *v.t.d.* 2) Ser responsável por; governar. 3) Levar; acompanhar. 4) *Fís.* Ser condutor de (energia); transmitir.

CO.NE *s.m. Geom.* Forma geométrica com uma base circular que se afunila até o vértice.

CO.NEC.TAR *v.t.d.i.* e *v.p.* 1) Estabelecer conexão ou comunicação entre; ligar(-se). 2) Acessar. 3) Relacionar fatos, ideias, palavras, etc.

CO.NE.XÃO (cs) *s.f.* 1) Ligação. 2) Relação lógica, coerência. 3) *Constr.* Peça que liga tubulações.

CON.FA.BU.LAR *v.t.i.* e *v.i.* Conversar, trocar ideias, normalmente sobre coisas sigilosas.

CON.FEC.ÇÃO *s.f.* 1) Ato ou efeito de confeccionar. 2) Acabamento, conclusão. 3) Roupa feita, comprada pronta.

CON.FEC.CIO.NAR *v.t.d.* Fazer, preparar, fabricar.

CON.FE.DE.RA.ÇÃO *s.f.* 1) Ato de confederar. 2) Reunião de Estados que mantêm sua autonomia e possuem um chefe comum. 3) Aliança ou agrupamento de associações.

CON.FEI.TAR *v.t.d.* e *v.i.* Decorar bolos e outros doces com cobertura, glacê, etc.

CON.FEI.TA.RI.A *s.f.* 1) Local onde se fabricam e vendem doces. 2) Atividade dos confeiteiros.

CON.FEI.TO *s.m.* 1) Pequena semente coberta de açúcar, preparada em xarope e seca ao fogo. 2) Pequenos glóbulos coloridos que são usados para enfeitar bolos; gulodice.

CON.FE.RÊN.CIA *s.f.* 1) Conversa ou debate sobre algum tema. 2) *Por ext.* Palestra. 3) Ato de conferir; comparação, confronto.

CON.FE.RIR *v.t.d.* 1) Verificar se está exato; comparar; confrontar. 2) Estar certo ou conforme. 3) Atribuir; conceder; dar; outorgar. 4) *Tip.* Cotejar o original com provas tipográficas.

CON.FES.SAR *v.t.d.* 1) Declarar, revelar. 2) Declarar perante o confessor ou a Deus só em oração particular. 3) Ouvir de confissão. / *v.t.d.i.* 4) Revelar dificuldades a alguém ➡ Confessei minhas dificuldades à professora.

CON.FES.SIO.NÁ.RIO *s.m.* Local na igreja católica onde o padre ouve as confissões.

153

confete

congregação

CON.FE.TE (é) *s.m.* 1) Pedacinhos redondos de papel colorido que as pessoas jogam umas nas outras. 2) *pop.* Elogio, adulação.

CON.FI.AN.ÇA *s.f.* 1) Sentimento de quem confia, de segurança. 2) Bom conceito profissional. 3) Otimismo, esperança.

CON.FI.AR *v.t.d.i.* e *v.p.* 1) Pôr(-se) sob os cuidados de; entregar com segurança. / *v.t.d.i.* 2) Contar, revelar, confidenciar. / *v.t.i.* e *v.i.* 3) Ter esperança, confiança, fé; crer.

CON.FI.DÊN.CIA *s.f.* Conversa na qual se revela algo secreto.

CON.FI.DEN.CI.AL *adj.2gên.* Coisa secreta, sigilosa.

CON.FI.DEN.CI.AR *v.t.d.* e *v.t.d.i.* Fazer confidência; contar em segredo.

CON.FI.DEN.TE *adj.2gên.* e *s.2gên.* Que ou quem ouve confidência.

CON.FI.GU.RA.ÇÃO *s.f.* 1) Forma exterior de um corpo; aspecto; feitio; figura. 2) *Astr.* Aspecto assumido pelas estrelas em uma constelação. 3) *Psic.* Tipo de fenômenos psíquicos irredutíveis.

CON.FI.GU.RAR *v.t.d.*, *v.t.d.i.* e *v.p.* 1) Dar ou tomar forma de; representar. / *v.t.d.* 2) Caracterizar(-se) como.

CON.FIM *s.m.* 1) Fronteira, limite. 2) Lugar muito distante.

CON.FI.NAR *v.t.d.* 1) Enclausurar; encarcerar; encerrar. 2) Circunscrever, cercar, isolar. / *v.p.* 3) Isolar-se, retirar-se.

CON.FIR.MAR *v.t.d.* 1) Tornar firme; corroborar; ratificar; reafirmar. 2) Comprovar, demonstrar. 3) Conferir o sacramento da comunhão.

CON.FIS.CAR *v.t.d.i. fig.* Apreender, apoderar-se, apossar-se de algo.

CON.FIS.SÃO *s.f.* 1) Ato de confessar(-se). 2) Declaração dos próprios erros ou culpas. 3) Profissão de fé cristã. 4) Cada uma das seitas cristãs.

CON.FLI.TO *s.m.* 1) Embate de pessoas que lutam. 2) Altercação. 3) Barulho; desordem; tumulto. 4) Conjuntura; momento crítico. 5) Pendência. 6) Luta; briga; oposição. 7) Pleito. 8) Dissídio entre nações.

CON.FOR.MAR *v.t.d.* e *v.p.* 1) Dar ou tomar forma. / *v.t.d.i.* e *v.p.* 2) Concordar, adequar. / *v.p.* 3) Aceitar, resignar-se.

CON.FOR.ME *adj.2gên.* 1) Que tem a mesma forma; análogo; semelhante; concorde; conformado; resignado. / *adv.* 2) De modo conforme, em conformidade. / *prep.* 3) Segundo. / *conj.* 4) Como.

CON.FOR.MIS.MO *s.m.* Hábito de se conformar com tudo; resignação, passividade.

CON.FOR.TAR *v.t.d.* 1) Dar forças a; fortificar. 2) Dar conforto a; consolar, aliviar.

CON.FOR.TÁ.VEL *adj.2gên.* 1) Que oferece conforto, bem-estar, comodidade. 2) Livre de problemas; cômodo.

CON.FOR.TO (ô) *s.m.* 1) Alívio, consolo. 2) Bem-estar, comodidade.

CON.FRA.TER.NI.ZAR *v.t.d.i.* 1) Viver fraternalmente, partilhando ideias, sentimentos, etc. / *v.t.i.* 2) Comemorar com outras pessoas. / *v.t.i.* e *v.i.* 3) Demonstrar amizade ou companheirismo com alguém.

CON.FRON.TAR *v.t.d.* 1) Pôr frente a frente. 2) Acarear. 3) Comparar; cotejar. / *v.p.* 4) Estar ante; defrontar-se.

CON.FRON.TO *s.m.* 1) Ato ou efeito de confrontar(-se). 2) Comparação, cotejo. 3) Enfrentamento, luta. 4) Disputa esportiva.

CON.FUN.DIR *v.t.d.* 1) Fundir; misturar; reunir de forma desordenada. 2) Não distinguir; tomar uma coisa ou pessoa por outra. / *v.p.* 3) Perturbar-se.

CON.FU.SÃO *s.f.* 1) *Por ext.* Ausência de ordem; bagunça. 2) Não distinguir coisas ou pessoas. 3) *Por ext.* Mistura desordenada de coisas ou seres. 4) *Por ext.* Tumulto, agitação, briga. 5) *Por ext.* Falta de clareza, de exatidão. 6) *fig.* Engano, equívoco.

CON.FU.SO *adj.* 1) Confundido, misturado. 2) Incerto, obscuro. 3) Desordenado. 4) Embaraçado, enleado, perplexo.

CON.GE.LA.DOR (ô) *adj.* 1) Que congela. / *s.m.* 2) Compartimento nas geladeiras onde se produz gelo.

CON.GE.LAR *v.t.d.* 1) Fazer passar do estado líquido ao sólido por abaixamento de temperatura; gelar; tornar gelo; resfriar. 2) Fixar preços ou salários. / *v.p.* 3) Embargar(-se), embaraçar(-se).

CON.GÊ.NI.TO *adj.* 1) Que nasce com a pessoa; inato. 2) Que se manifesta espontaneamente; natural.

CON.GES.TÃO *s.f.* 1) *Med.* Afluência anormal do sangue aos vasos de um órgão. 2) Acúmulo; aglomeração.

CON.GES.TI.O.NA.MEN.TO *s.m.* 1) Ato ou efeito de congestionar(-se). 2) Acúmulo de veículos que dificultam o trânsito.

CON.GLO.ME.RA.DO *adj.* 1) Reunido, amontoado. / *s.m.* 2) Rocha sedimentar formada por fragmentos cimentados.

CON.GLO.ME.RAR *v.t.d.* 1) Fazer conglomeração de; amontoar. / *v.p.* 2) Unir-se, reunir-se.

CON.GO *s.m.* 1) *Folc.* Dança dramática de origem africana. 2) Denominação dada ao macho da ema.

CON.GRA.TU.LAR *v.t.d.* 1) Parabenizar, felicitar. / *v.p.* 2) Alegrar-se com o sucesso, bem-estar ou felicidade de alguém.

CON.GRE.GA.ÇÃO *s.f.* 1) Ato ou efeito de congregar(-se). 2) Assembleia; reunião; conselho. 3) Companhia de sacerdotes, irmãos leigos ou irmãs, submetidos às mesmas orientações e regras.

congregar / conservador

CON.GRE.GAR *v.t.d.* 1) Juntar, convocar. / *v.p.* 2) Juntar(-se); reunir(-se); ligar(-se); unir(-se) em congresso.

CON.GRES.SO *s.m.* 1) Reunião de pessoas que examinam interesses comuns, estudos comuns, etc. 2) Conjunto dos dois órgãos do Poder Legislativo: Senado e Câmara dos Deputados.

CON.GRU.ÊN.CIA *s.f.* Adequação, concordância, coerência.

CO.NHA.QUE *s.m.* 1) Aguardente de vinho fabricada em Cognac (França). 2) Bebida com as mesmas características do conhaque feita em qualquer outro país.

CO.NHE.CER *v.t.d.* 1) Entender; saber. 2) Ter relações com. 3) Ser perito ou versado em. 4) Experimentar.

CO.NHE.CI.MEN.TO *s.m.* 1) Ato ou efeito de conhecer e compreender alguma coisa. 2) Ideia; noção; informação; notícia. 3) Ligação entre pessoas que têm algumas relações. 4) *Com.* Documento correspondente ao embarque de certa mercadoria. 5) Saber; instrução; perícia.

CO.NI.VEN.TE *adj.2gên.* e *s.2gên.* 1) Que ou quem encobre um ato mal. 2) Que ou quem participa de um crime; cúmplice.

CON.JEC.TU.RAR *v.t.d.* Traçar hipóteses; supor, presumir.

CON.JU.GAR *v.t.d.i.* e *v.p.* 1) Unir(-se), ligar(-se), combinar(-se). / *v.t.d.* 2) Falar ou escrever as flexões de um verbo.

CÔN.JU.GE *s.m.* O marido e a esposa, em relação um ao outro.

CON.JUN.ÇÃO *s.f.* 1) União, ligação. 2) Oportunidade, ocasião; conjuntura. 3) Palavra invariável que liga duas orações.

CON.JUN.TI.VI.TE *s.f.* Med. Inflamação da conjuntiva.

CON.JUN.TO *adj.* 1) Simultâneo. 2) Contíguo, adjacente, unido. / *s.m.* 3) União das partes de um todo. 4) Soma de todos os elementos; totalidade. 5) Equipe, grupo. 6) Grupo de músicos.

CON.JU.RAR *v.t.d.i.* 1) Conspirar, planejar. 2) Instigar, incitar. 3) Chamar, invocar. / *v.t.d.* 4) Tramar contra alguém; conspirar. 5) Pedir, suplicar. 6) *fig.* Afastar (um mal, uma doença).

CON.LUI.O *s.m.* 1) Trama de duas ou mais pessoas para prejudicar alguém. 2) Aliança, acordo.

CO.NOS.CO (ô) *pron.* 1) Em nossa companhia. 2) A nosso respeito. 3) De nós para nós.

CO.NO.TA.ÇÃO *s.f.* 1) Relação entre duas coisas; conexo. 2) *Filos.* Compreensão, falando-se de conceito. 3) *Linguíst.* Sentido, principalmente subjetivo, que se sobrepõe à significação básica de um termo ou conceito.

CON.QUIS.TA *s.f.* 1) Ato ou efeito de conquistar. 2) Sedução. 3) Coisa ou pessoa conquistada.

CON.QUIS.TAR *v.t.d.* 1) Subjugar, submeter pela força das armas; vencer; ganhar. 2) Adquirir à força de trabalho; alcançar. 3) *Fam.* Obter a simpatia de.

CON.SA.GRAR *v.t.d.i.* e *v.p.* 1) *Rel.* Tornar sagrado. 2) Oferecer em homenagem; dedicar. 3) Oferecer (-se) a Deus ou aos santos, por voto ou promessa. / *v.p.* 4) Ocupar(-se) intensamente; dedicar(-se). 5) Ter reconhecimento, fama, sucesso. / *v.t.d.* 6) Legitimar, reconhecer.

CON.SAN.GUÍ.NEO *adj.* 1) Realizado entre parentes. / *adj.* e *s.m.* 2) Descendente do mesmo ancestral, do mesmo sangue; aparentado.

CONS.CI.ÊN.CIA *s.f.* 1) Percepção de si mesmo e da realidade. 2) Faculdade de estabelecer julgamentos morais das ações. 3) Conhecimento, discernimento. 4) Senso de responsabilidade, dever.

CONS.CI.EN.TE *adj.2gên.* 1) Que tem consciência. 2) Que tem capacidade de pensar, raciocinar, desejar, etc. 3) Ciente, informado. 4) Que está de posse de seus sentidos; acordado, desperto.

CONS.CI.EN.TI.ZAR *v.t.d.*, *v.t.d.i.* e *v.p.* 1) Tornar(-se) consciente, sabedor. / *v.t.d.* e *v.p.* 2) Politizar(-se).

CON.SE.CU.TI.VO *adj.* Que se segue após o outro; imediato, sucessivo.

CON.SE.GUIR *v.t.d.* 1) Alcançar; obter; conquistar. 2) Dar em resultado; ter como consequência.

CON.SE.LHEI.RO *adj.* 1) Que ou aquele que aconselha. / *s.m.* 2) Membro de um conselho. 3) Título de honra do Império.

CON.SE.LHO (ê) *s.m.* 1) Juízo, opinião, parecer emitido. 2) Aviso, ensino, lição, prudência. 3) Tribunal. 4) Reunião ou assembleia de ministros. 5) Corpo deliberativo superior.

CON.SEN.SO *s.m.* Concordância de ideias, opiniões; acordo.

CON.SEN.TIR *v.i.* 1) Concordar, aprovar. / *v.t.d.* e *v.t.i.* 2) Permitir, deixar. / *v.t.d.i.* 3) Possibilitar, contribuir.

CON.SE.QUÊN.CIA (qü) *s.f.* 1) Resultado, efeito. 2) Conclusão derivada de um raciocínio lógico; dedução. 3) Importância.

CON.SE.QUEN.TE *adj.2gên.* 1) Que se segue como resultado ou efeito de algo. 2) Racional, coerente. 3) Inferido, deduzido.

CON.SER.TAR *v.t.d.* 1) Deixar em boas condições; reparar. 2) Remediar, corrigir, ajustar.

CON.SER.TO (ê) *s.m.* Restauração ou reparo de algo deteriorado, estragado ou quebrado.

CON.SER.VA *s.f.* 1) Alimento conservado em algum líquido ou calda. 2) Esse líquido ou calda.

CON.SER.VA.DOR (ô) *adj.* 1) Que conserva. / *s.m.* 2) Diz-se de quem é apegado a hábitos ou a valores tradicionais; que se opõe a mudanças. 3) Quem é contra reformas políticas. 4) Pessoa conservar | consumação

responsável pela conservação de um arquivo, biblioteca, etc.

CON.SER.VAR *v.t.d.* 1) Proteger de danos; impedir que se deteriore; preservar. 2) Ter ou manter em seu poder. 3) Continuar a ter boa condição física. / *v.t.d.* e *v.p.* 4) Manter(-se) em bom estado ou condição. 5) Continuar a ter ou a exercer. 6) Manter-se em certo estado.

CON.SER.VA.TÓ.RIO *s.m.* Estabelecimento em que se ensinam música e canto.

CON.SI.DE.RA.ÇÃO *s.f.* 1) Respeito, estima. 2) Reflexão, observação, opinião.

CON.SI.DE.RAR *v.t.d.* 1) Julgar; supor; qualificar. 2) Levar em conta. 3) Respeitar, prezar. 4) Examinar com cuidado. / *v.t.i.* e *v.i.* 5) Refletir, pensar.

CON.SI.GO *pron.* 1) Em sua companhia. 2) Em seu poder.

CON.SIS.TÊN.CIA *s.f.* 1) Estado duro, sólido de um corpo. 2) Estado pastoso, espesso de um líquido. 3) Coerência.

CON.SIS.TEN.TE *adj.2gên.* 1) Que consiste em; formado; constituído. 2) Duro; sólido.

CON.SIS.TIR *v.t.i.* 1) Ser constituído de; compor-se; constar. 2) Estribar-se; fundar-se; basear-se.

CON.SO.AN.TE *adj.2gên.* 1) Que concorda; harmonioso. / *adj.2gên.* e *s.f.* 2) Diz-se de ou som no qual, durante a sua produção, o ar encontra obstáculo a sua passagem. 3) *Por ext. Gram.* Letra que representa esse fonema. / *conj.* e *prep.* 4) Conforme; segundo.

CON.SO.LAR *v.t.d.i.* e *v.p.* 1) Aliviar o sofrimento próprio ou de alguém. / *v.t.d.*, *v.i.* e *v.p.* 2) *fig.* Dar ou ter boa sensação; satisfazer(-se). / *v.p.* 3) Conformar-se, resignar-se.

CON.SO.LI.DAR *v.t.d.i.* e *v.p.* 1) Tornar(-se) firme, estável, seguro; fortalecer(-se). / *v.t.d.*, *v.i.* e *v.p.* 2) Tornar(-se) sólido; endurecer(-se).

CON.SO.LO *s.m.* O que consola; alívio.

CON.SÓR.CIO *s.m.* 1) Associação, união. 2) União matrimonial, casamento. 3) Grupo de compradores de determinada coisa, que é entregue a cada um por ordem de sorteio.

CON.SOR.TE *s.2gên.* Cônjuge.

CONS.PI.RA.ÇÃO *s.f.* Trama para prejudicar alguém ou alguma instituição; conluio.

CONS.PI.RAR *v.t.d.* 1) Maquinar, tramar. / *v.t.i.* 2) Entrar em conspiração. 3) Dar golpe político. / *v.i.* 4) Tomar parte em uma conspiração.

CONS.TÂN.CIA *s.f.* 1) Qualidade de constante. 2) Firmeza de ânimo; perseverança, persistência, coragem.

CONS.TAN.TE *adj.2gên.* 1) Que dura ou se repete sem modificação, inalterável, incessante, permanente. 2) Que consta ou consiste.

CONS.TAR *v.i.* 1) Passar por certo; ser notório. 2) Estar escrito ou mencionado. 3) Consistir em; ser composto por. 4) Deduzir-se, inferir-se.

CONS.TA.TAR *v.t.d.* 1) Tomar conhecimento de. 2) Verificar, observar. 3) Provar, demonstrar, atestar.

CONS.TE.LA.ÇÃO *s.f.* 1) Grupo de estrelas. 2) *Astr.* Cada uma das subdivisões da esfera celeste.

CONS.TER.NAR *v.t.d.* e *v.p.* Causar ou sentir grande tristeza, aflição ou perturbação.

CONS.TI.PA.ÇÃO *s.f. Med.* Prisão de ventre.

CONS.TI.TU.CI.O.NAL *adj.2gên.* 1) Que se refere à Constituição. 2) Conforme a Constituição de um país. 3) Próprio da constituição ou temperamento do indivíduo. 4) Nome dado ao regime político no qual o poder executivo é limitado por uma constituição.

CONS.TI.TU.IR *v.t.d.* 1) Dar uma constituição ou organização a. 2) Compor, formar, organizar. 3) *Dir.* Fazer procurador.

CONS.TRAN.GER *v.t.d.* 1) Tolher a liberdade; sujeitar. / *v.t.d.i.* 2) Obrigar alguém a fazer algo; coagir. / *v.t.d.* e *v.p.* 3) Expor(-se) a algo indesejável; envergonhar(-se); embaraçar(-se).

CONS.TRU.ÇÃO *s.f.* 1) Ato ou efeito de construir; edificação. 2) Arte de construir. 3) *Gram.* Colocação sintática das palavras de uma oração ou das orações na frase, segundo o sentido, o estilo ou usos da língua; estruturação.

CONS.TRU.IR *v.t.d.* 1) Dar estrutura, edificar, fabricar. 2) *Gram.* Dispor segundo as regras da sintaxe; organizar. / *v.i.* e *v.p.* 3) Fazer construções.

CONS.TRU.TI.VO *adj.* 1) Relativo a construção. 2) *fig.* Criativo, fecundo. 3) *fig.* Que visa melhorar, corrigir erros.

CÔN.SUL *s.m.* Funcionário de uma embaixada ou de um consulado encarregado da seção de passaportes, da assistência aos seus concidadãos e de representar o embaixador.

CON.SU.LA.DO *s.m.* 1) Cargo ou função de cônsul. 2) Local de trabalho do cônsul.

CON.SUL.TA *s.f.* 1) Pedido de opinião ou conselho. 2) Ato de atender, aconselhar ou efetuar tratamento médico; atendimento. 3) Ato de buscar informação.

CON.SUL.TAR *v.t.d.i.* e *v.p.* 1) Pedir opinião, conselho ou parecer a alguém. / *v.t.d.i.* 2) *fig.* Buscar informações; pesquisar. / *v.t.d.*, *v.t.i.* e *v.i.* 3) Dar consulta a.

CON.SUL.TOR (ô) *adj.* e *s.m.* Que ou quem dá conselho ou parecer.

CON.SUL.TÓ.RIO *s.m.* Local onde o profissional da saúde atende.

CON.SU.MA.ÇÃO *s.f.* 1) Finalização, realização, término. 2) Quantia mínima de consumo de bebida ou comida cobrada em determinados estabelecimentos.

CON.SU.MAR *v.t.d.* e *v.p.* 1) Terminar, finalizar, acabar. / *v.t.d.* 2) Realizar, fazer. / *v.p.* 3) Aprimorar-se, aperfeiçoar-se.

CON.SU.MI.DOR (ô) *adj.* 1) Que consome. / *s.m.* 2) Aquele que compra para o gasto próprio.

CON.SU.MIR *v.t.d.* 1) Gastar. 2) Abater, enfraquecer. 3) Fazer sumir pelo uso. 4) *fig.* Afligir(-se), mortificar. / *v.p.* 5) Gastar-se.

CON.SU.MIS.MO *s.m.* Consumo exagerado e supérfluo.

CON.SU.MO *s.m.* 1) Ato ou efeito de consumir. 2) O que se gasta; despesa. 3) Gasto, uso.

CON.TA *s.f.* 1) Ato ou efeito de contar. 2) Cálculo; operação aritmética. 3) Nota do que se deve; gasto. 4) Atribuição; encargo. 5) Apreço.

CON.TA.BI.LI.ZAR *v.t.d.* 1) Registrar metodicamente dados numéricos. 2) *Por ext. pop.* Calcular, avaliar.

CON.TA.DOR (ô) *adj.* e *s.m.* 1) Que ou aquele que conta. / *s.m.* 2) Pessoa formada em contabilidade. 3) Aparelho destinado à contagem de água, gás ou eletricidade.

CON.TA.GEM *s.f.* 1) Ato ou efeito de contar. 2) *Esp.* Escore.

CON.TA.GI.AN.TE *adj.2gên.* Que contagia.

CON.TÁ.GIO *s.m.* 1) *Med.* Transmissão de doença de um indivíduo a outro por contato direto ou indireto. 2) Transmissão de males ou vícios.

CON.TA.GO.TAS *s.m.* Dispositivo usado para pingar gotas de um líquido.

CON.TA.MI.NAR *v.t.d.* 1) *Med.* Infeccionar por contato; contagiar. 2) Corromper, manchar, viciar.

CON.TAR *v.t.d.* 1) Verificar a conta ou o número de. 2) Descrever; narrar; relatar. / *v.i.* 3) Fazer contas; calcular; computar. / *v.t.i.* 4) Confiar na obtenção de.

CON.TA.TO *s.m.* 1) Exercício do sentido do tato. 2) Sensação produzida por um objeto que toca a pele. 3) Estado de corpos que se tocam. 4) Frequentação; relação, ligação. 5) Conexão entre dois condutores de energia elétrica; interferência.

CON.TÊI.NER *s.m.* Grande recipiente de aço destinado ao acondicionamento e transporte de cargas.

CON.TEM.PLAR *v.t.d.* e *v.p.* 1) Olhar com atenção ou encantamento; admirar, observar. / *v.t.d.* 2) Levar em consideração. 3) Conferir distinção a alguém. / *v.t.d.i.* 4) Conceder algo a alguém.

CON.TEM.PO.RÂ.NEO *adj.* e *s.m.* 1) Que ou o que viveu ou existiu na mesma época. 2) O que é do tempo atual.

CON.TEN.ÇÃO *s.f.* 1) Ato de conter(-se). 2) Ato de contender(-se).

CON.TEN.DA *s.f.* 1) Luta, combate. 2) Discussão, rixa.

CON.TEN.TAR *v.t.d.* e *v.p.* Tornar(-se) contente; satisfazer(-se).

CON.TEN.TE *adj.2gên.* Alegre, jovial, satisfeito, prazenteiro.

CON.TER *v.t.d.* 1) Encerrar, incluir, ter em si. 2) Moderar, refrear, reprimir. / *v.p.* 3) Conservar-se, dominar-se.

CON.TER.RÂ.NEO *adj.* e *s.m.* Que ou quem é da mesma terra de alguém; compatriota.

CON.TES.TAR *v.t.d.* 1) Criticar; negar a exatidão de; opor. / *v.i.* 2) Altercar; discutir. / *v.t.i.* 3) Dizer como resposta; replicar.

CON.TE.Ú.DO *s.m.* 1) O que está contido em alguma coisa. 2) Assunto, tema, texto.

CON.TEX.TO (ês) *s.m.* 1) Encadeamento de ideias de um escrito. 2) Composição; conjunto; totalidade.

CON.TEX.TU.A.LI.ZAR *v.t.d.* Apresentar ou incluir em um contexto.

CON.TI.GO *pron. 1)* Em tua companhia. 2) De ti para ti. 3) Dirigido a ti.

CON.TÍ.GUO *adj.* Adjacente, vizinho, próximo.

CON.TI.NÊN.CIA *s.f.* 1) Comportamento contido; comedimento. 2) Castidade. 3) Saudação formal dos militares.

CON.TI.NEN.TE *adj.2gên.* 1) Que observa a continência. 2) Que sabe conter-se; moderado. / *s.m.* 3) Grande massa de terra cercada pelas águas oceânicas. 4) Aquilo que contém ou encerra alguma coisa. 5) Cada uma das cinco grandes divisões da Terra.

CON.TIN.GÊN.CIA *s.f.* Possibilidade, eventualidade.

CON.TIN.GEN.TE *adj.2gên.* 1) Que pode ocorrer ou não; incerto, indeterminado. 2) Acidental; aleatório, fortuito. / *s.m.* 3) Conjunto de pessoas que executam determinada tarefa. 4) Tropas de um exército. 5) Determinação quantitativa; número.

CON.TI.NU.A.ÇÃO *s.f.* 1) Ato ou efeito de continuar. 2) Prolongamento, prosseguimento, sucessão.

CON.TI.NU.AR *v.t.d., v.t.i.* e *v.i.* 1) Levar por diante; não interromper; prosseguir. / *v.t.d.* 2) Suceder; vir imediatamente depois de. / *v.t.d., v.i.* e *v.p.* 3) Prolongar(-se). / *v.i.* 4) Seguir avante.

CON.TÍ.NUO *adj.* 1) Sem interrupção no tempo ou no espaço; seguido; sucessivo. / *s.m.* 2) Funcionário que leva e traz papéis, transmite recados, etc.

CON.TO *s.m.* 1) Narração ficcional falada ou escrita; história; fábula. 2) Mentira; engodo; embuste. 3) Extremidade inferior da lança. 4) Ponteira de pau ou bastão; ferrão. 5) Conto do vigário: embuste para apanhar dinheiro das pessoas de boa-fé; esperteza.

CON.TOR.CER *v.t.d.* e *v.p.* Fazer movimentos de torção com o corpo; retorcer(-se), contrair(-se).

CON.TOR.CIO.NIS.TA *adj.2gên.* e *s.2gên.* Que ou quem faz contorções acrobáticas.

157

CON.TOR.NAR *v.t.d.* 1) Dar a volta em torno de; rodear. 2) Estar em volta de; cercar. 3) Traçar o contorno de. 4) *fig.* Solucionar parcialmente ou adiar a solução de um problema.

CON.TOR.NO *s.m.* 1) Linha que delimita exteriormente uma figura ou objeto; desenho. 2) Circunferência, perímetro. 3) Desvio, volta, retorno.

CON.TRA *prep.* 1) Em oposição a. 2) No rumo oposto. 3) De encontro a. / *s.m.* 4) Dificuldade, obstáculo; objeção. / *adv.* 5) Em sentido contrário; desfavoravelmente.

CON.TRA-AR.GU.MEN.TAR *v.t.d.* Apresentar argumentos contrários a.

CON.TRA-A.TA.QUE *s.m.* Ataque feito para repelir um ataque inimigo.

CON.TRA.BAI.XO *s.m.* Instrumento musical de cordas, o maior e mais grave da família do violino.

CON.TRA.BAN.DIS.TA *adj.2gên.* e *s.2gên.* Que ou quem faz contrabando.

CON.TRA.BAN.DO *s.m.* 1) Importação clandestina de mercadorias sem pagamento de impostos. 2) Mercadoria contrabandeada; muamba.

CON.TRA.ÇÃO *s.f.* 1) Ato ou efeito de contrair (-se); encolhimento. 2) *Fisiol.* Tensionamento de músculo. 3) *Gram.* Combinação de certas preposições com artigo ou com alguns pronomes.

CON.TRA.CA.PA *s.f.* Cada um dos lados internos da capa de livro, revista, etc.

CON.TRA.CE.NAR *v.t.i.* Atuar com outro ator ou atriz.

CON.TRA.CEP.ÇÃO *s.f.* Conjunto dos métodos que evitam a gravidez; anticoncepção.

CON.TRA.DAN.ÇA *s.f.* 1) Dança em que os pares formam filas. 2) Música que acompanha essa dança.

CON.TRA.DI.ÇÃO *s.f.* 1) Atitude ou fala incoerente com algo feito ou dito antes; desacordo. 2) *Por ext.* Falta de lógica; incoerência.

CON.TRA.DI.TÓ.RIO *adj.* Que envolve contradição; incoerente.

CON.TRA.DI.ZER *v.t.d.* 1) Dizer o contrário de; contestar. / *v.p.* 2) Estar em desacordo. / *v.i.* 3) Fazer oposição. 4) Alegar o contrário; impugnar a doutrina do advogado contrário.

CON.TRA.IN.DI.CAR *v.t.d.* e *v.t.d.i.* Opor(-se) a; considerar prejudicial ou inadequado.

CON.TRA.IR *v.t.d.* e *v.p.* 1) Apertar(-se), estreitar(-se), diminuir de tamanho. / *v.t.d.* 2) Adquirir. 3) Assumir, tomar sobre si. 4) Contratar.

CON.TRA.MÃO *s.f.* 1) Direção oposta ao fluxo do trânsito permitido. 2) *fig.* Posição contrária ao que foi estabelecido ou convencionado. / *adj.2gên.* 3) *fig.* De difícil acesso.

CON.TRA.O.FER.TA *s.f.* Nova oferta que substitui a anterior.

CON.TRA.OR.DEM *s.f.* Ordem que se opõe ou revoga outra ordem anterior.

CON.TRA.PRO.POS.TA *s.f.* Proposta apresentada como alternativa a outra.

CON.TRA.RI.AR *v.t.d.* e *v.p.* 1) Embaraçar(-se); estorvar(-se); fazer oposição a. / *v.p.* 2) Contradizer-se. / *v.t.d.* 3) Molestar; desagradar.

CON.TRA.RI.E.DA.DE *s.f.* 1) Sentimento de uma pessoa que encontra um obstáculo a seus projetos; estorvo; dificuldade; contratempo. 2) Oposição entre proposições contrárias.

CON.TRÁ.RIO *adj.* e *s.m.* 1) Nome dado às coisas que estão em oposição, que são incompatíveis; antagônico. / *adj.* 2) Impróprio; inconveniente. 3) *Filos.* Diz-se de proposições universais opostas, uma afirmativa, outra negativa.

CON.TRAR.RE.GRA *s.2gên.* 1) Profissional responsável pelos objetos de cena, indicação da entrada e saída dos atores, etc. em cinema, teatro ou TV. 2) Sonoplastia.

CON.TRAS.TAR *v.t.d.* 1) Opor-se a; ser contrário a. / *v.t.i.* 2) Divergir essencialmente; estar em contraste. / *v.t.d.* 3) Afrontar; arrostar; lutar contra; resistir a.

CON.TRAS.TE *s.m.* 1) Oposição acentuada entre duas coisas ou pessoas; reverso. 2) Verificação do toque do ouro ou da prata. 3) *Med.* Substância radiopaca que serve para contrastar e é empregada em radiologia.

CON.TRA.TA.ÇÃO *s.f.* 1) Admissão a emprego. 2) Combinação, trato.

CON.TRA.TAR *v.t.d.* 1) Fazer contrato de; ajustar; combinar; convencionar. 2) Adquirir por contrato. 3) Dar emprego a; empregar; assalariar. / *v.i.* 4) Negociar. / *v.p.* 5) Assalariar-se.

CON.TRA.TEM.PO *s.m.* 1) Circunstância ou incidente imprevisto e inconveniente. 2) *Por ext.* Obstáculo, empecilho, dificuldade. 3) Contrariedade, aborrecimento.

CON.TRA.TO *s.m.* 1) Acordo entre duas ou mais pessoas, para a execução de alguma coisa. 2) Documento em que se registra esse acordo ou convenção. 3) Promessa aceita.

CON.TRA.VEN.ÇÃO *s.f. Jur.* Transgressão ou infração de regulamentos, leis ou contratos.

CON.TRI.BU.I.ÇÃO *s.f.* 1) Ato de contribuir. 2) Parte dada por alguém para uma obra comum; auxílio; donativo. 3) Imposto; cota; tributo.

CON.TRI.BU.IR *v.t.i.* 1) Concorrer para uma despesa ou realização comum. 2) Cooperar; doar. 3) Pagar contribuição, ter parte em uma despesa comum. / *v.t.d.* 4) Pagar como contribuinte. 5) Entrar com.

CON.TRO.LA.DO *adj.* 1) Submetido a controle; que tem controle; comedido. 2) Calmo, sereno.

CON.TRO.LE (ô) *s.m.* 1) Ato ou efeito de controlar. 2) Verificação atenta e minuciosa da regularidade ou validade de algo; exame; fiscalização. 3) Domínio de sua própria conduta. 4) Aparelho que regula o mecanismo de certas máquinas; comando.

CON.TRO.VÉR.SIA *s.f.* 1) Discussão ou debate referente a ações ou propostas sobre as quais há divergências. 2) *Por ext.* Contestação, polêmica.

CON.TU.DO *conj.* Entretanto; mas; não obstante; no entanto; porém; todavia.

CON.TUN.DEN.TE *adj.2gên.* 1) Capaz de causar contusão. 2) Categórico, incontestável, incisivo.

CON.TUN.DIR *v.t.d.* 1) Produzir contusão em; machucar. / *v.p.* 2) Ferir-se.

CON.TUR.BAR *v.t.d.* e *v.p.* 1) Perturbar(-se); abalar(-se). 2) Rebelar(-se), revoltar(-se).

CON.TU.SÃO *s.f.* 1) Efeito de contundir. 2) *Med.* Lesão produzida por objeto contundente; pisadura.

CON.VA.LES.CER *v.t.d., v.t.d.i., v.i.* e *v.p.* Recuperar aos poucos o ânimo ou a saúde; restabelecer-se.

CON.VEN.ÇÃO *s.f.* 1) Acordo, ajuste, combinação, convênio. 2) Pacto entre partidos políticos beligerantes. 3) Aquilo que está geralmente admitido e praticado, ou tacitamente convencionado nas relações sociais.

CON.VEN.CER *v.t.d.* 1) Persuadir com argumentos, razões ou fatos. / *v.p.* 2) Ficar persuadido; adquirir certeza.

CON.VEN.CI.DO *adj.* 1) Que se convenceu; persuadido, certo. / *adj.* e *s.m. pop.* 2) Presunçoso, arrogante.

CON.VEN.CIO.NAL *adj.2gên.* 1) Relativo a convenção, resultante dela. 2) Que é aprovado pelo uso ou pela tradição. 3) Que obedece a padrões aceitos; comum.

CON.VEN.CIO.NAR *v.t.d., v.t.i.* e *v.p.* Estabelecer por convenção; combinar, ajustar.

CON.VE.NI.EN.TE *adj.2gên.* 1) Apropriado, oportuno. 2) Vantajoso; útil, proveitoso. 3) Decente, decoroso.

CON.VÊ.NIO *s.m.* 1) Contrato de prestação de serviço entre duas entidades. 2) Acordo entre pessoas; pacto.

CON.VEN.TO *s.m.* Habitação de uma comunidade religiosa.

CON.VER.GIR *v.t.i.* 1) Dirigir-se a um mesmo ponto. 2) Reunir-se, agrupar-se. 3) *fig.* Tender para o mesmo fim.

CON.VER.SA *s.f.* 1) Conversação; prosa; entendimento. 2) *pop.* Palavreado. 3) Mentira; falsidade; peta. 4) Entendimento, ajuste de contas.

CON.VER.SÃO *s.f.* 1) Transformação de uma coisa em outra. 2) Mudança de religião, de costumes, etc. 3) Troca da moeda de um país pelo de outro.

CON.VER.SAR *v.t.i.* e *v.i.* 1) Discorrer; falar com alguém; prosear. / *v.t.d.* 2) Trocar ideias. 3) *gír.* Propor solução menos confessável.

CON.VER.SÍ.VEL *adj.2gên.* 1) Que pode ser convertido; convertível. 2) Que se pode trocar por outros valores.

CON.VER.TER *v.t.d.* e *v.p.* 1) Mudar(-se), transformar(-se). / *v.p.* 2) Mudar de crença, opinião ou partido.

CON.VÉS *s.m.* Pavimento dos navios descoberto ou coberto com toldo; deque.

CON.VIC.ÇÃO *s.f.* Crença ou opinião firme a respeito de algo; certeza.

CON.VI.DA.DO *s.m.* Indivíduo a quem se fez convite.

CON.VI.DAR *v.t.d.* 1) Convocar. 2) Instar; pedir; solicitar.

CON.VI.DA.TI.VO *adj.* Que atrai, que seduz.

CON.VIN.CEN.TE *adj.2gên.* Que convence; persuasivo.

CON.VI.TE *s.m.* 1) Ato de convidar; convocação; chamada. 2) Cartão ou papel no qual se convida.

CON.VI.VÊN.CIA *s.f.* 1) Vida em comum; convívio. 2) Intimidade, familiaridade.

CON.VI.VER *v.t.i.* e *v.i.* Ter convivência, familiaridade; ter intimidade; viver em comum.

CON.VO.CAR *v.t.d.* 1) Chamar ou convidar para reunião. 2) Fazer reunir; constituir. 3) Convidar.

CON.VOS.CO (ô) *pron.* 1) Em vossa companhia. 2) De vós para vós. 3) Em relação a vós. 4) Entre vós.

CON.VUL.SÃO *s.f.* 1) Ato ou efeito de convulsionar. 2) *Med.* Contração muscular brusca e involuntária. 3) Cataclismo político; revolução.

CO.O.PE.RA.ÇÃO *s.f.* Ato ou efeito de cooperar; colaboração.

CO.O.PE.RAR *v.t.i.* 1) Operar simultaneamente; trabalhar em comum. 2) Auxiliar, ajudar.

CO.O.PE.RA.TI.VA *s.f.* Associação formada por membros de um mesmo grupo social, econômico, etc. que visa o benefício dos seus associados.

CO.OR.DE.NA.DOR *adj.* e *s.m.* Que ou quem coordena.

CO.OR.DE.NAR *v.t.d.* e *v.p.* 1) Organizar(-se), ordenar(-se). / *v.t.d.* 2) Orientar, dirigir o trabalho de uma equipe. / *v.t.d.i.* 3) Conjugar, ligar, unir.

CO.PA *s.f.* 1) Topo da árvore. 2) Local da casa contíguo à cozinha onde se guardam louças, talheres, etc. e há uma mesa de refeições. 3) Vaso, taça.

CO.PEI.RO *s.m.* Empregado doméstico que se encarrega de serviços da copa, serve à mesa, etc.

CÓ.PIA *s.f.* 1) Reprodução textual do que está escrito algures; transcrito, traslado. 2) Imitação ou reprodução de uma obra original. 3) Reprodução fotográfica; retrato. 4) Grande quantidade; abundância.

CO.PI.A.DOR (ô) *s.m.* 1) Copista. 2) Instrumento de copiar. 3) Livro para guardar cartas, contas assinadas ou outros documentos.

CO.PI.AR *v.t.d.* 1) Fazer a cópia escrita de; transcrever, trasladar. 2) Reproduzir (falando de uma obra de arte). 3) Imitar, plagiar.

CO.PI.DES.QUE *s.m.* 1) Revisão de texto a ser publicado, para correção e adequação às normas e critérios editoriais. 2) Setor onde se executa essa revisão. / *s.2gên.* 3) Profissional que faz essa revisão.

CO.PI.DES.CAR *v.t.d.* Fazer o copidesque de.

CO.PI.LO.TO *s.m.* Piloto auxiliar de uma aeronave.

CO.PI.O.SO *adj.* 1) Farto, abundante, numeroso. 2) Extenso, longo.

CO.PIS.TA *adj.2gên.* e *s.2gên.* 1) Que ou quem copiava textos à mão antes da invenção da imprensa. 2) *pej.* Diz-se de ou autor que não tem originalidade; imitador.

CO.PO *s.m.* 1) Recipiente cilíndrico usado para beber. 2) *Por ext.* O conteúdo do copo.

CÓ.PU.LA *s.f.* 1) Ligação, união. 2) Ato sexual.

CO.PU.LAR *v.t.d.* 1) Ligar. 2) Acasalar. / *v.t.i.* e *v.i.* 3) Ter cópula.

CO.QUE *s.m.* 1) Pancada na cabeça com os nós dos dedos. 2) Penteado no qual o cabelo é enrolado no topo da cabeça. 3) *Quím.* Resíduo sólido da destilação do carvão mineral.

CO.QUE.TEL *s.m.* 1) Bebida estimulante à base de misturas de bebidas alcoólicas. 2) Recepção social em que se servem aperitivos.

COR (ó) *s.m.* Usado na expressão *de cor*: de memória ➡ Já sei de cor o hino nacional.

COR (ô) *s.f.* 1) *Fís.* Impressão variável que a luz refletida pelos corpos produz no órgão da vista. 2) Qualquer colorido, exceto o branco e o preto. 3) Coloração escura; cor carregada. 4) O colorido da pele, especialmente da face. 5) Matéria corante que se aplica em tintas. 6) Realce, relevo, colorido. 7) Aparência, aspecto, mostra. *Pl.*: cores (ô).

CO.RA.ÇÃO *s.m.* 1) *Anat.* Órgão oco e musculoso, centro motor da circulação do sangue. 2) O peito. 3) Objeto em forma de coração. 4) Sede suposta da sensibilidade moral, das paixões e sentimentos. 5) Amor, afeto. 6) Caráter, índole. 7) Pessoa ou objeto amado. 8) Coragem, ânimo.

CO.RA.DO *adj.* 1) *Por ext.* Que tem as faces rosadas ou avermelhadas. 2) *Por ext. fig.* Envergonhado, acanhado. 3) *Cul.* Tostado ao fogo.

CO.RA.GEM *s.f.* 1) Força ou energia moral ante o perigo. 2) Intrepidez, ousadia.

CO.RA.JO.SO (ô) *adj.* Que tem coragem; corajudo.

CO.RAL *s.m. Zool.* Esqueleto calcário duro, branco, preto, vermelho ou de outras cores, segregado por vários pólipos antozoários marinhos para seu suporte e habitação.

CO.RAN.TE *adj.2gên.* e *s.m. Quím.* Diz-se de ou substância capaz de tingir.

CO.RAR *v.t.d.* e *v.i.* 1) Colorir, tingir. 2) Tornar (-se) rosado ou vermelho; ruborizar(-se). 3) Tostar pela ação do fogo ou do calor. 4) Clarear (roupas, panos, etc.), expondo ao Sol. / *v.i.* 5) *Por ext. fig.* Ficar envergonhado; acanhar-se.

COR.CO.VA *s.f.* 1) Saliência nas costas ou no peito; corcunda. 2) Curva, sinuosidade.

COR.CUN.DA *s.f.* 1) Formação saliente no dorso de animais; corcova. 2) Protuberância nas costas ou no peito do ser humano. / *adj.2gên.* e *s.2gên.* 3) Pessoa com essa deformidade.

COR.DA *s.f.* 1) Entrançado de vários fios, para muitas utilidades. 2) *Geom.* Segmento de reta que une dois pontos de uma curva.

COR.DÃO *s.m.* 1) Corda delgada. 2) Corrente que se usa ao pescoço. 3) Grupo carnavalesco.

COR.DEI.RO *s.m.* Carneiro ainda novo e tenro.

COR.DEL *s.m.* 1) Corda fina e flexível; barbante. 2) Narrativa popular em versos, vendida em folhetos pendurados em corda; literatura de cordel.

COR-DE-RO.SA *adj.2gên.* 1) Da cor da rosa silvestre; vermelho bem desmaiado. / *s.m.* 2) Essa cor. 3) *fig.* Risonho, feliz ➡ O mundo, hoje, está cor-de-rosa.

COR.DI.AL *adj.2gên.* 1) Relativo ao coração. 2) Afetuoso, franco, sincero. 3) Que estimula o coração.

COR.DI.LHEI.RA *s.f.* Cadeia de altas montanhas, alinhadas longitudinalmente.

CO.RE.A.NO *adj.* 1) Da Coreia (Ásia), ou relativo a ela. / *s.m.* 2) O habitante ou natural da Coreia. 3) Língua da Coreia.

CO.RE.O.GRA.FI.A *s.f.* 1) Arte de compor bailados. 2) Arte da dança.

CO.RE.TO (ê) *s.m.* 1) Pequeno coro. 2) Espécie de palanque ou coro para concertos musicais.

CO.RIS.CO *s.m.* Faísca elétrica produzida nas nuvens eletrizadas; raio.

CO.RIS.TA *s.2gên.* Pessoa que faz parte dos coros teatrais, de coral; de igreja, etc.

CO.RI.ZA *s.f. Med.* Inflamação da mucosa nasal acompanhada de corrimento mucoso ou purulento; resfriado comum.

COR.JA *s.f.* Multidão de pessoas desprezíveis; súcia.

CÓR.NEA *s.f. Anat.* Membrana transparente, situada na parte anterior do olho, por diante da pupila.

COR.NE.TA (ê) *adj.* 1) Com um só chifre, ou um deles para baixo (boi). / *s.m.* 2) O que toca corneta; corneteiro. / *s.f.* 3) *Mús.* Instrumento músico-militar, de bocal pequeno e pavilhão largo. 4) Buzina, trombeta. 5) *pop.* O nariz.

COR.NO (ô) *s.m.* 1) *Zool.* Cada um dos apêndices duros e recurvados que certos ruminantes têm na cabeça; chifre, guampa, haste. 2) Parte angular ou saliente que apresentam alguns objetos; bico, ponta. 3) *pop.* Marido de mulher adúltera.

CO.RO (ô) *s.m.* 1) Grupo de pessoas que cantam juntas. 2) Balcão, nas igrejas, destinado aos cantores.

CO.RO.A (ô) *s.f.* 1) Ornamento circular para a cabeça. 2) Símbolo da realeza. 3) Coisa semelhante a uma coroa. 4) Tonsura de eclesiásticos. 5) Alto, cimo. 6) *Anat.* Parte do dente que fica fora do alvéolo. / *s.2gên.* 7) *pop.* Pessoa que já ultrapassou a mocidade.

CO.RO.A.ÇÃO *s.f.* 1) Ato ou efeito de coroar. 2) Cerimônia na qual alguém é coroado. 3) *fig.* Desfecho feliz; conclusão.

CO.RO.AR *v.t.d.* 1) Cingir de coroa, pôr coroa. 2) Aclamar, eleger; elevar à dignidade de rei ou pontífice. 3) Recompensar, dando uma coroa ou outro prêmio. 4) Servir de fecho ou remate a. / *v.p.* 5) Cingir a si mesmo uma coroa.

CO.RO.CA *adj.2gên.* 1) Decrépito, caduco. / *s.f.* 2) Mulher muito velha e feia.

CO.RO.I.NHA *s.m.* Menino que ajuda o sacerdote nas cerimônias do culto.

CO.RO.LA *s.f. Bot.* Conjunto das pétalas de uma flor.

CO.RO.LÁ.RIO *s.m.* 1) Afirmação deduzida de uma verdade já demonstrada. 2) Consequência.

CO.RO.NAL *adj.2gên.* 1) Referente à coroa; coronário. 2) Em forma de coroa. / *s.m.* 3) *Anat.* Osso frontal.

CO.RO.NÁ.RIA *s.f. Anat.* Cada uma das artérias (direita e esquerda) que irrigam o coração.

CO.RO.NEL *s.m.* 1) *Mil.* Oficial superior, comandante de regimento. 2) Chefe político, no interior do Brasil.

CO.RO.NHA *s.f.* Parte posterior da arma de fogo, onde se encaixa o cano.

COR.PA.ÇO *s.m.* 1) Grande corpo. 2) *pop.* Corpo muito bonito.

COR.PE.TE (ê) *s.m.* Peça do vestuário feminino que se ajusta ao seio; suiã.

COR.PO (ô) *s.m.* 1) Tudo o que tem extensão e forma. 2) A estrutura física do homem ou do animal. 3) O tronco, para distingui-lo da cabeça e dos membros. 4) *Quím.* Porção de matéria: corpo simples, corpo composto. 5) Cadáver humano.

COR.PO.RA.ÇÃO *s.f.* 1) Grupo de pessoas submetidas às mesmas regras ou estatutos. 2) Associação, agremiação.

COR.PO.RAL *adj.2gên.* 1) Relativo ou pertencente a corpo. 2) Que possui corpo; material.

COR.PO.RI.FI.CAR *v.t.d.i., v.i.* e *v.p.* Dar ou adquirir corpo; materializar(-se), solidificar(-se).

COR.PU.LEN.TO *adj.* 1) De corpo grande. 2) *Por ext.* Obeso. 3) *Por ext.* De grande volume.

COR.PÚS.CU.LO *s.m.* 1) Corpo pequeníssimo. 2) Fragmento de matéria que volteia habitualmente no ar em estado de poeira.

COR.RE.ÇÃO *s.f.* 1) Ação ou efeito de corrigir. 2) Qualidade do que é correto. 3) Emenda. 4) Penitenciária.

COR.RE-COR.RE *s.m.* 1) Agitação de pessoas, azáfama, correria, grande afã. 2) Debandada. 3) *Bot.* Planta convolvulácea.

COR.RE.DEI.RA *s.f.* Trecho de um rio em que as águas, por diferença de nível, correm mais velozes.

COR.RE.DOR (ô) *adj.* 1) Que corre muito. / *s.m.* 2) Aquele que corre muito. 3) Galeria estreita que circunda um edifício. 4) Passagem, em geral estreita e longa, no interior de uma casa. 5) Atleta que toma parte em uma corrida de velocidade, a pé ou em veículo.

COR.RE.GE.DOR (ô) *s.m.* Magistrado superior que fiscaliza a distribuição da justiça, o exercício da advocacia e o bom andamento dos serviços forenses.

COR.RE.GE.DO.RI.A *s.f.* 1) Cargo ou jurisdição de corregedor. 2) Área da sua jurisdição.

CÓR.RE.GO *s.m.* Ribeiro pequeno; riacho.

COR.REI.A *s.f.* 1) Tira de couro para atar, prender ou dente que fica fora do alvéolo. 2) *Mec.* Cinta flexível para a transmissão de movimento de uma polia a outra.

COR.REI.ÇÃO *s.f.* 1) Ato ou efeito de corrigir; correção. 2) Visita feita pelo corregedor aos cartórios da sua alçada. 3) *pop.* Desfilada de formigas ou outros insetos.

COR.REI.O *s.m.* 1) Repartição pública para recepção e expedição de correspondência. 2) Edifício onde funciona essa repartição. 3) *pop.* Carteiro. 4) Mensageiro.

COR.RE.LA.ÇÃO *s.f.* Relação mútua entre dois termos.

COR.RE.LA.CI.O.NAR *v.t.d.* Dar correlação a; estabelecer correlação entre.

COR.RE.LI.GI.O.NÁ.RIO *adj.* e *s.m.* Que ou aquele que tem a mesma religião, partido ou sistema que outrem.

COR.REN.TE *adj.2gên.* 1) Que corre, que não encontra embaraço; fluente. 2) Fácil, expedito. 3) Comum, vulgar. 4) Que tem curso legal. / *s.f.* 5) O curso das águas de um rio; correnteza. 6) Cadeia de argolas interligadas; grilhão.

COR.REN.TE.ZA *s.f.* 1) Corrente de água. 2) Desembaraço.

COR.RER *v.i.* 1) Andar ou caminhar com velocidade. 2) Participar de uma corrida. 3) Ter seguimento no tempo. 4) Ter andamento. / *v.t.d.* 5) Percorrer; passar rapidamente.

COR.RE.RI.A *s.f.* 1) Corrida desordenada e ruidosa. 2) Desordem, atropelo.

correspondência

COR.RES.PON.DÊN.CIA *s.f.* 1) Ato ou efeito de corresponder(-se). 2) Relação de conformidade, de simetria. 3) Troca de cartas, telegramas, etc., entre duas pessoas.

COR.RES.PON.DER *v.t.i.* 1) Ser adequado, próprio, simétrico; retribuir de forma equivalente. 2) Seguir--se. 3) Pagar. / *v.t.d.* 4) Retribuir. / *v.p.* 5) Cartear-se. 6) Estar em correlação ou correspondência.

COR.RE.TI.VO *adj.* 1) Que tem a virtude de corrigir. / *s.m.* 2) Punição, castigo.

COR.RE.TO *adj.* 1) Sem erros. 2) Corrigido, emendado. 3) Exato, irrepreensível. 4) Digno, honesto, íntegro.

COR.RE.TOR (ô) *s.m.* 1) Aquele que corrige. 2) Revisor. 3) Agente comercial que serve de intermediário entre vendedor e comprador.

COR.RI.DA *s.f.* 1) Ato ou efeito de correr; carreira. 2) Correria. 3) Espaço percorrido. 4) Tourada. 5) Afluência inopinada a um estabelecimento bancário para o levantamento de depósitos. 6) Competição de velocidade (cavalos, automóveis, etc.).

COR.RI.DO *adj.* 1) Que correu. 2) Que passou; transcorrido. 3) Sem interrupção, sem folga. 4) Com pressa, apressado.

COR.RI.GIR *v.t.d.* e *v.p.* 1) Emendar(-se), reformar (-se). / *v.t.d.* 2) Melhorar; retificar. 3) Castigar, censurar, repreender.

COR.RI.MÃO *s.m.* Barra, ao longo de uma escadaria, ponte estreita ou outras passagens, em que se pode apoiar a mão ou segurar.

COR.RI.MEN.TO *s.m. Med.* Secreção anormal de um órgão doente.

COR.RI.QUEI.RO *adj.* Que é habitual, comum.

COR.RO.BO.RAR *v.t.d.* Confirmar, comprovar.

COR.RO.ER *v.t.d.* 1) Roer pouco a pouco; carcomer, gastar. 2) Danificar, destruir progressivamente. 3) Depravar, desnaturar.

COR.RO.Í.DO *adj.* 1) Carcomido. 2) Corrompido. 3) Viciado.

COR.ROM.PER *v.t.d.* e *v.p.* 1) Decompor(-se), estragar(-se), tornar(-se) podre. 2) Alterar(-se), desnaturar(-se), mudar(-se) para mal. 3) Depravar (-se), perverter(-se), viciar(-se). / *v.t.d.* 4) Induzir ao mal; seduzir.

COR.RO.SÃO *s.f.* 1) Ato ou efeito de corroer(-se). 2) *Quím.* Alteração química corrosiva.

COR.RO.SI.VO *adj.* e *s.m.* 1) Que ou o que corrói. 2) Cáustico.

COR.RUP.ÇÃO *s.f.* 1) Ato ou efeito de corromper; decomposição, putrefação. 2) Depravação, devassidão.

COR.RUP.TÍ.VEL *adj.2gên.* 1) Suscetível de corrupção. 2) Diz-se daquele que se deixa subornar.

COR.RUP.TO *adj.* 1) Que sofreu corrupção; corrompido. 2) Errado, viciado. 3) Depravado, devasso, pervertido.

corveia

COR.SÁ.RIO *s.m.* 1) Navio que fazia corso. 2) Capitão desse navio. 3) Pirata.

COR.TA.DA *s.f. Esp.* Em esportes como vôlei, golpe forte e rápido na bola.

COR.TA.DEI.RA *s.f.* Utensílio com que se cortam as massas de pastéis.

COR.TA.DOR (ô) *adj.* e *s.m.* 1) Que corta; cortante. 2) Aquele que corta carne nos açougues.

COR.TA-FO.GO *adj.2gên.* Que impede a propagação do fogo.

COR.TAN.TE *adj.2gên.* 1) Cortador. 2) Agudo, estrídulo (diz-se do som). 3) *pop.* Frio, gelado ➡ vento cortante.

COR.TAR *v.t.d.* 1) Dividir com instrumento cortante. 2) Tirar, com instrumento cortante, parte de; aparar. 3) Fazer incisão em. / *v.p.* 4) Ferir-se com instrumento cortante.

COR.TE (ó) *s.m.* 1) Ato ou efeito de cortar(-se). 2) Golpe, incisão ou talho com instrumento cortante.

COR.TE (ô) *s.f.* 1) Residência de um soberano. 2) Gente que habitualmente rodeia o soberano. 3) Círculo de aduladores. 4) Denominação dada aos tribunais.

COR.TE.JAR *v.t.d.* 1) Fazer cortesias; cumprimentar. 2) Fazer a corte a; galantear.

COR.TE.JO (ê) *s.m.* 1) Ato ou efeito de cortejar. 2) Cumprimentos solenes. 3) Comitiva pomposa; séquito.

COR.TÊS *adj.2gên.* Que tem cortesia; polido; delicado.

COR.TE.SÃ *s.f.* Mulher dissoluta, que vive luxuosamente.

COR.TE.SÃO *adj.* 1) Relativo à corte. 2) Palaciano. / *s.m.* 3) Homem da corte.

COR.TE.SI.A *s.f.* 1) Qualidade de quem é cortês. 2) Civilidade, urbanidade. 3) Cumprimento, mesura, reverência. 4) Homenagem. 5) Gesto representado por um obséquio, doação, dilação de prazo de pagamento, patrocínio de despesa, etc.

CÓR.TEX (cs) *s.m.* 1) *Bot.* Casca de árvore. 2) *Anat.* Camada superficial do cérebro e outros órgãos. *Var.*: córtice. *Pl.*: córtices.

COR.TI.ÇA *s.f.* Casca espessa e leve do sobreiro e de outras árvores.

COR.TI.NA *s.f.* 1) Peça de pano suspensa para adornar ou resguardar janela ou outra coisa. 2) Vedação.

CO.RU.JA *s.f.* 1) *Ornit.* Nome comum a várias aves de rapina, da família dos Estrigídeos, geralmente noturnas. 2) *pop.* Mulher velha e feia / *s.2gên.* 3) *gír.* Pessoa que exerce sua profissão à noite. / *adj.* 4) *pop.* Diz-se dos pais que gabam pretensas qualidades dos filhos.

COR.VEI.A *s.f.* Trabalho gratuito que o camponês devia a seu amo ou ao Estado.

COR.VO (ô) *s.m. Ornit.* Pássaro da família dos Corvídeos, do Hemisfério Norte, reputado por sua inteligência e traquinices. *Pl.*: corvos (ó).

CÓS *s.m.* 1) Tira de pano que remata certas peças de vestuário, especialmente as calças e as saias, no lugar em que cingem a cintura. *Pl.*: coses. 2) Parte do vestuário em que se ajusta essa tira de pano.

CO.SER *v.t.d.* 1) Ligar, unir com pontos de agulha. 2) Costurar ou remendar roupa. / *v.i.* 3) Costurar. / *v.p.* 4) Encostar(-se), unir(-se) muito com algo. 5) Caminhar unido.

COS.MÉ.TI.CO *adj.* 1) Diz-se do, ou o produto destinado para a limpeza, conservação ou maquilagem da pele. / *s.m.* 2) Produto cosmético.

CÓS.MI.CO *adj.* Relativo ao universo.

COS.MO.LO.GI.A *s.f. Astr.* Ramo da astronomia que estuda a origem e a estrutura do universo.

COS.MO.NAU.TA *s.2gên.* Piloto ou passageiro de nave espacial; astronauta.

COS.MO.PO.LI.TA *adj.2gên.* 1) Relativo a grandes cidades. 2) Que é de todas as nações. / *adj.2gên.* e *s.2gên.* 3) *Por ext.* Que ou quem viaja muito e se adapta bem em qualquer país.

COS.MOS *s.m.* O universo, a natureza, considerados como um todo organizado e harmonioso.

COS.SE.NO *s.m. Trigon.* Seno de complemento de um ângulo ou arco dados. *Pl.*: cossenos.

COS.TA *s.f.* 1) Zona continental que está em contato com, ou na vizinhança do mar. 2) *Anat.* A parte posterior do corpo humano; dorso, costado. 3) A parte posterior de vários objetos.

COS.TEI.RA *s.f.* Serra íngreme à beira-mar.

COS.TEI.RO *adj.* 1) Relativo à costa. 2) *Náut.* Que navega junto à costa, ou de porto a porto na mesma costa.

COS.TE.LA *s.f.* 1) *Anat.* Cada um dos ossos pares, chatos, alongados e curvos, que formam a caixa torácica. 2) *Bot.* Nervura média de algumas folhas. 3) *pop.* Esposa, mulher.

COS.TE.LE.TA (ê) *s.f.* 1) Costela de rês, separada com carne aderente. 2) Faixa de barba de cada lado do rosto junto à orelha

COS.TU.MAR *v.t.d.* e *v.p.* 1) Ter por costume ou hábito; usar. / *v.t.d.* e *v.p.* 2) Acostumar(-se), habituar (-se). / *v.i.* 3) Ficar habituado.

COS.TU.ME *s.m.* 1) Prática antiga e geral; uso. 2) Jurisprudência não escrita, baseada no uso. 3) Hábito. 4) Moda. 5) Vestuário externo de homem.

COS.TU.MEI.RO *adj.* Que é comum, habitual; frequente.

COS.TU.RA *s.f.* 1) Ato ou efeito de costurar, de coser. 2) Arte ou profissão de coser. 3) Linha de união de duas peças de pano. 4) *Cir.* Sutura dos tecidos lesados.

COS.TU.RAR *v.t.d.* e *v.i.* 1) Unir com agulha e linha. 2) Confeccionar roupas. / *v.i.* 3) *fig.* Dirigir um veículo em zigue-zague.

CO.TA *s.f.* 1) Parcela de um todo; prestação. 2) Porção de algo. 3) *Econ.* Fração determinada de um sócio no capital de uma empresa.

CO.TAR *v.t.d.i.* 1) Pesquisar e avaliar o preço de. / *v.t.d.* 2) Calcular a medida de. 3) *fig.* Qualificar, tachar.

CO.TE.JAR *v.t.d.* e *v.t.d.i.* Comparar, confrontar.

CO.TE.JO *s.m.* Ato ou efeito de cotejar; comparação.

CO.TI.DI.A.NO *adj.* 1) Que acontece diariamente. 2) *Por ext.* Que é comum, banal. / *s.m.* 3) Conjunto das atividades realizadas por alguém todos os dias. 4) Dia a dia.

CO.TO *s.m.* 1) Parte restante de braço ou perna amputada. 2) *Por ext.* Resto de vela, lápis, etc.

CO.TO.CO *s.m.* 1) *pop.* Coto. 2) Pedaço pequeno de algo. 3) Pessoa muito baixa.

CO.TO.NE.TE *s.m.* Haste flexível com algodão na ponta. ➡ Marca registrada de *Cotonete*.

CO.TO.VE.LA.DA *s.f.* Golpe com o cotovelo.

CO.TO.VE.LO (ê) *s.m.* 1) *Anat.* Atualmente chamado de cúbito, articulação que liga braço e antebraço. 2) *Por ext.* Parte da manga de uma roupa que fica sobre essa parte do braço. 3) *Por ext. fig.* Ângulo fechado, esquina, canto.

CO.TUR.NO *s.m.* Bota de cano alto com cordões.

COU.RA.ÇA *s.f.* 1) *Zool.* Invólucro exterior. 2) Proteção, defesa. 3) *Náut.* Revestimento metálico em alguns navios de guerra.

COU.RO *s.m.* 1) Pele espessa e dura de alguns animais. 2) Pele de certos animais, depois de surrada. 3) *Fam.* A pele da cabeça humana. 4) Pele.

COU.VE *s.f. Bot.* Planta hortense, crucífera, de muitas variedades ➡ Couve-flor: planta hortense, crucífera, cujos pedúnculos formam uma espécie de flor comestível.

CO.VA *s.f.* 1) Abertura, escavação, buraco que se faz na terra para se plantar uma árvore ou lançar alguma semente. 2) Depressão em qualquer superfície. 3) Caverna, antro. 4) Alvéolo. 5) Cavidade: a cova de um dente. 6) Sepultura. 7) A morte, o fim da vida. 8) *gír.* A casa de ladrões.

CÔ.VA.DO *s.m. Anat.* Medida de comprimento, antiga, igual a três palmos ou 66 cm.

CO.VAR.DE *adj.2gên.* e *s.2gên.* Que ou quem é medroso, sem coragem.

CO.VAR.DI.A *s.f.* 1) Medo, pusilanimidade. 2) Ação que denota medo ou perversidade. *Var.*: cobardia.

CO.VEI.RO *s.m.* 1) Indivíduo que abre covas para cadáveres. 2) Aquele que contribui para a ruína de uma instituição.

CO.VIL *s.m.* 1) Cova de feras. 2) Refúgio de ladrões, de salteadores. 3) Choça escura e miserável; casebre.

coxa | crespo

CO.XA (ô) *s.f. Anat.* Parte da perna entre o quadril e o joelho.

CO.XE.AR *v.i.* 1) Andar como coxo; manquitolar. 2) Vacilar. 3) Estar incompleto, ser imperfeito. / *v.t.d.* 4) *pop.* Encostar a coxa a.

CO.XI.A *s.f.* 1) Passagem estreita entre duas fileiras de bancos, de ramas ou de outros objetos. 2) *Náut.* Prancha, em certas embarcações, para dar passagem da proa à popa.

CO.XO *adj.* e *s.m.* 1) Que ou o que apresenta irregularidade ao caminhar; manco. / *adj.* 2) Que possui uma extremidade mais curta que a outra. 3) *fig.* Incompleto, defeituoso.

CO.ZER *v.t.d.* e *v.i.* Preparar (alimentos) ao fogo ou calor; cozinhar.

CO.ZI.DO *adj.* 1) Que se cozeu; cozinhado. / *s.m.* 2) *Cul.* Prato de carne de vaca, linguiça, carne de porco, cozidas com verduras, ovos, batatas, etc.

CO.ZI.NHA *s.f.* 1) Compartimento onde se preparam os alimentos. 2) Arte de os preparar.

CO.ZI.NHEI.RO *s.m.* Homem que cozinha; cuca, mestre-cuca.

CRA.CHÁ *s.m.* 1) Insígnia honorífica que se traz no peito. 2) Cartão, com dados pessoais, que um empregado de uma empresa ou o funcionário de uma repartição usa no peito para identificação.

CRACK *s.m. ingl.* Droga de alta concentração e toxicidade.

CRÂ.NIO *s.m.* 1) *Anat.* Caixa óssea que envolve o cérebro. 2) *pop.* Pessoa muito inteligente.

CRÁ.PU.LA *adj.2gên.* e *s.2gên.* 1) Canalha, vil; pessoa desonesta. / *s.f.* 2) Vida desregrada; devassidão.

CRA.QUE *s.2gên.* 1) Quem é muito bom no que faz. / *s.m.* 2) *Econ.* Queda acentuada na cotação da bolsa de valores. 3) *Por ext.* Ruína financeira.

CRA.SE *s.f.* 1) *Gram.* Contração ou fusão de dois sons vocálicos, idênticos e sequenciais. Em sentido restrito, contração da preposição "a" com o artigo "a" ou pronome "aquele", "aquela", "aquilo". 2) *Med.* Constituição, temperamento; mistura das substâncias de humor.

CRA.TE.RA *s.f.* 1) Abertura por onde saem a lava e os gases do vulcão. 2) Grande buraco.

CRAVAR *v.t.d.*, *v.t.d.i.* e *v.p.* 1) Penetrar à força e com profundidade; fincar(-se). / *v.t.d.i.* 2) Fixar o olhar. 3) Fixar pedras.

CRA.VO *s.m.* 1) Flor do craveiro. 2) Um condimento; cravo-da-índia. 3) Prego. 4) *Por ext.* Calo na planta do pé. 5) Obstrução do poro.

CRE.CHE *s.f.* Instituição que cuida de crianças pequenas enquanto os pais trabalham.

CRE.DEN.CI.AL *adj.2gên.* 1) Que concede crédito, autoridade. / *s.f.* 2) Cartão de identificação que autoriza a entrada e participação em eventos. 3) Documento que confere poderes, autoridade.

CRE.DEN.CI.AR *v.t.d.* 1) Dar credencial a. / *v.t.d.*, *v.t.d.i.* e *v.p.* 2) Tornar(-se) apto, qualificado; habilitar(-se).

CRE.DI.Á.RIO *s.m.* Sistema de pagamento de compras a prestações.

CRE.DI.BI.LI.DA.DE *s.f.* Característica do que é confiável.

CRE.DI.TAR *v.t.d.* e *v.p.* 1) Dar crédito a; garantir. / *v.t.d.i.* e *v.p.* 2) *fig.* Considerar como causa, autor ou possuidor; atribuir. / *v.t.d.i.* 3) Depositar em conta bancária.

CRÉ.DI.TO *s.m.* 1) Confiança. 2) *Por ext.* Boa reputação; confiabilidade. 3) Pagamento a prazo. 4) Depósito em conta bancária. 5) Quantia a que se tem direito. 6) Indicação de autoria ou participação em livros, filmes, projetos, etc.

CRE.DO *s.m.* 1) Crença religiosa; fé. 2) Doutrina. 3) Oração da igreja católica. / *interj.* 4) Exprime espanto e, por vezes, repulsa.

CRÉ.DU.LO *adj.* e *s.m.* Que ou quem acredita facilmente em qualquer coisa; ingênuo.

CRE.MAR *v.t.d.* Incinerar cadáveres.

CRE.ME *s.m.* 1) Substância espessa e gordurosa que se forma no leite fervido; nata. 2) *Cul.* Prato doce ou salgado feito com leite engrossado misturado com outros ingredientes. 3) Substância cosmética ou farmacêutica de consistência espessa. 4) Cor amarelada semelhante à do creme.

CREN.ÇA *s.f.* 1) Fato de acreditar em algo ou alguém. 2) Aquilo em que se acredita, com fé e convicção. 3) Fé religiosa.

CREN.DI.CE *s.f.* Superstição.

CREN.TE *adj.2gên.* e *s.2gên.* 1) Que ou quem crê. 2) Que ou quem segue uma religião. 3) Membro de uma igreja protestante.

CRE.PE *s.m.* 1) Tecido leve, fino e ondulado. 2) *Cul.* Panqueca de massa fina.

CRE.PI.TAR *v.t.d.* e *v.i.* Produzir estalidos por ação do fogo.

CRE.PÚS.CU.LO *s.m.* 1) Claridade fraca entre o pôr do sol e a noite e entre a noite e o nascer do sol. 2) *fig.* Decadência; declínio.

CRER *v.t.i.* 1) Acreditar. 2) Confiar. / *v.t.d.* e *v.p.* 3) Imaginar(-se), presumir(-se).

CRES.CEN.TE *adj.2gên.* 1) Que cresce ou vai crescendo. / *s.f.* 2) Enchente de rio ou maré. / *s.m.* 3) Crescimento aparente da Lua entre o novilúnio e o plenilúnio. 4) Aquilo que tem forma de meia-lua. 5) Armas e estandarte do Império Turco.

CRES.CER *v.i.* 1) Aumentar em volume, extensão, grandeza, intensidade. 2) Aumentar em estatura ou altura. 3) Aumentar em número ou em quantidade. 4) Inchar. 5) Nascer e desenvolver-se.

CRES.PO (ê) *adj.* 1) Que tem superfície áspera; rugoso. 2) Encaracolado, frisado. 3) Agitado, encarneirado.

cretino

CRE.TI.NO *adj.* e *s.m.* 1) *pop. pej.* Que ou quem é insolente, atrevido. 2) *pop. pej.* Que ou quem é imbecil.

CRI.A *s.f.* 1) Animal de mama. 2) Pessoa pobre, criada em casa de outrem.

CRI.A.ÇÃO *s.f.* 1) Ato ou efeito de criar. 2) A totalidade dos seres criados. 3) O universo visível. 4) Produção, obra, invento. 5) Animais domésticos que se criam para alimento do homem.

CRI.A.DO *s.m.* 1) Empregado doméstico. / *adj.* 2) Que se criou.

CRI.A.DO-MU.DO *s.m.* Mesa de cabeceira.

CRI.A.DOR (ô) *adj.* 1) Que cria ou criou. / *s.m.* 2) Deus. 3) Inventor ou primeiro autor. 4) Aquele que se dedica à criação de animais.

CRI.AN.ÇA *s.f.* Ser humano, no período da infância; menino ou menina.

CRI.AN.ÇA.DA *s.f.* 1) Grupo de crianças. 2) Criancice.

CRI.AN.CI.CE *s.f.* 1) Ato, dito ou modos próprios de criança; criançada. 2) Leviandade.

CRI.AR *v.t.d.* 1) Dar existência a, tirar do nada. 2) Dar origem a; formar, gerar. 3) Imaginar, inventar, produzir, suscitar. 4) Estabelecer, fundar, instituir. 5) Começar a ter; adquirir. 6) Alimentar, sustentar (uma criança). 7) Educar. 8) Exercer a pecuária, como atividade econômica. / *v.p.* 9) Crescer, desenvolver-se.

CRI.A.TI.VI.DA.DE *s.f.* Capacidade de criar, inovar, inventar.

CRI.A.TI.VO *adj.* Que possui criatividade; inventivo, inovador, original.

CRI.A.TU.RA *s.f.* 1) Coisa criada. 2) Todo ser criado. 3) Homem, por oposição a Deus.

CRI-CRI *s.m.* 1) Onomatopeia do canto do grilo; cricrido. / *adj.2gên.* e *s.2gên.* 2) Diz-se de, ou pessoa muito maçante.

CRI.ME *s.m.* 1) Violação culposa da lei penal. 2) *Sociol.* Ato condenável, de consequências desagradáveis.

CRI.MI.NA.LIS.TA *adj.2gên.* e *s.2gên.* Especialista em assuntos criminais.

CRI.MI.NO.LO.GI.A *s.f.* Estudo das causas dos crimes e dos remédios possíveis.

CRI.MI.NO.SO (ô) *adj.* e *s.m.* Que ou o que cometeu um crime; réu.

CRI.NA *s.f.* Pelos compridos e flexíveis, do pescoço e da cauda do cavalo e de outros animais.

CRIP.TA *s.f.* 1) Galeria subterrânea usada para sepultamentos. 2) Gruta, caverna.

CRI.SE *s.f.* 1) *Med.* Alteração que sobrevém no curso de uma doença. 2) *Med.* Manifestação aguda de uma perturbação física (reumatismo) ou moral (de loucura) em uma pessoa. 3) Entusiasmo súbito; movimento de ardor. 4) Situação aflitiva.

CRIS.TA *s.f.* 1) *Zool.* Excrescência carnosa na cabeça das aves, principalmente dos galiformes, e saliência do alto da cabeça de alguns répteis e peixes. 2) Penacho, poupa.

CRIS.TA.LI.NO *adj.* 1) Claro, limpo, transparente. / *s.m.* 2) *Anat.* Corpo transparente situado no globo ocular, em forma de lente.

CRIS.TAN.DA.DE *s.f.* 1) Conjunto dos povos ou dos países cristãos. 2) Qualidade do que é cristão.

CRIS.TÃO *adj.* 1) Que professa o cristianismo. 2) Conforme ao cristianismo. / *s.m.* 3) Sectário do cristianismo. 4) Ente, pessoa.

CRIS.TI.A.NIS.MO *s.m.* 1) A religião de Cristo. 2) O conjunto das religiões cristãs.

CRIS.TI.A.NI.ZAR *v.t.d.* 1) Tornar cristão; converter à fé cristã. 2) Dar caráter de cristão a. / *v.p.* 3) Fazer-se cristão.

CRIS.TO *s.m.* 1) *Rel.* Aquele que é ungido do Senhor. 2) *Rel.* Imagem de Jesus Cristo. 3) *pop.* A vítima de enganos, ardis ou maus tratos.

CRI.TÉ.RIO *s.m.* 1) *Filos.* Aquilo que serve para distinguir a verdade do erro. 2) Princípio que se toma como referência para emitir uma apreciação, conduzir uma análise. 3) Faculdade de apreciar e distinguir o bem do mal.

CRÍ.TI.CA *s.f.* 1) Arte de julgar as obras literárias ou artísticas. 2) Conjunto dos críticos. 3) Exame minucioso. 4) Julgamento hostil.

CRI.TI.CAR *v.t.d.* 1) Examinar como crítico, notando a perfeição ou os defeitos de (obra literária ou artística). 2) Dizer mal de; censurar.

CRÍ.TI.CO *adj.* 1) Relativo à crítica. 2) Diz-se daquele que tende a observar apenas os defeitos. 3) Difícil, penoso. 4) Perigoso. 5) Decisivo. / *s.m.* 6) Pessoa que pratica a crítica. 7) Maldizente.

CRO.CHÊ *s.m.* Tecido rendado à mão feito com uma agulha que possui um gancho na ponta.

CRO.MÁ.TI.CO *adj.* 1) Relativo a cores. *Mús.* 2) Relativo a semitons musicais.

CRO.MOS.SO.MO *s.m. Biol.* Cada um dos corpúsculos de cromatina que aparecem no núcleo de uma célula durante a sua divisão. Constituem a sede das qualidades hereditárias representadas pelos genes.

CRÔ.NI.CA *s.f.* 1) Narração histórica, por ordem cronológica. 2) Seção ou coluna de jornal ou revista consagrada a assuntos especiais.

CRÔ.NI.CO *adj.* 1) Que dura muito tempo; persistente. 2) Que sofre de doença de longa duração.

CRO.NIS.TA *s.2gên.* Pessoa que escreve crônicas.

CRO.NO.GRA.MA *s.m.* Cálculo das etapas e prazos previstos para a realização de um trabalho ou projeto.

CRO.NO.LO.GI.A *s.f.* Ciência das divisões do tempo e da determinação da ordem e sucessão dos acontecimentos.

cronômetro

culto

CRO.NÔ.ME.TRO *s.m.* 1) Instrumento para medir o tempo. 2) Relógio de grande precisão.

CRO.QUE.TE *s.m.* Bolinho de carne picada recoberta de massa de farinha de rosca.

CRO.QUI *s.m.* Esboço de desenho ou pintura.

CROS.TA (ô) *s.f.* 1) Camada superficial e dura que envolve um corpo; casca, côdea. 2) *Med.* Espécie de escama que se forma sobre uma ferida.

CRU *adj.* 1) Que está por cozer. 2) Que está por curtir ➡ couro cru. 3) Sem disfarce ➡ verdade crua. 4) Áspero, duro, ofensivo.

CRU.CI.AL *adj.2gên.* 1) Em forma de cruz. 2) Difícil, árduo, duro. 3) Muito importante, fundamental.

CRU.CI.FI.CA.ÇÃO *s.f.* 1) Ato ou efeito de crucificar. 2) Suplício da cruz.

CRU.CI.FI.CA.DO *adj.* e *s.m.* 1) Diz-se do, ou o que padeceu o suplício da cruz. 2) Torturado; mortificado.

CRU.CI.FI.CAR *v.t.d.* 1) Pregar na cruz; submeter ao suplício da cruz. 2) Atormentar moralmente; mortificar.

CRU.CI.FI.XO (cs) *adj.* 1) Crucificado. / *s.m.* 2) Imagem de Cristo pregado na cruz.

CRU.EL *adj.2gên.* 1) Que se compraz ou não hesita em fazer sofrer. 2) Doloroso. 3) Sanguinolento. 4) Duro, insensível.

CRU.EL.DA.DE *s.f.* 1) Qualidade do que é cruel. 2) Ato cruel. 3) Crueza.

CRUS.TÁ.CEO *adj.* 1) Que tem crosta. 2) *Zool.* Relativo à classe dos Crustáceo: classe de artrópodes de respiração branquial, quase sempre aquáticos.

CRUZ *s.f.* 1) Figura formada por dois toros transversais. 2) Instrumento de suplício. 3) O madeiro em que Jesus Cristo foi pregado. 4) Símbolo da religião cristã.

CRU.ZA.DA *s.f.* 1) Campanha de propaganda, pró ou contra uma ideia. 2) Cada uma das várias expedições de guerra ocorridas na Idade Média com o propósito de expulsar os hereges ou infiéis da Terra Santa.

CRU.ZA.DO *adj.* 1) Disposto em cruz. 2) Atravessado. 3) Mestiço. 4) Expedicionário das Cruzadas.

CRU.ZA.MEN.TO *s.m.* 1) Ação ou efeito de cruzar. 2) Intersecção de duas vias de circulação. 3) Encruzilhada. 4) *Biol.* Acasalamento de indivíduos, animais ou vegetais, de raças ou espécies diferentes.

CRU.ZAR *v.t.i.* 1) Fazer cruz, interceptar-se. / *v.p.* 2) Colocar-se através, estar atravessado. / *v.t.d.* 3) Dispor em cruz. 4) Atravessar, percorrer em vários sentidos. / *v.t.d.* e *v.p.* 5) Acasalar(-se) (animais ou vegetais, de raças ou espécies diferentes).

CRU.ZEI.RO *s.m.* 1) Grande cruz em local de destaque. 2) Viagem turística de navio. 3) Moeda antiga do Brasil.

CU.BA *s.f.* 1) Grande recipiente. 2) A bacia de uma pia.

CU.BÍ.CU.LO *s.m.* 1) Quarto muito pequeno. 2) Cela de convento.

CU.BO *s.m.* 1) *Geom.* Sólido de seis lados quadrados iguais. 2) *Por ext.* Qualquer objeto com essa forma.

CU.CA *s.f.* 1) *Folc.* Ser fantástico usado para assustar crianças. 2) *pop.* Cabeça. 3) *Cul.* Bolo de origem alemã.

CU.CO *s.m.* 1) Pequena ave cujo canto é composto de duas notas. 2) *Por ext.* Pássaro mecânico de certos relógios de pêndulo. 3) *Por ext.* O relógio com esse pássaro.

CU.E.CAS *s.f. pl.* Peça íntima do vestuário masculino; espécie de calção usado sob as calças.

CUI.A *s.f.* 1) Fruto da cuieira. 2) Espécie de vasilha feita com a casca desse fruto. 3) *pop.* A cabeça; cuca.

CUI.DA.DO *adj.* 1) Aprimorado; bem-feito / *s.m.* 2) Atenção especial, precaução, cautela. 3) Encargo, responsabilidade. / *interj.* 4) Exprime aviso ou advertência.

CUI.DAR *v.t.d., v.t.i.* e *v.i.* 1) Cogitar, imaginar, pensar, refletir. / *v.t.i.* 2) Ocupar-se de, tratar de. 3) Precaver-se de. 4) Zelar pelo bem-estar ou pela saúde de; tratar da saúde de; sustentar. / *v.p.* 5) Considerar-se. 6) Tratar da própria saúde ou zelar pelo próprio bem-estar.

CU.JO *pron. rel.* 1) De que, de quem, do qual, da qual. / *s.m.* 2) *pop.* Nome que substitui outro que não se quer dizer; sujeito, indivíduo. ➡ Você sabe por onde anda o cujo? Onde andará o dito cujo?

CU.LA.TRA *s.f.* Parte posterior do cano de arma de fogo.

CU.LI.NÁ.RIA *s.f.* Arte de cozinhar.

CUL.MI.NAN.TE *adj.2gên.* Que é o mais elevado.

CUL.MI.NAR *v.t.i.* e *v.i.* Atingir seu ponto culminante, mais elevado; apogeu.

CUL.PA *s.f.* 1) Ato repreensível praticado contra a lei ou a moral. 2) Falta voluntária, crime, delito, pecado.

CUL.PA.DO *adj.* e *s.m.* 1) Que praticou culpa ou crime. 2) Causador.

CUL.PAR *v.t.d.* 1) Lançar culpa sobre; incriminar. / *v.p.* 2) Confessar-se culpado.

CUL.TI.VA.DOR (ô) *s.m.* 1) O que cultiva; cultor. 2) Agricultor, lavrador.

CUL.TI.VAR *v.i.* 1) Exercer a agricultura. / *v.t.d.* 2) Fertilizar, preparar a terra para que ela produza. 3) *Biol.* Fazer propagar-se artificialmente micro--organismos. 4) Formar, educar ou desenvolver pelo exercício ou estudo. 5) Aplicar-se ou dedicar-se a; aperfeiçoar-se em.

CUL.TO *adj.* 1) Que se cultivou. 2) Que tem cultura; instruído. / *s.m.* 3) Forma pela qual se presta homenagem à divindade; liturgia. 4) Cerimônia de culto (protestante). 5) Veneração.

CUL.TU.AR *v.t.d.* 1) Render culto a. 2) Tornar objeto de culto.

CUL.TU.RA *s.f.* 1) Ação, efeito, arte ou maneira de cultivar a terra ou certas plantas. 2) Terreno cultivado. 3) *Biol.* Propagação de micro-organismos ou cultivação de tecido vivo em um meio nutritivo preparado. 4) Desenvolvimento intelectual.

CUM.BU.CA *s.f.* Vasilha, cuia, cabaça.

CU.ME *s.m.* 1) Ponto mais elevado de um monte; cimo, coruto, crista, píncaro, tope, vértice. 2) *fig.* Apogeu, auge.

CÚM.PLI.CE *adj.2gên.* e *s.2gên.* Que ou aquele que tomou parte num delito ou crime.

CUM.PRI.DO *adj.* Realizado, executado.

CUM.PRI.DOR *adj.* 1) Que cumpre. / *s.m.* 2) Executor; testamenteiro.

CUM.PRI.MEN.TAR *v.t.d.* 1) Apresentar ou fazer cumprimentos a. 2) Elogiar, louvar. / *v.i.* 3) Apresentar cumprimentos.

CUM.PRI.MEN.TO *s.m.* 1) Ato ou efeito de cumprir. 2) Ato de cumprimentar; saudação. 3) Elogio.

CUM.PRIR *v.t.d.* e *v.t.i.* 1) Desempenhar, executar pontualmente, satisfazer, tornar efetivas as prescrições de; obedecer. / *v.t.d.* e *v.p.* 2) Completar(-se), findar(-se), preencher(-se), realizar(-se); vencer. / *v.t.i.* e *v.i.* 3) Ser conveniente, necessário, proveitoso; convir. / *v.t.i.* 4) Competir, pertencer.

CU.MU.LAR *v.t.d.*, *v.t.d.i.* e *v.p.* 1) Acumular. 2) Dar, conceder em alto grau ou grande quantidade.

CÚ.MU.LO *s.m.* 1) Conjunto de coisas sobrepostas; amontoamento. 2) O ponto mais alto; auge. 3) *Meteor.* Nome dado às nuvens que lembram flocos de algodão.

CU.NHA.DA *s.f.* Irmã de um dos cônjuges em relação ao outro e vice-versa.

CU.NHA.DO *s.m.* Irmão de um dos cônjuges em relação ao outro e vice-versa.

CU.NI.CUL.TOR (ô) *s.m.* Criador de coelhos.

CU.PI.DO *s.m.* Personificação do amor; o amor.

CU.PIM *s.m.* 1) *Entom.* Denominação comum dos insetos sociais da ordem dos Isópteros; térmite. 2) Corcova do zebu.

CU.PIN.ZEI.RO *s.m.* 1) Ninho do cupim, que consiste em pequenos montes de terra. 2) Árvore morta atacada de cupim.

CU.POM *s.m.* 1) Parte destacável de uma ação ou obrigação ao portador e que se corta na ocasião do pagamento de dividendos. 2) Cédula de voto ou de brinde.

CÚ.PU.LA *s.f.* 1) *Arquit.* Abóbada esférica. 2) *Arquit.* Parte côncava de um zimbório. 3) *Arquit.* Zimbório. 4) *Bot.* Reunião de pequenas brácteas unidas entre si pela base e que envolvem a flor e o fruto de alguns vegetais.

CU.RA *s.f.* 1) Ato ou efeito de curar(-se). 2) Tratamento da saúde. 3) Restabelecimento da saúde.

4) Processo de curar ao sol (queijo, chouriço, etc.). / *s.m.* 5) Vigário, pároco.

CU.RA.DO *adj.* Restabelecido de doença; sarado.

CU.RA.DOR *s.m.* 1) Indivíduo encarregado judicialmente de administrar ou fiscalizar bens ou interesses de outrem. 2) *pop.* Curandeiro.

CU.RAR *v.t.d.* 1) Restabelecer a saúde de. 2) Livrar de vícios. 3) Secar ao defumador, ao sol ou simplesmente ao ar. / *v.p.* 4) Recuperar a saúde. 5) Corrigir-se; livrar-se de.

CU.RA.RE *s.m.* Veneno muito forte preparado pelos indígenas sul-americanos para envenenar flechas.

CU.RA.TI.VO *adj.* 1) Relativo a cura. / *s.m.* 2) Ato ou efeito de curar. 3) Aplicação tópica de remédios.

CU.RAU *s.m.* 1) Papa de milho verde moído ou ralado cozido com açúcar. 2) Mungunzá.

CÚ.RIA *s.f.* 1) *Ant.* Décima parte das tribos romanas. 2) *Ant.* Senado dos municípios romanos. 3) *Ant.* Lugar onde se reunia esse senado. 4) *Ecles.* Conjunto de organismos governamentais da Santa Sé e dos bispos.

CU.RIN.GA *s.m.* 1) Carta que, em certos jogos, muda de valor, de acordo com a combinação que o parceiro tem em mão. 2) *gír.* Maioral, mandão.

CU.RI.O.SI.DA.DE *s.f.* 1) Qualidade ou caráter de curioso. 2) Objeto raro ou original.

CU.RI.O.SO (ô) *adj.* 1) Que tem desejo de ver, aprender, etc. 2) Indiscreto.

CUR.RAL *s.m.* Local onde se recolhe o gado.

CUR.RÍ.CU.LO *s.m.* 1) Ato de correr. 2) Curso. 3) Conjunto das matérias de um curso. 4) Documento em que estão reunidos dados pessoais, de formação e de experiência profissional de um candidato a emprego; *curriculum vitae*.

CUR.SAR *v.t.d.* 1) Seguir o curso de. 2) Fazer os estudos em (uma escola). 3) Andar, percorrer.

CUR.SI.VO *adj.* 1) Executado sem esforço; ligeiro. / *s.m.* 2) Forma de letra manuscrita, miúda e ligeira.

CUR.SO *s.m.* 1) Ato de correr; carreira, movimento rápido. 2) Caminho, direção, percurso, rota, seguimento, trajetória. 3) Comprimento de um rio. 4) *Med.* Evacuação diarreica de matérias. 5) Conjunto de lições sobre determinada matéria. 6) Grupo de matérias professadas numa universidade.

CUR.SOR *s.m.* 1) Que corre ao longo de. 2) Dispositivo que desliza ao longo de outro em certos aparelhos. 3) Escravizado que seguia a carruagem do senhor, a pé. 4) Sinal na tela do computador que indica entrada de dados.

CUR.TIR *v.t.d.* 1) Preparar (o couro) para que não apodreça. 2) Preparar (alimento) pondo-o de molho em líquido adequado. 3) *gír.* Desfrutar com imenso prazer.

CUR.TO *adj.* 1) De comprimento pequeno. 2) De pouca duração; breve. 3) Limitado; escasso; resumido.

CU.RU.PI.RA *s.m. Mit.* Ente fantasioso que, segundo a crença popular, habita as matas e tem os pés invertidos.

CUR.VA *s.f.* 1) *Geom.* Linha ou superfície que tem mais ou menos a forma de um arco. 2) Linha ou trajeto sinuoso. 3) Qualquer peça em forma de arco.

CUR.VA.DO *adj.* 1) Dobrado. 2) Inclinado; arqueado; curvo. 3) Subjugado.

CUR.VAR *v.t.d.* e *v.p.* 1) Tornar(-se) curvo; dobrar(-se), arquear(-se). 2) Tomar a forma curva; vergar. / *v.p.* 3) Sujeitar-se, humilhar-se.

CUR.VA.TU.RA *s.f.* 1) Estado ou aspecto do que é curvo. 2) Parte curva de alguma coisa; dobramento.

CUR.VI.LÍ.NEO *adj.* 1) Formado de linhas curvas. 2) Que é de forma curva. 3) Que segue direção curva.

CUR.VO *adj.* 1) Em forma de arco; curvado; recurvado; arqueado. 2) Inclinado para diante.

CUS.PE *s.m.* 1) Saliva. 2) *pop.* Cuspo.

CUS.PI.DOR (ô) *adj.* e *s.m.* Que ou aquele que cospe muito.

CUS.PO *s.m.* Humor segregado pelas glândulas salivares; cuspe.

CUS.TA *s.f.* 1) Custo. 2) Trabalho. 3) Despesas feitas em processo judicial.

CUS.TAR *v.t.d.* 1) Importar em; causar a despesa de; valer. 2) Ter o valor de. 3) Obter-se por meio de, à custa de. / *v.t.i.* e *v.i.* 4) Ser custoso, difícil.

CUS.TE.A.MEN.TO *s.m.* 1) Ato ou efeito de custear. 2) Conjunto ou relação de despesas feitas com alguém ou alguma coisa; custeio.

CUS.TE.AR *v.t.d.* Correr com as despesas de.

CUS.TO *s.m.* 1) Preço de alguma coisa. 2) Valor em dinheiro. 3) *fig.* Trabalho, dificuldade, esforço. / *loc. adv.* 4) A custo ➡ com grande dificuldade.

CUS.TÓ.DIA *s.f.* 1) Local onde se guarda alguém ou alguma coisa; guarda; detenção; segurança; proteção. 2) *Liturg.* Objeto de ouro ou prata no qual se expõe a hóstia consagrada.

CUS.TO.SO (ô) *adj.* 1) De grande custo. 2) Difícil, demorado, árduo; trabalhoso; penoso.

CU.TÂ.NEO *adj. Anat.* Que pertence ou se refere à pele ou à epiderme.

CU.TE.LO *s.m.* 1) Instrumento cortante, espécie de faca, usado em matadouros e açougues. 2) Pequena vela de navio suplementar a outra. 3) *fig.* Violência, opressão.

CU.TÍ.CU.LA *s.f.* 1) Película. 2) Epiderme dos vegetais. 3) *Anat.* Membrana que cresce em torno das unhas.

CU.TI.LA.DA *s.f.* Golpe de cutelo, espada ou outras armas semelhantes.

CÚ.TIS *s.f.* Pele humana; epiderme.

CU.TU.CAR *v.t.d.* 1) Tocar alguém levemente com o dedo, o cotovelo ou qualquer outra coisa, como advertência de algo. 2) Dar cutilada leve.

CZAR *s.m.* Título que se dava ao imperador da Rússia e a certos soberanos eslavos antigos.

Dd

D *s.m.* 1) Quarta letra do alfabeto. 2) Na numeração romana, representa o número 500. 3) Nas notas musicais, simboliza a nota ré.

DA *Gram.* Contração da prep. *de* com o artigo *a*.

DÁ.BLI.U *s.m.* Nome da letra *w*.

DÁ.DI.VA *s.f.* 1) Dom, presente. 2) Donativo, oferta.

DA.DO *adj.* 1) Concedido, facultado, lícito, permitido. 2) Gratuito. 3) Acostumado, habituado. 4) Afável, tratável. 5) Propenso. / *s.m.* 6) Pequeno cubo, cujas faces são marcadas por pontos, usado em certos jogos. 7) Princípio ou base para se entrar no conhecimento de algum assunto. 8) *Arquit.* Parte do pedestal de uma coluna, incluída entre a base e a cornija.

DÁL.MA.TA *adj.2gên.* e *s.2gên.* 1) Relativo à Dalmácia (Iugoslávia). 2) Natural ou habitante da Dalmácia; dalmatense. / *s.m.* 3) Língua românica, morta, antigamente usada nesse país. 4) Cão de grande porte, de pelo curto, branco, com malhas pretas ou castanhas.

DAL.TO.NIS.MO *s.m. Oftalm.* Defeito visual congênito que impede o indivíduo de distinguir certas cores, principalmente o vermelho e o verde.

DA.MA *s.f.* 1) Mulher nobre. 2) Mulher casada; senhora. 3) Parceira numa dança. 4) Figura feminina no baralho. 5) Peça importante no jogo de damas e de xadrez.

DA.MAS *s.f. pl.* Jogo para dois jogadores, constituído por 24 peças distribuídas em um tabuleiro com 64 casas.

DA.MAS.CO *s.m.* 1) Fruto do damasqueiro. 2) Tecido de seda com desenhos em relevo. 3) Tecido semelhante a damasco. 4) Capital da Síria.

DA.MAS.QUEI.RO *s.m.* Árvore pertencente à família das Rosáceas; planta que produz o damasco.

DA.NA.DO *adj.* 1) Furioso, zangado, irado. 2) Disposto, esperto, hábil, travesso. 3) Indivíduo ousado, furioso, zangado. 4) Valente. / *s.m.* 5) O que foi condenado ao inferno. 6) Aquele que faz coisas extraordinárias. 7) O que sofre de raiva; hidrófobo.

DA.NAR *v.t.d.* 1) Produzir dano a, prejudicar. 2) Causar irritação. 3) Comunicar a hidrofobia a. / *v.p.* 4) Desesperar-se, encolerizar-se, irritar-se.

DAN.ÇA *s.f.* 1) Sucessão de movimentos e passos rítmicos, cadenciados, realizados ao som de uma música. 2) A arte de dançar. 3) Baile.

DAN.ÇAR *v.t.d.* 1) Realizar movimentos de dança. / *v.i.* 2) Mover-se em diversos sentidos; agitar-se. 3) *pop.* Sair-se mal, não alcançar seus objetivos ➡ Finalmente, ele dançou!

dançarina — decepar

DAN.ÇA.RI.NA *s.f.* 1) Mulher que dança por ofício; bailarina, dançadeira, dançatriz. 2) Aquela que dança bem.

DAN.ÇA.RI.NO *s.m.* Aquele que dança por ofício; bailarino.

DAN.CE.TE.RI.A *s.f.* Estabelecimento onde se dança, geralmente à noite.

DA.NI.FI.CAR *v.t.d.* Causar dano a; prejudicar, deteriorar, estragar, arruinar, destruir.

DA.NI.NHO *adj.* 1) Que causa dano. 2) Travesso, traquinas, endiabrado, terrível.

DA.NO *s.m.* 1) Perda. 2) Prejuízo material ou moral causado a alguém. 3) Estrago, danificação. 4) Mal que se faz a alguém.

DAR *v.t.d.* 1) Ceder, fazer doação de, oferecer. 2) Entregar, dedicar. 3) Permutar, trocar. 4) Pagar. 5) Fazer presente de; doar. / *v.t.d.i.* 6) Sugerir, apresentar algo a alguém. / *v.p.* 7) Ter bom resultado. 8) Viver em harmonia ➡ Ela se deu bem.

DAR.DO *s.m.* 1) Espécie de pequena lança de arremesso, com ponta aguda de ferro. 2) *Esp.* Aparelho de arremesso, usado no atletismo. 3) *fig.* Algo que magoa. 4) Censura, mordacidade. 5) Ferrão de alguns insetos.

DAR.WI.NIS.MO *s.m. Biol.* Teoria de Charles Darwin proposta em 1859; doutrina que explica a evolução dos seres vivos; evolucionismo.

DA.TA *s.f.* 1) Indicação da época, ano, mês ou dia em que uma coisa sucedeu ou foi feita. 2) Depósito natural de minérios (ouro ou diamantes). 3) Tempo, época.

DA.TAR *v.t.d.* 1) Pôr data em. 2) Identificar a época de. / *v.t.i.* 3) Começo da contagem.

DA.TI.LI.O.TE.CA *s.f.* Local ou recipiente onde se guardam anéis, joias e pedras gravadas.

DA.TI.LO.GRA.FAR *v.t.d.* Escrever alguma coisa servindo-se de uma máquina de escrever.

DA.TI.LOS.CO.PI.A *s.f. Por ext.* Técnica de identificação por impressões digitais.

DE *prep.* Partícula de grande emprego na língua portuguesa, usada em várias relações, como de posse, lugar, modo, causa, tempo, dimensão, origem, matéria, conteúdo, etc.

DE.BAI.XO *adv.* 1) Em posição verticalmente inferior. 2) Em decadência.

DE.BAL.DE *adv.* Em vão; inutilmente.

DE.BAN.DAR *v.i.* 1) Sair do bando; dispersar-se. / *v.t.d.* e *v.i.* 2) Pôr-se em fuga desordenada; dispersar.

DE.BA.TE *s.m.* 1) Contestação feita por meio de palavras ou argumentos. 2) Troca de opiniões. 3) Querela, discussão, altercação. 4) Definição dada aos poemas dialogados da literatura medieval.

DE.BA.TER *v.p.* 1) Agitar-se muito, resistindo ou procurando soltar-se. / *v.i.* 2) Entrar em debate. / *v.t.d.* 3) Discutir uma questão. 4) Disputar, questionar.

DÉ.BIL *adj.2gên.* 1) Com pouca força ou energia. 2) Desanimado, frouxo. 3) Sem resistência, frágil. / *s.2gên.* 4) Indivíduo com problemas mentais.

DE.BI.LI.TAR *v.t.d.* 1) Tornar débil. 2) Enfraquecer. 3) Tirar recursos de. / *v.p.* 4) Enfraquecer-se, perder as forças.

DE.BI.TAR *v.t.d.* e *v.p.* 1) Constituir(-se) ou inscrever(-se) como devedor. 2) Lançar(-se) a débito.

DÉ.BI.TO *s.m.* 1) Aquilo que se deve, dívida. 2) *Com.* Parte de uma conta, oposta ao crédito.

DE.BO.CHA.DO *adj.* 1) Devasso, libertino. 2) Gaiato, trocista. 3) Que debocha.

DE.BO.CHAR *v.t.d.* 1) Lançar no deboche, tornar um devasso. / *v.p.* 2) Corromper-se, tornar-se vicioso. / *v.t.d.* e *v.t.d.i.* 3) Escarnecer de, zombar de. 4) Não levar em conta.

DE.BO.CHE *s.m.* 1) Devassidão, libertinagem. 2) Escárnio, zombaria. 3) Maus costumes e procedimentos.

DE.BRU.ÇAR *v.t.d.* e *v.p.* 1) Pôr(-se) de bruços. / *v.p.* 2) Curvar-se, inclinar-se para a frente.

DE.BU.LHAR *v.t.d.* 1) Tirar os grãos de cereais, separar do casulo. 2) Descascar, tirar a pele. / *v.p.* 3) *fig.* Desfazer-se, desatar-se, desmanchar ➡ Eu me debulhei em lágrimas.

DE.BU.TAN.TE *adj.2gên.* e *s.2gên.* 1) Iniciante, principiante. 2) Que ou o que se inicia na vida social.

DÉ.CA.DA *s.f.* Período de dez anos ou de dez dias.

DE.CA.DÊN.CIA *s.f.* 1) Estado ou época que decai, ou procede o fim de uma civilização. 2) Tendência para o acabamento. 3) Ruína.

DE.CA.IR *v.t.i.* e *v.i.* 1) Tombar, pender. / *v.i.* 2) Diminuir, baixar. / *v.t.i.* 3) *Por ext.* Deixar de ter; perder.

DE.CAL.CAR *v.t.d.* Reproduzir um desenho por meio de decalque.

DE.CAL.QUE *s.m.* Processo pelo qual se transfere um desenho estampado em um papel especial para outra superfície.

DE.CA.PI.TAR *v.t.d.* Cortar a cabeça de; degolar.

DE.CA.TLO *s.m. Esp.* Conjunto de dez provas atléticas.

DE.CÊN.CIA *s.f.* Qualidade de ser moralmente bom; decoro, honestidade.

DE.CÊ.NIO *s.m.* Período de dez anos; década.

DE.CE.PAR *v.t.d.* Cortar violentamente, separando do corpo.

decepção / dedo

DE.CEP.ÇÃO *s.f.* Sentimento de tristeza ou frustração causado pela ocorrência de um fato inesperado; desilusão, desengano.

DE.CER.TO *adv.* Certamente.

DE.CI.DI.DO *adj.* 1) Que se decidiu. 2) Animoso, corajoso. 3) Firme nos seus propósitos; resoluto.

DE.CI.DIR *v.t.d.* 1) Determinar, resolver. / *v.t.i.* 2) Emitir opinião. 3) Dar decisão; sentenciar. / *v.p.* 4) Resolver-se.

DE.CI.FRAR *v.t.d.* 1) Ler ou explicar; decodificar. 2) Adivinhar. 3) Conhecer o gênio, as tendências ou sentimentos de. 4) Reconhecer o que está oculto.

DE.CI.MAL *adj.* 1) Que procede por dezenas. 2) Sistema de pesos e medidas, originário de potências de dez. / *s.m.* 3) Número escrito à direita da vírgula ou de um ponto na representação decimal de um número.

DÉ.CI.MO *num.* 1) Toda ordem ou série que está no lugar correspondente a dez. / *s.m.* 2) A décima parte.

DE.CI.SÃO *s.f.* 1) Ação de decidir; determinação, resolução. 2) Coragem, intrepidez, sentença, firmeza.

DE.CI.SI.VO *adj.* 1) Que decide; deliberativo, que não há dúvida. 2) Definitivo, terminante. 3) Grave, crítico. 4) Que impõe decisão.

DE.CLA.MA.ÇÃO *s.f.* 1) Ação, maneira ou arte de declamar. 2) Arte expressiva de interpretar um texto. 3) Maneira pomposa de discursar.

DE.CLA.MAR *v.t.d.* e *v.i.* 1) Recitar em voz alta, com gesto e entonação apropriada. 2) Discursar com tom solene, com afetação.

DE.CLA.RA.ÇÃO *s.f.* 1) Ato ou efeito de declarar. 2) Documento em que se declara alguma coisa. 3) Depoimento. 4) Lista pormenorizada. 5) Confissão.

DE.CLA.RAR *v.t.d.* 1) Dar a conhecer; expor, manifestar, patentear. 2) Publicar, anunciar. 3) Decretar, resolver. / *v.p.* 4) Confessar-se; revelar-se. 5) Designar(-se), nomear(-se).

DE.CLI.NA.ÇÃO *s.f.* 1) Ato ou efeito de declinar. 2) *Gram.* Flexão de palavras. 3) *Gram.* Grupo de palavras que se declinam do mesmo modo.

DE.CLI.NAR *v.t.d.* e *v.i.* 1) Baixar; abaixar. / *v.i.* 2) Piorar; decair. 3) Perder a intensidade; diminuir. / *v.t.d.* e *v.t.i.* 4) Recusar. / *v.t.d.* e *v.p.* 5) *Gram.* Flexionar uma palavra de acordo com os casos.

DE.CLÍ.NIO *s.m.* Aproximação do fim, decadência, diminuição de força, de vigor, de intensidade.

DE.CLI.VE *adj.2gên* 1) Que forma ladeira, inclinado (no sentido da descida) / *s.m.* 2) Inclinação de uma superfície considerada de cima para baixo.

DE.CO.DI.FI.CAR *v.t.d.* Decifrar um código.

DE.CO.LAR *v.i. Aeron.* Separar-se da terra ou do mar, levantar voo (aeronave).

DE.COM.POR *v.t.d.* 1) Separar em partes os integrantes que compõem um corpo. 2) Alterar, modificar. 3) Corromper. 4) Dividir, separar. / *v.p.* 5) Entrar em putrefação. 6) Estragar-se.

DE.COM.PO.SI.ÇÃO *s.f.* 1) Ato ou efeito de decompor. 2) Simplificação de elementos. 3) Análise. 4) Modificação profunda. 5) Desorganização.

DE.CO.RA.ÇÃO *s.f.* 1) Ação ou efeito de decorar. 2) Adorno, embelezamento, ornamentação, enfeite. 3) Teatro; cenário. 4) Ação de decorar ou conservar na memória; memorização.

DE.CO.RAR *v.t.d.* 1) Realizar uma decoração, embelezar, enfeitar, ornamentar. 2) Aprender de cor, procurar guardar na memória.

DE.CO.RO (ô) *s.m.* Decência, recato.

DE.COR.RER *v.i.* 1) Passar do tempo. 2) Ocorrer; suceder; transcorrer; acontecer. / *v.t.i.* 3) Ter origem em; derivar.

DE.CO.TE *s.m.* Abertura na parte de cima da roupa para deixar o colo ou as costas mais ou menos descobertos.

DE.CRÉ.PI.TO *adj.* 1) Muito velho ou gasto. 2) Estado de decadência física.

DE.CRES.CER *v.i.* 1) Tornar-se menor; diminuir. 2) Abater, ceder.

DE.CRÉS.CI.MO *s.m.* Decrescimento, declínio.

DE.CRE.TAR *v.t.d.* 1) Ordenar por decreto ou lei. 2) Determinar, ordenar, estabelecer, prescrever.

DE.CRE.TO *s.m.* 1) Determinação escrita, emanada de uma autoridade superior. 2) Mandado judicial. 3) Determinação, ordem. 4) Vontade, intenção, desígnio, sentença.

DE.CÚ.BI.TO *s.m.* Posição do corpo deitado.

DE.DAL *s.m.* Peça cilíndrica que se coloca no dedo para ajudar a empurrar a agulha de costura.

DE.DI.CA.ÇÃO *s.f.* 1) Qualidade de quem se dedica; abnegação, devotamento, prestatividade, zelo, empenho. 2) Afeto extremo, veneração, consagração.

DE.DI.CAR *v.t.d.* 1) Destinar, empregar, votar, com afeto ou sacrifício, em favor de. 2) Oferecer por dedicação. 3) Proteção ou invocação de. / *v.p.* 4) Devotar-se, oferecer-se ao serviço de, sacrificar-se por.

DE.DI.LHAR *v.t.d.* 1) *Mús.* Tocar as cordas de um instrumento musical usando os dedos, fazendo-as vibrar. 2) *Mús.* Executar uma música em um instrumento de cordas.

DE.DO (ê) *s.m.* 1) *Anat.* Cada um dos prolongamentos articulados das mãos e dos pés. 2) Mededução

deitar

dida correspondente à espessura de um dedo. 3) *fig.* Sinal, marca.

DE.DU.ÇÃO *s.f.* 1) Conclusão lógica de um raciocínio. 2) Desconto; diminuição.

DE.DU.RAR *v.t.d. pop.* Fazer denúncia de; delatar.

DE.DU.ZIR *v.t.d.* e *v.t.d.i.* 1) Chegar a uma conclusão pelo uso do raciocínio, a partir de fatos e indícios; inferir. 2) Descontar (valor, preço); abater.

DE.FE.CAR *v.i.* Expelir as fezes; evacuar.

DE.FEI.TO *s.m.* 1) Imperfeição (física ou moral). 2) Deformidade, mancha, vício; deficiência. 3) Imperfeição de algum objeto, que danifique sua aparência, ou tire seu valor. 4) Desarranjo.

DE.FEI.TU.O.SO (ô) *adj.* 1) Com defeito; imperfeito. 2) Que não funciona como deve.

DE.FEN.DER *v.t.d.* 1) Prestar auxílio a, proteger, socorrer. 2) Falar a favor de, interceder por. 3) Procurar desculpar ou justificar. 4) Patrocinar ou advogar. 5) Abrigar, resguardar, preservar. / *v.p.* 6) Repelir com agressão.

DE.FEN.SOR (ô) *adj.* e *s.m.* Que ou quem defende e protege.

DE.FE.RIR *v.t.d.* 1) Dar deferimento, despachar favoravelmente. 2) Estar de acordo em relação ao que se pede ou requer. 3) Conceder, conferir, outorgar.

DE.FE.SA (ê) *s.f.* 1) Ação de defender. 2) Argumento usado para proteção contra um ataque ou ofensa. 3) Resguardo, anteparo, vedação. 4) Resistência a um ataque. 5) Exposição dos fatos e provas em favor de um réu. 6) *Zool.* Caninos utilizados pelos animais para defenderem-se.

DE.FI.CI.ÊN.CIA *s.f.* 1) Falta, lacuna. 2) Imperfeição, insuficiência. 3) Designação genérica de insuficiência congênita ou adquirida.

DÉ.FI.CIT *s.m.* 1) Quando a despesa é superior em relação à receita dentro de um orçamento. 2) Parte que falta para completar uma quantidade.

DE.FI.NHAR *v.i.* e *v.p.* 1) Enfraquecer-se aos poucos, extremar-se, mirrar-se. / *v.i.* 2) Abater, decair, murchar, secar. 3) Tornar magro.

DE.FI.NI.ÇÃO *s.f.* 1) Ato de definir. 2) Expressão que apresenta características claras e breves. 3) Palavras com as quais se decide um assunto duvidoso ou pendente. 4) Grau de nitidez de qualquer imagem.

DE.FI.NI.DO *adj.* 1) Determinado, fixo, claro, exato. 2) *Gram.* Diz-se do artigo que se antepõe ao substantivo para torná-lo individual.

DE.FI.NIR *v.t.d.* 1) Dar a definição de. 2) Determinar, fixar. 3) Demarcar, fixar. / *v.p.* 4) Tomar uma resolução ou partido. 5) Explicar, enunciar os atributos ou propriedades específicas.

DE.FI.NI.TI.VO *adj.* 1) Que define; determinante. 2) Que não torna a repetir-se; decisivo. 3) Terminante, concludente.

DE.FLO.RAR *v.t.d.* 1) *Bot.* Desflorar. 2) Violar a virgindade.

DE.FOR.MAR *v.t.d.* e *v.p.* 1) Modificar a forma ou o aspecto original; desfigurar(-se). / *v.t.d.* 2) *fig.* Afastar(-se) do correto ou desejável.

DE.FRAU.DAR *v.t.d.i.* 1) Cometer fraude. / *v.t.d.* 2) Prejudicar com intenção.

DE.FU.MAR *v.t.d.* 1) Queimar substâncias aromáticas para perfumar ou purificar. 2) Secar, expondo à fumaça.

DE.FUN.TO *s.m.* Pessoa morta; falecido.

DE.GE.LAR *v.t.d.*, *v.i.* e *v.p.* 1) Descongelar. 2) *fig.* Tornar(-se) menos rígido; amolecer.

DE.GE.NE.RAR *v.i.* e *v.p.* 1) Perder as características e qualidades primitivas. 2) Mudar para pior; estragar(-se). / *v.t.d.*, *v.i.* e *v.p.* 3) Adquirir hábitos ruins; corromper(-se).

DE.GLU.TI.ÇÃO *s.f.* Ingestão.

DE.GLU.TIR *v.t.d.* e *v.i. Fisiol.* Engolir.

DE.GO.LAR *v.t.d.* Cortar o pescoço ou a cabeça; decapitar.

DE.GRA.DA.ÇÃO *s.f.* 1) Destituição infamante de um cargo, dignidade ou grau. 2) Aviltamento, baixeza, depravação.

DE.GRA.DAR *v.t.d.* 1) Rebaixar na dignidade, graduação ou categoria. 2) Privar de graus, dignidades ou encargos. / *v.t.d.* e *v.p.* 3) Aviltar(-se), tornar(-se) desprezível.

DÉGRADÉ *adj. fr.* Diz-se de cor cuja intensidade ou tom vai diminuindo gradativamente.

DE.GRAU *s.m.* 1) Cada uma das partes horizontais da escada, em que se põe o pé, para subir ou descer. 2) Meio de subir em seu cargo. 3) Posto numa hierarquia.

DE.GRE.DAR *v.t.d.* 1) Condenar. 2) Impor pena de degredo. 3) Desterrar, exilar.

DE.GRE.DO (ê) *s.m.* 1) Expulsão da pátria imposta pela justiça aos criminosos. 2) Local onde se cumpre essa pena.

DE.GRIN.GO.LAR *v.t.i.* e *v.i.* 1) Cair, tombar. 2) Arruinar-se; decair, desandar

DE.GUS.TA.ÇÃO *s.f.* 1) Ato de degustar. 2) Processo de avaliação pelo paladar.

DE.GUS.TAR *v.t.d.* Identificar o gosto ou sabor de, por meio do paladar; provar; avaliar.

DEI.TAR *v.t.d.i.* e *v.p.* 1) Estender(-se) horizontalmente sobre uma superfície. 2) Atirar, arremessar. / *v.t.d.* e *v.p.* 3) Pôr(-se) na cama (para dormir). / *v.t.d.* 4) Inclinar. 5) Fazer cair; colocar.

DEI.XA *s.f.* 1) *Por ext.* Acontecimento, fato ou fala que possibilita uma reação; possibilidade. 2) No teatro, palavra, gesto ou som que indica o momento de entrar em cena, falar ou fazer algo.

DEI.XAR *v.t.d.* 1) Sair de; retirar-se, afastar-se. 2) Possibilitar. 3) Desistir. 4) Dar autorização; permitir. 5) Não levar consigo. 6) Demitir-se. / *v.t.d.* e *v.p.* 7) Não fazer mais parte de; abandonar; separar-se. / *v.t.d.i.* 8) Pôr, colocar. 9) Levar, conduzir. 10) Passar algo para alguém como herança; legar. 11) Transmitir.

DE.JE.JUM *s.m.* Desjejum.

DE.JE.TO *s.m.* Excremento, fezes.

DE.LA.TAR *v.t.d.* 1) Condenar o autor de algum crime ou delito; evidenciar; revelar; denunciar. / *v.p.* 2) Denunciar-se, julgar-se culpado.

DE.LE.GA.ÇÃO *s.f.* 1) Ato ou efeito de delegar. 2) Autoridade dada a uma ou mais pessoas para representar a quem a confere. 3) *Dir.* Cessão. 4) Comissão de delegados.

DE.LE.GA.CI.A *s.f.* Cargo ou estabelecimento onde o delegado exerce suas funções.

DE.LE.GA.DO *s.m.* 1) Indivíduo que possui autorização de representar outrem. 2) Comissário. 3) Funcionário que exerce chefia em uma delegacia.

DE.LE.GAR *v.t.d.* 1) Conduzir poderes por delegação. 2) Incumbir, encarregar, investir na faculdade de agir.

DE.LEI.TAR *v.t.d.* e *v.p.* 1) Proporcionar ou receber prazerosamente. 2) Agradar, deliciar-se.

DE.LEI.TE *s.m.* 1) Delícia, gozo. 2) Prazer suave, demorado e intenso dos sentidos. 3) Voluptuosidade.

DEL.GA.DO *adj.* 1) Que tem pouca espessura, tênue. 2) Magro, fino, esbelto. 3) Pouco volumoso.

DE.LI.BE.RAR *v.t.d.* 1) Decidir ou resolver mediante discussão e exame. 2) Refletir sobre decisão a ser tomada. 3) Tomar decisão. 4) Premeditar.

DE.LI.CA.DE.ZA (ê) *s.f.* 1) Qualidade do que ou de quem é delicado. 2) Cortesia, educação, gentileza, suavidade, brandura.

DE.LI.CA.DO *adj.* 1) Brando, macio, mole. 2) Débil, fraco. 3) Afável, cortês. 4) Educado, atencioso. 5) Complicado, arriscado, difícil.

DE.LÍ.CIA *s.f.* 1) Sensação agradável. 2) Prazer intenso. 3) Coisa deliciosa.

DE.LI.CI.AR *v.t.d.* 1) Causar delícia a. 2) Trazer delícia a. 3) Deleitar. / *v.p.* 4) Sentir delícia ou deleite.

DE.LI.CI.O.SO (ô) *adj.* 1) Que causa delícia. 2) Excelente, perfeito. 3) Gostoso, agradável, prazeroso, saboroso.

DE.LI.MI.TAR *v.t.d.* 1) Firmar os limites de; demarcar. 2) Circunscrever, restringir, cercar.

DE.LI.NE.A.ÇÃO *s.f.* 1) Ato ou efeito de delinear; delineamento. 2) Representação por traços gerais. 3) Demarcação, limitação, planejamento.

DE.LI.NE.AR *v.t.d.* 1) Fabricar os traços gerais, dispondo as partes principais; esboçar. 2) Delimitar, demarcar, desenhar, projetar.

DE.LIN.QUÊN.CIA *s.f.* 1) Estado ou condição de delinquente. 2) Criminalidade.

DE.LIN.QUIR *v.i.* Cometer delito, crime.

DE.LI.RA.DO *adj.* Delirante, louco, estonteado.

DE.LI.RAR *v.i.* 1) *Med.* Cair em delírio. 2) Tresvariar. 3) Perturbação intelectual ou mental, ficar fora de si. 4) Disparatar, enlouquecer. / *v.t.i.* 5) Não caber em si de contente.

DE.LÍ.RIO *s.m.* 1) Exaltação de espírito; alucinação. 2) Excesso de paixão. 3) *Med.* Desvairamento. 4) Perturbações mórbidas dos estados intelectual ou mental.

DE.LI.TO *s.m.* 1) Ato criminal tendo como consequência pena correcional, fato punível por lei. 2) Crime. 3) Culpa.

DEL.TA *s.m.* 1) Quarta letra do alfabeto grego, correspondente ao nosso *D* sendo a maiúscula em forma de triângulo. 2) Designação dada a várias coisas que se assemelham à letra delta maiúscula. 3) *Geogr.* Foz de um rio com vários canais distribuidores.

DE.MA.GO.GI.A *s.f.* Atitude política caracterizada pelas paixões populares em proveito próprio; ação enganosa, realizações mirabolantes para iludir as massas.

DE.MA.GO.GO (ô) *s.m.* 1) Político inescrupuloso que usa de processos demagógicos, revolucionário. 2) Aquele que excita as paixões populares.

DE.MAIS *adv.* 1) Demasiado, excessivo. 2) Além disso. / *pron.* 3) Outros(as), restantes.

DE.MAN.DA *s.f.* 1) Ato ou efeito de demandar. 2) *Dir.* Ação judicial, contenda, pleito, busca, procura. 3) Porção de mercadorias ou serviços procurados pelo mercado consumidor.

DE.MAN.DAR *v.t.d.* 1) Propor ação judicial contra; pleitear. 2) Pedir, requerer. 3) Dirigir-se para. / *v.i.* 4) Disputar pela posse de. 5) Perguntar, questionar. 6) Propor demanda.

DE.MAN.DIS.TA *s.2gên.* 1) Pessoa que formula demandas. 2) Pessoa ligada a demandas; demandante.

DE.MÃO *s.f.* Camada (de tinta, verniz, etc.).

DE.MAR.CAR *v.t.d.* 1) Fixar os limites; delimitar. 2) *fig.* Estabelecer, determinar.

DE.MA.SI.A *s.f.* O que está em excesso.

DE.MÊN.CIA *s.f.* 1) *Psiq.* Deterioração mental; loucura. 2) *Por ext.* Comportamento que aparenta loucura; insensatez.

demissão

DE.MIS.SÃO *s.f.* 1) Ato ou efeito de demitir(-se). 2) Saída; destituição.

DE.MI.TIR *v.t.d.* 1) Afastar-se definitivamente de um emprego, cargo ou dignidade. 2) Exonerar; despedir, licenciar, renunciar.

DE.MO *s.m.* 1) *pop.* Diabo. 2) Pessoa inquieta. 3) Fita gravada utilizada por músicos iniciantes para demonstração de seu trabalho. 4) Elemento eletrônico útil para divulgação de jogos e programas. 5) Referente à democracia.

DE.MO.CRA.CI.A *s.f.* 1) Regime de governo em que o poder procede do povo. 2) Sociedade livre em que predomina a maioria.

DE.MO.CRA.TA *adj.2gên* e *s.2gên.* Pessoa partidária da democracia e que professa seus princípios.

DE.MO.LIR *v.t.d.* 1) Pôr abaixo; derrubar. 2) Destruir.

DE.MO.NÍ.A.CO *adj.* Relativo a demônio; diabólico.

DE.MÔ.NIO *s.m.* 1) Gênio do mal; diabo; espírito maligno de grandes poderes; satanás. 2) Pessoa de aparência feia, ruim ou turbulenta. 3) *pop.* Criança travessa, impossível.

DE.MO.NIS.MO *s.m.* Estudo referente à crença em demônios e suas obras, sua influência.

DE.MONS.TRA.ÇÃO *s.f.* 1) Ato de demonstrar. 2) Raciocínio pelo qual se deduz a verdade de uma hipótese. 3) Aquilo que serve de prova ou testemunho. 4) Manifestação de sentimentos.

DE.MONS.TRAR *v.t.d.* 1) Provar com um raciocínio convincente e lógico. 2) Descrever e explicar de maneira ordenada e evidente. 3) Indicar ou exibir mediante sinais exteriores. 4) Fazer demonstração.

DE.MO.RA *s.f.* 1) Ato de demorar(-se). 2) Atraso, delonga, tardança. 3) Atraso.

DE.MO.RAR *v.t.d.* 1) Fazer esperar; deter, prolongar. 2) Atrasar, retardar. / *v.p.* 3) Levar muito tempo; demorar-se. / *v.t.i.*, *v.i.* e *v.p.* 4) Custar, tardar ➡ Ele demorou a fazer o relatório. / *v.p.* e *v.i.* 5) Ficar, permanecer ➡ Ele demorou-se na apresentação.

DEN.DRO.LO.GI.A *s.f. Bot.* Parte da Botânica que se ocupa em estudar as árvores.

DE.NE.GAR *v.t.d.* 1) Negar. 2) Indeferir. 3) Não admitir a verdade. 4) Obstar a, contrariar. 5) Desmentir. / *v.p.* 6) Recusar-se.

DE.NE.GRIR *v.t.d.* e *v.p.* 1) Tornar(-se) negro ou escuro. / *v.t.d.* 2) Sujar, manchar, difamar. 3) Atacar a reputação de alguém.

DEN.GO *s.m.* 1) *Fam.* Dengue. 2) Faceirice. 3) Manha, birra. 4) Gentileza, melindre feminino.

DEN.GO.SO (ô) *adj.* 1) Cheio de dengues. 2) Cujo comportamento é manhoso. 3) Diz-se de criança birrenta.

dentista

DEN.GUE *s.m.* 1) Birra de criança, choradeira. / *s.f.* 2) *Med.* Doença febril infecciosa, das regiões tropicais, causada por picada dos mosquitos *Aedes aegypti* e *A. albopictus;* caracteriza-se por dores musculares e ósseas. / *adj.* 3) Que faz denguice, dengoso.

DE.NO.MI.NA.ÇÃO *s.f.* 1) Ato de denominar. 2) Designação, nome.

DE.NO.MI.NA.DOR (ô) *adj.* e *s.m.* 1) Que ou o que denomina. / *s.m.* 2) *Arit.* Termo da fração escrito abaixo do traço, indicando as partes em que a unidade deve ser dividida.

DE.NO.MI.NAR *v.t.d.* 1) Dar nome ou apelido a; nomear. / *v.p.* 2) Ser chamado de; chamar-se.

DE.NO.TA.ÇÃO *s.f.* 1) Ação de denotar. 2) Indicação, marca, símbolo. 3) Anunciar por sinais. 4) *Gram.* Linguagem apresentada no sentido real, de dicionário.

DE.NO.TAR *v.t.d.* 1) Demonstração feita por meio de notas ou sinais. 2) Significar, simbolizar, marcar.

DEN.SI.DA.DE *s.f.* 1) Propriedade ou estado do que é denso. 2) *Fís.* Relação existente entre peso e volume contidos em um corpo. 3) Grau de concentração de uma população.

DEN.SI.DÃO *s.f.* Densidade, espessura, aglomeração.

DEN.SO *adj.* 1) Quando massa e peso, em relação ao volume, encontram-se em elevação. 2) Espesso, compacto. 3) *fig.* Carregado, escuro.

DEN.TA.DA *s.f.* Lesão ou ferimento praticado com os dentes; mordida; mordedura.

DEN.TA.DU.RA *s.f.* 1) Sistema dentário existente em cada indivíduo. 2) Série de dentes artificiais agrupados adequadamente para substituir os dentes naturais. 3) Grupo dos dentes existentes em uma roda.

DEN.TAR *v.t.d.* 1) Dar dentada em; morder. 2) Dentear, recortar, retalhar. / *v.i.* 3) Surgimento dos dentes.

DEN.TE *s.m.* 1) *Anat.* Cada um dos órgãos ósseos, duros e lisos, que se fixam nas maxilas humanas, e de certos animais, e são utilizados na trituração dos alimentos. 2) Qualquer objeto que se assemelha a esses órgãos na forma ou disposição: pente, serra, etc. 3) Proeminência de uma engrenagem.

DEN.TE.AR *v.t.d.* 1) Formação de dentes. 2) Recortar, dentar.

DEN.TI.ÇÃO *s.f. Med.* 1) Surgimento e formação dos dentes. 2) Totalidade dos dentes.

DEN.TI.FRÍ.CIO *adj.* e *s.m.* Que ou o que é usado para limpar os dentes.

DEN.TIS.TA *s.2gên.* Profissional preparado para tratar das moléstias dentárias; cirurgião-dentista; odontologista; odontólogo.

dentro · depurar

DEN.TRO *adv.* 1) Interiormente. 2) Na parte interior. 3) No íntimo. / *loc. prep.* 4) Dentro de.

DEN.TU.ÇO *adj.* e *s.m.* Indivíduo com dentes grandes ou ressaltados; dentudo.

DE.NÚN.CIA *s.f.* 1) Ação de denunciar. 2) Delação. 3) Indício ou vestígio de algo desconhecido.

DE.NUN.CI.AR *v.t.d.* 1) Dar a conhecer denúncia de; delatar. 2) Noticiar, participar, revelar. 3) Apontar alguém como culpado. 4) Anunciar o termo ou cessão. / *v.p.* 5) Dar(-se) a conhecer; trair-se.

DE.PA.RAR *v.t.d.* 1) Encontrar algo que estava perdido. 2) Fazer algo surgir repentinamente. 3) Avistar, topar. / *v.p.* 4) Aparecer inesperadamente.

DE.PAR.TA.MEN.TO *s.m.* 1) Categoria administrativa francesa e de outros países. 2) Divisão administrativa em uma empresa pública ou privada. 3) Divisão, seção de uma empresa. 4) Limite marítimo de várias capitanias de pesca.

DE.PE.NA.DOR (ô) *adj.* e *s.m.* 1) Que ou o que depena. 2) Máquina que retira as penas das aves abatidas. 3) *Fam.* Indivíduo que manhosamente se apodera do dinheiro de outrem.

DE.PE.NAR *v.t.d.* 1) Tirar as penas de. 2) *Fam.* Extorquir com sagacidade.

DE.PEN.DÊN.CIA *s.f.* 1) Condição de dependente. 2) Subordinação, sujeição. 3) Construção associada a outra principal. 4) Repartições de uma casa.

DE.PEN.DER *v.t.i.* 1) Estar subordinado a. 2) Derivar, proceder, resultar. 3) Estar ligado a, fazer parte de. 4) Necessitar de ajuda.

DE.PEN.DU.RAR *v.t.d.* e *v.p.* Pendurar(-se).

DE.PI.LAR *v.t.d.* 1) Tirar ou destruir o pelo ou o cabelo de. / *v.p.* 2) Arrancar ou fazer cair o próprio pelo.

DE.PI.LA.TÓ.RIO *adj.* 1) Que depila. / *s.m.* 2) Medicamento ou cosmético preparado para extrair os pelos.

DE.PLO.RAR *v.t.d.* 1) Lamentar, lastimar, prantear. 2) Julgar mal, censurar. / *v.p.* 3) Lamentar-se, prantear-se.

DE.PLO.RÁ.VEL *adj.* 1) Merecido de deploração; lastimável. 2) *Fam.* Detestável, péssimo, precário.

DE.PO.EN.TE *adj.* 1) Pessoa que depõe em juízo como testemunha. 2) *Gram.* Verbos que possuem flexão passiva e significação ativa na gramática latina.

DE.PO.I.MEN.TO (o-i) *s.m.* 1) Ato de depor. 2) *Dir.* Testemunho, declaração de testemunhas.

DE.POIS *adv.* 1) Posteriormente; em seguida. 2) Além disso, ademais. 3) Desde o tempo em que.

DE.POR *v.t.d.* 1) Pôr de parte, ou no chão; colocar. 2) Despojar de cargo, dignidade, ou emprego.

3) Fornecer indícios ou provas. / *v.t.i.* 4) *Dir.* Testemunhar em juízo.

DE.POR.TAR *v.t.d.* 1) Atribuir a pena de exílio; degredar, desterrar. 2) Condenar à pena de deportação.

DE.PO.SI.TAN.TE *adj.2gên.* e *s.2gên.* 1) Quem deposita dinheiro em banco. 2) Quem deposita mercadoria em um armazém ou trapiche.

DE.PO.SI.TAR *v.t.d.* 1) Pôr em depósito. 2) Guardar em lugar seguro, geralmente, banco. 3) Assentar no fundo a matéria suspensa. 4) Confiar. / *v.p.* 5) Sedimentação de depósito no fundo de um líquido ➡ Os grãos depositaram-se no fundo da panela.

DE.PO.SI.TÁ.RIO *s.m.* 1) Aquele que recebe em depósito. 2) *fig.* Confidente. 3) Funcionário habilitado para administrar depósitos. 4) Administrador de bens de menores.

DE.PÓ.SI.TO *s.m.* 1) Ação de depositar. 2) Aquilo que se depositou. 3) Espaço onde são armazenadas mercadorias por um determinado período. 4) Reservatório.

DE.PRA.VA.DO *adj.* 1) Corrompido, pervertido, imoral. 2) Malvado, cruel, perverso.

DE.PRA.VAR *v.t.d.* 1) Corromper, perverter, falsificar, degradar. / *v.p.* 2) Degenerar-se, corromper-se, perverter-se, desmoralizar-se.

DE.PRE.CI.A.ÇÃO *s.f.* 1) Ato de depreciar. 2) Queda de preço ou de valor. 3) *fig.* Menosprezo, rebaixamento.

DE.PRE.CI.AR *v.t.d.* 1) Rebaixar o valor de; desvalorizar. 2) Desestimar, menosprezar. 3) Não levar em consideração. / *v.p.* 4) Perder em conceito.

DE.PRE.DAR *v.t.d.* 1) Fazer presa em. 2) Arrasar, saquear, pilhar, roubar. 3) Destruir, devastar.

DE.PRE.EN.DER *v.t.d.* 1) Alcançar a compreensão; compreender. 2) Deduzir, inferir, concluir.

DE.PRES.SA *adv.* 1) Com rapidez, agilidade, sem demora. 2) Em pouco tempo.

DE.PRES.SÃO *s.f.* 1) Ação de deprimir-se. 2) Redução de nível. 3) *Anat.* Cavidade ou célula com pouca profundidade. 4) Enfraquecimento físico ou moral. 5) Queda de atividades.

DE.PRES.SI.VO *adj.* 1) Deprimente. 2) Que origina depressão.

DE.PRI.MIR *v.t.d.* 1) Originar depressão em; abaixar, abater. 2) Debilitar, enfraquecer. / *v.t.d.* e *v.p.* 3) Aviltar(-se), humilhar(-se).

DE.PU.RA.DOR (ô) *adj.* 1) Que depura, depurativo. / *s.m.* 2) Aquilo ou aquele que serve para eliminar as impurezas de um produto.

DE.PU.RAR *v.t.d.* e *v.p.* 1) Purificar(-se), tornar (-se) puro ou mais puro. 2) Não apurar os votos obtidos.

175

deputado

DE.PU.TA.DO *s.m.* 1) Aquele que, em grupo, trata de negócios alheios. 2) Elemento elegido para atuar na Assembleia Legislativa.

DE.PU.TAR *v.t.d.* 1) Comandar em comissão ou deputação. 2) Delegar. 3) Incumbir a alguém uma missão.

DE.RI.VA *s.f. Náut.* 1) Desviar-se de determinada direção. / *loc. adv.* 2) Sem rumo certo: à deriva.

DE.RI.VA.ÇÃO *s.f.* 1) Ato ou efeito de derivar ou de desviar as águas ou qualquer outro líquido do caminho que seguiam. 2) *Gram.* Técnica por meio da qual se derivam palavras a partir de palavras primitivas. 3) Origem, princípio, precedência.

DE.RI.VA.DA *s.f. Mat.* Limite em que pode chegar a variação de uma função em relação à variável.

DE.RI.VA.DO *s.m.* 1) *Gram.* Palavra que procede de outra por meio de afixos. 2) Produto que se origina de outro. / *adj.* 3) Proveniente.

DE.RI.VAR *v.t.d.* 1) Mudar o curso, caminho ou direção da água. 2) Desviar-se do seu leito. / *v.t.i.* 3) Formar uma palavra a partir de outra. / *v.i.* 4) Decorrer. / *v.p.* 5) Originar-se. / *v.t.i* e *v.p.* 6) *Náut.* Desviar-se do seu rumo ou direção.

DER.MA *s.m.* 1) Camada da pele localizada abaixo da epiderme. 2) Derme.

DER.MA.TI.TE *s.f. Med.* Qualquer lesão inflamatória da pele; dermite.

DER.MA.TO.LO.GI.A *s.f. Med.* Atividade específica da medicina que tem ocupação nas pesquisas de doenças da pele.

DER.RA.BAR *v.t.d.* Amputar o rabo ou a cauda de.

DER.RA.DEI.RO *adj.* Extremo, final, último, restante.

DER.RA.MA *s.f.* 1) Derramamento. 2) Cobrança de impostos e tributos a serem pagos pelos contribuintes de acordo com seus rendimentos. 3) Em meados do século XVIII, na região das minas, cobrança de impostos extraordinários ou cobrança dos quintos atrasados.

DER.RA.MAR *v.t.d.* 1) Aplainar, cortar os ramos de; desramar. 2) Corrimento de qualquer líquido; verter, despejar. 3) Espalhar, difundir. 4) Propagar, distribuir, repartir. / *v.p.* 5) Derramar-se; propagar-se.

DER.RA.ME *s.m.* 1) Derramamento. 2) *Med.* Acumulação líquida irregular localizada em uma cavidade. 3) *pop.* Hemorragia, geralmente cerebral. 4) *pop.* Derrame cerebral: denominação comum para acidente vascular cerebral.

DER.RA.PAR *v.i.* Escorregar um automóvel de lado, desgovernado.

DER.RE.A.MEN.TO *s.m.* 1) Efeito de derrear. 2) Cansaço, abatimento.

desabotoar

DER.RE.AR *v.t.d.* 1) Submeter-se ao peso de; fazer curvar as costas ou com pancadas ou sob um peso. 2) Prostrar. 3) *fig.* Desacreditar. / *v.p.* 4) Curvar-se, vergar-se, ajoelhar(-se). 5) Prostrar-se, cansar-se.

DER.RE.DOR *adv.* À roda, em torno, em volta de.

DER.RE.TER *v.t.d.* 1) Regressar ao líquido; fundir. / *v.p.* 2) Tornar-se líquido; liquefazer-se. 3) Apaixonar-se, impressionar-se.

DER.RE.TI.DO *adj.* 1) Liquefeito, que se derreteu. 2) *pop.* Enamorado.

DER.RI.BAR *v.t.d.* 1) Derrubar. 2) Lançar por terra. 3) Destruir, aniquilar. 4) Forçar a demissão de.

DER.RO.TA *s.f.* 1) Ação de derrotar. 2) Destruição de um exército. 3) Grande instabilidade. 4) Grande prejuízo, dano. 5) *Náut.* Caminho que uma embarcação percorre em uma viagem por mar; rota.

DER.RO.TAR *v.t.d.* 1) *Mil.* Desbaratar, vencer. 2) Vencer em jurisdição, discussão ou jogo. 3) Cansar, esgotar. 4) Desviar-se do caminho.

DER.RO.TIS.MO *s.m.* Sentimento pessimista de pessoas que acreditam em derrotas.

DER.RU.BA.DA *s.f.* 1) Ato de abatimento de árvores para fins lucrativos. 2) Demissão de um certo número de empregados ou funcionários públicos.

DER.RU.BAR *v.t.d.* 1) Abater, deitar abaixo, fazer ou deixar cair, prostrar. 2) Destituir. 3) Extenuar, lançar por terra.

DER.RU.IR *v.t.d.* e *v.p.* Abater(-se), demolir(-se), desmoronar(-se).

DE.SA.BA.FAR *v.t.d.* e *v.p.* 1) Desafogar(-se), desagasalhar(-se). / *v.t.d.* 2) Desimpedir. / *v.i.* 3) Falar com alguém com franqueza para aliviar-se de alguma contestação moral, ou aflição. 4) Expandir seu íntimo.

DE.SA.BA.FO *s.m.* 1) Ato ou efeito de desabafar. 2) Manifestação de sentimentos e pensamentos íntimos.

DE.SA.BA.LA.DO *adj.* 1) Precipitado; desembestado; desenfreado. 2) *Por ext.* Excessivo.

DE.SA.BAR *v.t.d.* 1) Abater a aba de. / *v.i.* 2) Ruir, desmoronar; tombar. / *v.p.* 3) Abater-se, cair. 4) Arruinar-se.

DE.SA.BI.LI.TAR *v.t.d.i.* e *v.p.* 1) Tirar ou perder a habilidade; tornar inapto. / *v.t.d.* 2) *pop.* Desativar.

DE.SA.BI.TU.AR *v.t.i.* 1) Perda do hábito ou costume. / *v.p.* 2) Desacostumar-se.

DE.SA.BO.NA.DO *adj.* Falto de crédito; não abonado, sem garantia.

DE.SA.BO.TO.AR *v.t.d.* 1) Tirar da casa os botões de. 2) Abrir, desapertar, descerrar, desabrochar.

desabrigado · desalojar

DE.SA.BRI.GA.DO *adj.* 1) Sem abrigo, desamparado. 2) Exposto a mau tempo, desprotegido.

DE.SA.BRO.CHAR *v.t.d.* 1) Abrir, desapertar aquilo que está preso em broche. / *v.i.* 2) Descerrar. 3) Princípio da abertura da flor. 4) Principiar, revelar. / *v.p.* 5) Desenvolver-se.

DE.SA.CA.TAR *v.t.d.* 1) Faltar com o respeito. 2) Expressar-se com irreverência. 3) Afrontar, ofender. 4) Desprezar, menoscabar.

DE.SA.CON.SE.LHAR *v.t.d.i.* Aconselhar alguém a não fazer algo; dissuadir.

DE.SA.COR.DA.DO *adj.* 1) Que perdeu os sentidos; desmaiado. 2) Discordante.

DE.SA.COR.DO (ô) *s.m.* 1) Ausência de entendimento; divergência; discordância. 2) *Por ext. Mús.* Falta de afinação, harmonia. 3) Perda dos sentidos; desmaio.

DE.SA.COS.TU.MAR *v.t.d.i.* e *v.p.* Perder ou fazer perder o costume; desabituar(-se).

DE.SA.CRE.DI.TAR *v.t.d.* e *v.p.* 1) Perder ou fazer perder a boa reputação, o crédito. / *v.t.d.* 2) Desmerecer; depreciar. 3) Não acreditar.

DE.SA.FE.TO *adj.* 1) Sem afeto. / *s.m.* 2) Ausência de afeto. 3) Concorrente, inimigo. 4) Contrário, oposto.

DE.SA.FI.AR *v.t.d.* 1) Convocar para um desafio; provocar. 2) Incitar, estimular. 3) Afrontar, arrostar, insultar.

DE.SA.FI.NA.ÇÃO *s.f.* 1) Ato de desafinar; desafinamento. 2) Estado de dissonância, desarmonia, perda da afinação.

DE.SA.FI.NAR *v.t.d.* 1) Fazer perder a afinação. 2) Confundir, perturbar. / *v.i.* 3) Perder a afinação.

DE.SA.FI.O *s.m.* 1) Ação de desafiar; provocação. 2) Disputa popular em forma de diálogo cantado.

DE.SA.FO.GAR *v.t.d.* 1) Libertar do que sufoca ou oprime. 2) Aliviar, desoprimir. 3) Conversar sobre seus pensamentos ou sentimentos; desabafar.

DE.SA.FO.GO (ô) *s.m.* 1) Conforto, descanso. 2) Fartura, independência. 3) Livrar-se de uma situação difícil.

DE.SA.FO.RA.DO *adj.* 1) Aquele que desrespeita o princípio da boa educação. 2) Atrevido, insolente, malcriado, arrogante.

DE.SA.FO.RAR *v.t.d.* 1) Eximir-se do pagamento de um foro. 2) Renunciar a todos os privilégios e direitos do foro. / *v.p.* 3) Tornar(-se) atrevido, insolente, petulante. 4) Privar-se.

DE.SA.FO.RO (ô) *s.m.* Insolência, atrevimento.

DE.SA.FOR.TU.NA.DO *adj.* 1) Desfavorecido de fortuna; infeliz. 2) Pobre, sem dinheiro. 3) Sem sorte.

DE.SA.FRON.TAR *v.t.d.* 1) Libertar ou vingar de uma afronta. / *v.p.* 2) Aliviar-se; vingar-se de afronta recebida.

DE.SA.GA.SA.LHAR *v.t.d.* 1) Negar ou privar de agasalho. 2) Desabrigar, desproteger.

DE.SA.GRA.DAR *v.t.d.* 1) Acarretar descontentamento ou desgosto. / *v.p.* 2) Desgostar-se, descontentar-se. / *v.t.i.* 3) Descontentar, não agradar.

DE.SA.GRA.DÁ.VEL *adj.* 1) Diz-se do que não é agradável. 2) Ingrato, inoportuno.

DE.SA.GRA.VAR *v.t.d.* 1) Vingar de agravo. 2) Reparar uma ofensa ou insulto. 3) Tornar menos grave. / *v.p.* 4) Desafrontar-se, vingar-se.

DE.SA.GRA.VO *s.m.* 1) Ato ou efeito de desagravar. 2) *Dir.* Reparação do agravo por sentença do tribunal superior.

DE.SA.GRE.GA.ÇÃO *s.f.* 1) Ato de desagregar-se. 2) Separação de partes que estavam unidas.

DE.SA.GRE.GAR *v.t.d.* e *v.p.* 1) Desunir o que estava agregado. 2) Separar; causar a desunião. 3) Fragmentar.

DE.SA.GUAR *v.t.d.* 1) Consumir a água de. 2) Lançamento de águas feito pelos cursos dos rios. / *v.p.* 3) Despejar-se, esvaziar-se, vazar-se. / *v.i.* 4) *pop.* Urinar.

DE.SA.JEI.TA.DO *adj.* 1) Sem jeito, incapaz. 2) Desastrado, deselegante.

DE.SA.JEI.TAR *v.t.d.* e *v.p.* 1) Perder o jeito ou a forma de. 2) Deformar(-se).

DE.SA.JU.I.ZA.DO *adj.* 1) Falta de juízo. 2) Insensato, imprudente, irresponsável.

DE.SA.JU.I.ZAR *v.t.d.* Tirar o juízo de; afastar do rumo certo.

DE.SA.JUN.TAR *v.t.d.* Desligar, desunir, separar, afastar.

DE.SA.JUS.TAR *v.t.d.* 1) Desfazer o ajuste de; separar. 2) Desfazer o que estava ordenado. / *v.p.* 3) Romper o ajuste que tinha com outrem.

DE.SA.LEN.TO *s.m.* Falta de alento; desânimo.

DE.SA.LI.NHA.DO *adj.* 1) Sem alinho. 2) Descuidado no traje. 3) Desordenado, confuso.

DE.SA.LI.NHAR *v.t.d.* 1) Afastar, retirar do alinhamento, alterar sua ordem. 2) Desarranjar, desordenar.

DE.SA.LI.NHO *s.m.* 1) Falta de alinho, de compostura. 2) Fora de ordem, descuido. 3) Alteração da razão. 4) Perturbação de ânimo.

DE.SA.LIS.TAR *v.t.d.* 1) Eliminar da lista ou rol. 2) *Mil.* Riscar da lista um recruta.

DE.SAL.MA.DO *adj.* Que demonstra maus sentimentos; cruel, desumano, perverso.

DE.SA.LO.JAR *v.t.d.* 1) Expulsar do alojamento. 2) Abandonar o posto; levantar o acampamento. / *v.i.* 3) Deixar o lugar de moradia.

177

desalumiado

DE.SA.LU.MI.A.DO *adj.* Às escuras; sem luz.

DE.SA.MAR.RAR *v.t.d.* 1) Soltar o que estava amarrado. 2) Desprender da amarra.

DE.SA.MAS.SAR *v.t.d.* e *v.i.* 1) Desfazer a amassadura. 2) Endireitar, alisar o que estava amassado.

DE.SAM.BI.ÇÃO *s.f.* 1) Falta de ambição. 2) Ausência de cobiça, desinteresse.

DE.SAM.BI.EN.TAR *v.t.d.* 1) Privar um indivíduo de viver no ambiente ao qual foi habituado. / *v.p.* 2) Sair de seu ambiente.

DE.SA.MOR (ô) *s.m.* 1) Falta de amor; desafeição. 2) Desprezo, indiferença. 3) Crueldade.

DE.SAM.PA.RAR *v.t.d.* 1) Deixar de prestar auxílio, de amparar. 2) Não fornecer garantias, segurança. 3) Deixar de sustentar, de proteger. / *v.p.* 4) Negar firmeza àquilo a que se apoiava.

DE.SAN.DAR *v.t.d.* 1) Fazer andar para trás, em sentido oposto. 2) Retroceder, voltar. / *v.i.* 3) *pop.* Estar com diarreia. 4) Transformar em líquido o que era pastoso.

DE.SA.NI.MA.DO *adj.* 1) Que perdeu o ânimo, a coragem. 2) Que apresenta desânimo, abatimento.

DE.SA.NI.MAR *v.t.d.* 1) Tirar o ânimo de; desalentar. / *v.i.* 2) Perder o ânimo, a energia; desistir. / *v.p.* 3) Desalentar-se.

DE.SA.NU.VI.AR *v.t.d.*, *v.i.* e *v.p.* 1) Limpar(-se) de nuvens. / *v.t.d.i.*, *v.i.* e *v.p.* 2) Despreocupar; serenar.

DE.SA.PAI.XO.NAR *v.t.d.* 1) Perder ou esquecer uma paixão. / *v.p.* 2) Acalmar ou vencer as próprias paixões.

DE.SA.PA.RE.CER *v.t.i.* 1) Afastar-se. / *v.i.* 2) Deixar de ser visto; sumir-se, esconder-se. 3) Deixar de ser ou de existir. 4) Faltar inesperadamente. 5) Ocultar-se, esquivar-se furtivamente.

DE.SA.PA.RE.CI.MEN.TO *s.m.* 1) Ato de desaparecer; desaparição. 2) Morte, ausência.

DE.SA.PER.CE.BI.DO *adj.* Que não foi notado; não observado; despercebido.

DE.SA.PER.TAR *v.t.d.* e *v.p.* 1) Tornar(-se) folgado; afrouxar(-se). / *v.t.d.* 2) Abrir ou afrouxar botão ou fivela. 3) *fig.* Tirar ou sair de aperto financeiro.

DE.SA.PON.TAR *v.t.d.* e *v.p.* 1) Não satisfazer as expectativas de; decepcionar(-se); iludir(-se). / *v.t.d.* 2) Desfazer a ponta de.

DE.SA.PRO.PRI.AR *v.t.d.i.* 1) Privar alguém do direito à propriedade; desapossar. / *v.t.d.* 2) *Jur.* Transformar uma propriedade privada em um bem público.

DE.SA.PRO.VAR *v.t.d.* Não aprovar; censurar, recusar, criticar.

DE.SAR.MAR *v.t.d.* 1) Tirar, destituir as armas. / *v.i.* 2) Reduzir o exército ao efetivo de paz. 3) Apa-

desavisado

ziguar, abrandar, serenar. 4) Tornar inofensivo, sem reação. / *v.p.* 5) Deixar as armas.

DE.SAR.MO.NI.A *s.f.* 1) *Mús.* Ausência de harmonia; dissonância. 2) Desacordo, discordância, divergência.

DE.SAR.MO.NI.ZAR *v.t.d.* 1) Produzir a desarmonia de. 2) Provocar desentendimentos. / *v.i.* e *v.p.* 3) Estar em desacordo.

DE.SAR.RAI.GAR *v.t.d.* 1) Extrair pela raiz ou com raízes; desenraizar. 2) Extinguir, extirpar.

DE.SAR.RAN.JAR *v.t.d.* e *v.p.* 1) Pôr(-se) em desordem; desarrumar. / *v.t.d.*, *v.i.* e *v.p.* 2) *pop.* Causar ou sofrer diarreia. / *v.p.* 3) Desentender-se.

DE.SAR.RU.MAR *v.t.d.* 1) Pôr fora do seu lugar; desarranjar. 2) Bagunçar, desordenar.

DE.SAS.SOM.BRAR *v.t.d.* 1) Livrar da sombra; clarear; desanuviar. 2) Tirar o assombramento a; serenar. / *v.p.* 3) Perder o assombro, o medo.

DE.SAS.SOM.BRO *s.m.* 1) Coragem, firmeza. 2) Ousadia, destemor, audácia. 3) Falta de assombro; intrepidez.

DE.SAS.SOS.SE.GAR *v.t.d.* 1) Tirar o sossego de; inquietar, intranquilizar, preocupar. / *v.p.* 2) Inquietar-se.

DE.SAS.SOS.SE.GO (ê) *s.m.* Falta de sossego; inquietação, agitação.

DE.SAS.TRA.DO *adj.* 1) Que resultou de desastre. 2) Funesto. 3) Desajeitado, sem habilidade. 4) Sujeito que coloca tudo a perder.

DE.SAS.TRE *s.m.* 1) Acidente, sinistro. 2) Desgraça. 3) Fatalidade, acaso. 4) Grande contratempo. 5) Fracasso, falha, frustração.

DE.SA.TAR *v.t.d.* 1) Desfazer o nó ou laço de. 2) Libertar, livrar. / *v.p.* 3) Desligar-se, soltar-se. / *v.t.i.* 4) Começar de repente; manifestar-se repentinamente ➡ Depois da homenagem dos alunos, desatei a chorar.

DE.SA.TEN.ÇÃO *s.f.* 1) Falta de atenção. 2) Desconsideração, descortesia, indelicadeza.

DE.SA.TEN.TO *adj.* 1) Falta de atenção. 2) Distraído; ausente.

DE.SA.TI.NAR *v.t.d.* 1) Fazer perder o tino ou a razão; enlouquecer. / *v.i.* 2) Dizer ou praticar desatinos.

DE.SA.TI.NO *s.m.* 1) Falta de tino, razão. 2) Ato ou palavras sem tino, sem lógica.

DE.SA.TI.VAR *v.t.d.* 1) Tornar inativo, inoperante. 2) Inutilizar.

DE.SA.VEN.ÇA *s.f.* 1) Quebra de relações amigáveis. 2) Discórdia, desentendimentos.

DE.SA.VI.SA.DO *adj.* e *s.m.* 1) Que ou aquele que tem falta de juízo; imprudente. 2) Que ou quem está desprevenido ou mal informado.

DES.BAN.CAR *v.t.d.* 1) Ser ou tornar-se superior a; triunfar, vencer. 2) Ganhar o dinheiro da banca de jogo.

DES.BA.RA.TAR *v.t.d.i.* 1) Gastar excessivamente; desperdiçar; esbanjar. 2) Destruir, desfazer, estragar. / *v.t.d.* e *v.p.* 3) Dispersar(-se), debandar.

DES.BLO.QUE.AR *v.t.d.* 1) Desfazer o bloqueio de algo. 2) Deixar livre de novo; liberar.

DES.BO.TAR *v.t.d.*, *v.i.* e *v.p.* 1) Perder a vivacidade da cor. / *v.t.d.* e *v.p.* 2) *fig.* Diminuir; apagar(-se).

DES.BRA.VAR *v.t.d.* 1) Explorar lugares desconhecidos. 2) Amansar, domar. 3) Abrir caminho em; limpar.

DES.CA.BE.LAR *v.t.d.* 1) Arrancar os cabelos de. 2) Despentear. / *v.p.* 3) *fig.* Desesperar-se.

DES.CA.BI.DO *adj.* Sem cabimento; fora de propósito; impróprio.

DES.CAL.ÇAR *v.t.d.* e *v.p.* 1) Tirar, despir (sapatos, meias, etc.). / *v.t.d.* 2) Tirar o calço de.

DES.CAL.ÇO *adj.* 1) Sem calçado ou calço. 2) De pés no chão. 3) *fig.* Desprevenido.

DES.CA.MA.ÇÃO *s.f.* 1) Ato de descamar. 2) *Geol.* Esfoliação com aspecto escamoso, ocorrida na parte exterior das rochas.

DES.CA.MAR *v.t.d.*, *v.i.* e *v.p.* Retirar ou perder escamas ou camadas de pele.

DES.CAM.BAR *v.i.* 1) Cair para um lado. 2) Descair, declinar. 3) Usar linguagem inconveniente. 4) Mudar para pior. / *v.t.i.* 5) Degenerar.

DES.CAM.PA.DO *s.m.* 1) Campo extenso, sem árvores e desabitado. / *adj.* 2) Local sem árvores e sem habitações.

DES.CAN.SAR *v.t.d.*, *v.t.d.i.*, *v.t.i.* e *v.i.* 1) Livrar(-se) do cansaço; repousar. / *v.t.d.i.* e *v.i.* 2) Tranquilizar; acalmar. / *v.i.* 3) Ficar em repouso. 4) *Por ext.* Morrer. / *v.t.i.* e *v.t.d.i.* 5) Apoiar(-se).

DES.CA.RA.DO *adj.* 1) Que não tem vergonha; atrevido. / *s.m.* 2) Sem-vergonha, insolente, atrevido.

DES.CAR.GA *s.f.* 1) Ato de descarregar; descarregamento. 2) Dispositivo que garante, por meio de um rápido escoamento de água, a limpeza dos vasos sanitários. 3) Disparo simultâneo ou consecutivo de várias armas de fogo. 4) Escoação de água ou de eletricidade por segundo.

DES.CAR.RE.GAR *v.t.d.* 1) Proceder à descarga de. 2) Aliviar, desoprimir. 3) Ato de extrair a carga ou disparar uma arma de fogo. / *v.p.* 4) Aliviar-se, livrar-se, esvaziar-se. 5) *fig.* Desabafar, desafogar, transmitir.

DES.CAR.TAR *v.t.d.* 1) Rejeitar cartas que não convêm. 2) Obrigar a jogar certas cartas. 3) Não levar em conta, afastar a possibilidade de. / *v.p.* 4) Liber-

tar-se de pessoas ou acontecimentos incômodos, inconvenientes.

DES.CAR.TÁ.VEL *adj.2gên.* 1) Algo que se pode descartar. 2) Objeto que depois de usado, é jogado fora.

DES.CA.SAR *v.t.d.* 1) Invalidar ou desfazer o casamento de. / *v.p.* 2) Desacasalar-se, separar-se, divorciar-se.

DES.CAS.CAR *v.t.d.* 1) Remover a casca de. 2) Polir grãos de arroz ou cevada. 3) Repreender severamente. 4) *fig.* Falar mal a respeito de. 5) Censurar, criticar.

DES.CA.SO *s.m.* 1) Falta de atenção. 2) Desprezo, indignação. 3) Inadvertência, negligência, descuido.

DES.CEN.DÊN.CIA *s.f.* Série de pessoas que pertencem à mesma origem, derivam de um tronco comum.

DES.CEN.DEN.TE *adj.* e *s.2gên.* 1) Que desce. 2) Pessoa que descende de raça, família ou de outra pessoa com os mesmos caracteres hereditários.

DES.CEN.DER *v.i.* 1) Descer. / *v.t.i.* 2) Proceder, provir por geração.

DES.CEN.TRA.LI.ZAR *v.p.* 1) Afastar-se, desviar-se do centro. / *v.t.d.* 2) Retirar poderes da autoridade central. 3) Promover a descentralização.

DES.CER *v.i.* 1) Percorrer, vir, de cima para baixo. 2) Dirigir-se a um lugar mais baixo. 3) Baixar de nível, de valor. / *v.t.d.* 4) Passar de cima para baixo; pôr embaixo, abaixar. / *v.t.i.* 5) Apear-se, rebaixar-se. 6) Perder a superioridade, ir para um nível inferior. / *v.p.* 7) Aproximar-se do ocaso, da decadência.

DES.CE.RE.BRAR *v.t.d.* 1) Tirar o juízo de. 2) *Med.* Remover o cérebro. 3) *Med.* Interromper as comunicações do cérebro com os centros cerebrais que ficam abaixo. 4) Tornar idiota ou cretino.

DES.CI.DA *s.f.* 1) Ação de descer. 2) Inclinação para ladeira. 3) Abaixamento, diminuição. 4) Decadência, queda.

DES.CLAS.SI.FI.CAR *v.t.d.* 1) Tirar de classe ou categoria a qual pertence. 2) Considerar (um concorrente) inapto; eliminar. 3) Desmoralizar; desacreditar.

DES.CO.BRIR *v.t.d.* 1) Atestar pela primeira vez a existência de algo. 2) Achar algo que estava escondido ou era desconhecido. 3) Tirar o que cobre ou protege. 4) Encontrar. 5) Tomar conhecimento de; perceber.

DES.CO.LAR *v.t.d.*, *v.t.i.*, *v.t.d.i.* e *v.p.* 1) Separar o que está colado; desgrudar. / *v.t.d.* 2) *gír.* Conseguir, obter.

DES.CO.LO.RIR *v.t.d.*, *v.i.* e *v.p.* Perder ou tirar a cor.

descompor / desdobrar

DES.COM.POR *v.t.d.* e *v.p.* 1) Pôr(-se) em desordem; desarrumar(-se). 2) Despir(-se). 3) *Por ext.* Alterar(-se) radicalmente; desfigurar(-se). 4) Perder a compostura, o comedimento. 5) Repreender severamente; ofender(-se).

DES.COM.POS.TU.RA *s.f.* 1) Falta de ordem, de compostura. 2) Repreensão, censura.

DES.CO.MU.NAL *adj.2gên.* 1) De proporções gigantescas; imenso, colossal. 2) Fora do comum; extraordinário.

DES.CON.CER.TAR *v.t.d.* e *v.p.* 1) (Fazer) perder a ordem, a harmonia. 2) Desnortear(-se), desorientar(-se). 3) Ficar ou deixar alguém inseguro ou embaraçado; surpreender(-se).

DES.CON.FI.AN.ÇA *s.f.* 1) Falta de confiança. 2) Qualidade de desconfiado. 3) Suspeita, receio de ser enganado.

DES.CON.FI.AR *v.t.i.* 1) Duvidar, suspeitar de. 2) Duvidar da honestidade, sinceridade, do valor. / *v.t.d.* 3) Presumir, imaginar, supor, conjeturar. / *v.i.* 4) Mostrar-se desconfiado.

DES.CON.FOR.TO (ô) *s.m.* 1) Falta de conforto, comodidade. 2) Desconsolo.

DES.CON.GE.LAR *v.t.d.*, *v.i.* e *v.p.* 1) Tirar ou sair do estado de congelamento; degelar(-se). / *v.t.d.* 2) *Econ.* Liberar (preços, salários, etc.).

DES.CON.GES.TIO.NAR *v.t.d.* e *v.p.* 1) Deixar livre de congestão; deixar. / *v.t.d.* 2) *Por ext.* Desobstruir, desimpedir.

DES.CO.NHE.CER *v.t.d.* 1) Não ter conhecimento de; ignorar. / *v.t.d.i.* e *v.p.* 2) Não reconhecer.

DES.CO.NHE.CI.DO *adj.* 1) Não conhecido; ignorado. / *s.m.* 2) Pessoa que não se conhece.

DES.CON.SER.TAR *v.t.d.* 1) Desfazer o conserto. 2) Desarranjar.

DES.CON.SI.DE.RAR *v.t.d.* 1) Não levar em consideração; desprezar; desvalorizar. 2) Tratar sem respeito.

DES.CON.TAR *v.t.d.* e *v.t.d.i.* 1) Subtrair um valor de um total; deduzir, abater. / *v.t.d.* 2) Receber o valor de um cheque. 3) *Por ext. fig.* Desconsiderar. 4) *pop.* Revidar, vingar-se. 5) Agir injustamente contra alguém por sentir-se agredido; descarregar.

DES.CON.TEN.TAR *v.t.d.* e *v.p.* Ficar insatisfeito ou triste; desagradar(-se).

DES.CON.TEN.TE *adj.2gên.* Que não está contente; insatisfeito; mal-humorado.

DES.CON.TO *s.m.* Redução de preço ou quantidade; abatimento.

DES.CON.TRA.IR *v.t.d.* e *v.p.* 1) Perder a contração; relaxar(-se). 2) Perder o constrangimento, a timidez.

DES.CON.TRO.LAR *v.t.d.* e *v.p.* 1) Perder o controle; desequilibrar(-se). 2) *Por ext.* Perder o domínio de si mesmo; alterar(-se); exaltar(-se).

DES.CON.VER.SAR *v.i.* Mudar ou fugir do assunto em uma conversa.

DES.CO.RA.DO *adj.* 1) Sem cor; pálido. 2) Mudança de cor.

DES.CO.RAR *v.t.d.* 1) Fazer perder ou tirar a cor. 2) Empalidecer. 3) Deixar de ter cor. 4) Esquecer de.

DES.COR.TE.SI.A *s.f.* 1) Ação descortês. 2) Grosseria, indelicadeza.

DES.CREN.ÇA *s.f.* 1) Omissão ou perda de crença. 2) Incredulidade. 3) Falta de fé, ceticismo.

DES.CREN.TE *adj.2gên.* e *s.2gên.* Que perdeu a fé, a crença; incrédulo.

DES.CRE.VER *v.t.d.* 1) Fazer a descrição de. 2) Contar, expor minuciosamente. 3) Representar, figurar, retratar detalhadamente.

DES.CRI.ÇÃO *s.f.* 1) Ato de descrever. 2) Discurso que apresenta alguma coisa. 3) Exposição, enumeração.

DES.CRI.MI.NAR *v.t.d.* 1) Absolver de um crime. 2) Inocentar, tirar a culpa a.

DES.CRIS.TI.A.NI.ZAR *v.t.d.* Tirar a crença ou a qualidade de cristão.

DES.CRI.TI.VO *adj.* Que descreve ou traz a descrição de algo.

DES.CUI.DAR *v.t.d.* 1) Tratar sem ter cuidado com. 2) Não fazer caso de. 3) Relaxar, distrair. / *v.p.* 4) Fazer esquecer-se.

DES.CUI.DO *s.m.* 1) Falta de cuidado. 2) Esquecimento, negligência.

DES.CUL.PA *s.f.* 1) Ação de desculpar ou de desculpar(-se). 2) Perdoar ou pedir perdão. 3) Escusa. 4) Pretexto, motivo, razão.

DES.CUL.PAR *v.p.* 1) Dar ou pedir uma justificativa. 2) Pedir escusa. / *v.t.d.* 3) Perdoar ou diminuir a culpa de alguém.

DES.CUM.PRIR *v.t.d.* Deixar de cumprir.

DES.DE *prep.* A começar de, a partir de, a partir deste momento, a datar de.

DES.DÉM *s.m.* 1) Ato de desdenhar; desprezo com orgulho. 2) Altivez, arrogância, menosprezo, soberba.

DES.DE.NHAR *v.t.i.* 1) Apresentar ou possuir desdém por. 2) Mostrar desdém por. 3) Desprezar como indignação a si próprio. / *v.p.* 4) Não se valorizar.

DES.DI.ZER *v.t.d.* 1) Contradizer alguém em sua afirmação; desmentir. / *v.p.* 2) Negar o que havia dito; retratar-se.

DES.DO.BRAR *v.t.d.* 1) Abrir ou estender o que estava dobrado. / *v.p.* 2) Estender(-se). 3) Dar deseducar · deserto

maior agilidade ou intensidade a. 4) Possuir maior desenvoltura.

DE.SE.DU.CAR *v.t.d.* 1) Estragar ou perder a educação. 2) Educar mal.

DE.SE.JAR *v.t.d.* 1) Ter desejo, ambição, vontade. 2) Ter empenho em. 3) Cobiçar, querer, aspirar.

DE.SE.JO (ê) *s.m.* 1) Ato de desejar. 2) O que se deseja. 3) Anseio, intenção. 4) Cobiça, ambição. 5) Apetite impudico, carnal.

DE.SEM.BA.ÇAR *v.t.d.*, *v.i.* e *v.p.* Recuperar ou fazer recuperar o brilho, a transparência.

DE.SEM.BA.LAR *v.t.d.* 1) Retirar da embalagem; desembrulhar. 2) Tirar a bala de (arma de fogo, cartucho); descarregar. / *v.t.d.* e *v.i.* 3) Fazer perder ou perder a velocidade; desacelerar.

DE.SEM.BAR.CAR *v.t.d.* e *v.i.* Sair ou tirar algo de um meio de transporte ou uma embarcação.

DE.SEM.BAR.GA.DOR (ô) *adj.* e *s.m.* 1) Que ou aquele que desembarga. / *s.m.* 2) Jur. Juiz de Tribunal de Justiça ou de Apelação.

DE.SEM.BES.TA.DO *adj.* 1) Desabalado, apressado. 2) Exagerado, descomedido.

DE.SEM.BOL.SAR *v.t.d.* 1) Tirar da bolsa ou do bolso. / *v.t.d.* e *v.i.* 2) *Por ext.* Gastar.

DE.SEM.BRU.LHAR *v.t.d.* 1) Retirar algo de um embrulho. / *v.t.d.* e *v.p.* 2) *fig.* Esclarecer, aclarar.

DE.SEM.PE.NHAR *v.t.d.* 1) Jur. Recuperar algo penhorado. 2) Executar, realizar. / *v.t.d.i.* e *v.p.* 3) Cumprir. / *v.t.d.* e *v.i.* 4) Representar, interpretar.

DE.SEM.PRE.GA.DO *adj.* e *s.m.* Que ou aquele que está sem emprego.

DE.SEN.CA.DE.AR *v.t.d.* e *v.p.* 1) *Por ext.* Separar (-se), soltar(-se) coisas unidas. / *v.t.d.* 2) Dar início a um processo; suscitar, provocar. / *v.i.* e *v.p.* 3) Iniciar-se subitamente.

DE.SEN.CA.MI.NHAR *v.t.d.* e *v.p.* 1) Desviar(-se) do caminho verdadeiro, exato; descaminhar, desencarreirar. / *v.t.d.* 2) Desviar alguém de suas obrigações. 3) Seduzir para o mal; corromper. / *v.p.* 4) Corromper-se, perverter-se.

DE.SEN.CA.NAR *v.t.d.* 1) Tirar ou desviar do cano ou do canal. / *v.i.* 2) *pop.* Não se preocupar; esquecer.

DE.SEN.CAN.TAR *v.t.d.* 1) Tirar o encanto ou a graça. 2) Desiludir, decepcionar. 3) *pop.* Diz-se quando se encontra o que estava perdido. / *v.p.* 4) Livrar-se do encantamento.

DE.SEN.CAR.NAR *v.i.* 1) Deixar a carne; passar para o mundo espiritual. 2) Espiritualizar-se, morrer.

DE.SEN.CAR.RE.GAR *v.t.d.* 1) Livrar do encargo ou de alguma obrigação. 2) Destituir do emprego ou de um cargo.

DE.SEN.CHAR.CAR *v.t.d.* 1) Tirar do charco. 2) Enxugar. 3) Secar a água que está em excesso.

DE.SEN.CON.TRAR *v.t.d.* 1) Fazer com que duas ou mais pessoas ou coisas não se encontrem. / *v.p.* 2) Seguir direções opostas. 3) Não se encontrar com. / *v.i.* 4) Discordar, ser incompatível.

DE.SEN.CO.RA.JAR *v.t.d.* 1) Tirar a coragem de. 2) Desanimar-se, acovardar-se.

DE.SEN.COS.TAR *v.t.d.* Desviar ou afastar do encosto; endireitar.

DE.SEN.FRE.AR *v.t.d.* 1) Tirar o freio ou obstáculo. 2) Dar espaço a. / *v.p.* 3) Tomar o freio nos dentes. 4) Arremessar(-se) impetuosamente. 5) Descomedir-se, exceder-se. 6) Entregar-se à corrupção moral.

DE.SEN.GA.JAR *v.t.d.* 1) Anular ou desfazer o que estava engajado. 2) Invalidar um contrato ou compromisso. 3) Abandonar o serviço militar e residir fora do quartel.

DE.SEN.GON.ÇA.DO *adj.* *fig.* Desajeitado; desconjuntado.

DE.SE.NHAR *v.t.d.* e *v.i.* 1) Representar algo por meio de desenho. / *v.t.d.* 2) *fig.* Dar a ideia de; descrever, figurar. / *v.p.* 3) Delinear(-se).

DE.SEN.LA.CE *s.m.* Final, desfecho, solução.

DE.SEN.RO.LAR *v.t.d.* e *v.p.* 1) Estender(-se). 2) *fig.* Desenvolver(-se). / *v.t.d.* 3) *Por ext.* Desembalar. / *v.p.* 4) *fig.* Acontecer, suceder.

DE.SEN.TEN.DI.MEN.TO *s.m.* 1) Falta de entendimento, de acordo. 2) Briga, desavença.

DE.SEN.VOL.TU.RA *s.f.* Desembaraço, vivacidade.

DE.SEN.VOL.VER *v.t.d.* 1) Retirar do invólucro; desenrolar. 2) Fazer crescer, progredir intelectualmente, tornar capaz. 3) Explicar minuciosamente com detalhes. 4) Gerar, produzir, originar.

DE.SEN.VOL.VI.DO *adj.* 1) Aumentado. 2) Crescido. 3) Moderno.

DE.SE.QUI.LI.BRAR *v.t.d.* 1) Desfazer o equilíbrio de. 2) Desproporcionar. / *v.p.* 3) Perder o equilíbrio físico ou psicológico. 4) Perder o centro de gravidade.

DE.SE.QUI.LÍ.BRIO *s.m.* 1) Ausência de equilíbrio. 2) *Psicol.* Instabilidade mental, desproporção.

DE.SER.ÇÃO *s.f.* 1) *Mil.* Fuga, abandono de serviço militar sem autorização. 2) Renúncia, abandono de cargo.

DE.SER.DA.DO *adj.* 1) Característica de quem foi privado da herança. 2) Não dotado.

DE.SER.DAR *v.t.d.* 1) Excluir da herança ou sucessão. 2) Privar de bens ou dons concedidos.

DE.SER.TO *adj.* 1) Desabitado, despovoado. / *s.m.* 2) Região árida, despovoada e de grande extendesertor · designar

são, caracterizada pela vegetação pobre. 3) Lugar solitário ou pouco frequentado.

DE.SER.TOR (ô) *s.m.* 1) *Mil.* Indivíduo que se afasta do serviço militar, sem autorização. 2) Pessoa que abandona as responsabilidades assumidas. 3) Combatente que passa para o lado adversário. 4) Quem abandona seu partido ou sua tese.

DE.SES.PE.RAR *v.t.d.* 1) Tirar a esperança a. 2) Desalentar, desanimar. 3) Causar desespero ou aflição a; irritar. / *v.t.i., v.i.* e *v.p.* 4) Perder a esperança de.

DE.SES.PE.RO (ê) *s.m.* 1) Irritação profunda; fúria, raiva. 2) Desesperança; aflição. 3) Desalento.

DES.FA.LE.CER *v.t.d.* 1) Tirar ou perder as forças ou o ânimo. / *v.i.* 2) Desmaiar. 3) Esmorecer, prostrar-se, desamparar.

DES.FA.LE.CI.DO *adj.* 1) Necessitado de forças; abatido. 2) Desmaiado, sem noções, amortecido.

DES.FAL.QUE *s.m.* 1) Ato ou efeito de desfalcar. 2) Diminuição de certa quantia. 3) Falha em um montante.

DES.FA.VO.RÁ.VEL *adj.2gên.* 1) Não favorável; não apropriado. 2) Adverso, desvantajoso, contrário, oposto. 3) Prejudicial.

DES.FA.ZER *v.t.d.* e *v.p.* 1) Desmanchar(-se). 2) Tornar sem efeito, sem validade; anular(-se), dissolver(-se). / *v.t.d.* 3) Despedaçar, quebrar.

DES.FE.CHO (ê) *s.m.* 1) Remate, conclusão, resultado. 2) Desenlace.

DES.FEI.TA *s.f.* 1) Falta de consideração. 2) Ofensa, injúria. 3) Derrota de um exército.

DES.FEI.TO *adj.* 1) Que se desfez, transformou-se. 2) Desmanchado, destruído, diluído. 3) Anulado, aniquilado, dissipado. 4) Derrotado, desbaratado.

DES.FE.RIR *v.t.d.i.* 1) Lançar de si; emitir. 2) Dar, aplicar, acertar um golpe em alguém. 3) Tocar instrumento de cordas, produzindo sons. / *v.t.d.* e *v.i.* 4) *Náut.* Soltar (velas).

DES.FI.A.DO *adj.* 1) Que se desfiou. 2) Desfeito em fios. 3) Franjas esfiapadas.

DES.FI.AR *v.t.d.* 1) Desfazer-se, reduzir a fios. 2) Explicar minuciosamente, narrar detalhadamente. 3) Passar o rosário de conta em conta. / *v.p.* 4) Desfazer-se em fios.

DES.FI.GU.RA.DO *adj.* 1) Alterado, deturpado. 2) Demudado de feições; transtornado.

DES.FI.GU.RAR *v.t.d.* 1) Alterar a figura ou aspecto de. 2) Afear, deformar. 3) Sofrer grandes modificações na aparência, no semblante. / *v.p.* 4) Adulterar(-se), deturpar(-se).

DES.FI.LA.DEI.RO *s.m.* 1) Passagem estreita entre montanhas; garganta. 2) Situação embaraçosa; aperto.

DES.FI.LAR *v.i.* 1) Marchar em filas, sucessivamente. 2) Seguir-se um ao outro; suceder-se. 3) Exibir com vanglória.

DES.FI.LE *s.m.* 1) Deslocamento ordenado em fila. 2) Apresentação em que um ou mais grupos de pessoas percorre um certo trecho se exibindo para a plateia. 3) *Mil.* Marcha militar solene. 4) Caminhada de modelos sobre a passarela. 5) Exibição de escola de samba.

DES.FLO.RES.TAR *v.t.d.* Derrubar as matas ou florestas de uma determinada região em larga escala; desmatar.

DES.FO.LHAR *v.t.d.* 1) Tirar as folhas ou as pétalas de. 2) Descamisar (o milho). 3) Destruir, extinguir. / *v.p.* 4) Perder as folhas ou as pétalas. 5) Abrir a massa de macarrão ou de pastéis.

DES.FOR.RAR *v.t.d.* 1) Retirar o forro a. / *v.p.* 2) Ressarcir o que foi perdido em jogo. 3) Tirar a desforra; vingar-se; defrontar-se.

DES.FRU.TAR *v.t.d.* 1) Usufruir dos frutos ou resultados obtidos. 2) Apreciar, deliciar-se. 3) Chacotear, zombar de. 4) Viver à custa de.

DES.GAR.RA.DO *adj.* 1) Que se desgarrou. 2) Desviado do rumo (navio). 3) Perdido, extraviado, pervertido.

DES.GAS.TE *s.m.* 1) Corrosão. 2) *fig.* Envelhecimento, ruína. 3) *fig.* Perda de força.

DES.GRA.ÇA *s.f.* 1) Má fortuna, desventura. 2) Acontecimento funesto, sinistro. 3) Miséria.

DES.GRA.ÇA.DO *adj.* 1) De má sorte; infeliz. 2) Miserável, digno de compaixão. 3) Funesto. / *s.m.* 4) Homem desgraçado, sem capacidade.

DES.GRA.ÇAR *v.t.d.* 1) Causar desgraça, tornar desgraçado ou desditoso. 2) Tirar a virgindade ou honra. 3) *pop.* Deflorar. / *v.p.* 4) Tornar-se infeliz.

DES.GRE.NHAR *v.t.d.* 1) Desarranjar, emaranhar, despentear o cabelo. / *v.p.* 2) Despentear(-se), desguedelhar(-se), esguedelhar(-se).

DES.GRU.DAR *v.t.d.* Descolar, despregar o que estava grudado.

DE.SI.DRA.TA.ÇÃO *s.f.* 1) Ato de desidratar, de tirar a água de. 2) Epidemia que afeta, em maior parte, as crianças; caracteriza-se pela perda em grande quantidade de líquido, principalmente no verão.

DE.SI.DRA.TAR *v.t.d.* 1) Separar ou extrair a água de. / *v.p.* 2) Perder líquidos, sofrer por desidratação.

DESIGN (dizáin) *s.m. ingl.* 1) Idealização ou entendimento de um projeto ou modelo. 2) O produto desse planejamento. 3) Desenho industrial.

DE.SIG.NAR *v.t.d.* 1) Apontar, indicar, nomear. 2) Assinalar, marcar. 3) Denominar, qualificar. 4) Determinar, fixar. 5) Ser o símbolo de; significar.

DE.SÍG.NIO *s.m.* Plano, projeto, intento.

DE.SI.GUAL *adj.* 1) Que não é igual; exótico, diferente, diverso. 2) Irregular, injusto. 3) Acidentado, sem equilíbrio.

DE.SI.GUAL.DA.DE *s.f.* Condição, estado, qualidade daquele ou daquilo que é desigual.

DE.SI.LU.DIR *v.t.d.* 1) Causar desilusões a; desenganar. / *v.p.* 2) Perder ilusões, perder esperanças.

DE.SIM.PE.DIR *v.t.d.* 1) Tirar o impedimento, o obstáculo de. 2) Desobstruir, facilitar. / *v.p.* 3) Tornar-se desimpedido, livre.

DE.SIN.CHAR *v.t.d.* 1) Desfazer a inchação de. 2) Deixar de ser inchado.

DE.SIN.DE.XAR (cs) *v.t.d.* 1) Romper a indexação de. 2) Eliminar o reajuste referente a certos índices econômicos. 3) Suprimir a correção monetária automática de preços e salários.

DE.SI.NÊN.CIA *s.f.* 1) *Gram.* Terminação gramatical que indica as categorias gênero e número das palavras. 2) *Gram.* Terminação que indica tempo, modo e pessoa dos verbos. 3) Exprime a extremidade, fim, termo.

DE.SIN.FE.TAN.TE *adj.2gên.* 1) Que desinfeta. / *s.m.* 2) Substância química antisséptica usada para desinfetar.

DE.SIN.FE.TAR *v.t.d e v.i.* 1) Destruir o que infeta. 2) *Med.* Extinguir os micróbios vivos; esterilizar. / *v.t.i e v.i.* 3) *pop.* Ir embora.

DE.SIN.TE.GRAR *v.t.d.* 1) Tirar ou destruir a integridade de. 2) *Fís.* Requerer a desintegração de. 3) Subtrair a fragmentos. / *v.p.* 4) *Fís.* Sofrer desintegração. 5) Dividir-se, perder a integridade.

DE.SIN.TE.RES.SA.DO *adj.* 1) Que não tem interesse. 2) Desprendido, indiferente. 3) Isento, imparcial.

DE.SIN.TE.RES.SAR *v.t.d.* 1) Tirar o interesse a. / *v.p.* 2) Perder o interesse para com; desistir de. 3) Despreocupar-se. 4) Cessar o interesse.

DE.SIN.TE.RES.SE (ê) *s.m.* 1) Falta ou pouco interesse. 2) Abnegação.

DE.SIN.TO.XI.CAR (cs) *v.t.d.* 1) Retirar a capacidade tóxica existente em uma substância. 2) Desenvenenar.

DE.SIS.TÊN.CIA *s.f.* Abandono, renúncia de algo.

DE.SIS.TIR *v.t.i.* e *v.i.* 1) Não prosseguir num intento; não dar continuidade. 2) Renunciar, abnegar, abandonar. 3) Abrir mão de.

DES.JE.JUM *s.m.* A primeira refeição do dia; café da manhã.

DES.LA.CRAR *v.t.d.* Violar o lacre ou selo.

DES.LA.VA.DO *adj.* 1) Desbotado, sem cor. 2) Atrevido, descarado. 3) Mentira exagerada.

DES.LE.AL *adj.2gên.* 1) Que não é leal. 2) Que demonstra deslealdade. 3) Traidor, falso.

DES.LE.AL.DA.DE *s.f.* 1) Falta de lealdade. 2) Traição, infidelidade, falsidade.

DES.LEI.XA.DO *adj.* 1) Feito com desleixo, de qualquer jeito. / *adj.* e *s.m.* 2) Que ou quem faz as coisas sem cuidado; negligente.

DES.LI.GAR *v.t.d.* 1) Separar o que estava ligado; desatar, soltar. 2) Interromper da passagem da corrente elétrica.

DES.LI.ZAR *v.i.* 1) Procede de manso, escorregar com suavidade; resvalar. 2) Cometer deslize. 3) *fig.* Afastar-se aos poucos. / *v.p.* 4) Desprender-se.

DES.LO.CA.DO *adj.* 1) Fora do lugar. 2) *Med.* Luxado. 3) Ausência de propósito; impróprio, inadequado.

DES.LO.CA.MEN.TO *s.m.* 1) Deslocação. 2) Alteração do inconsciente ocorrida no mecanismo mental. 3) *Geol.* Mudança de lugar de rochas, por movimento ao longo de uma rachadura.

DES.LO.CAR *v.t.d.* 1) Mudar ou tirar algo do lugar ou posição. 2) Transferir, desconjuntar, desmanchar. / *v.p.* 3) Retirar-se.

DES.LUM.BRAN.TE *adj.* 1) Que deslumbra ou alucina. 2) Algo magnífico, luxuoso, admirável.

DES.LUM.BRAR *v.t.d.* 1) Ofuscar a vista pela ação da luz. 2) Fascinar, maravilhar, encantar. 3) Sentir-se fascinado, maravilhado.

DES.MAI.AR *v.t.d.* 1) Fazer empalidecer. / *v.i.* 2) Perder a cor, o brilho, o viço. 3) Perder os sentidos; desfalecer. 4) Desistir por desânimo.

DES.MAI.O *s.m.* 1) Perda gradativa da cor. 2) Perda dos sentidos. 3) Síncope, vertigem. 4) Esmaecimento, palidez.

DES.MA.MAR *v.t.d.* Privar do hábito de mamar; desamamentar, desleitar.

DES.MAN.CHA-PRA.ZE.RES *s.2gên. pl.* 1) Pessoa inoportuna. 2) Aquele(a) que se intromete e estorva divertimentos alheios.

DES.MAN.CHAR *v.t.d.* 1) Pôr-se em desalinho; desarranjar, desfazer, anular. 2) Derrubar, destruir. / *v.p.* 3) *fig.* Não tornar real. 4) Dissolver-se, diluir-se.

DES.MAN.CHE *s.m.* Local que desmancha carros para serem comercializadas peças avulsas; desmancho.

DES.MAN.DAR *v.t.d.* 1) Contraordenar. 2) Privar do mando. / *v.p.* 3) Descomedir-se, exceder-se, exorbitar.

DES.MAN.DO *s.m.* 1) Ação de desmandar. 2) Abuso, desregramento. 3) Indisciplina, falta de respeito em relação a alguma ordem.

DES.MAN.TE.LAR *v.t.d.* 1) Arruinar, demolir. 2) Separar as peças de, dividir um todo em partes. / *v.p.* 3) Desorganizar, desarticular.

DES.MAR.CAR *v.t.d.* 1) Retirar completamente as marcações. 2) Tornar sem medida; em excesso.

DES.MAS.CA.RAR *v.t.d.* e *v.p.* 1) Tirar a máscara do rosto. 2) *fig.* Mostrar as intenções ocultas de; revelar(-se). / *v.t.d.* 3) *fig.* Denunciar, desvendar.

DES.MEM.BRAR *v.t.d.* 1) Cortar ou separar os membros. / *v.t.d.i.* e *v.p.* 2) Separar(-se) em partes; dividir(-se). 3) Desligar(-se), desassociar(-se).

DES.ME.MO.RI.A.DO *adj.* e *s.m.* 1) Que ou quem perdeu a memória. 2) Que ou quem tem memória fraca.

DES.MEN.TIR *v.t.d.* 1) Declarar ou provar que alguém não diz a verdade. / *v.p.* 2) Afirmar o contrário; negar; contradizer-se. / *v.t.d.* e *v.t.i.* 3) Estar em contradição com.

DES.MON.TAR *v.t.d.* 1) Fazer apear ou descer de uma cavalgadura ou montaria. 2) Tirar de cima. 3) Desarmar algo. 4) Arruinar (um morro).

DES.MO.RA.LI.ZA.DO *adj.* 1) Que ou quem está pervertido, depravado, corrupto. 2) Aquele que perdeu a força moral. 3) Desacreditado, desonrado.

DES.MO.RA.LI.ZAR *v.t.d.* 1) Fazer perder a força moral, o ânimo. 2) Desacreditar. 3) Corromper, perverter. / *v.p.* 4) Perder a estima, a consideração, o crédito. 5) Abater a reputação; aviltar-se.

DES.MO.RO.NAR *v.t.d.* Fazer vir abaixo, desabar; derrubar, ruir.

DES.MO.TI.VAR *v.t.d.* e *v.p.* Perder ou tirar a motivação; desestimular(-se).

DES.MU.NHE.CAR *v.t.d.* 1) Cortar a munheca de. 2) Cortar (ao animal) o tendão do pulso. 3) Alterar um todo, dividindo-o em partes. / *v.i.* 4) *gír.* Mostrar-se ou tornar-se afeminado ou marica.

DES.NA.CIO.NA.LI.ZAR *v.t.d.* e *v.p.* Tirar ou perder o caráter, o aspecto nacional ou a nacionalidade.

DES.NA.SA.LI.ZAR *v.t.d.* *Gram.* Tirar o som ou fonema nasal a; desnasalar.

DES.NA.TAR *v.t.d.* Retirar a nata acumulada no leite.

DES.NA.TU.RA.DO *adj.* 1) Que atua contrário à natureza ou aos sentimentos naturais. 2) Desumano, cruel, insensível. / *s.m.* 3) Sujeito desnaturado.

DES.NE.CES.SÁ.RIO *adj.* Que não é necessário; dispensável.

DES.NÍ.VEL *s.m.* 1) Diferença de nível. 2) Altos e baixos.

DES.NI.VE.LAR *v.t.d.* Tirar do nivelamento; sair do nível.

DES.NOR.TE.A.DO *adj.* Que anda perdido; sem direção; desorientado.

DES.NOR.TE.AR *v.t.d.* 1) Afastar do norte, do rumo. 2) Perder o rumo. 3) Confundir, embaraçar. / *v.p.* 4) Desorientar-se, perturbar-se.

DES.NU.DAR *v.t.d.* e *v.p.* 1) Pôr(-se) nu, despir (-se). 2) Pôr(-se) a descoberto. 3) Tirar a roupa.

DES.NU.TRI.ÇÃO *s.f.* 1) Falta de nutrição. 2) Raquitismo, estiolamento.

DES.NU.TRIR *v.t.d.* 1) Nutrir mal. 2) Emagrecer, enfraquecer, debilitar.

DE.SO.BE.DE.CER *v.t.i.* 1) Faltar à obediência ou com o respeito. 2) Não obedecer a. 3) Infringir, transgredir, violar (regras ou leis).

DE.SO.BE.DI.EN.TE *adj.2gên.* 1) Que tem hábito de desobedecer. 2) Revoltado, rebelde.

DE.SOBS.TRU.IR *v.t.d.* 1) Desatravancar, desimpedir. 2) Desentupir, desocupar.

DE.SO.CU.PA.DO *adj.* 1) Que não está ocupado. 2) Sem habitação; vazio, livre. 3) Ocioso, vagabundo.

DE.SO.CU.PAR *v.t.d.* 1) Remover ou deixar de ocupar um lugar; mudar-se. / *v.p.* 2) Desembaraçar-se, libertar-se.

DE.SO.DO.RAN.TE *s.m.* Substância que desodoriza ou tira o mau cheiro.

DE.SO.DO.RI.ZAR *v.t.d.* Eliminar o odor desagradável; desodorar; extrair o mal cheiro.

DE.SO.LA.ÇÃO *s.f.* 1) Operação de desolar(-se). 2) Destruição, ruína, falência. 3) Aflição, agonia, tristeza profunda.

DE.SO.LAR *v.t.d.* 1) Causar desolação, dor, entristecer. 2) Despovoar, devastar, abandonar.

DE.SO.NE.RAR *v.t.d.* 1) Livrar de ônus ou vínculo. 2) Exonerar, despedir.

DE.SO.NES.TI.DA.DE *s.f.* 1) Qualidade atribuída a quem falta honestidade, é corrupto, imoral e injusto. 2) Obscenidade, corrupção. 3) Indignidade, desonra.

DE.SON.RA *s.f.* 1) Falta ou perda de honra. 2) Humilhação, vergonha, descrédito.

DE.SON.RAR *v.t.d.* 1) Ofender a honra, o pudor. 2) Perder o respeito; desacreditar-se. 3) *pop.* Desvirginar, deflorar. 4) Praticar ato desonesto.

DE.SON.RO.SO (ô) *adj.* 1) Em que há desonra; desonrante. 2) Que termina com desonra. 3) Ato vergonhoso.

DE.SOR.DEI.RO *adj.* e *s.m.* 1) Que ou quem costuma promover desordens. 2) Arruaceiro, perturbador da ordem.

DE.SOR.DEM *s.f.* 1) Falta de ordem. 2) Confusão, bagunça, tumulto. 3) *Med.* Estado mórbido, físico ou mental. 4) Barulho, disputa. 5) *Polít.* Perturbar a tranquilidade da ordem pública.

DE.SOR.DE.NAR *v.t.d.* 1) Pôr em desordem; desorganizar; desarrumar. 2) Amotinar, revoltar, ser indisciplinado. / *v.p.* 3) Descomedir-se, confundir-se.

desorganização · despropositar

DE.SOR.GA.NI.ZA.ÇÃO *s.f.* 1) Ausência de organização. 2) Falta de ordem.

DE.SOR.GA.NI.ZAR *v.t.d.* 1) Desfazer a organização de. 2) Destruir com a organização. 3) Retirar do seu lugar, desordenar.

DE.SO.RI.EN.TA.DOR (ô) *adj.* 1) Que ou quem desorienta; desconcertante. / *s.m.* 2) Diz-se do que ou quem pratica a ação de desorientar, de afastar do caminho certo.

DE.SO.RI.EN.TAR *v.t.d.* 1) Fazer perder a orientação, a direção. 2) Desviar da direção correta.

DE.SO.VAR *v.i.* 1) Pôr ovos. 2) *pop.* Revelar, desembuchar. 3) *pop.* Remover cadáver para local diferente de onde ocorreu a morte.

DE.SO.XI.DAR (cs) *v.t.d.* 1) Remover o óxido a. 2) Tirar a ferrugem a. 3) Perder oxigênio.

DE.SO.XI.GE.NAR (cs) *v.t.d.* 1) Retirar oxigênio de; desoxidar. 2) Remover a tinta dos cabelos, retornando a cor natural.

DES.PA.CHAR *v.t.d.* 1) Pôr despacho em. 2) Mandar embora; dispensar. 3) *pop.* Tirar a vida de; matar. / *v.t.d., v.t.d.i.* e *v.i.* 4) Resolver, deliberar. / *v.t.d.* e *v.t.d.i.* 5) Enviar, remeter. / *v.t.i.* 6) Dar fim a; terminar. / *v.p.* 7) Apressar-se.

DES.PE.DA.ÇAR *v.t.d.* 1) Separar em pedaços, quebrar, dilacerar; espedaçar. 2) Reduzir a pedaços, esmigalhar.

DES.PE.DI.DA *s.f.* 1) Ato de despedir(-se), separação, afastamento. 2) Conclusão, termo.

DES.PE.DIR *v.t.d.* 1) Despachar, fazer sair, dispensar os serviços de. 2) Desfechar, arremessar. / *v.p.* 3) Retirar-se, ir embora. 4) Separar-se cumprimentando.

DES.PE.GAR *v.t.d.* 1) Retirar do local, separar, desunir. / *v.t.d.* e *v.p.* 2) Tornar(-se) indiferente, impassível; desafeiçoar(-se). / *v.p.* 3) Desabituar-se, desprender-se, partir.

DES.PEI.TA.DO *adj.* 1) Que tem despeito, ciúme. 2) Ressentido, deprimido, magoado em decorrência de ofensa ao amor-próprio.

DES.PEI.TAR *v.t.d.* 1) Originar despeito a. 2) Tratar com despeito. 3) Magoar, ofender, humilhar. / *v.t.d.* e *v.p.* 4) Tornar(-se) incomodado; sentir-se humilhado.

DES.PEI.TO *s.m.* 1) Aborrecimento ocasionado por ofensa leve ou desfeita; angústia, irritabilidade ou amor-próprio ferido. / *loc. prep.* 2) A despeito de, não obstante, apesar de.

DES.PE.JAR *v.t.d.i.* 1) Derramar, entornar, vazar. 2) Fazer recair sobre; lançar. / *v.t.d.* 3) Obrigar a sair de uma propriedade.

DES.PE.JO (ê) *s.m.* 1) Ato de despejar; despejamento. 2) Aquilo que se despeja. 3) Evacuar excrementos, dejetos. 4) *Dir.* Mandato judicial de desocupação compulsória de um local ou casa. 5) Falta de pudor; de compostura.

DES.PEN.CAR *v.t.i., v.i.* e *v.p.* 1) Cair de lugar alto. / *v.t.d., v.i.* e *v.p.* 2) Separar(-se) da penca, do cacho. / *v.p.* 3) Correr de maneira precipitada.

DES.PEN.SA *s.f.* Local da casa onde se guardam mantimentos.

DES.PER.DÍ.CIO *s.m.* 1) Ação de desperdiçar. 2) Operação feita sem proveito.

DES.PER.TA.DOR (ô) *adj.* 1) Que desperta. / *s.m.* 2) Relógio dotado de um mecanismo com dispositivo programado para soar em hora determinada.

DES.PER.TAR *v.t.d.* 1) Tirar do sono; acordar; animar, excitar. 2) Acordar em certo estado ou condição. / *v.p.* 3) Manifestar-se, surgir, provocar. 4) *fig.* Nascer novamente. / *v.i.* 5) Sair do estado dormente.

DES.PER.TO *adj.* Que despertou; acordado; vigilante.

DES.PE.SA (ê) *s.f.* 1) Ato de gastar. 2) Aquilo que se despende, consome. 3) Esgotado, dispêndio.

DES.PI.DO *adj.* 1) Que se despiu, desprovido de roupas; nu. 2) Livre, destituído.

DES.PIR *v.t.d.* 1) Tirar a roupa do corpo, desnudar-se. 2) Despojar, privar. 3) Retirar a cobertura ou o revestimento.

DES.PIS.TAR *v.t.d.* 1) Fazer perder a pista ou o rastro a; desnortear. 2) Iludir levantando falsas suspeitas.

DES.PO.JAR *v.t.d.* 1) Privar da posse; extorquir. 2) Roubar, defraudar, saquear.

DES.PO.JO (ô) *s.m.* 1) O que um exército toma de seu inimigo, presa de guerra. 2) Algo que caiu ou foi arrancado.

DES.PON.TAR *v.t.d.i.* e *v.i.* 1) Começar a aparecer; surgir. / *v.t.d.* 2) Gastar a ponta de.

DÉS.PO.TA *adj.2gên.* e *s.2gên.* 1) *Polít.* (Governante) que exerce autoridade arbitrária ou absoluta; tirano. 2) Que ou quem tem caráter autoritário e tirânico.

DES.PRE.ZAR *v.t.d.* 1) Tratar com desprezo; com indiferença. 2) Não dar importância a; não levar em conta. / *v.p.* 3) Rebaixar-se, menosprezar-se, envergonhar-se.

DES.PRE.ZO (ê) *s.m.* 1) Falta de apreço; desdém; repulsa, rejeição. 2) Sentimento de cobiça ou superioridade.

DES.PRO.POR.ÇÃO *s.f.* 1) Falta de proporção; falta de conformidade. 2) Desigualdade, diferença.

DES.PRO.PO.SI.TAR *v.i.* 1) Agir ou proceder sem propósito, sem finalidade. 2) Falar violentamente com grosserias, desabridamente.

desqualificar

desvirtuar

DES.QUA.LI.FI.CAR *v.t.d.* 1) Fazer perder as boas qualidades. / *v.t.d.* e *v.p.* 2) Eliminar(-se) de competição, concurso, etc. 3) Tornar(-se) indigno.

DES.RES.PEI.TAR *v.t.d.* 1) Faltar com o respeito; desacatar. 2) Transgredir; desobedecer. 3) *Por ext.* Perturbar; transtornar.

DES.TA.CAR *v.t.d.* 1) Enviar, despachar tropa ou destacamento em serviço. 2) Separar, apartar. / *v.i.*, *v.t.d.* e *v.p.* 3) Fazer sobressair(-se), distinguir(-se). 4) Realçar, ressaltar, pôr em destaque; salientar.

DES.TAM.PA.DO *adj.* Sem tampa, sem propósito; aberto.

DES.TAM.PAR *v.t.d.* 1) Tirar a tampa a; abrir; destapar. / *v.i.* 2) Prorromper com delírio, com despropósito.

DES.TA.QUE *s.m.* 1) Propriedade daquilo que se destaca; realce. 2) Assunto proeminente, relevante. 3) Separação, notoriedade.

DES.TE (ê) contr. da prep. *de* com o pron. dem. *este.*

DES.TE.MI.DO *adj.* 1) Sem temor; bravo. 2) Indivíduo valente, audacioso, corajoso.

DES.TE.MOR (ô) *s.m.* Falta de temor; impulso para atos arrojados; coragem, audácia.

DES.TI.LAR *v.t.d.* e *v.i.* 1) Secretar gota a gota; gotejar. / *v.t.d.* 2) *Quím.* Fazer um líquido evaporar e condensar esse vapor. / *v.t.d.i.* 3) *fig.* Insinuar, revelar.

DES.TI.NAR *v.t.d.i.* 1) Reservar algo para determinado fim ou destino. / *v.p.* 2) Dedicar-se, entregar-se.

DES.TI.NA.TÁ.RIO *s.m.* Aquele a quem se envia ou se destina algo.

DES.TI.NO *s.m.* 1) Suposta força que determinaria o futuro. 2) Sucessão de fatos e circunstâncias que ocorrem independente da vontade de alguém; sorte; fatalidade. 3) Futuro. 4) Fim reservado para algo. 5) Lugar para onde alguém ou algo se dirige.

DES.TI.TU.IR *v.t.d.i.* e *v.p.* 1) Demitir(-se). 2) Privar (-se); desapossar(-se).

DES.TO.AR *v.i.* 1) Perder o tom; desafinar. / *v.t.i.* 2) Ter opinião contrária; discordar. 3) Não condizer, não ser próprio.

DES.TRAM.BE.LHA.DO *adj.* e *s.m. fig.* e *pop.* Diz-se de ou indivíduo sem juízo, amalucado, atrapalhado, desorganizado.

DES.TRA.TAR *v.t.d.* Tratar mal com palavras; insultar; desrespeitar.

DES.TRE.ZA (ê) *s.f.* 1) Agilidade de movimentos. 2) Aptidão, habilidade.

DES.TRIN.CHAR *v.t.d.* 1) Separar os fios ou partes de. 2) Dizer, analisar ou expor minuciosamente; esmiuçar. 3) Solucionar, resolver.

DES.TRO (é ou ê) *adj.* 1) Que usa principalmente a mão direita. 2) Que está à direita. 3) Hábil, ágil.

DES.TRO.ÇO (ô) *s.m.* 1) Operação de destroçar. 2) O que foi destroçado. / *s.m. pl.* 3) Ruínas, despojos, restos.

DES.TRO.NA.DO *adj.* 1) Que foi excluído do trono. 2) *fig.* Que perdeu a liderança.

DES.TRON.CAR *v.t.d.* 1) Separar do tronco. 2) Desmembrar os galhos, decepar. 3) Tirar da articulação.

DES.TRU.IR *v.t.d.* 1) Causar a morte de, exterminar. 2) Arruinar, extinguir, devastar. 3) Demolir, desfazer. 4) Derrotar, causar ruína.

DE.SU.MA.NO *adj.* 1) Não humano. 2) Apresenta desumanidade; crueldade.

DES.VAI.RA.DO *adj.* e *s.m.* Que ou quem está fora de si; desequilibrado; exaltado; alucinado.

DES.VA.LO.RI.ZA.ÇÃO *s.f.* Depreciação; restrição ou perda de valores.

DES.VA.LO.RI.ZAR *v.t.d.* 1) Tirar ou diminuir o valor a. / *v.p.* 2) Perder o devido valor, depreciar-se.

DES.VA.NE.CER *v.t.d.* 1) Desaparecer; dissipar, eliminar. 2) Causar vaidade a. 3) Perder a viveza das cores. / *v.p.* 4) Tornar-se orgulhoso, arrogante. 5) Esmorecer.

DES.VA.NE.CI.DO *adj.* 1) Algo que foi desfeito, desperdiçado. 2) Desbotado, amortecido, apagado. 3) Orgulhoso, envaidecido.

DES.VAN.TA.GEM *s.f.* 1) Falta de vantagem. 2) Inferioridade. 3) Prejuízo.

DES.VA.RI.O *s.m.* 1) Ato de loucura, delírio. 2) Extravagância. 3) Sem acerto, erro.

DES.VEN.DAR *v.t.d.* 1) Tirar a venda dos olhos. / *v.t.d.i.* e *v.p.* 2) Descobrir; revelar(-se).

DES.VEN.TU.RA *s.f.* Falta de sorte; desgraça; infortúnio.

DES.VI.AR *v.t.d.* 1) Afastar do caminho, rumo ou destino. 2) Mudar a direção, deslocar do ponto em que se encontrava. / *v.p.* 3) Afastar-se, separar-se, desguiar-se. 4) Evitar, fugir de.

DES.VIN.CU.LAR *v.t.d.* 1) Tornar legítimo. 2) Desunir. 3) Liberar para comercialização. / *v.p.* 4) Desligar-se.

DES.VI.O *s.m.* 1) Ato de desviar. 2) Afastamento ou mudança de direção ou posição normal. 3) Linha secundária utilizada no caminho de ferro. 4) Apropriação imerecida, indébita. 5) *pop.* Estar desempregado.

DES.VIR.TU.AR *v.t.d.* 1) Depreciar ou tirar a virtude, o merecimento a. 2) Tomar em mau sentido; julgar desfavoravelmente o caráter ou a moral de; deturpar a intenção ou sentido. 3) Privar de mérito ou prestígio.

detalhar · devotar

DE.TA.LHAR *v.t.d.* 1) Narrar minuciosamente; expor em pormenores. 2) Detalhar, delinear.

DE.TA.LHE *s.m.* 1) A menor parte, pormenor. 2) Particularidade, minúcia.

DE.TEC.TAR *v.t.d.* 1) Captar, descobrir, revelar ou tornar perceptível um fenômeno ou um objeto oculto. 2) Encontrar um objeto que estava escondido. 3) Descobrir.

DE.TEN.ÇÃO *s.f.* 1) Ação de deter. 2) *Dir.* Apreensão ou prisão provisória de um réu. 3) *Dir.* Pena privativa de liberdade, menos rígida que a da reclusão. 4) Posse ilegítima.

DE.TEN.TO *s.m.* Indivíduo que se encontra preso em casa de detenção; prisioneiro; encarcerado.

DE.TEN.TOR (ô) *adj.* e *s.m.* 1) Que ou quem detém. 2) Depositário, testemunha, declarante.

DE.TER *v.t.d.* e *v.p.* 1) Fazer parar, não deixar ir além, impedir. 2) Manter em seu poder. 3) Parar. 4) Fazer cessar, interromper, suspender. 5) Deixar-se estar; demorar-se.

DE.TER.GEN.TE *adj.2gên.* 1) Que deterge. / *s.m.* 2) Substância que tem a característica de limpar, de separar as gorduras, impurezas. 3) Dissolvente.

DE.TE.RIO.RA.ÇÃO *s.f.* 1) Ação de deteriorar(-se). 2) Em caso de debilitação mental, diferença entre a condição anterior e a atual relacionados à eficiência mental do paciente.

DE.TE.RIO.RAR *v.t.d.* e *v.p.* 1) Piorar as condições de qualidade ou de aspecto. 2) Corromper(-se), inutilizar(-se). 3) Danificar(-se), prejudicar(-se). 4) *fig.* Tornar-se inferior.

DE.TER.MI.NA.ÇÃO *s.f.* 1) Ato de determinar(-se). 2) Coragem, denodo. 3) Resolução, propósito, firmeza em suas decisões, força de vontade.

DE.TER.MI.NAR *v.t.d.* 1) Marcar, delimitar ou estabelecer um termo a. 2) Indicar, fixar ou definir com exatidão. 3) Decidir, resolver. 4) Dar motivo, pretexto a; causar.

DE.TES.TAR *v.t.d.* 1) Abominar, ter horror a. 2) Ter aversão mútua, recíproca a.

DE.TE.TI.VE *s.m.* Agente responsável na investigação de crimes (público ou particular).

DE.TI.DO *adj.* e *s.m.* 1) Preso provisoriamente; prisioneiro. 2) Impedido, retido ➡ O boletim ficou detido para verificação das notas. 3) Retardado, demorado.

DE.TO.NA.ÇÃO *s.f.* 1) Rumor produzido ou causado por explosão. 2) Violenta explosão.

DE.TO.NAN.TE *adj.2gên.* Que detona.

DE.TO.NAR *v.i.* 1) Produzir grande explosão, com barulho violento. / *v.t.d.* 2) Ocasionar a detonação de. 3) Acabar com algo rapidamente.

DE.TRÁS *adv.* 1) Na parte posterior; posteriormente. 2) Em seguida de, depois de.

DE.TRI.MEN.TO *s.m.* 1) Lesão, perda. 2) Agravo, prejuízo.

DE.TRI.TO *s.m.* Resíduo de uma substância orgânica de um corpo; resto.

DE.TUR.PAR *v.t.d.* 1) Manchar a imagem, adulterar. 2) Desfigurar, inutilizar, perturbar. 3) Contaminar, viciar, depravar.

DEUS *s.m.* 1) *Rel.* O ser divino e supremo; criador e preservador do Universo. 2) Divindades masculinas das religiões politeístas, superior aos homens e aos gênios.

DEU.SA *s.f.* 1) Divindades femininas das religiões politeístas. 2) *fig.* Mulher muito formosa e bela, adorável. 3) Imagem de adoração.

DEU.TE.RO.NÔ.MIO *s.m.* 1) O quinto livro do Pentateuco. 2) Livro do Antigo Testamento.

DE.VA.GAR *adv.* Que ou quem movimenta-se sem pressa, vagarosamente, pausadamente.

DE.VA.NE.AR *v.t.d.* 1) Idealizar, fantasiar, imaginar. 2) Pensar vagamente em. / *v.i.* 3) Mergulhar em pensamentos sem nexo. 4) Delirar.

DE.VAS.SA *s.f.* Sindicância ou inquérito judicial para investigar crimes ou delitos.

DE.VAS.SO *adj.* 1) Libertino, licencioso. / *s.m.* 2) Homem devasso; indivíduo libertino, dissoluto, impudico.

DE.VAS.TA.ÇÃO *s.f.* 1) Operação de devastar. 2) Ruína, destruição.

DE.VAS.TAR *v.t.d.* 1) Desertificar; despovoar. 2) Arruinar, destruir.

DE.VE *s.m. Cont.* Razão, débito ou despesa contabilizada.

DE.VER *v.t.d.* 1) Possuir ou ter por obrigação de. 2) Ter dívidas. / *v.i.* 3) Ter dívidas ou deveres. / *s.m.* 4) Obrigação de fazer ou não algo. 5) Trabalho, tarefa, missão, incumbência.

DE.VE.RAS *adv.* 1) O que é real, verdadeiro, legítimo. 2) Verdadeiramente, realmente.

DE.VO.ÇÃO *s.f.* 1) Sentimentos ou práticas religiosas. 2) Atenção ou dedicação íntima. 3) Afeto intenso.

DE.VOL.VER *v.t.d.* 1) Retornar ou entregar ao seu legítimo dono ou primeiro transmissor. 2) Mandar de volta. 3) Transferir, recusar.

DE.VO.RAR *v.t.d.* 1) Comer com avidez, engolir. 2) Consumir, esgotar. 3) Ler com rapidez. 4) Mergulhar, submergir.

DE.VO.TA.DO *adj.* Oferecido em voto; destinado; dedicado; consagrado.

DE.VO.TAR *v.t.d.* 1) Oferecer ou consagrar em voto. 2) Dedicar, tributar.

187

DE.VO.TO *adj.* 1) Quem possui devoção. 2) Dedicado a práticas religiosas, beato, muito religioso.

DE.ZE.NA *s.f.* 1) *Mat.* Unidade de segunda ordem no sistema decimal. 2) Grupo de dez unidades.

DI.A *s.m.* 1) Oposto a noite. 2) Espaço de tempo que separa uma noite da outra desde o nascer ao pôr do sol. 3) Período de 24 horas.

DI.A.BE.TE ou **DI.A.BE.TES** *s.2gên.* Problema metabólico caracterizado por alto nível de açúcar no sangue e deficiência de insulina.

DI.A.BO *s.m.* 1) Espírito do mal; demônio; capeta; satanás; Lúcifer. 2) Indivíduo mal, esperto ou perspicaz. 3) Usado como realce após pronomes interrogativos. / *interj.* 4) Indica espanto, impaciência ou contrariedade.

DI.A.DE.MA *s.m.* 1) Espécie de ornato com que os reis e as rainhas cingiam a cabeça. 2) Coroa, grinalda. 3) Círculo usado pelas mulheres para formação de um penteado.

DI.A.FRAG.MA *s.m.* 1) *Anat.* Músculo que separa a cavidade torácica da abdominal. 2) *Fot.* Lâmina ajustável ou fixa que regula a quantidade de luz que atravessa a objetiva, utilizada em certos aparelhos ópticos ou fotográficos.

DI.AG.NO.SE *s.f.* Diagnóstico.

DI.AG.NÓS.TI.CO *s.m.* 1) *Med.* Conhecimento das doenças pela observação dos sintomas. 2) *Med.* Conjunto de sintomas em que se fundamenta essa determinação. / *adj.* 3) Relativo a diagnose.

DI.A.GO.NAL *adj.2gên.* 1) Inclinado, transversal. / *s.f.* 2) Direção oblíqua. 3) *Geom.* Segmento de reta que une dois vértices não consecutivos de um ângulo ou polígono.

DI.A.GRA.MA *s.m.* Representação gráfica de certos fenômenos por meio de figuras geométricas.

DI.A.GRA.MA.ÇÃO *s.f.* Operação de diagramar.

DI.A.GRA.MA.DOR (ô) *s.m.* 1) Indivíduo treinado tecnicamente para criar diagramas. 2) Profissional que faz diagramação.

DI.A.GRA.MAR *v.t.d.* 1) Fazer diagramas. 2) Elaborar projetos e espaços determinando os tipos e formatos a serem utilizados. 3) Distribuir as matérias de uma publicação (jornal, revista) atendendo a um critério artístico e promocional.

DIAL (dáial) *s.m. ingl.* 1) Quadrante graduado dos aparelhos de rádio usado para indicar sintonia. 2) Dispositivo que ativa esse aparelho. / *adj.* 3) De cada dia, diário.

DI.A.LÉ.TI.CA *s.f.* A arte de discutir, raciocinar, argumentar e dialogar logicamente conforme a filosofia antiga.

DI.A.LE.TO *s.m.* Modalidade ou variante regional de uma língua.

DI.A.LO.GAR *v.t.d.* 1) Falar ou escrever em forma de diálogo. / *v.t.i.* 2) Conversar alternadamente com outra(s) pessoa(s).

DI.Á.LO.GO *s.m.* 1) Fala que se estabelece a partir da conversação entre duas ou mais pessoas. 2) Obra literária dialogada.

DI.A.MAN.TE *s.m.* 1) *Miner.* Mineral monométrico; a pedra preciosa mais dura e brilhante formada por carbono puro cristalizado. 2) Instrumento dotado de fragmentos capazes de cortar vidro.

DI.Â.ME.TRO *s.m.* 1) *Geom.* Segmento em linha reta que divide uma circunferência ao meio, resultando em duas partes iguais. 2) Dimensão transversal.

DI.AN.TE *adv.* 1) Antes de qualquer situação, lugar ou tempo. / *loc. prep.* 2) À frente de, defronte de, diante de, em presença de, ante; à vista de.

DI.AN.TEI.RA *s.f.* O que está à frente, a parte anterior; o ponto mais avançado.

DI.AN.TEI.RO *adj.* 1) Que está ou vai à frente de. 2) Aquilo que se encontra em primeiro lugar.

DI.A.PA.SÃO *s.m.* 1) *Mús.* Totalidade dos sons praticáveis em escala geral. 2) Aparelho metálico muito pequeno usado para afinar instrumentos musicais. 3) *fig.* Padrão, medida, nível.

DI.Á.RIA *s.f.* 1) Pagamento do trabalho por dia. 2) Valor cobrado por hospedagem em hotéis ou por internação em hospitais no período de um dia. 3) Receita ou despesa de cada dia.

DI.Á.RIO *adj.* 1) De todos os dias. / *s.m.* 2) Relação do que se faz ou sucede em cada dia. 3) Jornal publicado todos os dias. 4) Livro de registro de toda a contabilidade diária de um comerciante ou negociante. 5) Escritos íntimos que registram fatos, acontecimentos ou sentimentos que marcaram a vida de alguém em um determinado dia.

DI.A.RIS.TA *s.2gên.* 1) Trabalhador que ganha somente nos dias em que trabalha. 2) Redator de diário.

DI.AR.REI.A *s.f. Med.* 1) Sintoma causado por infecção ou irritação intestinal, o qual consiste em fezes mais líquidas e mais frequentes. 2) Evacuação anormal. 3) Soltura do ventre.

DI.A.TER.MI.A *s.f. Med.* Geração de calor, aplicadas no corpo humano, através das correntes elétricas de alta frequência para fins terapêuticos.

DI.A.TÉR.MI.CO *adj.* Referente à diatermia; transmissão de calor sem aquecimento dos corpos.

DI.CA *s.f. pop.* Boa sugestão, indicação ou informação que tem por finalidade ajudar alguém.

DIC.ÇÃO *s.f.* 1) Estilo de falar ou expressar. 2) Arte de pronunciar corretamente as palavras. 3) Articulação.

dicionário / dilacerar

DI.CIO.NÁ.RIO *s.m.* Reunião mais completa possível dos vocábulos de uma língua, de uma ciência ou arte, dispostos em ordem alfabética, com o seu significado na mesma ou em outra língua, agrupadas em famílias; vocabulário léxico.

DI.CIO.NA.RIS.TA *s.2gên.* Autor(a) de dicionário; lexicógrafo.

DI.CIO.NA.RI.ZAR *v.t.d.* 1) Organizar ou escrever sob a forma de dicionário. 2) Incluir vocábulos em dicionário.

DI.CO.TI.LE.DÔ.NEA *s.f.* Espécie de planta que tem dois cotilédones.

DI.DÁ.TI.CA *s.f.* Arte e doutrina do ensino e do método da aprendizagem.

DI.DÁ.TI.CO *adj.* 1) Referente ao ensino. 2) Próprio para instruir. 3) Que torna eficiente o ensino. 4) Relativo a uma disciplina escolar.

DI.E.DRO *adj.* e *s.m.* Possui ou é formado por duas faces planas.

DIE.SEL (dí) *s.m.* 1) Designação geral dos motores inventados por Rudolf Diesel. 2) Denominação dada ao óleo usado para mover esse motor, em homenagem ao seu inventor.

DI.E.TA *s.f.* 1) Conjunto de alimentos prescritos por um médico para melhorar a saúde; regime. 2) Alimentação diária regrada a um indivíduo ou grupo. 3) Assembleia política ou legislativa de alguns Estados.

DI.E.TÉ.TI.CA *s.f.* Parte da medicina que trata da dieta.

DI.FA.MAR *v.t.d.* 1) Tirar ou privar alguém a boa fama ou o crédito a. 2) Falar mal de; divulgar infâmias contra alguém. 3) Perder a reputação. 4) Desacreditar politicamente.

DI.FE.REN.ÇA *s.f.* 1) Característica que consiste em uma alteração; falta de equidade ou semelhança, desproporção. 2) Resultado de uma subtração. 3) Divergência, desacordo. 4) Qualidade de diferente.

DI.FE.REN.ÇAR *v.t.d.* 1) Estabelecer diferença entre. 2) Discriminar, distinguir.

DI.FE.REN.CI.AL *adj.2gên.* 1) Próprio à diferença. 2) Que indica diferença. / *s.m.* 3) Engrenagem diferencial no sistema de transmissão de um automóvel.

DI.FE.REN.CI.AR *v.t.d., v.t.i.* e *v.p.* 1) Diferençar. 2) Distinguir-se por alguma diferença; estabelecer diferença entre; tornar(-se) diferente. 3) Calcular ou achar a diferença de algum aspecto.

DI.FE.REN.TE *adj.2gên.* 1) Que difere; que não é semelhante. 2) Distinto, desigual, diverso.

DI.FÍ.CIL *adj.2gên.* 1) Que não é fácil, que dá trabalho. 2) Complicado, exigente, penoso. 3) Pouco provável, incerto, obscuro.

DI.FI.CUL.DA.DE *s.f.* 1) Condição do que é difícil; situação crítica. 2) Embaraço, estorvo. 3) Obstáculo, impedimento, objeção.

DI.FI.CUL.TAR *v.t.d.* 1) Tornar algo difícil ou custoso de. 2) Impor impedimentos ou obstáculos a. / *v.p.* 3) Apresentar(-se) ou tornar(-se) difícil. 4) Fazer-se difícil; não condescender.

DI.FUN.DIR *v.t.d.* 1) Propagar, espalhar, esparramar. 2) Emitir, irradiar, enunciar. / *v.p.* 3) Disseminar(-se), espargir(-se). 4) Expressar(-se), propagar(-se).

DI.FU.SÃO *s.f.* 1) Ação de difundir. 2) Propagação. 3) Dispersão ou derramamento de fluido.

DI.FU.SO *adj.* 1) Onde se encontra difuso. 2) *Med.* Que não está localizado, circunscrito. 3) Espalhado, prolixo.

DI.GE.RIR *v.t.d.* 1) *Fisiol.* Fazer a digestão de. 2) Aturar, suportar. 3) Remoer. 4) Tornar semelhante.

DI.GES.TÃO *s.f. Fisiol.* Preparação e transformação dos alimentos, feita pelo organismo, em substâncias assimiláveis.

DI.GES.TI.VO *adj.* 1) Coerente à digestão. 2) Que promove a digestão. 3) *fig.* De fácil compreensão.

DI.GI.TA.ÇÃO *s.f.* 1) Operação ou efeito de digitar. 2) Praticar exercícios com os dedos.

DI.GI.TA.DOR (ô) *s.m.* 1) *Inform.* Aquele que digita. 2) Operador de teclado.

DI.GI.TAL *adj.2gên.* 1) Concernente aos dedos. 2) Relativo a dígito. 3) Representação analógica. 4) Planta da família das Acantáceas.

DI.GI.TAR *v.t.d.* 1) Oferecer ou prover forma de dedo a. 2) *Inform.* Transportar informações para um computador através de um teclado.

DÍ.GI.TO *s.m.* 1) Qualificação dada aos algarismos arábicos de 0 a 9. 2) *Astr.* Nome dado para as parcelas em que se divide o diâmetro da Lua ou do Sol para se calcular os eclipses.

DI.GLA.DI.AR *v.i.* e *v.p.* 1) Combater ou lutar com espada. 2) Competir, pôr em discussão.

DIG.NAR *v.p.* Conformar-se em, haver por bem, ser servido, ter a bondade de, fazer um favor.

DIG.NI.DA.DE *s.f.* 1) Procedimento que impõe respeito. 2) Elevação moral. 3) Honra, autoridade. 4) Decência, compostura.

DIG.NI.FI.CAR *v.t.d.* e *v.p.* 1) Tornar(-se) digno. 2) Conceder(-se) privilégios. / *v.t.d.* 3) Erguer ou engrandecer uma dignidade. 4) Honrar, glorificar.

DIG.NO *adj.* 1) Que possui dignidade; merecedor; habilitado. 2) Capaz; honrado; adequado.

DI.GRES.SÃO *s.f.* 1) *fig.* Desvio do assunto sobre o qual se fala ou escreve. 2) Passeio.

DI.LA.CE.RAR *v.t.d.* 1) Rasgar, fazendo em pedaços; despedaçar. / *v.t.d.* e *v.p.* 2) *fig.* Afligir(-se); atormentar(-se), torturar(-se).

dilatar

dirigido

DI.LA.TAR *v.t.d.* e *v.p.* 1) Aumentar o volume ou o tamanho de algo; distender(-se); ampliar(-se); expandir(-se). 2) *fig.* Prolongar(-se) no tempo.

DI.LE.MA *s.m.* Situação difícil, na qual se deve escolher entre duas opções.

DI.LU.IR *v.t.d.* e *v.p.* 1) Misturar uma substância com líquido para diminuir a concentração; dissolver(-se). 2) *fig.* Enfraquecer.

DI.MEN.SÃO *s.f.* 1) Extensão em qualquer sentido. 2) *fig.* Grandeza, importância. 3) Grau de uma potência ou equação.

DI.MI.NUI.ÇÃO *s.f.* 1) Efeito ou ação de diminuir. 2) *Arit.* Subtração. 3) Redução a menor proporção ou dimensão.

DI.MI.NU.IR *v.t.d.* 1) Reduzir em proporção, dimensões, quantidade, grau, intensidade, etc. 2) Subtrair. 3) Abreviar. / *v.i.* 4) Tornar(-se) menor. / *v.p.* 5) Humilhar-se.

DI.MI.NU.TI.VO *adj.* 1) Algo que diminui. / *s.m.* 2) *Gram.* Palavra derivada por meio de sufixo, podendo indicar tamanho físico, afetividade, carinho e desprezo.

DI.MI.NU.TO *adj.* 1) Abreviar em pequenas dimensões. 2) Muito pequeno, escasso.

DI.NÂ.MI.CO *adj.* 1) Alusivo a dinâmica, a movimento, a força. 2) Ativo, diligente, enérgico.

DI.NA.MIS.MO *s.m.* 1) Intensa atividade e energia. 2) *Filos.* Princípio que estabelece a energia da matéria como uma força primitiva. 3) Atuação das forças.

DI.NA.MI.TE *s.f. Quím.* Matéria explosiva formada de nitroglicerina misturada a uma substância inerte.

DÍ.NA.MO *s.m.* Gerador que converte energia mecânica em corrente elétrica.

DI.NAS.TI.A *s.f.* Indivíduos soberanos pertencentes à mesma família.

DI.NHEI.RO *s.m.* 1) Moeda corrente. 2) Grande quantidade de dinheiro. 3) Denominação comum a todas as moedas. 4) Quantia, numerário, soma. 5) Cédula de curso normal.

DI.NOS.SAU.RO *s.m.* Espécie de réptil extinto, de tamanho variável, da era mesozoica.

DI.O.CE.SE *s.f.* Circunscrição territorial sob a gerência eclesiástica de um bispo; bispado.

DI.Ó.XI.DO (cs) *s.m. Quím.* Bióxido.

DI.PLO.MA *s.m.* 1) Título ou documento oficial que comprova um cargo, dignidade, mercê ou privilégio. 2) Documento que ratifica a conclusão de um curso.

DI.PLO.MA.CI.A *s.f.* 1) Ramo de administração pública referente às relações internacionais feitas por meio de embaixadas ou legações. 2) Profissão

de diplomata. 3) Facilidade para ter relações com outrem.

DI.PLO.MA.DO *adj.* e *s.m.* Indivíduo que tem diploma ou título que comprove suas habilitações científicas ou literárias.

DI.PLO.MAR *v.t.d.* 1) Atribuir diploma a. / *v.p.* 2) Receber diploma de ciência ou arte estudada.

DI.PLO.MA.TA *s.2gên.* 1) Pessoa que aborda a diplomacia. 2) Representante do corpo diplomático. 3) Pessoa com habilidades no trato de questões, de porte distinto.

DI.PLO.MÁ.TI.CO *adj.* 1) Concernente à diplomacia ou a diploma. 2) Discreto, controlado. 3) Civilizado, elegante.

DI.PLO.PI.A *s.f. Med.* Doença dos olhos que produz duplas imagens visuais.

DI.QUE *s.m.* Sólida construção utilizada para represar águas correntes, barragem.

DI.RE.ÇÃO *s.f.* 1) Ação ou arte de dirigir. 2) Diretoria encarregada a dar orientação a. 3) Indicação de rumo a seguir. 4) *Autom.* Peça que o motorista segura para dirigir, conduzir um veículo.

DI.RE.CIO.NAR *v.t.d.* 1) Mostrar a direção a. 2) Orientar, dirigir, encaminhar, conduzir.

DI.REI.TA *s.f.* 1) A mão direita, destra. 2) Lado direito. 3) Grupo ou regime político de convergências totalitárias e capitalistas.

DI.REI.TO *adj.* 1) Que caminha ou se estende em linha reta. 2) Plano, liso. / *s.m.* 3) O que é justo e conforme com a lei e a justiça. 4) Prerrogativa, privilégio.

DI.RE.TO *adj.* 1) Encontra-se em linha reta. 2) Sem rodeios ou eufemismo. 3) Ausência de intermediário; algo imediato. / *adv.* 4) Sem escalas, sem tocar em nenhum porto ou aeroporto intermediário; sem desvio.

DI.RE.TOR (ô) *adj.* 1) Quem dirige, regula, administra ou determina; dirigente. / *s.m.* 2) Orientador, guia, mentor ou gerente.

DI.RE.TO.RI.A *s.f.* 1) Colocação de diretor; direção. 2) Corporação dirigente.

DI.RE.TÓ.RIO *s.m.* 1) Agência diretora de um partido. 2) *Inform.* Lista do índice dos arquivos armazenados em discos, encontrada em um computador.

DI.RE.TRIZ *adj.2gên.* 1) Que dirige. / *s.f.* 2) Anexo de instruções ou indicações a serem seguidas. 3) Norma, pauta, orientação.

DI.RI.GEN.TE *adj.2gên.* e *s.2gên.* Que ou quem dirige; diretor, guia, mentor.

DI.RI.GI.DO *adj.* Sujeito que foi ou está sendo administrado, orientado, guiado.

dirigir

display

DI.RI.GIR *v.t.d.* 1) Proporcionar direção a, encaminhar. 2) Guiar, comandar, governar, administrar. 3) Encaminhar, endereçar. / *v.p.* 4) Encaminhar-se a.
DI.RI.GÍ.VEL *adj.2gên.* 1) Algo que se pode dirigir. / *s.m.* 2) Balão ou aeronave que se pode dirigir.
DI.RI.MIR *v.t.d.* 1) Anular, dissolver, extinguir, suprimir. 2) Decidir, solucionar, resolver.
DI.RI.MÍ.VEL *adj.2gên.* Que se pode dirimir.
DIS.CA.GEM *s.f.* Operação de discar.
DIS.CAR *v.i.* e *v.t.d.* Acionar número telefônico por meio de disco, teclas ou botões digitais para constituir ligação.
DIS.CEN.TE *adj.2gên.* 1) Que estuda. 2) Atinente a alunos.
DIS.CER.NEN.TE *adj.2gên.* Que ou quem discerne.
DIS.CER.NIR *v.t.d.* 1) Discriminar, distinguir, conhecer. 2) Saber separar, avaliar bem; conhecer, apreciar, medir, perceber distintamente.
DIS.CI.PLI.NA *s.f.* 1) Procedimento conveniente para o bom funcionamento de uma sociedade ou organização. 2) Obediência e submissão a uma regra, aceitação de certas restrições e métodos; obrigações a serem cumpridas.
DIS.CO *s.m.* 1) *Por ext.* Qualquer objeto redondo e chato. 2) Chapa circular usada para gravar ou reproduzir sons. 3) Em informática, dispositivo usado para armazenar dados.
DIS.COR.DAR *v.t.i.* 1) Não concordar; divergir. 2) Ser incompatível, inadequado.
DIS.CÓR.DIA *s.f.* 1) Falta de acordo; desacordo. 2) Desentendimento; desavença; conflito. 3) Disputa; luta.
DIS.COR.RER *v.i.* Falar ou escrever sobre um determinado assunto; discursar; dissertar.
DIS.CRE.PÂN.CIA *s.f.* 1) Diferença, desigualdade. 2) Falta de acordo; discordância.
DIS.CRE.TO *adj.* 1) Reservado nas palavras e nos atos. 2) Que não chama a atenção; comedido. 3) Que sabe guardar segredos. 4) De pouca intensidade.
DIS.CRI.ÇÃO *s.f.* Qualidade de discreto.
DIS.CRI.MI.NAR *v.t.d.* 1) Separar, discernir, distinguir. 2) Tratar conforme prefere.
DIS.CRI.MI.NA.TÓ.RIO *adj.* Que impõe ou sugere discriminação.
DIS.CUR.SA.DOR (ô) *adj.* e *s.m.* Que ou quem discursa.
DIS.CUR.SAR *v.i.* 1) Manifestar-se ou falar publicamente; fazer discurso. / *v.t.i.* 2) Discorrer, discutir, raciocinar. / *v.t.d.* 3) Tratar, explicar.
DIS.CUR.SI.VO *adj.* Que deriva por meio de raciocínios; não intuitivo; dedutivo, analítico; que fala muito.

DIS.CUR.SO *s.m.* Ato de comunicação verbal direcionada ao público.
DIS.CUS.SÃO *s.f.* 1) Ato ou condição de discutir; contestação, polêmica. 2) Troca de insultos, altercação, briga.
DIS.CU.TIR *v.t.d.* 1) Questionar, debater, contestar, argumentar. / *v.i.* 2) Fazer parte de uma discussão.
DIS.FAR.ÇAR *v.t.d.* e *v.p.* 1) Vestir(-se) de maneira irreconhecível. / *v.t.d.* 2) Ocultar defeitos, imperfeições, deficiências. 3) Manter em segredo o conhecimento de.
DIS.FAR.CE *s.m.* 1) Ação de disfarçar ou de disfarçar-se. 2) Próprio para disfarçar. 3) *fig.* Falsidade, fingimento, cilada.
DIS.FOR.ME *adj.2gên.* 1) Que está fora das formas regulares; extraordinário. 2) Anormal, monstruoso, desfigurado.
DIS.FUN.ÇÃO *s.f. Med.* Distúrbio da função de um órgão.
DIS.LE.XI.A (cs) *s.f.* Dificuldade na aprendizagem ou na compreensão da leitura.
DIS.PA.RAR *v.t.d.* 1) Arremessar; lançar. / *v.t.d.*, *v.t.i.* e *v.i.* 2) Atirar com arma de fogo. / *v.i.* 3) Correr desenfreadamente; desabalar. 4) Aumentar subitamente.
DIS.PA.RI.DA.DE *s.f.* 1) Desigualdade, diferença. 2) Dito insensato; despropósito.
DIS.PEN.SA *s.f.* 1) Ação de dispensar. 2) Isenção de obrigações, dever ou serviço.
DIS.PEN.SAR *v.t.d.* 1) Conceder dispensa a. 2) Eximir, desobrigar, isentar. 3) Não prescindir de, precisar de.
DIS.PEN.SÁ.RIO *s.m.* 1) Instituição particular ou governamental que beneficia, gratuitamente, doentes e desamparados, oferecendo-lhes consultas e medicamentos. 2) Asilo de pobres.
DIS.PEN.SÁ.VEL *adj.2gên.* Diz-se do que ou de quem pode ser dispensado.
DIS.PEP.SI.A *s.f. Med.* Dificuldade para digerir, má digestão ou doença originada dela.
DIS.PER.SÃO *s.f.* 1) Ação ou condição de dispersar. 2) Estado da separação de.
DIS.PER.SAR *v.t.d.* 1) Conduzir ou espalhar em diversas direções. / *v.p.* 2) Separar-se ou ir para várias direções; debandar. 3) Ausentar-se, afugentar-se.
DIS.PER.SO *adj.* 1) Desordenadamente separado, espalhado. 2) Disseminado, debandado.
DISPLAY (displei) *s.m. ingl.* 1) *Propag.* Qualquer mostruário de propaganda comercial cujo objetivo é atrair o comprador. 2) Anúncio comercial.

191

DIS.PLI.CÊN.CIA *s.f.* 1) Condição de quem se considera descontente. 2) Falta de interesse, indiferença.

DIS.PO.NÍ.VEL *adj.2gên.* 1) De que está ou se pode dispor. 2) Pessoa desocupada ou que está livre de qualquer obrigação, encargo ou trabalho.

DIS.POR *v.t.d.* 1) Pôr, coordenar, preparar para algo. 2) Colocar ou distribuir pela ordem. / *v.t.i.* 3) Servir-se, utilizar-se.

DIS.PO.SI.ÇÃO *s.f.* 1) Ação ou resultado de dispor. 2) Colocação metódica, distribuição ordenada. 3) Tendência, vocação, preceito. 4) Estado de espírito ou situação de saúde. 5) Que depende ou está subordinado.

DIS.PO.SI.TI.VO *adj.* 1) Que determina ordem, prescrição, disposição. / *s.m.* 2) Regra, preceito. 3) Artigo de lei. 4) Peça ou mecanismo encontrados em máquinas ou instrumentos com alguma função especial.

DIS.POS.TO (ô) *adj.* 1) Que está posto ou colocado de certa maneira. 2) Preparado, inclinado, propenso. 3) Que demonstra bom ânimo. 4) Preceito, regra.

DIS.PU.TA *s.f.* 1) Contestação, persistência, discussão. 2) Altercação, diferença. 3) Competição, combate, luta.

DIS.PU.TAR *v.t.d.* 1) Competir ou lutar pela posse de. 2) Lutar por. / *v.t.i.* 3) Discutir; disputar por.

DIS.SE.CAR *v.t.d.* 1) Praticar o ato da dissecação de. 2) *fig.* Analisar ou diagnosticar de forma minuciosa.

DIS.SE.MI.NA.ÇÃO *s.f.* 1) Ato ou condição de disseminar. 2) Difusão, propagação. 3) Vulgarização, espalhamento.

DIS.SE.MI.NAR *v.t.d.* 1) Propagar, difundir, semear ou espargir em várias partes. / *v.p.* 2) Dispersar-se, espalhar-se, propagar-se.

DIS.SEN.SÃO *s.f.* 1) Ausência de acordo entre uma opinião. 2) Divergência, desavença, discórdia, dissidência.

DIS.SEN.TIR *v.t.i.* 1) Agir ou pensar de maneira diferente, não concordar; discrepar, divergir. 2) Não combinar, estar em desarmonia.

DIS.SER.TA.ÇÃO *s.f.* 1) Monografia apresentada por candidatos ao título de mestre. 2) Exposição escrita sobre um tema.

DIS.SER.TAR *v.t.i.* 1) Expor um assunto oralmente ou por escrito; discorrer. / *v.t.i.* e *v.i.* 2) Fazer dissertação.

DIS.SI.MU.LAR *v.t.d.i.* 1) Não demonstrar; disfarçar; fingir. / *v.t.d.* e *v.p.* 2) Esconder(-se), ocultar(-se).

DIS.SI.PAR *v.t.d.* e *v.p.* 1) Fazer desaparecer; dispersar(-se). 2) *fig.* Ter ou por fim; acabar. / *v.t.d.* 3) Desperdiçar; esbanjar.

DIS.SOL.VER *v.t.d.* e *v.p.* 1) Misturar uma substância em um líquido para ela se desfazer. 2) *fig.* Desaparecer; eliminar(-se).

DIS.SU.A.DIR *v.t.d.i.* e *v.p.* Fazer desistir de algo ou de uma ideia.

DIS.TÂN.CIA *s.f.* 1) Espaço entre duas coisas ou pessoas. 2) Intervalo de tempo. 3) Afastamento, separação. 4) Diferença.

DIS.TAN.CI.AR *v.t.d.i.* e *v.p.* 1) Mover(-se) para longe; afastar(-se). 2) *fig.* Perder o contato.

DIS.TAN.TE *adj.2gên.* 1) Longe; afastado. 2) *Por ext.* Sem semelhança; diferente. 3) Separado no tempo. / *adv.* 4) Longe.

DIS.TEN.DER *v.t.d.* e *v.p.* 1) Estender(-se) para várias direções. 2) Esticar(-se). 3) *Med.* Sofrer distensão.

DIS.TIN.ÇÃO *s.f.* 1) Diferença, separação. 2) Boa educação, fineza, elegância. 4) Maneira honesta. 5) Condecoração, prêmio.

DIS.TIN.TO *adj.* 1) Que permite a diferenciação entre; que não é confundível. 2) Separado, diverso, diferente. 3) Que demonstra clareza, notabilidade, distinção. 4) Diz-se de pessoa elegante e gentil.

DIS.TOR.ÇÃO *s.f.* 1) Operação de distorcer. 2) *Crist.* Reprodução desproporcional dos elementos cristalinos. 3) *Med.* Deslocamento ou torção de qualquer parte do corpo.

DIS.TOR.CER *v.t.d.* 1) Alterar, mudar o sentido de. 2) Modificar a forma característica de.

DIS.TRA.ÇÃO *s.f.* 1) Circunstância em que a atenção encontra-se limitada nos mais diversos assuntos ou atos. 2) Ausência de atenção. 3) Imprudência, inadvertência.

DIS.TRA.Í.DO *adj.* 1) Designação atribuída a quem se distrai. 2) Ocupado, entretido, recreado. 3) Descuidado, imprudente.

DIS.TRA.IR *v.t.d.* 1) Chamar, atrair ou causar distração. 2) Divertir, entreter, recrear. 3) Permanecer ou ficar ausente ou abstrato. 4) Desviar a atenção / *v.p.* 5) Descuidar-se, esquecer-se.

DIS.TRI.BU.I.ÇÃO *s.f.* 1) Ação de distribuir. 2) Repartição, disposição ou classificação. 3) Ofício de entrega domiciliar de correspondência postal ao seu destinatário.

DIS.TRI.BU.IR *v.t.d.* 1) Encaminhar, dirigir, repartir ou entregar a diversas pessoas. 2) Lançar, espalhar ou colocar em diversos lugares. 3) Classificar, ordenar.

DIS.TRI.BU.TI.VO *adj.* 1) Que distribui ou indica distribuição. 2) Propriedade que relaciona as operações da multiplicação e adição.

DIS.TRI.TO *s.m.* Área territorial em que se encontra dividido um município estando a cargo de certos departamentos da administração pública judicial ou fiscal.

DIS.TÚR.BIO *s.m.* 1) Perturbação orgânica. 2) Agitação, conflito, subversão. 3) Traquinice.

DI.TA.DO *s.m.* 1) Aquilo que se dita para ser escrito. 2) Provérbio, dito, adágio. 3) Escrita feita por ditado.

DI.TA.DOR (ô) *s.m.* 1) Pessoa que possui todos os poderes do Estado em suas mãos. 2) Déspota; tirano ou indivíduo que exerce ditadura. 3) *fig.* Pessoa autoritária.

DI.TA.DU.RA *s.f.* 1) Governo ou autoridade em que os poderes do Estado estão concentrados nas mãos de uma só pessoa. 2) Despotismo, autoritarismo. 3) *fig.* Excesso de autoridade.

DI.TAR *v.t.d.* e *v.i.* 1) Expressar-se em voz alta para que outra pessoa possa escrever. / *v.t.d.* 2) Sugerir, inspirar, prescrever, impor; pronunciar.

DI.TO *adj.* e *s.m.* 1) Conceito ou sentença que foi mencionada, citada ou referida. 2) Aquilo que se disse.

DI.TON.GO *s.m. Gram.* 1) União ou aproximação de dois sons vocálicos pronunciados numa só sílaba. 2) Agrupamento de uma vogal e uma semivogal ou de uma semivogal e uma vogal na mesma sílaba.

DIU *s.m.* Dispositivo contraceptivo, de aplicação intrauterina.

DI.U.RÉ.TI.CO (i-u) *adj.* e *s.m.* Diz-se de ou substância que aumenta a secreção de urina.

DI.UR.NO *adj.* Que acontece ou se faz durante o dia.

DI.VA *s.f.* 1) Deusa, divindade. 2) *Por ext.* Atriz ou cantora famosa e notável.

DI.VÃ *s.m. Por ext.* Espécie de sofá sem braços e sem encosto.

DI.VA.GAR *v.i.* 1) Andar sem rumo; vagar. 2) *fig.* Desviar-se do assunto. 3) *Por ext.* Pensar ou falar coisas sem nexo; desvairar. 4) Fantasiar; devanear.

DI.VER.GÊN.CIA *s.f.* 1) Afastamento progressivo. 2) *fig.* Diferença de opinião; discordância.

DI.VER.SÃO *s.f.* O que se faz por prazer; entretenimento; passatempo; divertimento; distração.

DI.VER.SI.DA.DE *s.f.* 1) Qualidade do que é diferente, variado, diverso; variedade. 2) Desacordo, oposição; divergência. 3) Biodiversidade.

DI.VER.SO *adj.* 1) Distinto, diferente, variado. 2) Aspectos variados. 3) Alterado, discordante, deformado.

DI.VER.TI.DO *adj.* 1) Pessoa alegre, engraçada; folgazão, recreativo. 2) Que não está atento ou se encontra distraído.

DI.VER.TI.MEN.TO *s.m.* Distração, entretenimento, recreação.

DI.VER.TIR *v.t.d.* 1) Modificar o fim, o objeto, o aproveitamento. 2) Causar alegria, descontração, distração. 3) Fazer esquecer. / *v.p.* 4) Distrair-se, entreter-se, recrear-se, desviar-se.

DÍ.VI.DA *s.f.* 1) Tudo o que se deve para alguém. 2) Prestação para com terceiro, obrigação, dever.

DI.VI.DEN.DO *s.m.* 1) A quantia que se deve ou se há de dividir. 2) *Arit.* Número que é permitido ser dividido por outro. 3) Produto ou lucro que é distribuído entre os acionistas ou sócios de uma empresa ou companhia.

DI.VI.DIR *v.t.d.* 1) Apartar, repartir, separar. 2) Efetuar a divisão em duas ou mais partes. 3) Definir, limitar, restringir, desunir. / *v.p.* 4) Separar-se em diferentes partes.

DI.VIN.DA.DE *s.f. Teol.* 1) Deus; o ser divino. 2) Natureza ou essência divina.

DI.VI.NO *adj.* 1) *Teol.* Proveniente ou relativo a Deus; sagrado. 2) *Por ext.* Perfeito, maravilhoso, sublime, encantador.

DI.VI.SA *s.f.* 1) Linha de divisão entre espaços, fronteira, limite. 2) Desenho usado como símbolo, emblema ou distintivo. 3) Lema.

DI.VI.SÃO *s.f.* 1) Operação ou consequência de dividir. 2) Fragmentação; redução; segmentação. 3) Parte ou porção de um todo que se dividiu.

DI.VÓR.CIO *s.m.* 1) *Dir.* Dissolução judicial, legal e absoluta do vínculo conjugal sendo permitido, então, novo casamento. 2) Desunião, separação.

DI.VUL.GA.ÇÃO *s.f.* 1) Ato ou consequência de divulgar. 2) Publicação. 3) Difusão.

DI.VUL.GAR *v.t.d.* e *v.p.* Tornar(-se) conhecido, público; apregoar(-se), difundir(-se); espalhar(-se) entre o vulgo.

DI.ZER *v.t.d.* 1) Narrar, referir, recitar, falar ou exprimir por palavras, por escrito, por música ou por sinais o que deseja transmitir para alguém. / *v.t.d.i.* 2) Contar, enunciar algo a alguém. / *v.i.* 3) Falar.

DÍ.ZI.MA *s.f.* 1) Antiga contribuição ou imposto equivalente à décima parte de um rendimento. 2) *Mat.* Algarismos ou números decimais, escritos à direita da vírgula decimal sendo que os mesmos se repetem infinitamente.

DÓ *s.m.* 1) Sentimento de pena; piedade; compaixão. 2) *Mús.* Primeira nota musical.

DO.A.ÇÃO *s.f.* 1) Ato ou efeito de doar um bem. 2) O que se doa.

DO.AR *v.t.d.i.* 1) Fazer doação de; ofertar de bom grado; presentear. 2) Transmitir gratuitamente a outrem segundo as formalidades legais.

DO.BRA *s.f.* 1) Parte de um objeto que fica sobreposta a outra quando dobrada. 2) Vinco, prega. 3) *Geol.* Encurvamento, arqueação.

DO.BRA.DA *s.f.* 1) Lugar por onde se começa a descer. 2) Flexuosidade do terreno; quebrada. 3) Dobradinha.

DO.BRA.DEI.RA *s.f.* Aparelho usado pelos encadernadores para dobrar o papel.

DO.BRA.DI.ÇA *s.f.* Peça metálica constituída por duas chapas conectadas por um eixo comum e sobre a qual gira a janela, porta, etc.; gonzo.

DO.BRA.DI.NHA *s.f.* 1) Prato preparado com guisado, o mesmo feito com as vísceras do boi. 2) Dupla bem afinada.

DO.BRA.DO *adj.* 1) Duplicado; duplo. 2) Enrolado. 3) Relacionado a si próprio. / *s.m.* 4) Sujeito muito forte. 5) Marcha militar.

DO.BRA.DU.RA *s.f.* 1) Ato ou efeito de dobrar. 2) Arte de criar figuras com papel, por meio de dobras; origami.

DO.BRAR *v.t.d.* 1) Acrescentar outro tanto. 2) Multiplicar por dois, duplicar. 3) Virar ou voltar um objeto de modo que uma parte fique sobreposta a outra. / *v.i.* 4) Soar o sino dando dobre. / *v.p.* 5) Curvar-se, inclinar-se.

DO.BRE *adj.2gên.* 1) Dobrado, duplicado. / *s.m.* 2) Toque de sinos.

DO.BRO (ô) *s.m.* 1) Multiplicar por dois; duplicação. 2) Outro tanto; o duplo.

DO.CA *s.f.* 1) Parte de um porto rodeada por muros e cais onde atracam-se as embarcações. 2) Reservatório de água para construção ou reparo de navios. 3) Estaleiro.

DO.CE (ô) *adj.* 1) Possui sabor semelhante ao do mel ou açúcar. 2) Suave, agradável. 3) *fig.* Afetuoso, benigno, terno, meigo. / *s.m.* 4) *Cul.* Diz-se do alimento em que entra açúcar ou mel em sua confecção.

DO.CEN.TE *adj.2gên.* 1) Aquele que ensina; concernente a professor. / *s.m.* 2) Lente; professor.

DÓ.CIL *adj.2gên.* 1) Aquilo que não está amargo ou azedo. 2) Ser obediente, submisso, flexível.

DO.CU.MEN.TA.ÇÃO *s.f.* 1) Ato ou condição de documentar. 2) Conjunto de documentos utilizados para identificação de uma pessoa ou para resolução de um determinado fato.

DO.CU.MEN.TAR *v.t.d.* 1) Comprovar algo por meio de documentos. 2) Juntar documentos (a processo).

DO.CU.MEN.TÁ.RIO *adj.* 1) Relativo a documentos. 2) Que possui valor documental. / *s.m.* 3) Filme ou vídeo, em geral curta-metragem, de caráter informativo sobre pessoa, objeto, fato, etc.

DO.CU.MEN.TO *s.m.* 1) Declaração escrita, título ou objeto considerado como sendo um elemento de informação e que é usado como testemunho ou prova. 2) Qualquer texto ou registro gráfico utilizado em pesquisas, ou certificação de um assunto ou processo. 3) Certidão.

DO.ÇU.RA *s.f.* 1) Condição ou estado daquilo que é doce. 2) Suavidade; meiguice; simplicidade. 3) Tem gosto de doce.

DO.DÓI *s.m.* 1) *Inf.* Enfermidade, doença. 2) Região dolorida. 3) *pop.* O que ou quem é estimado, muito querido. / *adj.2gên.* 4) Doente.

DO.EN.ÇA *s.f.* 1) Alteração patológica ou perturbação do estado de saúde; enfermidade, moléstia. 2) Ocupação trabalhosa ou difícil.

DO.EN.TE *s.m.* 1) Que tem doença; pessoa enferma ou que possui alterações na saúde. / *adj.2gên.* 2) Débil, fraco. 3) *pop.* Estar apaixonado.

DO.ER *v.i.* 1) Proporcionar dor. 2) Sentir dor, estar dolorido. / *v.p.* 3) Compadecer-se, ressentir-se.

DOG.MA *s.m.* 1) Ponto ou princípio fundamental e indiscutível de um sistema, fé ou doutrina. 2) Complexo das doutrinas fundamentais do Cristianismo. 3) Proposição incontestável e indiscutível.

DOG.MÁ.TI.CO *adj.* 1) Coerente a dogma. 2) Imperial, sentencioso.

DOG.MA.TIS.MO *s.m.* 1) Sistema ou atitude daqueles que não aceitam que haja qualquer dúvida ou discussão sobre seus princípios e ideias. 2) Afirmação ou negação sem questionamentos, com tom autoritário e doutrinal.

DOI.DO *adj.* 1) Falta de juízo; que perdeu a razão; louco. 2) Indivíduo exaltado, extravagante, insensato. / *s.m.* 3) Indivíduo doido.

DO.Í.DO *adj.* 1) Algo que dói, dolorido. 2) Magoado, sensibilizado.

DÓ.LAR *s.m.* 1) Unidade monetária básica dos Estados Unidos, Canadá, Bermudas, Brunei, Cingapura, Austrália, etc. 2) Planta ornamental, nativa da Índia.

DO.LÊN.CIA *s.f.* 1) Condição de dolente. 2) Mágoa, lástima, aflição.

DO.LO *s.m. Dir.* Ato praticado com a intenção de prejudicar ou violar o direito alheio.

DO.LO.RI.DO *adj.* 1) Lugar em que existe dor, doído. 2) *fig.* Lastimoso, magoado.

DO.LO.RO.SA *s.f. gír.* A conta que deve ser paga.

DO.LO.RO.SO (ô) *adj.* 1) Que provoca dor física ou moral. 2) Que se encontra cheio de dor. 3) Estado de quem se sente angustiado, magoado.

DO.LO.SO (ô) *adj.* Produzido, procedente ou onde existe dolo.

DOM *s.m.* 1) Título que precede o nome de batismo, aplicado a homens ilustres e/ou da alta nobreza. 2) Merecimento, dádiva, mérito, presente. 3) Dote natural; talento, aptidão, capacidade, habilidade especial para.

DO.MAR *v.t.d.* 1) Amansar, reprimir, vencer. 2) Domesticar feras. 3) *fig.* Subjugar; submeter adversários à autoridade. / *v.p.* 4) *fig.* Conter-se, dominar-se em relação a sentimentos fortes.

DO.MÉS.TI.CA *s.f.* Mulher que se dedica, por prazer ou profissão, aos afazeres da casa.

DO.MES.TI.CAR *v.t.d.* e *v.p.* 1) Tornar(-se) sociável; doméstico; amansar(-se). 2) Civilizar(-se).

DO.MÉS.TI.CO *adj.* 1) Relativo à vida íntima da família; caseiro. 2) Denominação atribuída ao animal que vive ou foi criado dentro de casa. 3) Empregado que executa as funções da casa.

DO.MI.CÍ.LIO *s.m.* 1) Habitação ou moradia legal. 2) *Dir.* Local em que se encontra alguém residindo com permanência.

DO.MI.NA.ÇÃO *s.f.* Autoridade soberana com poder absoluto; domínio.

DO.MI.NAN.TE *adj.2gên.* 1) Aquele que domina; dominador. / *s.m.* 2) *Biol.* Fator encontrado no híbrido, em oposição ao recessivo. 3) *Mús.* Nota que domina o tom, ou quinta nota acima da tônica.

DO.MI.NAR *v.t.d.* 1) Exercer, possuir autoridade ou poder em ou sobre. 2) Predominar, prevalecer, vencer. 3) Saber muito sobre um assunto. 4) Vencer as paixões; conter-se. / *v.p.* 5) Reprimir-se, conter-se.

DO.MIN.GO *s.m.* 1) Consagrado universalmente como sendo o primeiro dia da semana. 2) Dia dedicado ao descanso.

DO.MÍ.NIO *s.m.* 1) Autoridade, poder. 2) Direito de posse. 3) Território submetido à autoridade de um rei ou Estado. 4) Campo de ação.

DO.NA *s.f.* 1) Mulher casada; senhora ou proprietária de alguma coisa. 2) Título e tratamento honorífico que precede os nomes próprios das senhoras.

DO.NA.TÁ.RIO *s.m.* 1) No Brasil colônia, é o senhor de uma capitania. 2) Alguém que recebeu alguma doação.

DO.NA.TI.VO *s.m.* 1) O que foi doado; presente; esmola. 2) Dom, dádiva. 3) Filantropia.

DO.NO *s.m.* Chefe de uma casa; proprietário, senhor.

DON.ZE.LA *s.f.* 1) Mulher solteira ou virgem. 2) *Hist.* Filha de reis e fidalgos antes de se casar.

DO.PAR *v.t.d.* 1) Administrar remédio calmante ou estimulante a alguém. / *v.t.d.* e *v.p.* 2) Drogar(-se).

DOR (ô) *s.f.* 1) *Med.* Percepção desagradável, sofrimento físico causado por doença ou ferimento. 2) Tormento ou sofrimento moral. 3) Dó; aflição, piedade. 4) Peso na consciência, remorso, arrependimento. / *s.f. pl.* 5) *pop.* Diz-se dos sofrimentos decorrentes do trabalho de parto.

DOR.MÊN.CIA *s.f.* 1) *Med.* Manifestações de sonolência ou de entorpecimento; sensação de formigamento pelo corpo. 2) *Med.* Hipnose, modorra. 3) Quietação, serenidade.

DOR.MIR *v.i.* 1) Entregar ou pegar no sono. 2) Estar ou permanecer imóvel, inerte, esquecido, desleixado. 3) *fig.* Perder as boas oportunidades ➡ Dormir no ponto. / *v.t.d.* 4) Encontrar-se morto; descansar na eternidade ➡ Dormir o sono eterno. / *v.t.i.* 5) *pop.* Manter relações sexuais com.

DOR.MI.TÓ.RIO *s.m.* 1) Ambiente onde se dorme. 2) Ambiente que contém várias camas. 3) Cômodo ou quarto de dormir.

DOR.SAL *adj.2gên.* Associado ao dorso ou às costas.

DOR.SO (ô) *s.m.* 1) Região do corpo humano localizada na parte posterior do tronco, entre os ombros e os rins; costas. 2) Parte superior dos animais; lombo.

DO.SA.GEM *s.f.* 1) Operação de dosar. 2) Operação da química que permite a determinação do peso, porcentagem ou volume de diversos componentes de uma substância.

DO.SAR *v.t.d.* 1) *Med.* Definir ou estabelecer a dose de. 2) *Quím.* Misturar e distribuir nas proporções devidas. 3) Regular a dose.

DO.SE *s.f.* 1) Quantidade fixa que compõe uma substância, medicamento ou combinação química. 2) *Med.* Porção de um medicamento a ser ingerida de uma só vez.

DOS.SI.Ê *s.m.* Coletânea de documentos atinentes a um processo, indivíduo ou a qualquer assunto.

DO.TA.ÇÃO *s.f.* 1) Operação de dotar. 2) Verbas ou rendas com fundo orçamentário destinada à obra devidamente especificada.

DO.TAR *v.t.d.* 1) Proporcionar dote a. 2) Estabelecimento ou realização de dotação a. 3) Favorecer com dons naturais ou qualidades.

DO.TE *s.m.* 1) *Dir.* Bens próprios e exclusivos que a mulher recebe por ocasião do casamento. 2) Bens que as freiras levavam para o convento. 3) Dom natural; boas qualidades; talento. 4) Prenda, merecimento.

DOU.RAR *v.t.d.* 1) Cobrir ou revestir de ouro; guarnecer; dar cor de ouro. 2) *fig.* Tornar feliz;

douto / ductilidade

alegrar. / *v.p.* 3) Embelezar(-se), tornar(-se) resplandecente.

DOU.TO *adj.* e *s.m.* Que ou aquele que foi privilegiado com muita educação; que expõe cultura, erudito, sábio, instruído.

DOU.TOR (ô) *s.m.* 1) Indivíduo que recebeu a mais alta formação superior em uma faculdade universitária. 2) *Por ext.* Bacharel em direito ou medicina; médico ou advogado. 3) *pop.* Homem que possui muito entendimento em determinado assunto e tem orgulho de ser sábio.

DOU.TO.RA.DO *s.m.* Curso especializado de pós-graduação; o grau de doutor.

DOU.TO.RAN.DO *s.m.* Aquele que possui preparação para receber o título ou grau de doutor.

DOU.TO.RAR *v.t.d.* 1) Atribuir o grau de doutor a. / *v.p.* 2) Colar o grau de doutor.

DOU.TRI.NA *s.f.* 1) União de princípios que servem de base para um sistema religioso, político ou filosófico. 2) Objeto de ensino. 3) Opinião de autores em assuntos científicos. 4) Catequese cristã. 5) Regra que cada indivíduo segue conforme seu procedimento.

DRA.GA *s.f.* 1) Aparelho ou máquina usada para efetuar a limpeza das águas dos rios ou mares sendo ela montada numa barcaça. 2) *gír.* Revólver.

DRA.GÃO *s.m.* 1) Animal de grande porte que se apresenta com cauda de serpente, garras de leão e asas de águia; ser espetaculoso. 2) Constelação do hemisfério boreal. 3) Soldado de cavalaria. 4) Diabo. 5) Pessoa de má fama; sujeito imoral. 6) *pop.* Mulher feia.

DRÁ.GEA *s.f. Farm.* Medicamento farmacêutico com formato de cápsula ou pílula revestida por uma camada adocicada.

DRA.MA *s.m.* 1) Gênero teatral no qual se misturam a tragédia e a comédia. 2) Episódios de intensa emoção ou acontecimentos comoventes. 3) Série de acontecimentos patéticos; catástrofe, desgraça.

DRA.MA.LHÃO *s.m.* Drama de pouco valor ou merecimento, mas cheio de lances trágicos.

DRA.MÁ.TI.CO *adj.* 1) Pertencente ou relativo a drama. 2) Que causa forte emoção, patético.

DRA.MA.TI.ZAR *v.t.d.* 1) Tornar dramático, transformar em algo interessante ou comovente. 2) Dar formato de drama a.

DRA.MA.TUR.GI.A *s.f.* Arte dramática ou método de compor peças teatrais.

DRA.MA.TUR.GO *s.m.* Autor de obras dramáticas.

DRÁS.TI.CO *adj.* 1) *Med.* Designação de medicamento de ação muito enérgica. 2) Severo; enérgico.

DRE.NAR *v.t.d.* 1) Operação destinada a retirar a água ou umidade em excesso encontrada no solo, por meio de tubos e valas. 2) *Cir.* Inserir dreno em. 3) Desviar, derivar.

DRE.NO *s.m.* 1) Aparelho com formato de tubo, vala ou canal próprio para ser utilizado na drenagem. 2) *Cir.* Material usado para impedir a saída de líquidos de uma cavidade, um abscesso.

DRI.BLAR *v.t.d.* Tapear o adversário com movimentos ágeis do corpo sem perder o controle da bola; fintar.

DRO.GA *s.f.* 1) Conteúdo ou substância usada em farmácias ou laboratórios. 2) *gír.* Coisa ruim, de pouco valor, imprestável. 3) Entorpecente. 4) Que causa frustração, raiva. 5) Qualquer medicamento.

DRO.GA.RI.A *s.f.* 1) Quantidade de drogas. 2) Local ou comércio onde são vendidas as drogas. 3) Loja onde se vendem drogas; farmácia.

DRO.GUIS.TA *s.2gên.* Proprietário ou indivíduo que comercializa drogas.

DRO.ME.DÁ.RIO *s.m. Zool.* Denominação vulgar de mamífero ruminante de uma só corcova; espécie de camelo.

DU.AL *num.* 1) Relativo a dois; duplo, dobrado. / *adj.2gên.* 2) O que é formado de duas partes; duplo. 3) Concernente a dois. / *s.m.* 4) *Gram.* Número com o qual algumas línguas designavam duas coisas ou duas pessoas. 5) O mesmo que ambas.

DU.A.LIS.MO *s.m.* 1) *Filos.* Doutrina ou teoria que sustenta a existência de dois princípios opostos e necessários; duplicidade de princípios. 2) Divisão do poder legislativo em dois órgãos; no Brasil: Senado e Câmara dos Deputados.

DU.A.LIS.TA *adj.2gên.* 1) Coerente a dualismo; dualístico. / *s.2gên.* 2) Pessoa que exerce o dualismo.

DU.BLA.GEM *s.f. Cin.* Substituição de um idioma por outro na parte falada ou cantada de um filme.

DU.BLAR *v.t.d.* Realizar dublagem.

DU.CA.DO *s.m.* 1) Território ou estado onde a autoridade maior possui título de duque. 2) Moeda de ouro de vários países. 3) Título e dignidade de duque.

DU.CHA *s.f.* 1) Jorro de água que se aplica sobre o corpo com fins estéticos, higiênicos ou terapêuticos. 2) Dispositivo para dar ou tomar banho. 3) Calmante para excitação. 4) Repreensão, admoestação.

DÚC.TIL *adj.2gên.* 1) Algo flexível, maleável, elástico. 2) *fig.* Dócil, amoldável.

DUC.TI.LI.DA.DE *s.f.* Propriedade ou condição de dúctil.

duelar

DU.E.LAR *adj.2gên.* 1) Faz referência a duelo. / *v.t.i.* e *v.i.* 2) Lutar ou bater-se em duelo.

DU.E.LIS.TA *s.2gên.* Sujeito que tem o hábito de se bater em duelo.

DU.E.LO *s.m.* Luta, desafio ou combate com ou sem armas entre dois indivíduos sob certas regras.

DU.EN.DE *s.m.* Espírito sobrenatural; ser imaginário que a superstição criou através da imaginação; personagem de histórias infantis.

DU.O *s.m.* Dueto musical; formado por dois.

DU.O.DE.NO *s.m. Anat.* Parte inicial do intestino delgado.

DU.PLA *s.f.* 1) Grupo de duas pessoas que operam juntas por um objetivo comum. 2) *Mat.* Conjunto de dois elementos.

DU.PLI.CAR *v.t.d.* 1) Fazer cópia de; fazer duas vezes; repetir. 2) *Mat.* Multiplicar por dois; dobrar.

DU.QUE *s.m.* 1) Título de nobreza mais importante. 2) No jogo de gamão, repetição de pontos em cada um dos dois dados.

DU.RA.ÇÃO *s.f.* 1) Tempo em que algo acontece, existe ou dura. 2) Qualidade do que resiste ao tempo ou ao uso; durabilidade. 3) Prazo de validade.

DU.RAN.TE *prep.* 1) Em um momento no curso de. 2) Ao longo de.

DU.RAR *v.i.* 1) Ter uma duração de. 2) Existir de maneira contínua; permanecer. 3) Continuar vivo. 4) Manter o mesmo estado ou características; conservar-se.

DU.RO *adj.* 1) Algo sólido, consistente, de difícil penetração, que é complicado de cortar, de desgastar-se. 2) Severo, áspero, implacável, desagradável ao ouvido. 3) Enérgico, forte. 4) *gír.* Valente, forte, resistente. 5) Nome dado à pessoa quando está sem dinheiro.

DÚ.VI.DA *s.f.* 1) Incerteza em relação à realidade de um fato ou da verdade de uma afirmação. 2) Perplexidade, hesitação, dificuldade para se decidir. 3) Suspeita, dificuldade em acreditar; ceticismo.

DU.VI.DAR *v.t.d.* 1) Ter ou estar em dúvida em relação a determinado fato ou assunto; suspeitar; hesitar. / *v.t.i.* e *v.i.* 2) Não acreditar, não confiar, não admitir.

DU.VI.DO.SO (ô) *adj.* 1) Que apresenta dúvidas, suspeitas; algo incerto; receoso. 2) Que duvida; hesitante; que apresenta desconfiança. 3) Que não merece inteira confiança. 4) Desconfiado, receoso.

DÚ.ZIA *s.f.* 1) Conjunto de 12 objetos da mesma natureza. / *loc. adv.* 2) Em grande quantidade ➡ Às dúzias.

E e

E (é) *s.m.* 1) Quinta letra e segunda vogal do alfabeto português. 2) Na notação musical, representa a nota mi. 3) *Fís.* Símbolo da intensidade do campo elétrico. / *conj.* 4) Aditiva que une termos sintaticamente semelhantes ou orações afirmativas.

É.BA.NO *s.m. Bot.* Árvore da família das Ebenáceas, que produz madeira escura e rija, muito preciosa.

É.BRIO *adj.* e *s.m.* 1) Que se embriagou; bêbado. 2) Que é habituado a ingerir bebidas alcoólicas. 3) *fig.* Enraivecido, alucinado.

E.BU.LI.ÇÃO *s.f.* 1) Ato ou efeito de ferver. 2) *Fís.* Transformação de um líquido em vapor. 3) Fervura; exaltação.

E.CHAR.PE *s.f.* Faixa de tecido comprida usada ao redor do pescoço ou sobre os ombros e as costas.

E.CLE.SI.ÁS.TI.CO *adj.* 1) Relativo à Igreja ou aos seus sacerdotes. / *s.m.* 2) Pessoa que pertence ao clero; padre, sacerdote.

E.CLÉ.TI.CO *adj.* 1) *Filos.* Relativo ao ecletismo. / *s.m.* 2) O que segue a filosofia ou método eclético. 3) O que escolhe o que parece melhor em todas as manifestações do pensamento.

E.CLE.TIS.MO *s.m.* Doutrina filosófica que procura adaptar correntes de pensamento diferentes.

E.CLIP.SE *s.m.* 1) *Astr.* Invisibilidade total ou parcial de um astro pela interposição de outro corpo celeste entre ele e o observador da Terra. 2) Obscurecimento moral ou intelectual.

E.CLO.DIR *v.i.* 1) Tornar-se visível de repente; surgir, aparecer. 2) Irromper. 3) *Zool.* Sair de ovo, casca, etc.

E.CLU.SA *s.f.* Construções que servem para represar águas correntes, em um trecho de um rio ou canal, usadas para permitir a subida ou descida de embarcações onde há grande desnível do leito desse rio ou canal.

E.CO *s.m.* 1) Fenômeno físico que se manifesta pela repetição de vozes ou sons. 2) Reminiscência, lembrança. 3) Repercussão.

E.CO.AR *v.i.* 1) Produzir eco, fazer eco; retumbar. / *v.t.d.* 2) Ressoar; repercutir, repetir.

E.CO.LO.GI.A *s.f.* Parte da biologia que estuda as relações dos seres vivos com o meio ambiente.

E.CO.NO.MI.A *s.f.* 1) Ciência que trata da produção, distribuição e consumo das riquezas. 2) Poupança; patrimônio, reserva de dinheiro. 3) Prudência nos gastos.

E.CO.NÔ.MI.CO *adj.* 1) Relativo à economia. 2) Que economiza; que gasta pouco. 3) Que custa pouco; barato.

E.COS.SIS.TE.MA *s.m.* Sistema ecológico constituído por seres vivos, pelo meio ambiente e por suas inter-relações.

E.CU.MÊ.NI.CO *adj.* 1) Relativo a ecumenismo. 2) Mundial, universal. 3) Que congrega pessoas de diferentes religiões.

E.DE.MA *s.m. Med.* Acúmulo anormal de líquido nos tecidos do organismo.

E.DI.ÇÃO *s.f.* 1) Ato ou efeito de editar. 2) Ato ou efeito de editorar. 3) *Por ext.* Publicação de uma obra. 4) Conjunto de exemplares de uma obra impressos na mesma tiragem. 5) Cada transmissão de um programa telejornalístico ou radiofônico.

E.DI.FI.CAR *v.t.d.* 1) Levantar uma construção; construir. 2) Fundar, desenvolver. / *v.t.d., v.i.* e *v.p.* 3) Desenvolver-se moralmente; engrandecer(-se).

E.DI.FÍ.CIO *s.m.* Construção; prédio; moradia; estabelecimento.

E.DI.TAL *s.m.* Ordem ou aviso do poder superior afixado em lugares públicos.

E.DI.TAR *v.t.d.* 1) Publicar livros, revistas, jornais, músicas, etc.; editorar. 2) Mostrar, patentear, ostentar.

E.DI.TO *s.m.* Ordem ou lei emanada de autoridade máxima; determinação oficial.

É.DI.TO *s.m.* Mandado de autoridade administrativa ou judiciária publicada por anúncios ou editais.

E.DI.TOR (ô) *adj.* e *s.m.* 1) Que ou aquele que edita. / *s.m.* 2) Proprietário ou responsável de uma empresa que publica livros ou periódicos.

E.DI.TO.RA (ô) *s.f.* Estabelecimento onde se editam livros.

E.DI.TO.RA.ÇÃO *s.f.* 1) Ato de editorar ou editar. 2) Técnica editorial.

E.DI.TO.RAR *v.t.d.* 1) Editar. 2) *Art. Gráf.* Preparar originais até a apresentação gráfica definitiva da obra.

E.DI.TO.RI.AL *adj.2gên.* 1) Referente a editor e a edições. / *s.m.* 2) Artigo principal de um periódico que reflete o pensamento de seus dirigentes.

E.DRE.DOM *s.m.* 1) Edredão. 2) Acolchoado feito de penugem muito fina ou de paina que serve de cobertura para cama.

E.DU.CA.ÇÃO *s.f.* 1) Ato ou efeito de educar. 2) Desenvolvimento integral das faculdades físicas, morais e intelectuais do ser humano. 3) Civilidade. 4) Arte de ensinar e adestrar animais. 5) Arte de cultivar plantas.

E.DU.CAN.DÁ.RIO *s.m.* Estabelecimento destinado à educação.

E.DU.CAN.DO *s.m.* 1) Aquele que recebe educação. 2) Aluno, estudante, discípulo, seminarista.

E.DU.CAR *v.t.d.* 1) Proporcionar educação a. 2) Formar a inteligência, desenvolver a capacidade física, intelectual e moral. 3) Domesticar, adestrar. / *v.p.* 4) Cultivar, estimular e orientar as aptidões de um ser conforme o meio social em que vive, instruir-se.

E.DUL.CO.RAN.TE *adj.2gên.* e *s.m.* Adoçante.

E.FEI.TO *s.m.* 1) Produto de; resultado. 2) Realização, execução. 3) O que produz um resultado esperado; eficácia. 4) Destino. 5) Efeitos visuais provocados por lentes especiais.

E.FÊ.ME.RO *adj.* 1) Passageiro; temporário. / *s.m.* 2) O que dura pouco.

E.FER.VES.CÊN.CIA *s.f.* 1) Ato ou efeito de ferver. 2) Formação de bolhas de gás em um líquido. 3) Alvoroço; agitação.

E.FE.TI.VAR *v.t.d.* e *v.p.* 1) Obter ou fazer alcançar estabilidade. / *v.t.d.* 2) Concretizar(-se), efetuar(-se).

E.FE.TU.AR *v.t.d.* e *v.p.* Fazer, realizar, executar, concretizar.

E.FI.CÁ.CIA *s.f.* Capacidade de produzir o efeito esperado.

E.FI.CI.EN.TE *adj.2gên.* Capaz, competente.

E.GÍP.CIO *adj.* 1) Pertencente ou referente ao Egito. / *s.m.* 2) O residente ou natural do Egito. 3) Sistema de escrita e língua do povo egípcio.

E.GO.CÊN.TRI.CO *adj.* e *s.m. Psicol.* Que ou quem se considera o centro das atenções e não se preocupa com os outros.

E.GO.ÍS.MO *s.m.* 1) Característica de egoísta. 2) Exclusivamente amor por si próprio, sem relevar os interesses alheios.

E.GO.ÍS.TA *adj.* e *s.2gên.* 1) Que ou quem cuida somente dos seus interesses ou vontades. 2) Que demonstra falta de sentimentos altruístas. 3) Comodista.

E.GO.LA.TRI.A *s.f.* Culto e adoração a si próprio.

E.GO.TIS.MO *s.m.* Costume de falar ou escrever em excesso sobre si mesmo.

E.GRÉ.GIO *adj.* Muito distinto; admirável, ilustre.

E.GRES.SO *adj.* 1) Que deixou o convento, que abandonou a vida religiosa. 2) Que não pertence mais, saiu ou se afastou. / *s.m.* 3) Saída, retirada. 4) Aquele que deixou o convento ou o estabelecimento penal onde cumpriu sentença.

É.GUA *s.f.* Fêmea do cavalo.

EI.RA *s.f.* 1) Propriedade ou laje, onde se secam e limpam cereais e legumes. 2) Área onde se deposita o sal nas salinas. 3) *pop.* Ser extremamente pobre; viver na miséria ➡ Não ter eira nem beira.

EIS *adv.* 1) Aqui está. 2) Aqui tendes. 3) Vede.

EI.XO *s.m.* 1) Reta, real ou imaginária, que atravessa o centro de um corpo e em torno da qual o corpo gira ou pode girar. 2) Peça em torno da qual gira a roda de um automóvel. 3) *fig.* Ponto ou ideia central.

E.JA.CU.LA.ÇÃO *s.f.* 1) Ação de ejacular. 2) Operação de expulsão de líquido. 3) Envio de esperma pela uretra.

E.JA.CU.LAR *v.t.d.* 1) Lançar para fora de si. 2) Derramar com força; esguichar. 3) Expulsar esperma.

E.JE.TAR *v.t.d.* Expulsar, expelir ou lançar para fora.

E.JE.TOR (ô) *adj.* 1) Que ejeta. / *s.m.* 2) Mecanismo ou dispositivo que ejeta qualquer coisa.

E.LA *pron. pess.* 1) Forma feminina de ele. 2) Designa a 3ª pessoa do singular.

E.LA.BO.RAR *v.t.d.* 1) Preparar gradualmente, com cuidado, precisão. 2) Criar. 3) Tornar mais complexo; aprofundar.

elasticidade

elisão

E.LAS.TI.CI.DA.DE *s.f.* 1) *Fís.* Propriedade de um corpo retornar parcial ou totalmente à forma original após sofrer deformação ou modificação por ação de forças externas. 2) *Por ext.* Agilidade física; flexibilidade.

E.LÁS.TI.CO *adj.* 1) Que volta à forma inicial após ser deformado. 2) *fig.* Que se adapta às circunstâncias. / *adj.* 3) Tira de borracha usada para prender objetos.

E.LE (ê) *pron. pess.* 1) Designa a 3ª pessoa do singular, masculino. / *s.m.* 2) Nome da letra l [som aberto (é)]. 3) *pop.* Diabo.

E.LE.FAN.TE *s.m.* 1) *Zool.* Mamífero paquiderme de grande porte pertencente à família dos Elefantídeos dotado de tromba preênsil. 2) *pop.* Homem muito gordo.

E.LE.FAN.TÍ.A.SE *s.f.* Doença causada pelo verme filária, caracterizada por inchaço crônico, especialmente das pernas, devido à falta de circulação.

E.LE.GÂN.CIA *s.f.* 1) Qualidade de quem possui distinção e bom gosto no trajar, nas maneiras ou no porte. 2) Boa magnitude de formas. 3) Gentileza, cortesia, brio na linguagem e no estilo.

E.LE.GAN.TE *adj.2gên.* 1) Que apresenta elegância. 2) Que é harmonioso, cortês, gentil, proporcionado. / *s.m.* 3) Pessoa que proporciona estilo, requinte e bom gosto.

E.LE.GER *v.t.d.* Designar, escolher, nomear através da votação.

E.LE.GI.A *s.f.* Pequena composição ou poema lírico, dedicado ao luto ou à tristeza.

E.LEI.ÇÃO *s.f.* 1) Operação de eleger. 2) Escolha, por meio de sufrágio, de alguém para ocupar um cargo ou desempenhar certa função. 3) Predileção.

E.LEI.TO *adj. e s.m.* Aquele que foi o vitorioso na eleição por preferência da maioria; que foi escolhido.

E.LEI.TOR (ô) *adj. e s.m.* Que ou quem possui poder ou direito de eleger por meio de votação.

E.LE.MEN.TAR *adj.2gên.* 1) Coerente aos conhecimentos primários de uma arte ou ciência. 2) Fácil, rudimentar, primário, simples. 3) Essencial, fundamental.

E.LE.MEN.TO *s.m.* 1) Substâncias básicas naturais como a terra, o ar, a água e o fogo. 2) Tudo o que faz parte da formação ou composição de algo. 3) *Quím.* Substância composta por uma só espécie de átomos. 4) Ambiente, meio ou local onde vive. / *s.m. pl.* 5) O conjunto das forças naturais ➡ os elementos. 6) Princípios fundamentais, primeiras noções; rudimentos. 7) Informações, dados, material.

E.LEN.CO *s.m.* 1) Enumeração, lista, relação. 2) Lista dos atores de uma peça.

E.LE.TI.VO *adj.* 1) Respectivo a eleição. 2) Cargo ao qual foi escolhido e nomeado por eleição.

E.LE.TRI.CI.DA.DE *s.f.* 1) *Fís.* Forma de energia natural, que se manifesta por meio de forças de atrações e repulsões e que apresenta muita utilidade. 2) Excitação; causa dos fenômenos elétricos manifestados nos corpos. 3) Carga elétrica.

E.LE.TRI.CIS.TA *s.2gên.* Especialista, devidamente qualificado, para trabalhar com eletricidade ou com aparelhos elétricos.

E.LÉ.TRI.CO *adj.* 1) Tudo que diz respeito à eletricidade ou é movido à energia elétrica. 2) *fig.* De forma muito rápida. 3) *fig.* Muito agitado ou nervoso.

E.LE.TRI.FI.CAR *v.t.d.* 1) Aplicar ou adaptar eletricidade como força motriz ou fonte de energia. / *v.p.* 2) Tornar-se elétrico.

E.LE.TRI.ZAR *v.t.d.* 1) Criar ou desenvolver propriedades elétricas em. 2) Dotar de carga elétrica; eletrificar. / *v.t.d. e v.p.* 3) *fig.* Maravilhar(-se), exaltar(-se), inflamar(-se).

E.LE.TRO.CU.TAR *v.t.d.* Matar por choque elétrico.

E.LÉ.TRON *s.m.* *Fís.* Partícula de carga elétrica negativa, presente em todos os átomos.

E.LE.TRÔ.NI.CA *s.f.* Ciência que estuda os elétrons, seu comportamento, características e aplicações nos mais variados meios e condições.

E.LE.VA.ÇÃO *s.f.* 1) Ato ou consequência de elevar. 2) Altura ou ponto elevado. 3) Promoção, ser promovido. 4) Nobreza, superioridade. 5) Aumento.

E.LE.VA.DO *adj.* 1) Que possui ou sofreu elevação. 2) Sublime. 3) Superior, grande, nobre. / *s.m.* 4) Via urbana destinada ao tráfego rodoviário e ferroviário.

E.LE.VA.DOR (ô) *adj.* 1) Que eleva. / *s.m.* 2) Cabina móvel usada para conduzir pessoas ou cargas para terem acesso aos andares de um prédio.

E.LE.VAR *v.t.d.* 1) Fazer subir; erguer, levantar, aumentar. 2) Engrandecer, exaltar, elogiar. 3) Construir; promover; alçar; erguer. / *v.t.d. e v.p.* 4) Pôr (-se) em plano ou ponto superior; erguer(-se), levantar(-se). 5) Tornar(-se) mais alto, fortificar(-se).

E.LI.MI.NA.ÇÃO *s.f.* 1) Ação ou condição de eliminar. 2) *Fisiol.* Excreção. 3) *Mat.* Processo de remoção de uma incógnita. 4) Supressão, expulsão.

E.LI.MI.NAR *v.t.d. e v.t.d.i.* 1) Retirar algo; excluir, suprimir. 2) Fazer sair, expulsar. / *v.t.d.* 3) Matar, fazer sumir; apagar. 4) Vencer em jogo ou partida; derrotar.

E.LIP.SE *s.f.* 1) *Geom.* Seção geométrica na qual a soma das distâncias de dois pontos fixos dentro de um plano é constante. 2) *Gram.* Figura de linguagem que consiste na omissão de palavra sem prejudicar a clareza.

E.LÍP.TI.CO *adj.* 1) *Geom.* Referente ou pertencente a uma elipse. 2) *Gram.* Que é da natureza da elipse. 3) Diz-se do termo que não está explícito na frase ➡ Saímos cedo de casa (elipse do pronome *nós*).

E.LI.SÃO *s.f.* 1) Ato ou consequência de elidir. 2) *Gram.* Supressão oral ou gráfica da vogal final de um vocábulo. 3) Supressão, omissão.

elite | embelezar

E.LI.TE *s.f.* 1) O núcleo da sociedade, de um grupo, de uma classe. 2) A alta sociedade; nata.
EL.MO *s.m.* Capacete ou peça de armadura usada pelos soldados para proteger a cabeça.
E.LO *s.m.* 1) Argola de corrente. 2) *Bot.* Gavinha, abraço. 3) Ligação; união muito íntima. 4) Continuação; prolongamento.
E.LO.CU.ÇÃO *s.f. Ret.* Estilo de expressar o pensamento por palavras escritas ou orais; fala; enunciação.
E.LO.GI.AR *v.t.d.* Falar bem; fazer elogio de; aplaudir; gabar; louvar.
E.LO.GI.O *s.m.* 1) Discurso em louvor de alguém; gabo; panegírico; aplausos. 2) Encômio.
E.LON.GA.ÇÃO *s.f.* 1) *Astr.* Distância angular entre um planeta e o Sol sendo o vértice do ângulo no olho do observador. 2) *Astr.* Distância angular de um satélite ao seu planeta. 3) *Astr.* Distância de um ponto qualquer em movimento vibratório ao ponto de origem. 4) Afastamento; alongamento.
E.LO.QUÊN.CIA *s.f. Ret.* Capacidade ou arte de falar ou escrever de modo convincente, tocante, persuasivo, significativo; talento para comover alguém através da fala.
E.LU.CI.DAR *v.t.d.* 1) Esclarecer; explicar; tornar claro. 2) Efetuar comentários com nitidez. / *v.p.* 3) Informar-se; esclarecer-se.
E.LU.CI.DÁ.RIO *s.m.* Tratado ou livro que explica ou aclara o sentido de coisas ou termos pouco inteligíveis.
EM *prep.* Que indica relação de lugar, tempo, modo, quantidade, fim, estado, limitação, transformação, avaliação ou cálculo e outras relações existentes entre as palavras.
E.MA *s.f. Ornit.* A maior e mais pesada ave da América do Sul, da ordem dos Reiformes, muito parecida com a avestruz, incapaz de voar e vive em regiões campestres e cerrados.
E.MA.GRE.CER *v.t.d.* 1) Tornar magro; perder peso; definhar. / *v.i.* 2) Tornar-se magro; enfraquecer-se.
E.MA.NA.ÇÃO *s.f.* 1) Ação de emanar. 2) Aquilo que emana; eflúvio; origem.
E.MA.NAR *v.t.i.* 1) Originar-se, proceder, provir, sair de, exalar. 2) Desprender-se dos corpos. 3) Disseminar-se em partículas sutis.
E.MAN.CI.PAR *v.t.d., v.t.d.i.* e *v.p.* 1) Eximir(-se) do poder paternal ou de tutela. 2) Tornar(-se) independente. 3) Dar a liberdade; livrar(-se).
E.MA.RA.NHAR *v.t.d.* 1) Tornar confuso, embaraçar, enredar, misturar. / *v.t.d.* e *v.p.* 2) Meter(-se) em embaraços, confundir(-se), envolver(-se).
EM.BA.ÇAR *v.t.d.* 1) Apagar. 2) Tirar o conceito a; ofuscar. 3) Ficar calado. 4) Enganar, intrujar, iludir. 5) Tornar baço, perder o brilho. / *v.t.d.* e *v.p.* 6) Cair em ilusão; enganar(-se).
EM.BA.I.NHAR *v.t.d.* 1) Meter o facão ou a faca na bainha. 2) Fazer bainha em, guarnecer com bainhas. / *v.i.* 3) Fazer bainhas. 4) Formar vagens.

EM.BAI.XA.DA *s.f.* 1) Colocação ou residência de embaixador. 2) Deputação a um soberano. 3) Missão junto de um governo. 4) Comissão ou mensagem particular.
EM.BAI.XA.DOR (ô) *s.m.* 1) A graduação mais elevada de representante de um governo ou Estado, junto de outro Estado ou governo. 2) Qualquer indivíduo encarregado de uma missão.
EM.BAI.XO *adv.* Localizado na parte inferior.
EM.BA.LA.GEM *s.f.* 1) Acondicionamento. 2) Invólucro usado para embalar um objeto. 3) Impulso intenso.
EM.BA.LAR *v.t.d.i.* 1) Guardar algo em um pacote, caixa, etc., para protegê-lo; empacotar. / *v.t.d.* 2) Balançar uma criança para fazê-la dormir; ninar. / *v.t.d.* e *v.p.* 3) Mover(-se) de um lado para outro; balançar(-se). / *v.t.d.* e *v.i.* 4) Impulsionar; acelerar(-se).
EM.BAL.SA.MAR *v.t.d.* 1) Tratar cadáver com substâncias que evitam sua decomposição. / *v.t.d.* e *v.p.* 2) Impregnar(-se) de perfume.
EM.BA.NA.NAR *v.t.d.* e *v.p. pop.* 1) Colocar(-se) em situação difícil ou embaraçosa; complicar(-se). 2) Confundir(-se).
EM.BA.RA.ÇAR *v.t.d.* e *v.p.* 1) Sentir ou causar embaraço, complicação; constranger(-se); perturbar(-se). 2) Misturar(-se) desordenadamente; embaralhar(-se); emaranhar.
EM.BA.RA.LHAR *v.t.d.* 1) Misturar as cartas do baralho. 2) *Por ext.* Pôr fora de ordem; desarrumar. / *v.t.d.* e *v.p.* 3) *fig.* Confundir(-se), atrapalhar(-se).
EM.BAR.CA.ÇÃO *s.f. Náut.* Meio de transporte que navega sobre a água.
EM.BAR.CAR *v.t.d., v.t.i., v.i.* e *v.p.* 1) *Náut.* Entrar ou colocar algo em uma embarcação. / *v.t.i.* 2) *pop.* Deixar-se levar por. / *v.i.* 3) *pop.* Morrer.
EM.BAR.GAR *v.t.d.* 1) *Jur.* Pôr obstáculo a; impedir; não permitir. 2) Conter; reprimir.
EM.BAR.QUE *s.m.* 1) Entrada em um meio de transporte. 2) Local onde se embarca.
EM.BA.SA.MEN.TO *s.m.* 1) Base, alicerce. 2) *fig.* Princípio que sustenta um raciocínio; fundamento, razão.
EM.BA.SAR *v.t.d.* 1) Fazer a base de uma construção. / *v.t.d.i.* e *v.p.* 2) *fig.* Apoiar(-se) em um fundamento; basear(-se).
EM.BAS.BA.CAR *v.t.d., v.t.i.* e *v.p.* 1) Tornar(-se) admirado, espantado, surpreso; pasmar(-se).
EM.BA.TE *s.m.* 1) Ataque violento; colisão; briga. 2) *fig.* Manifestação contrária; oposição, objeção.
EM.BE.BE.DAR *v.t.d.* e *v.p.* Ficar ou fazer alguém ficar bêbado; embriagar(-se).
EM.BE.BER *v.t.d.i.* e *v.p.* 1) Fazer ou deixar(-se) penetrar por um líquido; absorver. / *v.t.d.i.* 2) Molhar, ensopar, encharcar.
EM.BE.LE.ZAR *v.t.d.* e *v.p.* Tornar(-se) belo, enfeitar(-se).

201

EM.BI.CAR *v.t.d.* 1) Dar a forma de bico. / *v.t.i.* e *v.p.* 2) *fig.* Tomar a direção; dirigir-se; encaminhar-se. / *v.t.i.* 3) *fig.* Ter antipatia; implicar.

EM.BIR.RAR *v.t.i.* 1) Insistir muito; teimar. 2) Ter antipatia, implicância com. / *v.i.* 3) Apresentar birra; fazer pirraça.

EM.BLE.MA *s.m.* 1) Símbolo que representa uma instituição, associação, etc. 2) *Por ext.* Distintivo que traz o símbolo de uma instituição; insígnia.

ÊM.BO.LO *s.m.* 1) Cilindro que faz movimentos de vaivém dentro de seringas, bombas, cilindros de motores ou máquinas, etc.; pistom. 2) *Med.* Corpo estranho que obstrui a circulação.

EM.BO.LO.RAR *v.t.d.*, *v.i.* e *v.p.* Cobrir(-se) com bolor; mofar.

EM.BOL.SAR *v.t.d.* 1) Pôr no bolso ou na bolsa. 2) Receber, ganhar. / *v.t.d.i.* 3) Pagar o que se deve a; restituir.

EM.BO.RA *adv.* 1) Exprime ideia de retirada, de saída. / *conj.* 2) Ainda que; mesmo que. / *interj.* 3) Tanto faz, não me importa.

EM.BOS.CA.DA *s.f.* 1) Espera do inimigo, às escondidas, para atacá-lo de surpresa; tocaia. 2) Traição, cilada, armadilha.

EM.BRAN.QUE.CER *v.t.d.*, *v.i.* e *v.p.* Tornar(-se) branco.

EM.BRI.A.GAR *v.t.d.*, *v.i.* e *v.p.* 1) Ficar ou deixar alguém bêbado; embebedar(-se), alcoolizar(-se). 2) Extasiar(-se), encantar(-se), maravilhar(-se).

EM.BRI.ÃO *s.m.* 1) *Zool.* Ser vivo no início do seu desenvolvimento, antes de deixar o ovo ou o útero. 2) *fig.* Começo, origem.

EM.BRI.O.LO.GI.A *s.f.* Ciência que se dedica ao estudo da formação e desenvolvimento dos embriões.

EM.BRO.MAR *v.t.d.* e *v.i.* 1) Adiar um compromisso; enrolar. / *v.t.d.* 2) Enganar usando ardil.

EM.BRU.LHAR *v.t.d.i.* 1) Envolver algo em papel ou outro material, formando um pacote; embalar, empacotar. / *v.t.d.i.* e *v.p.* 2) *fig.* Confundir(-se), enrolar(-se). / *v.t.d.* 3) *fig.* Fazer acreditar em algo que não é verdadeiro; enganar, ludibriar. 4) *fig.* Provocar náusea, enjoo.

EM.BRU.LHO *s.m.* 1) O que está embrulhado; pacote. 2) *fig.* Situação confusa.

EM.BU.CHAR *v.t.d.* 1) Encher o bucho; comer muito; empanturrar(-se). / *v.i.* 2) Andar mal-humorado, aborrecido. / *v.t.d.* e *v.i.* 3) *fig. pop.* Engravidar.

EM.BUR.RAR *v.t.d.* 1) Tornar burro, estúpido. / *v.i.* 2) Fixar-se em uma ideia; empacar. 3) Aborrecer(-se); amuar(-se).

EM.BUS.TE *s.m.* Mentira astuciosa; fraude, logro.

EM.BU.TIR *v.t.d.* 1) Fazer entrar em, marchetar, entalhar, inserir, introduzir a força. / *v.t.d.i.* 2) Incluir como parte integrante e, por vezes, inseparável de.

E.MEN.DA *s.f.* 1) Ato ou consequência de emendar. 2) Lugar onde uma peça se junta a outra. 3) Conserto, remendo, reparo. 4) Mudança de um projeto de lei. 5) Regeneração moral.

E.MEN.DAR *v.t.d.* 1) Consertar, corrigir, reparar. 2) Deformar, modificar, transformar. 3) *Tip.* Fazer emendas, retificações. / *v.p.* 4) Arrepender-se, corrigir-se moralmente.

E.MER.GÊN.CIA *s.f.* 1) Ato ou efeito de emergir. 2) Situação crítica ou perigosa. 3) Caso de urgência. 4) *fig.* Setor de uma instituição hospitalar que atende os casos de urgência; pronto-socorro.

E.MER.GIR *v.t.i.* e *v.i.* 1) Sair de onde estava mergulhado; vir à tona. 2) *Geol.* Aflorar. 3) Manifestar-se, patentear-se. / *v.t.i.* 4) Ascender, subir, abranger-se.

E.MÉ.RI.TO *adj.* 1) Perito numa ciência, arte ou profissão. 2) Extraordinário, exímio. 3) Jubilado ou aposentado com esse título, no ensino superior.

E.MI.GRA.ÇÃO *s.f.* 1) Ação de emigrar. 2) Mudança voluntária do lugar onde vive ou de sua pátria para se estabelecer em outro país.

E.MI.GRAN.TE *adj.2gên.* e *s.2gên.* Que ou quem emigra; que sai de seu país ou de sua terra.

E.MI.NÊN.CIA *s.f.* 1) Condição dada para o que é eminente. 2) *fig.* Elevação ou superioridade moral. 3) Título dado aos cardeais. 4) Elevação de terreno.

E.MI.NEN.TE *adj.2gên.* 1) Que é superior ao que o rodeia ou o que excede os outros. 2) Excelente, sublime. 3) Alto, elevado.

E.MIR *s.m.* 1) Descendente de Maomé. 2) Príncipe ou caudilho árabe. 3) Autoridade de algumas tribos muçulmanas.

E.MI.RA.DO *s.m.* 1) Estado ou território governado por um emir. 2) Dignidade de emir. 3) Tempo de governo de um emir.

E.MIS.SÃO *s.f.* 1) Operação de emitir. 2) *Fisiol.* Ação de expelir de si. 3) Ato de colocar em circulação uma nova moeda, ou, à venda, selos, ações, etc. 4) Entrega de recibo, cheque, exalação, expedição.

E.MIS.SÁ.RIO *adj.* 1) Adequado para emitir. / *s.m.* 2) Indivíduo que é destinado a cumprir uma missão. 3) Mensageiro, representante, responsável. 4) Espião ou agente secreto.

E.MIS.SO.RA (ô) *s.f.* 1) Estação transmissora de programas de rádio ou televisão. 2) Empresa que produz e transmite estes programas.

E.MI.TIR *v.t.d.* 1) Expedir, lançar fora, entregar, passar. 2) Lançar de si; soltar; irradiar. 3) Exalar, emanar, desprender. 4) Exprimir, enunciar.

E.MO.ÇÃO *s.f.* 1) Reação causada no organismo ou estado mental por intenso sentimento acompanhado de perturbação, agitação passageira causada pela surpresa, medo, alegria. 2) Comoção, abalo moral.

E.MO.CIO.NAR *v.t.d.*, *v.i.* e *v.p.* Sentir ou provocar emoção; impressionar(-se), comover(-se).
E.MOL.DU.RAR *v.t.d.* 1) Colocar em moldura. 2) Enfeitar, guarnecer em volta.
E.MO.LI.EN.TE *adj.2gên.* 1) *Med.* Medicamento que amolece ou suaviza uma inflamação. / *s.m.* 2) *Med.* Agente emoliente.
E.MO.TI.VO *adj.* 1) Tendente a emoções. 2) Que tem ou demonstra emoção. / *s.m.* 3) Aquele que se emociona facilmente.
EM.PA.CA.DOR (ô) *adj.* e *s.m.* 1) Que ou quem empaca. 2) Obstinado, teimoso. 3) Gago ou que possui dificuldade para falar.
EM.PA.CAR *v.i.* 1) Quando o animal decide não caminhar mais; emperrar afirmando as patas. 2) Não sair do lugar; não continuar; parar completamente.
EM.PA.CO.TAR *v.t.d.* 1) Embrulhar, embalar, enfardar em pacote. 2) Matar, dar o fim em alguém. / *v.i.* 3) *gír.* Morrer, falecer.
EM.PA.DA *s.f.* Salgadinho de forno com massa recheada.
EM.PA.LHAR *v.t.d.* 1) Encher, cobrir ou acondicionar com palhas. 2) Colocar assento de palhinha em. 3) Retardar ou estorvar o trabalho. 4) Rechear de palha a pele de animais mortos para assim conservá-los.
EM.PA.LI.DE.CER *v.t.d.* e *v.i.* 1) Perder ou fazer perder a cor; tornar(-se) pálido. 2) Perder ou fazer perder a intensidade; enfraquecer.
EM.PA.NAR *v.t.d.* 1) Cobrir de panos, encobrir-se. 2) Ocultar, ofuscar, esconder, obscurecer. 3) Tirar o brilho; embaciar. 4) Passar qualquer alimento na farinha e no ovo para depois fritar.
EM.PAN.TUR.RAR *v.t.d.*, *v.t.i.* e *v.p.* Fartar(-se) de comida; comer demais.
EM.PA.RE.DAR *v.t.d.* 1) Encerrar entre paredes. 2) Fechar (um espaço) com parede; cercar de paredes.
EM.PA.RE.LHAR *v.t.d.*, *v.t.i.*, *v.t.d.i.* e *v.p.* 1) Colocar(-se) lado a lado, ou de par em par. / *v.t.d.i.* 2) *Por ext.* Igualar(-se), equiparar(-se).
EM.PA.TAR *v.t.d.* 1) Dificultar, atrapalhar. 2) Tomar tempo, ocupar. / *v.t.d.* e *v.t.d.i.* 3) Aplicar dinheiro sem ter garantia de lucro. / *v.t.d.*, *v.t.i.* e *v.i.* 4) Terminar uma competição com placar igual. 5) Igualar(-se) em pontos, votos, etc.
EM.PE.CI.LHO *s.m.* Obstáculo, dificuldade, impedimento.
EM.PE.LO.TAR *v.i.* Encher(-se) de pelotas; encaroçar.
EM.PE.NHAR *v.t.d.* 1) Dar um bem material como garantia para conseguir um empréstimo; penhorar. / *v.t.d.* e *v.p.* 2) Obrigar(-se) moralmente; comprometer(-se). / *v.t.d.i.* e *v.p.* 3) Dedicar(-se) com afinco; esforçar(-se), aplicar(-se).
EM.PER.RAR *v.t.d.*, *v.i.* e *v.p.* 1) Tornar(-se) difícil de mover; travar(-se). / *v.t.d.* 2) Fazer parar; não progredir; impedir.

EM.PI.LHAR *v.t.d.* 1) Dispor em pilha. / *v.p.* 2) Acumular em pilhas; amontoar.
EM.PI.NA.DO *adj.* 1) Levantado, erguido. 2) Diz-se de animal que se levanta sobre as patas traseiras. 3) Empolgado, pomposo, arrogante.
EM.PI.NAR *v.t.d.* e *v.p.* 1) Colocar(-se) em posição vertical, pôr(-se) a pino. 2) Inclinar(-se), erguer (-se). / *v.p.* 3) Levantar-se sobre as patas traseiras.
EM.PI.PO.CAR *v.t.d.* e *v.i.* Formar pústulas ou bolhas.
EM.PI.RIS.MO *s.m.* 1) Doutrina filosófica que considera a prática e a experiência a origem exclusiva do conhecimento humano. 2) Conhecimentos práticos devidos meramente à experiência, negando qualquer princípio científico rigoroso.
EM.PLA.CAR *v.t.d.* 1) Colocar placa ou chapa em. 2) *gír.* Viver até certa idade ou tempo; chegar a / *v.i.* 3) Obter êxito. 4) Concretizar-se.
EM.PLAS.TO ou **EM.PLAS.TRO** *s.m.* 1) *Med.* Medicamento que exposto ao calor adere-se ao corpo. 2) Pessoa sem utilidade ou incapacitada, por falta de saúde. 3) Curativo com esse medicamento.
EM.PO.BRE.CER *v.t.d.* e *v.i.* 1) Transformar-se em pessoa pobre. / *v.i.* 2) Quando a terra perde a fertilidade ou valor. / *v.t.d.* 3) Esgotar os recursos de; depauperar.
EM.PO.ÇAR *v.t.d.* e *v.i.* 1) Fazer, formar poça. / *v.t.d.* e *v.p.* 2) Meter(-se) ou cair em poço ou poça.
EM.PO.EI.RAR *v.t.d.* e *v.p.* Cobrir(-se) de poeira ou pó.
EM.PO.LEI.RAR *v.t.d.* e *v.p.* 1) Assentar(-se) em poleiro. / *v.t.d.* 2) *pop.* Subir para uma posição ou cargo mais elevado; elevar para o poder. / *v.p.* 3) Elevar-se a um lugar alto, escalar.
EM.POL.GAN.TE *adj.2gên.* Algo que empolga, que impressiona vivamente, que prende a atenção; extasiante.
EM.POL.GAR *v.t.d.* 1) Segurar com a mão fortemente; agarrar. 2) Arrebatar com violência. 3) Prender a atenção de, comover.
EM.POR.CA.LHAR *v.t.d.* e *v.p.* 1) Ficar imundo; sujar(-se). / *v.p.* 2) Aviltar-se, rebaixar-se.
EM.PÓ.RIO *s.m.* 1) Bazar, armazém. 2) Praça comercial ou grande loja. 3) Comercialização de secos e molhados.
EM.POS.SAR *v.t.d.* 1) Apossar; dar posse a; investir. / *v.p.* 2) Tomar posse; apossar-se, apoderar-se de.
EM.PRA.ZAR *v.t.d.* 1) Estipular prazo. 2) Intimar, avisar. 3) Intimar para comparecer em juízo ou perante qualquer autoridade. 4) Impor hora certa e lugar marcado para se encontrarem.
EM.PRE.EN.DE.DOR (ô) *adj.* e *s.m.* 1) Que(m) empreende. 2) Ativo, arrojado, operacional.
EM.PRE.EN.DER *v.t.d.* 1) Realizar algo difícil. 2) Pôr em execução, realizar. 3) Tentar, fazer, começar.
EM.PRE.EN.DI.MEN.TO *s.m.* 1) Operação de empreender. 2) Efeito de realizar, cometer, empreender.

empregada | **encanar**

EM.PRE.GA.DA *s.f.* Criada, doméstica ou mulher que exerce qualquer emprego em qualquer setor.

EM.PRE.GA.DO *adj.* 1) Que se empregou. 2) Que tem emprego, assalariado. / *s.m.* 3) Funcionário que exerce serviços de natureza não eventual mediante um pagamento previamente acordado. 4) Quem presta serviços domésticos.

EM.PRE.GA.DOR (ô) *s.m.* 1) Que ou quem emprega. 2) Patrão; chefe de estabelecimento ou firma, empresário.

EM.PRE.GAR *v.t.d.* 1) Dar ou fornecer emprego, fazer uso ou aproveitar. 2) Encher, ocupar, tomar. / *v.p.* 3) Exercer ou obter emprego público ou particular. 4) Dedicar-se, ocupar-se, cultivar-se.

EM.PRE.GO (ê) *s.m.* 1) Ato ou condição de empregar. 2) Cargo ou responsabilidade que lhe foram atribuídas. 3) Uso ou aplicação dos recursos ou faculdades desempenhadas. 4) Local onde são exercidas estas funções ou onde se está empregado.

EM.PREI.TA *s.f.* 1) Contrato em que uma ou mais pessoas se encarregam de fazer certas obras para outrem mediante remuneração. 2) Tarefa, empreendimento, empreitada.

EM.PREI.TAR *v.t.d.* 1) Ajustar, tomar ou fazer por empreitada. 2) Dar de empreitada uma obra ou trabalho.

EM.PRE.NHAR *v.t.d.* 1) Tornar prenhe. / *v.i.* 2) Conceber, engravidar.

EM.PRE.SA (ê) *s.f.* 1) Empreendimento, negócio, firma ou sociedade. 2) Associação particular ou pública, organizada e destinada para a produção ou venda de produtos ou serviços.

EM.PRE.SÁ.RIO *s.m.* 1) Pessoa que possui ou dirige uma empresa. 2) Pessoa que estabelece ou promove espetáculos artísticos ou esportivos.

EM.PRES.TAR *v.t.d.* 1) Confiar alguma coisa a outra pessoa temporariamente. 2) Receber por empréstimo. / *v.t.i.* e *v.i.* 3) Fazer um empréstimo.

EM.PRÉS.TI.MO *s.m.* Ação ou condição de emprestar ou de tomar emprestado.

EM.PU.NHAR *v.t.d.* 1) Segurar pelo punho ou cabo. 2) Fazer ou pegar o punho de.

EM.PUR.RÃO *s.m.* 1) Operação de empurrar. 2) Impulso violento, encontrão, esbarrão.

EM.PUR.RAR *v.t.d.* 1) Conduzir ou introduzir com força. / *v.i.* e *v.p.* 2) Dar encontrões. 3) Obrigar a aceitação por parte de.

EM.PU.XO *s.m.* 1) Operação de empuxar. 2) Impulso ou força que empurra. 3) Força ou pressão exercida lateralmente por uma parte de uma estrutura contra a outra parte.

E.MU.DE.CER *v.i.* 1) Calar-se, tornar-se mudo, silenciar, não falar. / *v.t.d.* 2) Fazer calar ou tornar mudo.

E.MU.LAR *v.t.i.* e *v.p.* 1) Tentar superar ou igualar(-se); competir, rivalizar. / *v.t.d.* 2) Imitar.

E.NAL.TE.CER *v.t.d.* 1) Tornar alto; elevar. 2) *fig.* Engrandecer, glorificar, exaltar.

E.NA.MO.RAR *v.t.d.* e *v.p.* Sentir ou inspirar amor; encantar(-se), apaixonar(-se).

EN.CA.BE.ÇAR *v.t.d.* 1) Estar à frente de; estar em primeiro lugar. 2) Liderar, chefiar. / *v.t.d.i.* e *v.p.* 3) *fig.* Meter na cabeça; persuadir(-se).

EN.CA.BU.LAR *v.t.d.*, *v.i.* e *v.p.* Envergonhar(-se); constranger(-se); acanhar(-se).

EN.CA.DE.AR *v.t.d.i.* e *v.p.* 1) Ligar(-se) ou dispor (-se) em cadeia ou em série. 2) Estabelecer relações entre. / *v.t.d.i.* 3) Imobilizar, acorrentar.

EN.CA.DER.NAR *v.t.d.* Reunir folhas ou cadernos em um único volume com capa.

EN.CA.FI.FAR *v.t.d.* e *v.i.* 1) Ficar preocupado ou curioso; intrigar, inquietar. / *v.t.i.* 2) Teimar, insistir, cismar. / *v.t.d.*, *v.i.* e *v.p.* 3) Acanhar(-se), envergonhar(-se).

EN.CAI.XE *s.m.* 1) Ato ou consequência de encaixar; encaixo. 2) Cavidade na qual se ajusta ou encaixa uma peça. 3) Junção, união. 4) *Cont.* Dinheiro ou valores aplicados em caixa.

EN.CAI.XO.TAR *v.t.d.* 1) Empacotar. 2) Meter em caixote ou caixa. 3) *gír.* Enterrar, sepultar.

EN.CAL.ÇAR *v.t.d.* Perseguir; seguir de perto; ir no encalço de; procurar.

EN.CA.LHAR *v.t.i.* e *v.i.* 1) *Náut.* Bater ou fazer dar em seco; tocar na praia ou em banco de areia. 2) Parar; não prosseguir; ficar embaraçado ou detido. / *v.i.* 3) Não localizar comprador para certa mercadoria. 4) *pop.* Não casar, permanecer solteiro(a).

EN.CA.LHE *s.m.* 1) Ação ou consequência de encalhar. 2) Impedimento, estorvo, obstáculo, obstrução. 3) Mercadoria que ficou encalhada; que não encontrou comprador. 4) Não possui andamento.

EN.CAL.VE.CER *v.i.* Tornar-se ou ficar calvo.

EN.CA.MAR *v.t.d.* Armar ou colocar em camadas.

EN.CA.MI.NHAR *v.t.d.* 1) Guiar ou indicar o caminho a. 2) Aconselhar corretamente; dar boa diretriz; orientar. 3) Reger pelos meios competentes. 4) Endereçar, enviar. 5) Promover o andamento de documentos ou processos. 6) Tender a um fim. / *v.p.* 7) Conduzir-se a algum lugar.

EN.CA.MI.SAR *v.t.d.* 1) Vestir a camisa a. 2) Cobrir com palha o material para que não sofra irradiação do sol. 3) Pôr camisas em cilindros.

EN.CAM.PAR *v.t.d.* 1) Romper contrato de arrendamento, voltando para o proprietário aquilo que foi arrendado. 2) Restabelecer, abandonar, por perda de interesse. 3) Posse do governo de uma empresa particular mediante uma indenização.

EN.CA.NA.DOR (ô) *adj.* 1) Que encana. / *s.m.* 2) Indivíduo devidamente instruído para instalar ou consertar encanamentos.

EN.CA.NA.MEN.TO *s.m.* 1) Ato ou condição de encanar. 2) Conjunto ou sistema de canais ou tubos para fornecimento de água, gás, etc.

EN.CA.NAR *v.t.d.* 1) *Cir.* Pôr entre talas o osso fraturado. 2) Colocar na prisão. 3) Transportar por cano; canalizar. / *v.i.* 4) Criar canas.

encandear — encobrir

EN.CAN.DE.AR *v.t.d.* 1) Ofuscar a vista de, fascinar, deslumbrar. / *v.p.* 2) Brilhar como candeia.

EN.CAN.TA.DO *adj.* 1) Que sofreu encantamento; repleto de encanto. 2) Estático, muito satisfeito. 3) Misterioso; seduzido.

EN.CAN.TAR *v.t.d.* e *v.p.* 1) Praticar encantamento em; cativar. / *v.p.* 2) Maravilhar-se, possuir-se de encanto. / *v.t.d.* 3) Causar fascinação ou grande prazer a; dominar.

EN.CAN.TO *s.m.* 1) Pessoa ou coisa encantadora; encantamento. 2) Atração, maravilha. 3) Magia, feitiçaria.

EN.CA.RA.CO.LAR *v.t.d., v.i.* e *v.p.* Tomar ou dar a forma de caracol; enrolar(-se).

EN.CA.RAR *v.t.d.* 1) Olhar de frente, nos olhos, cara a cara. 2) Examinar com atenção; analisar. / *v.t.d., v.t.i.* e *v.p.* 3) Enfrentar, confrontar.

EN.CAR.DI.DO *adj.* e *s.m.* 1) Que ou o que se encardiu; sujo. 2) Que ou o que apresenta aspecto amarelado ou acinzentado. 3) *fig.* Que ou o que não é honesto.

EN.CA.RE.CER *v.t.d.* e *v.i.* 1) Tonar(-se) caro; subir o preço. / *v.t.d.* 2) Louvar, exaltar. / *v.t.d.i.* 3) Recomendar com interesse.

EN.CAR.GO *s.m.* 1) Incumbência; dever. 2) Cargo, função, ocupação. 3) Despesa.

EN.CAR.NA.ÇÃO *s.f.* 1) Ato ou efeito de encarnar. 2) *Rel.* Materialização de uma divindade, espírito, etc. em alguma forma viva terrena. 3) *fig.* Representação, personificação.

EN.CAR.NAR *v.i.* e *v.p.* 1) *Teol.* Humanizar-se, tomar forma humana. / *v.p.* 2) *Espir.* Penetração de um espírito em um corpo. 3) Introduzir-se profundamente. / *v.t.d.* 4) Representar um personagem. 5) Dar cor de carne a. / *v.t.i.* 6) Tomar forma; enraizar-se.

EN.CAR.RE.GAR *v.t.d.i.* e *v.p.* Atribuir(-se) uma tarefa, um serviço, um cargo, etc.; incumbir(-se).

EN.CAR.TE *s.m.* 1) Folheto com anúncio ou matéria inserido no meio de uma publicação. 2) Direito pago pelo diploma, carta ou licença.

EN.CAS.QUE.TAR *v.t.d.* 1) Pôr na cabeça, no juízo; pensar com insistência. / *v.t.d.i.* e *v.p.* 2) Convencer(-se), persuadir(-se).

EN.CÉ.FA.LO *s.m. Anat.* Conjunto de órgãos do sistema nervoso central situado na cavidade do crânio.

EN.CE.NA.ÇÃO *s.f.* 1) Ação ou consequência de encenar. 2) Montagem e execução de um espetáculo, cena teatral ou cinematográfica. 3) Maneira aparentada de agir; fingimento, simulação.

EN.CE.NAR *v.t.d.* 1) Representar. 2) Pôr em cena. 3) Simular, enganar, fingir.

EN.CE.RA.DEI.RA *s.f.* Aparelho doméstico usado para encerar e dar brilho a assoalhos.

EN.CE.RA.DO *adj.* 1) Lustrado com cera; coberto de cera. 2) Que brilha por ter sido encerado. / *s.m.* 3) Lona impermeabilizada; pano impregnado de cera, óleo ou breu. 4) Espécie de cavalos que possuem o pelo baio-escuro.

EN.CE.RAR *v.t.d.* 1) Cobrir, impregnar, untar ou polir com cera. 2) Dar brilho com cera a. / *v.p.* 3) Tornar-se cor de cera.

EN.CER.RAR *v.t.d.* e *v.p.* 1) Enclausurar(-se) ou ocultar(-se) em lugar fechado. / *v.t.d.* 2) Reprimir, incluir. 3) Fechar, concluir, terminar. 4) Guardar em um lugar fechado, esconder.

EN.CES.TAR *v.t.d.* 1) Pôr ou guardar em cesto. 2) *Esp.* Fazer passar a bola pela cesta de malha num jogo de basquetebol. 3) *gír.* Surrar, espancar.

EN.CE.TAR *v.t.d.* 1) Dar início, começar, principiar. / *v.p.* 2) Estrear, colocar algo em primeiro lugar, acima de qualquer coisa, experimentar ou fazer algo pela primeira vez.

EN.CHAR.CAR *v.t.d.* e *v.p.* 1) Transformar(-se) em charco ou pântano; alagar(-se). 2) Encher(-se) de água ou algum outro líquido; ensopar(-se). / *v.p.* 3) *fig. pop.* Embriagar-se.

EN.CHEN.TE *adj.2gên.* 1) Que enche, ou está cheio. / *s.f.* 2) Operação ou consequência de encher. 3) Cheia da maré; inundação, torrente. 4) *pop.* Grande concentração de pessoas. 5) *gír.* Abundância, superquantidade, excesso.

EN.CHER *v.t.d.* e *v.p.* 1) Tornar(-se) cheio, completar. / *v.p.* 2) Abarrotar-se; fartar-se; saciar-se. / *v.t.d.* 3) Preencher, acumular em grande quantidade. 4) *gír.* Aborrecer, esgotar a paciência. 5) *gír.* Bater muito, esmurrar, cacetear.

EN.CHI.MEN.TO *s.m.* 1) Ato ou efeito de encher (-se). 2) Aquilo que é usado para encher alguma coisa.

EN.CI.CLO.PÉ.DIA *s.f.* 1) Coleção de obras, disposta em diversos volumes e que tratam de todos os conhecimentos humanos em geral. 2) *gír.* Pessoa dotada de muitos saberes.

EN.CI.CLO.PÉ.DI.CO *adj.* 1) Atinente a enciclopédia. / *s.m.* 2) Quem possui muitos conhecimentos gerais; quem sabe tudo.

EN.CI.CLO.PE.DIS.TA *s.2gên.* Autor ou participante de obra enciclopédica.

EN.CI.U.MAR *v.t.d.* Encher de ciúme; provocar ciúme; inveja.

EN.CLAU.SU.RAR *v.t.d.* e *v.p.* 1) Pôr(-se) em clausura. 2) Afastar(-se) do convívio social; isolar(-se).

ÊN.CLI.SE *s.f. Gram.* 1) Fenômeno fonético que consiste na incorporação de um vocábulo átono na pronúncia. 2) Ênclise pronominal: colocação do pronome oblíquo átono depois do verbo ➡ Faça-me um favor.

EN.CO.BER.TO *adj.* 1) Oculto, escondido, incógnito. 2) Disfarçado, dissimulado. 3) Tempo enevoado.

EN.CO.BRIR *v.t.d.* 1) Não permitir ver; esconder, ocultar, tapar. 2) Aparentar, dissimular, disfarçar. / *v.i.* 3) Receptar. 4) Carregar-se, enevoar-se, cobrir-se o céu de nuvens.

EN.CO.LHER *v.t.d.*, *v.i.* e *v.p.* 1) Diminuir(-se); retrair(-se). / *v.p.* 2) Resignar-se. 3) Mostrar-se acanhado, tímido, irresoluto.

EN.CO.MEN.DA *s.f.* 1) Operação de encomendar. 2) Pedido, compra, investimento. 3) Pacote ou volume que foi encomendado. 4) Incumbência, encargo. 5) *gír.* Feitiço.

EN.CO.MEN.DAR *v.t.d.* 1) Enviar ou autorizar a fazer alguma coisa. 2) Encarregar, confiar a alguém certa obrigação. 3) Apresentar cumprimentos ou saudações para alguém. 4) Entregar à proteção de. 5) Orar pela salvação da alma de um defunto. / *v.t.d.i.* 6) Recomendar.

EN.CON.TRAR *v.t.d.* e *v.p.* 1) Ir ao encontro de; embater-se, deparar(-se). / *v.t.d.* 2) Descobrir, achar, ver casualmente. / *v.t.i.* e *v.p.* 3) Dar de frente, topar. / *v.p.* 4) Estar, achar-se em.

EN.CON.TRO *s.m.* 1) Operação de encontrar ou encontrar-se. 2) Choque, embate, colisão, trombada. 3) Briga, guerra, ação. 4) *Esp.* Jogo, partida. 5) Confluência de rios.

EN.CO.RA.JAR *v.t.d.i.* e *v.p.* Encher(-se) de coragem, ânimo; incentivar(-se).

EN.COR.DO.A.MEN.TO *s.m.* 1) Prática de encordoar. 2) O conjunto das cordas de instrumentos musicais.

EN.COR.PAR *v.i.* 1) Desenvolver o corpo; crescer. / *v.t.d.* 2) Tornar mais espesso, engrossar. 3) Fazer ficar maior, mais extenso.

EN.COS.TA *s.f.* 1) Montanha ou colina com a face inclinada. 2) Vertente, declive.

EN.COS.TAR *v.t.d.* e *v.p.* 1) Apoiar(-se) em alguém ou algo. / *v.t.d.i.* e *v.p.* 2) Pôr junto, perto; aproximar(-se). / *v.t.d.* 3) Fechar parcialmente, sem trancar. 4) *fig.* Deixar; abandonar. 5) Parar, estacionar.

EN.COS.TO (ô) *s.m.* 1) Lugar ou objeto em que se pode apoiar. 2) Parte posterior de cadeiras, sofás, etc.; espaldar. 3) *pop.* Espir. Espírito que se coloca junto a uma pessoa para prejudicá-la.

EN.CRA.VA.DO *adj.* 1) Que se encravou, alojou; espetado. 2) Que cresceu penetrando na pele. 3) Que traz algo incrustado; cravejado.

EN.CREN.CA *s.f. pop.* 1) Situação difícil ou complicada; enrascada. 2) Briga, confusão, desordem.

EN.CRU.ZI.LHA.DA *s.f.* 1) Ponto em que dois caminhos, ruas ou estradas se cruzam. 2) *fig.* Circunstância complicada; dilema.

EN.CU.CAR *v.i. pop.* Colocar uma ideia fixa na cabeça; cismar, preocupar-se.

EN.CUR.RA.LAR *v.t.d.* 1) Colocar no curral. 2) Meter(-se) em lugar estreito ou sem saída. / *v.p.* 3) *fig.* Colocar(-se) em situação difícil.

EN.CUR.TAR *v.t.d.* 1) Tornar curto. 2) Diminuir, reduzir.

EN.DE.RE.ÇAR *v.t.d.* 1) Pôr endereço em. / *v.t.d.i.* 2) Enviar, remeter, encaminhar. / *v.p.* 3) Dirigir a palavra a.

EN.DI.A.BRA.DO *adj.* e *s.m. fig.* Que ou quem não para; muito levado; travesso, desordeiro.

EN.DI.REI.TAR *v.t.d.* e *v.p.* 1) Colocar direito, tornar(-se) reto, desentortar. / *v.t.i.* 2) Caminhar ou navegar direito a. / *v.t.d.* 3) Dispor favoravelmente; arrumar. 4) Corrigir, emendar, retificar. 5) Retomar o caminho correto, dar boa direção.

EN.DI.VI.DAR *v.t.d.* 1) Adquirir grandes compromissos ou obrigações. 2) Tornar devedor. / *v.p.* 3) Contrair dívidas. 4) Esforçar-se, empenhar-se.

EN.DO.CRI.NO.LO.GI.A *s.f. Med.* 1) Parte da medicina ou ciência que trata do estudo das glândulas de secreção interna. 2) Tratado das glândulas endócrinas.

EN.DO.GA.MI.A *s.f. Sociol.* Regime no qual o matrimônio é permitido exclusivamente entre os membros de um grupo, uma tribo ou povo.

EN.DOI.DAR *v.t.d.* 1) Endoidecer, enlouquecer; transformar-se num doido. / *v.i.* 2) Ficar enlouquecido, desvairar.

EN.DOS.SO (ô) *s.m.* 1) Prática ou consequência de endossar. 2) Operação que transfere um título de crédito a outrem, mediante assinatura do proprietário.

EN.DU.RE.CER *v.t.d.* 1) Tornar duro; enrijar, fortalecer. 2) *fig.* Tornar insensível, apático, cruel. / *v.i.* 3) Consolidar-se, solidificar-se. / *v.i.* e *v.p.* 4) Petrificar-se; insensibilizar-se. 5) Habituar-se a uma rotina.

E.NER.GI.A *s.f.* 1) Propriedade que atribui capacidade de determinar um trabalho ou desenvolver uma força. 2) Maneira de exercer uma força. 3) Condição do que é enérgico; que possui firmeza, potência. 4) Atividade dinâmica. 5) Força física e moral. 6) Vigor do organismo.

E.NÉR.GI.CO *adj.* 1) Que revela energia ou é por ela qualificado. 2) Vigoroso, ativo, severo.

E.NER.GÚ.ME.NO *s.m.* 1) Pessoa que inspira desprezo e falta de confiança. 2) *Por ext.* Pessoa desequilibrada; desatinado.

E.NER.VAR *v.t.d.*, *v.i.* e *v.p.* 1) Tornar(-se) nervoso; irritar(-se). / *v.t.d.* e *v.p.* 2) Fazer perder ou perder o vigor.

EN.FA.DO.NHO *adj.* 1) Monótono, cansativo. 2) Que aborrece.

EN.FAI.XAR *v.t.d.* Envolver ou atar com faixa.

EN.FA.RI.NHAR *v.t.d.* 1) Cobrir com farinha. 2) Esfarelar.

EN.FAR.TE ou **EN.FAR.TO** *s.m.* 1) Ação ou consequência de enfartar ou enfartar-se. 2) Ingurgitamento, inchação. 3) *Med.* Denominação dada à necrose da região de um órgão decorrente da obstrução de uma artéria; infarte; infarto.

ÊN.FA.SE *s.f.* 1) Exagero de energia na gesticulação ou na fala. 2) Intensidade ou afetação na expressão. 3) Relevo, realce, destaque. 4) Hostilidade ou entonação especial no estilo ou arte de escrever.

enfatizar

engasgo

EN.FA.TI.ZAR *v.t.d.* 1) Expressar-se com ênfase; dar ênfase à fala ou à escrita. / *v.i.* 2) Usar de ênfase.

EN.FE.AR *v.t.d.* Afear, tornar-se feio.

EN.FEI.TA.DO *adj.* Ornado de enfeites, adornado, ataviado.

EN.FEI.TAR *v.t.d.* 1) Colocar enfeites ou arrebiques a; enflorar. 2) Disfarçar defeitos, dar boa aparência a. / *v.p.* 3) Ornamentar-se, embelezar-se, produzir-se.

EN.FEI.TE *s.m.* Adorno, decoração, ornamento.

EN.FER.MA.GEM *s.f.* 1) Técnica e função de enfermeiro. 2) Tratamento clínico dos enfermos. 3) Conjunto dos enfermeiros. 4) Serviços próprios de enfermaria.

EN.FER.MA.RI.A *s.f.* Casa ou aposento destinado ao tratamento de enfermos.

EN.FER.MEI.RO *s.m.* 1) Indivíduo especializado para cuidar de enfermos nos hospitais ou no domicílio. 2) Profissional formado em enfermagem.

EN.FER.MI.DA.DE *s.f.* Alteração da saúde que pode ser grave ou não; doença, moléstia.

EN.FER.MO (ê) *adj.* e *s.m.* Que ou quem padece de enfermidade ou encontra-se doente, achacado, débil.

EN.FER.RU.JAR *v.t.d.* 1) Oxidar; fazer criar ferrugem. / *v.i.* e *v.p.* 2) Possuir-se de ferrugem.

EN.FE.ZAR *v.t.d.* e *v.p.* 1) Tornar(-se) raquítico; enfadar(-se), enfastiar(-se), impacientar(-se), irritar(-se). / *v.t.d.* 2) Impedir o desenvolvimento de. / *v.i.* 3) *pop.* Emperrar, empacar.

EN.FI.A.DA *s.f.* 1) Dispor objetos em fio ou em série; enfiadura. 2) Sequência de acontecimentos, ações ou palavras. 3) *gír.* Goleada.

EN.FI.AR *v.t.d.* 1) Introduzir ou fazer passar um fio pelo orifício de uma agulha. 2) Preparar em série. 3) Entrar em, introduzir. 4) Atravessar de lado a lado; traspassar. 5) Vestir ou calçar. 6) Entrar ou meter-se em.

EN.FI.LEI.RAR *v.t.d.* 1) Ordenar em fileira, em linha. / *v.p.* 2) Entrar na fila, alinhar-se.

EN.FIM *adv.* O mesmo que finalmente; afinal.

EN.FO.QUE *s.m.* 1) Prática ou consequência de enfocar. 2) *pop.* Ponto de vista; maneira de entender ou considerar um assunto ou uma questão.

EN.FOR.CAR *v.t.d.* 1) Supliciar na forca. 2) *gír.* Faltar ao serviço ou matar aula. / *v.p.* 3) Suicidar-se por estrangulação.

EN.FRA.QUE.CER *v.i.* e *v.p.* 1) Debilitar-se; desanimar-se; tornar-se fraco. 2) Perda total ou em parte das forças ou da energia.

EN.FRE.A.DOR (ô) *adj.* e *s.m.* 1) Que ou quem põe freio, ou enfreia. 2) Que ou aquele que reprime ou doma.

EN.FRE.AR *v.t.d.* 1) Dispor de freio a. 2) Colocar o freio em animais, domar, dominar. 3) Apertar o freio; brecar. 4) Refrear, reprimir. / *v.p.* 5) Dominar paixões ou sentimentos. 6) Conter-se.

EN.FREN.TAR *v.t.d.* 1) Defrontar, encarar, estar em frente de. 2) Atacar de frente; aguentar, arrostar com. 3) Lutar em competições esportivas. / *v.t.i.* 4) Defrontar-se.

EN.FRO.NHAR *v.t.d.* 1) Revestir ou cobrir com a fronha; encapar. 2) Vestir apressadamente. / *v.p.* 3) Instruir-se; tomar conhecimento de um assunto; ficar por dentro de alguma coisa.

EN.FU.MA.ÇAR *v.t.d.* Escurecer; cobrir ou encher de fumaça; toldar.

EN.FU.RE.CER *v.t.d.* 1) Causar fúria a. / *v.i.* 2) Ficar ou permanecer furioso; enraivecer. / *v.p.* 3) Diz-se do mar quando está muito agitado. 4) Desencadeamento do vento.

EN.FUR.NAR *v.t.d.* e *v.p.* 1) Enfiar(-se) ou meter(-se) em furna ou caverna; encafuar(-se). 2) Encher(-se) de furnas. / *v.t.d.* 3) Esconder, ocultar ou guardar dinheiro. 4) Fugir do convívio social.

EN.GAI.O.LAR *v.t.d.* 1) Colocar em gaiola. 2) *fig.* Viver isoladamente, acantoar-se. 3) Enfiar na cadeia; prender. 4) Encerrar, encarcerar.

EN.GA.JAR *v.t.d.* e *v.p.* 1) Aderir ou levar alguém a aderir a uma causa; comprometer(-se). 2) Alistar(-se) no serviço militar. / *v.p.* 3) *fig.* Empenhar(-se), dedicar(-se).

EN.GAL.FI.NHAR *v.p.* 1) Atracar-se com o adversário em luta corporal. 2) Ter uma discussão calorosa.

EN.GAM.BE.LAR ou **EN.GA.BE.LAR** *v.t.d.* Iludir, enrolar, enganar.

EN.GA.NAR *v.t.d.* 1) Conduzir ao erro; iludir, ludibriar, seduzir. / *v.p.* 2) Cometer um erro; equivocar-se.

EN.GA.NO *s.m.* 1) Prática ou efeito de enganar ou de enganar-se. 2) Artifício. 3) Falácia, cilada. 4) Lapso ou erro cometido por descuido ou por astúcia de outro.

EN.GA.NO.SO (ô) *adj.* 1) Em que há engano. 2) Enganador, falso. 3) Artificioso, ilusório, simulado. 4) Cheio de engano.

EN.GAR.RA.FA.MEN.TO *s.m.* 1) Operação ou efeito de engarrafar. 2) Obstrução, entupimento. 3) Congestionamento de trânsito devido à grande concentração de veículos.

EN.GAR.RA.FAR *v.t.d.* 1) Colocar ou fechar em garrafa. 2) Obstruir ou bloquear o trânsito. 3) Causar engarrafamento.

EN.GAS.GA.LHAR *v.p.* 1) *pop.* Engasgar-se. 2) Entalar-se, ficar preso.

EN.GAS.GAR *v.t.d.* 1) Originar engasgo a, obstruir a garganta com algum corpo estranho. / *v.i.* e *v.p.* 2) Ter a fala ou a voz embaraçada por emoção ou trapalhada. 3) Afogar-se; sufocar-se. / *v.p.* 4) Perder o rumo do discurso.

EN.GAS.GO *s.m.* 1) Prática ou consequência de engasgar-se. 2) Dificuldade em respirar devido a

engaste

EN.GAS.TE *s.m.* 1) Prática ou efeito de engastar. 2) Aro metálico usado para fixar a pedraria nas joias. 3) Tudo aquilo que se engastou.

EN.GA.TAR *v.t.d.* 1) Mecanismo utilizado para ligar. 2) Prender ou fixar através de engates. 3) Engrenar ou unir vagões ao carro anterior. 4) *gír.* Furtar, roubar. 5) Encetar, iniciar.

EN.GA.TE *s.m.* 1) Prática de engatar. 2) Mecanismo usado para prender animais a viaturas. 3) Aparelho que serve de ligamento ou junção entre os carros.

EN.GA.TI.NHAR *v.i.* 1) Andar de gatinhas, como as crianças. 2) *pop.* Ser um principiante ou estar no começo.

EN.GA.VE.TAR *v.t.d.* 1) Colocar ou guardar em gaveta; prender. 2) Arquivar o andamento de um processo ou inquérito. 3) *pop.* Pôr na cadeia. 4) *pop.* Subornar.

EN.GEN.DRAR *v.t.d.* 1) Fazer existir; formar, gerar. 2) Criar, inventar, elaborar.

EN.GE.NHAR *v.t.d.* 1) Imaginar, idealizar. 2) Armar, maquinar, traçar. 3) Fabricar ou construir com artifícios.

EN.GE.NHA.RI.A *s.f.* 1) Operação de consagrar os conhecimentos científicos à invenção, aperfeiçoamento ou utilização da técnica industrial em todos os campos. 2) Formação de engenheiro.

EN.GE.NHEI.RO *s.m.* Indivíduo que se formou em engenharia e exerce a profissão em qualquer uma de suas diversas áreas.

EN.GE.NHO *s.m.* 1) Capacidade, talento ou faculdade de inventar com prontidão. 2) Aptidão natural; gênio. 3) Complexidade mecânica usada na fabricação e preparação do álcool e do açúcar. 4) Propriedade agrícola destinada ao cultivo e industrialização de cana-de-açúcar. 5) Artifício, estratagema.

EN.GE.NHO.CA *s.f.* 1) Máquina que foi mal construída. 2) Diz-se daquilo que foi de fácil invenção. 3) Artimanha, ardil.

EN.GE.NHO.SO (ô) *adj.* 1) Que possui ou revela engenho. 2) Inventivo, sutil. 3) Cheio de engenho, talentoso.

EN.GES.SAR *v.t.d.* 1) Cobrir ou proteger com gesso. 2) Aplicação de gesso sobre partes do corpo fraturadas; gessar.

EN.GLO.BAR *v.t.d.* 1) Juntar ou reunir em um todo. 2) Atribuir o formato de globo.

EN.GO.DO (ô) *s.m.* 1) Isca usada para capturar animais. 2) *Por ext.* Aquilo que é usado para enganar alguém.

EN.GOL.FAR *v.t.d.* e *v.p.* 1) Entranhar(-se) ou meter(-se) em golfo. 2) Lançar(-se) no abismo ou sorvedouro. / *v.t.d.* 3) *fig.* Absorver, mergulhar, enterrar.

---

enojar

EN.GO.LIR *v.t.d.* 1) Fazer passar da boca ao estômago. 2) Aspirar, tragar, devorar. 3) Consumir, desgastar. 4) Acreditar em. 5) Sofrer sem protestar; ocultamente. 6) *fig.* Aceitar sem questionar, de forma ingênua.

EN.GOR.DAR *v.t.d.* e *v.i.* 1) Tornar(-se) gordo ou mais gordo. 2) Tornar(-se) maior; crescer, ampliar(-se).

EN.GRA.ÇA.DO *adj.* Que faz rir; cômico, divertido.

EN.GRA.VI.DAR *v.t.d.*, *v.t.i.* e *v.i.* Tornar(-se) grávida.

EN.GRA.XAR *v.t.d.* 1) Passar graxa em. 2) *pop.* Engordurar.

EN.GRE.NA.GEM *s.f.* 1) Ato ou efeito de engrenar. 2) Grupo de peças dentadas que transmitem movimento e força a um mecanismo. 3) *fig.* Organização, sistema de uma empresa, instituição, etc.

EN.GROS.SAR *v.t.d.*, *v.i.* e *v.p.* 1) Tornar(-se) grosso ou mais grosso; espessar(-se). 2) Tornar(-se) maior, mais volumoso. 3) Tornar (a voz) mais grave. / *v.t.i.* e *v.i.* 4) *fig. pop.* Ser rude, grosseiro, indelicado.

EN.GUI.ÇAR *v.t.d.* e *v.i.* 1) Funcionar mal ou parar de funcionar; quebrar(-se), danificar(-se). / *v.t.d.* 2) Jogar mau-olhado sobre.

E.NIG.MA *s.m.* 1) Ditado ou episódio de difícil interpretação. 2) Descrição metafórica ou ambígua de uma coisa obscura, de complicada decifração ou adivinhação. 3) Incógnita; mistério para ser descoberto.

E.NIG.MÁ.TI.CO *adj.* 1) Referente a enigma. 2) Diz-se do que é difícil de perceber, misterioso, obscuro.

EN.JAU.LAR *v.t.d.* 1) Colocar ou prender na jaula. 2) Encarcerar, engaiolar.

EN.JO.A.DO *adj.* 1) Que sente ou provoca enjoo ou aborrecimento. 2) Tedioso, mal-humorado, adverso, importuno. 3) Enfastiado.

EN.JO.AR *v.t.d.* 1) Originar enjoo ou náuseas a. 2) Sentir enjoo ou repugnância ou horror por alimento, remédio. / *v.i.* 3) Sofrer de enjoos; ter náuseas. / *v.p.* 4) Enfadar-se; aborrecer-se.

EN.JO.O *s.m.* 1) Princípio de náusea ou nojo. 2) Mal-estar, engulho. 3) Aborrecimento, tédio.

EN.LA.ÇAR *v.t.d.* 1) Prender, unir ou fixar com ou através de um laço. 2) Laçar, manear um animal. 3) Amarrar ou atar em forma de laço. 4) Unir por vínculo moral uma amizade ou matrimônio. 5) Abraçar; prender nos braços.

EN.LA.CE *s.m.* 1) Operação ou efeito de enlaçar ou enlaçar-se. 2) Casamento; união matrimonial. 3) Concatenação.

EN.LOU.QUE.CER *v.t.d.* e *v.i.* Ficar ou fazer ficar louco; endoidar.

E.NOI.TE.CER *v.i.* 1) Ficar noite, anoitecer. 2) *fig.* Usar luto, entristecer-se. / *v.t.d.* e *v.i.* 3) Tornar(-se) escuro, cercar de trevas.

E.NO.JAR *v.t.d.* 1) Provocar nojo a. 2) Originar aborrecimento ou tédio a. / *v.p.* 3) Sentir repug-

enorme — entalhar

nância, nausear-se. 4) Desgostar-se, aborrecer-se. 5) Ofender-se, injuriar-se, magoar-se.

E.NOR.ME *adj.2gên.* 1) Fora da norma, muito grande. 2) Grandeza extraordinária, desmedido, descomunal.

E.NOR.MI.DA.DE *s.f.* 1) Propriedade de enorme. 2) Excedido de tamanho ou grandeza. 3) Grande proporção. 4) Gravidade, atrocidade.

E.NO.VE.LAR *v.t.d.* 1) Atribuir formato de novelo a; anovelar. / *v.p.* 2) Enrolar(-se), enredar(-se) ou dobrar(-se) em novelo. 3) Enroscar-se, redemoinhar. 4) *fig.* Tornar algo confuso, duvidoso; complicar.

EN.QUA.DRAR *v.t.d.* 1) Colocar em quadro; emoldurar, encaixilhar. 2) Armar no quadro concernente. 3) Incluir, adaptar, ajustar. 4) Colocar-se no lugar adequado, entrosar-se a regras ou regularidades. 5) Punir, castigar.

EN.QUAN.TO *conj.* 1) No tempo em que; ao passo que. 2) Por ora.

EN.QUE.TE *s.f.* Pesquisa de opinião; sondagem.

EN.RA.BI.CHAR *v.t.d.* e *v.p.* 1) Enamorar(-se), apaixonar(-se). / *v.t.d.* 2) Dar forma de rabicho a.

EN.RAS.CA.DA *s.f.* Situação de dificuldade, aperto; encrenca.

EN.RE.DO (ê) *s.m.* 1) Sucessão de acontecimentos de uma ficção; trama. 2) Fofoca, mexerico.

EN.RI.JE.CER *v.t.d.* e *v.i.* Tornar(-se) rijo, duro; endurecer(-se).

EN.RI.QUE.CER *v.i.* e *v.p.* 1) Transformar-se numa pessoa rica e poderosa. / *v.t.d.* 2) Dar riqueza ou lustre a. 3) Crescer, aumentar, melhorando. 4) Tornar o solo fértil. / *v.t.d.* e *v.p.* 5) Lustrar(-se), aformosear(-se), enobrecer-se.

EN.RO.BUS.TE.CER *v.i.* e *v.p.* 1) Tomar forças, tornar-se duro, enrijar. 2) Transformar-se num robô.

EN.RO.LA.DO *adj.* 1) Que proporciona rolo. 2) Envolto, submergido. 3) Confuso, intricado.

EN.RO.LAR *v.t.d.* 1) Juntar em forma de rolo ou espiral. 2) Fornecer formato de rolo a; tornar roliço. 3) Enganar, embromar, levar na conversa. / *v.p.* 4) Fazer-se em rolos. 5) Envolver-se, emaranhar-se. 6) Confundir-se, meter-se em enrascadas, encalacrar-se.

EN.ROS.CA.DO *adj.* 1) Aquilo que se enroscou. 2) Possui forma de rosca. 3) Enrolado, enredado. 4) Preso ou fixo por meio de rosca.

EN.RU.GAR *v.t.d.*, *v.i.* e *v.p.* 1) Causar ou ficar com rugas. 2) *fig.* Ficar ou fazer ficar amassado; amarrotar(-se).

EN.RUS.TI.DO *adj. pop.* 1) Escondido, disfarçado. 2) Introvertido.

EN.SA.BO.AR *v.t.d.* e *v.p.* Passar sabão; lavar(-se).

EN.SAI.AR *v.t.d.* 1) Analisar, examinar por meio de provas. 2) Praticar, exercitar, experimentar para alcançar a perfeição. / *v.p.* 3) Aperfeiçoar-se, aprimorar-se, treinar-se.

EN.SAI.O *s.m.* 1) Operação de ensaiar. 2) Treino, exame, análise. 3) Prática experimental, tentativa, adestramento. 4) Experiência, reconhecimento. 5) *Lit.* Apresentação rápida de um assunto sem muita profundidade, publicado em livros ou artigos.

EN.SAN.DE.CER *v.t.d.* e *v.p.* Enlouquecer, endoidar.

EN.SAN.GUEN.TAR (gü) *v.t.d.* e *v.p.* Cobrir(-se) ou manchar(-se) de sangue.

EN.SE.A.DA *s.f.* Pequena baía que serve de porto a embarcação.

EN.SE.JO (ê) *s.m.* Situação favorável; ocasião, oportunidade.

EN.SI.NA.MEN.TO *s.m.* 1) Ato ou consequência de ensinar. 2) Ciência, doutrina, preceito, lição. 3) Aprendizagem, instrução.

EN.SI.NAR *v.t.d.* 1) Instruir; lecionar. 2) Fornecer ou transmitir conhecimentos; dar aula. 3) Educar, habituar a fazer algo. 4) Adestrar animais, domesticar. 5) Indicar sinais para reconhecimento de pessoas ou lugar. 6) Doutrinar, ministrar o ensino. 7) Castigar, repreender.

EN.SI.NO *s.m.* 1) Ato ou consequência de ensinar. 2) Transmissão sistematizada de conhecimentos. 3) Principal meio de educação. 4) Magistério, docência.

EN.SO.BER.BE.CER *v.t.d.* 1) Aparentar altivez, vaidade a; tornar soberbo ou orgulhoso. / *v.p.* 2) Permanecer ou ficar soberbo, orgulhoso, vaidoso; enfatuar-se. 3) Agitar-se, enfurecer-se o vento ou as ondas.

EN.SO.LA.RA.DO *adj.* Coberto ou banhado de sol.

EN.SO.PA.DO *adj.* 1) Molhado, encharcado. / *s.m.* 2) *Cul.* Espécie de prato feito com guisado de carne ou peixe com caldo e fatias de pão.

EN.SO.PAR *v.t.d.* 1) Transformar em sopa. 2) Tornar molhado, encharcar. 3) *Cul.* Cozinhar mergulhado em caldo. / *v.p.* 4) *fig.* Ficar ou permanecer completamente molhado.

EN.SUR.DE.CE.DOR (ô) *adj.* 1) Que provoca surdez. 2) Proporciona barulho ou estrondo muito grande; atroador.

EN.SUR.DE.CER *v.t.d.* 1) Produzir surdez ou tornar surdo. 2) Amortecer ruído, abafar. / *v.t.i.* 3) Não dar atenção; desatender, tornar-se surdo.

EN.TA.LA.DO *adj.* 1) Que se encontra entre talas. 2) Apertado; comprometido. / *s.m.* 3) *pop.* Sujeito atingido por entalação; engasgado. 4) Preso, trancado.

EN.TA.LAR *v.t.d.* 1) Apertar ou colocar entre talas. / *v.p.* 2) Meter-se em lugar apertado. 3) Encontrar-se em apuros, em apertos, em dificuldades. / *v.i.* e *v.p.* 4) Engasgar.

EN.TA.LHAR *v.t.d.* 1) Lavrar ou talhar figuras ou ornamentos em madeira ou outro metal, esculpir. 2) Cinzelar, gravar.

209

entalhe

EN.TA.LHE *s.m.* 1) Gravura ou escultura em madeira. 2) Entalhadura. 3) Talha ou corte na madeira. 4) Trabalho de entalhador.

EN.TA.LHO *s.m.* 1) Ilustração feita em madeira. 2) Obra com figura entalhada.

EN.TAN.TO *adv.* 1) Entretanto, entrementes, durante isto, neste meio-tempo. / *conj.* 2) No entanto, todavia, contudo, entretanto.

EN.TÃO *adv.* 1) Neste ou naquele tempo ou momento; indica época passada. 2) Naquela ocasião; neste caso. / *interj.* 3) Argumento para encorajar. 4) Exprime surpresa ou espanto.

EN.TAR.DE.CER *v.i.* 1) Quando cai ou chega a tarde. 2) Aproximar-se a noite, ir escurecendo. / *s.m.* 3) O ocaso, o cair da tarde.

EN.TE *s.m.* 1) Tudo o que existe ou se supõe que exista; o que é, existe ou pode existir. 2) Ser, pessoa, indivíduo. 3) Objeto, substância.

EN.TE.A.DO *s.m.* Posição de uma pessoa em relação ao padrasto ou madrasta.

EN.TE.DI.AR *v.t.d.* 1) Provocar tédio a. / *v.p.* 2) Tornar(-se) aborrecido, enfadar-se, enjoar-se.

EN.TEN.DER *v.t.d.* 1) Aprender, compreender, perceber. 2) Ter habilidade, praticidade e aptidão. 3) Pensar, interpretar, deduzir, concluir, julgar. 4) Ouvir, perceber. / *v.p.* 5) Ocupar-se. 6) Comunicar-se. 7) Entrar ou proceder em pleno acordo / *v.i.* 8) Exercer mando ou vigilância. / *v.t.i.* 9) Ter experiência prática ou conhecimentos teóricos. 10) Meditar; cogitar.

EN.TEN.DI.DO *adj.* 1) Aquilo que se entendeu; que foi compreendido. 2) Certo, combinado. / *s.m.* 3) Indivíduo especializado em determinado assunto; entendedor.

EN.TEN.DI.MEN.TO *s.m.* 1) Ato ou dom de entender. 2) Talento ou capacidade intelectual de compreender e entender as coisas; inteligência. 3) Competência para opinar e julgar.

EN.TER.NE.CER *v.t.d.* e *v.p.* 1) Tornar(-se) terno, compassivo, compreensivo. / *v.p.* 2) Compadecer-se, sensibilizar-se.

EN.TER.RAR *v.t.d.* 1) Inumar, sepultar. 2) Soterrar; cobrir de terra. 3) Provocar a morte de; assassinar. 4) Espetar ou cravar profundamente. / *v.p.* 5) Ocultar-se da sociedade ou do mundo; concentrar-se, isolar-se.

EN.TI.DA.DE *s.f.* 1) Constituição de um ser ou coisa; essência. 2) *Por ext.* Organização, instituição, sociedade, empresa. 3) *Rel.* Ser espiritual que é objeto de culto.

EN.TO.AR *v.t.d.* 1) Enunciar em voz alta, declamar, recitar. 2) Cantar. 3) *Mús.* Dar o tom para se cantar ou tocar um instrumento.

EN.TO.NA.ÇÃO *s.f.* Tom, modulação de voz na fala ou no canto.

EN.TOR.PE.CEN.TE *adj.* 1) Que entorpece. / *s.m.* 2) Conteúdo tóxico que entorpece ou altera o

entregue

sistema nervoso causando sensações agradáveis, levando à progressiva dependência orgânica.

EN.TOR.PE.CER *v.t.d.* 1) Causar torpor. 2) Enfraquecer, afrouxar. / *v.i.* e *v.p.* 3) Ficar ou permanecer entorpecido. / *v.p.* 4) Perder a energia. 5) Ficar ou tornar-se preguiçoso, vagabundo.

EN.TOR.TAR *v.t.d.* 1) Tornar torto. 2) Dobrar, recurvar, empenar. / *v.t.d.*, *v.i.* e *v.p.* 3) Afastar(-se) ou desviar(-se) do bom caminho.

EN.TRA.DA *s.f.* 1) Prática ou consequência de entrar. 2) Admissão, ingresso; começo, princípio, introdução. 3) Pórtico, portão, porta. 4) Primeiro pagamento na compra e venda a prestações. 5) Valor do ingresso; bilhete de ingresso. 6) Verbete de um dicionário ou enciclopédia. 7) Na era colonial, expedição que partia do litoral para o interior, para descobrir minas e escravizar indígenas.

EN.TRAN.ÇAR *v.t.d.* 1) Armar em forma de trança. / *v.t.d.* e *v.p.* 2) Entrelaçar(-se), entretecer(-se).

EN.TRÂN.CIA *s.f. Dir.* Categoria das circunscrições judiciárias de um Estado ou tribunal.

EN.TRA.NHA *s.f.* 1) *Anat.* Qualquer víscera do abdome ou tórax. 2) Índole, caráter. 3) *fig.* Partes mais internas e profundas da terra ou do mar. 4) O ventre materno. 5) Alma.

EN.TRA.NHAR *v.t.d.* 1) Colocar ou meter nas entranhas. / *v.t.d.* e *v.p.* 2) Cravar(-se), introduzir(-se) com profundidade. / *v.p.* 3) Dedicar-se profundamente a; comprometer-se.

EN.TRAN.TE *adj.2gên.* 1) Tudo aquilo que entra. 2) Que se encontra no princípio ou está começando. 3) Diz-se da semana, mês ou ano que está para entrar.

EN.TRAR *v.i.* 1) Ir ou vir para dentro. 2) Penetrar em; invadir; introduzir. / *v.t.i.* 3) Chegar, fazer parte de; compartilhar.

EN.TRA.VAR *v.t.d.* 1) Colocar entraves ou obstáculos a um movimento; impedir. 2) Embaraçar, travar ou obstruir um movimento; fazer parar; demorar.

EN.TRA.VE *s.m.* 1) Prática ou efeito de entravar. 2) Obstáculo; estorvo; travão.

EN.TRE *prep.* 1) No intervalo de, no meio de. 2) Dentro de; no espaço de. 3) Em número de.

EN.TRE.A.BRIR *v.t.d.* e *v.p.* Abrir(-se) parcialmente.

EN.TRE.GA *s.f.* 1) Prática ou efeito de entregar. 2) Aquilo que se entregou. 3) Comprometimento; obrigação. 4) Traição. 5) Rendição. 6) Transmissão, cessão.

EN.TRE.GAR *v.t.d.* 1) Colocar em poder de alguém; passar às mãos de outra pessoa. 2) Fornecer ou ceder gratuitamente.

EN.TRE.GUE *adj.* (*part. irreg.* de *entregar*) 1) Disposto na posse ou mãos de alguém. 2) *fig.* Absorto; distraído. 3) *fig.* Extremamente exausto, bambo, cansado.

EN.TRE.LA.ÇA.DO *adj.* 1) Que se entrelaçou; enlaçado um no outro. / *s.m.* 2) União de objetos ou coisas entrelaçadas.

EN.TRE.LA.ÇAR *v.t.d.* 1) Enlaçar mutuamente. 2) Transformar em laço; ligar enlaçando um no outro. 3) Entrançar, entretecer, ligar. 4) Misturar; confundir.

EN.TRE.O.LHAR *v.p.* Olhar um para o outro, ao mesmo tempo

EN.TRE.OU.VIR *v.t.d.* Ouvir de forma vaga e confusa.

EN.TRE.TAN.TO *conj.* 1) Mas, contudo, porém, todavia. / *adv.* 2) Nesse meio-tempo.

EN.TRE.TE.NI.MEN.TO *s.m.* 1) Ato ou efeito de entreter(-se), distrair(-se). 2) Aquilo que distrai; divertimento.

EN.TRE.TER *v.t.d.* 1) Deter ou iludir com promessas e esperanças. 2) Aliviar, suavizar. 3) Distrair, desviando a atenção. / *v.t.d.* e *v.p.* 4) Divertir(-se) ou distrair(-se) com algo criativo. / *v.p.* 5) Conservar-se ou deter-se em algum lugar por um determinado tempo.

EN.TRE.VER *v.t.d.* 1) Ver parcialmente, de forma confusa. 2) Pressentir, prever. / *v.p.* 3) Encontrar-se rapidamente; avistar-se.

EN.TRE.VIS.TA *s.f.* 1) Encontro marcado; reunião. 2) Coleta de declarações, informações e opiniões de alguém, realizada por jornalista ou repórter, para divulgação.

EN.TRIS.TE.CER *v.t.d.*, *v.i.* e *v.p.* Tornar(-se) triste; magoar(-se).

EN.TRO.NI.ZAR *v.t.d.* 1) Elevar ao trono ou altar, à suprema dignidade. 2) Praticar entronização. / *v.t.d.* e *v.p.* 3) Elevar(-se) ou exaltar(-se) exageradamente.

EN.TRO.SAR *v.t.d.* e *v.i.* 1) *Mec.* Encaixar engrenagens. / *v.t.d.* 2) Ordenar, organizar algo complicado. 3) Adaptar, harmonizar, combinar. / *v.p.* 4) Relacionar-se, encaixar-se.

EN.TROU.XAR *v.t.d.* 1) Fazer trouxa ou atribuir forma de trouxa. 2) Arrumar, cumular. 3) Embrulhar, ajuntar, amontoar. / *v.p.* 4) *fig.* Disfarçar-se, encobrir-se.

EN.TU.LHAR *v.t.d.* 1) Preencher ou cobrir de entulho. 2) Abarrotar de cascalho ou pedregulho. 3) Armazenar em tulha. 4) Empanturrar, enfartar, entupir. 5) Acumular, amontoar, adicionar.

EN.TU.LHO *s.m.* 1) Ação ou consequência de entulhar. 2) Aquilo que enche ou ocupa um local, inutilmente. 3) Restos de materiais ou tijolos de uma construção ou demolição de uma obra. 4) Caliça, pedregulhos.

EN.TU.PI.DO *adj.* Tudo o que se encontra obstruído, tapado, repleto.

EN.TU.PIR *v.t.d.* 1) Encher de matéria estranha impedindo a passagem. 2) Tapar, obstruir. 3) Encher ao máximo, abarrotar. 4) *fig.* Fazer calar;

embatucar; embaraçar. / *v.p.* 5) *fig.* Entulhar(-se), obstruir(-se).

EN.TUR.VAR *v.t.d.* e *v.p.* 1) Turvar(-se), perturbar(-se), embaraçar(-se). / *v.t.d.* 2) Ensombrar, entristecer.

EN.TU.SI.AS.MA.DO *adj.* 1) Repleto de entusiasmo. 2) Cheio de ânimo e alegria. 3) Inspirado, exaltado.

EN.TU.SI.AS.MAR *v.t.d.* 1) Provocar entusiasmo ou admiração a. / *v.p.* 2) Encher-se de entusiasmo; animar-se, arrebatar-se.

EN.TU.SI.AS.MO *s.m.* 1) Excitação, admiração, arrebatamento excessivo. 2) Paixão viva; dedicação; ardor. 3) Alegria ruidosa. 4) Exaltação criadora; estro. 5) Veemência no falar e no escrever. 6) Orgulho, vaidade.

E.NU.ME.RA.ÇÃO *s.f.* 1) Operação ou consequência de enumerar. 2) Exposição, relação minuciosa. 3) Cômputo, contagem. 4) Relação ou lista numérica em série natural dos números.

E.NU.ME.RAR *v.t.d.* 1) Numerar. 2) Referir uma série de coisas uma por uma. 3) Especificar; narrar minuciosamente. 4) Fazer a contagem; contar.

E.NUN.CI.A.ÇÃO *s.f.* 1) Operação de enunciar. 2) Declaração, enunciado; asserção. 3) *Lóg.* Que pode ser verdadeiro ou falso. 4) Declaração ou expressão.

E.NUN.CI.A.DO *adj.* 1) Que se enunciou; expresso por palavras. / *s.m.* 2) Demonstrar uma verdade através da exposição sumária.

E.NUN.CI.AR *v.t.d.* 1) Expor, exprimir ou declarar pensamentos. 2) Manifestar, demonstrar sentimentos. / *v.p.* 3) Exprimir-se, falar.

EN.VAI.DE.CER *v.t.d.* 1) Desvanecer, tornar vaidoso, orgulhoso. / *v.p.* 2) Vangloriar-se, exaltar-se. 3) Tornar-se vaidoso.

EN.VE.LHE.CER *v.t.d.* 1) Tornar velho. 2) Aparentar velhice ou fazer que pareça velho. / *v.i.* 3) Tornar-se arcaico ou inútil. 4) Apagar-se, obliterar-se.

EN.VE.LO.PE *s.m.* Invólucro apropriado para efetuar remessas ou guardar uma carta, impressos ou cartão; sobrecarta.

EN.VE.NE.NA.DO *adj.* 1) Diz-se do que tem ou de quem engoliu veneno. 2) Que pode causar dano, ou corromper. 3) *fig.* Pessoa maliciosa ou má. 4) *gír.* Carro preparado para desenvolver velocidade acima da de outro.

EN.VE.NE.NAR *v.t.d.* 1) Pôr veneno em. 2) Contaminar com veneno. / *v.t.d.* e *v.p.* 3) Absorver substância tóxica; intoxicar(-se). 4) Dar ou tomar veneno. 5) *fig.* Ser prejudicial, corromper(-se), estragar(-se).

EN.VER.GO.NHAR *v.t.d.* 1) Fazer sentir humilhação. 2) Encher de vergonha, fazer corar. 3) Comprometer, deslustrar, confundir. / *v.p.* 4) Estar ou permanecer envergonhado; acanhado, confuso, tímido.

EN.VER.NI.ZAR *v.t.d.* 1) Cobrir ou lustrar com verniz. 2) Dar polimento, brilho.

EN.VES.GAR *v.t.d.* 1) Tornar vesgo, entornar a visão. 2) Ficar estrábico ou caolho.

EN.VI.A.DO *adj.* 1) Quem ou aquilo que se enviou; expedido, mandado, remetido. / *s.m.* 2) Ministro de Estado com menos poder que o embaixador; representante diplomático. 3) Mensageiro, jornalista, repórter.

EN.VOL.VER *v.t.d.* 1) Enrolar ou embrulhar com invólucro. 2) Seduzir ou deixar-se seduzir. 3) Servir de invólucro a. 4) Esconder, disfarçar. 5) Abranger, compreender. 6) Rodear; cercar. / *v.p.* 7) Tomar parte. 8) Intrometer-se. 9) Misturar-se.

EN.XA.DA *s.f.* 1) Instrumento agrícola, de ferro e aço, usado na lavoura. 2) *fig.* Ofício, profissão. 3) Qualificação dos operários rurais. 4) *Ictiol.* Espécie de peixe marinho.

EN.XA.GUAR *v.t.d.* 1) Lavar ligeiramente várias vezes. 2) Passar por água limpa o que foi lavado com qualquer espécie de agente, para remover resíduos deixados pela lavagem.

EN.XA.ME *s.m.* 1) *Apic.* Grupo de abelhas de uma colmeia. 2) Grande multidão ou grande quantidade de pessoas. 3) Abundância.

EN.XA.ME.AR *v.t.d.* 1) Colocar ou reunir as abelhas em colmeia, ou cortiço. / *v.i.* 2) Formar ou juntar-se em enxame. 3) Aglomerar ou aparecer em grande número ou quantidade. / *v.p.* 4) Aglomerar-se; apinhar-se.

EN.XA.QUE.CA (ê) *s.f. Med.* Dor de cabeça periódica acompanhada de perturbações visuais ou gástricas.

EN.XER.GAR *v.t.d.* 1) Avistar, ver; descortinar. 2) Perceber, notar, observar, entender. 3) Pressentir, adivinhar. 4) Deduzir, inferir. 5) Entender sobre determinado assunto.

EN.XE.RI.DO *adj.* e *s.m.* Que ou quem se intromete; intrometido; abelhudo.

EN.XO.TAR *v.t.d.* 1) Afastar com empurrões, gritos, pancadas; afugentar. 2) Pôr para fora; expulsar.

EN.XU.GAR *v.t.d., v.i.* e *v.p.* 1) Tirar a umidade; secar(-se). / *v.t.d.* 2) *fig.* Eliminar o excesso ou o que é desnecessário. 3) Cessar (lágrimas, choro, etc).

EN.XUR.RA.DA *s.f.* 1) Grande volume de água de chuva que corre com muita força; enchente. 2) *Por ext. fig.* Grande quantidade; porção.

EN.XU.TO *adj.* 1) Que não está molhado ou úmido; seco. 2) *fig.* Elegante, sem excessos ou redundâncias. 3) *Por ext. fig.* Pessoa que não é gorda nem magra; que tem boa aparência.

É.PI.CO *adj.* 1) Relativo a epopeia, a feitos heroicos ou a heróis. 2) *Por ext. pop.* Fantástico, grandioso. / *s.m.* 3) Autor de epopeia.

E.PI.DE.MI.A *s.f.* 1) *Med.* Surto de doença infecciosa que se propaga com rapidez e afeta muitas pessoas de uma mesma população ou região. 2) *Por ext. fig.* Propagação rápida de um costume ou hábito.

E.PI.DER.ME *s.f. Anat.* Camada externa da pele.

E.PÍ.GRA.FE *s.f.* 1) Inscrição. 2) Citação ou fragmento de texto inserido no início de um livro, capítulo, etc.

E.PÍ.LO.GO *s.m.* 1) Final de uma obra literária em que se faz a recapitulação e o resumo da trama; desfecho. 2) Ato ou cena final de uma peça teatral. 3) *Por ext.* A parte final de um evento.

E.PI.SÓ.DIO *s.m.* 1) Acontecimento, fato, evento. 2) Capítulo de uma obra exibida em série. 3) *Lit.* Cada uma das ações que ocorrem em uma obra literária com certa independência do todo.

E.PÍS.TO.LA *s.f.* 1) *Por ext.* Carta, correspondência. 2) *Rel.* Cada uma das cartas dos apóstolos aos fiéis. 3) Texto dessas cartas lido na missa.

E.PI.TÁ.FIO *s.m.* Inscrição em túmulo.

E.PÍ.TE.TO *s.m.* 1) Palavra, expressão ou frase que se junta a um nome para qualificar algo ou alguém. 2) Apelido, alcunha.

É.PO.CA *s.f.* 1) Período determinado. 2) Momento marcado por fatos importantes. 3) Período, era.

E.QUA.ÇÃO *s.f.* 1) *Mat.* Igualdade entre duas expressões matemáticas. 2) Redução de um problema complicado a pontos simples para facilitar a resolução.

E.QUI.LI.BRAR *v.t.d.* e *v.p.* 1) Pôr(-se) ou manter (-se) em equilíbrio, em posição estável. 2) Tornar (-se) harmonioso, proporcional. / *v.t.d.i.* 3) Contrabalançar, compensar, igualar.

E.QUI.LI.BRIS.TA *adj.2gên.* e *s.2gên.* Que ou quem faz exibições de equilíbrio acrobático.

E.QUI.NÓ.CIO *s.m. Astr.* Época em que o dia e a noite têm a mesma duração.

E.QUI.PA.MEN.TO *s.m. Por ext.* Conjunto dos aparelhos e ferramentas necessários para se realizar um trabalho ou uma atividade.

E.QUI.PAR *v.t.d.* e *v.p.* Abastecer(-se) com o necessário ou útil; preparar(-se), aparelhar(-se).

E.QUI.PA.RAR *v.t.d.i.* e *v.p.* Comparar(-se), igualar(-se).

E.QUI.PE *s.f.* 1) Grupo de pessoas que realizam um trabalho ou atividade. 2) *Esp.* Time esportivo.

E.QUI.TA.ÇÃO *s.f.* Esporte ou técnica de andar a cavalo.

E.QUI.VA.LEN.TE *adj.2gên.* Que tem o mesmo valor, peso, força, etc.; correspondente.

E.QUI.VO.CAR *v.t.d.i.* e *v.p.* 1) Acreditar em algo que não é verdadeiro; confundir(-se). / *v.p.* 2) Enganar(-se); errar.

E.RA *s.f.* 1) Período que se inicia por um acontecimento importante e memorável. 2) Início de uma nova ordem. 3) Época histórica.

E.RE.TO *adj.* Erguido, levantado, aprumado.

ER.GUER *v.t.d.* 1) Pôr em lugar alto ou mais alto; levantar, elevar. 2) Colocar em posição vertical. 3) Construir, edificar. 4) Voltar para cima (o olhar). 5) Fazer soar mais alto (a voz). / *v.p.* 6) Ficar de pé; levantar(-se). 7) Aparecer, surgir.

eriçar · escapo

E.RI.ÇAR *v.t.d.* e *v.p.* 1) Arrepiar(-se); ouriçar(-se). 2) Irritar(-se).

E.RO.SÃO *s.f. Geol.* Desgaste do solo causado por vento, chuva, etc.

E.RÓ.TI.CO *adj.* 1) Que provoca ou desperta o desejo sexual. 2) Que tem como objeto o amor ou o prazer sexual.

ER.RA.DI.CAR *v.t.d.i.* 1) Fazer desaparecer; destruir, eliminar, extirpar. 2) Arrancar pela raiz.

ER.RA.DO *adj.* 1) Que não está certo; que contém erros. 2) Que não segue a direção correta ou apropriada. 3) Que é resultado de um equívoco; inadequado.

ER.RAN.TE *adj.2gên.* 1) Que vagueia; que anda sem destino certo. 2) Que não tem moradia fixa; nômade.

ER.RAR *v.t.d.* 1) Cometer erro, não acertar. 2) Percorrer. / *v.t.i.* 3) Enganar-se; equivocar-se ➡ Errei de casa. / *v.i.* 4) Cair em culpa; falhar.

ER.RA.TA *s.f.* Relação de erros e correções efetuadas em livros que se encontram encartadas no começo ou final da obra.

ER.RO (ê) *s.m.* 1) Prática de errar. 2) Equívoco ou engano. 3) Inexatidão. 4) Uso impróprio ou indevido. 5) Falso conceito, doutrina ou juízo. 6) Prevaricação, adultério. 7) Pecado.

ER.RÔ.NEO *adj.* Que contém ou há manifestação de erro; errado, falso.

E.RU.DI.ÇÃO *s.f.* 1) Condição de erudito. 2) Vasto saber e instrução variada.

E.RUP.ÇÃO *s.f.* 1) Violenta e imprevista saída. 2) *Med.* Surgimento de manchas, borbulhas ou vesículas na pele. 3) Lançamento de lavas da cratera de um vulcão.

ER.VA *s.f.* 1) *Bot.* Pequena planta folhosa, de caule tenro, não lenhoso. 2) Erva-mate. 3) Qualquer planta que intoxica o gado. 4) *gír.* Dinheiro. 5) *gír.* Maconha. 6) Hortaliças ou legumes.

ER.VI.LHA *s.f. Bot.* 1) Trepadeira leguminosa que produz sementes ricas em proteína. 2) O fruto da ervilha.

ES.BAN.JAR *v.t.d.* 1) Gastar em excesso, profusamente. 2) Consumir, sem necessidade. 3) Dissipar, estragar, arruinar.

ES.BAR.RAR *v.t.i.* 1) Tocar de leve em. 2) Ir de encontro a. 3) Deter-se diante de uma dificuldade. 4) Encontrar por acaso. / *v.p.* 5) Acotovelar-se.

ES.BEL.TO *adj.* 1) Delgado, gracioso em suas formas. 2) Proporcional. 3) Gentil, elegante.

ES.BO.ÇO *s.m.* 1) Traços iniciais de um desenho ou obra de arte. 2) Estado inicial de um trabalho ou obra. 3) Resumo, síntese.

ES.BOR.RA.CHAR *v.t.d.* 1) Estourar ou arrebentar, apertando ou achatando. / *v.p.* 2) Levar um tombo; cair, estatelar-se.

ES.BRA.VE.JAR *v.t.d.* e *v.t.i.* Gritar com raiva; bradar, vociferar.

ES.BU.GA.LHAR *v.t.d.* Abrir muito os olhos; arregalar.

ES.BU.RA.CAR *v.t.d.* Abrir buracos em.

ES.CA.DA *s.f.* 1) Conjunto de degraus para subir ou descer. 2) *Por ext.* Qualquer coisa que se assemelha ou pode ser usada como escada. 3) *fig.* Meio de alguém obter alguma ascensão.

ES.CA.FE.DER *v.p. pop.* Fugir às pressas; sumir, desaparecer.

ES.CA.LA *s.f.* 1) Prática ou consequência de escalar. 2) Escada. 3) Tabela de serviço. 4) *Mús.* Série de notas em sua ordem natural, representando outros tons de som. 5) Categoria, graduação.

ES.CA.LAR *v.t.d.* 1) Entrar por cima dos muros ou pelas janelas num local privado. 2) Subir, trepar com auxílio de escada ou sem ela; elevar-se. 3) Assolar, destruir, saquear. 4) Denominar pessoas e organizar em escalas.

ES.CAL.DA-PÉS *s.m. Med.* Banho terapêutico que se dá aos pés, para fins medicinais, através da imersão em água bem quente.

ES.CAL.DAR *v.t.d.* 1) Queimar ou aquecer com líquido ou vapor quente. 2) Depenar aves ou pelar animais abatidos com auxílio de água fervente.

ES.CA.MA *s.f.* 1) Cada placa ou lâmina que cobre a pele de diversos animais. 2) Descascado que sai da pele espontaneamente.

ES.CAN.CA.RAR *v.t.d.* e *v.p.* 1) Abrir(-se) muito ou totalmente. / *v.t.d.i.* 2) Trazer a público; mostrar, expor.

ES.CÂN.DA.LO *s.m.* 1) Aquilo que contraria e ofende sentimentos, crenças ou costumes. 2) Fato revoltante. 3) Tumulto, desordem, escarcéu.

ES.CA.PA.DA *s.f.* 1) Prática de fugir de uma obrigação para se divertir; leviandade. 2) Fuga precipitada. 3) Escapadela; escapulida. 4) Saída ou ausência furtiva ou breve.

ES.CA.PA.MEN.TO *s.m.* 1) Ato ou consequência de escapar. 2) Tubo por meio do qual são expelidos ao ar gases, gases, líquidos ou vapores produzidos por motores de explosão; escape.

ES.CA.PAR *v.t.i.* 1) Livrar-se, salvar-se de algum perigo, aperto ou moléstia. / *v.t.i.* e *v.i.* 2) Escapulir, evadir; fugir. 3) Passar despercebido. / *v.i.* 4) Sobreviver. 5) Não merecer censura apesar de ser sofrível.

ES.CA.PA.TÓ.RIA *s.f.* 1) *pop.* Prática ou efeito de escapar. 2) Desculpa, escusa. 3) Subterfúgio, saída. 4) Problema ou situação em que se encontra.

ES.CA.PE *s.m.* 1) Ação ou consequência de escapar; escapada, escapadela. 2) Saída, fuga. 3) Pretexto para isentar-se de uma obrigação.

ES.CA.PE.LAR *v.t.d.* Descamisar o milho; desfolhar.

ES.CA.PO *adj.* 1) Que está fora de perigo, isento, livre, salvo. / *s.m.* 2) Maquinismo em forma de um eixo encontrado nos relógios que regula o movimento. 3) *Zool.* O primeiro artículo das antenas dos insetos.

ES.CA.PU.LA *s.f.* 1) *pop.* Rápida escapada. 2) Evasão, saída rápida.

ES.CÁ.PU.LA *s.f.* 1) Gancho utilizado para prender redes. 2) Prego de cabeça dobrada em ângulo usado para suspender objetos. 3) Apoio, escora, esteio. 4) *Anat.* Osso largo e triangular situado na parte posterior do ombro.

ES.CA.PU.LÁ.RIO *s.m.* 1) Tira de pano que determinados religiosos usam sobre os ombros, pendente sobre o peito. 2) Bentinho.

ES.CA.PU.LIR *v.t.i.* e *v.i.* 1) Escapar, fugir. / *v.p.* 2) Evadir-se, safar-se; esquivar-se. / *v.i.* 3) Fugir da prisão ou de alguma situação desagradável. / *v.t.d.* 4) Deixar escapar.

ES.CA.RA.VE.LHO (ê) *s.m. Entom.* Denominação dada a besouros de cor negra ou escura, pertencentes à família dos Escarabeídeos.

ES.CAR.CÉU *s.m.* 1) Grande onda que se forma quando o mar está revolto. 2) Vagalhão. 3) Tormenta doméstica; reclamação ou protesto feito com alarido. 4) *pop.* Grande tumulto; algazarra, escândalo.

ES.CAR.LA.TE *adj.2gên.* 1) Que apresenta cor vermelha muito viva e brilhante. / *s.m.* 2) Tecido de seda ou lã na mesma cor.

ES.CAR.LA.TI.NA *s.f.* 1) A cor de escarlate. 2) *Med.* Doença infecciosa, epidêmica e contagiosa, caracterizada por febre e manchas escarlates na pele.

ES.CAR.NAR *v.t.d.* 1) Descarnar. 2) Remover a carne que reveste o osso. 3) Limpar as peles ou couro antes de curtir. 4) Preparar as armas, quando se vai fazer uso delas.

ES.CAR.NE.CER *v.t.d.* 1) Fazer ou originar escárnio de. / *v.t.i.* 2) Mofar, troçar, zombar, chacotear.

ES.CÁR.NIO *s.m.* 1) Zombaria, menosprezo, chacota. 2) Brincadeira ofensiva.

ES.CAR.PA *s.f.* 1) *Geogr.* Rampa ou declive de terreno. 2) Corte atravessado. 3) Encosta muito íngreme.

ES.CAR.PA.DO *adj.* e *s.m.* Denominação de um terreno íngreme ou ladeirento.

ES.CAR.RA.PA.CHAR *v.t.d.* e *v.p.* 1) Abrir muito as pernas. / *v.p.* 2) *pop.* Cair de bruços, estatelar-se, espichar-se. 3) *fig.* Humilhar-se, abater-se.

ES.CAR.RO *s.m.* 1) Matéria viscosa das vias respiratórias, expelida pela boca; expectoração. 2) *pop.* Coisa ou pessoa que é desprezada.

ES.CAS.SE.AR *v.i.* 1) Ter ou fornecer em pequena quantidade; tornar-se escasso; ir faltando; minguar. / *v.t.d.* 2) Produzir com escassez; não prodigalizar.

ES.CAS.SEZ (ê) *s.f.* 1) Condição do que é escasso. 2) Carência, míngua, falta. 3) Avareza, mesquinhez, economia.

ES.CAS.SO *adj.* 1) Que se encontra em pouca quantidade. 2) Desprovido, falto, raro. 3) Débil, delicado. 4) Falto, minguado. / *adj.* e *s.m.* 5) Avarento, avaro.

ES.CA.TO.LO.GI.A *s.f.* 1) Tratado sobre excrementos. 2) *Teol.* Ciência ou doutrina que estuda o fim do mundo.

ES.CA.VA.ÇÃO *s.f.* 1) Ação ou consequência de escavar. 2) Trabalho de desaterro ou desentulho. 3) *fig.* Pesquisa. 4) Cova; buraco.

ES.CA.VA.DOR (ô) *adj.* e *s.m.* Que ou quem escava.

ES.CA.VAR *v.t.d.* 1) Formar ou produzir uma cavidade; cavar. 2) Abrir uma cova; cavar ao redor. 3) Tirar a terra de; tornar oco. 4) *fig.* Investigar, pesquisar.

ES.CLA.RE.CER *v.t.d.* 1) Tornar claro, compreensível ou lúcido. 2) Iluminar, clarear. 3) Dar explicações ou prestar esclarecimentos; informar. / *v.t.d.* e *v.p.* 4) Enobrecer(-se), ilustrar(-se), nobilitar (-se). / *v.i.* 5) Alvorecer o tempo, clarear.

ES.CLE.RO.SA.DO *adj.* Diz-se daquele que tem esclerose.

ES.CLE.RO.SE *s.f. Med.* Endurecimento mórbido do tecido conjuntivo ou vasos.

ES.CO.A.DOU.RO *s.m.* Canal ou cano destinado para escoamento de águas e detritos.

ES.CO.A.MEN.TO *s.m.* 1) Prática ou efeito de escoar; escoação, escoadura. 2) Vazamento; esvaziamento. 3) Venda, saída.

ES.CO.AR *v.t.d.* 1) Deixar correr um líquido lentamente. / *v.p.* 2) Escorrer pouco a pouco; filtrar-se. 3) Esvaziar-se; esvair. 4) Desaparecer, sumir-se, ocultar-se. / *v.i.* e *v.p.* 5) Decorrer o tempo; seguir a sua evolução.

ES.CO.CÊS *adj.* 1) Respectivo, procedente ou próprio da Escócia, país da Europa. / *s.m.* 2) Indivíduo natural ou habitante da Escócia. 3) Dialeto da Escócia.

ES.CÓ.CIA *s.f.* Tecido semelhante ao de malha usado para confecção de meias.

ES.CO.LA *s.f.* 1) Estabelecimento de ensino. 2) Conjunto dos alunos e professores; adeptos ou discípulos de um mestre. 3) Qualquer concepção técnica e estética de arte. 4) Doutrina, seita, sistema. 5) Tudo o que proporciona ensino e dá experiência. 6) Instituto, educandário. 7) *pop.* Experiência de vida; esperteza.

ES.CO.LA.DO *adj.* 1) Ensinado, educado e experiente. 2) Esperto, astuto. 3) Ladino; aquele que não se deixa enganar.

ES.CO.LA.RI.DA.DE *s.f.* 1) Grau ou nível de conhecimento ou experiência escolar. 2) Rendimento escolar.

ES.CO.LA.RI.ZAR *v.t.d.* e *v.p.* Adequar-se, submeter-se ao ensino escolar.

ES.CO.LHA (ô) *s.f.* 1) Prática ou consequência de escolher. 2) Aquilo que se escolhe. 3) Discernimento, preferência, opção.

ES.CO.LHE.DOR (ô) *adj.* 1) Que escolhe. / *s.m.* 2) O que escolhe ou faz a seleção de. 3) Aparelho agrícola usado para escolher grãos de cereais.

escolher / escritor

ES.CO.LHER *v.t.d.* 1) Selecionar conforme o grau de qualidade ou espécie. 2) Separar impurezas ou produto de má qualidade de. 3) Eleger, nomear. 4) Assinalar, apresentar, distinguir. / *v.t.i.* 5) Optar; preferir; decidir.

ES.CO.LHI.DO *adj.* e *s.m.* 1) Que ou quem se escolheu. 2) Eleito de primeira qualidade; selecionado. 3) Preferido, predileto. 4) Apurado, seleto, distinto.

ES.CO.LI.O.SE *s.f. Med.* Curvatura ou desvio lateral da coluna vertebral.

ES.COL.TA *s.f.* 1) Força militar ou naval para proteção. 2) Acompanhamento, cortejo feito para vigiar, honrar e guardar a. 3) Veículo usado para escoltar.

ES.COL.TAR *v.t.d.* 1) Acompanhar em grupo a fim de proporcionar proteção. 2) Defender ou guardar contra tudo e contra todos.

ES.COM.BROS *s.m. pl.* 1) Destroços, ruínas resultantes de uma demolição. 2) Entulho.

ES.CON.DE-ES.CON.DE *s.m.* 1) Brincadeira ou jogo infantil em que uma criança procura outras que se esconderam. 2) *pop.* Pegador; jogo das escondidas.

ES.CON.DER *v.t.d.* 1) Não revelar. 2) Pôr em lugar oculto. 3) Ocultar às vistas dos outros. 4) Não mostrar; disfarçar; resguardar. 5) Não dizer; calar; ocultar a verdade. / *v.p.* 6) Disfarçar-se, mascarar-se, encobrir-se. 7) Evitar um encontro. 8) Ter o seu ocaso. 9) Camuflar.

ES.CON.DE.RI.JO *s.m.* 1) Lugar onde algo ou alguém se esconde; escondedouro. 2) Lugar adequado para refúgio; abrigo. 3) Recanto; toca.

ES.CON.DI.DAS *s.f. pl.* 1) Nome de um jogo popular. 2) Que se encontra sem ninguém ver; secretamente, ocultamente; às ocultas ➡ às escondidas.

ES.CON.JU.RAR *v.t.d.* 1) Fazer jurar ou prometer, tomar juramento a. 2) Exorcizar. 3) Dirigir imprecações a; amaldiçoar, apostrofar, arrenegar. / *v.p.* 4) Lamentar-se; queixar-se.

ES.CON.JU.RO *s.m.* 1) Juramento acompanhado de imprecação ou exorcismo. 2) *Folc.* Maldição realizada com fim de afastar um mal.

ES.CO.PA (ó) *s.f.* Espécie de jogo de cartas.

ES.CO.PE.TA (ê) *s.f.* 1) Espingarda de repetição, de cano curto e grosso calibre. 2) Tiro provocado por esta espingarda.

ES.CO.PO (ô) *s.m.* 1) Alvo, mira, ponto. 2) Objetivo, meta, fim. 3) Propósito, intuito, intenção.

ES.CO.RA *s.f.* 1) Peça de guarida, sustentação. 2) Arrimo, amparo. 3) Espera com finalidade de atacar.

ES.CO.RA.MEN.TO *s.m.* 1) Ato de escorar. 2) Combinação de escoras para sustentar uma parede ou construção que ameaça ruir.

ES.COR.RE.GA.DOR (ô) *s.m.* Brinquedo com uma prancha inclinada pela qual as crianças deslizam; escorrega.

ES.COR.RE.GÃO *s.m.* Desequilíbrio ou tombo após escorregar.

ES.COR.RE.GAR *v.i.* 1) Perder o equilíbrio e deslizar sob a pressão do próprio peso. 2) Causar escorregões. / *v.t.i.* e *v.i.* 3) *fig.* Cometer falta; errar, falhar.

ES.CO.VA (ô) *s.f.* 1) Objeto com filamentos ou cerdas usado para pentear, limpar, etc. 2) Alisamento ou penteado feito com escova e secador.

ES.CO.VA.DE.LA *s.f.* 1) Escovação rápida e superficial. 2) Censura, repreensão. 3) Castigo, punição.

ES.CO.VA.DO *adj.* 1) O que foi limpo com escova ou o que se escovou. 2) *pop.* Matreiro, esperto, estratégico, ladino. 3) Bem-apresentado; possui boa aparência.

ES.CO.VAR *v.t.d.* 1) Limpar ou lustrar com escova. 2) Bater em; sovar. 3) Censurar, repreender.

ES.CRA.VA.TU.RA *s.f.* 1) Escravidão. 2) Comércio ou tráfico de escravizados. 3) Escravidão como estabelecimento legal.

ES.CRA.VI.DÃO *s.f.* 1) Condição de quem é escravizado. 2) Servidão, sujeição. 3) Falta de liberdade; escravatura. 4) Exploração da força braçal de um indivíduo, para fins econômicos.

ES.CRA.VI.ZA.DO *adj.* e *s.m.* 1) Que ou quem vive em absoluta sujeição a alguém como sendo sua propriedade. 2) Aquele que está dominado por uma paixão ou por qualquer força moral. 3) Servo; criado, doméstico, serviçal.

ES.CRA.VI.ZAR *v.t.d.* 1) Tornar ou reduzir à condição de escravizado ou servo. 2) Submeter; dominar. 3) Cativar, encantar, enfeitiçar. / *v.t.d.* e *v.p.* 4) Tornar(-se) dependente de; viciar(-se); sujeitar(-se). / *v.p.* 5) Fazer-se escravizado.

ES.CRE.VER *v.i.* 1) Representar por meio de caracteres ou sinais gráficos. 2) Elaborar simulações através de letras. / *v.t.d.* 3) Exprimir pensamentos, ações ou sentimentos por escrito em. 4) Copiar, fixar, gravar.

ES.CRI.BA *s.m.* 1) *Antig.* Pessoa destinada a fazer cópias e lavrar documentos públicos. 2) *Antig.* Doutor da lei entre os judeus, indivíduo que lia e interpretava as leis. 3) *pop.* Escrevedor, rabiscador, mau escritor ou escritor de pouco mérito.

ES.CRI.TA *s.f.* 1) Ação ou consequência de escrever. 2) Tudo o que se escreve. 3) Caligrafia; grafia. 4) Escrituração mercantil ou contábil. 5) Arte de escrever.

ES.CRI.TO *adj.* (*part. irreg.* de *escrever*) 1) Aquilo que se escreveu; representado por letras ou caligrafia. 2) Que se encontra registrado ou gravado. 3) Determinado. / *s.m.* 4) Bilhete, mensagem, epístola. 5) Composição literária; escrita. 6) Papel no qual se encontra alguma coisa. 7) Caligrafado.

ES.CRI.TOR (ô) *s.m.* 1) Quem escreve. 2) Autor ou redator de composições literárias, científicas ou didáticas. 3) Literato, homem de letras, publicista.

215

escritório

ES.CRI.TÓ.RIO *s.m.* 1) Cômodo ou ambiente da casa destinado à leitura. 2) Local onde são realizados trabalhos administrativos, tratados, negócios comerciais. 3) Lugar onde os profissionais recebem seus clientes.

ES.CRI.TU.RA *s.f.* 1) Caligrafia, escrita. 2) Documento autêntico e oficialmente legal, usado para comprovar propriedade de imóveis. / *s.f. pl.* 3) A Bíblia Sagrada.

ES.CRI.TU.RAR *v.t.d.* 1) Realizar a escrituração de. 2) Registrar em livro ou fichas a contabilidade e documentos de uma casa comercial. 3) Contratar ou contrair obrigação mediante escritura pública.

ES.CRI.TU.RÁ.RIO *s.m.* 1) Aquele que elabora a escrituração. 2) Funcionário de um escritório; escrevente.

ES.CRI.VA.NI.NHA *s.f.* 1) Móvel no qual se escreve; secretária. 2) Escrínio. 3) Tinteiro que, além do reservatório de tinta, possui lugar para penas, etc.

ES.CRI.VÃO *s.m.* 1) Oficial público que escreve autos, processos e outros documentos legais. 2) Escrevente, escriturário. 3) *pop.* Tabelião, secretário, escriba.

ES.CRO.TO (ô) *s.m.* 1) *Zool.* Bolsa de pele que envolve os testículos e seus órgãos acessórios. 2) *pej.* Reles, vil, ordinário. 3) Malfeitor, indivíduo sem caráter, grosseiro.

ES.CRÚ.PU.LO *s.m.* 1) Hesitação de consciência no julgamento dos próprios atos. 2) Pessoa que age cautelosamente no cumprimento do dever. 3) Delicadeza na maneira de agir. 4) Zelo, cuidado.

ES.CU.DO *s.m.* 1) Arma de defesa usada para proteger de ataques, golpes de lanças e espadas ou outros perigos. / *fig.* Proteção, defesa. 3) Peça em que se representam armas nacionais, clubes, etc. ou brasões de nobreza.

ES.CU.LHAM.BAR *v.t.d. pop.* 1) Repreender com aspereza; criticar, censurar. 2) Deixar desordenado; bagunçar, desarrumar. 3) Causar dano a; estragar.

ES.CUL.PIR *v.t.d.i.* 1) Entalhar pedra, madeira, etc. para criar uma escultura ou estátua; modelar, lavrar. 2) *fig.* Deixar marcado; imprimir. / *v.i.* 3) Trabalhar como escultor.

ES.CUL.TU.RA *s.f.* Obra de arte de três dimensões, feita com pedra, gesso, metal, etc.

ES.CU.MA.DEI.RA *s.f.* Utensílio de cozinha no formato de concha rasa com muitos furos e cabo longo.

ES.CU.NA *s.f. Náut.* Embarcação com dois mastros.

ES.CU.RE.CER *v.t.d., v.i.* e *v.p.* 1) Ficar ou fazer ficar sem luz ou com menos luz. 2) Tornar(-se) escuro; enegrecer(-se). / *v.t.d.* e *v.p.* 3) Tornar(-se) anuviado; nublar(-se). / *v.t.d.* 4) *fig.* Tornar(-se) opaco; turvar(-se). / *v.i.* 5) Cair a noite; anoitecer.

ES.CU.RI.DÃO *s.f.* 1) Condição de ser escuro ou sombrio. 2) O fim do crepúsculo; noite. 3) Cegueira física, moral ou intelectual. 4) A morte, a sepultura. 5) Dor, tristeza. 6) Trevas.

ES.CU.RO *adj.* 1) Onde não existe luz; obscuro, sombrio. 2) Quase negro; preto. 3) Monótono, parado, tristonho. 4) Pouco lícito ou misterioso. 5) Que se ouve ou se distingue com dificuldade. / *s.m.* 6) Recanto ou lugar sem luz; oculto. 7) Noite. 8) Escuridão, negrume, trevas.

ES.CU.SAR *v.t.d.* 1) Asilar escusas; desculpar, perdoar, tolerar. 2) Evitar, poupar. 3) Indeferir. 4) Servir de escusa. / *v.p.* 5) Desculpar-se, perdoar-se. 6) Desobrigar-se, eximir-se. / *v.t.i.* 7) Não precisar, não fazer necessário, dispensar.

ES.CU.SO *adj.* 1) Dispensado ou recusado. 2) Que não tem mais uso ou utilidade. 3) Suspeito ou desonesto. 4) Escondido, oculto.

ES.CU.TAR *v.t.d.* e *v.i.* 1) Estar atento para ouvir. 2) Ouvir, sentir, perceber, entender. / *v.t.d.* 3) *Med.* Auscultar. 4) Atender; obedecer. 5) Espionar; buscar novidades. 6) Dar atenção a.

ES.DRÚ.XU.LO *adj.* 1) *pop.* Esquisito, excêntrico, extravagante. / *adj.* e *s.m.* 2) Diz-se de ou verso que termina em palavra proparoxítona.

ES.FA.QUE.AR *v.t.d.* e *v.p.* Dar ou sofrer golpe de faca.

ES.FA.RE.LAR *v.t.d.* e *v.p.* 1) Reduzir(-se) a farelo; esmigalhar(-se). / *v.t.d.* 2) *fig.* Fazer em pedaços; esfacelar.

ES.FAR.RA.PAR *v.t.d.* Reduzir a farrapos; rasgar; cortar.

ES.FE.RA *s.f.* 1) Objeto redondo; bola, globo. 2) Setor em que se exerce determinada atividade; área. 3) Meio social.

ES.FIN.GE *s.f.* 1) *Mit.* Monstro mitológico com formato fabuloso que possuía cabeça humana e corpo de leão. 2) Representação artística desse monstro em forma de estátua.

ES.FO.LAR *v.t.d.* 1) Tirar a pele de. / *v.t.d.* e *v.p.* 2) Ferir(-se) levemente na pele; arranhar(-se).

ES.FOR.ÇAR *v.t.d.* 1) Dar forças a; tornar forte, avigorar, reforçar. 2) Animar, estimular, dar coragem. 3) Aumentar o tom de voz para ser ouvido. / *v.i.* 4) Animar-se, encorajar-se, dedicar-se, empenhar-se. / *v.p.* 5) Fazer esforço, empregar diligência e energia para cumprir determinado dever; trabalhar com afinco.

ES.FRE.GAR *v.t.d.* 1) Movimentar muitas vezes o mesmo local para produzir calor ou limpar uma superfície. 2) Praticar fricção. 3) Lavar ou limpar ambientes. 4) Bater em; espancar. 5) Esfregar a si mesmo. / *v.p.* 6) Coçar-se, roçar-se.

ES.FRI.AR *v.t.d.* 1) Reduzir à temperatura de; tornar frio. 2) Desalentar, desanimar, desencorajar-se, enfraquecer-se. 3) *gír.* Matar, amortecer. 4) Tornar-se insensível, indiferente. / *v.i.* e *v.p.* 5) Perder a temperatura; tornar-se frio, gelado. 6) Arrefecer, esmorecer, perder a esperança, o ânimo, o entusiasmo, o fervor.

esfumar · espairecer

ES.FU.MAR *v.t.d.* 1) Enegrecer com fumo. 2) Tornar escuro; esfumaçar. 3) Projetar figuras ou sombrear a carvão. 4) Sombrear um desenho com esfuminho; esbater, esboçar. / *v.p.* 5) Alastrar-se e desaparecer aos poucos. 6) Perder o relevo ou o controle.

ES.FU.MI.NHO *s.m. Bel.-art.* Utensílio de pelica ou papel para esfumar as sombras de um desenho.

ES.GA.NA.DO *adj.* 1) Estrangulado, sufocado. 2) Glutão, esfomeado, guloso. 3) Avarento, sovina, insaciável. 4) Estreito, apertado. / *s.m.* 5) Indivíduo faminto, sôfrego, ávido.

ES.GA.NAR *v.t.d.* 1) Matar por sufocação; estrangular. 2) Apertar muito; constringir. 3) *gír.* Esconder, ocultar um ato ilícito. / *v.p.* 4) Suicidar-se por estrangulação ou sufocamento. 5) Revelar-se uma pessoa insaciável por dinheiro; ser avarento. 6) Morder-se de inveja.

ES.GA.NI.ÇAR *v.t.d.* 1) Cantar ou falar alto, esforçando a voz nos tons agudos, tornando-a esganiçada como um gemido de cão. / *v.i.* 2) Soar estridulamente. 3) Ganir várias vezes. 4) Chorar. / *v.p.* 5) Soltar vozes agudas e desagradáveis.

ES.GAR.ÇAR *v.t.d., v.i. e v.p.* 1) Desmanchar ou ter os fios desmanchados (de um tecido); desfiar (-se). / *v.i. e v.p.* 2) Fragmentar(-se), desfazer-se.

ES.GO.E.LAR *v.t.d.* 1) Soltar da ou abrir a goela, gritando. 2) Esganar; estrangular. / *v.p.* 3) Gritar muito; abrir a voz, berrar.

ES.GO.TA.DO *adj.* 1) Aquilo que se esgotou. 2) Gasto, enfraquecido. 3) Exausto, cansado. 4) Mercadoria que foi vendida até o último exemplar. 5) Esvaziado até a última gota.

ES.GO.TAR *v.t.d.* 1) Gastar até a última gota de. 2) Exaurir; consumir. 3) Dizer a última palavra. 4) Empregar ou vazar completamente. 5) Consumir, gastar tudo. 6) Vender até o último exemplar ou mercadoria. 7) Tratar de maneira completa um assunto. / *v.p.* 8) Enxugar(-se), secar(-se), drenar. 9) Perder as forças; extenuar-se. / *v.t.d. e v.p.* 10) Cansar, desanimar, perder as forças; ficar exausto.

ES.GO.TO (ô) *s.m.* 1) Cano, abertura ou fenda por onde se esgotam líquidos ou dejeções. 2) Esgotamento. 3) Enxugamento. 4) Cloaca.

ES.GRI.MA *s.f.* 1) Arte de manejar a espada e outras armas brancas. 2) Prática de esgrimir. 3) Luta; combate. 4) Polêmica.

ES.GRI.MIR *v.t.d.* 1) Manejar armas brancas. / *v.i.* 2) Jogar as armas. 3) Agitar, com intuito contrário; bramir. 4) Vibrar. 5) Argumentar, discutir conforme determinadas regras, causar polêmica. / *v.t.i.* 6) Brigar com alguém.

ES.GUI.CHAR *v.t.d.* 1) Expelir ou jorrar um líquido com força por um tubo ou abertura. / *v.i.* 2) Sair com ímpeto por abertura estreita; sair em esguicho. 3) Sair em repuxo.

ES.GUI.CHO *s.m.* 1) Operação de esguichar. 2) Jato de um líquido. 3) Mangueira ou outro objeto para esguichar.

ES.GUI.O *adj.* 1) Comprido e estreito. 2) Alto e magro.

ES.MA.GA.DOR *adj.* 1) Que esmaga. 2) Indiscutível, irretorquível. 3) Irônico, angustiante. / *s.m.* 4) O que esmaga.

ES.MA.GAR *v.t.d.* 1) Comprimir, achatar; machucar. 2) Triturar, moer; britar, quebrar. 3) Oprimir, prostrar, abater, aniquilar. 4) Discutir com argumentação. 5) Vencer, suplantar. / *v.p.* 6) Comprimir-se com violência, ficar calcado, pisado ou machucado.

ES.MAL.TE *s.m.* 1) Substância líquida que é aplicada em uma superfície para proteger, dar brilho ou enfeitar. 2) A camada externa dos dentes.

ES.ME.RO (ê) *s.m.* 1) Cuidado, apuro, perfeição em realizar algo. 2) Correção, conveniência.

ES.MI.U.ÇA.DO *adj.* 1) Dividido; pormenorizado. 2) Analisado minuciosamente; separado detalhadamente.

ES.MO.LA *s.f.* O que se dá aos pobres ou necessitados, por caridade.

ES.MO.RE.CER *v.i.* 1) Perder ou fazer perder o ânimo, o entusiasmo, a coragem. 2) Desalentar, desanimar. 3) Desfalecer, desmaiar. 4) Diminuir a intensidade da luz, som, etc. 5) Apagar-se, excluir-se, desbotar-se; definhar; enlanguescer. / *v.t.d.* 6) Tirar o ânimo a; desalentar. / *v.t.i.* 7) Desejar ardentemente.

ES.NO.BAR *v.i.* 1) Agir como se fosse superior a. / *v.t.d.* 2) Mostrar menosprezo por; depreciar, desprezar.

ES.NO.BE *adj.2gên. e s.2gên.* Que ou quem apresenta esnobismo; pretensioso, pedante, presunçoso.

ES.PA.CI.AL *adj.2gên.* Relativo ao espaço ou que existe no espaço.

ES.PA.ÇO *s.m.* 1) *Fís.* Extensão da superfície limitada onde se encontram os seres. 2) Distância entre dois pontos. 3) *Astr.* O universo; o firmamento; os ares. 4) *Tip.* Intervalo em branco existente entre palavras ou linhas. 5) *Tip.* Peça de metal, matriz ou dispositivo que proporciona intervalos na composição.

ES.PA.ÇO.NA.VE *s.f.* Veículo usado em viagens pelo espaço; nave espacial.

ES.PA.ÇO.SO (ô) *adj.* 1) Que tem muito espaço; extenso. 2) *pop.* Que não respeita o espaço do outro; abusado, folgado.

ES.PA.DA *s.f.* Arma branca com lâmina comprida e pontiaguda e com um pequeno punho.

ES.PÁ.DUA *s.f. pop. Anat.* Ombro.

ES.PAI.RE.CER *v.t.d.i., v.i. e v.p.* Distrair(-se) para evitar ou esquecer os problemas; desanuviar(-se), entreter(-se).

espalhafatoso / espera

ES.PA.LHA.FA.TO.SO (ô) *adj.* 1) Que faz espalhafato. 2) Que chama a atenção pelas atitudes exageradas e descomedidas; extravagante.

ES.PA.LHAR *v.t.d.* 1) Separar o grão da palha. 2) Lançar em direções distintas; dispersar, espargir. 3) Derramar por diversos pontos do espaço. 4) Tornar público; divulgar, propagar. 5) Levantar, difundir, dissipar. 6) Irradiar. / *v.p.* 7) *gír.* Ficar bem à vontade. 8) *gír.* Dispor-se a brigar. 9) Dispersar-se ou desunir-se de. / *v.i.* 10) Rarear. 11) Espairecer.

ES.PAN.CAR *v.t.d.* 1) Dar pancadas em; ferir, machucar, desancar. 2) Afastar, afugentar. 3) Separar, dissipar.

ES.PA.NHOL *adj.* 1) Respectivo ou ligado a Espanha (Europa). / *s.m.* 2) Habitante ou natural da Espanha. 3) O idioma adaptado nesse país.

ES.PA.NHO.LIS.MO *s.m.* 1) Caráter ou costumes espanhóis. 2) Afeição a tudo que é referente a Espanha. 3) *Linguíst.* Construção própria da expressão do espanhol transportada para outro idioma; hispanismo.

ES.PAN.TA.DI.ÇO *adj.* Que se espanta com facilidade; arisco.

ES.PAN.TA.LHO *s.m.* Boneco colocado no campo para espantar as aves.

ES.PAN.TAR *v.t.d.* e *v.p.* 1) Sentir ou causar medo; assustar(-se). / *v.t.d.*, *v.i.* e *v.p.* 2) Encher(-se) de admiração; surpreender(-se), maravilhar(-se). / *v.t.d.* 3) Pôr em fuga; afugentar, enxotar.

ES.PAN.TO *s.m.* 1) Susto, medo. 2) Admiração, surpresa.

ES.PA.RA.DRA.PO *s.m.* Tira com uma face aderente usada para prender curativos.

ES.PAR.RA.MAR *v.t.d.i.*, *v.i.* e *v.p.* 1) Lançar(-se) em várias direções; espalhar(-se). / *v.t.d.i.* e *v.p.* 2) Derramar(-se), despejar(-se), entornar(-se). / *v.i.* e *v.p.* 3) Cair estendido, deitado. / *v.p.* 4) *pop.* Ficar à vontade; espalhar-se.

ES.PAR.SO *adj.* Solto, espalhado, disperso.

ES.PAR.TI.LHO *s.m.* Espécie de cinta feminina usada para comprimir a cintura.

ES.PA.TI.FAR *v.t.d.* e *v.p.* 1) Reduzir(-se) a fragmentos; despedaçar(-se), quebrar(-se). / *v.p.* 2) Levar um tombo; estatelar-se.

ES.PE.CI.AL *adj.2gên.* 1) Referente ou ligado a uma espécie. 2) Peculiar, privativo ou exclusivo de algo ou alguém. 3) Fora do comum; excelente, notável. 4) Superior. 5) Distinto. 6) Singular; específico.

ES.PE.CI.A.LIS.TA *adj.2gên.* 1) Pessoa que possui conhecimentos ou técnicas aprofundadas com exclusividade sobre determinado assunto ou ramo de atividade; perito, aperfeiçoado. / *s.2gên.* 2) Pessoa que se especializa em certo aspecto de sua profissão.

ES.PE.CI.A.RI.A *s.f.* Denominação genérica de substâncias ou drogas aromáticas e condimentícias, como cravo, canela, etc.

ES.PÉ.CIE *s.f.* 1) Divisão do gênero; natureza, qualidade, tipo, semelhança, classe, categoria ou aparência. 2) *Filos.* Seres que possuem a mesma essência ou característica, excluindo suas diferenças individuais, e têm tendência a se cruzarem. 3) Componentes da natureza que apresentam propriedades idênticas próprias para serem usadas em misturas ou empregadas como bases nos eletuários. 4) *Lóg.* A classe que está logicamente subordinada ao gênero devido à sua menor extensão e maior compreensão. 5) Gêneros alimentícios que são usados como forma de pagamento; dinheiro vivo, sonante. 6) *Teol.* As aparências do pão e do vinho, depois da transubstanciação.

ES.PE.CI.FI.CAR *v.t.d.* 1) Reconhecer e indicar a espécie de. 2) *Dir.* Apontar individualmente, especializar. 3) Descrever com minúcia; explicar com detalhes explícitos e precisos. 4) Esmiuçar, caracterizar, pormenorizar.

ES.PE.CU.LAR *adj.2gên.* 1) Respectivo a espelho. 2) Brilho semelhante ao do espelho. 3) Límpido, transparente como o espelho. / *v.t.d.* 4) Estudar com atenção e minúcia, teoricamente. 5) Observar, indagar. / *v.i.* 6) Meditar, raciocinar; analisar. 7) Explorar os negócios, visando somente o lucro. 8) Agenciar, negociar. / *v.t.i.* 9) Obter informações detalhadas acerca de alguma coisa, vigiar. 10) Tirar partido de. 11) Informar-se de forma minuciosa sobre.

ES.PE.DA.ÇAR *v.t.d.* Despedaçar; deixar ou fazer em pedaços.

ES.PE.LHA.DO *adj.* Semelhante ao espelho; polido e liso.

ES.PE.LHAR *v.t.d.* 1) Transformar em algo liso, polido, cristalino como um espelho. 2) Refletir como um espelho. / *v.p.* 3) Refletir-se, ver-se ao espelho. 4) Rever-se em alguma coisa. 5) Tornar-se patente; mostrar-se. 6) Possuir reflexos em fatos ou atos atuais comparando-os com o passado.

ES.PE.LHA.RI.A *s.f.* Local onde se fazem ou vendem espelhos.

ES.PE.LHEI.RO *s.m.* Fabricante ou comerciante de espelhos.

ES.PE.LHO (ê) *s.m.* 1) Superfície polida que reflete a luz ou se reproduz a imagem dos objetos que se encontram a sua frente. 2) Lâmina de vidro ou cristal, encontrada na parte posterior para adorno ou para refletir imagens. 3) Aquilo que reproduz ou revela um sentimento. 4) Ensinamento, exemplo, modelo. 5) Chapa exterior de uma fechadura. 6) *Eletr.* Tomada elétrica, interruptor.

ES.PE.LUN.CA *s.f.* 1) Caverna, cova, antro. 2) Casa imunda e escura. 3) Lugar oculto em que se joga. 4) Local que não é bem frequentado, de má categoria.

ES.PE.RA *s.f.* 1) Prática de esperar. 2) Esperança, expectativa. 3) Demora, dilatação, intervalo. 4) Adiamento. 5) Local de espera. 6) Cilada, emesperança

boscada. 7) Dispositivo destinado a impedir ou limitar o movimento de outra. 8) Peça da bainha de faca ou de facão destinada a firmá-la sob o cinto. 9) Ponto ou prazo marcado.

ES.PE.RAN.ÇA *s.f.* 1) Prática de esperar com paciência. 2) Expectativa por algo desejado. 3) A segunda das três virtudes teologais ➥ Fé, esperança e caridade. 4) Fé, confiança.

ES.PE.RAN.TO *s.m.* Idioma internacional de fácil aprendizagem, criado por um médico polonês em 1887.

ES.PE.RAR *v.t.d.* 1) Ter esperança em, estar à espera de, aguardar, contar com, ter por certo ou provável. 2) Conjeturar, supor. / *v.i.* 3) Estar na expectativa. / *v.t.i.* 4) Confiar no auxílio ou proteção; ter esperança.

ES.PER.MA *s.m. Biol.* Líquido seminal fecundante, produzido pelos órgãos sexuais masculinos; sêmen.

ES.PER.MA.TO.LO.GI.A *s.f.* 1) *Biol.* Junção de todos os conhecimentos relacionados ao esperma. 2) Tratado sobre o esperma.

ES.PER.MA.TO.ZOI.DE *s.m. Biol.* Gameta masculino produzido nos testículos, comumente em grande quantidade; célula sexual reprodutora masculina.

ES.PER.NE.AR *v.i.* 1) Agitar as pernas; debater-se. / *v.t.i.* e *v.i.* 2) Protestar, reclamar, revoltar-se.

ES.PER.TO *adj.* 1) Acordado, desperto, ativo, inteligente. 2) Vivo, astuto, sagaz. 3) Estimulado, enérgico. 4) Quase quente; morno.

ES.PES.SO (ê) *adj.* 1) Que tem diâmetro maior; grosso. 2) Que tem consistência pastosa; cremoso. 3) Que é denso; volumoso.

ES.PE.TÁ.CU.LO *s.m.* 1) O que impressiona e chama a atenção. 2) Qualquer apresentação pública de teatro, dança, etc. 3) *Por ext.* O que se sobressai por sua beleza ou qualidade.

ES.PE.TAR *v.t.d.* 1) Colocar ou enfiar no espeto; furar ou ferir com espeto; cravar. 2) Atravessar, picar ou cortar com objeto pontiagudo e perfurante. / *v.p.* 3) Atravessar-se, enfiar-se. 4) *pop.* Ficar em má situação; fracassar; arruinar-se.

ES.PE.TO (ê) *s.m.* 1) Utensílio de ferro ou de madeira usado para assar carnes. 2) Pau aguçado em uma das pontas. 3) Pessoa esguia, muito magra. 4) *gír.* Coisa difícil e desagradável; contratempo; complicação.

ES.PE.VI.TA.DO *adj. pop.* Agitado, vivo, animado.

ES.PI.AR *v.t.d.* 1) Vigiar ocultamente; observar, espionar, mirar, espreitar. 2) Aguardar, esperar ansiosamente por algo.

ES.PI.CHAR *v.t.d.* 1) Enfiar pelas guelras. 2) Abrir furo em barril ou pipa a fim de extrair o líquido. 3) Alongar; estender, esticar, dilatar, encompridar. 4) Vencer uma discussão. / *v.i.* 5) Sair com força pelo furo do espicho. 6) *pop.* Morrer. / *v.p.* 7) Fazer fiasco; sair-se mal. 8) Errar, enganar-se.

espiralar

ES.PI.CHO *s.m.* 1) Usado para tapar o furo aberto no barril ou pipa. 2) Varas aguçadas usadas na secagem do couro. 3) Jato, jorro. 4) *pop.* Pessoa muito alta e magra.

ES.PI.GA *s.f.* 1) *Bot.* Parte das gramíneas onde se fixam os grãos. 2) *Bot.* Eixo rodeado de flores sésseis. 3) Parte adelgaçada da lâmina de uma espada ou ferramenta. 4) *Carp.* Corte ou parte de uma peça que se encaixa em outra; macho. 5) *Cir.* Ligadura com forma de 8, usada para imobilizar um membro. 6) Película das unhas. 7) *fig.* Logro, calote, maçada. 8) Contratempo, transtorno. 9) A estrela mais brilhante da constelação.

ES.PI.GÃO *s.m.* 1) Grande espiga. 2) Peça de metal ou madeira pontiaguda. 3) *Bot.* A principal raiz no sistema radical. 4) Linha culminante do telhado. 5) Parte superior da montanha que termina em ponta; cumeada. 6) Cordilheira que divide os cursos de água. 7) *Arquit.* Reservatório marginal que corta ou desvia uma corrente. 8) Cumeeira. 9) Prédio muito alto ou edifício com muitos andares.

ES.PI.GAR *v.i.* 1) Criar, produzir ou deitar espiga. 2) Crescer, desenvolver-se. / *v.t.d.* 3) Fazer criar espiga. 4) Causar prejuízo a alguém inserindo-o em mau negócio. / *v.p.* 5) *pop.* Comprometer-se, prejudicar-se.

ES.PIN.GAR.DA *s.f.* Carabina; arma de fogo, portátil, de cano comprido e coronha que se apoia no ombro para atirar; fuzil; sendo mais usada em caças.

ES.PI.NHA *s.f.* 1) *Anat.* Diz-se de toda saliência óssea alongada encontrada no corpo humano. 2) *Anat.* Série de apófises espinhosas da coluna vertebral; coluna vertebral. 3) *Ictiol.* Osso ou cartilagem que forma o esqueleto dos peixes. 4) *Med.* Acne; pequena borbulha que nasce na pele. 5) *Metal.* Instrumento usado no derretimento de metais. 6) Acessório das peças de artilharia.

ES.PI.NHO *s.m.* 1) Órgão duro, rígido, delgado e pontiagudo, encontrado em algumas plantas ou vegetais. 2) *Zool.* Cerda resistente encontrada em alguns animais, como o ouriço e o porco-espinho. 3) *fig.* Dificuldade, embaraço, tormento. 4) *gír.* Artilharia branca.

ES.PI.NHO.SO (ô) *adj.* 1) Que cria ou possui espinhos; espinhento. 2) Penoso, delicado, difícil. 3) Diz-se daquilo que atormenta; embaraçoso.

ES.PI.RAL *adj.2gên.* 1) Possui formato de espiral ou de caracol. / *s.f.* 2) *Geom.* Linha gerada por um ponto que se desloca sobre uma semirreta, que sofre um movimento de rotação em torno de sua origem. 3) Mola de aço centrada no volante de um relógio.

ES.PI.RA.LAR *v.p.* 1) Movimentar-se em forma de espiral. 2) Adquirir a forma de espiral, tornar-se espiralado. / *v.t.d.* 3) Atribuir caráter de espiral a.

219

espirar / esquema

ES.PI.RAR *v.i.* 1) Estar vivo. / *v.t.d.* 2) Soprar. 3) Exalar, respirar, ofegar.

ES.PÍ.RI.TA *s.2gên.* 1) Adepto ou admirador do espiritismo; espiritista. / *adj.2gên.* 2) Próprio ou relativo ao espiritismo.

ES.PI.RI.TIS.MO *s.m.* 1) Doutrina baseada na crença da sobrevivência da alma e da comunicação dos vivos com os mortos pela ação dos médiuns. 2) Culto religioso praticado por esta doutrina.

ES.PÍ.RI.TO *s.m.* 1) Parte não corporal do ser humano; alma. 2) Fantasma, assombração. 3) Traços psicológicos ou morais de uma pessoa; mente, caráter, pensamento. 4) Característica, traço, índole. 5) Significado, sentido.

ES.PIR.RAR *v.i.* 1) Dar ou soltar espirros. 2) Esguichar, saltar um líquido. 3) *pop.* Sair de maneira súbita e inesperada de algum lugar. / *v.t.d.* 4) Soltar subitamente, lançar fora, emitir com ímpeto. 5) Ser excluído ou expulso.

ES.PIR.RO *s.m.* 1) Prática ou efeito de espirrar. 2) Expiração de ar pelo nariz e pela boca com violência, provocando um ruído devido a uma irritação das mucosas nasais, esternutação. 3) Esguicho.

ES.PLA.NA.DA *s.f.* 1) Planície, chapada, planalto. 2) Campo largo e descoberto. 3) Praça pública.

ES.PLAN.DE.CER *v.i.* Resplandecer, brilhar.

ES.PLÊN.DI.DO *adj.* 1) Brilhante, luzente, luminoso. 2) Luxuoso, admirável. 3) Magnificente, sensacional.

ES.PLEN.DOR (ô) *s.m.* 1) Brilho, fulgência, resplandecência, vivacidade. 2) Pompa, luxo, grandeza, resplendor.

ES.PO.LE.TA (ê) *s.f.* 1) Dispositivo que causa a inflamação da carga dos projéteis e bombas. 2) Valentão que serve de guarda-costas. 3) Homem de bando; assalariado. 4) Intrigante, alcoviteiro. / *adj.2gên.* 5) Desclassificado, que não possui valor nenhum. 6) Criança muito ativa, agitada.

ES.PON.JA *s.f.* 1) *Zool.* Animal marinho rudimentar. 2) Substância porosa proveniente desse animal. 3) Utensílio usado para fazer limpezas domésticas ou banhos.

ES.PON.JO.SO (ô) *adj.* 1) Repleto de poros, leve e poroso como a esponja. 2) *Zool.* Osso que proporciona numerosas cavidades ricas em vasos sanguíneos.

ES.PON.SAIS *s.m. pl.* 1) Mútua promessa ou contrato de casamento. 2) Cerimônia que antecede o casamento.

ES.PON.TÂ.NEO *adj.* 1) Que ocorre por si mesmo, de forma voluntária. 2) Natural, sincero.

ES.PO.RÁ.DI.CO *adj.* Que ocorre poucas vezes; eventual, espaçado.

ES.POR.TE *s.m.* 1) *Esp.* Atividade física que envolve treino e respeito a determinadas regras, executada para recreação ou competição. 2) *Por ext.* Atividade lúdica; passatempo. / *adj.2gên.*

3) Diz-se de roupa leve, simples, não convencional. 4) Diz-se de automóvel de duas portas que atinge grandes velocidades.

ES.PO.SA (ô) *s.f.* Mulher, em relação ao marido.

ES.PO.SO (ô) *s.m.* Marido.

ES.PRE.GUI.ÇAR *v.t.d.*, *v.i.* e *v.p.* Esticar os membros; alongar(-se).

ES.PREI.TAR *v.t.d.* e *v.i.* 1) Observar em segredo; vigiar, espiar. 2) Ficar à espreita; emboscar, tocaiar. / *v.t.d.* 3) Olhar com atenção.

ES.PRE.MER *v.t.d.* 1) Apertar para tirar o líquido. 2) *fig.* Reduzir um texto para que caiba em um determinado espaço. 3) Expelir. / *v.t.d.* e *v.p.* 4) Exercer ou sofrer pressão; apertar(-se), comprimir(-se).

ES.PU.MA *s.f.* 1) Associação inconsistente de pequenas bolhas que se formam sobre líquidos, escuma. 2) O suor dos cavalos que se junta à superfície do corpo em bolhas esbranquiçadas. 3) Saliva ou baba espumosa.

ES.QUA.DRA *s.f.* 1) *Mil.* Seção ou parte de uma infantaria ou posto policial. 2) *Náut.* Conjunto de navios de guerra comandados por oficial superior. 3) *Av.* Integração de aviões militares. 4) Esquadro, régua. 5) *Esp.* Equipe de jogadores que defendem um clube ou associação.

ES.QUA.DRÃO *s.m.* 1) *Mil.* Unidade tática ou seção de um regimento de cavalaria. 2) *Av.* Unidade aérea básica da FAB. 3) Multidão, bando, enxame. 4) Time de futebol de grande categoria ou alto valor técnico.

ES.QUA.DRI.A *s.f.* 1) Corte em ângulo reto. 2) Instrumento utilizado na medição destes ângulos. 3) Pedra de cantaria. 4) Regularidade. / *s.f. pl.* 5) Qualificação genérica de portas e janelas, batentes e folhas necessárias a uma construção ➥ esquadrias de alumínio.

ES.QUA.DRO *s.m.* 1) Aparelho usado para medir ou traçar ângulos retos e tirar linhas perpendiculares. 2) *Mil.* Instrumento de metal, usado na manobra do morteiro que possui formato de quadrante.

ES.QUE.CER *v.t.d.* 1) Extrair da ou perder a memória; tirar da lembrança; olvidar. 2) Não fazer caso de, pôr em esquecimento; não levar em consideração. 3) Descuidar-se, omitir-se, descuidar-se das suas obrigações. / *v.t.i.* e *v.i.* 4) Escapar da memória, ficar em esquecimento. / *v.p.* 5) Perder a lembrança. 6) Descuidar-se.

ES.QUE.LE.TO (ê) *s.m.* 1) *Anat.* Estrutura óssea de todos os vertebrados. 2) *Bot.* Estrutura protetora ou sustentadora de uma planta. 3) *Constr.* Armação sólida que sustenta qualquer obra. 4) Esboço ou ensaio de um trabalho literário. 5) Pessoa muito magra.

ES.QUE.MA *s.m.* 1) Figura que representa as relações ou funções gráficas resumidas de um processo ou objeto. 2) Sinopse, resumo, esboço, esquentar · estado

síntese. 3) Plano, programa, projeto. 4) Proposta submetida à deliberação de um concílio.

ES.QUEN.TAR *v.t.d.* 1) Aumentar o grau de calor, tornar quente; aquecer. / *v.p.* 2) Acalorar-se, acalmar-se, aquecer-se. 3) Acirrar-se, irritar-se. 4) Preocupar-se, encasquetar-se. / *v.t.d. e v.p.* 5) Encolerizar(-se), enfurecer(-se).

ES.QUER.DA (ê) *s.f.* 1) Lado esquerdo. 2) A oposição parlamentar. 3) *Por ext.* Conjunto dos partidos que reivindicam as ações populares, trabalhistas, socialistas de qualquer espécie. 4) Mão esquerda, sinistra.

ES.QUER.DO (ê) *adj.* 1) Que se encontra do lado oposto ao direito; sinistro, canhoto. 2) De mau agouro, desagradável, constrangedor. 3) Mal jeitoso; desastrado, torto. 4) Contrafeito, falsificado. 5) Olhar atravessado, oblíquo.

ES.QUE.TE *s.m.* Pequena obra de teatro, rádio ou televisão, constituída por poucos atores e de curta duração.

ES.QUI *s.m.* 1) Espécie de patim que consiste numa tábua estreita e alongada com a ponta recurvada que serve para deslizar na neve ou na água. 2) Esporte praticado com tal apetrecho.

ES.QUI.LO *s.m.* 1) *Zool.* Mamífero roedor de pequeno porte. 2) Caxinguelê.

ES.QUI.MÓ *adj.2gên.* 1) *Etnol.* Concernente aos esquimós. / *s.2gên.* 2) Povo nativo da Groenlândia. / *s.m.* 3) Cada uma das duas línguas faladas pelos esquimós. / *s.m. pl.* 4) Tribos indígenas habitantes de terras árticas.

ES.QUI.NA *s.f.* 1) Ângulo saliente formado por dois planos que se cortam, cunhal. 2) Cruzamento de duas vias públicas.

ES.QUI.SI.TO *adj.* 1) Excêntrico. 2) Que raramente se encontra. 3) Estrambótico, extravagante, que não é comum nem usual, estranho. 4) Incomodado, adoentado. 5) Elegante, primoroso, excelente; não vulgar. 6) Precioso, importante. 7) De gênio desigual ou de difícil entendimento.

ES.QUI.VAR *v.t.d. e v.p.* 1) Escapar, desviar-se, livrar-se, desvencilhar-se. 2) Livrar-se de uma situação difícil ou desagradável; recusar(-se), evitar.

ES.SA *s.f.* 1) Estrado onde se deposita o caixão durante as cerimônias fúnebres. 2) Catafalco. / *pron. dem.* 3) Forma feminina singular de *esse.*

ES.SE (ê) *pron. dem.* Designa a pessoa ou coisa próxima daquela com quem falamos ou mantemos relação.

ES.SÊN.CIA *s.f.* 1) Natureza íntima das coisas; aquilo que dá consistência, aparência ou compostura a um objeto. 2) Existência naquilo que é fundamental. 3) Significação especial. 4) Ideia ou parte principal. 5) Distintivo. 6) Líquido ou substância aromática, perfume.

ES.SEN.CI.AL *adj.2gên.* 1) Que pertence ou constitui a essência. 2) Que estabelece a parte neces-

sária ou indispensável de uma coisa. 3) Característico; importante, simbólico. / *s.m.* 4) O ponto mais importante, o principal.

ES.TA.BA.NA.DO *adj.* 1) Que age de maneira precipitada, faz tudo com pressa, sem cuidado; desassossegado. 2) Desajeitado, estouvado, aloucado.

ES.TA.BE.LE.CER *v.t.d.* 1) Proporcionar estabilidade a, tornar estável ou firme. 2) Dar existência a; fundar, instituir, determinar, estipular, fixar. 3) Constituir, organizar. 4) Conceder, impor, entabular. 5) Abrir ou fundar um estabelecimento comercial ou industrial.

ES.TA.BI.LI.DA.DE *s.f.* 1) Condição do que é estável. 2) Equilíbrio, firmeza, segurança. 3) *Dir. trab.* Situação ou condição de permanência no emprego. 4) Propriedade geral dos sistemas mecânicos, elétricos ou dinâmicos que fornecem o equilíbrio.

ES.TA.BI.LI.ZA.ÇÃO *s.f.* 1) Prática ou efeito de estabilizar. 2) Conservação e fixação do poder de compra da moeda.

ES.TA.BI.LI.ZAR *v.t.d.* 1) Transformar estável, inalterável. / *v.p.* 2) Tornar-se firme, sólido, fixo.

ES.TÁ.BU.LO *s.m.* Prédio no qual os animais são alojados e alimentados; estrebaria.

ES.TA.CA *s.f.* 1) Pedaço de madeira aguçado que se crava na terra para fins variados. 2) *Constr.* Coluna de concreto fincada no solo para alicerce de uma construção. 3) Galho que se enterra para criar raízes. 4) Amparo, escora.

ES.TA.ÇÃO *s.f.* 1) Estada, pausa ou paragem num lugar. 2) Lugar determinado para parada de trens, ônibus, navios, etc. 3) Temporada; época. 4) Partes em que o ano está dividido ➡ primavera, verão, outono e inverno. 5) Lugar onde são realizadas observações. 6) Centro transmissor dos meios de comunicação.

ES.TA.CI.O.NAR *v.t.i.* 1) Parar ou fazer estação. 2) Permanecer, demorar-se em. / *v.t.d.* 3) Frequentar determinado lugar; parar habitualmente, ser assíduo. 4) Parar automóveis em determinado lugar. / *v.i.* 5) Ficar estacionário, imóvel, não progredir, não ter andamento.

ES.TA.DI.A *s.f.* 1) Estada. 2) Permanência de tempo de referido meio de transporte em determinado lugar.

ES.TÁ.DIO *s.m.* 1) Campo de jogos esportivos. 2) Campo destinado a competições esportivas, com arquibancadas para o público. 3) Época, período, estação, fase ou etapa.

ES.TA.DIS.TA *s.2gên.* 1) Pessoa treinada em negócios políticos que ocupa ou representa um dos cargos administrativos mais importantes do país. 2) Homem de Estado.

ES.TA.DO *s.m.* 1) Maneira de ser, existir ou estar dentro de uma sociedade. 2) Condição ou disposição física ou moral em que se encontra uma pessoa. 3) *Fís.* Estilo que se encontra ou se apre-

221

senta a matéria. 4) Posição social; profissão. 5) Ostentação, magnificência. 6) Registro, inventário. 7) Nação politicamente organizada por leis próprias tendo o conjunto de poderes políticos que regem o governo desta nação.

ES.TÁ.GIO *s.m.* 1) Período, fase, etapa. 2) Tempo de prática ou tirocínio; aprendizagem; preparação. 3) *Astronáut.* Departamento de foguete ou astronave.

ES.TAG.NAR *v.t.d.* 1) Fazer estancar qualquer líquido. 2) Tornar inerte, paralisar. 3) Ficar presa a água em pântano, represar, açudar. / *v.p.* 4) Permanecer em estado estacionário, paralisado; não circular, não correr, perder a fluidez, não progredir.

ES.TA.LAC.TI.TE *s.f. Geol.* Concreção calcária de forma alongada e volume variável que se forma nos tetos das cavernas, grutas e cavidades subterrâneas pela ação de águas calcárias.

ES.TA.LA.DA *s.f.* 1) Som ou ruído produzido por um objeto que estala. 2) *pop.* Grande barulho, escândalo. 3) *fig.* Motim, tumulto, agitação.

ES.TA.LA.GEM *s.f.* 1) Albergaria, pousada, hospedaria. 2) Casa de malta.

ES.TA.LAG.MI.TE *s.f. Geol.* Possui as mesmas características da estalactite; esta, porém, está formada no piso de grutas por pingos de água caídos do teto.

ES.TA.LAR *v.t.d.* 1) Proporcionar ou produzir estalido. / *v.i.* 2) Arrebentar, romper-se com ruído. 3) Manifestar-se inesperadamente; rebentar. 4) Morrer. 5) Quebrar, romper, partir.

ES.TAM.PA *s.f.* 1) Figura impressa em papel, tecido, etc. 2) Ilustração, gravura.

ES.TAN.DE *s.m.* 1) Lugar próprio para a prática de tiro ao alvo. 2) Compartimento determinado a cada participante de uma feira, para expor seus produtos.

ES.TA.NHO *s.m. Quím.* Elemento de metal maleável, branco, fracamente azulado, lustroso, de símbolo Sn, número atômico 50 e massa atômica 118,70.

ES.TAN.TE *s.f.* 1) Móvel com prateleiras. 2) Suporte portátil e inclinado que serve de apoio para a leitura de livros e partituras.

ES.TAR *v.i.* 1) Encontrar-se ou achar-se num determinado lugar ➥ Estar em casa; estar na escola; estar aqui. 2) Assistir, presenciar, comparecer. 3) Consistir, depender. 4) Obter vontade ou disposição. 5) Custar, importar. 6) Fazer companhia; conversar, visitar. 7) Seguir uma profissão. 8) Concordar, ser do mesmo parecer. / *v.lig.* 9) Sentir-se, ser, ficar, permanecer ➥ Eu estou triste. / *v.t.i.* 10) Harmonizar-se ➥ Eu estou com você.

ES.TAR.DA.LHA.ÇO *s.m. pop.* 1) Situação de bagunça; barulheira, desordem, confusão. 2) *fig.* Ostentação, exibição.

ES.TA.TE.LAR *v.t.d.* e *v.p.* 1) Atirar-se ao chão; cair; chocar(-se). 2) (Fazer) ficar espantado; assombrar(-se), estarrecer(-se).

ES.TÁ.TI.CA *s.f.* 1) *Fís.* Parte da mecânica que se dedica ao estudo das relações existentes entre as forças e as massas dos corpos em equilíbrio. 2) Designação dos ruídos causados pela eletricidade atmosférica em transmissões radiofônicas.

ES.TÁ.TI.CO *adj.* 1) Tudo o que se refere ou pertence à estática. 2) Em repouso; imóvel; equilibrado; estável. 3) Não dinâmico.

ES.TA.TÍS.TI.CA *s.f.* 1) Apresentação de resultados de uma pesquisa ou observação através de números ordenados em gráficos ou tabelas. 2) Ciência que recolhe, analisa e interpreta determinados fatos quanto ao número e frequência, estabelecendo as leis que os regem.

ES.TÁ.TUA *s.f.* 1) Obra esculpida ou moldada em uma substância sólida. 2) Pessoa cujas formas são perfeitas e admiráveis. 3) Indivíduo imóvel.

ES.TA.TU.RA *s.f.* 1) Altura de alguém; tamanho. 2) *fig.* Importância, valor, magnitude.

ES.TÁ.VEL *adj.2gên.* 1) Firme, seguro. 2) Que não varia; inalterável, constante. 3) Que é permanente; duradouro. 4) Que tem garantia de permanecer no emprego.

ES.TE.LI.O.NA.TO *s.m. Jur.* Fraude praticada por alguém para obtenção de vantagem ilícita.

ES.TEN.DER *v.t.d.* e *v.p.* 1) Alargar(-se), alongar(-se), estirar(-se), dilatar(-se). / *v.t.d.* 2) Desdobrar, desenrolar, desenvolver, encompridar. 3) Discorrer ou escrever amplamente sobre um assunto. 4) Alastrar, espalhar, esticar.

ES.TE.PE *s.f.* 1) *Geogr.* Denominação das vastas planícies da Rússia. / *s.m.* 2) *Autom.* Pneu sobressalente que serve de socorro quando um outro apresenta problemas.

ÉS.TER *s.m. Quím.* Classe de substâncias compostas resultantes da ação de um ácido sobre um álcool ou fenol, pela remoção de água.

ES.TER.CO (ê) *s.m.* 1) Excremento de um animal, estrume. 2) Adubo vegetal para os terrenos. 3) Matéria orgânica apodrecida. 4) Lixo, sujidade. 5) O que é considerado vil.

ES.TÉ.REO *s.m.* 1) Medida de volume para lenha que corresponde a um metro cúbico. 2) Forma reduzida de estereofônico.

ES.TÉ.RIL *adj.2gên.* 1) Improdutivo; infecundo. 2) Impossibilitado de procriar. 3) Que não tem proveito; inútil. 4) *Med.* Que não possui micróbios. 5) Árido, seco. 6) Inútil, vão.

ES.TE.RI.LI.ZA.DOR (ô) *adj.* 1) Aquilo que esteriliza; esterilizante. / *s.m.* 2) Quem esteriliza. 3) Aparelho próprio para esterilizar. 4) Germicida.

ES.TE.RI.LI.ZAR *v.t.d.* 1) Tornar estéril, infecundo. 2) Eliminar germes; destruir os micróbios; desinfetar. 3) *Med.* Impedir a fecundação. / *v.p.* 4) Tornar-se estéril, improdutivo.

ES.TI.CAR *v.t.d.* 1) Estender ou puxar, retesando. 2) *pop.* Estender programas a outros lugares. /

estilhaço · estrangeiro

v.t.d. e **v.p.** 3) Alongar(-se), estender(-se). / **v.i.** 4) *pop.* Morrer.

ES.TI.LHA.ÇO *s.m.* Fragmento de objeto que se despedaçou após impacto violento ou explosão.

ES.TI.LIS.TA *adj.2gên.* e *s.2gên.* 1) Quem escreve ou discursa num estilo peculiar e elegante. 2) Pessoa ou objeto notável pelo vigor e elegância do estilo. 3) Especialista em Estilística. 4) Desenhista que cria modelos de roupas diferentes ou aceitáveis para a moda.

ES.TI.LO *s.m.* 1) Característica ou feição especial de uma época ou povo. 2) *Ant.* Instrumento de pequeno porte usado pelos antigos para escrever em tábuas enceradas.

ES.TI.MA *s.f.* Sentimento de carinho, apreço, consideração, afeição.

ES.TI.MAR *v.t.d.* 1) Possuir estima, afeição ou amizade a. 2) Apreciar, congratular, regozijar. / **v.p.** 3) Estimar-se; ter consciência da própria dignidade.

ES.TI.MA.TI.VA *s.f.* 1) Avaliação, determinação. 2) Apreciação, afeição. 3) Cálculo, cômputo.

ES.TI.MA.TI.VO *adj.* 1) Aquilo que estima. 2) Que diz respeito à estima. 3) Juízo fundado em probabilidades. 4) Valor dependente da estimação e não do objeto em si.

ES.TI.MU.LAN.TE *adj.2gên.* 1) Tudo o que estimula. 2) *Fisiol.* Que ativa ou excita a ação orgânica. / *s.m.* 3) Estímulo, incentivo. 4) Diz-se de medicamento ou substância com poderes estimulantes.

ES.TI.MU.LAR *v.t.d.* 1) Proporcionar estímulo; despertar, excitar, instigar. 2) Animar, encorajar, incitar. 3) Provocar a emulação, pungir. 4) *Fisiol.* Ativar a atividade fisiológica característica de um nervo ou músculo.

ES.TÍ.MU.LO *s.m.* 1) Tudo o que estimula. 2) O que ativa a mente ou aumenta a atividade. 3) Brio, dignidade. 4) *Polít. econ.* Disposição legal do governo prestando vantagens em favor de investimentos preferenciais. 5) Impulso.

ES.TI.PE *s.m.* 1) *Bot.* Haste, caule ou tronco sem ramificações, característico nas palmeiras. 2) *Bot.* Pecíolo da fronde de um feto.

ES.TI.PU.LAR *v.t.d.* 1) Ajustar, contratar, convencionar através de contrato. 2) Determinar, estabelecer, condicionar.

ES.TI.RAR *v.t.d.* 1) Estender, esticar puxando. 2) *Metal.* Estender e diminuir a seção transversal de uma peça de metal. / **v.t.d.** e **v.p.** 3) Deitar(-se) por terra, estender(-se) ao comprido, alongar(-se).

ES.TIR.PE *s.f.* 1) Parte da planta que se desenvolve na terra, tronco. 2) Raça, origem. 3) Ascendência, linhagem.

ES.TO.CAR *v.t.d. Com.* Formar estoque; acumular.

ES.TO.FA (ô) *s.f.* 1) Estofo. 2) *fig.* Condição, estado, qualidade, laia.

ES.TO.FA.MEN.TO *s.m.* 1) Prática ou efeito de estofar. 2) Estrutura interna de um móvel estofado.

ES.TO.FAR *v.t.d.* 1) Cobrir ou revestir com estofo. 2) Colocar estofo entre o forro e o tecido de; acolchoar.

ES.TO.FO (ô) *s.m.* 1) Tecido de lã, seda ou algodão; estofa. 2) Lã, crina ou outra substância usada para revestir móveis; estofamento. 3) Chumaço. 4) Grossura do peito do cavalo. 5) Entretela. 6) *fig.* Grande capacidade, competência.

ES.TO.JO (ô) *s.m.* Caixa de pequeno porte estofada internamente, com divisões para guardar objetos pequenos ou frágeis.

ES.TÔ.MA.GO *s.m.* 1) *Anat.* Víscera situada na parte superior do abdômen e que faz parte do aparelho digestivo. 2) *fig.* Diz-se daquele que suporta situações desagradáveis ➡ É preciso ter estômago para tantos acontecimentos ruins!

ES.TO.QUE *s.m.* 1) Espécie de espada de lâmina prismática longa, estreita e pontiaguda. 2) Depósito ou quantidade de mercadorias para venda ou exportação. 3) Livro em que se registra mercadorias.

ES.TÓ.RIA *s.f.* História.

ES.TOR.NO (ô) *s.m.* 1) *Com.* Ação ou consequência de estornar. 2) A verba que se estorna. 3) Rescisão de contrato, especificamente, de seguro marítimo.

ES.TOU.RAR *v.t.d.* e *v.i.* 1) Rebentar com grande barulho; explodir. 2) *Por ext.* Romper com violência; rasgar. / *v.i.* 3) *fig.* Fazer sucesso. 4) Perder a cabeça; descontrolar-se. / *v.t.d.* 5) *fig.* Gastar até ultrapassar o limite. / *v.t.d.* e *v.p.* 6) *Por ext.* Fazer (-se) em pedaços; destruir(-se), quebrar(-se).

ES.TRA.DA *s.f.* 1) Caminho largo para trânsito público e transporte. 2) Via de tráfego que, geralmente, está fora da área urbana. 3) Expediente, caminho para atingir objetivos, modo de proceder, carreira. 4) Rumo, destino.

ES.TRA.DO *s.m.* 1) Pavimento móvel, geralmente feito de madeira, sobrelevado que serve de apoio para se colocar uma cama, uma mesa, etc. 2) Espécie de grade, pertencente à cama, sobre a qual se assenta o colchão.

ES.TRA.GA.DO *adj.* 1) Tudo o que se encontra em estado inútil, danificado, avariado, corrompido. 2) Deteriorado, despedaçado, desmanchado. 3) *pop.* Cheio de manias, embromado.

ES.TRA.GAR *v.t.d.* 1) Fazer estrago em, danificar, inutilizar. 2) Colocar em mau estado ou condição; arruinar a reputação própria ou de outrem. 3) Desperdiçar, dissipar, privar o prazer. / *v.t.d.* e *v.p.* 4) Corromper(-se), perverter(-se), viciar-se. / *v.p.* 5) Arruinar-se, danificar-se, deteriorar-se.

ES.TRA.GO *s.m.* 1) Dano moral, prejuízo, ruína. 2) Dissipação; enfraquecimento físico; decadência. 3) Perversão, dissolução. 4) Mortandade. 5) *gír.* Barulho, desordem. 6) *pop.* Despesa; gasto em excesso, desperdício.

ES.TRAN.GEI.RO *adj.* 1) Natural de país diferente daquele em que se encontra. / *s.m.* 2) Pessoa estrangular

originária de outro país. 3) Conjunto de todos os países, exceto aquele de que se fala. 4) Denominação genérica das nações estrangeiras. 5) Indivíduo estranho, forasteiro.

ES.TRAN.GU.LAR *v.t.d.* 1) Asfixiar, matar apertando o pescoço; impedir a respiração; esganar. / *v.p.* 2) Suicidar-se por estrangulação, apertar-se, estreitar-se.

ES.TRA.NHAR *v.t.d.* 1) Considerar algo ou alguém estranho devido a seus hábitos, costumes ou crenças. 2) Achar diferente, novo, não se familiarizar, não reconhecer. 3) Censurar.

ES.TRA.NHO *adj.* 1) Que não é reconhecido, que não pertence, é externo. 2) Que não é comum, não é usado. / *s.m.* 3) Diz-se do indivíduo estrangeiro ou daquilo que não se conhece.

ES.TRA.TA.GE.MA *s.m.* 1) *Mil.* Artifício usado para enganar o inimigo. 2) *fig.* Astúcia, manha, esperteza, inteligência.

ES.TRA.TÉ.GIA *s.f.* 1) Arte de planejar, organizar e conceber operações de guerra em conjunto. 2) Ardil, manha, estratagema, tática. 3) *fig.* Habilidade em dispor de coisas para alcançar determinado fim.

ES.TRA.TE.GIS.TA *s.2gên.* 1) Pessoa treinada em estabelecer estratégias. 2) *fig.* Pessoa hábil, astuciosa.

ES.TRA.TO *s.m.* 1) *Geol.* Camadas formadoras dos terrenos sedimentares. 2) *Meteor.* Nuvem baixa decomposta em camadas. 3) *Sociol.* Conjunto de pessoas que pertencem à mesma classe ou camada social.

ES.TRA.TOS.FE.RA *s.f. Geofís.* Camada da atmosfera situada entre a troposfera e a ionosfera.

ES.TRE.AN.TE *adj.2gên.* e *s.2gên.* Que estreia; que está começando numa nova carreira profissional; principiante.

ES.TRE.AR *v.t.d.* 1) Empregar, usar, fazer ou apresentar algo pela primeira vez. 2) Inaugurar, iniciar, principiar.

ES.TRE.BU.CHAR *v.t.d., v.i.* e *v.p.* Agitar-se muito, com violência; debater-se, sacudir(-se).

ES.TREI.TO *adj.* 1) Com pouco espaço. 2) Pouco largo, fino. 3) Apertado, justo. 4) Reduzido, restrito. 5) Íntimo, próximo. / *s.m. Geogr.* 6) Canal natural de pequena largura que liga dois mares. 7) Desfiladeiro.

ES.TRE.LA (ê) *s.f.* 1) *Astr.* Astro que tem luz e calor próprio, com brilho cintilante, parecendo sempre fixo no firmamento e sendo visível à noite. 2) *fig.* Destino, sorte. 3) *fig.* Artista que se sobressai; de muito talento. 4) Pessoa a quem se quer muito.

ES.TRI.A *s.f.* Linha fina ou sulco na superfície de um corpo.

ES.TRI.BO *s.m.* 1) Peça pendente da sela onde o cavaleiro prende o pé. 2) Peça similar a um estribo. 3) Degrau lateral de veículos. 4) *Anat.* Pequeno osso do ouvido médio. 5) Apoio.

ES.TRIC.NI.NA *s.f. Quím.* Medicamento e veneno muito poderoso, tóxico e medicinal extraído da noz-vômica.

estudar

ES.TRI.DEN.TE *adj.2gên.* 1) Que origina estridor; estrídulo. 2) Acompanhado de estridor; de som agudo e áspero. Ressoante, sibilante.

ES.TRI.DOR *s.m.* 1) Som agudo, áspero e ressoante. 2) Silvo, apito, assobio.

ES.TRI.PAR *v.t.d.* 1) Tirar as tripas a, destripar. 2) Abrir o ventre a. 3) Fazer carnificina em. 4) Abrir o bucho retirando as vísceras.

ES.TRI.PU.LI.A *s.f.* 1) Barulho, desordem, bagunça. 2) Traquinice, travessura.

ES.TRI.TO *adj.* 1) Restrito, particular, rigoroso. 2) Exato, preciso; não lato. 3) Apertado, estreito.

ES.TRO.FE *s.f.* 1) Conjunto de versos que compõem uma unidade; estância. 2) Primeira das três partes líricas da tragédia grega, cantada pelo coro.

ES.TRO.GÊ.NIO *s.m. Biol.* Hormônios sexuais que estimulam caracteres femininos.

ES.TRO.GO.NO.FE *s.m. Cul.* Prato, geralmente de carne bovina ou de galinha picada, cozida em molho de creme de leite e cogumelo.

ES.TRÔN.CIO *s.m. Quím.* Elemento metálico, análogo ao bário, bivalente, de símbolo Sr, número atômico 38 e massa atômica 87,63.

ES.TRON.DAR *v.i.* 1) Soar com estrondo. 2) Fazer estrondo ou ruído forte e prolongado. 3) *fig.* Clamar, esbravejar, vociferar, causar sensação.

ES.TRON.DO *s.m.* 1) Som forte, estampido. 2) Grande ruído ou barulho. 3) *fig.* Grande luxo; grandeza, ostentação.

ES.TRO.PI.AR *v.t.d.* 1) Retirar um membro a; aleijar, mutilar. 2) Cansar, fatigar demasiadamente. 3) Alterar, adulterar, desvirtuar.

ES.TRO.PÍ.CIO *s.m.* Dano, maldade, transtorno.

ES.TRU.ME *s.m.* 1) Mistura de excrementos de animais usados para adubar a terra para o cultivo. 2) Substância orgânica que é usada na fertilização do solo. 3) Dejeções.

ES.TRU.PÍ.CIO *s.m.* 1) Desordem, confusão. 2) Barulho, inferneira, alvoroço. 3) O que existe em grande quantidade. 4) Coisa esquisita ou fora do comum.

ES.TRU.TU.RA *s.f.* 1) Organização de tudo o que constitui um todo, organograma. 2) Arranjo das partes ou textura de uma substância ou corpo. 3) *Arquit.* Armação de um prédio em construção. 4) Disposição e distribuição das partes de uma obra literária.

ES.TU.Á.RIO *s.m.* Braço ou bacia formado pela desembocadura de um rio localizado próximo ao mar.

ES.TU.DAN.TE *adj.2gên.* e *s.2gên.* 1) Quem estuda ou frequenta qualquer estabelecimento de instrução. 2) Aluno, discípulo escolar.

ES.TU.DAR *v.t.d.* 1) Usar a inteligência, o espírito ou a memória para o estudo de. 2) Analisar, examinar determinado assunto. 3) Aprender, fixar na memória, adquirir conhecimentos. / *v.i.* 4) Cursar estúdio | eurritmia

aulas, ser estudante. 5) Meditar, pensar, procurar conhecer-se.

ES.TÚ.DIO *s.m.* 1) Sala usada para realizar transmissão radiofônica ou televisiva. 2) Edifício(s) onde se preparam e filmam cenas cinematográficas. 3) Oficina de artista; ateliê.

ES.TU.DI.O.SO (ô) *adj.* e *s.m.* 1) Que ou quem é aplicado ao estudo. 2) Pessoa que estuda as ciências e as artes.

ES.TU.DO *s.m.* 1) Operação de estudar. 2) Aplicação da inteligência para aprender certa matéria ou assunto especial. 3) Ciência ou saber adquiridos devido ao próprio desempenho. 4) Investigação, pesquisa. 5) Modelo destinado ao ensino. 6) *Tecn.* Projeto, plano, concepção.

ES.TU.FA *s.f.* 1) Recinto fechado onde se eleva a temperatura do ar ambiente. 2) Aposento, nos banhos termais. 3) Fogão usado para aquecer as casas no inverno. 4) Forno de fogão de cozinha. 5) Aparelho destinado à esterilização de material cirúrgico. 6) Aparelho que mantém, nos laboratórios, temperatura constante.

ES.TU.FAR *v.t.d.* 1) Colocar em estufa. 2) Secar em estufa. 3) Preparar alimentos em estufa ou vaso fechado. 4) *pop.* Empanturrar ou encher abusivamente.

ES.TUL.TO *adj.* 1) Insensato, néscio, tolo. 2) Diz-se da pessoa que não tem bom senso.

ES.TU.PEN.DO *adj.* 1) Admirável, maravilhoso. 2) Extraordinário, surpreendente.

ES.TÚ.PI.DO *adj.* 1) Que demonstra estupidez; ausência de inteligência, juízo ou de discernimento. 2) Aquilo que provoca tédio ou aborrecimento. 3) *pop.* Bruto, grosseiro, indelicado. / *s.m.* 4) Pessoa estúpida, desajuizada.

ES.TU.PRAR *v.t.d.* 1) Atacar violentamente contra o pudor de. 2) Cometer estupro; violar, violentar, desflorar.

ES.TU.PRO *s.m.* 1) Atentado ao pudor cometido violentamente. 2) Usar de força violenta sem consentimento do outro para ter uma conjunção carnal forçada e constrangedora.

ES.TUR.RI.CAR ou **ES.TOR.RI.CAR** *v.t.d.* e *v.i.* 1) Tornar(-se) extremamente seco, quase até queimar; ressecar. / *v.t.d.* e *v.p.* 2) *fig.* Queimar muito, torrar.

ES.VA.ZI.AR *v.t.d.* 1) Tornar, evacuar, desocupar. 2) Despejar, esgotar, evaporar. 3) Retirar o conteúdo de. / *v.p.* 4) *fig.* Aliviar-se.

ES.VER.DE.AR *v.t.d.* 1) Atribuir a cor esverdeada ou verde. / *v.i.* 2) Receber cor esverdeada ou tonalidade verde. 3) Tornar-se verde ou esverdeado.

ES.VO.A.ÇAR *v.i.* 1) Diz-se da ave ao bater as asas para erguer o voo; adejar. 2) Agitar-se, irritar-se. 3) *fig.* Saltar ao vento; flutuar. / *v.p.* 4) Elevar-se em voo. 5) *fig.* Agitar-se.

E.TA.NO *s.m. Quím.* Hidrocarboneto saturado, gasoso, incolor e inodoro.

E.TA.NOL *s.m. Quím.* Álcool etílico ou, simplesmente, álcool.

E.TA.PA *s.f.* 1) Distância entre dois lugares. 2) Fase, estágio. 3) Bivaque de tropas; acampamento. 4) Consumo feito por um soldado quando se encontra acampado. 5) Fase ou situação transitória.

E.TER.NI.DA.DE *s.f.* 1) Qualidade do que é eterno. 2) Duração sem princípio nem fim. 3) *Rel.* Vida que inicia após a morte. 4) *fig.* Tempo muito longo.

E.TER.NO *adj.* 1) Que dura para sempre; interminável. 2) *fig.* Imutável, inalterável. 3) *fig.* Imortal, inesquecível.

É.TI.CA *s.f.* 1) *Por ext.* Conjunto de normas e princípios morais para a boa convivência em sociedade. 2) *Filos.* Estudos de questões relacionadas aos valores morais e à conduta humana.

E.TI.QUE.TA (ê) *s.f.* 1) Rótulo, adesivo, com informações sobre o objeto no qual está. 2) Conjunto de normas de conduta social.

ÉT.NI.CO *adj.* 1) Relativo a etnia. 2) Pertencente ou próprio de um povo ou grupo caracterizado por uma cultura específica.

EU *pron.* 1) Usado por aquele que fala ou escreve para referir-se a si mesmo. / *s.m.* 2) A individualidade de um ser humano. 3) *Por ext.* A maneira de ser de uma pessoa em determinado momento. 4) Egoísmo, narcisismo.

EU.FE.MIS.MO *s.m.* Figura de linguagem que consiste na substituição de palavras e expressões tristes ou desagradáveis por outras mais suaves e delicadas ➡ Ele foi desta para melhor.

EU.FO.NI.A *s.f.* 1) Efeito acústico agradável a partir da combinação dos sons em uma palavra ou da união delas. 2) *Mús.* Som agradável de uma só voz ou instrumento.

EU.FO.RI.A *s.f.* 1) *Med.* Sensação de bem-estar causada por efeito de saúde perfeita, uso de drogas ou concomitante a estados maníacos. 2) Demonstração de contentamento, de entusiasmo.

EU.NU.CO *s.m.* 1) No Oriente, empregado do sexo masculino castrado, que possui como profissão ser guardião de mulheres, principalmente nos haréns. / *adj.* 2) Homem impotente, estéril.

EU.RO.PEI.A *s.f.* 1) Mulher natural da Europa. 2) *Zool.* Província zoogeográfica, região paleártica.

EU.RO.PE.ÍS.MO *s.m.* 1) Caráter de europeu. 2) Admiração ou imitação dos europeus ou relativo a Europa. 3) Influência europeia.

EU.RO.PEI.ZAR *v.t.d.* e *v.p.* 1) Tornar(-se) europeu. 2) Atribuir aspecto europeu a.

EU.RO.PEU *adj.* 1) Relativo ou atinente a Europa. 2) *Zool.* e *Bot.* De origem europeia. / *s.m.* 3) Habitante ou natural da Europa.

EUR.RIT.MI.A *s.f.* 1) Justa proporção; beleza, harmonia. 2) Movimento harmonioso. 3) *Med.* Regu-

225

eutanásia / exatidão

laridade da pulsação. 4) Simetria ou harmonia na composição de.

EU.TA.NÁ.SIA *s.f.* 1) Eliminação ou morte sem dor ou sofrimento. 2) Conjunto de procedimentos que buscam uma maneira de abreviar os tormentos de um paciente portador de uma doença incurável.

E.VA.CU.AR *v.t.d.* 1) Esvaziar, remover; expelir, fazer sair do corpo. 2) *fig. Mil.* Transferir de lugar. / *v.t.d.* e *v.i.* 3) *Med.* Expelir dejeções. / *v.t.d.* e *v.p.* 4) *Med.* Sair espontaneamente, abandonar, esvaziar.

E.VAN.GE.LHO *s.m.* 1) Doutrina de Jesus Cristo. 2) Os quatro primeiros livros do Novo Testamento que narram a vida e a doutrina de Jesus Cristo. 3) *Liturg.* Parte da missa lida no altar.

E.VAN.GÉ.LI.CO *adj.* 1) Relativo ou pertencente ao Evangelho. 2) Princípios do Evangelho. 3) Pertencente ao protestantismo.

E.VAN.GE.LIS.MO *s.m.* Doutrina baseada no Evangelho, pregada e propagada por todo o mundo.

E.VAN.GE.LIS.TA *adj.2gên.* e *s.2gên.* 1) Autor dos Evangelhos bíblicos. 2) Sacerdote que prega o Evangelho.

E.VAN.GE.LI.ZAR *v.t.d.* Pregar ou preconizar o Evangelho a.

E.VA.PO.RA.ÇÃO *s.f.* 1) Prática de evaporar. 2) Exalação. 3) Passagem lenta de um líquido ao estado gasoso.

E.VA.PO.RAR *v.t.d.* 1) Transformar em vapor ou gás. / *v.t.d.* e *v.i.* 2) Emitir, exalar vapores. 3) Converter-se em vapor. / *v.p.* 4) Reduzir-se ao estado de vapor; vaporizar-se. 5) Tornar-se mais denso através da evaporação. 6) Desfazer-se, dissipar-se, consumir-se, perder-se inutilmente. 7) Desaparecer, desvanecer-se.

E.VA.PO.RÔ.ME.TRO *s.m.* Instrumento usado na verificação da capacidade evaporativa do ar.

E.VA.SÃO *s.f.* 1) Operação de evadir-se; fuga. 2) Evasiva, subterfúgio, fuga, escapada. 3) Impulso de fugir, pela imaginação, pelo devaneio, por não adaptar-se.

E.VA.SI.VA *s.f.* 1) Astuciosa desculpa. 2) Escapatória, subterfúgio. 3) Pretexto, motivo.

E.VEN.TO *s.m.* 1) Acontecimento, ocorrência, sucesso. 2) Eventualidade, acaso.

E.VEN.TU.A.LI.DA.DE *s.f.* 1) Condição do que é eventual. 2) Acontecimento improvável, casualidade, acaso.

E.VI.DÊN.CIA *s.f.* Estado ou condição do que é evidente, incontestável, que pode ser visto e verificado.

E.VI.DEN.TE *adj.2gên.* 1) Que pode ser compreendido sem dificuldade ou dúvida. 2) Claro, manifesto, plausível, convincente. 3) Sem contestação ou negação.

E.VI.TAR *v.t.d.* 1) Desviar, fugir; evadir. 2) Esquivar-se à convivência de alguém. 3) Atalhar, impedir.

E.VO.LU.ÇÃO *s.f.* 1) Ação ou efeito de evoluir. 2) Progresso paulatino e contínuo. 3) Transformação lenta, em leves mudanças sucessivas. 4) *Sociol.* Progresso ou melhoramento social, político e econômico. 5) *Biol.* Processo por meio do qual ocorre uma série de alterações gradativas, a partir de um estado rudimentar. 6) Movimento destinado a efetuar um novo arranjo com passagem de uma posição a outra dos componentes de um grupo. 7) *Bot.* Desenvolvimento dos órgãos vegetais.

E.XA.GE.RA.ÇÃO (z) *s.f.* 1) Ato de exagerar. 2) Abuso, excesso; exagero. 3) Falta de naturalidade, modificação.

E.XA.GE.RAR (z) *v.t.d.* 1) Apresentar ou descrever algo diminuindo ou acrescentando, alterando a verdadeira realidade. 2) Aparentar, ostentar mais do que é realmente. 3) Ser exagerado em seus costumes ou gostos. 4) *Bel.-art.* Acentuar ou pronunciar em excesso. / *v.t.d.* e *v.i.* 5) Exprimir com ênfase ou demasiado encarecimento.

E.XA.GE.RO (z) *s.m.* 1) Ato ou consequência de exagerar. 2) Que se encareceu em excesso. 3) Exageração.

E.XA.LAR (z) *v.t.d.* 1) Emitir ou lançar de si, soltar. / *v.i.* 2) Desprender cheiro. / *v.p.* 3) Emanar, sair, evaporar-se.

E.XAL.TA.ÇÃO (z) *s.f.* 1) Ato ou efeito de exaltar. 2) Louvor entusiástico, entusiasmo. 3) Perturbação, excitação. 4) Irritação, cólera, enfurecimento.

E.XAL.TA.DO (z) *adj.* 1) Ardente, apaixonado. 2) Exagerado. 3) Diz-se daquele que se irrita facilmente. / *s.m.* 4) Que(m) tem facilidade em se irritar.

E.XAL.TAR (z) *v.t.d.* 1) Tornar alto; elevar, sublimar. 2) Afamar, louvar, engrandecer, glorificar. 3) Levar ao mais alto grau de intensidade. 4) Enfurecer. / *v.p.* 5) Agastar-se, enfurecer-se, vangloriar-se.

E.XA.ME (z) *s.m.* 1) Operação de examinar. 2) Observação ou investigação; verificação, inspeção. 3) Análise, teste. 4) Inspeção, interrogatório, revista.

E.XA.MI.NA.DOR (z) *adj.* e *s.m.* Que(m) examina.

E.XA.MI.NAN.DO (z) *s.m.* Quem tem de ser ou está sendo examinado.

E.XA.MI.NAR (z) *v.t.d.* 1) Proceder ao exame de forma minuciosa. 2) Estudar, meditar, ponderar. 3) Interrogar, investigar. 4) Inquirir, apurar, provar; verificar. 5) *Med.* Inspecionar, diagnosticar doença ou anormalidade. / *v.p.* 6) Realizar um exame de consciência, observar-se.

E.XA.TI.DÃO (z) *s.f.* 1) Caráter de exato. 2) Determinação rígida de tamanho ou quantidade. 3) Atenção minuciosa. 4) Cumprimento, observância, contrato muito rigorosos. 5) Verdade nos fatos.

E.XA.TO (z) *adj.* 1) Certo, preciso, justo, correto. 2) Rigoroso, pontual, honrado, fiel. 3) Conforme o original. 4) Ciências exatas.

E.XAUS.TO (z) *adj.* 1) Tudo o que se exauriu. 2) Acabado, esgotado, cansado.

EX.CE.ÇÃO *s.f.* 1) O que foge de uma regra ou padrão. 2) O que foi excluído; exclusão.

EX.CE.LEN.TE *adj.2gên.* Muito bom; de qualidade superior; excepcional.

EX.CÊN.TRI.CO *adj.* 1) Que se desvia ou afasta do centro. / *adj.* e *s.m.* 2) *fig.* Que ou quem é extravagante, esquisito, exótico.

EX.CEP.CIO.NAL *adj.2gên.* 1) Em que há exceção. 2) Invulgar, excêntrico, extraordinário. / *s.2gên.* 3) Indivíduo que tem alguma deficiência física ou psíquica.

EX.CES.SI.VO *adj.* 1) Aquilo que excede, excesso. 2) Demasiado, exorbitante. 3) Extraordinário, exagerado.

EX.CES.SO *s.m.* 1) Diferença entre quantidades; excedente, sobra. 2) Grau elevado; exagero. 3) Abuso, falta de moderação. 4) Esforço sem medidas.

EX.CE.TO *prep.* Com exclusão ou à exceção de, com exceção de; salvo; afora.

EX.CI.TA.ÇÃO *s.f.* 1) Prática de excitar. 2) Condição ou estado de estar excitado. 3) Irritação, estímulo. 4) *Fisiol.* Provocação de atividade em um indivíduo, órgão ou tecido.

EX.CI.TAN.TE *adj.2gên.* Tudo o que excita, estimula ou anima; estimulante.

EX.CI.TAR *v.t.d.* 1) Ativar, despertar, estimular, dar ânimo ou coragem a. 2) Promover, suscitar. 3) *Eletr.* Tornar elétrico um circuito. / *v.t.d.*, *v.i.* e *v.p.* 4) Produzir erotismo em.

EX.CLA.MA.ÇÃO *s.f.* 1) Operação de exclamar. 2) Grito, alegria, dor, surpresa. 3) *Gram.* Sinal gráfico (!) com o qual se marca a entonação exclamativa.

EX.CLU.IR *v.t.d.* e *v.p.* 1) Eliminar; deixar(-se) de fora, omitir(-se). / *v.t.d.* 2) Impedir, recusar ou rejeitar a entrada de. 3) Colocar fora de; expulsar. 4) Privar da posse. 5) Ser inconciliável com.

EX.CLU.SÃO *s.f.* 1) Ação ou efeito de excluir. 2) Que(m) é excluído. 3) Exceção, restrição. 4) Reprovação, condenação.

EX.CLU.SI.VIS.TA *adj.2gên.* e *s.2gên.* 1) Partidário do exclusivismo. 2) Indivíduo que afasta tudo o que é contrário à sua opinião; intransigente.

EX.CLU.SI.VO *adj.* 1) Que exclui; que tem possibilidades de excluir. 2) Incompatível com. 3) Especial, privativo, restrito, individual. / *s.m.* 4) Sem concorrentes em um ramo de negócio ou comércio.

EX.CO.MUN.GA.DO *adj.* 1) *Fam.* Maldito, amaldiçoado. 2) Que sofreu excomunhão. / *s.m.* 3) Indivíduo odiado ou que possui má procedência. 4) Quem padece excomunhão.

EX.CO.MUN.GAR *v.t.d.* 1) Separar ou expulsar da Igreja Católica qualquer membro. 2) Tornar maldito, esconjurar. 3) Isolar da comunidade.

EX.CO.MU.NHÃO *s.f.* 1) Prática ou efeito de excomungar. 2) *Rel.* Pena eclesiástica que priva de bens espirituais comuns.

EX.CRE.ÇÃO *s.f. Fisiol.* 1) Função pela qual são excluídos todos os resíduos do corpo. 2) Matéria excrementícia.

EX.CUR.SÃO *s.f.* 1) Jornada ou passeio de instrução ou recreio, por vezes em grupo ou com guia. 2) Digressão, divagação. 3) Invasão ou incursão em território inimigo.

E.XE.CU.TAR (z) *v.t.d.* 1) Levar a efeito; realizar, fazer, efetuar, cumprir. 2) Representar em cena; interpretar, tocar, cantar. 3) Apreender judicialmente, obrigar a pagar, embargar, penhorar. 4) Aplicar pena ou punição no cumprimento da lei.

E.XE.CU.TI.VO (z) *adj.* 1) Que executa; executor. 2) Conexo à execução. 3) Decisivo. / *s.m.* 4) Poder executivo. 5) Pessoa que ocupa um cargo maior numa organização comercial, industrial ou oficial.

E.XEM.PLAR (z) *adj.2gên.* 1) Próprio ou digno de ser exemplo ou modelo. / *s.m.* 2) Modelo original que se deve seguir. 3) *Bibliot.* Cada um dos impressos pertencentes à mesma tiragem.

E.XEM.PLO (z) *s.m.* 1) Próprio para modelo ou para ser imitado. 2) Pessoa adequada para modelo. 3) Que serve de lição ou castigo. 4) Adágio, anexim, ditado, rifão. 5) Palavra ou frase para confirmar uma regra.

E.XER.CER (z) *v.t.d.* 1) Praticar, desempenhar, adestrar, cumprir as obrigações ou funções inerentes a. 2) Entregar-se habitualmente a; dedicar-se.

E.XER.CÍ.CIO (z) *s.m.* 1) Prática de exercitar ou exercer. 2) Atividade realizada ou praticada com finalidade de desenvolver ou melhorar um dom ou habilidade. 3) Atividade corporal para manter ou preservar a aptidão física. 4) Prática de ações físicas corporais com finalidade de ganhar força, destreza, agilidade.

E.XÉR.CI.TO (z) *s.m.* 1) *Mil.* Força armada terrestre de um país. 2) *Mil.* Grupo de tropas que participam de um combate. 3) *fig.* Multidão.

E.XI.BIR (z) *v.t.d.* 1) Tornar patente; apresentar, mostrar, expor. 2) Representar, projetar, manifestar. 3) Fazer exibição ostentosa de. / *v.p.* 4) Mostrar-se, patentear-se.

E.XI.GÊN.CIA (z) *s.f.* 1) Ato ou efeito de exigir. 2) O que se impõe; obrigação. 3) Aquilo que se faz necessário; inevitável. 4) O que se pretende; vontade.

E.XI.LAR (z) *v.t.d.* e *v.p.* 1) Condenar(-se) ao exílio; expulsar ou sair da pátria. / *v.t.d.i.* e *v.p.* 2) *fig.* Manter(-se) distante; isolar(-se).

E.XI.MIR (z) *v.t.d.i.* e *v.p.* 1) Isentar(-se) de obrigação; livrar(-se), dispensar(-se). / *v.p.* 2) Escapar, esquivar-se.

E.XIS.TÊN.CIA (z) *s.f.* 1) O fato de existir ou viver. 2) A forma de viver. 3) Período de tempo; duração. 4) Período de vida do nascimento até a morte.

êxito

Ê.XI.TO (z) *s.m.* 1) Resultado bom, feliz e prometedor. 2) Sorte, sucesso. 3) Efeito, consequência.

Ê.XO.DO (z) *s.m.* 1) Prática de emigrar. 2) Emigração, saída.

E.XO.NE.RAR (z) *v.t.d.* 1) Eximir, isentar, desobrigar. 2) Aliviar, descarregar, evacuar. / *v.t.d.* e *v.p.* 3) Demitir(-se), dispensar.

E.XOR.BI.TAN.TE (z) *adj.2gên.* 1) Que sai ou se encontra fora da órbita. 2) Grande, desmedido, abundante, ilimitado, excessivo, demasiado.

E.XOR.CIS.MO (z) *s.m.* 1) *Teol.* Cerimônia ou oração para livrar de espíritos maus ou nocivos. 2) Esconjuro.

E.XOR.TA.ÇÃO (z) *s.f.* 1) Ação ou consequência de exortar. 2) Palavras usadas para reformar ou melhorar os atos, costumes ou opiniões de alguém. 3) Admoestação, advertência. 4) Conselho, estímulo, incitação.

E.XOR.TAR (z) *v.t.d.* 1) Convencer por meio de palavras. 2) Aconselhar, animar, encorajar, incitar, induzir.

E.XÓ.TI.CO (z) *adj.* 1) Denominação dada ao animal ou à planta que não é natural do habitat onde se encontra. 2) Procedente de país estrangeiro. 3) De mau gosto, extravagante. 4) Desajeitado, esquisito. 5) Diferente, estranho.

EX.PAN.DIR *v.t.d.* 1) Dilatar, estender, ampliar. 2) Difundir, espalhar. / *v.p.* 3) Desabafar-se, desafogar-se. 4) Mostrar-se expansivo.

EX.PAN.SÃO *s.f.* 1) Operação de expandir-se. 2) Prática de estender-se ou difundir-se.

EX.PA.TRI.AR *v.t.d.* 1) Expulsar ou exilar da pátria. / *v.p.* 2) Sair espontaneamente da pátria.

EX.PEC.TA.DOR (ô) *s.m.* Quem está na expectativa ou na espera.

EX.PEC.TA.TI.VA *s.f.* 1) Situação de quem espera. 2) Esperança de que um fato venha a acontecer. 3) Estado de quem espera um bem desejável e provável. 4) Probabilidade.

EX.PE.DI.EN.TE *adj.* 1) Tudo o que expede ou facilita. / *s.m.* 2) Maneira de sair ou vencer uma dificuldade. 3) Período cotidiano de trabalho. 4) O próprio trabalho. 5) Local onde se despacham ou são resolvidos negócios.

EX.PE.DIR *v.t.d.* 1) Enviar, remeter, mandar com finalidade. 2) Despachar, resolver prontamente. 3) Promulgar, afastar, despedir. 4) Publicar oficialmente.

EX.PE.LIR *v.t.d.* 1) Lançar fora; expulsar, ejetar. 2) Expectorar, lançar de si. 3) Arremessar longe. 4) Proferir impetuosamente.

EX.PE.RI.ÊN.CIA *s.f.* 1) Prática ou efeito de experimentar. 2) Conhecimento, habilidade, perícia. 3) Uso cauteloso e provisório. 4) Tentativa.

EX.PE.RI.EN.TE *adj.2gên.* 1) Que demonstra experiência. / *s.2gên.* 2) Indivíduo que possui experiência.

EX.PE.RI.MEN.TAL *adj.2gên.* 1) Relativo à experiência ou a experimentos. 2) Empírico, prático. 3) Que tem por finalidade ou meio de experimentação.

EX.PE.RI.MEN.TAR *v.t.d.* 1) Submeter à experiência; pôr à prova. 2) Praticar, executar. 3) Sentir, suportar, conseguir, tentar. 4) Ser vítima de. 5) Sofrer, suportar.

EX.PER.TO *adj.* 1) Experiente, perito. 2) Que possui conhecimento. / *s.m.* 3) Quem adquiriu conhecimento ou habilidade devido à prática. 4) Versado.

EX.PI.A.ÇÃO *s.f.* 1) Prática ou efeito de expiar. 2) Penitência ou cerimônias para abrandar a cólera divina. 3) Sofrimento de pena ou castigo.

EX.PI.AR *v.t.d.* 1) Remir faltas através de penitência, ou cumprimento de pena. 2) Sofrer as consequências de. 3) Obter perdão; reparar. / *v.p.* 4) Purificar-se.

EX.PI.RA.ÇÃO *s.f.* 1) Prática ou resultado de expirar. 2) Expulsão do ar pelos pulmões. 3) Diz-se do prazo em que termina um tempo estabelecido para; terminação, vencimento.

EX.PI.RAR *v.t.d.* 1) Expelir o ar dos pulmões. 2) Respirar, exalar, bafejar. 3) Revelar, demonstrar, expor. / *v.i.* 4) *fig.* Morrer, falecer. 5) *fig.* Acabar, finalizar ➡ O prazo para a entrega do trabalho expirou.

EX.PLA.NAR *v.t.d.* 1) Tornar plano, fácil, inteligível. 2) Explicar, esclarecer. 3) Expor ou narrar verbalmente e de forma detalhada.

EX.PLI.CA.ÇÃO *s.f.* 1) Ação ou resultado de explicar. 2) Averiguação, esclarecimento. 3) Causa esclarecida. 4) Ensino prático.

EX.PLI.CAR *v.t.d.* 1) Tornar claro ou inteligível; explanar, interpretar. 2) Desenvolver, traduzir oralmente, exprimir, demonstrar. 3) Dar lições adicionais, particulares. 4) Compreender, entender. 5) Justificar.

EX.PLÍ.CI.TO *adj.* Claro, expresso ou estabelecido em palavras.

EX.PLO.DIR *v.i.* 1) Passar por combustão e produção de grande pressão destrutiva e grande estrondo. 2) Passar por reação nuclear atômica. 3) Rebentar violentamente. 4) Manifestar-se com revolta. 5) *fig.* Vociferar.

EX.PLO.RA.ÇÃO *s.f.* 1) Ato ou consequência de explorar. 2) Tudo o que se explora. 3) Pesquisa, análise, investigação. 4) Tentativa ou ato de tirar utilidade de algo, aproveitamento. 5) Extração de minérios. 6) Abuso da boa-fé ou da ignorância para obter proveito próprio ilicitamente.

EX.PLO.RA.DOR (ô) *adj.* e *s.m.* 1) Que(m) explora, investiga ou analisa. 2) Quem viaja ou é destinado a investigações geográficas ou científicas. 3) Espreitador, desfrutador, especulador.

explorar / extorquir

EX.PLO.RAR *v.t.d.* 1) Descobrir, percorrer estudando ou procurando. 2) Penetrar com finalidade de realizar descobertas. 3) Observar, examinar, analisar, pesquisar. 4) Tirar proveito ou utilidade de; cultivar. 5) Possuir interesses ilícitos.

EX.PLO.SÃO *s.f.* 1) Expansão violenta ou arrebentação. 2) Brusca combustão da mistura de ar-gasolina. 3) *fig.* Manifestação súbita e violenta de um sentimento, paixão, ou revolta. 4) *fig.* Grito, clamor, desabafo.

EX.PLO.SI.VO *adj.* 1) Alusivo a explosão. 2) Capaz de explodir ou causar explosão. 3) *fig.* Diz-se do indivíduo impetuoso. / *s.m.* 4) Substância ou mistura de substâncias capaz de provocar uma explosão.

EX.PO.EN.TE *s.2gên.* 1) Aquele que expõe ou alega uma razão. 2) *Mat.* Símbolo colocado à direita e um pouco acima de outro símbolo, para indicar quantas vezes certo número deve ser multiplicado por si mesmo. 3) Pessoa muito importante, representante de uma profissão ou de uma classe.

EX.POR *v.t.d.* 1) Colocar à vista; apresentar, mostrar, narrar, explicar, interpretar. / *v.p.* 2) Evidenciar; mostrar-se, submeter-se, sujeitar-se. 3) *Fot.* Sujeitar à ação da luz solar ou outra energia radiante. 4) Desabrigar-se, descobrir-se, desproteger-se. / *v.t.d.i.* 5) Pôr em perigo; arriscar ➡ Expor alguém ao perigo. 6) Contar, narrar ➡ Expôs as ideias ao professor.

EX.POR.TA.DOR (ô) *adj.* e *s.m.* Que ou quem exporta.

EX.POR.TAR *v.t.d.* Vender ou mandar para fora do país ou região.

EX.PO.SI.ÇÃO *s.f.* 1) Prática de expor; exibição. 2) O conjunto do que se expõe. 3) Feira de exposição.

EX.PO.SI.TOR (ô) *s.m.* 1) Quem expõe. 2) Estante giratória. 3) *Fot.* Dispositivo na câmera fotográfica que aciona o obturador para a exposição do filme.

EX.POS.TO (ô) *adj.* 1) Posto à vista, à mostra. / *s.m.* 2) Tudo o que se expôs. 3) *pop.* Diz-se da criança abandonada.

EX.PRES.SÃO *s.f.* 1) Prática ou efeito de exprimir ou espremer. 2) Manifestação do pensamento ou sentimentos.

EX.PRES.SAR *v.t.d.* Exprimir, demonstrar, apresentar.

EX.PRES.SIO.NIS.MO *s.m.* 1) Expressão dos sentimentos, sensações ou impressões pessoais do artista. 2) *Bel-art.* Tendência ou prática artística que se opunha ao impressionismo e seu objetivo era representar não a realidade, mas as emoções e reações. 3) *Lit.* Tendência e prática literária e teatral da segunda e terceira décadas do século XX.

EX.PRES.SO *adj.* 1) Explícito, formal, positivo, terminante. 2) Enviado diretamente. 3) Manifesto por palavra ou sinais precisos. / *s.m.* 4) Mensageiro. 5) Trem rápido de passageiros que vai diretamente a um ponto, sem paradas.

EX.PRI.MIR *v.t.d.i.* e *v.p.* 1) Manifestar(-se) por palavras, gestos ou atitudes; expressar(-se). / *v.t.d.* e *v.p.* 2) (Deixar) ficar evidente; revelar(-se). / *v.t.d.* 3) Representar, simbolizar, significar.

EX.PUL.SAR *v.t.d.* 1) Colocar para fora à força; repelir. 2) Eliminar, fazer sair. 3) Expelir, ejetar, evacuar.

EX.PUL.SO *adj.* (*part. irreg.* de *expulsar*) 1) Obrigado a sair. 2) Colocado fora, violentamente.

ÊX.TA.SE *s.m.* 1) *Psicol.* Estado de enlevo e contemplação interior da alma. 2) Estado de inspiração e entusiasmo no culto grego religioso de Dioniso.

EX.TA.SI.A.DO *adj.* 1) Que está ou se extasiou. 2) Encantado, enlevado. 3) Admirado, maravilhado.

EX.TA.SI.AR *v.t.d.* 1) Colocar em êxtase. 2) Arroubar, encantar. / *v.p.* 3) Cair em êxtase, ficar absorto.

EX.TEN.SÃO *s.f.* 1) Ação ou consequência de estender-se. 2) Condição de extenso. 3) *Fís.* Propriedade dos corpos de ocupar uma porção do espaço. 4) Desenvolvimento e porção do espaço. 5) Vastidão, grandeza, força, intensidade, imensidade, comprimento. 6) Superfície, área. 7) Fio com conexões que aumenta o tamanho de outro fio, usado, geralmente, em residências ou escritórios.

EX.TEN.SO *adj.* 1) Que possui extensão. 2) Ocupa grande espaço. 3) Vasto, espaçoso, largo. 4) Duradouro, eterno.

EX.TE.RI.OR *adj.* 1) Que se encontra do lado de fora; externo, superficial. 2) Manifestado ou produzido publicamente. 3) Referente às nações estrangeiras. / *s.m.* 4) O estrangeiro e a ele referente. 5) Aparência, aspecto físico.

EX.TER.MI.NAR *v.t.d.* 1) Destruir, matar de forma cruel; aniquilar. / *v.t.d.i.* 2) Fazer desaparecer; acabar com; extinguir. 3) Banir.

EX.TER.NO *adj.* 1) Que é de fora; exterior. 2) De país estrangeiro. 3) *Med.* Enfermidade que se manifesta à superfície do corpo. 4) *Farm.* Medicamento que é aplicado sobre o corpo.

EX.TIN.ÇÃO *s.f.* 1) Ação ou consequência de extinguir. 2) Cessação, destruição, fim. 3) Abolição, obliteração. 4) Extirpação, exclusão, retirada. 5) Dissolução, separação.

EX.TIN.GUIR *v.t.d.* 1) Apagar o fogo ou incêndio. 2) Fazer desaparecer; aniquilar, suprimir. 3) Extirpar, remover. / *v.p.* 4) Dissolver-se, apagar-se. 5) *fig.* Morrer, falecer. 6) Anular, cancelar.

EX.TIN.TO *adj.* 1) Que deixou de existir. 2) Apagado, finalizado. / *s.m.* 3) Pessoa que morreu.

EX.TIN.TOR (ô) *adj.* 1) Aquilo que extingue. / *s.m.* 2) Aparelho usado em incêndios para extinguir o fogo.

EX.TOR.QUIR *v.t.d.* 1) Adquirir violentamente ou usando a força. 2) Obter por ameaças ou tortura. 3) Cobrar impostos excessivos.

EX.TRA *adj.2gên.* 1) Forma reduzida de extraordinário, especialmente empregada na imprensa. 2) De qualidade superior. 3) Que está fora da programação; adicional. / *s.2gên.* 4) Figurante cinematográfico ou teatral que atua somente como figurinista. 5) Pessoa prestadora de serviço acidental ou suplementar.

EX.TRA.ÇÃO *s.f.* 1) Prática ou efeito de extrair. 2) Tudo o que se extrai. 3) *Mat.* Operação matemática para conhecer a raiz de uma potência.

EX.TRA.IR *v.t.d.* 1) Tirar, puxar para fora uma parte que constitui um todo. 2) Separar ou obter algo de uma coisa ou substância por pressão ou destilação.

EX.TRA.PO.LAR *v.t.d.* e *v.i.* Ir além de uma norma ou limite estabelecido; ultrapassar, exceder.

EX.TRA.TER.RES.TRE *adj.2gên.* e *s.2gên.* Pessoa ou objeto que não faz parte da Terra.

EX.TRA.VA.GAN.TE *adj.2gên.* e *s.2gên.* 1) O que ou quem foge do bom senso; diferente, excêntrico. 2) Que ou quem gasta em excesso; esbanjador.

EX.TRA.VI.AR *v.t.d.* e *v.p.* 1) Sair ou fazer sair do caminho certo; desviar(-se). 2) Sumir ou fazer sumir; perder(-se). / *v.t.d.* 3) Fraudar.

EX.TRE.MIS.MO *s.m.* Teoria que adota princípios ou medidas extremas para resolver os problemas sociais; radicalismo.

EX.TRE.MO *adj.* 1) Localizado no ponto ou parte mais distante. 2) Afastado, remoto. 3) Último, final. 4) Perfeito, exímio, elevado, excessivo. / *s.m.* 5) Extremidade, raia, limite. 6) *Mat.* Denominação dada às extremidades numa proporção aritmética ou geométrica. / *s.m. pl.* 7) Carinhos excessivos; demonstrações afetivas ➥ Finalmente, chegou aos extremos da atenção.

EX.TRO.VER.TI.DO *adj.* e *s.m. Psicol.* Que ou quem tem facilidade de manter contato com outras pessoas; comunicativo.

E.XU.BE.RAN.TE (z) *adj.2gên.* 1) Farto ou excessivamente abundante. 2) Desenvolvimento excessivo, repleto, cheio. 3) Cheio de vida, animado.

E.XUL.TA.ÇÃO (z) *s.f.* 1) Ato ou consequência de exultar. 2) Alegria, júbilo, regozijo, alvoroço.

E.XUL.TAR (z) *v.t.i.* e *v.i.* 1) Manifestar grande alegria, regozijar-se. 2) Alvoroçar-se, jubilar-se.

E.XU.MAR (z) *v.t.d.* 1) Retirar da sepultura; desenterrar. 2) Escavar, investigar. 3) *fig.* Tirar do esquecimento.

Ff

F (efe) *s.m.* 1) Sexta letra do alfabeto; consoante fricativa labiodental surda. 2) Na música, representa a nota fá. 3) *Quím.* Símbolo do flúor.

FÁ *s.m.* 1) *Mús.* A quarta nota da escala musical, subsequente ao mi. 2) Sinal representativo dessa nota.

FÃ *s.2gên.* 1) Pessoa admiradora de um ator, cantor, desportista, etc. 2) Admirador.

FÁ.BRI.CA *s.f.* 1) Ato ou efeito de fabricar. 2) Estabelecimento ou lugar onde se fazem em grande escala objetos, aparelhos, etc. 3) Órgão que administra os rendimentos e o patrimônio de uma paróquia.

FA.BRI.CAN.TE *s.2gên.* 1) Quem fabrica ou dirige a fabricação. 2) Dono de fábrica. 3) Pessoa que arranja, organiza ou inventa. 4) Industrial.

FA.BRI.CAR *v.t.d.* 1) Produzir na fábrica. 2) Inventar, criar. 3) Construir, edificar.

FÁ.BU.LA *s.f.* 1) Narrativa curta contendo lição de moral. 2) Narração imaginária, ficção artificiosa. 3) Coisa extraordinária, impossível.

FA.BU.LAR *v.i.* 1) Contar ou compor fábulas. 2) Inventar, fantasiando. 3) Mentir. / *v.t.d.* 4) Narrar em forma de fábula.

FA.BU.LIS.TA *s.2gên.* Pessoa que compõe fábulas.

FA.BU.LO.SO (ô) *adj.* 1) Relativo à fábula. 2) Incrível, fantástico. 3) Mitológico. 4) Imaginário, fictício.

FA.CA *s.f.* 1) Instrumento cortante com lâmina e cabo. 2) Lâmina ou ferramenta cortante, usada para cortar papel.

FA.CA.DA *s.f.* 1) Golpe de faca. 2) *fig.* Desgosto inesperado ➡ A atitude dela foi uma facada para os pais. 3) *pop.* Pedido de dinheiro emprestado sem intenção de pagar.

FA.ÇA.NHO.SO (ô) *adj.* 1) Que pratica façanhas. 2) Admirável.

FA.CÃO *s.m.* 1) Faca grande. 2) Lâmina da guilhotina de cortar papel. 3) Pescador que retalha a baleia depois de morta.

FAC.ÇÃO *s.f.* 1) Grupo. 2) Quadrilha. 3) Divisão de um partido político. 4) Corrente filosófica.

FA.CE *s.f.* 1) Rosto; semblante; cara. 2) A parte anterior da cabeça desde a testa até o queixo. 3) Aspecto; enfoque. 4) Superfície da Terra. 5) Lado de um tecido, oposto ao avesso. 6) *Geom.* Cada uma das superfícies planas de um poliedro.

FA.CEI.RO *adj.* 1) Alegre, risonho. 2) Garrido, elegante. 3) Que gosta de ostentar elegância. 4) Diz-se do cavalo que, quando em marcha, ergue o pescoço com altivez.

FA.CE.TA (ê) *s.f.* 1) Pequena face ou superfície lisa. 2) Cada um dos aspectos particulares de uma pessoa, de um assunto, de uma coisa. 3) *Anat.* Porção circunscrita da superfície de um osso.

fachada

falsificação

FA.CHA.DA *s.f.* 1) Face principal de um edifício. 2) Aparência; aspecto.

FA.CHO *s.m.* 1) Luzeiro. 2) Matéria inflamável que se acende à noite para iluminar, dar sinais. 3) *Náut.* Farol.

FÁ.CIL *adj.2gên.* 1) Que se faz ou se consegue sem custo ou esforço. 2) Simples, acessível.

FA.CI.LI.DA.DE *s.f.* 1) Ausência de dificuldade, de obstáculos e impedimentos. 2) Habilidade, aptidão, dom. 3) Oportunidade.

FA.CI.LI.TAR *v.t.d.* 1) Tornar fácil. 2) Afastar as dificuldades. / *v.i.* 3) Proceder com imprevidência; expor ao perigo. / *v.p.* 4) Prontificar-se.

FA.CÍ.NO.RA *adj.2gên.* e *s.2gên.* Que ou quem cometeu grande crime.

FA.CUL.DA.DE *s.f.* 1) Poder ou capacidade de fazer. 2) Disposição intrínseca do homem. 3) Direito, permissão. 4) Estabelecimento de ensino superior.

FA.CUL.TAR *v.t.d.* 1) Facilitar; proporcionar. 2) Possibilitar; permitir.

FA.CUL.TA.TI.VO *adj.* 1) Que se pode fazer ou deixar de fazer. 2) Não obrigatório; opcional. / *s.m.* 3) Quem exerce legalmente a medicina; médico.

FA.DA *s.f.* 1) Mulher formosa. 2) Ente imaginário, do sexo feminino, a que se atribui a faculdade de praticar boas ações.

FA.DA.DO *adj.* Destinado a alguma coisa; predestinado.

FA.DAR *v.t.d.i.* 1) Determinar o destino, a sorte. 2) Predizer, profetizar. 3) Determinar antecipadamente; predestinar.

FA.DI.GA *s.f.* Sensação de cansaço e fraqueza; esgotamento.

FA.DO *s.m.* 1) Sorte, destino. 2) *Mús.* Música popular portuguesa.

FA.GO.CI.TO.SE *s.f. Biol.* Destruição de uma partícula ou micro-organismo pelos fagócitos.

FA.GO.TE *s.m. Mús.* Instrumento de sopro, feito de madeira, usado na orquestra moderna e na banda militar.

FA.GUEI.RO *adj.* 1) Que afaga. 2) Aprazível, agradável. 3) Carinhoso, meigo. 4) Suave. 5) *fig.* Satisfeito.

FA.GU.LHA *s.f.* Centelha, faísca, chispa.

FA.GU.LHAR *v.i.* Expedir fagulhas; faiscar; chispar; cintilar.

FAHRENHEIT (farenráit) *adj.2gên. pl.* Escala de medida de temperatura.

FA.ÍS.CA *s.f.* 1) *Eletr.* Efeito luminoso da descarga entre dois condutores. 2) Centelha; chispa. 3) Palheta de ouro que se apanha na terra ou areia de mina lavrada. 4) *fig.* Ardente, brilhante.

FAI.XA *s.f.* 1) Tira; cinta; atadura. 2) Porção de terra estreita e longa. 3) Intervalo entre dois limites. 4) Cada uma das músicas gravadas em disco. 5) *Astr.* Zona em volta de um planeta.

FA.JU.TO *adj.* 1) *pop.* Diz-se de indivíduo ou coisa de má qualidade. 2) Adulterado, falso.

FA.LA *s.f.* 1) Ato ou capacidade de falar. 2) Aquilo que se exprime por palavras. 3) Discurso; linguagem. 4) Dicção, elocução. 5) Parte de diálogo dito por um dos interlocutores.

FA.LA.ÇÃO *s.f. pop.* Discurso, em geral, ridículo.

FA.LÁ.CIA *s.f.* Engano; logro; ilusão.

FA.LA.DEI.RA *s.f.* Intrigante, mexeriqueira.

FA.LA.DO *adj.* 1) Comentado; criticado. 2) Conhecido, famoso. 3) Diz-se da pessoa de quem se fala mal.

FA.LA.DOR (ô) *adj.* e *s.m.* 1) Que ou o que fala muito. 2) Indiscreto; maldizente; linguarudo; falante.

FA.LAR *v.t.d.* 1) Expressar-se oralmente por meio de palavras. 2) Proferir, dizer. / *v.i.* 3) Conversar, discursar. 4) Articular palavras. 5) Ter o dom da palavra.

FA.LAS.TRÃO *s.m.* 1) Grande falador; garganta. / *adj.* 2) Diz-se daquele que fala muito.

FA.LA.TÓ.RIO *s.m.* 1) Fala em voz alta; comentário; discussão. 2) Vozerio de muitas pessoas que falam ao mesmo tempo.

FAL.CA.TRU.A *s.f.* Fraude, logro; artifício com que se engana alguém.

FA.LE.CER *v.i.* 1) Morrer. 2) Expirar; escassear, faltar.

FA.LE.CI.DO *adj.* 1) Que expirou; morto. 2) Falho; minguado. / *s.m.* 3) O que morreu.

FA.LÊN.CIA *s.f.* 1) Ato ou efeito de falir; falimento. 2) Cessação definitiva das atividades de uma empresa comercial; quebra.

FA.LÉ.SIA *s.f.* Nome dado a terras ou rocha íngreme, à beira-mar, por efeito da erosão marinha.

FA.LHA *s.f.* 1) Ato ou efeito de falhar. 2) Defeito, lacuna, omissão. 3) *Geol.* Fratura em uma rocha por ocasião de movimentos tectônicos.

FA.LHAR *v.i.* 1) Não dar o resultado desejado. 2) Errar. / *v.t.i.* 3) Faltar à obrigação. 4) Não acudir a tempo.

FA.LHO *adj.* 1) Defeituoso, imperfeito. 2) Que não surtiu efeito. 3) Lacunoso, oco.

FA.LI.DO *adj.* 1) Que entrou em falência comercial. 2) Fracassado, arruinado.

FA.LIR *v.i.* 1) Faltar; fracassar. 2) Suspender os pagamentos. 3) Não ter com que pagar os credores.

FA.LO *s.m.* 1) Representação do pênis, antigamente venerado como símbolo da força geradora e da fecundidade da natureza. 2) *Anat.* Pênis.

FAL.SÁ.RIO *adj.* e *s.m.* Que ou quem falsifica, principalmente dinheiro e documentos.

FAL.SE.TE (ê) *s.m.* Tom de voz mais agudo que o normal.

FAL.SI.DA.DE *s.f.* 1) Qualidade do que não é verdadeiro. 2) Mentira, difamação, calúnia. 3) Fingimento, deslealdade, hipocrisia.

FAL.SI.FI.CA.ÇÃO *s.f.* Adulteração ou imitação de um documento ou objeto.

falso — faro

FAL.SO *adj.* 1) Contrário à verdade. 2) Mentiroso; hipócrita; fingido. 3) Desleal; traidor. / *s.m.* 4) O que não é verdadeiro.

FAL.TA *s.f.* 1) Ato ou efeito de faltar. 2) Carência, deficiência, privação. 3) Falha moral; pecado. 4) *Esp.* Transgressão pouco grave de uma regra. 5) Ausência.

FAL.TAR *v.t.i.* e *v.i.* 1) Não haver, não existir; não comparecer. / *v.i.* 2) Carecer; ausentar; falhar. / *v.t.i.* 3) Deixar de cumprir ou de fazer. 4) Falecer.

FAL.TO *adj.* 1) Que carece de alguma coisa. 2) Desprovido. 3) Falho.

FA.MA *s.f.* 1) Condição do que é muito conhecido; notoriedade, celebridade. 2) Reputação que se tem de alguém ou de algo.

FA.MÉ.LI.CO *adj.* Faminto.

FA.MI.GE.RA.DO *adj.* 1) Famoso; célebre. 2) Notável, usado no sentido pejorativo. 3) Que tem boa ou má fama.

FA.MÍ.LIA *s.f.* 1) Núcleo parental formado por pai, mãe e filhos. 2) Conjunto de ascendentes, descendentes, colaterais e afins de uma linhagem. 3) *Sociol.* Grupo de indivíduos, constituído por consanguinidade, ou adoção, ou por descendência de um tronco ancestral comum.

FA.MIN.TO *adj.* 1) Que tem fome; esfomeado. 2) Ávido, desejoso, ansioso.

FA.MO.SO (ô) *adj.* 1) Célebre. 2) Notório. 3) Que é muito conhecido. 4) Excelente.

FA.NÁ.TI.CO *adj.* e *s.m.* 1) Que se julga inspirado por Deus. 2) Que tem paixão ardente, excessiva por alguém ou alguma coisa. 3) Diz-se daquele que adere de forma fanática à religião ou a um partido político.

FA.NA.TIS.MO *s.m.* 1) Excessivo zelo religioso ou político. 2) Adesão cega a uma doutrina ou sistema. 3) Paixão intensa e exclusivista.

FAN.FAR.RA *s.f. Mús.* Banda de música formada por instrumentos de metal e sopro.

FAN.FAR.RÃO *adj.* e *s.m.* Que ou quem alardeia uma coragem que não tem.

FA.NHO.SO (ô) *adj.* Que fala ou parece falar pelo nariz; fanho.

FA.NI.QUI.TO *s.m. pop.* Ataque nervoso sem gravidade; chilique.

FAN.TA.SI.A *s.f.* 1) Obra de imaginação. 2) Traje fantasioso que se usa no carnaval. 3) *Mús.* Composição musical ao capricho do artista.

FAN.TA.SI.AR *v.t.d.* 1) Idealizar, imaginar. / *v.p.* 2) Vestir fantasia. / *v.i.* 3) Devanear.

FAN.TAS.MA *s.m.* 1) Imagem ilusória, apavorante. 2) Suposta aparição de defunto. 3) Assombração. 4) Coisa que apavora. 5) *fig.* Diz-se do indivíduo muito magro.

FAN.TAS.MA.GO.RI.A *s.f.* 1) Arte de fazer ver fantasmas ou figuras luminosas utilizando os efeitos de ilusão óptica. 2) *fig.* Falsa aparência.

FAN.TÁS.TI.CO *adj.* 1) Que só existe na fantasia; imaginário. 2) Extraordinário, fabuloso, incrível, falso. / *s.m.* 3) O que só existe na imaginação.

FAN.TO.CHE *s.m.* 1) Boneco articulado que se faz mover por cordéis ou com as mãos. 2) Pessoa que procede e fala ao mando de outra.

FA.QUEI.RO *s.m.* 1) Jogo de talheres. 2) Estojo grande, com encaixes especiais, para guardar talheres. 3) Fabricante de facas.

FA.QUIR *s.m.* 1) Monge muçulmano ou hindu, que vive em rigoroso ascetismo. 2) Indivíduo que se exibe mostrando insensibilidade à dor, à fome e a outras condições físicas adversas.

FA.RA.Ó *s.m.* Título dos soberanos do Antigo Egito.

FA.RA.Ô.NI.CO *adj.* 1) Relativo aos faraós ou à sua época. 2) Monumental, gigantesco.

FAR.DA *s.f.* Fardamento, uniforme militar.

FAR.DAR *v.t.d.* 1) Prover de farda ou fardas. / *v.p.* 2) Vestir o uniforme; trajar-se.

FAR.DO *s.m.* 1) Carga, sofrimento, trabalho. 2) O que é pesado de suportar. 3) Volume para transporte.

FA.RE.JAR *v.t.d.* 1) Cheirar; acompanhar o faro. 2) Adivinhar, descobrir. 3) Procurar por meio do olfato.

FA.RE.LO *s.m.* 1) A parte grosseira depois de peneirada. 2) Resíduo grosseiro da moagem de cereais. 3) Insignificância. 4) Serradura de madeira. 5) *fig.* Coisa de pouco valor.

FAR.FA.LHAR *v.i.* Produzir som rápido e indistinto.

FA.RIN.GE *s.f. Anat.* Tubo muscular e membranoso, ligeiramente afunilado, situado entre a boca e a parte superior do esôfago.

FA.RI.NHA *s.f.* 1) Pó a que se reduzem os cereais moídos. 2) Produto pulverulento.

FA.RI.SEU *s.m.* 1) Membro de uma antiga seita judaica que ostentava grande santidade exterior. 2) *fig.* Hipócrita. 3) Indivíduo que ostenta santidade sem tê-la.

FAR.MA.CÊU.TI.CO *adj.* 1) Relativo a farmácia. / *s.m.* 2) Profissional responsável pela farmácia.

FAR.MÁ.CIA *s.f.* 1) Estabelecimento onde se preparam ou vendem medicamentos. 2) Ramo da farmacologia que trata do modo de preparar os remédios. 3) Profissão de farmacêutico.

FÁR.MA.CO *s.m.* Produto ou preparado farmacêutico.

FAR.MA.CO.DI.NÂ.MI.CA *s.f.* Ramo da farmacologia que estuda a ação e o efeito dos medicamentos.

FAR.MA.CO.LO.GI.A *s.f.* 1) Parte da Medicina que estuda as drogas sob todos os seus aspectos. 2) Estudo dos medicamentos e do seu emprego.

FA.RO *s.m.* 1) Olfato dos animais. 2) Cheiro característico que alguns animais exalam. 3) *fig.* Capacidade de percepção rápida. 4) *fig.* Indícios, vislumbres, intuição.

233

FA.ROL *s.m.* 1) Torre elevada, ao pé do mar, com um foco luminoso para orientar os navegantes. 2) Coisa que ilumina. 3) Lanterna de automóvel. 4) Sinal luminoso para a direção do trânsito; semáforo. 5) Rumo, guia. 6) *gír.* Ostentação.

FAR.PA *s.f.* 1) Saliência aguda, ponta. 2) Pequena lasca de madeira que acidentalmente se introduz na pele ou na carne. 3) Rasgão na roupa. 4) *fig.* Fazer críticas; satirizar.

FAR.RA *s.f.* 1) Festa licenciosa. 2) Folia, troça. 3) Caçoada; brincadeira. 4) *Zool.* Espécie de salmão.

FAR.RA.PO *s.m.* 1) Pedaço de pano velho ou rasgado. 2) Peça de vestuário muito velha e rota. 3) Pessoa maltrapilha. 4) Revolucionário gaúcho do período regencial; farroupilha.

FAR.SA *s.f.* 1) Peça cômica de teatro, burlesca. 2) Pantomima. 3) Ato ridículo.

FAR.SAN.TE *s.2gên.* 1) Artista que representa farsas. 2) Pessoa que ilude os outros. 3) Palhaço. / *adj.2gên.* 4) Fingido, simulador.

FAR.TAR *v.t.d.* 1) Saciar a fome ou a sede de. 2) Satisfazer (desejos, paixões). 3) Encher; entulhar; abarrotar. / *v.p.* 4) Comer ou beber até saciar-se; empanturrar-se.

FAR.TO *adj.* 1) Satisfeito, nutrido, saciado. 2) Abundante. 3) Empanturrado.

FAR.TU.RA *s.f.* 1) Estado de farto. 2) Abundância.

FAS.CÍ.CU.LO *s.m.* 1) Pequeno feixe. 2) Folheto de obra que se vai publicando por partes. 3) Cada um dos números de uma publicação periódica.

FAS.CI.NA.ÇÃO *s.f.* 1) Fascínio. 2) Forte atração; encantamento, sedução.

FAS.CI.NAR *v.t.d.* 1) Paralisar com o olhar. 2) Atrair irresistivelmente; dominar; enfeitiçar. 3) Encantar, deslumbrar.

FAS.CIS.MO *s.m. Polít.* 1) Sistema político nacional totalitário, antiliberal, imperialista e antidemocrático, fundado na Itália por Mussolini e que tinha por emblema o *fascio*, isto é, o feixe de varas dos lictores romanos (símbolo de autoridade). 2) Procedimento de fascista.

FA.SE *s.f.* 1) *Astr.* Cada um dos aspectos da Lua e de alguns planetas conforme são iluminados pelo Sol. 2) *Eletr.* Um dos circuitos de um sistema ou de um aparelho elétrico. 3) Período; época. 4) Etapa; estágio.

FAS.TI.DI.O.SO (ô) *adj.* Tedioso, enfadonho, maçante.

FA.TAL *adj.* 1) Determinado pelo fato. 2) Decisivo, irrevogável. 3) Improrrogável. 4) Inevitável. 5) Que causa a morte; letal.

FA.TA.LI.DA.DE *s.f.* 1) Qualidade ou caráter de fatal. 2) Desgraça; fatalismo. 3) Acontecimento inevitável.

FA.TA.LIS.MO *s.m.* 1) Sistema dos que, negando o livre-arbítrio, atribuem tudo o que acontece ao destino. 2) Fatalidade.

FA.TI.A *s.f.* 1) Pedaço de pão, de queijo, etc., cortado em forma de lâmina com pouca espessura. 2) *pop.* Diz-se do que favorece um bom lucro.

FA.TÍ.DI.CO *adj.* 1) Que revela o destino; profético. 2) Que leva à desgraça; trágico.

FA.TI.GAR *v.t.d.* 1) Causar fadiga a; enfastiar. 2) Enfadar, importunar. / *v.t.d.* e *v.p.* 3) Cansar (-se), moer(-se).

FA.TO *s.m.* 1) Roupa, vestes. 2) Rebanho de animais pequenos. 3) Aquilo que é real. 4) Acontecimento, sucesso.

FA.TOR (ô) *s.m.* 1) O que executa ou faz uma coisa e concorre para um resultado. 2) *Mat.* Cada uma das quantidades que vão se multiplicar.

FÁ.TUO *adj.* 1) Vaidoso, presunçoso. 2) Tolo, insensato. 3) Passageiro, transitório.

FA.TU.RA *s.f.* 1) Ato ou efeito de fazer. 2) Relação que acompanha a remessa de mercadorias expedidas e que contém a designação de quantidades, marcas, pesos, preços e importâncias. 3) Feitura.

FA.TU.RAR *v.t.d.* 1) Fazer a fatura de algo que foi vendido. 2) *pop.* Obter proveito de. 3) *pop.* Lucrar, fazer dinheiro fácil.

FAU.NA *s.f. Zool.* Conjunto das espécies animais de um país, região ou período geológico.

FAU.NO *s.m. Mit.* Ser mitológico com pés de cabra, cabeça e tronco de homem e chifres.

FA.VE.LA *s.f.* Casebres ou choupanas toscamente construídas em áreas urbanas e suburbanas, sobre terrenos de propriedade alheia ou de posse não definida, desprovidas de condições higiênicas e densamente povoadas.

FA.VO *s.m.* 1) Alvéolo ou conjunto de alvéolos em que as abelhas depositam o mel. 2) *fig.* Coisa doce; agradável.

FA.VOR (ô) *s.m.* 1) Serviço gratuito recebido ou prestado a. 2) Condição favorável. 3) Graça, mercê, benefício. 4) Proteção. 5) Carta, missiva.

FA.VO.RÁ.VEL *adj.2gên.* 1) Que é a favor de; que apoia. 2) Que favorece, auxilia ou propicia. 3) Que traz vantagens; bom.

FA.VO.RI.TO *adj.* 1) Predileto. 2) Privilegiado. 3) Preferido. 4) Atleta, time, etc., que tem a maior probabilidade de vencer a disputa devido ao seu desempenho. / *s.m.* 5) Indivíduo predileto.

FA.XI.NA *s.f.* 1) Limpeza geral; asseio. 2) Lenha miúda; gravetos. 3) Unidade de peso para lenha, aproximadamente 60 quilogramas.

FA.XI.NEI.RO *s.m.* O encarregado da faxina; limpador.

FA.ZEN.DA *s.f.* 1) Grande estabelecimento rural onde se desenvolve a agricultura ou a pecuária. 2) Tesouro público. 3) Rendas, finanças. 4) Bens. 5) Tecido, panos.

FA.ZEN.DEI.RO *adj.* 1) Relativo a fazenda. / *s.m.* 2) Proprietário ou dono de fazenda, ou fazendas. 3) Senhor que cultiva fazenda, ou fazendas.

fazer

FA.ZER *v.t.d.* 1) Executar, realizar. 2) Produzir, criar. 3) Fabricar, manufaturar. 4) Construir, edificar. 5) Costurar. 6) Produzir intelectualmente. / *v.i.* 7) Proceder; haver-se. / *v.p.* 8) Fingir-se, simular.

FÉ *s.f.* 1) Crença, confiança, crédito. 2) Crença nas doutrinas da religião cristã. 3) Fidelidade a compromissos e promessas.

FE.BRE *s.f.* 1) Estado mórbido caracterizado pelo aumento da temperatura normal do corpo. 2) Ânsia de possuir. 3) *fig.* Entusiasmo. 4) *fig.* Agitação; exaltação.

FE.CHA.DU.RA *s.f.* Mecanismo com lingueta para trancar portas, janelas, gavetas, etc., acionado por chave.

FE.CHAR *v.t.d.* 1) Fixar qualquer coisa por meio de chave, tranca, etc.; trancar. 2) Tapar. 3) Tampar. 4) Cercar; murar. 5) Rematar. 6) Concluir, terminar. / *v.i.* 7) Unir as bordas de uma abertura. 8) Cicatrizar. / *v.p.* 9) Encerrar-se em algum lugar. 10) Condensar-se.

FE.CHO (ê) *s.m.* 1) Trava da porta. 2) Aquilo que serve para fechar. 3) Acabamento, conclusão. 4) Zíper.

FE.CUN.DA.ÇÃO *s.f.* Ato ou efeito de fecundar ou de ser fecundado; fertilização.

FE.CUN.DAR *v.t.d.* 1) Tornar fecundo. 2) *Biol.* Fertilizar, conceber. / *v.i.* e *v.p.* 3) Tornar-se fecundo.

FE.CUN.DO *adj.* 1) Capaz de produzir; fértil. 2) Que produz grandes quantidades. 3) Criador, inventivo.

FE.DE.GO.SO (ô) *adj.* 1) Que exala fedor. 2) Fétido.

FE.DE.LHO (ê) *s.m.* 1) Criança de pouca idade. 2) Criançola.

FE.DER *v.i.* 1) Exalar mau cheiro; catingar. / *v.t.i.* 2) Causar enfado; aborrecimento.

FE.DE.RA.ÇÃO *s.f. Polít.* 1) União de nações ou estados. 2) Aliança, associação de entidades com a mesma finalidade.

FE.DE.RA.LIS.MO *s.m.* Sistema político pelo qual diversos estados se reúnem numa só federação sem perda de autonomia.

FE.DI.DO *adj.* Malcheiroso, que exala cheiro ruim; fétido.

FE.DOR (ô) *s.m.* Mau cheiro, catinga.

FE.DO.REN.TO *adj.* Que exala fedor; fétido.

FEI.ÇÃO *s.f.* 1) Forma, jeito, feitio. 2) Aparência. 3) Caráter, temperamento.

FEI.JÃO *s.m. Bot.* Semente ou vagem do feijoeiro que serve de alimento.

FEI.JO.A.DA *s.f.* 1) Prato típico da culinária brasileira preparado com feijão preto, toucinho, carne seca, linguiça, etc. 2) Grande porção de feijões.

FEI.JO.AL *s.m.* Determinada área coberta com plantação de feijões.

FEI.JO.EI.RO *s.m.* 1) *Bot.* Nome dado às plantas da família das Leguminosas que produzem feijões. 2) Trepadeira que dá feijões.

feltro

FEI.O *adj.* 1) De má aparência. 2) Desproporcionado, disforme. 3) Desagradável. 4) Que causa horror. / *s.m.* 5) Má figura. 6) *pop.* O diabo.

FEI.RA *s.f.* 1) Lugar público, em geral ao ar livre, onde se expõem e vendem mercadorias. 2) Designação complementar dos cinco dias mediais da semana. 3) *fig.* Gritaria, balbúrdia.

FEI.RAN.TE *adj.2gên.* 1) Relativo a feira. / *s.2gên.* 2) Quem trabalha na feira.

FEI.TI.ÇA.RI.A *s.f.* Ato maléfico praticado por feiticeiro; bruxaria.

FEI.TI.ÇO *s.m.* Maleficio de feiticeiro; bruxaria; fetiche.

FEI.TI.O *s.m.* 1) Forma. 2) Feição. 3) Caráter. 4) Qualidade. 5) Mão de obra.

FEI.TO *adj.* 1) Realizado, executado, pronto, terminado. / *s.m.* 2) Façanha. 3) Obra. 4) Ação judicial. / *conj.* 5) *pop.* Como, tal, de jeito, com efeito.

FEI.TOR (ô) *s.m.* 1) Administrador de bens alheios. 2) Superintendente; capataz.

FEI.TO.RI.A *s.f.* 1) Administração de feitor. 2) Estabelecimento comercial.

FEI.TU.RA *s.f.* 1) Ato ou modo de fazer; execução. 2) Trabalho, feitio.

FEI.U.RA *s.f.* Fealdade.

FEI.XE *s.m.* 1) Molho; braçada. 2) Reunião de várias coisas no sentido do comprimento. 3) Acervo; grande proporção.

FEL *s.m.* 1) Líquido muito amargo oriundo do fígado do homem e de alguns animais; bílis. 2) Vesícula biliar. 3) Azedume. 4) Muito amargo. 5) *fig.* Mau humor.

FELDS.PA.TO *s.m. Miner.* Nome genérico dos silicatos naturais de alumínio, como potássio, sódio, cálcio ou bário.

FE.LI.CI.DA.DE *s.f.* 1) Qualidade ou estado de quem é feliz. 2) Contentamento. 3) Sucesso, êxito.

FE.LI.CI.TAR *v.t.d.* 1) Dar felicidade a, tornar feliz. 2) Cumprimentar, parabenizar, congratular. / *v.p.* 3) Congratular-se, aplaudir-se.

FE.LÍ.DEO *adj.* 1) *Zool.* Relativo aos Felídeos. / *s.m.* 2) Animal mamífero carnívoro da família dos Felídeos; felino.

FE.LI.NO *adj.* 1) Relativo ao gato. 2) Semelhante ao gato. 3) *fig.* Fingido, traiçoeiro. 4) Ágil. / *s.m.* 5) *Zool.* Felídeo.

FE.LIZ *adj.* 1) Alegre, satisfeito, contente. 2) Afortunado, ditoso.

FE.LI.ZAR.DO *adj.* e *s.m.* Que ou o que tem muita sorte; próspero.

FEL.PA (ê) *s.f.* 1) Pelo, penugem dos animais. 2) Lanugem nas folhas ou frutos. 3) Diz-se de uma lasca de madeira que, acidentalmente, se infiltra na pele ou na carne.

FEL.PU.DO *adj.* 1) Cheio de felpa. 2) Que tem muito pelo.

FEL.TRO (ê) *s.m.* Estofo de lã ou de pelos, emaranhados e empastados por pressão, empregado **235**

fêmea / ferroada

no fabrico de chapéus, chinelos, discos de polimento, etc.

FÊ.MEA *s.f.* 1) Animal do sexo feminino. 2) Mulher. 3) Concubina, meretriz. 4) Parte chanfrada de qualquer peça na qual se insere outra, chamada macho.

FE.MI.NI.NO *adj.* 1) Designativo do gênero gramatical a que pertencem os seres fêmeos ou considerados como tais. 2) Próprio de mulher ou de fêmea. 3) Relativo ao sexo caracterizado pelo ovário, nos animais e nas plantas.

FE.MI.NIS.MO *s.m.* Doutrina que tem por objetivo ampliar os direitos civis e políticos da mulher na sociedade.

FE.MI.NI.ZAR *v.t.d.* 1) Dar feições ou caráter feminino a. / *v.p.* 2) Tornar-se feminil.

FEN.DA *s.f.* 1) Abertura; racha, fresta. 2) Entalhe, como na cabeça dos parafusos.

FEN.DER *v.t.d.* 1) Rachar; abrir; rasgar; separar. / *v.p.* 2) Abrir-se em fendas ou rachas.

FE.NÍ.CIO *adj.* 1) Relativo à Fenícia. / *s.m.* 2) Habitante da Fenícia (Ásia antiga).

FÊ.NIX (cs) *s.f. Mit.* Ave mitológica que, segundo a crença dos antigos, vivia muitos séculos, morria queimada e renascia das próprias cinzas.

FE.NO *s.m.* Pastos colhidos quando verdes e, após secos, servem como alimento para o gado; forragem.

FE.NOL *s.m. Quím.* Substância sólida cáustica cristalina, solúvel, extraída geralmente dos olhos oriundos da destilação do alcatrão de hulha e de madeira, tornando-se cor-de-rosa ao ser exposto ao ar e à luz.

FE.NO.ME.NAL *adj.2gên.* 1) Relativo a fenômeno. 2) Enorme; admirável. 3) Espetacular; incomum.

FE.NÔ.ME.NO *s.m.* 1) Qualquer modificação nos corpos pela ação de agentes físicos ou químicos. 2) Manifestação. 3) Maravilha. 4) Pessoa que se percebe por algum talento extraordinário. 5) *Filos.* Objeto de experimentação.

FE.NO.ME.NO.LO.GI.A *s.f. Filos.* Sistema filosófico em que se estudam os fenômenos interiores considerados como ontológicos.

FE.NÓ.TI.PO *s.m. Biol.* Aspecto externo dos seres vivos com caracteres iguais.

FE.RA *s.f.* 1) Animal feroz e carnívoro. 2) *fig.* Indivíduo bárbaro, cruel. 3) *gír.* Pessoa exímia em alguma atividade.

FÉ.RIA *s.f.* 1) Dia de semana; salário diário. 2) Soma do que se vende no dia, na semana, etc. 3) Soma dos salários de uma semana ou de uma quinzena. 4) Salário de operário. / *s.f. pl.* 5) *Dir. trab.* Tempo de repouso a que fazem jus empregados, escolares, etc. ➡ férias.

FE.RI.A.DO *s.m.* 1) Dia em que não se trabalha por determinação civil ou religiosa. 2) Dia de descanso. 3) Dia festivo.

FE.RI.DA *s.f.* 1) Ferimento; lesão corporal. 2) Chaga. 3) Dor. 4) *fig.* Mágoa.

FE.RI.DO *adj.* e *s.m.* 1) Que ou o que recebeu ferimento. 2) Machucado, lesionado. 3) *fig.* Ofendido, magoado.

FE.RI.MEN.TO *s.m.* 1) Ato ou efeito de ferir(-se). 2) Lesão, ferida.

FE.RIR *v.t.d.* 1) Causar ferimento a. / *v.p.* 2) Fazer ferimento em si próprio; cortar-se. 3) Ofender-se, magoar-se, melindrar-se.

FER.MA.TA *s.f. Mús.* Suspensão do compasso musical prolongando-se uma nota por tempo indeterminado.

FER.MEN.TA.ÇÃO *s.f.* 1) Transformação de uma massa pela presença de um fermento que o decompõe. 2) *fig.* Agitação.

FER.MEN.TAR *v.t.d.* 1) Fazer levedar. 2) *fig.* Agitar, excitar. / *v.i.* 3) Entrar ou estar em fermentação; decompor-se pela fermentação. 4) *fig.* Estar ou entrar em agitação.

FER.MEN.TO *s.m.* Agente capaz de provocar levedura.

FE.ROZ *adj.2gên.* 1) Fero; que tem índole de fera. 2) Cruel. 3) Perverso; bravo; violento; selvagem.

FER.RA.DO *adj.* 1) Que se ferrou. 2) Provido de ferradura. 3) Agarrado. 4) *pop.* Que se deu mal.

FER.RA.DU.RA *s.f.* Peça de ferro amoldada ao casco das cavalgaduras e que é fixada por meio de cravos para protegê-los do desgaste.

FER.RA.GEM *s.f.* 1) Conjunto das peças de ferro necessárias para a construção de uma obra. 2) Guarnições de ferro.

FER.RA.MEN.TA *s.f.* Qualquer instrumento ou utensílio de trabalho.

FER.RA.MEN.TEI.RO *s.m.* Operário que fabrica e repara ferramentas.

FER.RÃO *s.m.* 1) Ponta de ferro; aguilhão. 2) *Zool.* Órgão retrátil dos insetos que serve para atacar ou defender.

FER.RAR *v.t.d.* 1) Calçar de ferro, pregar ferro em. 2) Marcar com ferro quente. 3) *Náut.* Atracar (a embarcação). / *v.p.* 4) Aferrar-se; aplicar-se. 5) *pop.* Perseguir para prejudicar alguém.

FER.RA.RI.A *s.f.* 1) Fábrica de ferragens. 2) Oficina de ferreiro. 3) Grande quantidade de ferro.

FER.REI.RO *s.m.* Profissional que trabalha com ferro.

FER.RE.NHO *adj.* 1) Férreo; fanático. 2) *fig.* Teimoso; duro. 3) Intransigente.

FER.RO *s.m.* 1) *Quím.* Elemento metálico de símbolo Fe, número atômico 26 e massa atômica 55,85; peso específico 7,86; ponto de fusão 1.535 °C. 2) Peça de metal, ferramenta ou utensílio. 3) Ferro de engomar ou passar.

FER.RO.A.DA *s.f.* 1) Picada com ferrão. 2) *Por ext.* Dor como a de uma picada; pontada. 3) *fig.* Censura forte.

ferrolho / fidedigno

FER.RO.LHO (ô) *s.m.* Tranca corrediça usada para fechar portas e janelas.
FER.RO.VI.A *s.f.* Via férrea; estrada de ferro.
FER.RU.GEM *s.f.* 1) Óxido que se forma na superfície do ferro e outros metais quando expostos à umidade. 2) *Bot.* Doença que ocorre em certas plantas gramíneas, especialmente do trigo.
FÉR.TIL *adj.2gên.* 1) *Biol.* Fecundo. 2) Farto; abundante; produtivo.
FER.TI.LI.DA.DE *s.f.* Qualidade de fértil; produtividade.
FER.TI.LI.ZA.DOR (ô) *adj.* 1) Fertilizante; adubador. / *s.m.* 2) Aquele ou aquilo que fertiliza.
FER.TI.LI.ZAN.TE *adj.2gên.* 1) Que fertiliza; fertilizador. / *s.m.* 2) Adubo; estrume.
FER.TI.LI.ZAR *v.t.d.* 1) Tornar fértil, fecundar. 2) *fig.* Tornar produtivo; adubar. / *v.i.* 3) Tornar-se fértil, produtivo.
FER.VER *v.i.* 1) Entrar ou estar em ebulição. 2) Aquecer; aferventar. 3) Borbulhar. / *v.t.d.* 4) Cozer em líquido fervente. 5) Produzir ebulição.
FER.VES.CEN.TE *adj.2gên.* 1) Fervente; fervoroso. 2) Abrasador.
FER.VI.LHAR *v.i.* 1) Ferver pouco, mas de forma contínua. 2) Agitar-se com frequência. 3) Mexer-se muito. 4) Não ter descanso.
FER.VOR (ô) *s.m.* 1) Ato de ferver. 2) Ardor. 3) *fig.* Grande dedicação; zelo, cuidado, atenção. 4) Ímpeto.
FER.VO.RO.SO (ô) *adj.* 1) Fervente. 2) Que tem fervor e devoção. 3) Diligente; impetuoso. 4) Dedicado.
FES.TA *s.f.* 1) Comemoração. 2) Solenidade. 3) Reunião de pessoas cuja finalidade é a alegria. 4) Divertimento.
FES.TAN.ÇA *s.f.* 1) Grande divertimento. 2) Festa muito animada e barulhenta.
FES.TEI.RO *adj.* 1) Amigo de festas; divertido. / *s.m.* 2) Aquele que faz ou dirige uma festa.
FES.TE.JAR *v.t.d.* 1) Fazer festa ou festas a. 2) Comemorar; aplaudir. 3) Celebrar, solenizar.
FES.TI.VAL *adj.* 1) Festivo. / *s.m.* 2) Grande festa. 3) Festa artística. 4) Cortejo cívico.
FES.TI.VI.DA.DE *s.f.* 1) Festa religiosa, festa de igreja. 2) Regozijo, alegria.
FE.TI.CHE *s.m.* 1) Feitiço. 2) Objeto considerado como possuidor de qualidades mágicas ou eróticas.
FÉ.TI.DO *adj.* Que cheira mal; fedorento.
FE.TO *s.m.* 1) *Anat.* Produto da concepção a partir do terceiro mês de vida intrauterina. 2) *Bot.* Nome genérico de diversas plantas criptogâmicas, como a samambaia, etc.
FEU.DA.LIS.MO *s.m.* Regime em que o poder real era dividido entre nobres tomando por base o poderio territorial; vigorou na Idade Média e só desapareceu completamente em 1789.
FEU.DO *s.m.* 1) Propriedade nobre ou bens rústicos que o vassalo recebia do senhor feudal em troca de serviços e rendas. 2) Posse exclusiva. 3) *fig.* Domínio, zona de influência.
FE.ZES *s.f. pl.* 1) Sedimento. 2) Matérias fecais. 3) Escória dos metais. 4) *fig.* Desgostos; amargura. 5) *fig.* Mau humor.
FI.A.ÇÃO *s.f.* 1) Ato ou efeito de fiar. 2) Fábrica de fibras têxteis.
FI.A.DO *adj.* 1) Confiado. 2) Comprado ou vendido a crédito. 3) Que foi submetido à fiação. / *adv.* 4) A crédito.
FI.A.DOR (ô) *s.m.* 1) Pessoa que abona outra, responsabilizando-se pelo cumprimento da obrigação do abonado. 2) Avalista, garantidor.
FI.AN.ÇA *s.f.* 1) Garantia, responsabilidade financeira. 2) Contrato pelo qual uma pessoa se obriga por outra, para com o credor desta, a satisfazer a obrigação, caso o devedor não a cumpra.
FI.AN.DEI.RA *s.f.* 1) Máquina de fiar. 2) Mulher que fia. 3) *Zool.* Cada um dos apêndices abdominais das aranhas por onde saem os fios com que fazem a teia.
FI.A.PO *s.m.* 1) Fio tênue; farrapo. 2) Fiozinho.
FI.AR *v.t.d.* e *v.i.* 1) Tecer; tramar. 2) Reduzir a fio. 3) Ser o fiador de. 4) Depositar confiança em. 5) Vender a crédito. / *v.p.* 6) Confiar, acreditar. 7) Estar seguro.
FI.AS.CO *s.m.* 1) Fracasso; mau êxito. 2) Má figura.
FI.BRA *s.f.* 1) Filamentos que constituem tecidos animais, vegetais ou minerais. 2) *fig.* Energia, firmeza de caráter.
FI.BRI.LA *s.f.* 1) Pequena fibra. 2) *Anat.* Elemento que compõe as fibras musculares.
FI.CAR *v.i.* 1) Conservar-se em algum lugar; estacionar. 2) Permanecer. / *v.lig.* 3) Continuar. / *v.t.i.* 4) Convir; ajustar. 5) *pop.* Manter com alguém convívio sem compromisso de estabilidade ou fidelidade amorosa por curto período.
FIC.ÇÃO *s.f.* 1) Criação de fantasia; imaginar. 2) Invenção; simulação.
FI.CHA *s.f.* 1) Folha de papel ou pedaço de cartão em que se fazem apontamentos. 2) Cartão em que se anotam documentos arquivados, livros catalogados de bibliotecas, etc. 3) Cartão com dados pessoais para fins diversos. 4) Tento para jogo. 5) Dado policial.
FI.CHAR *v.t.d.* 1) Registrar em fichas. 2) Catalogar.
FI.CHÁ.RIO *s.m.* 1) Caixa, gaveta, móvel ou sem que guardam fichas. 2) Coleção de fichas catalogadas.
FIC.TÍ.CIO *adj.* 1) Ilusório. 2) Que só existe na imaginação.
FI.DAL.GO *s.m.* 1) Homem nobre, rico. 2) Indivíduo que tem título de nobreza. / *adj.* 3) Que tem modos de fidalgo. 4) Nobre, generoso. 5) Hospitaleiro.
FI.DE.DIG.NO *adj.* 1) Digno de fé ou crédito. 2) Fidedignidade.

fidelidade

FI.DE.LI.DA.DE *s.f.* 1) Característica de quem é fiel. 2) Precisão de detalhes; exatidão. 3) Respeito aos compromissos assumidos.

FI.DÚ.CIA *s.f.* 1) Confiança, segurança. 2) *Por ext. pej.* Vaidade, presunção.

FI.EL *adj.2gên.* 1) Verdadeiro; verídico. 2) Que guarda fidelidade. 3) Que cumpre aquilo a que se obriga. / *s.2gên.* 4) Membro de uma igreja, de uma religião. / *s.m.* 5) Lingueta de balança que indica o perfeito equilíbrio desta.

FI.GA *s.f.* 1) Pequeno amuleto em forma de mão fechada com o polegar entre os dedos indicador e médio, usado supersticiosamente para defender-se de malefícios, doenças, etc. 2) Amuleto. 3) Sinal que se faz com os dedos para repelir o que não se deseja.

FÍ.GA.DO *s.m.* 1) *Anat.* Víscera glandular ímpar, volumosa, situada do lado direito do abdômen, abaixo do diafragma, que segrega a bílis. 2) Iguaria, normalmente de boi, frango ou porco.

FI.GO *s.m.* Fruto da figueira.

FI.GUEI.RA *s.f. Bot.* 1) Nome genérico dado a várias espécies de árvores moráceas. 2) Árvore que produz o figo. 3) Árvore muito grande, nativa do Brasil; ficus.

FI.GU.RA *s.f.* 1) Imagem, gravura. 2) Aparência. 3) Pessoa, vulto. 4) *Geom.* Espaço limitado por linhas ou superfícies.

FI.GU.RA.DO *adj.* 1) Hipotético; representado. 2) Metafórico. 2) Em que há figura ou alegoria.

FI.GU.RAN.TE *s.2gên.* 1) Personagem que entra, sem falar, em representações teatrais. 2) Ator, intérprete; figura.

FI.GU.RÃO *s.m.* Personagem importante.

FI.GU.RAR *v.t.d.* 1) Fazer a figura de; representar por meio de figura. 2) Imaginar, supor. 3) Significar, simbolizar. / *v.t.i.* 4) Aparecer em cena; evidenciar-se.

FI.GU.RI.NO *s.m.* 1) Figura que exibe o traje da moda. 2) Exemplo, modelo. 3) Revista de modas.

FI.LA *s.f.* Série de coisas, animais ou pessoas, dispostas, uma após outra, em linha reta; fileira.

FI.LA.MEN.TO *s.m.* 1) Fio de diâmetro muito pequeno; fibra. 2) *Bot.* Fio tênue que nasce das raízes das plantas.

FI.LAN.TRO.PI.A *s.f.* 1) Dedicação humana. 2) Caridade, amor ao próximo.

FI.LÃO *s.m.* 1) *Geol.* Massa de minério, tubuliforme. 2) Pão de formato alongado.

FI.LAR.MÔ.NI.CA *s.f.* 1) Orquestra sinfônica; banda. 2) Gosto pela harmonia, pela música. 3) Sociedade musical.

FI.LÉ *s.m.* 1) Porção de carne sem ossos. 2) Músculo do boi, do porco e de outros animais localizado entre os rins e as costeletas.

FI.LEI.RA *s.f.* Série de coisas, animais ou pessoas em linha reta; fila.

financiar

FI.LE.TE (ê) *s.m.* 1) Pequeno fio estreito. 2) Líquido que corre em pequena quantidade.

FI.LHO *s.m.* 1) Pessoa do sexo masculino em relação aos pais. 2) Descendente. 3) Pessoa em relação ao local onde nasceu.

FI.LHO.TE *s.m.* 1) Cria de animal. 2) Animal novo, pequeno.

FI.LI.A.ÇÃO *s.f.* 1) Relação de parentesco de pais e filhos. 2) Indivíduos que descendem de um mesmo ancestral; descendência. 3) Ingresso.

FI.LI.AL *adj.2gên.* 1) Próprio de filho. / *adj.2gên. e s.f.* 2) Diz-se de ou estabelecimento comercial subordinado à matriz.

FIL.MAR *v.t.d.* e *v.i.* 1) Registrar imagens para fazer um vídeo ou filme; gravar. / *v.t.d.* 2) Adaptar para cinema, vídeo, etc. 3) *pop.* Vigiar.

FIL.ME *s.m.* 1) Qualquer sequência de cenas cinematográficas (drama, comédia, documentário, etc.). 2) Rolo de película de celuloide que, tecnicamente preparado, utiliza-se para captar imagens fotográficas.

FI.LO.SO.FAR *v.i.* 1) Pensar, falar ou refletir usando raciocínios filosóficos. 2) Pensar ou falar de modo abrangente e metódico.

FI.LO.SO.FI.A *s.f.* 1) *Filos.* Ciência que procura explicar as questões básicas do homem, da vida e do universo. 2) Doutrina, teoria. 3) *Por ext.* Sabedoria.

FIL.TRAR *v.t.d.*, *v.i.* e *v.p.* 1) Passar (um líquido) por filtro, para retirar corpos sólidos e impurezas; purificar, coar. / *v.t.d.* 2) Impedir a passagem de; reter. / *v.t.d.i.* 3) *fig.* Escolher, controlar, selecionar.

FIL.TRO *s.m.* 1) Material poroso que separa líquidos de sólidos. 2) Aparelho que purifica a água. 3) O que retém ou diminui. 4) *Fot.* Placa ou tela que os fotógrafos usam para alterar as condições de luz ou regular a sua intensidade.

FIM *s.m.* 1) Acabamento, conclusão. 2) Extremidade; ponto a que se quer chegar. 3) Intenção, propósito. 4) Objetivo, alvo, mira. 5) Morte.

FI.MO.SE *s.f. Med.* Estreitamento na abertura do prepúcio, que impede seu recuo sobre a glande.

FI.NA.DO *adj.* 1) Que se finou. / *s.m.* 2) Pessoa que faleceu; defunto, morto.

FI.NAL *adj.2gên.* 1) Referente ao fim; terminal. 2) Derradeiro, último. / *s.m.* 3) Fim, desfecho.

FI.NA.LI.DA.DE *s.f.* 1) Objetivo, intuito; meta. 2) *Filos.* Causa final.

FI.NA.LI.ZAR *v.t.d.* 1) Ultimar; pôr fim a. / *v.i.* e *v.p.* 2) Acabar-se, ter fim.

FI.NAN.ÇAS *s.f. pl.* 1) Tesouro público. 2) Situação financeira. 3) Dinheiro que se possui.

FI.NAN.CEI.RA *s.f. Com.* Empresa de crédito e financiamento.

FI.NAN.CI.AR *v.t.d.* 1) Fornecer dinheiro, fundo, capitais, etc., para algum empreendimento. 2) Custear as despesas de.

FI.NAR *v.i.* 1) Acabar, findar. / *v.p.* 2) Consumir-se; emagrecer. 3) Morrer, falecer.

FIN.CAR *v.t.d.* 1) Cravar, pregar; introduzir. / *v.p.* 2) Ficar firme ou imóvel.

FIN.DAR *v.t.d.* 1) Pôr fim a; terminar, ultimar. / *v.i.* 2) Ter fim, acabar.

FI.NE.ZA (ê) *s.f.* 1) Delicadeza, perfeição. 2) Gentileza. 3) Qualidade de fino ou delgado. 4) Obséquio.

FIN.GI.MEN.TO *s.m.* 1) Ato ou efeito de fingir. 2) Hipocrisia, dissimulação.

FIN.GIR *v.t.d.* e *v.p.* 1) Fazer parecer real; simular. / *v.t.d.* 2) Fazer de conta; imaginar. / *v.i.* 3) Tentar passar como verdadeira a ideia de algo que não se pensa, não se sente ou não se é.

FI.NI.TO *adj.* e *s.m.* Que ou o que tem fim ou limite.

FI.NO *adj.* 1) Delgado; agudçado. 2) Agudo, vibrante. 3) Elegante; delicado. 4) Perfeito, acabado. 5) Suave.

FIN.TA *s.f.* 1) Ação que visa enganar; logro. 2) *Por ext. Esp.* Drible.

FI.NU.RA *s.f.* 1) Relativo a fino. 2) Sutileza; astúcia. 3) Malícia, astúcia.

FI.O *s.m.* 1) Fibra extraída de matérias têxteis. 2) Linha fiada e torcida. 3) Porção de metal flexível, estirado em filamento. 4) Gume de um instrumento cortante.

FIR.MA *s.f.* 1) Estabelecimento comercial; razão social. 2) Assinatura por extenso ou abreviada, manuscrita ou gravada.

FIR.MA.MEN.TO *s.m.* 1) Base, fundamento, alicerce. 2) Abóbada celeste; céu.

FIR.MAR *v.t.d.* 1) Estabilizar, fixar. 2) Escorar, fincar. 3) Assegurar; ajustar. 4) Tornar firme, seguro, estável. 5) Assinar, subscrever, ratificar. / *v.p.* 6) Assinar-se, basear-se. 7) Prestar atenção.

FIR.ME *adj.2gên.* 1) Fixo, sólido. 2) Seguro, garantido. 3) Resoluto, decidido. 4) Inabalável; que não treme. 5) Durável, inalterável. 6) *pop.* Emperrado, teimoso.

FIS.CAL *adj.2gên.* 1) Relativo ao fisco. / *s.2gên.* 2) Guarda da alfândega. 3) Empregado do fisco que zela pelo cumprimento das leis de imposto. 4) Empregado encarregado de fiscalizar certos atos e/ou zelar pelo cumprimento de leis, regulamentos, disciplina, em quaisquer setores da sociedade.

FIS.CA.LI.ZAR *v.i.* 1) Exercer a profissão de fiscal. / *v.t.d.* 2) Observar, examinar; vigiar. 3) Sindicar, controlar os atos de outrem.

FIS.CO *s.m.* 1) Ramo da administração pública encarregada da cobrança e fiscalização dos impostos. 2) Fazenda pública; tesouro.

FIS.GA *s.f.* Parte do anzol que fisga o peixe; fisgo.

FIS.GAR *v.t.d.* 1) Agarrar, pescar com fisga ou arpão. 2) Perceber, apanhar com rapidez. 3) Segurar quem ia se evadindo. 4) *pop.* Despertar amor em alguém.

FÍ.SI.CA *s.f.* Ciência que estuda os fenômenos naturais para formular leis e teorias capaz de regê-los e defini-los.

FÍ.SI.CO *adj.* 1) Referente à física. / *s.m.* 2) Especialista em física. 3) Corpo, aspecto externo do indivíduo. 4) Aparência.

FI.SI.O.LO.GI.A *s.f.* Ciência que estuda as funções orgânicas e o funcionamento normal dos seres vivos.

FI.SI.O.NO.MI.A *s.f.* 1) Expressão facial; semblante. 2) Aparência. 3) *fig.* Aspecto próprio.

FI.SI.O.TE.RA.PI.A *s.f. Med.* Aplicação terapêutica de exercícios, massagens, calor, luz, etc., para tratamento de doenças.

FIS.SÃO *s.f. Fís.* Ruptura de um núcleo atômico em dois outros núcleos determinada pelo bombardeamento dos nêutrons e que libera grande quantidade de energia.

FI.TA *s.f.* 1) Faixa, tira. 2) Tecido mais ou menos estreito e comprido, que serve para ornamentar, prender, etc. 3) Fingimento, demonstração falsa de sentimentos. 4) *pop.* Filme.

FI.TAR *v.t.d.* 1) Firmar os olhos em; olhar fixamente para. / *v.p.* 2) Fixar-se, cravar-se.

FI.TI.LHO *s.m.* Fita estreita usada em adornos e para amarrar embrulhos e pacotes.

FI.VE.LA *s.f.* 1) Peça que serve para prender cintos, sapatos, etc. 2) Prendedor de cabelos.

FI.XA.ÇÃO (cs) *s.f.* 1) Ação de fixar; prender, colar. 2) *Por ext.* Determinação, indicação precisa. 3) *fig.* Apego doentio e exagerado; grande interesse; atração.

FI.XAR (cs) *v.t.d.i.* 1) Prender, colar, pregar. 2) Guardar na memória; memorizar. 3) *Por ext.* Determinar prazo, norma, etc.; estabelecer. / *v.t.d.* e *v.p.* 4) Tornar(-se) firme, estável. / *v.t.d.i.* e *v.p.* 5) Deter(-se) o olhar; fitar(-se). 6) *Por ext.* Estabelecer residência; assentar(-se). / *v.p.* 7) *fig.* Apegar-se com obstinação.

FI.XO (cs) *adj.* 1) Preso com firmeza. 2) Que permanece sempre no mesmo lugar; imóvel. 3) *Por ext.* Inalterável. 4) *Por ext.* Permanente, estável. / *s.m.* 5) Salário estipulado. 6) Peça que não se move.

FLÁ.CI.DO *adj.* Sem firmeza, resistência e elasticidade.

FLA.GE.LAR *v.t.d.* e *v.p.* 1) Bater(-se) com flagelo; açoitar(-se). / *v.t.d.i.* e *v.p.* 2) *Por ext.* Castigar(-se); atormentar(-se).

FLA.GE.LO *s.m.* 1) Chicote. 2) *Por ext.* Punição física; castigo, tortura. 3) *Por ext.* Grande desgraça; calamidade.

FLA.GRAR *v.t.d.* 1) *pop.* Pegar em flagrante; surpreender. / *v.i.* 2) Arder em chamas; queimar-se.

FLAM.BAR *v.t.d.* 1) Fazer a assepsia por meio de chama. 2) *Por ext. Cul.* Borrifar uma comida com bebida alcoólica e atear-lhe fogo.

239

FLÂ.MU.LA *s.f.* 1) Pequena chama. 2) Bandeira pequena e triangular. 3) *Por ext.* Bandeira.

FLAN.CO *s.m.* 1) Parte lateral; lado. 2) *Anat.* Região lateral do corpo, do ombro ao quadril.

FLA.NE.LA *s.f.* Tecido macio de lã ou algodão.

FLASH *s.m. ingl.* 1) *Fot.* Clarão produzido para se fotografar em locais onde há pouca luz. 2) *Fot.* Aparelho que produz esse clarão. 3) *Por ext.* Imagem ou cena muito curta.

FLA.TU.LÊN.CIA *s.f. Fisiol.* Acúmulo de gases no sistema digestório.

FLAU.TA *s.f. Mús.* Instrumento musical de sopro constituído de um tubo oco com furos.

FLAU.TIM *s.m.* Pequena flauta com sons muito agudos, afinada à oitava superior da flauta normal.

FLAU.TIS.TA *s.2gên.* 1) Tocador de flauta. 2) Fabricante de flautas.

FLA.VO *adj.* 1) Louro; da cor do trigo maduro. 2) Cor de ouro.

FLE.CHA *s.f.* 1) Arma arremessada com arco, constituída de uma haste de madeira pontuda e provida de uma ponta de ferro. 2) Sinal em forma de flecha indicando uma direção; seta. 3) *Arquit.* Haste ou peça piramidal no alto de alguns edifícios.

FLE.CHAR *v.t.d.* 1) Ferir com flecha. 2) *fig.* Amargurar, molestar, troçar, ofender, magoar. / *v.i.* 3) Atravessar ou passar como flecha.

FLER.TAR *v.t.i.*, *v.t.d.* e *v.i.* Namoricar.

FLER.TE (ê) *s.m.* Namoro ligeiro, paquera.

FLE.XÃO (cs) *s.f.* 1) Ato de dobrar-se, de curvar-se. 2) Curvatura, dobradura. 3) Ação dos músculos flexores. 4) *Gram.* Variante das desinências dos verbos e dos nomes.

FLE.XI.BI.LI.DA.DE (cs) *s.f.* 1) Qualidade do que é flexível; maleabilidade. 2) Aptidão para diversas atividades. 3) *fig.* Característica de quem é compreensível; brandura.

FLE.XI.O.NAR (cs) *v.t.d.* 1) *Gram.* Fazer a flexão de. / *v.i.* e *v.p.* 2) Assumir a forma flexional.

FLE.XÍ.VEL (cs) *adj.2gên.* 1) Que se pode curvar ou dobrar. 2) Fácil de dobrar ou curvar sem quebrar. 3) Maleável.

FLO.CO *s.m.* 1) Pequeno tufo de material leve. 2) Partícula de neve. 3) *Zool.* Tufo de cabelos que alguns animais têm na cauda.

FLOR (ô) *s.f.* 1) Órgão de reprodução das plantas, geralmente de cheiro agradável e com cores vivas e brilhantes. 2) *fig.* Pessoa bondosa; pessoa boa. 3) A primavera da vida, a juventude.

FLO.RA *s.f.* 1) Conjunto da vegetação de um país ou de uma região. 2) Conjunto de plantas usadas para determinado fim.

FLO.RA.ÇÃO *s.f.* 1) Desabrochamento da flor; florescência. 2) Estado das plantas em flor.

FLO.RES.CER *v.t.d.* e *v.i.* 1) Cobrir(-se) de flores. / *v.i.* 2) *fig.* Tornar-se próspero; desenvolver-se.

FLO.RES.TA *s.f.* Grande extensão de terra coberta por grandes árvores; mata.

FLO.RE.TE (ê) *s.m.* Arma branca composta de cabo e lâmina comprida e flexível, usada em esgrima.

FLO.RI.CUL.TU.RA *s.f.* 1) Arte de cultivar flores; cultura de flores. 2) Lugar onde se vendem flores.

FLO.RI.DO *adj.* 1) Em flor, coberto de flores. 2) Adornado. 3) Viçoso.

FLO.RIR *v.i.* 1) Cobrir-se de flores. 2) Desabrochar, estar em flores. / *v.t.d.* 3) Tornar viçoso; enfeitar de flores.

FLO.RIS.TA *s.2gên.* 1) Comerciante de flores. 2) Pessoa que faz ou pinta flores artificiais.

FLU.ÊN.CIA *s.f.* 1) Qualidade de fluente; fluidez. 2) *fig.* Facilidade de falar e de se expressar.

FLU.EN.TE *adj.2gên.* 1) Que corre com facilidade, de forma abundante e fluida. 2) Natural, fácil e espontâneo.

FLU.I.DI.FI.CAR (u-i) *v.t.d.* 1) Tornar fluido. / *v.p.* 2) Tornar-se fluido, diluir-se.

FLUI.DO *adj.* 1) Que corre como um líquido; fluente. 2) Corrente, fácil. / *s.m.* 3) Nome comum de qualquer líquido ou gás.

FLU.IR *v.i.* 1) Correr em estado líquido. / *v.t.i.* 2) Derivar, brotar.

FLU.MI.NEN.SE *adj.2gên.* 1) Fluvial. 2) Do estado do Rio de Janeiro. / *s.2gên.* 3) Habitante ou natural do estado do Rio de Janeiro.

FLÚ.OR *s.m. Quím.* Elemento não metálico do grupo dos halogênios, de símbolo F, número atômico 9 e massa atômica 19.

FLU.O.RAR *v.t.d.* 1) Tratar com flúor. 2) Adicionar flúor à água de abastecimento urbano.

FLU.O.RES.CÊN.CIA *s.f.* 1) Iluminação especial que apresentam certas substâncias, quando expostas à ação dos raios luminosos. / *adj.* 2) Fluorescente.

FLU.TU.A.ÇÃO *s.f.* 1) Ato ou efeito de flutuar. 2) Variação, oscilação. 3) Instabilidade. 4) Variação no valor de papéis de crédito.

FLU.TU.AR *v.i.* 1) Manter-se à superfície de um líquido; boiar, sobrenadar. 2) Agitar-se, ondear.

FLU.VI.AL *adj.* 1) Relativo a rio; fluminense. 2) Que vive nos rios.

FLU.XO (cs) *s.m.* 1) Ato de fluir. 2) Enchente ou vazante das águas do mar. 3) Abundância. 4) *Med.* Corrimento de um líquido. 5) Abundância; córrego, vazão. / *adj.* 6) Fluido, transitório, passageiro.

FO.BI.A *s.f.* 1) Medo; receio. 2) *Med.* Nome genérico das várias espécies de temor mórbido, obsessivo e constante de objetos ou de situações.

FO.CA *s.f.* 1) *Zool.* Mamíferos carnívoros marinhos. 2) Mamífero anfíbio das regiões polares. 3) *gír.* Repórter ou jornalista novato. / *adj.2gên.* 4) Designativo de qualquer pessoa iniciante em uma profissão.

FO.CAR *v.t.d.* 1) Pôr em foco; focalizar. 2) *fig.* Dar destaque a; salientar, evidenciar.

FO.CI.NHEI.RA *s.f.* 1) Focinho. 2) Correia que se coloca em torno da cabeça e do focinho do animal.
FO.CI.NHO *s.m.* 1) A parte anterior da cabeça de certos animais, formada pelas ventas e pela boca; fuça. 2) *pop.* Rosto humano; cara.
FO.CO *s.m.* 1) Fonte de luz. 2) *Fís.* Ponto onde convergem os raios da luz, depois de refratados em uma lente ou refletidos em um espelho. 3) Ponto de onde saem os raios vetores para certas curvas. 4) Ponto de convergência. 5) *Med.* Ponto de infecção de certas moléstias microbianas.
FO.FO (ô) *adj.* 1) Fácil de comprimir; macio. 2) *pop.* Gracioso, simpático, amável.
FO.GÃO *s.m.* 1) Pequena construção de alvenaria onde se faz fogo para cozinhar. 2) Aparelho de ferro ou de outro metal, com ou sem chaminé, em que se cozinha e se aquece com carvão, lenha, eletricidade ou gás. 3) Fornalha onde se faz fogo para aquecer os aposentos; lareira.
FO.GA.RÉU *s.m.* 1) Material inflamável que se acende para iluminar um lugar ou caminho; tocha. 2) Fogo não contido que se espalhou em muitas labaredas.
FO.GO (ô) *s.m.* 1) Labareda; flama. 2) Fogão, lareira. 3) Fogueira, lume. 4) Incêndio; queima. 5) Combustão acompanhada de desenvolvimento de luz, calor e, geralmente, de chamas. 6) O disparar de armas de fogo; fuzilaria. 7) *fig.* Ardor, paixão.
FO.GO.SO (ô) *adj.* 1) Caloroso; ardente. 2) Animado, impetuoso, vivo.
FO.GUEI.RA *s.f.* 1) Monte de lenha ou outro combustível em chamas. 2) Labareda. 3) Lume da lareira. 4) Incandescência; brasa.
FO.GUE.TÃO *s.m.* Foguete próprio para atirar cabos a uma embarcação em perigo.
FO.GUE.TE (ê) *s.m.* 1) Corpo pirotécnico, roliço, cheio de pólvora, que estoura no ar quando se põe fogo. 2) *Astronáut.* Veículo espacial que utiliza a propulsão a jato. / *adj.* 3) Vivo, irrequieto.
FOI.CE *s.f.* Instrumento curvo e com gume ou serreado cuja finalidade é roçar ou segar.
FOL.CLO.RE *s.m.* Conjunto ou estudo das tradições, crendices, superstições, cantos, festas, indumentárias, lendas, artes, conhecimentos e crenças de um povo.
FO.LE *s.m.* 1) Utensílio destinado a produzir vento para ativar uma combustão, ventilar cavidades, encher de vento os tubos dos órgãos, soprar as palhetas do acordeão, etc. 2) Acordeão de construção rudimentar. 3) *pop.* Pulmão.
FÔ.LE.GO *s.m.* 1) Respiração. 2) Capacidade de reter o ar nos pulmões. 3) Ato de soprar. 4) Descanso, folga. 5) *fig.* Coragem, ânimo.
FOL.GA *s.f.* 1) Interrupção no trabalho, descanso. 2) Desafogo, alívio, lenitivo. 3) Abastança, fartura. 4) *Mec.* Intervalo calibrado entre duas peças em contato.
FOL.GA.DO *adj.* e *s.m.* 1) Que(m) tem folga ou descanso. 2) Refere-se ao que não está apertado. 3) *fig.* Que(m) se esquiva das obrigações.

FOL.GAR *v.t.d.* 1) Dar folga, descanso a. 2) Alargar, desapertar. / *v.t.i.* e *v.i.* 3) Ter alívio nos trabalhos; ter descanso. 4) Alegrar-se, ter prazer.
FO.LHA (ô) *s.f.* 1) *Bot.* Órgão laminar, geralmente verde, caracterizado por forma achatada, simetria bilateral, dimensões definidas e crescimento limitado no tempo e no espaço, que nasce nos galhos e ramos de plantas. 2) Lâmina.
FO.LHA.DO *adj.* 1) Cheio de folhas. 2) Em forma de folhas. 3) Revestido de metal precioso. / *s.m.* 4) Ato de folhar. 5) Massa estendida com gordura ou manteiga para pastéis.
FO.LHA.GEM *s.f.* 1) Conjunto das folhas de uma planta. 2) Enfeite que imita folhas.
FO.LHAR *v.t.d.* 1) Ornar com folhagem. 2) Revestir de folha ou lâmina de metal precioso; folhear. / *v.i.* e *v.p.* 3) Encher-se, cobrir-se, enfeitar-se de folhas.
FO.LHE.A.DO *adj.* 1) Composto de folhas; foliado. 2) *Geol.* Disposto em camadas. / *s.m.* 3) Folha fina de madeira ou de metal usada em revestimentos.
FO.LHE.AR *v.t.d.* 1) Virar as folhas de (livro, revista, etc.). 2) Ler ou examinar rapidamente. 3) Dividir em folhas. 4) Revestir de lâminas de madeira ou de metal.
FO.LHE.TIM *s.m.* 1) Fragmento de um romance que se publicava, regularmente, em um periódico, quase sempre na parte inferior. 2) Seção literária de um periódico.
FO.LHE.TO *s.m.* Impresso de poucas folhas.
FO.LHI.NHA *s.f.* Calendário impresso em uma ou várias folhas para se pendurar na parede.
FO.LI.A *s.f.* 1) Brincadeira; folguedo. 2) Espetáculo ou dia festivo. 3) Folgança; carnaval.
FO.LI.ÃO *adj.* e *s.m.* Que ou quem gosta de folia e festas.
FO.LÍ.CU.LO *s.m. Anat.* Estrutura orgânica pequena em forma de saco.
FO.ME *s.f.* 1) Sensação causada pela necessidade de comer. 2) Falta de alimentos. 3) Carência, miséria.
FO.MEN.TAR *v.t.d.* 1) *Por ext.* Promover o desenvolvimento, o progresso de; estimular. 2) *fig.* Provocar, incitar. / *v.t.d.* e *v.i.* 3) Friccionar a pele com um medicamento líquido.
FO.NA.ÇÃO *s.f.* Série de processos fisiológicos para a produção da voz.
FO.NE *s.m.* 1) Forma reduzida da palavra telefone. 2) Peça do aparelho telefônico que se leva ao ouvido.
FO.NE.MA *s.m.* Menor unidade sonora distintiva (vogal ou consoante) da linguagem articulada.
FO.NÉ.TI.CA *s.f. Gram.* Ciência que estuda os sons de uma língua: os fonemas, sua produção, suas características e sua percepção pelo ouvido.
FO.NE.TI.CIS.MO *s.m.* A representação dos sons por letras, grafia dos sons formando palavras.
FÔ.NI.CO *adj.* Relativo à voz ou ao som.

fonografia

FO.NO.GRA.FI.A *s.f.* 1) *Gram.* Representação gráfica dos sons. 2) *Fís.* Representação gráfica das vibrações de corpos sonoros.
FO.NÓ.GRA.FO *s.m.* Aparelho que reproduz sons ou vibrações sonoras gravadas em discos sob a forma de sulcos em espiral; vitrola.
FON.TE *s.f.* 1) Nascente de água que brota do solo. 2) Chafariz; bica. 3) Procedência. 4) Pretexto, causa. 5) Princípio, origem. 6) Texto original de uma obra. 7) Cada um dos lados da cabeça na região temporal; fronte. 8) *Fís.* Circuito que fornece energia.
FO.RA *adv.* 1) Exteriormente, na face externa. 2) Para longe. 3) No estrangeiro. / *prep.* 4) Exceto, menos; com exclusão de, além de. / *interj.* 5) Arreda! Sai! / *s.m.* 6) *pop.* Ato de livrar-se de alguém ou de namoro.
FO.RA.GI.DO *adj.* e *s.m.* 1) Que ou o que se esconde para escapar à justiça. 2) Perseguido; escondido.
FO.RAS.TEI.RO *adj.* e *s.m.* Que ou quem é estranho à terra onde se encontra.
FOR.CA (ô) *s.f.* 1) Instrumento para suplício de enforcamento. 2) Patíbulo. 3) Armadilha.
FOR.ÇA (ô) *s.f.* 1) Energia física; vigor. 2) *Fís.* Agente capaz de produzir ou acelerar movimentos, oferecer resistência aos deslocamentos ou determinar deformações dos corpos. 3) *Mec.* Potência, causa que gera movimentos. 4) Faculdade de operar, de mover ou mover-se. 5) Esforço, intensidade. 6) Necessidade, empenho. 7) Autoridade, poder. 8) Impulso. 9) *Mil.* Tropas. / *interj.* 10) Serve para apoiar ou encorajar.
FOR.ÇAR *v.t.d.* 1) Entrar à força em. 2) Exercer força contra. 3) Constranger, obrigar. 4) Violentar, subjugar, vencer. 5) Arrombar, quebrar. / *v.p.* 6) Constranger-se.
FÓR.CEPS ou **FÓR.CI.PE** *s.m.* *Cir.* Instrumento com que se extrai do útero a criança em partos difíceis.
FOR.ÇU.DO *adj.* 1) Que tem muita força. 2) *pop.* Musculoso, robusto, forte.
FO.REN.SE *adj.2gên.* *Jur.* Relativo aos tribunais de justiça; judicial.
FOR.JA *s.f.* 1) Oficina de ferreiro. 2) Conjunto de fornalha, fole e bigorna para o trabalho em ferro ou metal.
FOR.JA.DO *adj.* 1) Trabalhado, fabricado na forja. 2) Maquinado, inventado.
FOR.JAR *v.t.d.* 1) Aquecer e trabalhar na forja. 2) Falsificar, fazer. 3) Imaginar, inventar, maquinar. 4) Falsificar.
FOR.MA (ó) *s.f.* 1) Feitio; aparência. 2) Aspecto exterior. 3) Maneira de ser. 4) Estrutura; configuração. 5) Alinhamento de tropas; formatura. 6) Caráter de estilo em composição literária, musical ou plástica. 7) *Gram.* Aspecto sob o qual se apresenta um termo ou um enunciado.

formigar

FOR.MA (ô) *s.f.* 1) Modelo, molde. 2) Molde para a indústria de calçado ou de chapelaria. 3) Molde em que se vazam metais, plásticos, vidros. 4) *Tip.* Composição tipográfica pronta para impressão. 5) Vasilha para assar. (Acento diferencial facultativo conforme o novo acordo ortográfico ➡ Qual é a forma da fôrma do bolo?)
FOR.MA.ÇÃO *s.f.* 1) Ato ou efeito de formar(-se). 2) Arranjo; constituição. 3) Conjunto de elementos formadores de um grupo. 4) A formatura das tropas.
FOR.MA.DO *adj.* 1) Feito, constituído. 2) Em ordem, alinhado. 3) Que concluiu formatura em uma universidade.
FOR.MAL *adj.2gên.* 1) Relativo à forma. 2) Definitivo, garantido. 3) Genuíno. 4) Positivo; decidido. 5) Expresso.
FOR.MA.LIS.MO *s.m.* 1) Tendência artística que dá mais valor à forma que ao conteúdo ou à abstração que ao real. 2) Sistema filosófico que nega a existência da matéria, admitindo só a forma. 3) Apego às formalidades. 4) Respeito exagerado e meticuloso a regras e normas.
FOR.MA.LI.ZAR *v.t.d.* 1) Realizar segundo as fórmulas ou formalidades. 2) Tornar formal.
FOR.MAN.DO *s.m.* Aquele que está recebendo formatura ou está para formar-se.
FOR.MAR *v.t.d.* 1) Dar a forma a. 2) Criar, constituir. 3) Conceber, produzir. 4) Dispor em certa ordem. 5) Ensinar, educar. / *v.p.* 6) Concluir a formatura. 7) Originar-se, derivar-se.
FOR.MA.TO *s.m.* 1) Feitio. 2) Dimensão, tamanho.
FOR.MA.TU.RA *s.f.* 1) Ato ou efeito de formar (-se). 2) Graduação; colação de grau superior. 3) Alinhamento de tropas.
FÓR.MI.CA *s.f.* Material laminado e liso, usado como isolante de eletricidade, revestimento de móveis, etc.
FOR.MI.CA.ÇÃO *s.f.* *Med.* Sensação de picadas, como de formigas, sentida em uma parte do corpo; comichão, formigamento.
FOR.MI.CI.DA *adj.2gên.* e *s.m.* Diz-se de ou preparação química para destruição de formigas.
FOR.MI.DÁ.VEL *adj.2gên.* 1) Extraordinário; excelente. 2) Descomunal; enorme, gigantesco. 3) Que desperta admiração e entusiasmo.
FOR.MI.GA *s.f.* 1) *Entom.* Nome comum dos insetos himenópteros que vivem em sociedade, debaixo da terra, em ninhos nas árvores, no oco dos paus, etc. 2) *fig.* Pessoa econômica. 3) *pop.* Diz-se da pessoa que gosta muito de doces.
FOR.MI.GA.MEN.TO *s.m.* 1) *Med.* Sensação de picadas leves e sucessivas em uma região do corpo, geralmente provocada por má circulação do sangue; dormência. 2) *fig.* Desejo incontrolável de fazer algo; comichão.
FOR.MI.GAR *v.i.* 1) Sentir formigamento. / *v.t.i.* e *v.i.* 2) Ter ou existir em abundância.

formigueiro | foto

FOR.MI.GUEI.RO *s.m.* 1) Ninho ou toca de formigas. 2) Grande porção de formigas. 3) Multidão de pessoas. 4) Agitação, impaciência. 5) Vento do Sudeste.

FOR.MOL *s.m. Farm.* Solução de aldeído fórmico, usada como antisséptico e bactericida; também usado para conservar cadáveres.

FOR.MO.SO (ô) *adj.* 1) De feições ou formas harmoniosas. 2) Belo, bonito; elegante; primoroso.

FÓR.MU.LA *s.f.* 1) Palavras precisas e determinadas necessárias à execução de atos da mesma natureza. 2) Receita médica. 3) Método, processo. 4) Praxe, regra. 5) *Mat.* Expressão matemática para resolver problemas.

FOR.MU.LAR *v.t.d.* 1) Criar, elaborar, formar. 2) *Por ext.* Expor com precisão. 3) Receitar, prescrever.

FOR.MU.LÁ.RIO *s.m.* 1) Coleção de fórmulas. 2) Modelo impresso de fórmula, em que se preenchem os dados pessoais.

FOR.NA.DA *s.f.* 1) Conjunto dos pães assados no mesmo forno. 2) Porção de coisas feitas de uma só vez.

FOR.NA.LHA *s.f.* 1) Forno grande. 2) Parte de uma máquina ou fogão onde se queima o combustível. 3) Caldeira. 4) *fig.* Calor intenso.

FOR.NE.CE.DOR (ô) *adj.* e *s.m.* Que ou o que fornece mercadorias; abastecedor.

FOR.NE.CER *v.t.d.* 1) Abastecer; proporcionar. 2) Produzir; dar. / *v.p.* 3) Abastecer-se, prover-se.

FOR.NI.CA.ÇÃO *s.f.* 1) Ato de fornicar. 2) Cópula; ato da relação sexual. 3) *Rel.* O pecado da carne.

FOR.NI.CAR *v.t.i.* e *v.i.* 1) Ter relações sexuais ilícitas. / *v.t.d.* 2) Importunar, aborrecer.

FOR.NO (ô) *s.m.* 1) Construção abobadada, de barro ou tijolos, com portinhola, para assar pão, carne, etc. 2) Construção equivalente, com abertura superior para cozer louça, cal, telha, etc. 3) Parte do fogão onde se fazem assados. 4) Lugar muito quente.

FOR.RAR *v.t.d.i.* 1) Colocar forro no interior de algo. 2) Revestir a parte externa de. / *v.p.* 3) Ficar coberto de; encher-se.

FOR.RO (ô) *s.m.* 1) Substância, objeto ou matéria usada para forrar. 2) Revestimento de paredes, edifícios, fundos de navio, etc. 3) Estofo com que se reforça interiormente a roupa, o calçado, os chapéus, etc. 4) Espaço entre o telhado e o teto, geralmente das salas e dos quartos.

FOR.RÓ *s.m. pop.* Arrasta-pé; baile.

FOR.RO.BO.DÓ *s.m.* 1) Baile popular, festança. 2) Desordem. 3) Confusão, tropel.

FOR.TA.LE.CER *v.t.d.* e *v.p.* 1) Tornar(-se) forte, robustecer(-se). / *v.t.d.* 2) Encorajar, animar. 3) Fortificar. 4) Guarnecer com forças militares.

FOR.TA.LE.ZA (ê) *s.f.* 1) Virtude ou qualidade de ser forte; vigor. 2) Firmeza, força moral; energia, constância. 3) *Mil.* Fortificação, praça de guerra. 4) Castelo. 5) Segurança, solidez.

FOR.TA.LE.ZEN.SE *adj.2gên.* 1) De Fortaleza, capital do Ceará. / *s.2gên.* 2) O natural ou habitante de Fortaleza: capital, cidade e município do Ceará.

FOR.TE *adj.2gên.* 1) Valente; enérgico. 2) Poderoso. 3) Robusto. 4) Sólido; resistente. 5) Intenso. / *s.m.* 6) Castelo fortificado; fortaleza. / *s.2gên.* 7) Pessoa valente, enérgica. / *adv.* 8) *Mús.* Indica que o som deve ser reforçado. 9) Com força, rijamente.

FOR.TI.FI.CA.ÇÃO *s.f.* 1) Ação ou efeito de fortificar(-se). 2) Obra de defesa militar. 3) Forte, baluarte.

FOR.TI.FI.CAN.TE *adj.2gên.* 1) Fortificador; tônico. / *s.m.* 2) Medicamento para fortalecer o organismo.

FOR.TI.FI.CAR *v.t.d.* e *v.p.* 1) Fortalecer(-se), robustecer(-se). / *v.t.d.* 2) Auxiliar, reforçar. 3) Animar, tonificar.

FOR.TUI.TO *adj.* 1) Que ocorre por acaso; casual. 2) Ocasional, aleatório. 3) Inesperado, acidental.

FOR.TU.NA *s.f.* 1) Aquilo que sucede por acaso. 2) Sorte, eventualidade. 3) Ventura, felicidade. 4) Destino, sina. 5) Riqueza, bens.

FÓ.RUM *s.m.* 1) Foro. 2) Lugar onde funcionam os órgãos do poder judiciário.

FOS.CO (ô) *adj.* 1) Sem brilho. 2) Que não é transparente. 3) Escuro. 4) Embaraçado, perturbado. 5) Mortiço, fraco.

FOS.FO.RES.CEN.TE *adj.2gên.* Que brilha no escuro.

FÓS.FO.RO *s.m.* 1) *Quím.* Elemento não metálico, de símbolo P, número atômico 15 e massa atômica 30,975. 2) Palito com preparado especial em uma das pontas, que se inflama por meio de atrito ou fricção em superfície áspera. 3) *gír.* Pessoa sem importância; queimado.

FOS.SA *s.f.* 1) Buraco, cavidade, cova. 2) Covinha no rosto. 3) *Anat.* Nome genérico de certas cavidades do corpo. 4) *Geol.* Cavidade subterrânea, larga e profunda, em regiões emersas ou submersas. 5) Espécie de poço para o despejo de matérias fecais. 6) *pop.* Depressão, abatimento moral.

FOS.SAR *v.t.d.* e *v.i.* 1) Revolver a terra com o focinho ou a tromba; fuçar. 2) Escavar, abrir buracos, valetas, covas. 3) *fig.* Investigar; procurar, sondar.

FÓS.SIL *s.m.* 1) *Geol.* Corpo inteiro ou fragmentado que foi encontrado no seio da terra. 2) Diz-se de restos de animais, de plantas, etc., encontrados em camadas terrestres anteriores ao atual período geológico. / *adj.2gên.* 3) O que se extrai da terra, cavando. 4) *fig.* Pessoa ou coisa antiquada, retrógrada.

FOS.SI.LI.ZAR *v.t.d.* 1) Tornar fóssil. / *v.p.* 2) Fazer-se fóssil; adotar ideias antiquadas. 3) Tornar-se retrógrado, contrário ao progresso.

FOS.SO (ô) *s.m.* 1) Cova, cavidade no solo. 2) Barranco. 3) Vala para condução de águas. 4) Vala profunda que rodeia acampamentos, entrincheiramentos, etc. 5) Cisterna.

FO.TO *s.f.* Forma reduzida de fotografia.

fotocarta / fraternidade

FO.TO.CAR.TA *s.f.* Carta ou mapa topográfico obtido através de fotografias aéreas.

FO.TO.FO.BI.A *s.f. Med.* Aversão à luz.

FO.TO.GÊ.NI.CO *adj.* 1) Que aparece bem em fotografias. 2) Referente aos efeitos químicos da luz sobre certos corpos.

FO.TO.GRA.FAR *v.t.d.* e *v.i.* 1) Registrar uma imagem de algo ou alguém em uma fotografia. / *v.i.* 2) Sair (bem ou mal) em fotos.

FO.TO.GRA.FI.A *s.f.* 1) Técnica de produzir, pela ação da luz ou qualquer espécie de energia radiante, sobre uma superfície sensibilizada, imagens obtidas mediante uma câmera escura. 2) Reprodução dessa imagem. 3) Retrato.

FO.TÓ.GRA.FO *s.m.* Aquele que fotografa.

FO.TO.LI.TO *s.m.* Filme positivo (ou jogo de filmes positivos) para reprodução de texto ou ilustrações, usado para gravação de chapas destinadas à impressão.

FO.TO.ME.TRI.A *s.f.* Arte de efetuar a medição da intensidade da luz.

FO.TÔ.ME.TRO *s.m. Fís.* Instrumento utilizado para medir a intensidade da luz.

FO.TO.NO.VE.LA *s.f.* História apresentada em quadrinhos em que os desenhos são substituídos por imagens fotográficas.

FO.TOS.SÍN.TE.SE *s.f. Bot.* Síntese realizada pelas plantas dotadas de clorofila, através do aproveitamento da energia luminosa.

FOZ *s.f.* 1) Ponto onde um rio termina: no mar, em outro rio ou em um lago. 2) Barra; embocadura. 3) Desaguadouro.

FRA.ÇÃO *s.f.* 1) Parte de um todo; fragmento. 2) *Mat.* Número que exprime uma ou mais partes iguais em que foi dividida uma unidade ou um inteiro.

FRA.CAS.SAR *v.t.d.* 1) Arruinar, falhar. / *v.i.* 2) Ter êxito; frustrar-se, malograr-se.

FRA.CIO.NAR *v.t.d.* 1) Dividir em fragmentos ou partes. 2) Converter. / *v.p.* 3) Dividir-se.

FRA.CO *adj.* 1) Débil, frouxo. 2) Falta de forças, de vigor; franzino. 3) Que não é sólido. 4) Sem importância. / *s.m.* 5) Indivíduo fraco.

FRA.DE *s.m.* Homem que faz parte de uma ordem religiosa e vive em convento, separado do mundo social.

FRÁ.GIL *adj.2gên.* 1) Fácil de quebrar; quebradiço. 2) Fraco, débil. 3) Pouco durável.

FRAG.MEN.TAR *v.t.d.* e *v.p.* Quebrar(-se), partir (-se) em pedaços; fracionar(-se).

FRAG.MEN.TO *s.m.* 1) Parte de um todo que foi dividido. 2) Fração; pedaço. 3) Estilhaço. 4) Parte que resta de uma obra literária antiga. 5) Trecho de obra escrita.

FRA.GRÂN.CIA *s.f.* 1) Qualidade de fragrante. 2) Aroma, cheiro, odor. 3) Bálsamo, perfume.

FRA.GRAN.TE *adj.2gên.* 1) Que exala cheiro agradável; aromático, odorífero. 2) Cheiroso, perfumado.

FRA.JO.LA *adj.2gên.* e *s.2gên.* 1) *gír.* Diz-se daquele que se acha elegante. 2) Casquilho; bem-falante.

FRAL.DA *s.f.* 1) Parte inferior da camisa. 2) Faixa ou pano com que se envolve os bebês da cintura para baixo; cueiro. 3) Parte inferior, sopé, raiz de serra, de monte.

FRAM.BO.E.SA (ê) *s.f. Bot.* Fruto da framboeseira.

FRAN.CÊS *adj.* 1) Relativo a França (Europa). / *s.m.* 2) O habitante ou natural da França. 3) O idioma da França.

FRAN.CE.SIS.MO *s.m.* 1) Imitação dos costumes ou linguagem dos franceses; francesia. 2) Galicismo. 3) *fig.* Delicadeza fingida.

FRAN.CIS.CA.NO *adj.* 1) Relativo aos franciscanos ou à ordem de São Francisco de Assis. 2) Designativo de pobreza extrema. / *s.m.* 3) Frade da ordem franciscana.

FRAN.CO *s.m.* 1) Indivíduo dos francos, povo germânico que invadiu a Gália. 2) Antiga moeda de ouro francesa. / *adj.* 3) Relativo a esse povo. 4) Que diz claramente o que pensa; sincero. 5) Isento de pagamento de imposto, tributos ou direitos. 6) Espontâneo.

FRAN.GA.LHO *s.m.* 1) Pedaço de pano muito rasgado ou usado; farrapo, trapo. 2) *Por ext.* Pessoa acabada, em péssimo estado, arruinada.

FRAN.JA *s.f.* 1) Parte do cabelo que cobre a testa. 2) Enfeite formado por vários fios ou tiras.

FRAN.QUE.ZA (ê) *s.f.* Sinceridade.

FRAN.QUI.A *s.f.* 1) Ato ou efeito de franquear. 2) Isenção de pagamentos ou obrigações. 3) Selo da correspondência. 4) Privilégio, imunidade. 5) Liberdade de direitos.

FRAN.ZI.NO *adj.* Pouco encorpado; miúdo, fraco.

FRAN.ZIR *v.t.d.* 1) Formar pregas em um tecido. / *v.t.d.* e *v.p.* 2) Dobrar(-se) com pregas, vincos. 3) Contrair(-se); enrugar(-se).

FRA.QUE *s.m.* Casaco masculino curto na parte da frente e com abas longas na parte de trás.

FRA.QUE.ZA (ê) *s.f.* 1) Qualidade de fraco. 2) Debilidade, desânimo. 3) Falha; abatimento. 4) Defeito, imperfeição. 5) Timidez.

FRAS.CO *s.m.* Recipiente, geralmente de boca estreita, de vidro, plástico ou outro material para líquidos.

FRA.SE *s.f. Gram.* 1) Palavra ou grupo de palavras que formam sentido completo. 2) Locução, expressão. 3) Proposição. 4) Oração, membro de período.

FRA.SE.A.DO *adj.* 1) Disposto em frases. / *s.m.* 2) Modo próprio de dizer ou de escrever. 3) Conjunto de palavras, palavreado.

FRAS.QUEI.RA *s.f.* Pequena maleta para guardar e transportar frascos, potes e objetos de toalete.

FRA.TER.NAL *adj.2gên.* Próprio de irmão; fraterno.

FRA.TER.NI.DA.DE *s.f.* 1) Laço de parentesco entre irmãos; irmandade. 2) Convivência harmoniosa e afetiva entre pessoas; união.

fraterno / frondoso

FRA.TER.NO *adj.* 1) Próprio de irmão; fraternal. 2) Que demonstra carinho, afeto.

FRA.TU.RAR *v.t.d., v.i.* e *v.p.* 1) Partir(-se), romper (-se). 2) Partir, quebrar um osso ou um dente.

FRAU.DAR *v.t.d.* 1) Cometer fraude contra; lesar. 2) Agir de má-fé, fazendo crer no que é falso; iludir, enganar. 3) Contrabandear.

FRAU.DE *s.f.* 1) Ato ou efeito de fraudar; logro, fraudação. 2) Engano; trapaça. 3) Contrabando.

FRAU.DU.LEN.TO *adj.* 1) Em que há fraude; doloso, impostor. 2) Falso, fraudento, fraudatório.

FRE.AR *v.t.d.* 1) Acionar os freios. 2) Parar, travar. 3) Reprimir, dominar. 4) *fig.* Fazer calar ➡ É preciso frear a língua dos que nada fazem.

FRE.GUÊS *s.m.* 1) Habitante de uma freguesia. 2) Indivíduo que contrata, habitualmente, os serviços do mesmo profissional. 3) O que compra da pessoa certa; cliente.

FRE.GUE.SI.A *s.f.* 1) O conjunto de fregueses de um estabelecimento comercial, clientela. 2) População de uma paróquia.

FREI *s.m.* Forma reduzida de freire.

FREI.O *s.m.* 1) Peça de metal, presa às rédeas que, inserida na boca dos animais de montaria ou tração, serve para guiá-los. 2) *Mec.* Dispositivo para retardar, parar ou travar o movimento de veículos ou máquinas; breque. 3) *Anat.* Dobra membranosa que restringe o movimento de alguns órgãos. 4) *fig.* Obstáculo, repressão. 5) Domínio, sujeição.

FREI.RA *s.f.* 1) Mulher que faz parte de comunidade religiosa, sujeita a celibato. 2) Irmã de caridade.

FRE.NÉ.TI.CO *adj.* 1) Muito agitado, inquieto. 2) Exaltado, empolgado.

FREN.TE *s.f.* 1) Parte anterior de algo. 2) Diante de alguém, na presença. 3) Lugar dianteiro. 4) Coalizão, união de grupos diferentes.

FREN.TIS.TA *adj.2gên.* e *s.2gên.* Que ou quem atende os clientes em um posto de gasolina.

FRE.QUÊN.CIA (qü) *s.f.* 1) Ato de frequentar; comparecimento regular, assiduidade. 2) Repetição de um fato ou ação. 3) Número ou tipo de pessoas que vão regularmente a um determinado lugar. 4) Periodicidade. 5) *Fís.* Medida da vibração de onda sonora ou de rádio.

FRE.QUEN.TAR (qü) *v.t.d.* 1) Ir muito a algum lugar. 2) Conviver. 3) Cursar.

FRE.QUEN.TE (qü) *adj.2gên.* Que se repete muitas vezes.

FRES.CO (ê) *adj.* 1) Entre frio e morno. 2) Arejado. 3) Diz-se do que ainda está vivo na memória, recente. 4) Conservado. 5) Viçoso, verdejante. / *s.m.* 6) Aragem nem quente nem fria. 7) Diz-se da pintura sobre argamassa que acabou de ser feita ➡ a fresco.

FRES.COR (ô) *s.m.* 1) Qualidade de fresco. 2) Verdor, viço. 3) Brisa; aragem.

FRES.CU.RA *s.f.* 1) Qualidade de fresco. 2) *pop.* Expressão abusada ou cínica. 3) Coisa sem importância.

FRES.TA *s.f.* Abertura estreita; frincha, fenda, greta.

FRE.TAR *v.t.d.* 1) Tomar a frete; alugar. 2) Contratar por frete. 3) Carregar, abastecer.

FRE.TE *s.m.* 1) Coisa transportada. 2) Importância que se paga pelo transporte de alguma coisa. 3) Transporte fluvial ou marinho. 4) Carga do navio.

FRE.VO (ê) *s.m.* 1) Dança pernambucana, caracterizada pelos movimentos de pernas dos dançarinos e pelo uso de sombrinhas coloridas. 2) *Mús.* O gênero musical e a música que acompanha essa dança.

FRI.A *s.f.* Situação problemática, difícil ou embaraçosa.

FRI.A.GEM *s.f.* 1) Ar frio; baixa temperatura. 2) Queda de temperatura causada por frentes frias.

FRIC.ÇÃO *s.f.* 1) Ação de friccionar. 2) Ação de esfregar um objeto em outro ou uma superfície.

FRI.EI.RA *s.f.* 1) Inflamação da pele causada pelo frio. 2) Doença entre os dedos dos pés causada por fungos.

FRI.GI.DEI.RA *s.f.* Utensílio de cozinha, de cabo longo, usado para fritar alimentos.

FRI.GI.DEZ (ê) *s.f.* 1) Característica do que é frio. 2) *fig.* Ausência de desejo sexual. 3) *fig.* Indiferença, frieza.

FRI.GO.BAR *s.m.* Pequena geladeira de quarto de hotel, hospital, etc.

FRI.GO.RÍ.FI.CO *adj.* 1) Que produz frio. 2) Adaptado para transporte de carga a baixas temperaturas. / *s.m.* 3) Local refrigerado onde se estocam e conservam alimentos, como carnes, a baixas temperaturas.

FRI.O *adj.* 1) Sem calor. 2) Inerte, gélido. 3) Indiferente. 4) Inexpressivo. / *s.m.* 5) Baixa temperatura. 6) Sensação produzida pela falta de calor. 7) Indiferença, inércia, desânimo. / *s.m. pl.* 8) Referente a produtos como queijo, linguiça, salame, salsicha, etc.

FRI.O.REN.TO *adj.* Que sente muito frio.

FRI.SA *s.f.* Em teatros, camarote próximo ao nível da plateia.

FRI.SAR *v.t.d., v.i.* e *v.p.* 1) Enrugar(-se). / *v.t.d.* e *v.p.* 2) Encrespar(-se), ondular(-se) o cabelo. / *v.t.d.* 3) Pôr friso em. 4) *fig.* Citar dando destaque; ressaltar.

FRI.TAR *v.t.d.* e *v.i.* Cozinhar alimento em substância oleosa.

FRI.TU.RA *s.f. Cul.* Qualquer alimento frito.

FRÍ.VO.LO *adj.* e *s.m.* 1) Fútil, leviano. / *adj.* 2) De pouca importância ou valor; sem interesse; superficial.

FRON.DE *s.f.* Conjunto de folhas e ramos de uma árvore; copa.

FRON.DO.SO (ô) *adj.* 1) Que tem muitas folhas e ramos. 2) *fig.* Abundante, prolixo.

fronha / fúnebre

FRO.NHA *s.f.* Capa com que se envolve o travesseiro.

FRON.TE *s.f.* 1) Testa. 2) Face, rosto. 3) Cabeça. 4) Frente, fisionomia. 5) Fachada; frontispício.

FRON.TEI.RA *s.f.* 1) Limite; divisa. 2) Limite que separa dois países, dois estados, dois municípios, etc. 3) Raia, marco, baliza. 4) Extremo.

FRO.TA *s.f.* 1) Conjunto de navios de guerra ou mercantes. 2) Conjunto dos veículos de uma companhia. 3) *fig.* Grande quantidade, multidão.

FROU.XO *adj.* 1) Pouco apertado; folgado, solto. 2) Enfraquecido, exausto. 3) Lânguido, indolente. / *adj.* e *s.m.* 4) *pop.* Covarde, medroso.

FRUS.TRAR *v.t.d.* e *v.p.* 1) Fracassar ou fazer fracassar. 2) Não corresponder à expectativa; decepcionar(-se).

FRU.TA *s.f.* Fruto comestível.

FRU.TEI.RA *s.f.* 1) Recipiente para colocar frutas. 2) Árvore frutífera. 3) Mulher que vende frutas.

FRU.TÍ.FE.RO *adj.* 1) Que produz frutos, especialmente os comestíveis. 2) *fig.* Que produz resultados positivos; útil, proveitoso.

FRU.TO *s.m.* 1) Órgão das plantas, resultante do desenvolvimento e maturação do ovário de uma flor. 2) Filho, prole, descendente. 3) Produto, lucro. 4) Produtos alimentares da terra; colheita. 5) Consequência.

FU.BÁ *s.m.* Milho moído; farinha de milho.

FU.ÇAR *v.t.d.* e *v.i.* 1) Revolver a terra, o lixo, etc. com o focinho. 2) *Por ext. fig.* Remexer à procura de algo; escarafunchar. / *v.t.d.* 3) *fig.* Investigar, bisbilhotar.

FU.GA *s.f.* 1) Ato ou efeito de fugir; fugida. 2) Saída, retirada; evasão. 3) *Mús.* Composição musical polifônica, em contraponto. 4) Escapatória.

FU.GAZ *adj.2gên.* 1) Que foge com rapidez; veloz. 2) Que é passageiro; transitório.

FU.GI.DA *s.f.* 1) Fuga. 2) Ato de ir rapidamente a um lugar e em seguida voltar ao lugar de origem.

FU.GIR *v.i.* 1) Pôr-se em fuga; sair apressadamente; desaparecer. 2) Retirar-se em debandada. 3) Ir-se afastando, perdendo-se de vista. / *v.t.i.* 4) Separar-se, afastar-se.

FU.GI.TI.VO *adj.* e *s.m.* 1) Que ou aquele que fugiu; desertor. 2) Fugaz.

FU.LA.NO *s.m. pop.* Pessoa cujo nome não se sabe ou não se quer dizer; sujeito, indivíduo.

FU.LEI.RO *adj.* e *s.m.* 1) Que ou quem não é confiável. 2) Que ou o que não tem valor; ordinário.

FUL.GEN.TE *adj.2gên.* Que fulge, brilha; brilhante, resplandecente.

FU.LI.GEM *s.f.* Substância preta proveniente da fumaça.

FUL.MI.NAR *v.t.d.* e *v.i.* 1) Lançar raios. / *v.t.d.* 2) Destruir com raio ou com efeito semelhante; pôr fim a; aniquilar. 3) Matar instantaneamente. 4) *fig.* Deixar sem ação; estarrecer, paralisar.

FU.LO *adj.* 1) *Por ext.* De cor parda. 2) *pop.* Com muita raiva; muito zangado; furioso.

FU.MA.ÇA *s.f.* Vapor resultante de uma matéria em combustão ou extremamente aquecida.

FU.MA.CEI.RA *s.f. pop.* Grande quantidade de fumaça.

FU.MAN.TE *adj.2gên.* e *s.2gên.* Que ou quem tem o hábito de fumar.

FU.MAR *v.t.d.* 1) Absorver e expelir fumaça de. 2) Aspirar a fumaça do cigarro. / *v.i.* 3) Lançar vapores; fumegar. 4) Enraivecer-se, impacientar-se.

FU.MO *s.m.* 1) *Bot.* Tabaco. 2) Folhas do tabaco preparadas para fumar ou mascar. 3) O hábito ou o vício de fumar. 4) Vapor que se desprende dos corpos em combustão; fumaça. 5) Vaidade, soberba.

FUN.ÇÃO *s.f.* 1) Atividade, serviço, cargo, emprego. 2) Posição, papel. 3) Uso, finalidade. 4) Festa, solenidade. 5) *Mat.* Qualquer correspondência entre dois ou mais conjuntos. 6) *Gram.* Valor gramatical de um vocábulo.

FUN.CIO.NAL *adj.2gên.* 1) Relativo a função ou ao modo como algo funciona. 2) Que atende a uma função ou a um fim prático. 3) *Por ext.* Prático, utilitário.

FUN.CIO.NAR *v.i.* 1) Exercer sua função; trabalhar. 2) Estar em atividade. 3) Realizar com regularidade e eficiência tarefas e funções para as quais foi desenvolvido ou preparado. 4) *fig.* Dar bons resultados; ter êxito.

FUN.CIO.NÁ.RIO *s.m.* Quem exerce uma função em estabelecimento comercial; empregado.

FUN.DA.ÇÃO *s.f.* 1) Ato ou efeito de fundar. 2) *Constr.* Obras iniciais sobre as quais se constroem edificações; alicerce. 3) Instituição que visa o interesse público e o benefício da coletividade.

FUN.DA.MEN.TAL *adj.2gên.* 1) Básico; vital. 2) Necessário, essencial.

FUN.DA.MEN.TAR *v.t.d.* 1) Basear; alicerçar. 2) Firmar, estabelecer. 3) Documentar, justificar com provas ou razões. / *v.p.* 4) Apoiar-se; firmar-se.

FUN.DA.MEN.TO *s.m.* 1) Base, alicerce, fundação. 2) Motivo, razão, justificativa. 3) Sustentáculo, apoio.

FUN.DAR *v.t.d.* 1) Assentar os alicerces; basear. 2) Criar, instituir, edificar.

FUN.DI.Á.RIO *adj.* Relativo a terrenos; agrário.

FUN.DI.ÇÃO *s.f.* 1) Ato, efeito ou técnica de fundir; derretimento. 2) Oficina, lugar onde se fundem metais.

FUN.DI.LHO *s.m.* Parte das calças, cuecas, etc., correspondente ao assento.

FUN.DIR *v.t.d.* 1) Derreter, liquefazer. 2) Incorporar, conciliar. / *v.p.* 3) Derreter(-se) ou liquefazer(-se).

FUN.DO *adj.* 1) Que tem fundura; profundo. 2) *fig.* Íntimo, denso. / *s.m.* 3) A parte de uma coisa oca, oposta à abertura. 4) Solo submarino. 5) A parte mais afastada. 6) Capital (em espécie ou em dinheiro).

FÚ.NE.BRE *adj.2gên.* 1) Relativo à morte; fúnereo. 2) Sombrio, triste.

FU.NE.RAL *adj.2gên.* 1) Fúnebre. / *s.m.* 2) Enterro. 3) Pompas fúnebres, cerimônias do sepultamento.
FU.NE.RÁ.RIA *s.f.* Estabelecimento que vende caixões e prepara o defunto para o sepultamento.
FU.NES.TO *adj.* 1) Que causa a morte; mortal, fatal. 2) *Por ext.* Que faz prever a desgraça e a morte; sinistro.
FUN.GAR *v.t.d.* 1) Absorver pelo nariz ➡ fungar rapé: tabaco em pó. / *v.i.* 2) Resmungar.
FUN.GO *s.m. Bot.* Cada um dos numerosos micro-organismos vegetais sem clorofila, como os bolores, fermentos, bactérias, etc.
FU.NIL *s.m.* 1) Utensílio cônico utilizado para conduzir líquidos a recipientes de boca estreita. 2) Fecho, garganta (em serras ou montanhas).
FU.NI.LA.RI.A *s.f.* Oficina de funileiro.
FU.NI.LEI.RO *s.m.* 1) Fabricante de funis. 2) Aquele que faz ou repara objetos de folha de flandres. 3) Aquele que conserta ou desamassa carros de lataria danificada.
FU.RA.CÃO *s.m.* 1) Redemoinho de vento, tornado, tufão, ciclone. 2) *fig.* Tudo o que destrói com violência.
FU.RA.DOR (ô) *adj.* 1) Que fura. / *s.m.* 2) Utensílio para abrir furos.
FU.RÃO *adj.* 1) Trabalhador desembaraçado, diligente. / *s.m.* 2) *Zool.* Mamífero carnívoro mustelídeo, utilizado na caça ao coelho. 3) *gír.* Indivíduo ativo, empreendedor. 4) *pop.* Indivíduo intruso e bisbilhoteiro. 5) *pop.* Diz-se daquele que não comparece a um compromisso; que deixa de cumprir o prometido.
FU.RAR *v.t.d.* 1) Perfurar; esburacar. / *v.i.* 2) Abrir caminho, penetrar.
FUR.GÃO *s.m.* Caminhão pequeno, com carroceria fechada, usado para transporte de mercadorias.
FÚ.RIA *s.f.* 1) Ira, ódio, raiva, cólera. 2) Manifestação de furor. 3) Pessoa furiosa.
FU.RI.O.SO *adj.* 1) Furibundo. 2) Enraivecido, irritado. 3) Excitado; veemente.
FU.RO *s.m.* 1) Orifício, buraco. 2) Rombo. 3) Notícia dada em primeira mão por um ou outro meio de comunicação. 4) *pop.* Engano, falha.
FU.ROR (ô) *s.m.* 1) Raiva, ira, fúria. 2) Violência. 3) Delírio; frenesi.
FUR.TAR *v.t.d.* 1) Apossar-se de coisas dos outros, roubar. / *v.i.* 2) Praticar furtos. / *v.t.d.* e *v.p.* 3) Esquivar(-se).
FUR.TI.VO *adj.* 1) Discreto, rápido. 2) Que tenta passar despercebido; oculto, clandestino. 3) Dissimulado, disfarçado.
FUR.TO *s.m.* 1) Ato ou efeito de furtar. 2) Roubo.

FU.RÚN.CU.LO *s.m. Med.* Tumor produzido por inflamação infecciosa do tecido celular subcutâneo que, geralmente, termina por supuração.
FU.SA *s.f.* 1) *Mús.* Nota que tem valor igual à metade da semicolcheia. 2) *pop.* Meretriz.
FU.SÃO *s.f.* 1) Ato ou efeito de fundir. 2) *Polít.* Aliança. 3) Mistura. 4) *Fís.* e *Metal.* Passagem de uma substância do estado sólido ao gasoso. 5) Associação.
FU.SÍ.VEL *adj.2gên.* 1) Que se pode fundir; fundível. / *s.m.* 2) *Eletr.* Fio de fusibilidade graduada que se funde quando há excesso de corrente em aparelhos e instalações elétricas a fim de protegê-los contra danificações maiores.
FU.SO *s.m.* 1) Peça roliça e pontiaguda com que se fia até formar a maçaroca. 2) Peça sobre a qual se enrola a mola de aço dos relógios. 3) *Geom.* Parte de superfície esférica compreendida entre dois semicírculos máximos que possuem o mesmo diâmetro. 4) F. horário: cada uma das 24 divisões do globo terrestre entre dois meridianos distantes 15° de longitude entre si.
FU.TE.BOL *s.m. Esp.* Jogo de bola com os pés, de origem inglesa, disputado por duas equipes de 11 jogadores cada uma, que tem por objetivo fazer uma bola de couro entrar no gol adversário.
FU.TE.BO.LIS.TA *s.2gên.* Pessoa que joga futebol.
FÚ.TIL *adj.2gên.* 1) Frívolo, leviano. 2) Vão, inútil. 3) Insignificante.
FU.TRI.CAR *v.t.d.* 1) Fazer intrigas; fofocar. 2) Intrometer-se em assuntos alheios para estorvar. / *v.t.d.* e *v.t.i.* 3) Provocar, intrigar, mexericar, aborrecer.
FU.TU.RO *adj.* 1) Que há de vir a ser; vindouro. 2) Destino. / *s.m.* 3) Acontecimento que ocorre depois do presente. 4) *Gram.* Tempo dos verbos que designa uma ação que ainda há de se realizar.
FU.TU.RO.LO.GI.A *s.m.* Ciência que pretende deduzir, com dados do presente, o desenvolvimento futuro da humanidade.
FU.ZIL *s.m.* 1) Peça de aço com que se fere a pederneira, para fazer lume. 2) Espingarda. 3) Clarão; relâmpago. 4) Elo de cadeia. 5) Arma de fogo de cano comprido, em geral de uso militar.
FU.ZI.LA.DA *s.f.* 1) Tiros de espingarda. 2) Pancada de fuzil na pederneira.
FU.ZI.LA.DOR (ô) *adj.* Que ou o que fuzila ou manda fuzilar.
FU.ZI.LAR *v.i.* 1) *fig.* Brilhar muito. 2) Relampejar. 3) Expressar raiva, desprezo. / *v.t.d.* 4) Matar com arma de fogo.
FU.ZI.LEI.RO *s.m.* Soldado armado de fuzil.
FU.ZU.Ê *s.m.* 1) Festa, barulho. 2) Baderna, confusão. 3) Bagunça.

Gg

G (gê) *s.m.* 1) Sétima letra do alfabeto. 2) Consoante de duplo valor: antes de *a*, *o*, *u* tem som oculto, oclusivo, sonoro; e antes de *e*, *i* possui o som linguopalatal, constritivo, sonoro. 3) Na música, representa a nota sol. 4) Símbolo de grama, peso (g).

GA.BAR *v.t.d.* 1) Elogiar, exaltar, louvar. / *v.p.* 2) Gabar-se, vangloriar-se.

GA.BA.RI.TA.DO *adj.* 1) Que tem classe ou categoria. 2) Que apresenta boas qualidades profissionais.

GA.BA.RI.TO *s.m.* 1) Categoria, classe, nível, hierarquia. 2) Competência, talento; qualidade. 3) Padrão orientador de medida para certas coisas. 4) Tabela de respostas das questões de uma prova.

GA.BA.RO.LA *adj.2gên.* e *s.2gên. pop.* Que ou pessoa que se gaba; que valoriza a si mesma; gabola; gabarolas.

GA.BI.NE.TE (ê) *s.m.* 1) Escritório. 2) Sala de trabalhos profissionais. 3) Conjunto de ministros de um governo; ministério.

GA.BI.RU *s.m.* 1) *gír.* Indivíduo malandro; desajeitado. / *adj.* 2) Velhaco, patife. 3) Garoto. 4) Conquistador de mulheres.

GA.BO *s.m.* 1) Ato de gabar(-se); consagração, louvor. 2) Altivez, soberba.

GA.DO *s.m.* 1) Conjunto dos animais criados no campo; rebanho. 2) Reses em geral (boi, vaca, carneiro, ovelha, cabra).

GA.FA.NHO.TO (ô) *s.m. Entom.* Inseto da ordem dos Ortópteros, saltador e voraz, muito prolífero e prejudicial à lavoura.

GA.FE *s.f.* Indiscrição involuntária; erro.

GA.FI.EI.RA *s.f.* 1) Salão onde se realizam bailes populares. 2) *gír.* Arrasta-pé; baile ordinário.

GA.GÁ *adj.2gên.* e *s.2gên.* Que ou quem perdeu o vigor físico e intelectual, que parece ter voltado à infância; caduco; decrépito.

GA.GO *adj.* e *s.m.* Que ou o que gagueja.

GA.GUEI.RA *s.f.* Distúrbio da fala, caracterizado por repetições involuntárias de sílabas ou palavras e por demora na articulação.

GA.GUE.JAR *v.i.* Vacilar ao pronunciar as palavras, repetindo várias vezes as sílabas.

GAI.A.TO *s.m.* 1) Garoto travesso e vadio, moleque. 2) Rapaz travesso e vadio. / *adj.* 3) Amigo de travessuras. 4) Alegre, engraçado.

GAI.O.LA *s.f.* 1) Casinha onde se encerram animais domésticos. 2) Jaula, cárcere, prisão. 3) Vagão para transporte de animais.

GAI.TA *s.f.* 1) Instrumento de sopro com vários orifícios, que se toca com os lábios. 2) Acordeão, sanfona, harmônica.

GAI.TEI.RO *s.m.* 1) Quem toca gaita. / *adj.* 2) Alegre, garrido. 3) Folião.

GAI.VO.TA *s.f.* Ave marinha de plumagem branco-acinzentada.

gala

GA.LA *s.f.* 1) Traje para solenidades. 2) Pompa; enfeites preciosos. 3) Festividade de caráter oficial.
GA.LÃ *s.m.* 1) Ator que, numa peça teatral ou filme, representa o papel principal nas tramas amorosas. 2) Homem belo e elegante. 3) *fig.* Galanteador.
GA.LÁC.TI.CO *adj. Astr.* Relativo à Galáxia ou a uma galáxia.
GA.LAC.TÔ.ME.TRO *s.m.* Instrumento utilizado para medir o volume e a densidade do leite; lactômetro.
GA.LAC.TO.SE *s.f. Quím.* Açúcar cristalino derivado da lactose do vegetais e do leite.
GA.LAN.TE *adj.2gên.* 1) Gracioso, elegante, garboso. 2) Aperfeiçoado, cheio de distinção, engraçado. 3) Carinhoso, bondoso. 4) Amável com as mulheres.
GA.LAN.TE.AR *v.t.d.* 1) Fazer a corte a (damas). 2) Adornar, enfeitar. / *v.i.* 3) Dizer galantarias, namorar.
GA.LÃO *s.m.* 1) Medida de capacidade usada na Inglaterra e nos EUA, equivalente a 4,546 e 3,785 litros, respectivamente. 2) Tira entrançada para enfeitar. 3) Tira de prata dourada; distintivo de certos postos ou graduações militares.
GA.LAR.DÃO *s.m.* 1) Glória, honra, recompensa. 2) Gratificação de serviços importantes.
GA.LAR.DO.AR *v.t.d.* 1) Dar galardão a; premiar. 2) Compensar, suavizar, consolar.
GÁ.LA.TA *adj.2gên.* 1) Relativo à Galácia, antiga região da Ásia Menor. / *s.2gên.* 2) Pessoa natural da Galácia.
GA.LÁ.XIA (cs) *s.f. Astr.* Espécie de nuvem de constelações; Via Láctea.
GA.LE.GO (ê) *adj.* 1) Da Galícia (Espanha). 2) Caracteriza variedades de limão, de centeio, de feijão, de linho. / *s.m.* 3) O natural, o habitante ou o dialeto da Galiza.
GA.LE.RA *s.f.* 1) *Náut.* Antiga embarcação de guerra, a remos e a vela. 2) *Metal.* Forno de fundição. 3) Antiga carroça que transportava bombeiros em serviços de incêndio. 4) *fig.* A torcida de um time esportivo, principalmente nos campos de futebol. 5) *pop.* Turma; pessoal.
GA.LE.RI.A *s.f.* 1) Parte de um edifício que serve para a exposição e venda de objetos de arte. 2) Coleção de retratos, esculturas ou quadros. 3) Construção onde se reúnem muitas lojas, geralmente com saídas para duas ruas. 4) Corredor extenso que serve para comunicação. 5) Corredor subterrâneo. 6) Conduto de esgoto.
GA.LE.TO (ê) *s.m.* Galo jovem.
GAL.GAR *v.t.d.* e *v.i.* 1) Andar a grandes passadas; correr, percorrer. 2) Subir rapidamente; trepar. / *v.t.d.* 3) *fig.* Passar por cima; transpor. 4) Atingir, alcançar.

GA.LHA.DA *s.f.* 1) Chifres dos ruminantes. 2) Ramagem de árvores.
GA.LHAR.DI.A *s.f.* 1) Garbo, elegância. 2) *fig.* Generosidade, gentileza. 3) *fig.* Bravura, coragem.
GA.LHAR.DO *adj.* 1) De presença agradável, garboso, elegante. 2) Generoso, gentil. 3) Esforçado.
GA.LHO *s.m.* 1) Ramo de árvore. 2) Chifre dos ruminantes. 3) Briga, confusão. 4) *pop.* Emprego ou ocupação subsidiária.
GA.LHO.FA *s.f.* 1) Brincadeira; gracejo; piada. 2) Gozação, motejo; zombaria.
GA.LHO.FAR *v.i.* e *v.t.i.* 1) Zombar. / *v.i.* 2) Fazer galhofa; divertir-se.
GA.LHO.FEI.RO *adj.* e *s.m.* Que ou aquele que gosta de galhofar; alegre, divertido.
GA.LI.CIS.MO *s.m.* Palavra ou expressão oriunda do francês; francesismo.
GA.LI.LEU *adj.* 1) Da Galileia (Palestina). / *s.m.* 2) O natural ou habitante da Galileia. 3) Nome que se dava a Jesus e aos cristãos, nos primeiros séculos.
GA.LI.NÁ.CEO *adj.* 1) Referente aos galináceos. 2) *Ornit.* Que se assemelha a uma ave da ordem dos Galiformes, como as galinhas, os perus, as perdizes, etc.
GA.LI.NHA *s.f.* 1) *Ornit.* Ave doméstica; fêmea do galo. 2) Pessoa covarde. 3) *pop.* Mulher que se entrega facilmente.
GA.LI.NHA-D'AN.GO.LA *s.f.* Ave galinácea de penas pintadas de branco e preto, originária da África, também conhecida por guiné, angola, angolinha, angolista.
GA.LI.NHA.GEM *s.f.* 1) Libidinagem por parte do homem ou da mulher. 2) *pop.* Brincadeira de agarramento com intenção de bolinagem recíproca.
GA.LI.NHEI.RO *s.m.* 1) Vendedor de galinhas. 2) Lugar onde se alojam as galinhas.
GA.LIS.TA *adj.2gên.* e *s.2gên.* 1) Indivíduo que cria e prepara galos de briga. 2) Frequentador de brigas de galos.
GA.LO *s.m.* 1) *Ornit.* Gênero de aves galináceas, doméstico, de bico pequeno, crista carnuda, asas curtas e largas e espora. 2) Macho das galinhas. 3) Elevação produzida por contusão ou pancada, especialmente na cabeça.
GA.LO.CHA *s.f.* 1) Calçado de borracha para proteger os pés da umidade, que se põe por cima das botas ou sapatos. 2) *Bot.* A vara ou rebento que nasce do enxerto.
GA.LO.PAR *v.i.* 1) Andar a galope; andar depressa; galopear. 2) Cavalgar a montaria que corre a galope. / *v.t.d.* 3) Percorrer galopando.
GA.LO.PE *s.m.* 1) O andar mais rápido de um quadrúpede. 2) *Equit.* Carreira de animal ou carruagem a galope. 3) Ato de galopar.
GA.LO.PE.AR *v.i.* 1) Andar a galope; galopar. / *v.t.d.* 2) Domar, domesticar, amansar (cavalo, potro).

G

249

galpão

GAL.PÃO *s.m.* 1) Alpendre, telheiro. 2) Estábulo. 3) Construção rural para recolher objetos, ferramentas e produtos.

GAL.VA.NIS.MO *s.m. Fís.* Corrente contínua produzida por ação química ou por contato de certos corpos.

GAL.VA.NI.ZAR *v.t.d.* 1) Eletrizar por meio da pilha galvânica ou voltaica. 2) Dar movimento aos músculos, em vida ou pouco depois da morte, por meio de eletricidade galvânica.

GA.MA *s.m.* 1) A terceira letra do alfabeto grego. / *s.f.* 2) *Mús.* Escala; sucessão de sons de uma oitava musical. 3) *Fís.* Conjunto de frequências compreendidas em certo intervalo.

GA.MAR *v.i.* e *v.t.i. gír.* Apaixonar-se; enamorar-se; encantar-se por.

GAM.BÁ *s.m.* 1) *Zool.* Designação comum a diversos marsupiais noturnos que emitem um cheiro insuportável. 2) *pop.* Beberrão.

GAM.BI.AR.RA *s.f.* 1) Fileira ou série de luzes na parte anterior e superior dos palcos. 2) Conserto, arranjo provisório.

GA.ME.TA (ê) *s.m. Biol.* Célula sexual própria para a fecundação: gameta masculino ou espermatozoide, e gameta feminino ou óvulo.

GA.NA *s.f.* 1) Grande apetite ou vontade. 2) Fome. 3) Ódio; raiva. 4) Ímpeto. 5) Desejo de vingança.

GA.NÂN.CIA *s.f.* 1) Ambição desmedida; cobiça. 2) Lucro ilícito. 3) Agiotagem; usura.

GA.NAN.CI.O.SO (ô) *adj.* e *s.m.* Que ou aquele que tem ambição de ganhar ou visa somente lucros.

GAN.CHO *s.m.* 1) Peça de metal, madeira, etc., curva, que serve para suspender ou pendurar pesos. 2) Grampo com que as mulheres prendem o cabelo. 3) Anzol.

GAN.DAI.A *s.f.* 1) Ação de revolver o lixo para descobrir alguma coisa de valor. 2) *pop.* Vadiagem; ociosidade; malandragem. 3) Divertimentos noturnos; farra.

GAN.DAI.AR *v.i.* 1) *pop.* Andar à gandaia; vadiar. 2) Cair em vida desregrada.

GAN.DU.LA *s.2gên. Esp.* Aquele que, nos jogos de futebol, recolhe a bola quando ela cruza a linha do campo e sai do jogo.

GÂN.GLIO *s.m. Anat.* Massa substancial no tecido nervoso que contém células e fibras e se encontra no trajeto dos vasos linfáticos.

GAN.GOR.RA (ô) *s.f.* 1) Tábua apoiada por um eixo no meio, em cujas extremidades se senta, que por impulso do corpo, balança, e serve de diversão às crianças. 2) Curral de entrada fácil e sem saída. 3) Engenho manual para cana-de-açúcar.

GAN.GRE.NA *s.f.* 1) *Med.* Decomposição e apodrecimento dos tecidos devido ao defeito na contribuição de oxigênio pelo sangue. 2) *fig.* Aquilo que produz destruição.

garfar

GÂNGS.TER *s.m.* Membro de quadrilha de malfeitores, ladrões e assassinos.

GAN.GUE *s.f.* Proveniente do termo inglês *gang*; bando organizado de criminosos; quadrilha de malfeitores.

GA.NHA-PÃO *s.m.* 1) Ofício ou trabalho de alguém que lhe garante os meios de subsistência. 2) Modo de vida. 3) Trabalho de que alguém vive.

GA.NHAR *v.t.d.* 1) Adquirir, conquistar. 2) Lucrar por transação ou trabalho. 3) Receber por acaso ou por funções exercidas. 4) Vencer. 5) Alcançar, chegar a. / *v.t.i.* 6) Levar vantagem, proveito.

GA.NHO *s.m.* 1) Ato ou efeito de ganhar. 2) Êxito favorável; lucro, vantagem. / *adj.* 3) Que se ganhou.

GA.NI.DO *s.m.* 1) Gemido lamentoso dos cães. 2) Voz esganiçada.

GAN.SO *s.m.* 1) *Ornit.* Ave da família dos Anatídeos que é encontrada no mundo todo em estado doméstico. 2) *gír.* Bebedeira, embriaguez.

GA.RA.GEM *s.f.* Abrigo e oficina para automóveis; garage.

GA.RA.GIS.TA *s.2gên.* Proprietário, gerente ou encarregado de garagem.

GA.RA.NHÃO *s.m.* 1) Cavalo destinado à reprodução. 2) *fig.* Homem de apetite sexual insaciável.

GA.RAN.TI.A *s.f.* 1) Ato ou efeito de garantir. 2) Compromisso assumido pelo vendedor de entregar ao comprador o objeto vendido, isento de defeitos ou de vícios, e de consertá-lo gratuitamente caso o objeto venha a ter defeito.

GA.RAN.TIR *v.t.d.* 1) Afirmar como certo; assegurar. 2) Asseverar; certificar. 3) Abonar; afiançar; responsabilizar-se por. 4) Acautelar; defender; livrar. 5) Tornar seguro.

GA.RA.PA *s.f.* 1) Caldo de cana. 2) Refresco de frutas. 3) Qualquer bebida formada pela mistura de mel ou açúcar com água.

GA.RA.TU.JA *s.f.* 1) Desenho malfeito, sem forma ou ordem determinada; rabisco. 2) Escrita com letras malfeitas, pouco ou nada inteligíveis; garrancho. 2) Trejeito, careta.

GAR.BO *s.m.* 1) Donaire; gentileza; apuro. 2) Galhardia. 3) Grandeza. 4) Bizarria.

GAR.BO.SO (ô) *adj.* 1) Que tem garbo. 2) Galante, elegante.

GAR.ÇA *s.f. Ornit.* Ave aquática pernalta, de cor branca, de bico e pescoço compridos, que vive aos bandos à beira de lagos e se alimenta de peixes.

GAR.ÇOM *s.m.* Empregado que serve bebidas e comidas em bares, cafés, restaurantes, etc.

GAR.ÇO.NE.TE *s.f.* Empregada que serve à mesa em restaurantes, bares, cafés, etc.

GAR.FA.DA *s.f.* Porção de comida que um garfo leva de cada vez.

GAR.FAR *v.t.d.* 1) Mexer ou rasgar com garfo. 2) *Agr.* Enxertar de garfo. / *v.i.* 3) Enxertar plantas por meio de garfos.

garfo | gastura

GAR.FO *s.m.* 1) Utensílio de mesa, em geral com quatro dentes, que se usa para levar à boca alimentos sólidos. 2) Forquilha da roda dianteira da bicicleta. 3) Forquilha para separar a palha do grão, nas eiras. 4) Enxame que emigra da colmeia, quando há excesso de abelhas. 5) *gír.* Pessoa que come muito; comilão ➡ bom de garfo.

GAR.GA.LHA.DA *s.f.* Risada franca, ruidosa e demorada.

GAR.GA.LHAR *v.i.* Soltar gargalhadas, rir gargalhando.

GAR.GA.LO *s.m.* 1) Parte superior e estreita de qualquer vasilha; colo de garrafa. 2) *pop.* Pescoço.

GAR.GAN.TA *s.f.* 1) *Anat.* Parte anterior do pescoço pela qual os alimentos passam da boca para o estômago; goela. 2) *Geogr.* Passagem estreita e apertada entre duas montanhas; desfiladeiro; estreito. 3) *pop.* A voz humana. / *adj.2gên.* e *s.2gên.* 4) *pop.* Fanfarrão; mentiroso.

GAR.GAN.TE.AR *v.t.d.* 1) Falar ou cantar com voz requebrada. / *v.i.* 2) Fazer trinados, cantar, modificando rapidamente os tons. 3) Contar vitórias; gabar-se.

GAR.GAN.TI.LHA *s.f.* Colar que se prende ao pescoço como enfeite.

GAR.GA.RE.JAR *v.t.d.* e *v.i.* Agitar um líquido na boca ou na garganta; fazer gargarejo.

GAR.GA.RE.JO (ê) *s.m.* 1) Movimento de agitação de um líquido na garganta. 2) Medicamento líquido usado nesse movimento.

GÁR.GU.LA *s.f. Arquit.* 1) Cano saliente das calhas de telhados, que antigamente era ornado com esculturas de figuras monstruosas ou grotescas. 2) Essa escultura de figura monstruosa.

GA.RI *s.m. Reg.* Empregado encarregado da limpeza pública; varredor de rua.

GA.RIM.PAR *v.t.d.* e *v.i.* 1) Extrair metais ou pedras preciosas no garimpo. / *v.t.d.* 2) *fig. Por ext.* Procurar, pesquisar minuciosamente.

GA.RIM.PEI.RO *s.m.* 1) Quem vive de garimpar ou catar pedras ou metais preciosos. 2) Aquele que trabalha nas lavras diamantinas; faiscador.

GA.RIM.PO *s.m.* 1) Região onde se exploram pedras e metais preciosos. 2) Mina de diamantes.

GA.RO.A (ô) *s.f.* 1) Nevoeiro fino e persistente; chuvisco. / *s.m.* 2) Indivíduo forte, briguento, valentão.

GA.RO.AR *v.i.* Cair garoa; chuviscar.

GA.RO.TA (ô) *s.f.* 1) Feminino de garoto. 2) Mocinha; adolescente. 3) Donzela. 4) *pop.* Namorada.

GA.RO.TA.DA *s.f.* Grupo de garotos.

GA.RO.TI.CE *s.f.* 1) Ato ou dito de garoto. 2) Vida de garoto. 3) Brincadeira; maroteira. 4) Criancice.

GA.RO.TO (ô) *adj.* 1) Travesso; brincalhão. 2) Engraçado. / *s.m.* 3) Rapaz vadio. 4) *pop.* Rapazola sem educação; moleque; gaiato. 5) Rapaz imberbe; menino.

GAR.RA *s.f.* 1) Unha forte e curvada de feras e aves de rapina. 2) As unhas, os dedos, as mãos. 3) *fig.* Capacidade; domínio cruel; tirania; poder. 4) Coragem; intensidade; ardor. 5) Esforçado; lutador; que tem gana.

GAR.RA.FA *s.f.* Vaso, geralmente de vidro, de gargalo estreito, usado para armazenar líquidos.

GAR.RA.FÃO *s.m.* Garrafa grande, comumente empalhada com uma espécie de vime ou com material plástico, mais usada para conservar vinho.

GAR.RA.FEI.RA *s.f.* 1) Depósito de garrafas. 2) Lugar onde se guardam garrafas com vinho; frasqueira.

GAR.RAN.CHO *s.m.* 1) Letra ruim difícil de entender; garatuja. 2) Arbusto tortuoso. 3) Graveto. 4) *Vet.* Doença nos cascos das cavalgaduras.

GAR.RI.DO *adj.* 1) Que tem graça; elegante. 2) Muito enfeitado. 3) *fig.* Vivo, alegre, vistoso.

GA.RU.PA *s.f.* Parte superior do cavalo e outros animais, entre a cauda e os lombos; anca do cavalo.

GÁS *s.m.* 1) *Quím.* Substância muito fluida e em estado de agregação aeriforme, infinitamente compressível, sendo seu volume o do recipiente que o contém. 2) *fig.* Animação, desembaraço.

GA.SE.I.FI.CAR *v.t.d.* 1) Reduzir a gás; vaporizar. / *v.p.* 2) Reduzir-se ao estado de gás.

GA.SO.DU.TO *s.m.* Canalização que conduz gás a longa distância.

GA.SO.LI.NA *s.f.* Carbonato de hidrogênio líquido, inflamável, que constitui a parte mais volátil do petróleo bruto, utilizado principalmente como combustível de automóveis.

GA.SÔ.ME.TRO *s.m.* 1) Aparelho para medir a quantidade de gás em uma mistura. 2) Reservatório de gás para iluminação.

GA.SO.SO (ô) *adj.* 1) Da natureza do gás. 2) Cheio de gás. 3) Saturado de anidrido carbônico.

GAS.TA.DOR (ô) *adj.* e *s.m.* Que ou aquele que gasta muito; dissipador, esbanjador, pródigo.

GAS.TAR *v.t.d.* 1) Diminuir o volume de. 2) Consumir; esgotar; extinguir. 3) Desperdiçar, prodigalizar, esbanjar. / *v.i.* 4) Despender, empregar (dinheiro, bens, forças, etc.). / *v.p.* 5) Perder a saúde. 6) Deteriorar-se, acabar.

GAS.TO *s.m.* 1) Ato ou efeito de gastar. 2) Quebra; detrimento; consumo. / *adj.* 3) Que se gastou. 4) Consumido; acabado; despendido.

GÁS.TRI.CO *adj. Anat.* Relativo a estômago.

GAS.TRI.TE *s.f. Med.* Inflamação da mucosa do estômago.

GAS.TRO.NO.MI.A *s.f.* 1) Conhecimento e prática da arte culinária. 2) Prazer em apreciar a arte de cozinhar.

GAS.TU.RA *s.f.* 1) *pop.* Sensação de dor e queimação no estômago; azia. 2) *fig.* Irritação nervosa, aflição.

251

GA.TA *s.f.* 1) Fêmea do gato. 2) *pop.* Mulher bonita; moça atraente. 3) Bebedeira.

GA.TE.A.DO *adj.* 1) Diz-se do cavalo de pelo amarelo-avermelhado. 2) Diz-se dos olhos amarelo-esverdeados como os do gato.

GA.TI.CÍ.DIO *s.m.* Ato de matar gatos.

GA.TI.LHO *s.m.* Peça da arma de fogo que serve para disparar o tiro.

GA.TO *s.m.* 1) Mamífero da família dos Felídeos, doméstico, carnívoro e predador de ratos. 2) *Fam.* Erro; lapso; deslixo; engano. 3) *fig.* Ladrão, gatuno, larápio. 4) *fig.* Indivíduo esperto. 5) *fig.* Homem bonito; charmoso.

GA.TU.NA.GEM *s.f.* 1) Ato ou vida de gatuno. 2) Bando de gatunos.

GA.TU.NAR *v.i.* e *v.t.d.* Furtar por hábito; roubar; levar vida de gatuno.

GA.TU.NO *adj.* e *s.m.* Que ou quem furta; ladrão, larápio.

GA.Ú.CHO *adj.* e *s.m.* 1) Que ou aquele que é natural ou habitante do estado do Rio Grande do Sul. / *s.m.* 2) Peão de estância. 3) Bom cavaleiro.

GAU.LÊS *adj.* 1) Referente à Gália. / *s.m.* 2) Natural ou habitante da Gália. 3) Idioma dos antigos gauleses.

GÁ.VEA *s.f. Náut.* Espécie de plataforma a certa altura de um mastro e atravessada por ele para abrigar um marinheiro.

GA.VE.TA (ê) *s.f.* Caixa corrediça, sem tampa, que se introduz em móveis.

GA.VI.ÃO *s.m.* 1) *Ornit.* Nome comum a diversas aves de rapina de hábitos diurnos, das famílias dos Acipitrídeos e dos Falconídeos. 2) *gír.* Indivíduo conquistador. 3) Indivíduo ardiloso, finório.

GA.VI.NHA *s.f.* Órgão preensor de plantas trepadeiras, com o qual elas se agarram a outras ou a estacas.

GAY *adj.2gên.* e *s.2gên. ingl. pop.* Homossexual.

GA.ZE *s.f.* Tecido leve e transparente de algodão ou linho para curativos; gaza.

GA.ZE.AR *v.i.* Faltar à aula ou a um compromisso para passear ou entreter-se.

GA.ZE.LA *s.f.* 1) *Zool.* Antílope africano, gracioso e ligeiro. 2) *pop.* Mulher nova e elegante.

GA.ZE.TA (ê) *s.f.* 1) Publicação periódica com notícias e outros assuntos, em geral, da vida pública; jornal. 2) Ato de faltar às aulas por vadiação.

GA.ZE.TEI.RO *s.m.* 1) Vendedor de jornais. 2) *pop.* Jornalista. / *adj.* 3) Diz-se do estudante que faz gazeta.

GE.A.DA *s.f.* Orvalho congelado, que forma uma camada branca sobre o chão, telhados, plantas, etc.

GE.AR *v.i.* 1) Cair geada. / *v.t.d.* 2) Congelar.

GÊI.SER *s.m.* Fonte termal de origem vulcânica que lança periodicamente jatos de água fervendo ou de vapor, vindos do solo.

GEL *s.m. Quím.* Substância gelatinosa, resultante da coagulação de um líquido coloidal.

GE.LA.DEI.RA *s.f.* 1) Aparelho móvel termicamente isolado que contém um mecanismo frigorífico capaz de produzir temperatura baixa para conservação de alimentos e resfriamento de líquidos; refrigerador. 2) Prisão de piso com ladrilhos ou cimentado.

GE.LA.DO *adj.* 1) Muito frio. / *s.m.* 2) Sorvete. 3) Tipo de doce consistente pelo gelo.

GE.LAR *v.i.* e *v.p.* 1) Transformar(-se) em gelo; congelar(-se). 2) Converter-se em gelo; congelar--se. 3) Esfriar-se muito, resfriar. 4) Requeimar-se, destruir-se pelo frio. / *v.i.* 5) *fig.* Ficar com medo; entorpecer-se, emudecer. / *v.t.d.* 6) Tornar um líquido solidificado pelo frio.

GE.LA.TI.NA *s.f.* Substância transparente de aspecto e consistência da geleia de frutas, inodora, extraída de tecidos fibrosos de animais e vegetais.

GE.LA.TI.NO.SO (ô) *adj.* Que tem a composição e o aspecto da gelatina ou geleia, pegajoso.

GE.LEI.A *s.f.* 1) Suco de frutas com açúcar, preparado ao fogo, adquirindo consistência gelatinosa no resfriamento. 2) *fig.* Diz-se do indivíduo que é fácil de ser influenciado.

GE.LEI.RA *s.f.* 1) *Geol.* Grande massa de gelo que se forma nas montanhas. 2) Aparelho para fabricar gelo. 3) *fig.* Indivíduo frio.

GÉ.LI.DO *adj.* 1) Bastante frio, congelado. 2) Indiferente. 3) Imobilizado.

GE.LO (ê) *s.m.* 1) Água em estado sólido devido a baixa temperatura. 2) Frio em excesso. 3) *fig.* Insensibilidade, indiferença.

GE.MA *s.f.* 1) Parte amarela e central do ovo das aves e dos répteis. 2) *Bot.* Parte do vegetal responsável pela reprodução. 3) Resina dos pinheiros. 4) Pedra preciosa. 5) Parte íntima, legítima. 6) Botão, broto ou rebento.

GE.MA.DA *s.f.* Batida feita da gema ou porção de gemas, geralmente misturadas com açúcar e leite quente.

GÊ.MEO *adj.* e *s.m.* 1) Que nasceu de um mesmo parto que outrem. / *adj.* 2) Idêntico, semelhante, igual. 3) Designativo de dois frutos unidos um ao outro.

GE.MER *v.i.* 1) Exprimir dor moral ou física por gemidos. 2) Lastimar-se, soltar lamentações, padecer. 3) Provocar ruído monótono e triste; ranger. 4) Cantar em voz queixosa, lamentar. / *v.t.d.* 5) Dizer ou proferir entre gemidos.

GE.MI.DO *s.m.* 1) Prática de gemer. 2) Lamento, padecimento.

GE.MI.NA.ÇÃO *s.f.* 1) Qualidade daquilo que é duplo ou aos pares. 2) Agrupamento de cristais segundo a lei determinada. 3) *Gram.* Duplicação de consoantes.

geminado   **geografia**

GE.MI.NA.DO *adj.* 1) Duplicado, dobrado. 2) *Bot.* Órgãos que nascem aos pares.

GE.MI.NAR *v.t.d.* 1) Duplicar, organizar em pares. 2) *Gram.* Duplicar consoantes.

GE.NE *s.m. Biol.* 1) Fator biológico composto por partículas cromossômicas, independentes entre si, que determinam os caracteres hereditários. 2) Unidade hereditária genética.

GE.NE.A.LO.GI.A *s.f.* 1) Estudo da origem e da ramificação das famílias. 2) Linhagem, estirpe. 3) Série de antepassados.

GE.NE.BRA *s.f.* 1) Bebida alcoólica composta de aguardente e bagas de zimbro. 2) Gim.

GE.NE.BRÊS *adj.* 1) Relativo ou pertencente à cidade de Genebra (Suíça). / *s.m.* 2) Natural ou habitante de Genebra.

GE.NE.RAL *adj.2gên.* 1) Que implica um conjunto; geral. / *s.m.* 2) Oficial de graduação superior a coronel. 3) Designação comum aos postos oficiais do exército em três graduações. 4) *fig.* Caudilho, chefe.

GE.NE.RA.LA *s.f.* 1) *pop.* Esposa de general. 2) Toque militar de chamamento às armas.

GE.NE.RA.LA.TO *s.m.* 1) Posto de general. 2) Dignidade do geral de uma ordem religiosa.

GE.NE.RA.LI.ZA.ÇÃO *s.f.* 1) Prática ou efeito de generalizar(-se). 2) Extensão de um princípio ou conceito. 3) Conclusão geral. 4) Vulgarização.

GE.NE.RA.LI.ZAR *v.t.d.* e *v.p.* 1) Tornar(-se) geral, propagar(-se). / *v.i.* 2) Realizar generalizações. / *v.p.* 3) *Med.* Estender-se a toda economia orgânica. / *v.t.d.* 4) Tornar comum.

GE.NÉ.RI.CO *adj.* 1) Coerente a gênero. 2) Geral, o todo. 3) Possui característica de generalidade. 4) Expresso em termos vagos.

GÊ.NE.RO *s.m.* 1) Conjunto de seres ou objetos que possuem características comuns; espécie, tipo, ordem. 2) Classe geral de assuntos literários, de teatro, cinema, etc. 3) *Gram.* Categoria que classifica as palavras em masculino, feminino ou neutro. 4) *Biol.* Na classificação dos seres vivos, categoria ou classe animal ou vegetal intermediária entre a espécie e a família.

GE.NE.RO.SI.DA.DE *s.f.* 1) Qualidade de generoso. 2) Ato de bondade.

GE.NE.RO.SO (ô) *adj.* 1) Que gosta de dar; bondoso. 2) De caráter e sentimentos nobres. 3) Com fartura. 4) Liberal, benevolente, desprendido.

GÊ.NE.SE *s.f.* 1) Origem e desenvolvimento dos seres vivos. 2) *fig.* Conjunto de fatos ou elementos que contribuem para produzir algo. / *s.m.* 3) O primeiro livro da Bíblia, que trata sobre a criação do mundo.

GE.NÉ.TI.CA *s.f. Biol.* Ramo da biologia que estuda os fenômenos hereditários e sua evolução.

GEN.GI.VA *s.f. Anat.* Parte da boca onde estão implantados os dentes.

GEN.GI.VI.TE *s.f. Med.* Inflamação das gengivas.

GE.NI.AL *adj.2gên.* 1) Referente ou próprio de gênio. 2) Dotado de gênio. 3) Incomum. 4) *gír.* Excelente, ótimo.

GÊ.NIO *s.m.* 1) Espírito que inspira uma arte, virtude ou vício. 2) Modo de ser, caráter ou temperamento que distingue cada ser. 3) Criativo, inteligência excepcional. 4) Pessoa que possui poder intelectual.

GE.NI.O.SO (ô) *adj.* Gênio mau, irascível.

GE.NI.TAL *adj.2gên.* Que se destina à procriação, à geração.

GE.NI.TÁ.LIA *s.f. Anat.* O conjunto dos órgãos do sistema reprodutor, principalmente os externos.

GE.NI.TOR (ô) *s.m.* Quem gera; o pai.

GE.NO.CÍ.DIO *s.m. Sociol.* Delito contra a humanidade; eliminação em massa.

GE.NÓ.TI.PO *s.m. Biol.* Constituição hereditária de um ser vivo.

GE.NO.VÊS *adj.* 1) Que diz respeito à Gênova (Itália). / *s.m.* 2) O natural ou habitante de Gênova.

GEN.RO *s.m.* Marido da filha em relação aos pais dela.

GEN.TA.LHA *s.f.* 1) *pop.* Plebe, ralé. 2) Pessoa ordinária.

GEN.TA.MA *s.f.* Grande quantidade de gente; gentarada, multidão.

GEN.TE *s.f.* 1) Homem, pessoa, ser humano. 2) A família, o pessoal doméstico. 3) População, nação. 4) O número de pessoas. 5) Pessoa de prestígio.

GEN.TIL *adj.2gên.* 1) Nobre, cortês. 2) Gracioso, elegante. 3) Amável, agradável. 4) Distinto, educado.

GEN.TI.LE.ZA (ê) *s.f.* 1) Classe de gentil. 2) Prática nobre, ilustre, distinta. 3) Cortesia, educação. 4) Elegância, amabilidade. 5) Delicadeza.

GEN.TÍ.LI.CO *adj.* 1) Coerente ou próprio aos gentios. 2) *Gram.* Que indica a nacionalidade ➡ brasileiro, italiano, chileno, etc.

GEN.TI.O *adj.* 1) Adepto ao paganismo. 2) Não civilizado. / *s.m.* 3) Quem professa o paganismo. 4) *pop.* Multidão. 5) Indígena ou referente a ele.

GE.NU.Í.NO *adj.* 1) Puro, natural. 2) Próprio, verdadeiro, legítimo. 3) Sincero. 4) Autêntico, original.

GE.O.CÊN.TRI.CO *adj.* 1) *Astr.* Que tem a Terra como centro do mundo. 2) Relativo ao centro da Terra.

GE.O.DI.NÂ.MI.CA *s.f.* Parte da geologia que estuda as forças e processos dinâmicos atuantes na Terra.

GE.O.FA.GI.A *s.f. Med.* Mania de comer terra ou barro.

GE.O.FÍ.SI.CA *s.f. Geol.* Ciência que estuda as características físicas da Terra.

GE.O.GRA.FI.A *s.f.* 1) Ciência que se dedica ao estudo da Terra na sua forma, seus aspectos físicos geologia / gesticular

e sua relação com o meio natural e com o homem. 2) Tratado que diz respeito a essa ciência.

GE.O.LO.GI.A *s.f.* 1) Ciência que trata da Terra e sua origem. 2) Constituição geológica de uma região.

GE.Ô.ME.TRA *s.2gên.* Que é especialista em geometria.

GE.O.ME.TRI.A *s.f.* 1) Parte da matemática que trata das propriedades e medidas da extensão em todos os aspectos. 2) Resumo dessa ciência.

GE.O.PO.LÍ.TI.CA *s.f.* Geografia política e suas influências.

GE.OR.GI.A.NO *adj.* 1) Da ou relativo da Geórgia. / *s.m.* 2) O natural ou habitante da Geórgia. 3) Idioma da Geórgia.

GE.OS.TÁ.TI.CA *s.f.* Equilíbrio da Terra.

GE.O.TEC.TÔ.NI.CA *s.f. Geol.* Parte da geologia destinada à investigação da estrutura da crosta terrestre.

GE.O.TER.MI.A *s.f.* Calor interno da Terra em suas diferentes profundidades.

GE.O.TER.MÔ.ME.TRO *s.m.* Termômetro destinado a medir temperaturas do solo.

GE.O.TRO.PIS.MO *s.m. Bot.* Ação e efeito da gravidade terrestre como fator orientador das partes dos vegetais, fazendo-os crescer no caule para cima e, nas raízes, para baixo.

GE.RA.ÇÃO *s.f.* 1) Operação de gerar(-se). 2) Atos pelos quais um ser gera outro semelhante a si. 3) Aquilo que é gerado. 4) Grau de filiação. 5) Sucessão dos descendentes em linha reta. 6) Linhagem, ascendência. 7) *Geom.* Formação ou produção de uma linha, superfície ou sólido pelo movimento de pontos ou linhas.

GE.RA.DOR (ô) *adj.* 1) Que gera ou produz. / *s.m.* 2) Pai, genitor, autor, criador. 3) *Mec.* Parte da caldeira onde se produz o vapor. 4) *Eletr.* Aparelho que transforma energia.

GE.RAL *adj.2gên.* 1) Alusivo à totalidade; total. 2) Comum a todos. / *s.m.* 3) A maior parte. 4) O comum, o normal. 5) Chefe supremo de ordem religiosa. 6) Universal. 7) Diz-se do local, em estádios e casas de espetáculo, em que o ingresso tem preço reduzido.

GE.RAR *v.t.d.* 1) Procriar, reproduzir-se. 2) Causar, fazer aparecer, formar. 3) *Geom.* Produzir pelo deslocamento. 4) Explicitar, enumerar. / *v.i.* e *v.p.* 5) Desenvolver-se, formar-se, nascer.

GE.RA.TRIZ *adj.* 1) Feminino de gerador. / *s.f.* 2) Quem gera. 3) *Geom.* Linha cujo movimento gera uma superfície. 4) *Mat.* Fração ordinária que gera uma dízima periódica.

GE.RÊN.CIA *s.f.* 1) Prática de gerir, dirigir ou administrar; gestão. 2) O gerente e sua respectiva função.

GE.REN.TE *adj.2gên.* e *s.2gên.* Que(m) dirige ou administra negócios ou serviços.

GER.GE.LIM *s.m.* 1) *Bot.* Planta medicinal, cujas sementes são comestíveis. 2) Doce, bolo ou paçoca feitos com estas sementes.

GE.RI.A.TRI.A *s.f.* Ramo da medicina dedicada à vida e às enfermidades dos idosos.

GE.RIN.GON.ÇA *s.f.* 1) Malfeito, de fácil destruição. 2) Gíria. 3) Engenhoca.

GE.RIR *v.t.d.* Exercer a gerência de; ter poder de decisão sobre; administrar, dirigir, governar.

GER.MA.NIS.MO *s.m.* 1) Tudo o que é alemão. 2) Imitação de maneiras e costumes alemães. 3) Palavra ou locução peculiar à língua alemã.

GER.MA.NIS.TA *s.2gên.* Quem estuda as línguas e literaturas germânicas.

GER.MA.NI.ZAR *v.t.d.* Atribuir característica alemã a; alemanizar.

GER.MA.NO *adj.* 1) Irmãos que procedem do mesmo pai e da mesma mãe. 2) *fig.* Não adulterado; puro, legítimo.

GER.ME *s.m.* 1) Embrião, princípio dos seres organizados. 2) *Bot.* Parte da semente que reproduz o vegetal. 3) *Zool.* Pequena cicatriz do ovo das aves. 4) Causa, origem, princípio. 5) Micróbio. 6) Estado rudimentar.

GER.MI.CI.DA *s.m.* Substâncias que possuem propriedades de destruir germes.

GER.MI.NA.ÇÃO *s.f.* 1) Início do desenvolvimento do germe ou semente. 2) Expansão lenta, evolução, princípio.

GER.MI.NA.DOR (ô) *s.m.* Aparelho dotado de aquecimento artificial para testar o poder germinativo das sementes.

GER.MI.NA.DOU.RO *s.m.* Local subterrâneo onde se faz germinar a cevada para o fabrico da cerveja.

GER.MI.NAR *v.i.* 1) Começar a desenvolver-se. 2) Nascer, tomar acréscimo. / *v.t.d.* 3) Gerar, originar, produzir.

GE.RON.TO.LO.GI.A *s.f. Med.* Estudo dos fenômenos relacionados ao envelhecimento do ser humano.

GE.RÚN.DIO *s.m. Gram.* Forma nominal do verbo, invariável, marcada pela desinência *-ndo*.

GES.SAR *v.t.d.* 1) Revestir ou cobrir com gesso. 2) Engessar.

GES.SO (ê) *s.m.* 1) Sulfato de cálcio hidratado; é incolor quando puro. 2) Estátuas, objetos de arte, moldados em gesso.

GES.TA.ÇÃO *s.f.* 1) Período em que se desenvolve o embrião no útero; gravidez. 2) Elaboração.

GES.TAN.TE *adj.2gên.* 1) Que se encontra no período de gestação. / *s.f.* 2) Mulher grávida.

GES.TÃO *s.f.* 1) Prática de gerir. 2) Direção, administração, gerência.

GES.TI.CU.LAR *v.i.* 1) Fazer gestos, geralmente ao falar. / *v.t.d.* e *v.i.* 2) Expressar(-se) por gestos ou mímica.

gesto / glóbulo

GES.TO *s.m.* 1) Movimento feito com qualquer parte do corpo para exprimir ideia ou sentimentos, na declamação e conversação. 2) Aceno, mímica, sinal. 3) Aparência, semblante. 4) Ação, ato ou atitude.

GI.BI *s.m.* 1) Nome dado às revistas em quadrinhos. 2) *gír.* Moleque, negrinho.

GIGABIT (gigabite) *s.m. ingl. Inform.* Unidade de medida de computação que corresponde a mil megabits.

GIGABYTE (gigabáite) *s.m. ingl. Inform.* Unidade de medida de computação que corresponde a mil megabytes.

GI.GAN.TE *adj.2gên.* 1) Muito volumoso; enorme; alto. / *s.m.* 2) Homem de enorme estatura. 3) Animal de grande corpulência ou descomunal. 4) *Constr.* Contraforte que serve de escora ou sustentáculo.

GI.GAN.TIS.MO *s.m.* Desenvolvimento extraordinário e anormal de uma pessoa, animal ou vegetal.

GI.GO.LÔ *s.m.* 1) Homem que vive às custas de mulher. 2) Indivíduo que vive à expensa de prostituta; cafetão.

GIM *s.m.* Bebida alcoólica feita de cereais (cevada, trigo, aveia), aromatizada com bagos de zimbro; genebra.

GI.NÁ.SIO *s.m.* 1) Lugar onde se praticam exercícios de ginástica. 2) Estádio poliesportivo. 3) Designação antiga do curso que corresponde às quatro últimas séries do atual ensino fundamental; ginasial. 4) Estabelecimento de ensino que ministrava esse curso.

GI.NAS.TA *s.2gên.* 1) Indivíduo que pratica a ginástica; acrobata. 2) Atleta competente em ginástica.

GI.NÁS.TI.CA *s.f.* Exercício físico para desenvolver e fortificar o corpo.

GIN.CA.NA *s.f.* Competição entre equipes, cujos participantes devem cumprir tarefas.

GI.NE.CO.LO.GI.A *s.f.* Ramo da medicina que estuda as doenças específicas do corpo da mulher e de seu aparelho genital.

GI.NE.CO.LO.GIS.TA *s.2gên.* Médico especialista em ginecologia.

GIN.GA *s.f.* 1) Espécie de remo, apoiado num encaixe sobre a popa de uma embarcação. 2) Recipiente fundo, de cabo comprido, que serve para passar o caldo de um tacho para outro, nos engenhos de banguê. 3) Diz-se do movimento do corpo, na dança popular; balanço, bamboleio.

GIN.GAR *v.i.* 1) Requebrar o corpo ao andar; bambolear-se, balançar-se de um lado para o outro. 2) Navegar com gingas. 3) Caçoar, chacotear, troçar.

GI.RA.FA *s.f.* 1) *Zool.* Mamífero africano, ruminante, quadrúpede, de pescoço extraordinariamente comprido e um par de chifres curtos. 2) *pop.*

Pessoa muito alta ou de pescoço comprido.

GI.RAR *v.i.* 1) Mover-se circularmente ao redor de um eixo central; fazer voltas; circular. 2) Ficar gira; endoidecer. / *v.t.d.* 3) Fazer rodar, circundar.

GI.RAS.SOL *s.m. Bot.* Planta ornamental, de sementes oleaginosas, cujas flores voltam a face para o sol; helianto.

GÍ.RIA *s.f.* 1) Linguagem particular de certos grupos sociais pertencentes a uma classe ou a uma profissão. 2) Linguagem usada por malandros e outras pessoas de hábitos duvidosos.

GI.RI.NO *s.m. Zool.* Forma larvar dos anfíbios anuros.

GI.RO *s.m.* 1) Circuito, rotação, volta. 2) Rodeio de frase; circunlóquio. 3) Passeio, pequena excursão.

GIZ *s.m.* 1) Bastonete ou giz feito de carbonato ou sulfato de cálcio que serve para escrever ou riscar em quadro-negro. 2) Talco usado pelos alfaiates para riscar o pano a fim de dirigir o corte.

GLA.CÊ *s.m. Cul.* Cobertura para bolos e doces feita com açúcar e clara de ovo.

GLA.CI.A.ÇÃO *s.f.* 1) Ato de transformar em gelo. 2) *Geol.* Ação exercida pelas geleiras sobre a superfície da Terra.

GLA.CI.AL *adj.2gên.* 1) Referente a gelo. 2) Gelado; muito frio. 3) *Geogr.* Denominação dada à zona перirróda dos polos. 4) *fig.* Sem vida; insensível; sem animação.

GLA.CI.Á.RIO *adj.* 1) Que diz respeito ao gelo ou às geleiras. 2) *Geol.* Diz-se do período no qual grande parte do Hemisfério Norte se cobriu de espessa camada de gelo.

GLA.DI.A.DOR (ô) *s.m.* Na Roma Antiga, lutador que combatia em arena pública contra outros lutadores ou feras.

GLÂN.DU.LA *s.f.* 1) Pequena glande. 2) *Anat.* Órgão que produz substâncias que o organismo utiliza ou elimina.

GLI.CE.MI.A *s.f. Med.* Taxa de glicose no sangue.

GLI.CE.RI.NA *s.f. Quím.* Substância orgânica líquida presente em gorduras e óleos, usada em produtos farmacêuticos e cosméticos.

GLI.CO.SE *s.f. Quím.* Açúcar presente no sangue e em plantas, que constitui a principal fonte de energia para os organismos vivos.

GLO.BAL *adj.2gên.* 1) Relativo ao globo terrestre; mundial. 2) Considerado por inteiro; completo, total.

GLO.BA.LI.ZAR *v.t.d.* e *v.p.* 1) Generalizar, universalizar(-se). 2) *Econ. polít.* Causar ou sofrer globalização, internacionalizar economicamente.

GLO.BO (ô) *s.m.* 1) Corpo esférico; bola. 2) A esfera terrestre, o planeta Terra. 3) Representação esférica do sistema planetário.

GLÓ.BU.LO *s.m.* 1) Pequeno globo. 2) Corpúsculo unicelular encontrado em diversos líquidos e tecidos orgânicos.

255

glória

gorila

GLÓ.RIA *s.f.* 1) Celebridade adquirida por grande mérito. 2) Brilho, consagração, esplendor, fama ilustre, renome. 3) A bem-aventurança; o Céu. 4) *Pint.* Representação do Céu e da corte celeste. 5) *Pint.* Círculo de luz em torno da cabeça de um santo; auréola. 6) Hino cantado na missa.

GLO.RI.FI.CAR *v.t.d.* 1) Dar glória ou honra a; prestar homenagem a. 2) Beatificar, canonizar / *v.p.* 3) Adquirir glória.

GLO.RI.O.SO (ô) *adj.* 1) Cheio de glória. 2) Que dá glória ou honra. 3) Ilustre, notável. 4) Vitorioso, honroso.

GLO.SAR *v.t.d.* 1) Criticar. 2) Comentar; anotar. 3) Desenvolver em versos (um mote). / *v.i.* 4) Fazer glosas.

GLOS.SÁ.RIO *s.m.* 1) Dicionário restrito a um domínio específico. 2) Vocabulário de termos exclusivos de uma obra com seus significados.

GLO.TE *s.f. Anat.* Abertura da laringe, circunscrita pelas duas cordas vocais inferiores.

GLU-GLU *s.m. Onom.* 1) Som imitativo à voz do peru. 2) Som de um líquido ao sair pelo gargalo.

GLU.TÃO *adj.* e *s.m.* Que ou aquele que come muito ou vorazmente; comilão; guloso.

GLÚ.TEN *s.m.* Substância viscosa e proteica, obtida quando se separa o amido de sementes e cereais; glute.

GLÚ.TEO *s.m.* 1) *Anat.* Cada um dos músculos das nádegas. / *adj.* 2) Relativo a nádegas.

GNO.MO *s.m.* Anão lendário que, segundo a tradição cabalista, habitava o interior da Terra e guardava os tesouros.

GNO.SE *s.f.* 1) Conhecimento, sabedoria. 2) Conhecimento dos mistérios divinos ou místicos.

GO.DO (ô) *s.m.* 1) Indivíduo de antigo povo germânico que se espalhou pela Europa no início da era cristã. / *adj.* 2) Relativo aos godos. 3) *fig.* Bárbaro.

GO.E.LA *s.f.* Garganta.

GO.GÓ *s.m. pop.* 1) Saliência da parte anterior do pescoço; pomo-de-adão. 2) Garganta.

GOI.A.BEI.RA *s.f. Bot.* Planta mirtácea que dá a goiaba; possui casca rica em tanino e folhas com propriedades medicinais.

GOI.A.NO *adj.* 1) Relativo ou pertencente ao estado de Goiás. / *s.m.* 2) O natural ou habitante desse estado.

GOL (ô) *s.m. Esp.* 1) Principal objetivo num jogo de futebol. 2) Balizas com rede, no futebol, onde a bola deve entrar para que se marque um ponto. 3) Ponto marcado com a entrada da bola no gol.

GO.LA *s.f.* 1) Parte das camisas de vestuário que envolve o pescoço ou está junto dele; colarinho. 2) Garganta da roldana. 3) *Arquit.* Moldura que se forma com uma curva convexa e uma côncava.

GO.LA.ÇO *s.m.* Gol marcado com grande perícia ou de um chute excepcional.

256 **GO.LE** *s.m.* Porção de líquido que se engole de uma vez; sorvo, trago, golada.

GO.LEI.RO *s.m.* Indivíduo integrante de um time de futebol que se ocupa em defender o gol, arco ou meta, para que a bola não entre; arqueiro, guardião.

GOL.FA.DA *s.f.* 1) Porção de líquido que sai ou se vomita de uma vez. 2) Jorro; jato.

GOL.FAR *v.t.d.* 1) Projetar em abundância; jorrar. / *v.t.d.* e *v.i.* 2) Expelir golfadas de; vomitar.

GOL.FE (ô) *s.m.* Jogo esportivo que consiste em tocar com um taco uma pequena bola, fazendo-a entrar em vários buracos, dispostos em larga extensão de terreno.

GOL.FI.NHO *s.m.* 1) *Zool.* Mamífero cetáceo, carnívoro, de dentes pequenos, pertencente à família dos Delfinídeos; também chamado de delfim. 2) Jogo esportivo, espécie de golfe de jardim.

GOL.FO (ô) *s.m. Geogr.* Braço de mar que penetra nas terras, deixando largas aberturas.

GOL.PE *s.m.* 1) Pancada dada com instrumento cortante ou contundente; ferimento, incisão. 2) Desgraça, infortúnio. 3) *gír.* Manobra traiçoeira.

GOL.PE.AR *v.t.d.* 1) Dar golpes; ferir com golpes; açoitar. 2) *fig.* Afligir profundamente.

GO.MA *s.f.* 1) Seiva transparente e viscosa extraída de certas árvores. 2) Amido. 3) Cola de amido para engomar roupa. 4) *pop.* Fanfarrice; mentira.

GO.MO *s.m.* 1) *Bot.* Botão, gema, olho. 2) Rebento dos vegetais que se transforma em ramo ou folha. 3) Divisão natural de certos frutos, como a laranja, o limão, os nós das canas, etc.

GÔ.NA.DA *s.f.* Glândula dos animais responsável pela produção de gametas.

GÔN.DO.LA *s.f.* 1) Pequena embarcação a remo, típica dos canais de Veneza. 2) *pop.* Estante dos supermercados na qual ficam expostos os produtos à venda.

GON.GO *s.m. Mús.* Instrumento de percussão constituído por um disco de metal que se faz vibrar por uma baqueta acolchoada na ponta.

GOR.DO (ô) *adj.* 1) Que tem muita gordura. 2) Nutrido; robusto; adiposo; corpulento. 3) Com muito volume.

GOR.DU.RA *s.f.* 1) Denominação das substâncias gordurosas encontradas nos tecidos adiposos dos animais e em vários óleos vegetais. 2) Banha. 3) Toucinho. 4) Sebo. 5) Obesidade. 6) Corpulência. / *s.m.* 7) *Bot.* Certa gramínea; capim-gordura.

GOR.DU.RO.SO (ô) *adj.* 1) Que tem muita gordura. 2) Oleoso, engordurado.

GO.RI.LA *s.m. Zool.* Grande macaco antropoide da África equatorial, o mais corpulento e forte dos primatas.

GOR.JE.AR *v.i.* 1) Gargantear, lançar sons agradáveis e melodiosos como os passarinhos; cantar. / *v.t.d.* 2) Manifestar em gorjeio; trinar.

GOR.JEI.O *s.m.* 1) Ato ou efeito de gorjear. 2) *fig.* O chilrear das crianças; canto infantil semelhante ao das aves.

GOR.JE.TA (ê) *s.f.* 1) Dinheiro com que se gratifica um pequeno serviço, além do preço estipulado, em razão de ser servido. 2) Pagamento extra nos restaurantes aos garçons.

GO.RO.RO.BA *s.f.* 1) *pop.* Comida, rango. 2) Comida malfeita ou de qualidade ruim. 3) *pop.* Cachaça.

GOR.RO (ô) *s.m.* Barrete; boina.

GOS.MA *s.f.* 1) *Vet.* Doença que ataca as vias respiratórias e a língua das aves, especialmente galináceas; gogo. 2) *Vet.* Inflamação das membranas mucosas das vias respiratórias dos potros. 3) *pop.* Escarro; expectoração.

GOS.TAR *v.t.i.* 1) Achar bom gosto ou sabor em. 2) Simpatizar. 3) Ter afeição ou amizade. 4) Sentir prazer. / *v.t.d.* 5) Experimentar, provar; gozar.

GOS.TO (ô) *s.m.* 1) Sentido, localizado principalmente na língua, que permite a percepção do sabor dos alimentos; sabor; paladar. 2) *fig.* Prazer; simpatia; elegância; caráter; maneira; bom gosto.

GOS.TO.SO (ô) *adj.* 1) Que tem gosto bom; saboroso. 2) Que dá gosto. 3) Aprazível; agradável. 4) Atraente.

GO.TA (ô) *s.f.* 1) Porção pequeníssima de um líquido; pingo. 2) Goticulas de suor ou de orvalho. 3) *Med.* Inflamação nas articulações caracterizada pelo excesso de ácido úrico.

GO.TEI.RA *s.f.* 1) Cano que recebe a água da chuva que cai nos telhados. 2) Fenda ou buraco em telhado por onde entra a água dentro de casa, quando chove. 3) Telha de beira, de onde escorre a água da chuva.

GO.TE.JAR *v.i.* 1) Cair em gotas. / *v.t.d.* 2) Deixar cair ou derramar gota a gota.

GÓ.TI.CO *s.m.* 1) Estilo arquitetônico predominante na Europa no final da Idade Média. / *adj.* 2) Diz-se de algo pertencente a esse estilo. 3) Relativo ou pertencente aos godos.

GO.VER.NA.DOR (ô) *adj.* e *s.m.* Que ou aquele que governa, principalmente, um estado ou uma região administrativa.

GO.VER.NAN.TA *s.f.* Empregada que administra uma casa.

GO.VER.NAN.TE *adj.2gên.* e *s.2gên.* Que ou aquele que governa.

GO.VER.NAR *v.t.d.* 1) Exercer o governo de; administrar, dirigir. 2) Ter poder ou autoridade sobre. / *v.i.* 3) Exercer governo. 4) Encaminhar-se. / *v.p.* 5) Proceder de sua forma; regular-se.

GO.VER.NO (ê) *s.m.* 1) Ato ou efeito de governar. 2) *Polít.* Sistema que administra um estado ou país. 3) *Polít.* A autoridade administrativa correspondente ao poder executivo. 4) Regência, administração, regime. 5) Regulamento, princípio, norma. 6) Rédeas, freio. 7) Comando. 8) Tempo durante o qual alguém governou.

GO.ZA.ÇÃO *s.f.* 1) Ato de gozar. 2) Caçoada, troça, zombaria.

GO.ZA.DOR (ô) *adj.* e *s.m.* Que ou aquele que goza de algo.

GO.ZAR *v.t.d.* 1) Aproveitar, curtir, fruir, desfrutar. 2) Ter, possuir algo agradável ou útil. / *v.i.* 3) Viver de forma prazerosa. 4) Achar graça. 5) Fazer troça; zombar, caçoar. 6) Atingir o orgasmo. / *v.t.i.* 7) Usar; fruir; desfrutar.

GRA.ÇA *s.f.* 1) Favor, benefício, mercê. 2) Benevolência, bondade, estima. 3) Perdão, indulgência. 4) Privilégio. 5) *Teol.* Dom concedido por Deus como meio de salvação. 6) Nome de batismo. 7) Dito engraçado, troça, caçoada. 8) Elegância; charme.

GRA.CE.JAR *v.t.i.* e *v.i.* 1) Proferir gracejos ou ditos espirituosos. / *v.t.d.* 2) Exprimir por gracejo.

GRA.CE.JO (ê) *s.m.* Ato ou dito espirituoso; graça; pilhéria.

GRÁ.CIL *adj.2gên.* Delgado; delicado, fino, sutil; gracioso, galante.

GRA.CI.O.SO (ô) *adj.* 1) Que tem graça; engraçado; elegante, agradável. 2) Feito ou dado de graça.

GRA.ÇO.LA *s.f.* 1) Gracejo de mau gosto; dito indecente ou insulto. / *s.2gên.* 2) Pessoa que costuma dizer graçolas.

GRA.DA.ÇÃO *s.f.* 1) Aumento ou diminuição sucessiva e gradual. 2) Passagem ou transição gradual. 3) Sucessão ascendente ou descendente de ideias ou palavras.

GRA.DA.TI.VO *adj.* Que muda, aumenta ou diminui pouco a pouco; gradual.

GRA.DE *s.f.* 1) Armação composta de barras de ferro ou ripas, paralelas ou em cruz, com intervalos, que se usa para proteger ou vedar algum lugar. 2) Locutório dos conventos ou das prisões. 3) Implemento agrícola, com vários discos de aço, dispostos num eixo comum, usado para desterroar a terra depois de arada.

GRA.DE.AR *v.t.d.* 1) Fechar ou vedar com grades. 2) Dotar de grades. 3) Ornar de grades. 4) *Agr.* Passar a grade sobre a terra arada a fim de quebrar os torrões.

GRA.DO *s.m.* 1) Gosto, vontade. 2) Centésima parte do quadrante, na divisão centesimal da circunferência.

GRA.DU.A.ÇÃO *s.f.* 1) Ato ou efeito de graduar. 2) Divisão do círculo em graus, minutos e segundos. 3) *fig.* Posição social. 4) *Mil.* Posição hierárquica dos militares.

GRA.DU.AL *adj.2gên.* 1) Gradativo; em que há gradação. / *s.m.* 2) Versículos da missa, entre a Epístola e o Evangelho.

GRA.DU.AR *v.t.d.* 1) Marcar os graus divisórios de. 2) Regular de forma gradual. 3) Conferir grau universitário a. / *v.p.* 4) Tomar grau universitário.
GRA.FAR *v.t.d.* Dar forma escrita a uma palavra; escrever.
GRA.FI.A *s.f.* Modo de escrever as palavras por meio da escrita; ortografia.
GRÁ.FI.CA *s.f.* Oficina de artes gráficas.
GRÁ.FI.CO *adj.* 1) Relativo às artes gráficas. 2) Relativo a grafia. / *s.m.* 3) Representação visual de dados; diagrama. 4) Quem trabalha em gráfica.
GRÃ-FI.NO *adj.* e *s.m.* 1) Que ou aquele que é rico, elegante ou de hábitos requintados. / *adj.* 2) *pop.* Bacana.
GRA.FI.TE *s.f.* 1) Lápis próprio para desenhar. 2) Grafita. / *s.m.* 3) Palavra, frase ou desenho, geralmente engraçado, em muro ou parede de local público ou privado.
GRA.FI.TO *s.m.* Inscrição em paredes e monumentos na antiguidade.
GRA.FO.LO.GI.A *s.f.* 1) Arte ou teoria de quem é grafólogo. 2) Arte de interpretar a índole de uma pessoa pelo talhe da letra.
GRAL *s.m.* 1) Almofariz; pilão. 2) Vaso que teria servido a Cristo na última ceia e em que José de Arimateia teria recolhido o sangue que jorrou das chagas do Mestre; graal.
GRA.LHA *s.f.* 1) *Ornit.* Nome comum a várias aves passeriformes, corvídeas, notáveis por sua vivacidade e inteligência, muito comuns nos pinheirais. 2) *fig.* Mulher que fala muito, tagarela.
GRA.MA *s.f.* 1) *Bot.* Denominação de várias plantas rasteiras, usadas como forrageiras ou em prados, jardins, campos de esportes, etc. / *s.m.* 2) Unidade de peso no sistema métrico decimal. 3) Milésima parte do quilograma.
GRA.MA.DO *s.m.* 1) Solo onde cresce grama. 2) Relvado. 3) Campo de futebol.
GRA.MAR *v.t.d.* 1) Cobrir ou plantar de grama. / *v.t.i.* 2) Andar; trilhar; levar uma sova; apanhar. / *v.i.* 3) *gír.* Trabalhar muito e receber pouca coisa.
GRA.MÁ.TI.CA *s.f.* 1) Estudo e tratado acerca do modo de falar e escrever perfeitamente uma língua. 2) Estudo sistemático dos elementos constitutivos de uma língua (sons, formas, palavras, construções e recursos expressivos).
GRA.MÁ.TI.CO *adj.* 1) Que diz respeito à gramática. / *s.m.* 2) Pessoa que estuda ou escreve a respeito de gramática.
GRA.MÍ.NEAS *s.f. pl. Bot.* Família de plantas que abrange, em geral, ervas monocotiledôneas de pequeno porte, flores em espigas, como a grama, o capim, o trigo, a cevada, o arroz, etc.
GRA.MO.FO.NE *s.m.* Antigo aparelho reprodutor de sons gravados em disco de vinil.
GRAM.PE.A.DOR (ô) *s.m.* 1) Aparelho ou máquina de grampear. 2) Indivíduo que trabalha na máquina de grampear. 3) Aquele que grampeia.

GRAM.PE.AR *v.t.d.* 1) Prender com grampo. 2) Colocar dispositivo para escuta telefônica de forma clandestina.
GRAM.PO *s.m.* 1) Pequena presilha para o cabelo. 2) Alfinete com que as senhoras prendem o chapéu na cabeça. 3) Prego em forma de U, próprio para prender arames nas cercas. 4) Peça de metal que segura e liga duas pedras numa construção.
GRA.NA *s.f. gír.* Dinheiro.
GRA.NA.DA *s.f.* 1) Artefato bélico, pequena bomba que se arremessa com a mão. 2) *Miner.* Pedra preciosa de cor arroxeada.
GRA.NAR *v.t.d.* 1) Dar formato de grão a; granular. / *v.i.* 2) Trilhar grãos.
GRAN.DE *adj.2gên.* 1) Que possui dimensões consideráveis. 2) Incontável. 3) Enorme, infindo. 4) Magnífico, admirável. / *s.m. pl.* 5) *pop.* As pessoas ricas, poderosas, influentes.
GRAN.DE.ZA (ê) *s.f.* 1) Característica de grande. 2) Magnitude; generosidade; bondade. 3) *Mat.* O que é apto de aumento ou diminuição. 4) *Astr.* Nível de intensidade da luz das estrelas; dimensão. 5) Título honrado de poderoso do reino, nobreza.
GRAN.DI.O.SO (ô) *adj.* 1) Imenso. 2) Magnificente, sublime, nobre.
GRA.NI.TO *s.m. Miner.* Rocha eruptiva, áspera e transparente, formada de feldspato, quartzo e mica, usada na construção de monumentos.
GRA.NÍ.VO.RO *adj.* Que se alimenta de grãos ou sementes.
GRA.NI.ZA.DA *s.f.* 1) Chuvarada de granizo. 2) O que cai em grande quantidade, que possui aspecto de granizo.
GRA.NI.ZO *s.m. Meteor.* Precipitação atmosférica formando pedras de gelo.
GRAN.JA *s.f.* 1) Construção em que se recolhem os frutos de uma herdade; abegoaria. 2) Pequena indústria agrícola onde ocorre a criação de aves e de vacas leiteiras.
GRAN.JE.AR *v.t.d.* 1) Cultivar (terras). 2) Adquirir, obter com trabalho ou esforço próprio.
GRA.NU.LA.ÇÃO *s.f.* 1) Ato ou efeito de granular. 2) Presença de grãos em uma superfície qualquer.
GRA.NU.LA.DO *adj.* 1) Que manifesta granulações. 2) Diz-se dos medicamentos em grânulos.
GRA.NU.LAR *adj.* 1) Composto de pequenos grãos. / *v.t.d.* 2) Dar forma de grânulo a, reduzir a pequenos grãos.
GRÂ.NU.LO *s.m.* 1) Pequeno grão, glóbulo. 2) Cada uma das pequenas saliências de uma superfície áspera.
GRÃO *s.m.* 1) Semente de pequeno volume de alguns vegetais. 2) Partícula dura de qualquer substância. 3) Glóbulo, partícula.
GRAS.NAR *v.i.* 1) Emitir som (corvo, gralha, etc.). / *v.t.d.* e *v.i.* 2) *Por ext. fig.* Falar em tom alto e desagradável.

gratidão / grogue

GRA.TI.DÃO *s.f.* Qualidade de quem é grato; agradecimento, consideração.

GRA.TI.FI.CA.ÇÃO *s.f.* 1) Ato ou efeito de gratificar. 2) Agradecimento de favores prestados. 3) Recompensa.

GRA.TI.FI.CAR *v.t.d.* 1) Dar gratificação ou gorjeta a, recompensar; premiar, remunerar. / *v.i.* 2) Mostrar-se reconhecido.

GRÁ.TIS *adv.* 1) De graça, gratuitamente, sem retribuição. / *adj.2gên.* 2) Gratuito, de graça.

GRA.TO *adj.* 1) Que tem gratidão ou reconhecimento, agradecido. 2) Agradável, aprazível, ameno; suave.

GRA.TUI.TO (túi) *adj.* 1) Feito ou dado de graça; desinteressado, espontâneo. 2) Sem fundamento ou causa.

GRAU *s.m.* 1) Passo, gradação, hierarquia, classe. 2) *Geom.* Cada uma das 360 divisões de uma circunferência. 3) *Fís.* Unidade da escala termométrica. 4) *Mat.* Expoente de uma potência. 5) Classe, categoria. 6) Título obtido ao se completar um curso em escola superior. 7) *Gram.* Flexão com que se aumenta ou diminui a significação dos substantivos ou adjetivos.

GRA.Ú.DO *adj.* 1) Grande, crescido, bastante desenvolvido. / *adj. e s.m.* 2) Importante, poderoso.

GRA.VA.ÇÃO *s.f.* 1) Ato ou efeito de gravar. 2) Registro de som ou imagem em disco, fita ou outro suporte.

GRA.VA.DOR (ô) *adj. e s.m.* 1) Que ou aquele que grava. / *s.m.* 2) Artista que faz gravuras.

GRA.VAR *v.t.d.* 1) Marcar, esculpir em madeira ou pedra. 2) Assinar ou marcar com selo ou ferrete. 3) Perpetuar; eternizar. 4) Fazer gravação. 5) *fig.* Perpetuar, imortalizar. / *v.i.* 6) Imprimir(-se), fixar(-se).

GRA.VA.TA *s.f.* 1) Tira de tecido que se usa em volta do pescoço, em que se dá nó ou laço, na parte da frente. 2) Golpe dado no pescoço em diversas lutas esportivas.

GRA.VA.TA.RI.A *s.f.* 1) Fábrica ou loja de gravatas. 2) Grande porção de gravatas.

GRA.VA.TEI.RO *s.m.* 1) Fabricante ou vendedor de gravatas. 2) *gír.* Assaltante que agride a vítima pela garganta.

GRA.VE *adj.2gên.* 1) Que tem certo peso. 2) Sério. 3) Importante, ponderoso; circunspecto. 4) *pop.* Doença perigosa. 5) Na poesia, designativo de verso que termina em palavra paroxítona. 6) *Mús.* Baixo som, voz. / *s.m.* 7) *Mús.* A nota grave.

GRA.VE.TO (ê) *s.m.* Ramo seco ou pedaço miúdo de lenha com que se inicia o fogo; garaveto.

GRA.VI.DA.DE *s.f.* 1) Qualidade de grave; circunspeção, seriedade. 2) *Fís.* Força que atrai todos os corpos para o centro da Terra.

GRA.VI.DEZ (ê) *s.f.* 1) Gestação. 2) Estado da mulher e das fêmeas em geral durante a gestação.

GRA.VI.TA.ÇÃO *s.f.* 1) Ato de gravitar. 2) Força de atração que os astros exercem uns sobre os outros. 3) *Fís.* Força de atração entre as massas de dois corpos que é proporcional ao produto de suas massas e inversamente proporcional ao quadrado de suas distâncias.

GRA.VI.TAR *v.i.* 1) Mover-se sob a influência da gravitação. 2) Andar em redor de um astro, atraído por ele. / *v.t.i.* 3) Tender (para determinado ponto).

GRA.VU.RA *s.f.* 1) Ação ou efeito de gravar. 2) Estampa, ilustração, figura. 3) Trabalho de gravador.

GRA.XA *s.f.* Pasta gordurosa usada para lustrar couro ou lubrificar maquinismos.

GRE.GO *s.m.* 1) Natural ou habitante da Grécia. 2) A língua falada na Grécia. 3) *fig.* Coisa difícil de entender. / *adj.* 4) Relativo a esse país, povo ou língua.

GRE.LHA (é) *s.f.* Grade de ferro sobre a qual se assam ou torram carnes e outros alimentos.

GRE.LHAR *v.t.d.* Assar ou tostar alimentos em grelha.

GRÊ.MIO *s.m.* 1) *fig.* Grupo de pessoas organizadas para um fim recreativo ou instrutivo; sociedade, agremiação. 2) Seio, colo.

GRE.VE *s.f.* 1) Paralisação coletiva do trabalho pelos funcionários, para reivindicar benefícios. 2) *Por ext.* Interrupção temporária e coletiva de qualquer atividade, como forma de protesto.

GRI.FAR *v.t.d.* 1) Marcar uma letra, palavra, expressão, etc. com sublinhado, para chamar a atenção; destacar. 2) Colocar uma palavra, texto, etc. em itálico. 3) Pronunciar algo com ênfase; destacar, enfatizar.

GRI.FO *s.m.* 1) Letra itálica ou bastarda. 2) Enigma. 3) Questão embaraçosa. 4) Animal fabuloso com cabeça de águia. 5) Ferramenta própria para apertar ou desapertar parafusos de porte médio; chave grifo. / *adj.* 6) Inclinado para direita; itálico. 7) Designativo das aves que têm as penas do pé eriçadas.

GRI.NAL.DA *s.f.* Coroa de flores, ramos, pedrarias, etc.; guirlanda.

GRIN.GO *s.m. pop.* Pessoa estrangeira.

GRI.PE *s.f. Med.* Infecção causada por vírus e caracterizada por sintomas como mal-estar, febre, dores, etc.

GRI.SA.LHO *adj.* 1) Diz-se de cabelo mesclado de fios brancos. 2) Que tem o cabelo mesclado de fios brancos.

GRI.TAR *v.t.d.i. e v.i.* 1) Falar com tom de voz muito alto; berrar. / *v.t.d. e v.t.i.* 2) *Por ext.* Chamar aos berros; clamar. / *v.i.* 3) Dar gritos; berrar.

GRI.TO *s.m.* 1) Som estrepitoso emitido pela voz humana; berro. 2) *fig.* Protesto; queixa.

GRO.GUE *adj.2gên.* 1) Tonto, atordoado. / *s.m.* 2) Aguardente de cana.

259

groselha / **guerrear**

GRO.SE.LHA *s.f.* 1) Fruto da groselheira. 2) Xarope desse fruto.

GROS.SEI.RO *adj.* 1) De má qualidade. 2) Malfeito, rude, ordinário. 3) Áspero, mal polido. 4) Indelicado; grosso.

GROS.SE.RI.A *s.f.* 1) Falta de polidez e urbanidade. 2) Atitude ou expressão grosseira; grossura.

GROS.SO (ô) *adj.* 1) De grande circunferência ou volume. 2) Consistente, denso, pastoso (líquidos). 3) Grave, baixo (som). / *s.m.* 4) A parte mais espessa. 5) A maior parte. 6) Indivíduo de atos grosseiros; grosseiro.

GROS.SU.RA *s.f.* 1) Característica de grosso. 2) Ato ou expressão grosseira; indelicadeza.

GRO.TA *s.f.* 1) Abertura pela qual a água das cheias invade os campos às suas margens. 2) Vale profundo; depressão de terreno.

GRO.TES.CO (ê) *adj.* 1) Que provoca riso ou escárnio. 2) Excêntrico. 3) Ridículo.

GRU.DA.DO *adj.* 1) Pegado com grude, colado. 2) Muito junto, unido.

GRU.DAR *v.t.d.* 1) Colar, unir com grude. / *v.i.* e *v.p.* 2) Pegar-se, ligar-se com grude. 3) *fig.* Ajustar-se; aderir.

GRU.DE *s.m.* 1) Espécie de cola para unir peças de madeira. 2) Massa usada na fabricação de calçados. 3) *pop.* Comida, refeição. 4) Cola feita de farinha de trigo.

GRU.ME.TE (ê) *s.m.* Primeira graduação na hierarquia da Marinha Brasileira.

GRU.NHI.DO *s.m.* 1) Voz do porco. 2) Voz desagradável. 3) Resmungo.

GRU.NHIR *v.i.* 1) *Onom.* Soltar grunhidos (o porco ou o javali). 2) Imitar a voz do porco. 3) Resmungar.

GRU.PAR *v.t.d.* Dispor em grupos.

GRU.PO *s.m.* 1) Porção de pessoas reunidas. 2) Objetos unidos formando um todo distinto. 3) Reunião, conjunto. 4) Pequena associação.

GRU.TA *s.f.* 1) Caverna natural ou artificial; antro. 2) Escavação subterrânea.

GUA.CHE *s.m. Pint.* 1) Tinta feita com substâncias corantes trituradas em água e misturadas com uma preparação de goma. 2) Quadro pintado com essa preparação.

GUA.NO *s.m.* Adubo rico em nitrogênio e fosfato, produto da decomposição dos excrementos e cadáveres de aves aquáticas.

GUA.PO *adj.* 1) Corajoso, ousado, valente. 2) Belo, elegante.

GUA.RÁ *s.m.* 1) *Ornit.* Ave ciconiiforme da família dos Tresquiornitídeos; flamingo. 2) *Zool.* O maior canídeo brasileiro; lobo.

GUA.RA.NÁ *s.m.* 1) *Bot.* Arbusto trepador, da família das Sapindáceas. 2) Pasta seca comestível, rica em cafeína e tanino, preparada com as sementes dessa planta. 3) Bebida gasosa ou refrigerante fabricados com o pó dessa pasta.

GUA.RA.NI *adj.2gên.* 1) Que diz respeito aos guaranis. / *s.2gên.* 2) Indígena dos guaranis. / *s.m.* 3) Língua dos guaranis.

GUAR.DA *s.f.* 1) Ato ou efeito de guardar. 2) Cuidado, vigilância. 3) Abrigo, amparo. 4) Corpo de tropa que faz o serviço de vigia, proteção ou policiamento de um local. 5) *Tip.* As duas folhas, geralmente em branco, colocadas no começo e no fim do livro encadernado, unindo a capa ao volume. / *s.m.* 6) Homem encarregado de guardar ou vigiar alguma coisa. / *s.2gên.* 7) Indivíduo encarregado de guardar ou vigiar alguma coisa; sentinela; carcereiro.

GUAR.DA-CHU.VA *s.m.* Armação de varetas móveis, coberta de pano, para proteger as pessoas da chuva ou do sol.

GUAR.DA-CO.MI.DA *s.m.* Armário que serve para guardar iguarias ou substâncias alimentícias.

GUAR.DA-COS.TAS *s.m.* 1) Navio que percorre a costa marítima, a fim de evitar contrabando. / *s.2gên.* 2) *fig.* Pessoa que acompanha outra para defendê-la e protegê-la. 3) Capanga.

GUAR.DA.NA.PO *s.m.* Pequena toalha de pano ou de papel usada para limpar os lábios durante uma refeição.

GUAR.DAR *v.t.d.* 1) Vigiar; proteger. 2) Acondicionar, arrecadar. 3) Conservar, manter em bom estado. 4) Possuir em depósito. 5) Defender. 6) Reter. 7) Preservar. 8) Zelar por. / *v.p.* 9) Acautelar-se, precaver-se.

GUAR.DA-ROU.PA *s.m.* 1) Armário usado para guardar roupas. 2) O conjunto de roupas de uma pessoa.

GUAR.DI.ÃO *s.m.* 1) Pessoa que defende ou conserva algo; protetor. 2) *pop.* Pessoa que acompanha outra para protegê-la; guarda-costas.

GUA.RI.TA *s.f.* 1) Cabine que abriga seguranças, vigilantes, sentinelas, etc. 2) Torre das antigas fortalezas que abrigava sentinelas.

GUAR.NE.CER *v.t.d.i.* 1) Prover do necessário; abastecer, equipar. / *v.t.d.* 2) Pôr forças militares em; fortalecer. 3) Adornar, enfeitar.

GUAR.NI.ÇÃO *s.f.* 1) O que guarnece. 2) *Mil.* Conjunto de tropas militares de um determinado local. 3) *Náut.* A tripulação de um navio. 4) Enfeite, ornato, adorno. 5) *Cul.* Acompanhamento do prato principal em uma refeição.

GUEI.XA *s.f.* Japonesa treinada nas artes da dança, canto e conversação, para entreter fregueses homens de casas de chá e outros estabelecimentos de lazer.

GUEL.RA *s.f.* Órgão respiratório dos animais aquáticos; brânquia.

GUER.RA *s.f.* 1) Luta armada entre nações, territórios ou partidos. 2) Campanha. 3) Luta. 4) Arte militar.

GUER.RE.AR *v.t.d.* 1) Combater; fazer guerra a. 2) Opor-se a.

GUER.REI.RO *adj.* 1) Referente a guerra. 2) *fig.* Que tem inclinação à guerra, ao combate. / *adj.* e *s.m.* 3) Que ou quem se empenha por um objetivo ou causa; batalhador.

GUER.RI.LHEI.RO *s.m.* 1) Indivíduo que pertence a uma guerrilha. 2) Chefe de guerrilha.

GUE.TO (ê) *s.m.* 1) Nome dado ao bairro onde os judeus eram obrigados a morar. 2) Bairros onde se concentram indivíduos ou grupos marginalizados pela sociedade.

GUI.A *s.f.* 1) Ato ou efeito de guiar. 2) Direção, governo, regra. 3) Documento que acompanha mercadorias ou correspondências oficiais. / *s.2gên.* 4) Aquele que dirige ou orienta os outros. / *s.m.* 5) Livro que contém instruções acerca de um ramo ou assunto específicos.

GUI.AR *v.t.d.* 1) Servir de guia a. 2) Conduzir, encaminhar; dirigir. 3) Governar (cavalos). 4) *fig.* Aconselhar; proteger. / *v.t.i.* 5) Conduzir; levar. / *v.p.* 6) Dirigir-se; orientar-se; encaminhar-se.

GUI.CHÊ *s.m.* Pequena abertura em porta, parede, etc., pela qual funcionários atendem ao público.

GUI.DOM ou **GUI.DÃO** *s.m.* Barra de direção de veículos de duas rodas, como bicicletas, motos, etc.

GUI.LHO.TI.NA *s.f.* 1) Instrumento composto de uma lâmina e duas traves verticais, usado para decapitar condenados à morte. 2) Instrumento com lâmina usado para cortar papéis. 3) Tipo de janela com caixilho que se levanta e abaixa verticalmente.

GUI.NA.DA *s.f.* 1) Mudança brusca de direção. 2) *Por ext.* Mudança súbita e radical em uma situação, atitude, comportamento, etc.

GUIN.CHAR *v.t.d.* 1) Içar, puxar ou arrastar com guincho. / *v.i.* 2) Soltar guinchos; grunhir.

GUIN.CHO *s.m.* 1) Pequeno guindaste. 2) Máquina usada para suspender cabos, amarras, etc. 3) Veículo com guindaste usado para rebocar carros; reboque. 4) Som agudo e inarticulado produzido por pessoas, certos animais ou coisas.

GUIN.DAS.TE *s.m.* Máquina usada para erguer e transportar volumes muito pesados.

GUIR.LAN.DA *s.f.* 1) Coroa de flores, folhagens ou frutos que se pendura como enfeite. 2) Grinalda.

GUI.SA.DO *adj.* 1) Preparado com refogado. / *s.m.* 2) *Cul.* Alimento, geralmente carne, refogado com molho; ensopado.

GUI.TAR.RA *s.f. Mús.* Instrumento musical de cordas dedilháveis, semelhante ao violão.

GUI.ZO *s.m.* 1) Pequeno globo oco, de metal, que contém bolinhas maciças e produz ruído ao ser agitado. 2) Parte terminal da cauda da cascavel, que produz ruído quando ela se excita.

GU.LA *s.f.* 1) Excesso na comida e bebida. 2) Predileção para boas iguarias.

GU.LO.SEI.MA *s.f.* Doce ou iguaria apetitosa que se come fora das horas de refeição.

GU.LO.SO (ô) *adj.* e *s.m.* Que ou quem come demais e sem necessidade; comilão, glutão.

GU.RI *s.m.* 1) Criança, menino, rapazola. 2) *Ictiol.* Nome genérico dos peixes de pele lisa.

GU.RI.A *s.f.* 1) Feminino de guri. 2) Menina pequena. 3) Mocinha. 4) Namorada.

GUS.TA.ÇÃO *s.f.* 1) Ato de provar. 2) Percepção do sabor de uma coisa.

GU.TU.RAL *adj.2gên.* 1) Relativo a garganta. 2) Diz-se de som rouco, grave.

Hh

H (agá) *s.m.* 1) Oitava letra do alfabeto. 2) *Quím.* Símbolo de hidrogênio.

HÁ.BIL *adj.2gên.* 1) Que tem capacidade legal para certos atos. 2) Que tem aptidão para alguma coisa. 3) Ágil de mãos; destro. 4) Inteligente, sagaz.

HA.BI.LI.DA.DE *s.f.* 1) Qualidade de hábil. 2) Capacidade, inteligência, habilidoso. 3) Aptidão, engenho. 4) Destreza. 5) Astúcia, manha. / *s.f. pl.* 6) Exercícios ginásticos de agilidade e destreza.

HA.BI.LI.DO.SO (ô) *adj.* Que é hábil; apto, capaz.

HA.BI.LI.TA.ÇÃO *s.f.* 1) Ato ou efeito de habilitar (-se). 2) Aptidão, capacidade, disposição. 3) Modo pelo qual alguém prova em juízo a sua capacidade ou qualidade legal para determinado fim, ou o seu direito a certa coisa. 4) Documento ou título que habilita alguém para alguma coisa. 5) Documento pessoal e intransferível, que autoriza seu portador a dirigir veículo nas vias públicas.

HA.BI.LI.TAR *v.t.d.* 1) Tornar hábil, eficiente, capaz. 2) *Inform.* Tornar ativo. / *v.t.d.i.* e *v.p.* 3) Tornar (-se) apto, munindo(-se) de conhecimento; capacitar(-se). 4) Pôr-se à disposição de.

HA.BI.TA.ÇÃO *s.f.* 1) Ato ou efeito de habitar. 2) Lugar em que se habita. 3) Casa, moradia, residência.

HA.BI.TAN.TE *adj.2gên.* e *s.2gên.* Que ou quem reside em determinado lugar; morador.

HA.BI.TAR *v.t.d.* 1) Residir, morar, viver em. / *v.t.i.* 2) Estar domiciliado; residir; viver.

HABITAT (ábitat) *s.m. lat.* Localidade ou circunscrição em que um ser organizado nasce e cresce naturalmente.

HA.BI.TÁ.VEL *adj.2gên.* 1) Que se pode habitar. 2) Próprio para habitação.

HÁ.BI.TO *s.m.* 1) Disposição adquirida por atos reiterados. 2) Traje ou vestido, especialmente o distintivo dos eclesiásticos e congregações religiosas. 3) Insígnia de cavaleiro oficial de qualquer ordem militar. 4) Costume; uso.

HA.BI.TU.AL *adj.2gên.* 1) Que acontece ou se faz por hábito. 2) Frequente, comum. 3) Usual.

HA.BI.TU.AR *v.t.d.* 1) Fazer adquirir o hábito de. 2) Exercitar. / *v.p.* 3) Acostumar(-se).

HA.CHU.RA *s.f. Bel.-art.* Cada um dos traços equidistantes, paralelos, que, em desenho e gravura, representam o sombreado e o meio-tom; o relevo em cartas topográficas, etc.

HAI.CAI *s.m. Lit.* Pequena composição poética japonesa em três versos, dos quais dois de cinco sílabas e um de sete.

HAI.TI.A.NO *adj.* 1) Relativo ao Haiti (América Central). / *s.m.* 2) Habitante ou natural do Haiti.

HÁ.LI.TO *s.m.* 1) Ar expirado. 2) Cheiro da boca. 3) Exalação. 4) Bafo.

HA.LI.TO.SE *s.f. Med.* Mau hálito.

hall / *hélice*

HALL *s.m. ingl. Arquit.* Saguão.

HA.LO *s.m.* 1) Círculo luminoso que se forma em volta do Sol ou da Lua. 2) Auréola. 3) Círculo luminoso em volta de uma fonte de luz qualquer.

HAL.TE.RO.FI.LIS.MO *s.m.* Prática esportiva ou competitiva de levantamento de peso; halterofilia.

HAM.BÚR.GUER *s.m.* 1) Bife redondo e achatado de carne moída com temperos. 2) Sanduíche feito com esse bife.

HAN.DE.BOL *s.m. Esp.* Jogo em que duas equipes com sete jogadores cada tentam marcar gols no time adversário usando apenas as mãos.

HAN.GAR *s.m.* Abrigo fechado para aviões, balões, dirigíveis, etc.

HAN.SE.NÍ.A.SE *s.f.* Doença que afeta principalmente a pele, as mucosas e os nervos e é produzida por bacilo específico, chamado bacilo de Hansen; morfeia, lepra.

HA.RAS *s.m.* Fazenda ou sítio destinados à criação e ao treinamento de cavalos, especialmente de corridas; coudelaria.

HARDWARE (rárduer) *s.m. Ingl. Inform.* Conjunto de elementos físicos de um computador e os dispositivos a ele relacionados, como parte mecânica, magnética, elétrica e eletrônica.

HA.RÉM *s.m.* 1) Conjunto de aposentos em palácio muçulmano, destinado à habitação de mulheres. 2) Grupo de mulheres que habitam esses aposentos.

HAR.MO.NI.A *s.f.* 1) *Mús.* Concordância ou sucessão de diversos sons agradáveis ao ouvido. 2) *Mús.* Sistema que tem por objetivo o emprego de sons simultâneos. 3) Disposição bem equilibrada entre as partes de um todo. 4) Concordância de sentimentos entre pessoas, dentro de um grupo.

HAR.MÔ.NI.CA *s.f. Mús.* 1) Gaita de boca. 2) Acordeão, sanfona.

HAR.MO.NI.ZAR *v.t.d.* 1) *Mús.* Dividir (uma melodia) em partes harmônicas. 2) Tornar harmônico. 3) Pôr em harmonia; congraçar. 4) Conciliar. / *v.i.* e *v.t.i.* 5) *Mús.* Compor harmonia; estar em harmonia. / *v.p.* 6) Conviver em boa harmonia, pôr-se de acordo.

HAR.PA *s.f. Mús.* Instrumento de cordas, de forma triangular, tocado com os dedos.

HAR.PI.A (pí) *s.f. Mit.* Monstro mitológico com cabeça de mulher, corpo de pássaro e garras afiadas.

HAS.TE *s.f.* 1) Vara de madeira ou de ferro na qual se fixa alguma coisa. 2) Pau da bandeira. 3) Caule; pedúnculo. 4) *pop.* Chifre, corno. 5) *Tip.* Traço alongado de certas letras, como o *p* e o *h*.

HAS.TE.AR *v.t.d.* 1) Elevar ou prender ao topo de uma haste; içar, guindar, erguer alto, desfraldar. / *v.p.* 2) Levantar-se; içar-se; desfraldar-se.

HAU.RIR *v.t.d.i.* 1) Retirar de onde estava; extrair. / *v.t.d.* 2) Consumir, esgotar, esvaziar. 3) Aspirar, inalar, absorver.

HA.VAI.A.NO *adj.* 1) Relativo às ilhas de Havaí, ao norte da Oceania. / *s.m.* 2) Habitante ou natural dessas ilhas.

HA.VA.NA *adj.2gên.* 1) Castanho-claro. / *s.m.* 2) Charuto de Havana. 3) Capital de Cuba (América Central).

HA.VA.NÊS *adj.* 1) Relativo a Havana. / *s.m.* 2) Habitante ou natural de Havana.

HA.VER *v.t.d.* 1) Ter, possuir. 2) Alcançar, conseguir, obter, receber. 3) Acontecer, suceder. / *v.impess.* 4) Existir. 5) Suceder, acontecer. / *v.p.* 6) Comportar-se, portar-se. 7) Avir-se. 8) Junto do particípio de outros verbos, forma os tempos compostos do pretérito. 9) Forma com o infinitivo, precedido da preposição *de*, as formas do futuro. / *s.m.* 10) A parte do crédito, na escrituração comercial. / *s.m. pl.* 11) Bens, propriedades, riqueza.

HE *Quím.* Símbolo do hélio.

HE.BRAI.CO *adj.* 1) Relativo aos hebreus. / *s.m.* 2) Idioma dos hebreus. 3) Hebreu.

HE.BREU *adj.* 1) Relativo aos hebreus. / *s.m.* 2) A língua hebraica. 3) Indivíduo de raça hebraica, israelita. / *s.m. pl.* 4) Povo semita da Antiguidade, do qual descendem os atuais judeus.

HE.CA.TOM.BE *s.f.* 1) Na Antiguidade, sacrifício de 100 bois. 2) *Por ext.* Massacre de um grande número de pessoas; carnificina. 3) *Por ext.* Calamidade, catástrofe, desgraça.

HEC.TA.RE *s.m.* Medida agrária equivalente a 100 ares, a um hectômetro quadrado ou a 10 mil metros quadrados. Símbolo: ha.

HEC.TO.GRA.MA *s.m.* Peso de 100 gramas (massa).

HE.DI.ON.DO *adj.* Que causa horror, repulsa ou indignação; repugnante, horrendo, sórdido.

HE.DO.NIS.MO *s.m.* 1) *Filos.* Doutrina moral que prega o prazer e a felicidade como bens supremos. 2) *Por ext.* Dedicação ao prazer como estilo de vida.

HE.GE.MO.NI.A *s.f.* 1) Supremacia de um povo nas federações da Grécia Antiga. 2) Preponderância de uma cidade ou povo. 3) Superioridade, domínio.

HE.LÊ.NI.CO *adj.* e *s.m.* Relativo a ou natural da Grécia Antiga.

HE.LE.NIS.MO *s.m.* 1) *Linguíst.* Palavra, expressão ou construção da língua grega. 2) A civilização grega. 3) Admiração e imitação dos costumes, pensamentos e da arte da Grécia Antiga.

HE.LE.NO *adj.* e *s.m.* Grego.

HÉ.LI.CE *s.f.* 1) *Náut.* e *Av.* Peça que consiste em um cubo rotativo provido de várias pás e que funciona segundo o princípio do parafuso, para a propulsão de navios, aviões, torpedos, etc. 2) *Anat.* Rebordo do pavilhão da orelha. 3) *Zool.* Gênero de moluscos gastrópodes a que pertence o caracol. **263**

helicoide   herdeiro

HE.LI.COI.DE *s.m. Geom.* Superfície gerada por uma reta horizontal apoiada constantemente sobre uma hélice e sobre o eixo vertical do cilindro reto em que está traçada essa curva.

HE.LI.CÔ.ME.TRO *s.m.* Aparelho para medir a força das hélices.

HE.LI.CÓP.TE.RO *s.m. Av.* Aeronave provida de uma ou duas hélices que giram em plano horizontal.

HÉ.LIO *s.m. Quím.* Elemento gasoso, inerte, de símbolo He, número atômico 2, massa atômica 4,003. Empregado nos dirigíveis por ser menos denso que o ar.

HE.LI.O.CÊN.TRI.CO *adj.* 1) Relativo ao centro do Sol. 2) Que tem o Sol como centro.

HE.LI.O.GRA.FI.A *s.f.* Processo de produção de fotogravuras sobre chapa metálica revestida com material betuminoso através dos raios do Sol.

HE.LI.POR.TO (ô) *s.m.* Local para pouso e decolagem de helicópteros.

HE.MÁ.CIA *s.f.* Célula sanguínea que transporta oxigênio e gás carbônico; glóbulo vermelho do sangue.

HE.MÁ.TI.CO *adj.* Relativo ou pertencente ao sangue.

HE.MA.TÓ.FA.GO *adj. e s.m.* Diz-se de ou animal que se alimenta de sangue.

HE.MA.TO.FO.BI.A *s.f.* Aversão, medo de sangue.

HE.MA.TO.LO.GI.A *s.f. Med.* Estudo do sangue.

HE.MA.TO.MA *s.m.* Acúmulo de sangue, geralmente coagulado, em um órgão ou tecido devido a um traumatismo ou à ruptura de um vaso sanguíneo.

HE.ME.RO.PA.TA *s.2gên.* Pessoa que sofre de doença que se manifesta somente durante o dia, chamada hemeropatia.

HE.ME.RO.TE.CA *s.f.* Lugar onde se arquivam jornais e outras publicações periódicas.

HE.MI.CI.CLO *s.m.* 1) Metade de um ciclo. 2) Espaço aproximadamente semicircular como o de certas arquibancadas.

HE.MIS.FÉ.RIO *s.m.* 1) Metade de uma esfera. 2) Cada uma das duas metades norte e sul do globo terrestre, imaginariamente separadas pelo equador. 3) *Anat.* Cada uma das metades do cérebro.

HE.MO.CEN.TRO *s.m.* Local em que é feita a coleta, o processamento, a transfusão e a distribuição de sangue; banco de sangue.

HE.MO.CUL.TU.RA *s.f. Med.* Cultura bacteriológica, mediante semeadura de sangue em meio apropriado, com o fim de investigar a presença de micro-organismos patogênicos.

HE.MO.DI.Á.LI.SE *s.f. Med.* Método de filtração do sangue por meio de uma máquina que funciona como um rim artificial.

HE.MO.DI.NÂ.MI.CA *s.f.* Parte da fisiologia que trata dos fenômenos mecânicos da circulação sanguínea.

HE.MO.FI.LI.A *s.f. Med.* Disposição congênita hereditária (que ocorre quase sempre no homem, em casos muito raros na mulher) para hemorragias profusas e dificilmente controláveis.

HE.MO.GLO.BI.NA *s.f. Fisiol.* Pigmento proteínico ferruginoso existente nas células vermelhas do sangue de vertebrados, responsável por transportar o oxigênio dos pulmões aos tecidos do corpo.

HE.MO.GRA.MA *s.m. Med.* Diagrama do sangue, escrito ou figurado, que mostra a contagem dos glóbulos vermelhos e brancos, a contagem das plaquetas, a dosagem da hemoglobina, etc.

HE.MÓ.LI.SE *s.f. Med.* Dissolução dos corpúsculos vermelhos do sangue com libertação de sua hemoglobina.

HE.MO.PA.TI.A *s.f.* Doença do sangue em geral.

HE.MOP.TI.SE *s.f. Med.* Hemorragia no aparelho respiratório, caracterizada pela expulsão de sangue, com tosse e vômito.

HE.MOR.RA.GI.A *s.f. Med.* Derramamento de sangue para fora dos vasos que devem contê-lo.

HE.MOR.ROI.DAS *s.f. pl. Med.* Tumores varicosos formados pela dilatação das veias do ânus ou do reto, com ou sem fluxo de sangue.

HE.PÁ.TI.CO *adj.* 1) Relativo ao fígado. / *adj. e s.m.* 2) Que ou quem sofre do fígado.

HE.PA.TIS.MO *s.m. Med.* Conjunto dos sintomas das moléstias crônicas do fígado.

HE.PA.TI.TE *s.f.* Inflamação do fígado.

HE.RA *s.f.* Nome comum de várias plantas trepadeiras, muito usadas como ornamentais.

HE.RAN.ÇA *s.f.* 1) *Jur.* Patrimônio deixado por alguém ao morrer. 2) *Genét.* O que se transmite por hereditariedade. 3) *fig.* Aquilo que se recebe por hereditariedade ou tradição; legado.

HER.BÁ.RIO *s.m. Bot.* 1) Coleção de plantas secas que se destinam à pesquisa científica. 2) Local onde ficam essas plantas.

HER.BI.CI.DA *adj.2gên.* e *s.2gên.* Diz-se de ou substância usada na destruição de ervas daninhas.

HER.BÍ.VO.RO *adj.* 1) Que se alimenta exclusiva ou principalmente de ervas ou de vegetais. / *s.m.* 2) Animal herbívoro.

HER.BO.RI.ZAR *v.i.* Colher plantas para estudo ou para aplicações medicinais.

HÉR.CU.LES *s.m.* Homem de força extraordinária, valente, robusto.

HER.DA.DE *s.f.* Em Portugal, grande propriedade rural, em geral composta de terra de semeadura e casa de habitação.

HER.DAR *v.t.d.* 1) Obter, receber ou ter direito a receber por herança. 2) Receber por transmissão. 3) Adquirir por parentesco ou hereditariedade (virtudes ou vícios). / *v.t.d.i.* 4) Deixar por herança, legar.

HER.DEI.RO *s.m.* 1) Pessoa que herda. 2) Sucessor. 3) *Fam.* Filho.

HE.RE.DI.TA.RI.E.DA.DE *s.f.* 1) Qualidade de hereditário. 2) Transmissão das qualidades físicas ou morais de alguém aos seus descendentes; herança.
HE.RE.DI.TÁ.RIO *adj.* 1) Relativo a herança ou hereditariedade. 2) Transmitido por direito de sucessão. 3) *Genét.* Transmitido por genes.
HE.RE.GE *adj.2gên.* 1) Que professa uma heresia. 2) *fig.* Que professa ideias contrárias às geralmente admitidas. / *s.2gên.* 3) Pessoa herege.
HE.RE.SI.A *s.f.* 1) Doutrina que se opõe aos dogmas da Igreja. 2) *Fam.* Absurdo, contrassenso, disparate. 3) Ato ou palavra ofensiva à religião.
HER.MA.FRO.DI.TA *adj.2gên.* e *s.2gên. Biol.* Diz-se do ou ser que possui órgãos reprodutores dos dois sexos; hermafrodito, andrógino.
HER.MÉ.TI.CO *adj.* 1) Fechado completamente, de modo que não deixe penetrar ou escapar o ar (vasos, panelas, etc.); estanque. 2) De compreensão muito difícil.
HÉR.NIA *s.f. Med.* Projeção total ou parcial de um órgão através de abertura natural ou adquirida na parede da cavidade que normalmente o contém.
HE.RO.DES *s.m. fig.* Homem cruel, tirano, feroz.
HE.RÓI *s.m.* 1) Homem que se distingue por coragem extraordinária na guerra ou diante de outro qualquer perigo. 2) O protagonista de qualquer aventura histórica ou drama real.
HE.ROI.CO *adj.* 1) Próprio de herói. 2) Enérgico. 3) Diz-se do estilo ou gênero literário em que se celebram façanhas de heróis.
HE.RÓI-CÔ.MI.CO *adj.* Diz-se daquilo que participa, ao mesmo tempo, da feição heroica e da cômica.
HE.RO.Í.NA *s.f.* 1) Mulher que figura como principal personagem de uma obra literária. 2) Mulher de valor, beleza ou talentos extraordinários. 3) *Farm.* Narcótico cristalino, derivado da morfina.
HE.RO.ÍS.MO *s.m.* 1) Qualidade característica de um herói ou daquilo que é heroico. 2) Magnanimidade. 3) Ato heroico.
HER.PES *s.m. pl. Med.* Erupção da pele e das mucosas, caracterizada por grupos de vesículas muito dolorosas, causada por vírus.
HE.SI.TAR *v.i.* 1) Estar incerto ou vacilante a respeito do que se há de dizer ou fazer. 2) Estar ou ficar hesitante; indeciso. / *v.t.d.* e *v.t.i.* 3) Ter dúvidas sobre, vacilar em.
HE.TE.RO.DO.XO (cs) *adj.* Oposto aos princípios de uma religião, herético.
HE.TE.RO.GÊ.NEO *adj.* 1) De natureza diferente ou que é composto de partes de natureza diferente, variado. 2) Que não tem unidade.
HE.TE.RO.MOR.FO *adj. Biol.* 1) Que se apresenta em formas diferentes dentro de uma mesma espécie. 2) Cujas partes constituintes são diferentes.
HE.TE.RÔ.NI.MO *s.m.* 1) Nome inventado por um autor para assinar suas próprias obras e que

designa uma pessoa com características diferentes das desse autor. / *adj.* 2) Diz-se de obra literária que se publica sob o nome de outra pessoa. 3) Diz-se de termos diferentes que têm o mesmo significado.
HE.TE.ROS.SE.XU.AL (cs) *adj.2gên.* 1) Diz-se da relação sexual entre pessoas de sexo oposto. / *adj.2gên.* e *s.2gên.* 2) Que ou quem sente atração ou mantém relações sexuais com pessoas do sexo oposto.
HE.XÁ.GO.NO (z, cs ou gz) *adj.* 1) Hexagonal. / *s.m.* 2) *Geom.* Figura que tem seis ângulos e seis lados.
HG *Quím.* Símbolo do Mercúrio.
HI.A.TO *s.m.* 1) *Gram.* Conjunto de duas vogais em contato, pertencendo cada uma a sílaba diferente ➡ beato, moinho, saúde. 2) Intervalo para preencher. 3) Lacuna. 4) *Anat.* Fenda ou abertura no corpo humano.
HI.BER.NAR *v.i.* 1) Passar (alguns animais) o inverno numa espécie de sono, em estado de entorpecimento. 2) *Por ext.* Ficar parado ou dormir por um longo período.
HI.BRI.DEZ (ê) *s.f.* Estado ou qualidade de híbrido; anomalia, irregularidade.
HI.BRI.DIS.MO *s.m.* 1) Hibridez. 2) *Gram.* Palavra formada com elementos provenientes de línguas diversas, como sociologia, alcoólatra.
HÍ.BRI.DO *adj.* 1) Que provém do cruzamento de espécies, raças ou variedades diferentes. 2) Que se afasta das leis naturais. 3) *Gram.* Diz-se da palavra que apresenta hibridismo. / *s.m.* 4) Animal ou planta híbridos.
HI.DRA *s.f. Zool.* 1) Gênero de pequenos pólipos hidrozoários de água doce, que vivem geralmente presos a gravetos. 2) Pólipo desse gênero.
HI.DRA.MÁ.TI.CO *adj. Autom.* Diz-se da transmissão cujo comando é acionado automaticamente por meio de um sistema hidráulico.
HI.DRAN.TE *s.m.* Válvula de saída de água instalada em vias públicas, na qual se liga mangueira contra incêndio.
HI.DRA.TA.DO *adj.* 1) Que foi tratado pela água. 2) Que contém água combinada ou misturada.
HI.DRA.TAN.TE *adj.2gên.* e *s.m.* 1) Que ou o que hidrata. 2) Diz-se de ou produto usado para hidratar ➡ Passar um hidratante na pele.
HI.DRA.TAR *v.t.d.* 1) Tratar por água. 2) Combinar (um corpo) com os elementos da água. / *v.p.* 3) Passar ao estado de hidrato.
HI.DRA.TO *s.m. Quím.* Composto formado pela união da água com outra substância e representado nas fórmulas como se realmente contivesse água.
HI.DRÁU.LI.CA *s.f.* 1) Ramo da engenharia que trata do fluir de águas ou outros líquidos através de canos, canais, etc., e das leis que o regem. 2) Arte das construções na água.

HI.DRÁU.LI.CO *adj.* 1) Relativo à hidráulica. 2) Que aciona ou é acionado, movido ou efetuado por meio da água. / *s.m.* 3) Engenheiro ou construtor de obras hidráulicas. 4) Especialista em hidráulica.

HI.DRE.LÉ.TRI.CA *s.f.* 1) Companhia de energia elétrica. 2) Usina hidrelétrica.

HI.DRE.LÉ.TRI.CO *adj.* Relativo à produção de corrente elétrica por meio da força hidráulica.

HI.DRO.CAR.BO.NE.TO (ê) *s.m. Quím.* Composto constituído apenas por carbono e hidrogênio.

HI.DRO.CE.FA.LI.A *s.f. Med.* Estado mórbido caracterizado pelo acúmulo anormal do líquido cefalorraquidiano.

HI.DRO.FO.BI.A *s.f.* 1) A doença da raiva. 2) Aversão a líquidos.

HI.DRO.GÊ.NIO *s.m. Quím.* Elemento univalente não metálico, o mais leve e simples dos elementos, que é um gás altamente inflamável e normalmente incolor. Símbolo H, número atômico 1 e massa atômica 1,0080.

HI.DRO.GRA.FI.A *s.f.* 1) *Geogr.* Ciência que estuda os mares, lagos, rios, etc., com referência especial ao seu uso para fins de navegação e comércio. 2) Conjunto das águas correntes ou estáveis de uma região.

HI.DRÓ.LI.SE *s.f.* Decomposição de uma molécula pela ação da água.

HI.DRO.LO.GI.A *s.f. Geogr.* Ciência que trata das águas, suas propriedades, leis, fenômenos e distribuição, na superfície e abaixo da superfície da Terra.

HI.DRO.MAS.SA.GEM *s.f.* Massagem feita com jatos de água.

HI.DRO.SE *s.f.* Produção e eliminação de suor.

HI.DROS.FE.RA *s.f.* A camada líquida do globo terrestre, formada pelo oceanos e pelos mares.

HI.DROS.TÁ.TI.CA *s.f. Fís.* Estudo das condições de equilíbrio dos líquidos sob a ação de forças exteriores, principalmente da gravidade.

HI.DRÓS.TA.TO *s.m.* Instrumento de metal, flutuante, destinado a pesar corpos.

HI.DRO.TE.RA.PI.A *s.f. Med.* Tratamento das doenças pela água, especialmente duchas e banhos.

HI.DRÓ.XI.DO (cs) *s.m. Quím.* Combinação da água com um óxido.

HI.E.RAR.QUI.A *s.f.* 1) Ordem, graduação, categoria existente numa corporação qualquer, nas classes sociais. 2) *Rel. catól.* Totalidade de clero e a sua graduação.

HI.E.RÓ.GLI.FO *s.m.* 1) Cada um dos sinais da escrita pictográfica dos antigos egípcios e de outros povos, como os maias. 2) *fig.* Letra ilegível. 3) Qualquer sinal ou caráter cujo sentido não é óbvio.

HÍ.FEN *s.m. Gram.* Sinal gráfico que une os elementos de palavras compostas ➥ couve-flor; um verbo a pronomes oblíquos enclíticos ou mesoclíticos ➥ Faça-me um favor; oferecer-lhe-ei um jantar; e indica partição de sílabas de um vocábulo; traço de união.

HI.FE.NI.ZAR *v.t.d.* Separar ou unir por meio de hífen.

HI.GI.E.NE *s.f.* 1) Parte da medicina que estuda os diversos meios de conservar e promover a saúde. 2) Asseio; limpeza.

HI.GI.E.NI.ZAR *v.t.d.* 1) Deixar higiênico, saudável. 2) Limpar, desinfetar.

HI.GRO.ME.TRI.A *s.f.* Parte da física que tem por finalidade determinar o grau de umidade do ar.

HI.GRÔ.ME.TRO *s.m. Fís.* Instrumento com o qual se pratica a higrometria.

HI.GROS.CÓ.PIO *s.m.* Instrumento simples que indica as variações de umidade do ar.

HI.LA.RI.AN.TE *adj.2gên.* Que produz alegria, riso.

HI.LA.RI.DA.DE *s.f.* 1) Vontade de rir. 2) Alegria súbita. 3) Explosão de risos.

HI.LÁ.RIO *adj.* Que provoca riso; divertido, engraçado.

HÍ.MEN *s.m. Anat.* Dobra de membrana mucosa que, nas virgens, fecha em parte a entrada da vagina.

HI.NÁ.RIO *s.m.* 1) Coleção de hinos. 2) Livro de hinos religiosos.

HIN.DU.ÍS.MO *s.m.* Religião e sistema social da maior parte da população da Índia.

HI.NO *s.m.* 1) Canto de louvor ou adoração, especialmente religioso. 2) Canto musicado em exaltação de uma nação, de um partido, etc. 3) Canção, canto, coro.

HI.PE.RÁ.CI.DO *adj.* Excessivamente ácido.

HI.PE.RA.TI.VI.DA.DE *s.f.* Atividade excessiva ou anormalmente elevada.

HI.PER.BI.BAS.MO *s.m. Gram.* Deslocação do acento tônico de uma palavra para sílaba anterior (sístole) ou sílaba posterior (diástole).

HI.PÉR.BO.LE *s.f.* 1) *Ret.* Figura que engrandece ou diminui exageradamente a verdade das coisas, a realidade ➥ Morri de rir. 2) *Geom.* Dupla curva plana, que é o lugar dos pontos de um plano, cuja diferença das distâncias a dois pontos fixos desse mesmo plano é constante.

HI.PER.BÓ.LI.CO *adj.* 1) *Ret.* Em que há hipérbole. 2) *fig.* Exagerado. 3) *Geom.* Relativo à hipérbole.

HI.PER.CRÍ.TI.CO *adj.* 1) Que critica de maneira exagerada. / *s.m.* 2) Crítico que nada perdoa; censor exagerado.

HI.PER.CRO.MIA *s.f.* Aumento do conteúdo em pigmento de qualquer célula ou tecido.

HI.PER.FUN.ÇÃO *s.f.* Função exagerada de qualquer órgão ou parte dele.

HI.PER.GLI.CE.MI.A *s.f. Med.* Aumento da taxa de glicose no sangue superior à normal.

hipermetropia / holerite

HI.PER.ME.TRO.PI.A *s.f. Oftalm.* Anomalia visual em que a imagem dos objetos se formam além da retina.

HI.PER.MI.O.PI.A *s.f. Oftalm.* Miopia muito acentuada.

HI.PER.TEN.SÃO *s.f. Med.* Elevação anormal da pressão arterial; pressão alta.

HI.PER.TER.MI.A *s.f. Med.* Elevação anormal da temperatura do corpo; febre.

HI.PER.TRO.FI.A *s.f. Med.* Crescimento excessivo de um órgão ou tecido.

HÍ.PI.CO *adj.* Relativo a hipismo ou a cavalo.

HI.PIS.MO *s.m.* Esporte que compreende a equitação, as corridas de cavalos, etc.

HIP.NO.SE *s.f. Med.* Estado semelhante ao sono, induzido pelas sugestões do hipnotizador; sono hipnótico.

HIP.NÓ.TI.CO *adj.* 1) Relativo à hipnose ou ao hipnotismo. 2) Que produz sono. / *s.m.* 3) *Farm.* Medicamento que produz sono.

HIP.NO.TIS.MO *s.m.* 1) Conjunto dos fenômenos e das aplicações da hipnose. 2) Método de indução da hipnose.

HIP.NO.TI.ZAR *v.t.d.* 1) Fazer cair em hipnose. 2) Magnetizar, atrair, encantar. 3) Acalmar. / *v.p.* 4) *fig.* Concentrar a atenção em.

HI.PO.A.LER.GÊ.NI.CO *adj.* e *s.m. Farm.* Diz-se de ou substância que provoca poucas reações alérgicas.

HI.PO.CAM.PO *s.m.* 1) *Mit. gr.* e *rom.* Monstro que se representava atrelado aos carros de Netuno e dos Tritões, e cujo corpo era metade cavalo e metade peixe. 2) Cavalo-marinho. 3) *Anat.* Estrutura do ventrículo lateral do cérebro com função importante nos mecanismos da memória.

HI.PO.CON.DRI.A *s.f.* Preocupação excessiva com a própria saúde e com a manifestação de doenças graves, geralmente inexistentes.

HI.PO.CRI.SI.A *s.f.* Ato de fingir ou dissimular sentimentos ou intenções; fingimento, falsidade.

HI.PÓ.CRI.TA *adj.2gên.* e *s.2gên.* Que ou quem finge ser o que não é ou sentir algo que não sente; falso, dissimulado.

HI.PÓ.FI.SE *s.f. Anat.* Glândula de secreção interna situada na base do cérebro, encaixada numa reentrância do esfenoide e que tem papel predominante nos fenômenos fisiológicos.

HI.PO.GLI.CE.MI.A *s.f. Med.* Taxa de glicose no sangue abaixo da normal.

HI.PO.PÓ.TA.MO *s.m.* 1) *Zool.* Artiodátilo anfíbio, herbívoro, próprio da África, de pele muito grossa e nua, patas e cauda curtas, cabeça muito grande e truncada num focinho largo e arredondado. 2) *pop.* Indivíduo corpulento; brutamontes.

HI.PO.TÁ.LA.MO *s.m.* Região do cérebro onde se encontram os núcleos que comandam o sistema nervoso.

HI.PO.TE.CA *s.f.* 1) Direito real constituído a favor do credor sobre imóvel do devedor ou de terceiro, como garantia exclusiva do pagamento da dívida, sem, todavia, tirá-lo da posse do dono. 2) Dívida garantida por esse direito.

HI.PO.TER.MI.A *s.f. Med.* Diminuição anormal da temperatura do corpo.

HI.PÓ.TE.SE *s.f.* 1) Suposição feita sobre uma coisa possível ou impossível, de que se tiram conclusões. 2) Acontecimento incerto; eventualidade. 3) Explanação científica de um fato não verificado. 4) *Mat.* Proposição admitida como dado de um problema.

HIS.PÂ.NI.CO *adj.* 1) Da Espanha; espanhol. / *s.m.* 2) Natural ou habitante da Espanha; espanhol. 3) Pessoa latino-americana que vive nos Estados Unidos.

HIS.TE.RI.A *s.f.* 1) *Med.* Doença nervosa caracterizada por convulsões. 2) Comportamento marcado por excessiva emotividade ou por terror.

HIS.TO.LO.GI.A *s.f.* Parte da anatomia que estuda a estrutura microscópica, composição e função dos tecidos dos seres vivos.

HIS.TO.QUÍ.MI.CA *s.f.* Estudo químico dos tecidos orgânicos.

HIS.TÓ.RIA *s.f.* 1) Parte da vida da humanidade, de um povo; período na existência de um país, de um indivíduo; sequência de acontecimentos que marcaram um período. 2) Narração que reconstitui o desenrolar dos acontecimentos da vida de um povo, um indivíduo, etc. 3) Narração de fatos imaginários; conto, narração, narrativa. 4) *pop.* Complicação, amolação. 5) Coisa, objeto, negócio. 6) *pop.* Conversa fiada.

HIS.TO.RI.A.DOR (ô) *s.m.* 1) Aquele que escreve sobre História. 2) Aquele que narra um fato ou acontecimento. 3) Que ou quem conta História.

HIS.TO.RI.AR *v.t.d.* Fazer a história de; contar, narrar.

HIS.TÓ.RI.CO *adj.* 1) Relativo à História. 2) Real, por oposição a fictício. 3) Que pertence à História. 4) Atestado pela História. / *s.m.* 5) Relação dos fatos na ordem cronológica.

HIS.TO.RI.E.TA (ê) *s.f.* 1) Narração de um fato curto e pouco importante. 2) Pequena história, novela, conto, anedota.

HOBBY (róbi) *s.m. ingl.* 1) Atividade de descanso praticada geralmente durante as horas de lazer. 2) Passatempo favorito.

HO.DI.ER.NO *adj.* Dos dias de hoje; atual, moderno.

HO.JE *adv.* No dia em que estamos, no dia corrente.

HO.LAN.DÊS *adj.* 1) Relativo à Holanda (Europa). / *s.m.* 2) Habitante ou natural da Holanda. 3) Dialeto neerlandês, falado na Holanda.

HO.LE.RI.TE *s.m.* Documento emitido pela empresa que comprova o salário e as deduções de um funcionário; contracheque.

holocausto

HO.LO.CAUS.TO *s.m.* 1) Assassinato em massa de judeus durante a Segunda Guerra Mundial. 2) perseguição sistemática de judeus.

HO.LO.FO.TE *s.m.* Aparelho que projeta ao longe poderoso feixe de luz, para iluminar ou fazer sinais, farol.

HO.LO.GRA.MA *s.m.* Imagem tridimensional obtida por meio de raios *laser*.

HO.MEM *s.m.* 1) Ser humano em geral. 2) Indivíduo da espécie humana. 3) Ser humano do sexo masculino. 4) A humanidade. 5) *pop.* Marido ou amante. 6) Aquele que procede com prudência, que tem experiência do mundo. 7) Aquele que possui em alto grau os distintivos da hombridade.

HO.ME.NA.GE.AR *v.t.d.* Prestar homenagem a.

HO.ME.NA.GEM *s.f.* Expressão ou ato público que mostra admiração e respeito por alguém.

HO.ME.O.PA.TI.A *s.f. Med.* Tratamento que consiste em ministrar doses mínimas de substâncias que, em doses elevadas, são capazes de causar sintomas semelhantes aos da doença que se deseja combater.

HO.MI.CI.DA *adj.2gên.* 1) Que causa a morte de uma pessoa, que pratica homicídio. / *s.2gên.* 2) Pessoa homicida; assassino.

HO.MI.CÍ.DIO *s.m.* Morte de uma pessoa praticada por outrem; assassínio.

HO.MO *s.m.* Elemento de composição que exprime a ideia de igual, semelhante.

HO.MO.FO.BI.A *s.f.* Aversão à homossexualidade e a homossexuais.

HO.MO.GÊ.NEO *adj.* 1) Que consiste em partes ou elementos da mesma natureza; igual. 2) De composição uniforme.

HO.MO.LO.GAR *v.t.d. Jur.* Confirmar por autoridade judicial ou administrativa. 2) *Por ext.* Reconhecer e registrar oficialmente.

HO.MÔ.NI.MO *adj.* e *s.m.* 1) Que ou aquele que tem o mesmo nome. 2) *Gram.* Diz-se de ou palavra que tem o mesmo som ou grafia de outra, mas com significado diferente.

HO.MOR.GÂ.NI.CO *adj. Gram.* Diz-se de fonemas cuja articulação se dá no mesmo órgão do aparelho fonador.

HO.MOS.SE.XU.AL (cs) *adj.2gên.* 1) Indivíduo que sente atração por alguém do mesmo sexo.

HON.DU.RE.NHO *adj.* 1) Relativo a Honduras (América Central). / *s.m.* 2) Habitante ou natural de Honduras.

HO.NES.TI.DA.DE *s.f.* 1) Qualidade ou caráter de honesto. 2) Decência, decoro, compostura, recato.

HO.NES.TO *adj.* 1) Honrado, probo. 2) Digno de confiança. 3) Justo, escrupuloso. 4) Decente, decoroso. 5) Casto, recatado.

horripilante

HO.NO.RÁ.RIO *adj.* 1) Honorífico. 2) Que dá honras sem proveito material. / *s.m. pl.* 3) Retribuição aos que exercem uma profissão liberal; remuneração.

HO.NO.RÁ.VEL *adj.2gên.* Digno de honra; mérito.

HON.RA *s.f.* 1) Sentimento de dignidade própria que leva o homem a procurar merecer e manter a consideração pública. 2) Consideração ou homenagem à virtude, ao talento, às boas qualidades humanas. 3) Fama, glória. 4) Castidade; pureza. 5) Virgindade.

HON.RA.DEZ (ê) *s.f.* 1) Caráter ou qualidade de honrado. 2) Integridade de caráter, honestidade.

HON.RAR *v.t.d.* 1) Conferir honras a. 2) Dignificar, distinguir. 3) Exaltar, glorificar. 4) Reverenciar, venerar. / *v.p.* 5) Enobrecer-se.

HÓ.QUEI *s.m. Esp.* Jogo em que se tange com bastões recurvados numa extremidade uma pequena bola maciça.

HO.RA *s.f.* 1) Cada uma das 24 partes em que se divide o dia civil e que tem a duração de 60 minutos. 2) Número de mostrador de relógio que indica as horas. 3) Toque de sino ou de relógio indicando horas. 4) Momento fixado para alguma coisa. 5) Momento de importância ou destaque. 6) Ensejo, oportunidade, ocasião. 7) Hora h: hora decisiva.

HO.RÁ.RIO *adj.* 1) Relativo a horas. 2) Que se faz por hora. / *s.m.* 3) Tabela das horas determinadas para serviços, aulas, partida e chegada de um meio de transporte, etc. 4) Horário nobre: período em que se registram, na televisão e no rádio, os maiores índices de audiência.

HO.RI.ZON.TAL *adj.2gên.* 1) Paralelo ao horizonte. 2) Deitado, estendido horizontalmente. / *s.f.* 3) Linha paralela ao horizonte.

HO.RI.ZON.TE *s.m.* 1) Parte da Terra ou do céu que está no limite visível de um plano circular em cujo centro está o observador. 2) *fig.* Espaço que a vista abrange. 3) Qualquer espaço. 4) Sorte futura; perspectiva, futuro. 5) Limite, termo. 6) Domínio que se abre ao espírito ou à atividade de alguém.

HOR.MÔ.NIO *s.m. Fisiol.* Cada uma das várias substâncias segregadas por glândulas endócrinas (tireoide, ovários, testículos, hipófise, suprarrenais, etc.) que, passando para os vasos sanguíneos, tem efeito específico sobre as atividades de outros órgãos.

HO.RÓS.CO.PO *s.m. Astrol.* Previsão astrológica sobre a vida de alguém, feita a partir do exame da posição dos astros no momento de seu nascimento.

HOR.REN.DO *adj.* 1) Que horroriza, que faz medo; horrífico, horroroso. 2) Muito feio, horrível. 3) Medonho. 4) Cruel.

HOR.RI.PI.LAN.TE *adj.2gên.* 1) Que causa arrepios, calafrio. 2) *Por ext.* Que causa medo, horror, pavor.

horrível   húngaro

HOR.RÍ.VEL *adj.2gên.* 1) Que causa horror a; horroroso. 2) Muito feio. 3) Péssimo.

HOR.ROR (ô) *s.m.* 1) Violenta impressão de repulsão, de desgosto, de medo. 2) Aquilo que inspira este sentimento. 3) Padecimento atroz. 4) *pop.* Quantidade espantosa de coisas.

HOR.RO.RO.SO (ô) *adj.* 1) Relativo a horror, horrendo, horrível. 2) Muito feio, medonho, pavoroso.

HOR.TA *s.f.* Terreno onde se cultivam hortaliças.

HOR.TA.LI.ÇA *s.f.* Nome genérico de plantas leguminosas comestíveis, cultivadas em horta, tais como couves, alfaces, cenouras, vagens, etc.

HOR.TI.CUL.TU.RA *s.f.* Ato de cultivar hortas e jardins.

HOR.TO (ô) *s.m.* 1) Jardim. 2) Pequena horta. 3) Lugar de tormento (por alusão ao Horto das Oliveiras, em que Jesus sofreu).

HOS.PE.DAR *v.t.d.* 1) Receber por hóspede, dar hospedagem, dar pousada a. 2) Abrigar, alojar. / *v.p.* 3) Instalar-se como hóspede em alguma casa.

HOS.PE.DA.RI.A *s.f.* Casa onde se recebem hóspedes mediante retribuição; estalagem, hospedagem, hotel, pensão.

HÓS.PE.DE *s.m.* 1) Pessoa que se recebe por ou sem retribuição em hospedaria ou casa particular. 2) Parasito em relação ao organismo que o hospeda. 3) *fig.* Pessoa que está por pouco tempo numa localidade ou região.

HOS.PE.DEI.RO *adj.* e *s.m.* 1) Que ou quem hospeda. 2) Diz-se de ou organismo que abriga ou nutre outro organismo, parasita ou não. 3) *Biol.* Diz-se de ou organismo que recebeu transplante de tecido ou órgão.

HOS.PÍ.CIO *s.m.* 1) Hospital, mormente para quem tem problemas mentais. 2) Recolhimento ou casa de caridade onde se tratam pessoas pobres.

HOS.PI.TAL *s.m.* 1) Estabelecimento onde se recebem e se tratam doentes. 2) *fig.* Casa ou lugar onde há muitos doentes.

HOS.PI.TA.LAR *adj.2gên.* Relativo a hospital ou a hospício.

HOS.PI.TA.LEI.RO *adj.* e *s.m.* 1) Que ou o que dá hospedagem por generosidade ou caridade. 2) Acolhedor; caritativo.

HOS.PI.TA.LI.DA.DE *s.f.* 1) Ação de hospedar. 2) Qualidade de hospitaleiro. 3) *Por ext.* Tratamento afável e acolhedor dispensado a alguém; boa acolhida.

HOS.PI.TA.LI.ZAR *v.t.d.* 1) Internar em hospital. 2) Converter em hospital. / *v.p.* 3) Internar-se em hospital.

HOS.TIL *adj.2gên.* 1) Que manifesta inimizade, rivalidade. 2) Que revela agressividade; ameaçador.

3) Pouco acolhedor. 4) Que se opõe a; contrário, desfavorável.

HOS.TI.LI.DA.DE *s.f.* 1) Qualidade do que é hostil. 2) Ação ou efeito de hostilizar(-se); rivalidade, agressividade.

HOS.TI.LI.ZAR *v.t.d.* e *v.p.* 1) Tratar(-se) com agressividade, inimizade; agredir(-se). / *v.t.d.* 2) Fazer guerra a; lutar contra; prejudicar.

HO.TEL *s.m.* Estabelecimento onde se alugam quartos ou apartamentos mobiliados, com ou sem refeições, para servir de hospedagem.

HO.TE.LA.RI.A *s.f.* 1) Rede de hotéis. 2) Setor que administra hotéis.

HU.MA.NI.DA.DE *s.f.* 1) A natureza humana. 2) O gênero humano. 3) Sentimento de clemência; compaixão, benevolência / *s.f. pl.* 4) O estudo das letras clássicas, consideradas como instrumento de educação moral; belas-letras.

HU.MA.NIS.MO *s.m.* 1) Movimento dos humanistas da Renascença, que ressuscitam o culto das línguas e das literaturas antigas. 2) Doutrina que coloca o homem no centro do universo e das preocupações filosóficas.

HU.MA.NI.TÁ.RIO *adj.* 1) De bons sentimentos para com o gênero humano. 2) Que toda a humanidade se interessa. 3) Conducente ao bem geral da humanidade, ou de alguns indivíduos.

HU.MA.NO *adj.* 1) Relativo ao homem. 2) Bondoso, compassivo, caridoso. / *s.m.* 3) Ser humano.

HU.MIL.DA.DE *s.f.* 1) Virtude que nos dá o sentimento de nossa fraqueza. 2) Modéstia. 3) Demonstração de respeito, de submissão, moderação.

HU.MIL.DE *adj.2gên.* 1) Que dá aparência de humildade. 2) Modesto, simples, pobre.

HU.MI.LHA.ÇÃO *s.f.* 1) Ato ou efeito de humilhar (-se). 2) Abatimento, submissão.

HU.MI.LHAR *v.t.d.* e *v.p.* 1) Tornar(-se) humilde. / *v.t.d.* 2) Abater, oprimir a. 3) Rebaixar, vexar. 4) Referir-se com desdém a, tratar com menosprezo. / *v.p.* 5) Tornar-se humilde ante a divindade.

HU.MOR (ô) *s.m.* 1) *Biol.* Qualquer líquido que atue normalmente no corpo, principalmente dos vertebrados (bílis, sangue, linfa, etc.). 2) *Med.* Porção líquida do globo ocular. 3) Veia cômica. 4) Disposição de ânimo.

HU.MO.RA.DO *adj.* 1) Que tem humores, pessoa alegre. 2) Que está bem ou mal disposto de ânimo.

HU.MO.RIS.MO *s.m.* Qualidade de humorista, ou dos escritos humorísticos.

HÚN.GA.RO *adj.* 1) Relativo à Hungria (Europa). / *s.m.* 2) Habitante ou natural da Hungria. 3) A língua desse país.

I *s.m.* 1) Nona letra do alfabeto. Tem três sons: agudo; surdo; nasal. 2) Corresponde ao iota grego. 3) Como algarismo romano, vale 1. 4) *Quím.* Símbolo de iodo.

I.AN.QUE *adj.2gên.* e *s.2gên.* 1) Diz-se do habitante do norte dos Estados Unidos. 2) Norte-americano.

I.A.RA *s.f. Folc.* Entidade das águas na mitologia dos indígenas brasileiros; mãe-d'água.

I.A.TE *s.m.* 1) *Náut.* Navio de pequena lotação, de transporte rápido, com dois mastros, sem vergas e com pano latino. 2) Embarcação luxuosa para excursões de recreio.

I.BÉ.RI.CO *adj.* 1) Que se refere à Ibéria ou à Península Ibérica. / *s.m.* 2) Partidário da união política entre Portugal e Espanha. 3) Ibero.

I.BO.PE *s.m.* [Sigla de Instituto Brasileiro de Opinião Pública e Estatística.] 1) Índice de audiência. 2) Prestígio. 3) Sucesso.

I.ÇAR *v.t.d.* Alçar, erguer, levantar.

ICEBERG (aicebergue) *s.m. Ingl.* Grande bloco de gelo que, desprendendo-se das geleiras polares, flutua nos oceanos impelido pelas correntes marítimas.

IC.NO.GRA.FI.A *s.f.* Seção longitudinal semelhante à planta de uma construção que, conforme uma escala geométrica, mostra as verdadeiras dimensões.

Í.CO.NE *s.m.* 1) Pessoa, coisa ou fato que evoca fortemente as características de algo. 2) *Inform.* Em interfaces gráficas, elemento gráfico usado para identificar ou acionar um programa.

I.CO.NO.CLAS.TA *adj.2gên.* e *s.2gên.* 1) Que ou quem destrói imagens sagradas ou nega o culto a elas. 2) *fig.* Que ou quem se opõe a qualquer tradição ou crença estabelecida.

I.CO.NO.GRA.FI.A *s.f.* 1) Arte de representar por imagens. 2) Representação de imagens num livro. 3) Conjunto de imagens relativas a uma época ou a um assunto. 4) Estudo descritivo de estampas, medalhas, imagens, pinturas.

I.CO.NO.LO.GI.A *s.f.* 1) Explicação das figuras alegóricas e dos seus atributos. 2) Representação de entidades morais por emblemas ou figuras alegóricas. 3) Explicação das imagens ou monumentos antigos.

IC.TE.RÍ.CIA *s.f. Med.* Estado mórbido por mau funcionamento do fígado, caracteriza-se pela cor amarela da pele e conjuntivas oculares; iterícia.

IC.TI.O.LO.GI.A *s.f.* 1) Parte da zoologia que estuda os peixes. 2) Tratado a respeito dos peixes.

IC.TI.Ó.LO.GO *s.m.* Especialista em ictiologia.

I.DA *s.f.* Ação de ir de um lugar para outro.

I.DA.DE *s.f.* 1) Tempo decorrido desde o nascimento. 2) Número de anos de alguém ou de alguma coisa. 3) Espaço de tempo; época, período.

I.DE.AL *adj.2gên.* 1) Que existe apenas na ideia. 2) Imaginário, fantástico, quimérico. 3) Que reúne todas as perfeições concebíveis e independentes idealismo / igualdade

da realidade. / *s.m.* 4) Aquilo que é objeto de nossa mais alta aspiração. 5) Perfeição.

I.DE.A.LIS.MO *s.m.* 1) Tendência para o ideal. 2) *Filos.* Doutrina que considera a ideia como princípio do conhecimento ou do ser. 3) Devaneio, fantasia.

I.DE.A.LIS.TA *adj.2gên.* 1) Relativo a idealismo. / *adj.2gên.* e *s.2gên.* 2) Quem acredita em um ideal e age movido por ideais. 3) Sonhador, fantasiador.

I.DE.A.LI.ZAR *v.t.d.* 1) Dar caráter ideal a; tornar ideal; poetizar, divinizar. 2) Criar na ideia; fantasiar, imaginar, projetar. / *v.p.* 3) Imaginar-se de maneira ideal.

I.DE.AR *v.t.d.* 1) Planejar, projetar. 2) Imaginar, idealizar.

I.DEI.A *s.f.* 1) Representação mental de uma coisa concreta ou abstrata. 2) Imagem. 3) *Filos.* Modelo eterno e perfeito do que existe. 4) Mente, imaginação. 5) Opinião, conceito. 6) Noção, conhecimento.

IDEM *pron. dem. lat.* Equivale a *o mesmo*.

I.DÊN.TI.CO *adj.* 1) Perfeitamente igual. 2) Análogo, semelhante. 3) De aparência igual.

I.DEN.TI.DA.DE *s.f.* 1) Qualidade daquilo que é idêntico. 2) Conjunto de caracteres que fazem reconhecer um indivíduo. 3) *Álg.* Espécie de equação cujos membros são identicamente os mesmos.

I.DEN.TI.FI.CA.ÇÃO *s.f.* 1) Ato ou efeito de identificar(-se). 2) Documento que comprova a identidade de uma pessoa.

I.DEN.TI.FI.CAR *v.t.d.* 1) Tornar ou declarar idêntico. 2) Achar, estabelecer a identidade de. / *v.p.* 3) Tornar-se idêntico a outrem. 4) Tomar o caráter de. 5) Conformar-se.

I.DE.O.GRA.FI.A *s.f.* 1) Sistema de escrita em que as ideias são expressas por imagens gráficas do objeto. 2) Sistema de sinais que constituem a escrita analítica.

I.DE.O.GRA.MA *s.m.* Sinal que exprime diretamente uma ideia, como os algarismos, sinais de trânsito, símbolos, etc.; não representam letra nem som.

I.DE.O.LO.GI.A *s.f.* 1) *Filos.* Ciência que trata da formação das ideias. 2) Tratado das ideias em abstrato. 3) Maneira de pensar própria de um indivíduo ou grupo de pessoas.

I.DI.O.MA *s.m.* Língua falada por uma nação ou povo.

I.DI.O.MÁ.TI.CO *adj.* Peculiar a um idioma.

I.DI.O.TA *adj.2gên.* e *s.2gên.* 1) Falta de inteligência. 2) Estúpido, pateta, imbecil. 3) *Med.* Doente de idiotia.

I.DI.O.TI.CE *s.f.* 1) Qualidade de idiota. 2) Ação, procedimento ou dito próprios de idiota ou de pessoa dada como idiota; tolice, estupidez.

I.DÓ.LA.TRA *adj.2gên.* 1) Que diz respeito à idolatria. 2) Que presta culto ou adoração aos ídolos. / *s.2gên.* 3) Pessoa que adora ídolos.

I.DO.LA.TRAR *v.i.* 1) Praticar a idolatria; adorar ídolos. / *v.t.d.* 2) Amar, adorar (alguém ou algo) excessivamente.

I.DO.LA.TRI.A *s.f.* 1) Adoração de ídolos. 2) Amor cego, paixão exagerada.

Í.DO.LO *s.m.* 1) Estátua, figura ou imagem que representa uma divindade e que é objeto de adoração. 2) Objeto de grande amor, ou de extraordinário respeito. 3) Pessoa a quem se dedica grande adoração.

I.DÔ.NEO *adj.* 1) Próprio para alguma coisa. 2) Apto, capaz, competente. 3) Adequado.

I.DO.SO (ô) *adj.* 1) Que tem muitos anos. 2) Senil, velho.

I.E.NE *s.m.* Unidade monetária do Japão.

I.GLU *s.m.* Habitação dos esquimós feita com blocos de gelo.

IG.NA.RO *adj.* Que não tem conhecimento ou instrução; ignorante, inculto.

ÍG.NEO *adj.* 1) Relativo a fogo. 2) Semelhante ou da cor do fogo. 3) Produzido ou resultante da ação do fogo. 4) *fig.* Ardente, entusiasmado, apaixonado. 5) *Geol.* Diz-se de rocha formada pelo resfriamento do magma.

IG.NI.ÇÃO *s.f.* 1) *Quím.* Estado de uma substância em combustão. 2) Processo ou meio que põe fogo em material combustível.

IG.NÓ.BIL *adj.2gên.* 1) Que não tem nobreza de caráter; vil, desprezível. 2) Que causa repugnância; hediondo.

IG.NO.RÂN.CIA *s.f.* 1) Estado daquele que ignora algo, de quem não é instruído. 2) Falta de conhecimentos, de saber, de cultura. 3) Grosseria, incivilidade.

IG.NO.RAR *v.t.d.* 1) Não ter conhecimento de alguma coisa. 2) Não saber, desconhecer. 3) Não tomar conhecimento por desprezo ou indiferença. / *v.p.* 4) Desconhecer-se a si mesmo.

IG.NO.TO *adj.* e *s.m.* Não conhecido; ignorado, incógnito.

I.GRE.JA *s.f.* 1) Templo dedicado ao culto cristão. 2) Conjunto de fiéis unidos pela mesma fé e sujeitos aos mesmos guias espirituais.

I.GUAL *adj.2gên.* 1) Que tem o mesmo valor, forma, dimensão, aspecto ou quantidade que outro. 2) Análogo, idêntico. 3) Que tem o mesmo nível. 4) Uniforme. 5) O que tem a mesma natureza, o mesmo modo de ser, o mesmo estado ou categoria. / *s.2gên.* 6) Pessoa do mesmo nível. / *adv.* 7) Sem distinção.

I.GUA.LAR *v.t.d.* 1) Tornar igual, nivelar. 2) Fazer ou tornar-se igual a. / *v.t.i.* 3) Ser igual. 4) Igualar-se no mesmo nível ou altura. / *v.p.* 5) Tornar-se igual.

I.GUAL.DA.DE *s.f.* 1) Qualidade daquilo que é igual; uniformidade, correspondência, concordância. 2) Conformidade de uma coisa com outra igualitarismo   imaginário

em natureza, forma, qualidade ou quantidade. 3) *Mat.* Expressão da relação entre duas quantidades iguais.

I.GUA.LI.TA.RIS.MO *s.m.* Sistema dos que defendem e proclamam a igualdade social.

I.GUA.NA *s.f.* Nome comum dado a lagartos encontrados na América tropical.

I.GUA.NO.DON.TE *s.m. Paleont.* Réptil gigantesco, fóssil do cretáceo inferior.

I.GUA.RI.A *s.f.* 1) Manjar, acepipe delicado. 2) Comida.

I.LE.GAL *adj.2gên.* 1) Que não é legal. 2) Contrário à lei. 3) Ilegítimo, ilícito, falso.

I.LE.GÍ.TI.MO *adj.* 1) Que não é legítimo. 2) Que não é conforme ao direito. 3) Injusto. 4) Bastardo.

I.LE.GÍ.VEL *adj.2gên.* Que não é legível, que não se pode ler.

I.LE.SO *adj.* Que não é ou não está leso; que ficou incólume; que está salvo.

I.LE.TRA.DO *adj. e s.m.* 1) Que ou aquele que, mesmo alfabetizado, é pobre de conhecimentos literários. 2) Analfabeto. 3) Pessoa que não sabe ler nem escrever.

I.LHA *s.f. Geogr.* Porção de terra cercada de água por todos os lados. 2) *fig.* Diz-se de qualquer coisa ou pessoa que está completamente isolada.

I.LHAR *v.t.d.* 1) Insular, separar, isolar. / *v.p.* 2) Tornar-se ilha.

I.LHÉU *adj.* 1) Relativo a ilhas. / *s.m.* 2) Homem das ilhas. 3) *Geogr.* Rochedo no meio do mar.

I.LHÓ *s.2gên.* 1) Orifício circular por onde se enfia cordão, fita, etc. 2) Aro, geralmente de metal, com que se debrua esse orifício.

I.LHO.TA *s.f.* 1) Pequena ilha; ilhéu. 2) *Biol.* Grupo de células com determinada função em certos órgãos.

I.LÍ.CI.TO *adj.* 1) Que não é lícito. 2) Contrário às leis ou à moral. 3) Vedado, defeso, imoral.

I.LI.MI.TA.DO *adj.* 1) Que não é limitado, que não tem limites. 2) Indeterminado, indefinido. 3) Imenso, sem fronteiras.

I.LÓ.GI.CO *adj.* 1) Que não é lógico, disparato. 2) Que não acerta com os antecedentes; incoerente. 3) Absurdo.

I.LU.DIR *v.t.d.* 1) Causar ilusão a; enganar, lograr. 2) Baldar, frustrar, dar falsas promessas. / *v.p.* 3) Cair em ilusão ou erro.

I.LU.MI.NA.ÇÃO *s.f.* 1) Ato ou efeito de iluminar. 2) Conjunto de luzes para iluminar alguma coisa. 3) Estado daquilo que é iluminado.

I.LU.MI.NA.DO *adj.* 1) Que recebe luz. 2) Que se iluminou. 3) Que tem iluminuras. / *s.m.* 4) Visionário em matéria de religião. 5) Partidário do Iluminismo. 6) Vidente.

I.LU.MI.NAR *v.t.d.* 1) Derramar, difundir luz em ou sobre. 2) Aconselhar, esclarecer, instruir, inspirar. 3) Adornar com iluminuras. / *v.p.* 4) Encher-se

de luz; ficar muito alegre. 5) Aclarar-se o espírito; granjear entendimento e cultura.

I.LU.MI.NIS.MO *s.m.* Movimento filosófico do século XVIII que se caracterizava pela confiança no progresso e na razão, pelo desafio à tradição e à autoridade e pelo incentivo à liberdade de pensamento.

I.LU.SÃO *s.f.* 1) Engano dos sentidos ou da inteligência. 2) Errada interpretação de um fato ou de uma sensação. 3) O que dura pouco. 4) Dolo, fraude. 5) Traição, falsidade.

I.LU.SIO.NIS.TA *s.2gên.* Prestidigitador, mágico.

I.LU.SÓ.RIO *adj.* Que produz ilusão, que tende a iludir; falso, o que parece, mas não é, que não é real.

I.LUS.TRA.ÇÃO *s.f.* 1) Ato ou efeito de ilustrar, mostrar com gravuras. 2) Breve narrativa, verídica ou imaginária, com que se realça e enfatiza algum ensinamento. 3) Desenho, gravura ou imagem que acompanha o texto de livro, jornal, revista, etc., ilustrando-o.

I.LUS.TRA.DO *adj.* 1) Que tem ilustração. 2) Instruído, letrado, culto. 3) Que tem desenhos ou gravuras.

I.LUS.TRA.DOR (ô) *adj. e s.m.* 1) Que ou o que ilustra. 2) Que ou o que aplica desenhos ou gravuras em jornais, revistas, livros, etc. 3) Desenhista.

I.LUS.TRAR *v.t.d.* 1) Tornar ilustre; revestir de lustre ou glória a. 2) Ensinar, instruir. 3) Elucidar, enfatizar, esclarecer. 4) Adornar com estampas.

I.LUS.TRE *adj.2gên.* 1) Que se distingue por qualidades; eminente, insigne. 2) Esclarecido. 3) Conspícuo, distinto, notável, preclaro. 4) Fidalgo, nobre. 5) De boas aparências. 6) Célebre.

I.LUS.TRÍS.SI.MO *adj.* 1) Muito ilustre. 2) Tratamento cerimonioso, usado especialmente em cartas.

Í.MÃ *s.m.* 1) Óxido de ferro. 2) Peça de aço magnetizado que atrai o ferro. 3) Coisa que atrai.

I.MA.CU.LA.DO *adj.* 1) Sem mácula ou mancha. 2) Limpo e puro.

I.MA.GEM *s.f.* 1) Reflexo de um objeto na água, num espelho, etc. 2) Representação de uma pessoa ou coisa, obtida por meio de desenho, gravura ou escultura. 3) Estampa ou escultura que representa personagem santificada. 4) Representação mental de qualquer forma. 5) Imitação de uma forma.

I.MA.GI.NA.ÇÃO *s.f.* 1) Faculdade de imaginar, conceber e criar imagens. 2) Coisa imaginada. 3) Fantasia, ideia, invenção. 4) Cisma, apreensão.

I.MA.GI.NAR *v.t.d.* 1) Conceber, criar na imaginação. 2) Idear, inventar, projetar, fantasiar. 3) Fazer ideia de. / *v.p.* 4) Figurar-se, julgar-se, supor-se.

I.MA.GI.NÁ.RIO *adj.* 1) Que só existe na imaginação. 2) Que não é real. 3) Ilusório. / *s.m.* 4) Escultor de imagens ou estátuas de santos.

imaginativo · impalpável

I.MA.GI.NA.TI.VO *adj.* 1) Que revela imaginação viva. 2) Que imagina. 3) Que tem a imaginação fértil.

I.MA.GO *s.f.* 1) *Entom.* Inseto em sua forma definitiva, adulto, sexualmente maduro. 2) *Psicol.* Lembrança de pessoa querida, formada na infância e que ainda faz parte do imaginário na fase adulta.

I.MA.NEN.TE *adj.2gên.* 1) Que é inerente a um ser ou que é inseparável de sua natureza. 2) Permanente, constante, inseparável.

I.MAN.TAR *v.t.d.* Comunicar a um metal a propriedade de ímã; magnetizar, imanizar.

I.MA.TE.RI.AL *adj.2gên.* 1) Que não é matéria. 2) Que não tem matéria. / *s.m.* 3) Aquilo que não possui composição.

I.MA.TU.RI.DA.DE *s.f.* Qualidade de imaturo, pessoa que possui pouco desenvolvimento mental.

I.MA.TU.RO *adj.* 1) Que não é maduro; precoce. 2) Que ainda não chegou ao estado de pleno desenvolvimento; prematuro.

IM.BA.TÍ.VEL *adj.2gên.* Que não se pode derrotar ou bater; invencível.

IM.BE.CIL *adj.2gên. e s.2gên.* 1) Que ou quem é fraco de espírito. 2) Néscio, tolo, atrasado mental. 3) Débil, estúpido.

I.ME.DI.A.ÇÃO *s.f.* 1) Proximidade, contiguidade. 2) Vizinhança, cercania, redondeza.

I.ME.DI.A.TO *adj.* 1) Que não tem nada de permeio. 2) Seguido, logo, depois. 3) Próximo, contíguo. 4) Instantâneo, sem demora. / *s.m.* 5) Funcionário subalterno que substitui o chefe.

I.ME.MO.RÁ.VEL *adj.2gên.* De que não há ou não deve haver memória; imemorial.

I.MEN.SI.DA.DE *s.f.* 1) Qualidade ou característica do que é imenso. 2) Extensão ilimitada; vastidão. 3) Grande número; quantidade imensa.

I.MEN.SI.DÃO *s.f.* Imensidade.

I.MEN.SO *adj.* 1) Que não se pode medir. 2) Sem limites. 3) Muito vasto, muito grande. 4) Numeroso.

I.MEN.SU.RÁ.VEL *adj.2gên.* Que não se pode medir; imenso, ilimitado.

I.MER.GIR *v.t.d.* 1) Afundar, mergulhar, meter na água ou noutro líquido. / *v.t.i.* 2) Entrar, penetrar. / *v.p.* 3) Afundar-se, engolfar-se, mergulhar.

I.MER.SÃO *s.f.* Ato ou efeito de afundar em um líquido.

I.MER.SO *adj.* 1) Metido num líquido, submerso. 2) Mergulhado. 3) Engolfado, entranhado.

I.MI.GRA.ÇÃO *s.f.* 1) Entrada de estrangeiros em um país. 2) Estabelecimento de pessoas em cidades, regiões ou países que não são a sua terra natal. 3) Conjunto de pessoas que imigram.

I.MI.GRAN.TE *adj.2gên. e s.2gên.* Que ou quem imigra.

I.MI.GRAR *v.i.* Entrar num país estrangeiro, para nele viver.

I.MI.NEN.TE *adj.2gên.* 1) Que ameaça acontecer imediatamente, que está para vir; muito próximo. 2) Diz-se do que está para cair sobre alguém ou alguma coisa.

I.MI.TA.ÇÃO *s.f.* 1) Ato ou efeito de imitar. 2) Representação ou reprodução de uma coisa, tornando-a semelhante a outra.

I.MI.TA.DOR (ô) *adj. e s.m.* 1) Que ou aquele que imita. 2) Que ou o que é inclinado a imitar.

I.MI.TAR *v.t.d.* 1) Fazer ou reproduzir alguma coisa à semelhança de. 2) Seguir como norma, tomar por modelo. 3) Apresentar semelhança com. 4) Arremedar, copiar. 5) Ter uma falsa aparência de.

I.MI.TA.TI.VO *adj.* Imitante.

I.MO.BI.LI.Á.RIA *s.f.* Empresa que cuida de venda, aluguel, administração ou construção de imóveis.

I.MO.BI.LI.Á.RIO *adj.* 1) Relativo a imóveis. / *adj. e s.m.* 2) Diz-se de ou bem que é imóvel por natureza ou por disposição legal.

I.MO.BI.LI.DA.DE *s.f.* 1) Ausência de movimento; inércia, estabilidade. 2) *fig.* Condição do que não muda.

I.MO.BI.LI.ZAR *v.t.d.* 1) Impedir o movimento ou o progresso de. 2) Consolidar (fundos). 3) Estabilizar, fixar, sustar. 4) Tornar imóvel. / *v.p.* 5) Não progredir; estacionar, paralisar. 6) Tornar-se imóvel.

I.MO.DÉS.TIA *s.f.* 1) Falta de modéstia. 2) Falta de pudor. 3) Orgulho, presunção, amor-próprio.

I.MO.LAR *v.t.d.* 1) Matar vítimas para as oferecer em sacrifício. 2) Renunciar em atenção a alguém ou alguma coisa. 3) Sacrificar, perder. / *v.p.* 4) Sacrificar-se.

I.MO.RAL *adj.2gên.* 1) Que não é moral. 2) Contrário à moral ou aos bons costumes. 3) Devasso, libertino. / *s.2gên.* 4) Pessoa sem moral.

I.MO.RA.LI.DA.DE *s.f.* 1) Qualidade de imoral. 2) Falta de moralidade. 3) Prática de maus costumes. 4) Devassidão, desregramento.

I.MOR.TAL *adj.2gên.* 1) Que não morre; imorredouro, eterno. / *s.2gên.* 2) Membro da Academia Brasileira de Letras.

I.MOR.TA.LI.ZAR *v.t.d. e v.p.* 1) Tornar(-se) imortal. 2) Tornar(-se) famoso ou célebre.

I.MÓ.VEL *adj.2gên.* Que não se move.

IM.PA.CI.ÊN.CIA *s.f.* 1) Falta de paciência. 2) Pressa, precipitação. 3) Agastamento, irritação.

IM.PA.CI.EN.TE *adj.2gên.* 1) Que não é paciente. 2) Apressado, precipitado. 3) Agitado, nervoso.

IM.PAC.TO *adj.* 1) Metido à força. / *s.m.* 2) Choque, colisão, pancada, embate de um projétil. 3) Choque emocional.

IM.PA.GÁ.VEL *adj.2gên.* 1) Que não se pode ou não se deve pagar. 2) Inestimável, precioso. 3) Cômico, excêntrico.

IM.PAL.PÁ.VEL *adj.2gên.* 1) Que não se pode apalpar. 2) Muito fino, sutil. 3) Imaterial.

impaludismo | implacável

IM.PA.LU.DIS.MO *s.m. Med.* Malária.

IM.PAR *v.i.* 1) Respirar com dificuldade; arquejar. 2) Ficar abarrotado por muito comer ou beber. 3) *fig.* Mostrar orgulho, soberba. / *v.t.d.* 4) Abafar.

ÍM.PAR *adj.2gên.* 1) Que não é par. 2) Sem igual, excepcional. / *adj.* 3) *Mat.* Diz-se do número que não é divisível por dois.

IM.PAR.CI.AL *adj.2gên.* 1) Que não é parcial. 2) Justo, reto, equânime.

IM.PAS.SÍ.VEL *adj.2gên.* 1) Que não é suscetível ao sentimento alheio; indiferente. 2) Que não tem ou não demonstra emoção, sentimento ou perturbação; imperturbável.

IM.PÁ.VI.DO *adj.* Corajoso, destemido, intrépido.

IM.PE.CÁ.VEL *adj.2gên.* 1) Limpo, correto. 2) Sem defeito; perfeito.

IM.PE.DI.MEN.TO *s.m.* 1) Ato ou efeito de impedir; impedição, não permitido. 2) Aquilo que impede. 3) Obstáculo. 4) *Esp.* No futebol, posição irregular de um jogador ao receber a bola de um companheiro, quando se acha na mesma linha ou além da linha de seu último adversário.

IM.PE.DIR *v.t.d.* 1) Embaraçar, estorvar, obstar a. 2) Não consentir, não permitir. 3) Atalhar, interromper. 4) Privar de, tolher, proibir. 5) Atravancar, obstruir, trancar.

IM.PE.LIR *v.t.d.* 1) Dar impulso para a frente ou para algum lugar; empurrar. 2) Lançar com força; atirar. / *v.t.d.i.* 3) *fig.* Dar incentivo; estimular, incitar, instigar. 4) *fig.* Forçar alguém a fazer algo; obrigar, coagir.

IM.PE.NE.TRÁ.VEL *adj.2gên.* 1) Que não se pode penetrar ou atravessar. 2) *fig.* Que é difícil de compreender ou explicar. 3) *fig.* Que não demonstra o que pensa ou sente; reservado, introvertido.

IM.PEN.SÁ.VEL *adj.2gên.* Impossível de se pensar ou supor; inimaginável, inconcebível.

IM.PE.RA.DOR (ô) *s.m.* 1) Aquele que impera. 2) Governante, soberano, rei. 3) *fig.* Diz-se daquele que prevalece, que exerce grande influência.

IM.PE.RAR *v.t.d.* 1) Governar como soberano de um império. / *v.i.* 2) Dominar, prevalecer. 3) Exercer grande influência.

IM.PE.RA.TI.VO *adj.* 1) Que ordena, que exprime ordem. 2) Autoritário, mandante. 3) *Gram.* Modo verbal que exprime ordem, exortação ou súplica. / *s.m.* 4) Ordem, dever. 5) Ação essencialmente necessária. 6) O modo imperativo.

IM.PE.RA.TRIZ *s.f.* 1) Soberana de um império. 2) Esposa do imperador.

IM.PER.CEP.TÍ.VEL *adj.2gên.* 1) Que não pode ser percebido pelos sentidos. 2) *Por ext.* Muito pequeno; de pouca importância; insignificante. 3) *fig.* Difícil de apreender; sutil.

IM.PER.DÍ.VEL *adj.2gên.* 1) Que não pode ser perdido. 2) Que não se pode perder, dispensar ou prescindir.

IM.PER.DO.Á.VEL *adj.2gên.* Que não se pode perdoar ou que não tem perdão.

IM.PE.RE.CÍ.VEL *adj.2gên.* 1) Que não perece; eterno, imortal. 2) Que dura muito tempo; duradouro.

IM.PER.FEI.ÇÃO *s.f.* 1) Qualidade, estado ou condição do que não é perfeito. 2) Defeito, falha, incorreção.

IM.PER.FEI.TO *adj.* 1) Não acabado; incompleto. 2) Que não é perfeito; defeituoso. 3) Tempo verbal que exprime uma ação passada, mas não concluída. / *s.m.* 4) O tempo imperfeito.

IM.PE.RI.AL *adj.2gên.* 1) Relativo a imperador ou a império. 2) *fig.* Que apresenta magnificência; de qualidade superior; luxuoso.

IM.PE.RI.A.LIS.MO *s.m.* 1) Forma de governo em que a nação é um império. 2) *Polít.* Expansão ou tendência para a expansão política e econômica de uma nação sobre outras.

IM.PÉ.RIO *s.m.* 1) Nação regida por um imperador. 2) Autoridade, comando, domínio. 3) Grande empresa ou conjunto de empresas de um único dono.

IM.PE.RI.TO *adj.* 1) Que não é perito; inábil. 2) Que não tem experiência; inexperiente.

IM.PER.ME.Á.VEL *adj.2gên.* 1) Impossível de ser penetrado ou atravessado por líquidos. 2) Tratado para não ser atravessado pela água. 3) *fig.* Que não se deixa penetrar; fechado.

IM.PER.TI.NEN.TE *adj.2gên.* 1) Que não se refere àquilo que se acha em questão; inoportuno, descabido. / *adj.2gên.* e *s.2gên.* 2) Que ou o que causa incômodo, desconforto. 3) Que ou quem não manifesta respeito; atrevido, insolente. 4) Que ou quem demonstra mau gênio ou mau humor; rabugento, ranzinza.

IM.PER.TUR.BÁ.VEL *adj.2gên.* 1) Que não se perturba. 2) Que nada pode comover, agitar ou abalar; impassível, sereno.

IM.PES.SO.AL *adj.2gên.* 1) Que não diz respeito a uma pessoa em particular. 2) Desprovido de qualquer traço pessoal ou particular.

ÍM.PE.TO *s.m.* 1) Movimento repentino. 2) Fúria, furor. 3) Precipitação, arrebatamento. 4) Agitação de espírito, salto.

IM.PE.TRAR *v.t.d.* 1) Invocar, pedir, suplicar. 2) Requerer por meio de providência judicial. 3) *Dir.* Requerer a decretação de certas medidas legais.

IM.PE.TU.O.SO (ô) *adj.* 1) Que se move com ímpeto. 2) Arrebatado, fogoso, violento, furioso, repentino.

IM.PI.E.DA.DE *s.f.* 1) Qualidade de ímpio. 2) Falta de piedade; crueldade. 3) Maldade.

ÍM.PIO *adj.* e *s.m.* Que ou quem não tem fé; incrédulo, descrente, desumano, cruel, impiedoso.

IM.PLA.CÁ.VEL *adj.2gên.* 1) Que não se pode aplacar. 2) Que não perdoa. 3) Inexorável, insensível.

implantar | impressão

IM.PLAN.TAR *v.t.d.* 1) Plantar (uma coisa) em outra; fixar. 2) Estabelecer, introduzir, inserir. 3) Arraigar.

IM.PLAN.TE *s.m.* 1) Ato ou efeito de implantar (-se); implantação. 2) *Med.* Material inserido ou enxertado no corpo de um paciente.

IM.PLE.MEN.TO *s.m.* 1) Aquilo que serve para completar alguma coisa. 2) Acabamento, complementação. 3) Cumprimento, execução. 4) Acessório, petrechos.

IM.PLI.CÂN.CIA *s.f.* 1) Implicação. 2) Má vontade. 3) Importunação.

IM.PLI.CAR *v.t.d.* 1) Ter como consequência, acarretar. 2) Tornar necessário ou indispensável; exigir. 3) Dar a entender, fazer supor. / *v.t.i.* e *v.i.* 4) Mostrar má disposição para com alguém; antipatizar. / *v.t.d.* e *v.p.* 5) Comprometer(-se), envolver(-se).

IM.PLÍ.CI.TO *adj.* Que não precisa vir expresso ou manifesto por palavras; subentendido.

IM.PLO.RAR *v.t.d.* 1) Pedir com lágrimas. 2) Suplicar humildemente. / *v.i.* 3) Rogar.

IM.PLO.SÃO *s.f.* Cadeia de explosões conjugadas cujos efeitos tendem para um ponto central.

IM.PO.NÊN.CIA *s.f.* 1) Qualidade do que se mostra grandioso. 2) Altivez, majestade.

IM.PO.NEN.TE *adj.2gên.* 1) Que causa admiração; majestoso, grandioso. 2) Que impõe respeito, autoridade. 3) Que se julga importante; arrogante, altivo.

IM.PO.PU.LAR *adj.2gên.* 1) Que não tem popularidade. 2) Que não agrada ao povo.

IM.POR *v.t.d.* 1) Pôr em, sobre ou em cima de; sobrepor. 2) Determinar, estabelecer, fixar, obrigar a aceitar. 3) Obrigar a cumprir, pagar ou satisfazer. 4) Infligir. / *v.p.* 5) Fazer-se aceitar, obrigar a que o recebam.

IM.POR.TA.ÇÃO *s.f.* 1) Ato de importar. 2) Aquilo que se importou. 3) Entrada de mercadorias num país, estado ou município precedentes de outro lugar.

IM.POR.TA.DOR (ô) *adj.* e *s.m.* Comerciante que traz do estrangeiro mercadorias para o país.

IM.POR.TÂN.CIA *s.f.* 1) Grande valor, interesse, influência. 2) Autoridade, crédito. 3) Quantia, soma, custo, total. 4) *pop.* Ares de pessoa que se julga importante.

IM.POR.TAN.TE *adj.2gên.* 1) Que tem importância. 2) Digno de apreço, de estima, de consideração. 3) *pop.* Que se dá importância. / *s.m.* 4) O que mais interessa; o essencial. 5) Diz-se daquele que assume ares de poderoso.

IM.POR.TAR *v.t.d.* e *v.t.i.* 1) Ter como consequência; causar, implicar, resultar. / *v.t.d.* e *v.i.* 2) Trazer algo de outro país ou de outra parte do país. / *v.t.i.* e *v.i.* 3) Ter utilidade, proveito ou valor; interessar(-se). / *v.p.* 4) Dar importância a; levar em consideração.

IM.POR.TU.NAR *v.t.d.* e *v.p.* Perturbar(-se), aborrecer(-se) com pedidos insistentes; incomodar(-se), enfadar(-se).

IM.PO.SI.ÇÃO *s.f.* 1) Ação de impor, de obrigar alguém a fazer algo; exigência. 2) Ordem a que se tem que obedecer; deliberação, resolução.

IM.POS.SI.BI.LI.TAR *v.t.d.* 1) Tornar impossível, inviável; impedir. / *v.t.d.i.* e *v.p.* 2) Tornar(-se) incapaz, inapto de; incapacitar(-se).

IM.POS.SÍ.VEL *adj.2gên.* e *s.m.* 1) Que ou o que não é possível ou realizável. 2) Que ou o que é difícil de fazer; improvável. / *adj.2gên.* 3) Que age de forma não suportável. 4) *fig. pop.* Teimoso, rebelde, travesso, levado.

IM.POS.TO (ô) *adj.* 1) Que se impôs. 2) Que se obrigou a aceitar, admitido à força. / *s.m.* 3) Contribuição, geralmente em dinheiro, que se exige de cada cidadão para financiar as despesas de interesse geral, a cargo do Estado.

IM.POS.TOR (ô) *adj.* e *s.m.* 1) Que ou o que tem impostura; embusteiro. 2) Charlatão, falso, hipócrita.

IM.PO.TÊN.CIA *s.f.* 1) Qualidade de impotente. 2) Incapacidade, fraqueza. 3) *Med.* Impossibilidade masculina para a cópula.

IM.PO.TEN.TE *adj.2gên.* 1) Que não pode; fraco. 2) Incapaz, débil, que não tem vigor sexual. / *s.m.* 3) Diz-se daquele que tem impotência.

IM.PRA.TI.CÁ.VEL *adj.2gên.* 1) Que não se pode praticar; inexequível. 2) Impossível. 3) Intransitável.

IM.PRE.CAR *v.t.d.*, *v.t.i.* e *v.i.* 1) Rogar pragas a alguém; dizer blasfêmias; praguejar. / *v.t.d.i.* 2) Pedir a um poder superior (Deus, divindades) que envie males ou bens a alguém.

IM.PRE.CI.SÃO *s.f.* 1) Falta de precisão, de rigor. 2) Dúvida, incerteza.

IM.PRE.CI.SO *adj.* Em que falta precisão, rigor, clareza, nitidez.

IM.PREG.NAR *v.t.d.* 1) Fazer com que penetrem em um corpo as moléculas de outro corpo. 2) Embeber, absorver. / *v.p.* 3) Embeber-se, encharcar-se.

IM.PREN.SA *s.f.* 1) Máquina com que se imprime. 2) Arte de imprimir. 3) Conjunto de jornais escritos ou falados. 4) Conjunto de jornalistas, repórteres. 5) A instituição de publicidade tipográfica.

IM.PREN.SAR *v.t.d.* 1) Apertar no prelo. 2) Apertar à maneira de uma prensa, imprimir, comprimir.

IM.PRES.CIN.DÍ.VEL *adj.2gên.* 1) De que não se pode prescindir; necessário, indispensável. 2) Que não se pode abrir mão, insubstituível.

IM.PRES.CRI.TÍ.VEL *adj.2gên.* 1) Que está sempre em vigor, atual. 2) Que não prescreve.

IM.PRES.SÃO *s.f.* 1) Ato ou efeito de imprimir. 2) Ação dos objetos exteriores sobre os órgãos dos sentidos. 3) Efeito de uma causa qualquer produzido no espírito ou no coração. 4) Ação de imprimir um livro, um jornal, uma revista, um trabalho, imagens, etc.

275

impressionar / inadmissível

IM.PRES.SI.O.NAR *v.t.d.* 1) Produzir impressão material em. 2) Causar impressão moral em; abalar, comover. / *v.p.* 3) Receber uma impressão moral. 4) Deixar-se comover, sentir-se abalado, perturbar-se.

IM.PRES.SI.O.NIS.MO *s.m.* 1) *Bel.-art.* Forma de arte, principalmente pictórica, que procura transmitir a impressão como foi materialmente recebida da natureza. 2) Atividade estético-literária baseada nas impressões subjetivas.

IM.PRES.SO *adj.* 1) Que se imprimiu. / *s.m.* 2) Obra de tipografia. 3) Produto das artes gráficas.

IM.PRES.SOR (ô) *adj.* 1) Que imprime. / *s.m.* 2) Aquele que imprime ou trabalha com máquina impressora. 3) Proprietário de tipografia, editor.

IM.PRES.TÁ.VEL *adj.2gên.* 1) Que não presta; que não tem serventia; inútil. / *adj.2gên.* e *s.2gên.* 2) *pop.* Que ou quem não é prestativo.

IM.PRE.VI.SÍ.VEL *adj.2gên.* e *s.m.* 1) Que ou o que não se pode prever; inesperado, imprevisto. / *adj.2gên.* 2) Eventual, casual.

IM.PRE.VIS.TO *adj.* e *s.m.* Que ou o que não foi previsto; inesperado, surpreendente.

IM.PRI.MIR *v.t.d.*, *v.i.* e *v.p.* 1) Fazer a impressão gráfica ou eletrônica de textos ou imagens. / *v.t.d.* 2) Publicar pela imprensa, divulgar. / *v.t.d.* e *v.p.* 3) Fixar marca por meio de impressão, gravar. / *v.t.d.i.* e *v.p.* 4) *fig.* Inspirar; infundir, incutir. / *v.t.d.i.* 5) *fig.* Dar certa feição a; comunicar, conferir.

IM.PRO.CE.DÊN.CIA *s.f.* Falta de justificação ou fundamento.

IM.PRO.DU.TI.VO *adj.* 1) Que não é fecundo, estéril, seco. 2) Que não rende, inútil. 3) Frustrado, vão.

IM.PRO.PÉ.RIO *s.m.* Ofensa proferida contra alguém; ultraje.

IM.PRÓ.PRIO *adj.* 1) Que não é próprio; inadequado. 2) Avesso aos costumes. 3) Descabido, inoportuno. 4) Inconveniente.

IM.PROR.RO.GÁ.VEL *adj.2gên.* Não prorrogável, inadiável, impreterível.

IM.PRO.VÁ.VEL *adj.2gên.* Que não é provável, impossível, duvidoso.

IM.PRO.VI.SAR *v.t.d.* 1) Compor, fazer, adaptar, produzir no momento sem preparo prévio. 2) Armar, arranjar, organizar às pressas. 3) Falsear, fingir. / *v.p.* 4) Fingir-se.

IM.PRO.VI.SO *adj.* 1) Repentino, improvisado. / *s.m.* 2) Produto intelectual feito de repente, sem preparo; improvisação.

IM.PRU.DEN.TE *adj.2gên.* e *s.2gên.* Que ou quem não é prudente; descuidado.

IM.PUL.SIO.NAR *v.t.d.* 1) Dar impulso a; fazer mover(-se) para frente; empurrar, impelir. / *v.t.d.i.* 2) *fig.* Dar incentivo a; estimular, motivar.

IM.PUL.SI.VO *adj.* 1) Que dá impulso. 2) Que se encoleriza facilmente. 3) Que reage ao impulso do momento.

IM.PUL.SO *s.m.* 1) Ato de impelir, impulsão. 2) Ímpeto, abalo, esforço, empurrão. 3) Força que atua como motivo, estímulo.

IM.PU.NE *adj.2gên.* 1) Que ficou sem punição. 2) Ileso, sem castigo.

IM.PU.NI.DA.DE *s.f.* Falta de punição ou castigo.

IM.PU.RE.ZA (ê) *s.f.* 1) Qualidade de impuro. 2) Contaminação.

IM.PU.RO *adj.* 1) Que não é puro; que tem mistura. 2) Contaminado, adulterado. 3) Imoral, imundo.

IM.PU.TAR *v.t.d.i.* 1) Atribuir a alguém ou a alguma coisa a responsabilidade de. 2) Incriminar.

I.MUN.DÍ.CIE *s.f.* 1) Falta de limpeza. 2) Sujeira, lixo.

I.MUN.DO *adj.* 1) Excessivamente sujo. 2) Impuro, sujo. 3) *fig.* Sórdido, indecente, imoral.

I.MU.NE *adj.2gên.* 1) Isento, livre. 2) Que tem imunidade.

I.MU.NI.DA.DE *s.f.* 1) Privilégio, isenção. 2) Liberdade. 3) Prerrogativa. 4) *Med.* Estado de um organismo que resiste a infecções ou infestações por possuir anticorpos específicos contra o agente agressor.

I.MU.NI.ZAR *v.t.d.* 1) Tornar imune a. 2) *fig.* Tornar insensível a.

I.MU.TÁ.VEL *adj.2gên.* Que não é passível de mudança; permanente, constante.

I.NA.BA.LÁ.VEL *adj.2gên.* 1) Que não pode ser abalado; firme, fixo; constante. 2) Inquebrantável. 3) Corajoso, intrépido. 4) Constante, inexorável.

I.NÁ.BIL *adj.2gên.* 1) Que não é hábil, que não tem aptidão, capacidade. 2) Desajeitado, incompetente, incapaz.

I.NA.BI.TA.DO *adj.* 1) Que não se pode habitar. 2) Desabitado, deserto, vazio.

I.NA.CA.BA.DO *adj.* Que não está acabado; incompleto.

I.NA.CEI.TÁ.VEL *adj.2gên.* Que não pode ou não deve ser aceito; inadmissível.

I.NA.CES.SÍ.VEL *adj.2gên.* 1) Que não dá acesso. 2) Inabordável, interrompido.

I.NA.CRE.DI.TÁ.VEL *adj.2gên.* Que não é acreditável, incrível, fantástico.

I.NA.DAP.TÁ.VEL *adj.2gên.* Que não se adapta.

I.NA.DE.QUA.DO *adj.* Não adequado, impróprio.

I.NA.DI.Á.VEL *adj.2gên.* Que não se pode adiar, urgente, impreterível.

I.NA.DIM.PLÊN.CIA *s.f.* Não cumprimento de um contrato ou de qualquer de suas condições; ato de devedor.

I.NAD.MIS.SÍ.VEL *adj.2gên.* Que não é admissível; que não se pode admitir; inaceitável.

inalação | inciso

I.NA.LA.ÇÃO *s.f.* 1) Absorção por inspiração. 2) *Med.* Absorção, pelas vias respiratórias, de substâncias medicinais.

I.NA.LAR *v.t.d.* 1) Absorver por aspiração. 2) Receber, inspirar.

I.NAL.TE.RA.DO *adj.* 1) Não alterado. 2) Constante, estável.

I.NAL.TE.RÁ.VEL *adj.2gên.* 1) Que não se pode alterar. 2) Impassível, imperturbável.

I.NA.NE *adj.2gên.* 1) Vazio, oco. 2) Fútil, vão.

I.NA.NI.ÇÃO *s.f.* 1) Estado de inane. 2) Grande fraqueza por falta de alimento.

I.NA.NI.MA.DO *adj.* 1) Que não tem ânimo. 2) Que não tem vivacidade. 3) Que está sem vida; desfalecido. 4) Que carece de animação, de estímulo.

I.NA.PLI.CÁ.VEL *adj.2gên.* Que não se pode aplicar.

I.NA.PRE.EN.SÍ.VEL *adj.2gên.* Que não se pode apreender; incompreensível.

I.NAP.TI.DÃO *s.f.* Falta de aptidão, de habilidade; incapacidade.

I.NA.TA.CÁ.VEL *adj.2gên.* 1) Que não se pode atacar; que está a salvo de ataques. 2) Que não pode ser contestado; irrepreensível.

I.NA.TIN.GÍ.VEL *adj.2gên.* e *s.2gên.* Que ou o que não se pode atingir; inalcançável.

I.NA.TI.VO *adj.* 1) Que não está em atividade. 2) Inerte, paralisado. / *s.m.* 3) Aposentado (empregado público ou de empresa).

I.NA.TO *adj.* Que nasceu com o indivíduo, congênito, inerente.

I.NAU.DI.TO (dí) *adj.* 1) Que nunca se ouviu dizer. 2) Extraordinário, fantástico, incrível.

I.NAU.DÍ.VEL *adj.2gên.* Que não se pode ouvir.

I.NAU.GU.RA.ÇÃO *s.f.* 1) Ato de inaugurar. 2) Solenidade com que se inaugura um estabelecimento, uma instituição. 3) Início de exercício, implantação.

I.NAU.GU.RAR *v.t.d.* 1) Colocar, expor pela primeira vez à vista ou ao uso do público. 2) Consagrar, dedicar. 3) Iniciar o funcionamento de. / *v.p.* 4) Começar, iniciar(-se).

IN.CA *adj.2gên.* 1) Relativo aos Incas, casta dominante do Peru, na época da conquista espanhola. / *s.2gên.* 2) Título dos soberanos do Peru, cuja dinastia os conquistadores espanhóis destruíram.

IN.CA.BÍ.VEL *adj.2gên.* Que não tem cabimento, inoportuno.

IN.CAL.CU.LÁ.VEL *adj.2gên.* 1) Não calculável, muito numeroso. 2) Muito considerável.

IN.CAN.DES.CER *v.t.d.* e *v.i.* 1) Tornar candente, pôr em brasa. 2) *fig.* Exaltar(-se).

IN.CAN.SÁ.VEL *adj.2gên.* Que não se cansa, ativo, laborioso.

IN.CA.PA.CI.DA.DE *s.f.* Falta de capacidade, sem inteligência, incompetência.

IN.CA.PAZ *adj.2gên.* 1) Que não é capaz. 2) Ignorante. 3) Pessoa incapaz, sem competência.

IN.CAU.TO *adj.* e *s.m.* 1) Que ou aquele que não é cauteloso; imprudente. 2) Que ou o que não tem malícia; ingênuo.

IN.CEN.DI.AR *v.t.d.* 1) Pôr fogo a. 2) *fig.* Fazer brilhar como chamas de incêndio. 3) *fig.* Ativar, excitar. / *v.p.* 4) *fig.* Exaltar-se, inflamar-se. 5) Abrasar-se, arder.

IN.CEN.DI.Á.RIO *adj.* 1) Que põe fogo em alguma coisa. 2) Que excita os ânimos. / *s.m.* 3) Aquele que incendeia, excitante. 4) Revolucionário.

IN.CÊN.DIO *s.m.* 1) Fogo intenso. 2) Destruição pelo fogo. 3) Revolução, guerra. 4) *fig.* Entusiasmo.

IN.CEN.SO *s.m.* Substância resinosa aromática que, ao ser queimada, desprende odor penetrante.

IN.CEN.TI.VAR *v.t.d.i.* 1) Dar incentivo a; encorajar, estimular. / *v.p.* 2) Criar ânimo ou vontade de; decidir-se.

IN.CEN.TI.VO *s.m.* 1) Aquilo que incentiva, que estimula, estímulo. 2) Ânimo, força.

IN.CER.TE.ZA (ê) *s.f.* Falta de certeza, dúvida, temor.

IN.CER.TO *adj.* 1) Que não é certo, indeciso. 2) Hesitante, duvidoso. 3) Indeterminado.

IN.CES.SAN.TE *adj.2gên.* 1) Que não finda, contínuo, eterno. 2) Infinito, constante.

IN.CES.TO *s.m.* União sexual ilícita entre parentes (consanguíneos ou afins).

IN.CHA.ÇÃO *s.f.* 1) Ato ou efeito de inchar, aumentar o volume. 2) Tumor, edema. 3) *pop.* Arrogância, presunção.

IN.CHAR *v.t.d.* 1) Avolumar, intumescer. 2) Aumentar o volume. 3) *pop.* Envaidecer. 4) *fig.* Tornar enfático; afetar. / *v.i.* e *v.p.* 5) Envaidecer(-se).

IN.CI.DÊN.CIA *s.f.* 1) Qualidade do que é incidente. 2) Ato de incidir.

IN.CI.DEN.TE *adj.2gên.* 1) Que incide, que sobrevém. / *s.m.* 2) Circunstância acidental; episódio.

IN.CI.DIR *v.t.i.* 1) Cair sobre. 2) Incorrer. 3) Bater em.

IN.CI.NE.RAR *v.t.d.* Queimar até reduzir a cinzas.

IN.CI.PI.EN.TE *adj.2gên.* Diz-se de coisa ou pessoa que está no começo, principiante, inicial.

IN.CIR.CUN.CI.SO *adj.* Não circuncidado.

IN.CI.SÃO *s.f.* 1) Corte, abertura com instrumento cortante. 2) *Cir.* Seção da pele ou das partes moles.

IN.CI.SI.VO *adj.* 1) Que corta. 2) *fig.* Que é cortante e enérgico. 3) Eficaz, decisivo. 4) *Anat.* Relativo aos quatro dentes situados entre os dois caninos. / *s.m.* 5) Dente incisivo.

IN.CI.SO *adj.* 1) Ferido com gume de instrumento cortante, ferimento. 2) *Bot.* Aplica-se à folha ou pétala que se apresenta cortada profunda e desigualmente. / *s.m.* 3) *Gram.* Frase que interrompe o sentido de outra; oração intercalada.

277

IN.CI.TAN.TE *adj.2gên.* 1) Incitativo. 2) Estimulante.
IN.CI.TAR *v.t.d.* 1) Mover, instigar. 2) Desafiar, provocar. / *v.t.d.* e *v.p.* 3) Estimular(-se).
IN.CI.VIL *adj.2gên.* 1) Grosseiro, descortês, mal-educado. 2) Contrário ao Direito Civil.
IN.CLAS.SI.FI.CÁ.VEL *adj.2gên.* 1) Reprovável, não classificável. 2) Que está em confusão, desordenado.
IN.CLE.MÊN.CIA *s.f.* 1) Crueldade, violência. 2) Falta de piedade, dureza, rigor, aspereza, severidade.
IN.CLI.NA.ÇÃO *s.f.* 1) Desvio da direção perpendicular. 2) Mesura, reverência. 3) Pendor, propensão. 4) Curvatura de um corpo.
IN.CLI.NA.DO *adj.* 1) Desviado da direção vertical. 2) Propenso, curvado.
IN.CLI.NAR *v.t.d.* 1) Dar declive. 2) Tornar propenso, predispor. 3) Fazer mesura, abaixar, curvar, pender. / *v.p.* 4) Submeter-se, sujeitar-se. / *v.t.i.* e *v.p.* 5) Mostrar-se favorável; propender, tender.
IN.CLU.IR *v.t.d.* 1) Encerrar, fechar dentro de. 2) Inserir, introduzir, colocar. 3) Abranger, compreender. 4) Conter em si, envolver. / *v.p.* 5) Fazer parte, inserir-se.
IN.CLU.SÃO *s.f.* 1) Ação ou efeito de incluir. 2) Penetração de uma coisa em outra.
IN.CLU.SI.VE *adv.* 1) De maneira inclusiva. 2) Até mesmo, também, da mesma forma, igual.
IN.CLU.SO *adj.* Incluído, compreendido, inserido.
IN.CO.A.GU.LÁ.VEL *adj.2gên.* Diz-se do que não coagula.
IN.CO.A.TI.VO *adj.* 1) Que começa. 2) *Gram.* Diz-se dos verbos que denotam começo de ação ou uma ação progressiva ➡ amanhecer, adormecer.
IN.CO.E.RÊN.CIA *s.f.* 1) Falta de coerência. 2) Contradição, volubilidade.
IN.CO.E.REN.TE *adj.2gên.* 1) Que não tem coerência. 2) Desconexo, ausência de ordem, disparato. 3) Ilógico, contraditório. / *s.m.* 4) Pessoa incoerente.
IN.CÓG.NI.TA *s.f. Mat.* Grandeza de valor desconhecido que se procura saber.
IN.CÓG.NI.TO *adj.* Misterioso, ignoto, oculto.
IN.CO.LOR *adj.2gên.* 1) Sem cor, descolorido. 2) *fig.* Sem atrativo, indeciso. 3) *fig.* Sem opinião determinada.
IN.CÓ.LU.ME *adj.2gên.* 1) Livre de danos físicos ou morais; sem lesão ou ferimento; são e salvo. 2) Que permanece igual; inalterado.
IN.CO.MEN.SU.RÁ.VEL *adj.2gên.* 1) Imensurável, que não pode ser medido. 2) *Mat.* Sem medida comum com outra grandeza, imenso.
IN.CO.MO.DAR *v.t.d.* 1) Dar incômodo a; importunar, inquietar, desagradar, aborrecer. / *v.p.* 2) Apoquentar-se; molestar-se. 3) Causar incômodo a si mesmo; zangar-se.
IN.CÔ.MO.DO *adj.* 1) Que é incômodo; desconfortável. 2) Que incomoda. / *s.m.* 3) Aborrecimento, importunação, desagrado.

IN.COM.PA.RÁ.VEL *adj.2gên.* 1) Que não admite comparação. 2) Que está acima de qualquer comparação, sem igual, insubstituível.
IN.COM.PA.TÍ.VEL *adj.2gên.* 1) Que não é compatível, que não pode existir juntamente com outro. 2) Que não se pode harmonizar.
IN.COM.PE.TÊN.CIA *s.f.* 1) Falta de competência, de inteligência, de capacidade. 2) Inaptidão, inabilidade.
IN.COM.PE.TEN.TE *adj.2gên.* e *s.2gên.* Que ou quem não tem competência, aptidão, habilidade; incapaz.
IN.COM.PLE.TO *adj.* Inacabado, truncado, malfeito.
IN.COM.PRE.EN.DI.DO *adj.* e *s.m.* 1) Que ou o que não é bem compreendido, avaliado ou julgado. 2) Obscuro.
IN.COM.PRE.EN.SÍ.VEL *adj.2gên.* 1) Que não pode ser explicado, enigmático. 2) Que é muito difícil de compreender. 3) Obscuro, misterioso, ilegível.
IN.CO.MUM *adj.2gên.* 1) Que é fora do comum. 2) Raro. 3) Extraordinário.
IN.CO.MU.NI.CÁ.VEL *adj.2gên.* 1) Que não é comunicável, que não pode ser comunicado. 2) Inacessível, privado de comunicação. 3) Insociável, intratável.
IN.CON.CE.BÍ.VEL *adj.2gên.* 1) Que não se pode conceber, explicar, compreender; inadmissível. 2) *Por ext.* Que é fora do comum; surpreendente, inacreditável, espantoso.
IN.CON.CLU.SI.VO *adj.* Que não leva a uma conclusão; não conclusivo; inconcludente.
IN.CON.DI.CIO.NAL *adj.2gên.* Que não depende de condições; irrestrito, ilimitado.
IN.CON.FI.DÊN.CIA *s.f.* 1) Falta de fidelidade, especialmente para com o Estado ou um governante; deslealdade. 2) Quebra de segredo.
IN.CON.FOR.MIS.MO *s.m.* Tendência ou procedimento de inconformidade, resistência ou divergência a ideias e regras estabelecidas.
IN.CON.FUN.DÍ.VEL *adj.2gên.* 1) Que não pode ser confundido. 2) Distinto, diferente.
IN.CON.GE.LÁ.VEL *adj.2gên.* Que não se pode congelar.
IN.CON.GRU.EN.TE *adj.2gên.* Que não é congruente, que não condiz, que não convém; incompatível, impróprio.
IN.CO.NI.VEN.TE *adj.2gên.* Que não é conivente.
IN.CON.JU.GÁ.VEL *adj.2gên.* Que não é conjugável.
IN.CON.QUIS.TA.DO *adj.* Que não foi conquistado.
IN.CON.QUIS.TÁ.VEL *adj.2gên.* Que não pode ser conquistado, invencível.
IN.CONS.CI.ÊN.CIA *s.f.* 1) Falta, perda ou alteração, permanente ou momentânea, de consciência. 2) Ausência de compreensão, de senso crítico, de discernimento. 3) Ausência de moral ou de justiça.

inconsciente / **indecente**

IN.CONS.CI.EN.TE *adj.2gên.* 1) Que não é consciente. 2) Que age sem perceber. 3) Desacordado. / *s.m.* 4) *Psicol.* Parte da nossa vida da qual não temos consciência.

IN.CON.SE.QUEN.TE *adj.2gên.* 1) Em que há inconsequência. 2) Que não mede as consequências de seus atos. 3) Contraditório.

IN.CON.SIS.TEN.TE *adj.2gên.* 1) Sem consistência, estabilidade ou firmeza. 2) Sem base, sem fundamento. 3) *fig.* Que não tem lógica.

IN.CON.SO.LÁ.VEL *adj.2gên.* 1) Que não se pode consolar. 2) *Por ext.* Muito triste, pesaroso; desesperado.

IN.CONS.TAN.TE *adj.2gên.* 1) Que não se mantém constante; mutável, variável. 2) Sem estabilidade emocional; instável, volúvel.

IN.CONS.TI.TU.CIO.NAL *adj.2gên.* Que infringe a constituição de um país.

IN.CON.TÁ.VEL *adj.2gên.* 1) Que é numeroso demais para se contar. 2) Que não se pode narrar, contar ou relatar.

IN.CON.TES.TÁ.VEL *adj.2gên.* Que não se pode contestar; indiscutível.

IN.CON.TI.DO *adj.* Não contido; irreprimível, irrefreável.

IN.CON.TI.NÊN.CIA *s.f.* 1) Falta de comedimento ao falar ou agir. 2) *Med.* Incapacidade de controlar a bexiga ou os intestinos.

IN.CON.TRO.LÁ.VEL *adj.2gên.* Que não se pode controlar ou reprimir.

IN.CON.VE.NI.EN.TE *adj.2gên.* 1) Que não é conveniente, impróprio, inoportuno, grosseiro, descortês. 2) Que não respeita a decência, indecente. / *s.m.* 3) Desvantagem, prejuízo. 4) Perigo.

IN.COR.PO.RA.ÇÃO *s.f.* 1) Ato ou efeito de incorporar(-se). 2) Agrupamento, inclusão, fusão. 3) Estado ou qualidade das coisas incorporadas. 4) *pop.* Diz-se de um corpo de médium que é tomado por espírito ou entidade.

IN.COR.PO.RA.DO.RA (ô) *s.f.* Firma ou empresa que faz incorporações.

IN.COR.PO.RAR *v.t.d.* 1) Agrupar, reunir. / *v.p.* 2) Entrar a fazer parte de uma corporação. / *v.t.d.* e *v.p.* 3) Reunir(-se), juntar(-se).

IN.COR.PÓ.REO *adj.* Que não tem corpo, impalpável, imaterial.

IN.COR.RE.ÇÃO *s.f.* 1) Falta de correção. 2) Culpabilidade. 3) Ação incorreta, erro.

IN.COR.RER *v.t.i.* 1) Haver incluído ou comprometido, incidir em. 2) Atrair sobre si. 3) Ficar sujeito a.

IN.COR.RE.TO *adj.* 1) Que está errado, que não foi corrigido. 2) Deselegante, indigno.

IN.COR.RI.GÍ.VEL *adj.2gên.* 1) Que não se pode corrigir. 2) Que persiste ou reincide em um erro, vício, defeito, etc.

IN.COR.RUP.TÍ.VEL *adj.2gên.* 1) Inalterável. 2) Que não se deixa subornar, insubornável. 3) Íntegro, reto.

IN.COR.RUP.TO *adj.* 1) Que não se corrompeu. 2) Que não se deixou subornar. 3) Conservado, íntegro.

IN.CRÉ.DU.LO *adj.* Que não crê, descrente, ímpio, ateu.

IN.CRE.MEN.TA.DO *adj.* 1) A que se deu incremento, adicionamento, aumento. 2) Muito moderno, avançado.

IN.CRE.MEN.TAR *v.t.d.* e *v.p.* 1) Tornar(-se) maior, mais desenvolvido; ampliar(-se). / *v.t.d.* 2) *pop.* Adicionar (ingredientes, acessórios, enfeites, etc.) a alguma coisa; melhorar, aumentar.

IN.CRE.MEN.TO *s.m.* 1) Ato de crescer, de aumentar. 2) Desenvolvimento, progresso.

IN.CRI.MI.NAR *v.t.d.* 1) Atribuir um crime a; acusar, culpar. 2) Considerar como criminoso.

IN.CRÍ.VEL *adj.2gên.* 1) Inacreditável. 2) Extraordinário, inexplicável, excêntrico.

IN.CRUS.TAR *v.t.d.* 1) Revestir de crosta ou camada; cobrir. / *v.t.d.i.* 2) Enfeitar um objeto, embutindo fragmentos de pedra, madeira, etc.; ornar. / *v.p.* 3) *fig.* Penetrar, alojar-se. 4) Aderir fortemente a; fixar-se, arraigar-se, implantar-se.

IN.CU.BA.ÇÃO *s.f.* 1) Preparação, elaboração. 2) *Med.* Tempo que decorre entre a contração da doença e sua manifestação.

IN.CU.BA.DO.RA (ô) *s.f.* 1) *Med.* Aparelho destinado a manter criança prematura em temperatura controlável. 2) Chocadeira.

IN.CU.BAR *v.t.d.* 1) Fazer a incubação de. 2) Chocar ovos, natural ou artificialmente. 3) *fig.* Projetar, planejar.

IN.CUL.CAR *v.t.d.* 1) Recomendar com elogio. 2) Dar a entender; manifestar. 3) Representar-se, mostrar-se. 4) Propor, sugerir. / *v.p.* 5) Impor-se como vantajoso, indispensável.

IN.CUL.PA.DO *adj.* Diz-se do indivíduo livre de culpa; inocente.

IN.CUL.PAR *v.t.d.* 1) Atribuir culpa a, censurar, acusar de, incriminar. / *v.p.* 2) Confessar-se culpado.

IN.CUM.BÊN.CIA *s.f.* Atribuição de encargo, dever ou responsabilidade.

IN.CUM.BIR *v.t.d.i.* 1) Dar encargo a; encarregar. 2) Confiar. / *v.t.i.* 3) Estar a cargo, da obrigação ou do dever, competir. / *v.p.* 4) Encarregar-se.

IN.CU.RÁ.VEL *adj.2gên.* Que não tem cura, irremediável.

IN.CUR.SÃO *s.f.* 1) Passeio rápido; viagem, visita. 2) Invasão militar em território estrangeiro. 3) Tentativa ou investida em uma atividade.

IN.DA.GA.ÇÃO *s.f.* 1) Ato ou efeito de indagar. 2) Investigação, pesquisa, interrogação.

IN.DA.GAR *v.t.d.* 1) Buscar saber a verdade. 2) Esquadrinhar, explorar. / *v.t.i.* e *v.i.* 3) Fazer indagações, proceder a averiguações.

IN.DE.CEN.TE *adj.2gên.* 1) Contrário à decência, imoral, inconveniente. 2) Desonesto, obsceno.

279

indecifrável

IN.DE.CI.FRÁ.VEL *adj.2gên.* 1) Que não pode ser decifrado. 2) Incompreensível, ininteligível.

IN.DE.CI.SÃO *s.f.* 1) Falta de decisão; hesitação, irresolução. 2) Indeterminação, indefinição.

IN.DE.CI.SO *adj.* 1) Que não está decidido. 2) Hesitante, vago. 3) Duvidoso, incerto.

IN.DE.CLI.NÁ.VEL *adj.2gên.* 1) Que não se pode recusar; irrecusável. 2) Inevitável, obrigatório.

IN.DE.CO.RO.SO (ô) *adj.* Indecente, vergonhoso, obsceno.

IN.DE.FEC.TÍ.VEL *adj.2gên.* 1) Infalível, certo, pontual. 2) Indestrutível.

IN.DE.FEN.SÁ.VEL *adj.2gên.* Que não tem defesa, injustificável.

IN.DE.FEN.SO *adj.* 1) Que não é defendido, indefeso. 2) Desarmado, fraco.

IN.DE.FE.RI.DO *adj.* 1) Que não teve despacho, ou o teve contrário ao que se requereu. 2) Desatendido, negado.

IN.DE.FE.RÍ.VEL *adj.2gên.* Que não pode ou não deve ser deferido, inatendível.

IN.DE.FE.SO (ê) *adj.* Desarmado, sem proteção, fraco.

IN.DE.FI.NI.DO *adj.* 1) Indeterminado, incerto, vago, obscuro. 2) *Gram.* Diz-se do artigo ou pronome que não determina com precisão nem a qualidade nem a quantidade dos seres.

IN.DE.FI.NÍ.VEL *adj.2gên.* 1) Que não se pode definir, incerto. 2) Que não se pode explicar.

IN.DE.LI.CA.DE.ZA (ê) *s.f.* 1) Falta de delicadeza. 2) Grosseria, descortesia.

IN.DE.MONS.TRÁ.VEL *adj.2gên.* Aquilo que não é demonstrável.

IN.DE.NE *adj.2gên.* 1) Que não sofreu dano. 2) Ileso, incólume.

IN.DE.NI.ZA.ÇÃO *s.f.* 1) Ato ou efeito de indenizar. 2) Ressarcimento ou reparação de um dano sofrido ou da perda de um direito lucrativo adquirido por um contrato ou ajuste.

IN.DE.NI.ZAR *v.t.d.* 1) Dar indenização ou reparação a; compensar. / *v.p.* 2) Receber indenização ou compensação. / *v.t.d.i.* 3) Ressarcir pessoa ou empresa por danos.

IN.DE.PEN.DÊN.CIA *s.f.* 1) Estado, condição ou qualidade de independente. 2) Liberdade, autonomia.

IN.DES.CRI.TÍ.VEL *adj.2gên.* 1) Que não se pode descrever. 2) Espantoso, extraordinário, formidável.

IN.DES.CUL.PÁ.VEL *adj.2gên.* Que não admite desculpa, inescusável, injustificável.

IN.DE.SE.JÁ.VEL *adj.2gên.* 1) Não desejável. 2) Detestável, ruim, mau. 3) Diz-se do indivíduo cuja presença não é desejável por mostrar-se pernicioso aos interesses de um grupo.

IN.DES.TRU.TÍ.VEL *adj.2gên.* 1) Não destrutível. 2) Inabalável, firme, inalterável.

indignar

IN.DE.TER.MI.NA.DO *adj.* 1) Não determinado, indeciso. 2) Indefinido, incerto. 3) Vago, hesitante.

IN.DE.VI.DO *adj.* 1) Não merecido. 2) Inconveniente, impróprio.

IN.DI.A.NIS.MO *s.m.* 1) Costume dos indianos ou dos índios. 2) Ciência da língua e da civilização hindus. 3) Inspiração literária em temas da vida dos indígenas americanos.

IN.DI.A.NO *adj.* 1) Relativo à Índia; hindu, índico, índio. / *s.m.* 2) Habitante ou natural da Índia; hindu.

IN.DI.CA.DO *adj.* 1) Que se indicou ou apontou. 2) Próprio, conveniente.

IN.DI.CA.DOR (ô) *adj.* 1) Aquele ou aquilo que indica. 2) Diz-se do dedo da mão situado entre o polegar e o médio. / *s.m.* 3) Mapa, roteiro. 4) Livro de indicações; guia.

IN.DI.CAR *v.t.d.* 1) Mostrar com o dedo ou por meio de algum sinal; apontar. 2) Designar, sugerir. 3) Aconselhar, prescrever, receitar.

IN.DI.CA.TI.VO *adj.* 1) Que indica. / *s.m.* 2) Sinal, indício. 3) *Gram.* Modo em que os verbos exprimem o fato com independência e positivamente.

ÍN.DI.CE *s.m.* 1) Lista alfabética dos nomes das pessoas, nomes geográficos, acontecimentos, etc., com a indicação de sua localização na publicação. 2) *Mat.* Indicação numérica que serve para caracterizar uma grandeza.

IN.DI.CI.AR *v.t.d.* 1) Fornecer indício de; evidenciar, revelar, mostrar. 2) *Jur.* Submeter alguém a inquérito policial ou administrativo por indício de crime; acusar.

IN.DÍ.CIO *s.m.* 1) Sinal aparente que revela alguma coisa de uma maneira muito provável. 2) Vestígio, indicação.

IN.DI.FE.REN.ÇA *s.f.* 1) Falta de interesse ou sensibilidade; descaso, menosprezo, desdém. 2) Despreocupação, desprendimento.

IN.DÍ.GE.NA 1) *Por ext. pop.* Natural do país ou local onde habita; nativo.

IN.DI.GEN.TE *adj.2gên.* e *s.2gên.* Que ou aquele que vive em indigência, sem condições de suprir suas necessidades básicas; necessitado, pobre, miserável.

IN.DI.GES.TÃO *s.f.* 1) Má digestão. 2) Distúrbio passageiro das funções digestivas, que causa cólica, náusea e vômito.

IN.DI.GES.TO *adj.* 1) Difícil de digerir ou que produz indigestão. 2) *fig.* Que aborrece, cansativo, tedioso, enfadonho.

IN.DIG.NA.ÇÃO *s.f.* 1) Sentimento de cólera. 2) Desprezo, ódio, raiva.

IN.DIG.NAR *v.t.d.* 1) Causar indignação a; intrigar, revoltar. / *v.p.* 2) Sentir indignação, enfurecer-se, revoltar-se.

IN.DIG.NO *adj.* 1) Diz-se de pessoa que não é digna de merecer o que tem. 2) Pessoa que não merece consideração; desprezível.

ÍN.DIO *adj.* 1) Indiano. / *s.m.* 2) Elemento químico, símbolo In, de nº atômico 49.

IN.DI.RE.TA *s.f.* Insinuação falsa, feita disfarçadamente.

IN.DI.RE.TO *adj.* 1) Que não segue a linha reta. 2) Oblíquo. 3) Oculto. 4) Que se faz com interrupções, com rodeios. 5) Dissimulado.

IN.DIS.CI.PLI.NA *s.f.* 1) Ação contrária à disciplina; desobediência. 2) Confusão, revolta, insubordinação.

IN.DIS.CI.PLI.NAR *v.t.d.* 1) Promover a indisciplina de. / *v.p.* 2) Desordenar, perder a disciplina / *adj.2gên.* 3) Em que há indisciplina.

IN.DIS.CRE.TO *adj.* 1) Que não é discreto. 2) Inconveniente. 3) Inconfidente, tagarela. 4) Que ou aquele que não sabe guardar segredo.

IN.DIS.CRI.ÇÃO *s.f.* 1) Qualidade de indiscreto. 2) Falta de discrição. 3) Bisbilhotice, curiosidade.

IN.DIS.CRI.MI.NA.DO *adj.* O que não é discriminado.

IN.DIS.CU.TÍ.VEL *adj.2gên.* O que não se discute.

IN.DIS.FAR.ÇÁ.VEL *adj.2gên.* O que não se disfarça.

IN.DIS.PEN.SÁ.VEL *adj.2gên.* 1) O que não se dispensa. 2) Absolutamente necessário, imprescindível.

IN.DIS.PO.NÍ.VEL *adj.2gên.* Que não é ou não está disponível.

IN.DIS.POR *v.t.d.* 1) Alterar a disposição de. 2) Causar indisposição física em.

IN.DIS.PO.SI.ÇÃO *s.f.* 1) Rápida perturbação na saúde. 2) Desavença, aborrecimento, incômodo.

IN.DIS.POS.TO (ô) *adj.* 1) Diz-se daquele que não está bem; levemente doente, incomodado. 2) Irritado, mal-humorado.

IN.DIS.SO.LÚ.VEL *adj.2gên.* Que não se pode dissolver ou desfazer.

IN.DIS.TIN.TO *adj.* 1) Que não se distingue dos demais. 2) Que não se distingue bem; vago, confuso, indefinido.

IN.DI.VI.DU.AL *adj.2gên.* 1) Relativo ou pertencente a um só indivíduo. 2) Só, singular. 3) Especial, particular.

IN.DI.VI.DU.A.LI.DA.DE *s.f.* 1) Característica própria do indivíduo. 2) Personalidade, pessoa.

IN.DI.VI.DU.A.LIS.MO *s.m.* 1) Atitude ou procedimento egoísta. 2) Tendência a pensar somente em si mesmo.

IN.DI.VI.DU.A.LI.ZAR *v.t.d.* 1) Considerar-se individual, particularizar-se. 2) Considerar de forma única, particular.

IN.DI.VÍ.DUO *adj.* 1) Que não se divide; indivisível. / *s.m.* 2) Ser humano considerado como unidade isolada, oposto ao grupo. 3) Pessoa de quem se fala com certo desprezo.

IN.DI.VI.SÍ.VEL *adj.2gên.* 1) Que não é divisível, que não se pode separar ou dividir, inteiriço. / *s.m.* 2) Partícula mínima.

IN.DI.VI.SO *adj.* 1) Que não é dividido. 2) Que pertence simultaneamente a vários indivíduos. 3) Inteiro.

IN.DI.ZÍ.VEL *adj.2gên.* 1) Que não pode ou não deve ser expresso em palavras; inexprimível. 2) Fora do comum; extraordinário.

ÍN.DO.LE *s.f.* 1) Modo de ser, caráter, temperamento. 2) *fig.* Conjunto de características; tipo, cunho.

IN.DO.LÊN.CIA *s.f.* Negligência, apatia, preguiça, indiferença.

IN.DO.LOR (ô) *adj.2gên.* 1) Que não causa dor. 2) *fig.* Que se realiza com facilidade; suave, leve.

IN.DO.MÁ.VEL *adj.2gên.* 1) Que não se consegue domar ou domesticar. 2) *Por ext.* Que não se pode subjugar ou submeter.

IN.DÔ.MI.TO *adj.* 1) Não domesticado; indomado. 2) *Por ext.* Que não se deixa vencer, dominar ou subjugar.

IN.DU.ÇÃO *s.f.* 1) Ato ou efeito de induzir. 2) Forma de raciocínio que consiste em inferir de fatos particulares uma conclusão geral. 3) *Por ext.* Incentivo, estímulo, instigação. 4) *Med.* Iniciação artificial do trabalho de parto.

IN.DUL.GEN.TE *adj.2gên.* e *s.2gên.* 1) Que ou aquele que tem disposição para desculpar ou perdoar; benigno, tolerante, clemente, complacente. 2) Que manifesta indulgência ou benevolência em seus julgamentos e apreciações; tolerante.

IN.DUL.TA.DO *adj.* Perdoado, absolvido, desculpado.

IN.DUL.TAR *v.t.d.* Perdoar ou reduzir a pena que foi imposta a.

IN.DUL.TO *s.m.* 1) Redução ou comutação de pena. 2) *Dir.* Permissão de graça. 3) Perdão, absolvição, remissão.

IN.DU.MEN.TÁ.RIA *s.f.* 1) Conjunto de vestimentas características ou típicas. 2) O que alguém veste; traje, roupa, vestimenta. 3) Arte relacionada ao vestuário.

IN.DÚS.TRIA *s.f.* 1) Arte, ofício, profissão mecânica ou mercantil. 2) Aptidão ou habilidade com que se executa um trabalho manual. 3) Engenho, fábrica. 4) Atividade de produção de mercadorias, especialmente de forma mecanizada e em larga escala.

IN.DUS.TRI.A.LI.ZAR *v.t.d.* 1) Dar caráter industrial a, tornar industrial. 2) Aproveitar como matéria-prima.

IN.DUS.TRI.AR *v.t.d.* 1) Tornar lucrativo ou rentável por meio de indústria. 2) Adestrar, exercitar, instruir.

indutor

IN.DU.TOR (ô) *adj.* 1) *Fís.* Que produz indução. / *s.m.* 2) Aquele que induz. 3) Corpo que provoca os fenômenos de indução.

IN.DU.ZIR *v.t.d.i.* 1) Convencer alguém à prática de alguma coisa; aconselhar, estimular. / *v.t.d.* 2) Causar, incutir, inspirar.

I.NE.BRI.AR *v.t.d.* 1) Embebedar, embriagar. 2) Deliciar, embevecer, maravilhar.

I.NÉ.DI.TO *adj.* 1) Que não foi publicado ou impresso. 2) Incomum, nunca visto, original.

I.NE.FÁ.VEL *adj.2gên.* 1) Que não se pode exprimir por palavras. 2) Inexprimível, indizível. 3) *fig.* Delicioso, inebriante.

I.NE.FI.CÁ.CIA *s.f.* 1) Ineficiência, inutilidade. 2) Falta de eficácia.

I.NE.FI.CAZ *adj.2gên.* Não eficaz; inútil, inconveniente, desnecessário.

I.NE.FI.CI.EN.TE *adj.2gên.* O que não é eficiente.

I.NE.GÁ.VEL *adj.2gên.* Que não se pode negar; evidente, indiscutível, incontestável.

I.NE.GO.CI.Á.VEL *adj.2gên.* Que não se pode negociar; sem negociação.

I.NE.LE.GÍ.VEL *adj.2gên.* Que não pode ser eleito.

I.NE.LU.TÁ.VEL *adj.2gên.* 1) Com que se luta em vão. 2) Invencível, irresistível. 3) Insuperável.

I.NE.NAR.RÁ.VEL *adj.2gên.* 1) Que não pode ser narrado; inarrável. 2) Incrível, inacreditável.

I.NÉP.CIA *s.f.* 1) Falta absoluta de aptidão. 2) Inabilidade, incapacidade. 3) Carência de inteligência. 4) Idiotismo.

I.NEP.TO *adj.* 1) Que não é apto, incapaz. 2) Que não é inteligente. 3) Sem nenhuma aptidão.

I.NE.QUÍ.VO.CO *adj.* 1) Em que não há equívoco. 2) Evidente, claro.

I.NÉR.CIA *s.f.* 1) *Fís.* Propriedade que têm os corpos de não modificar por si próprios o seu estado de repouso ou de movimento. 2) Estado do que é inerte. 3) *fig.* Falta de ação, preguiça.

I.NE.REN.TE *adj.2gên.* 1) Ligado estruturalmente. 2) Que por natureza é inseparável de alguma coisa. 3) Unido, preso.

I.NER.TE *adj.2gên.* 1) Que possui inércia. 2) Que produz inércia. 3) Que não é dotado de atividade própria. 4) Sem movimento, sem atividade.

I.NER.VA.ÇÃO *s.f.* 1) Ato ou efeito de inervar. 2) *Anat.* Distribuição do sistema nervoso pelo corpo. 3) Atividade dos elementos nervosos.

I.NES.CRU.PU.LO.SO (ô) *adj.* Que não tem escrúpulos.

I.NES.CRU.TÁ.VEL *adj.2gên.* 1) Que não se pesquisar, insondável. 2) Impenetrável, imperscrutável.

I.NES.CU.SÁ.VEL *adj.2gên.* 1) Que não se pode perdoar. 2) Indesculpável. 3) Que não se dispensa, indispensável.

I.NES.GO.TÁ.VEL *adj.2gên.* 1) Que não se pode esgotar ou consumir. 2) Muito abundante.

infatigável

I.NES.PE.RA.DO *adj.* 1) Que não é esperado. 2) Imprevisto, repentino. 3) Que surpreende. / *s.m.* 4) Fato, acontecimento imprevisto.

I.NES.QUE.CÍ.VEL *adj.2gên.* Que não se pode ou não se quer esquecer.

I.NES.TI.MÁ.VEL *adj.2gên.* 1) Que não se pode estimar ou avaliar. 2) Inumerável, incalculável. 3) Que se tem em grande estima.

I.NE.VI.TÁ.VEL *adj.2gên.* e *s.m.* Que ou o que não pode ser evitado ou impedido.

I.NE.XIS.TEN.TE (z) *adj.2gên.* 1) Que não existe; que não tem existência; irreal. 2) *Por ext.* Sem valor; sem importância; nulo.

I.NE.XO.RÁ.VEL (z) *adj.2gên.* 1) Que não se comove com súplicas ou pedidos; inabalável, inflexível, implacável. 2) Inevitável, fatal.

I.NEX.PE.RI.ÊN.CIA *s.f.* 1) Falta de experiência, de prática. 2) Desconhecimento.

I.NEX.PLI.CÁ.VEL *adj.2gên.* e *s.m.* 1) Que ou o que não se pode explicar; obscuro. 2) Difícil de entender; incompreensível, estranho.

I.NEX.PRES.SI.VO *adj.* 1) Que não tem expressão. 2) Sem importância.

IN.FA.LÍ.VEL *adj.2gên.* 1) Que não é falível. 2) Que não pode fracassar, não pode errar. 3) Que não pode deixar de acontecer; inevitável, fatal. 4) Diz-se do que ou de quem é habitual; não falta.

IN.FA.MA.DOR (ô) *adj.* e *s.m.* Que ou o que calunia.

IN.FA.MAR *v.t.d.* 1) Manchar a honra ou a reputação de; desacreditar, difamar. 2) Fazer cair em descrédito.

IN.FA.ME *adj.2gên.* 1) Que tem má fama. 2) Sem popularidade, desacreditado. 3) Péssimo, detestável.

IN.FÂ.MIA *s.f.* 1) Ação vergonhosa. 2) Perda da fama ou do crédito.

IN.FÂN.CIA *s.f.* 1) Período de vida do ser humano que vai desde o nascimento até a adolescência. 2) *fig.* Simplicidade, ingenuidade.

IN.FAN.TA.RI.A *s.f. Mil.* tropa do exército que faz serviço a pé.

IN.FAN.TE *adj.2gên.* 1) Que está na infância, infantil. / *s.m.* 2) Soldado de infantaria; peão. 3) Diz-se do filho dos reis de Portugal e Espanha, mas não herdeiro da coroa.

IN.FAN.TIL *adj.2gên.* 1) Que diz respeito a crianças; pueril. 2) Ingênuo, inocente.

IN.FAN.TI.LIS.MO *s.m. Med.* Persistência anormal dos caracteres fisiológicos ou psíquicos da infância na idade adulta.

IN.FAR.TE ou **IN.FAR.TO** *s.m. Med.* Morte de células em consequência da parada súbita de circulação de sangue na artéria que as irriga; enfarte, enfarto.

IN.FA.TI.GÁ.VEL *adj.2gên.* 1) Que não sente fadiga; que não se cansa. 2) Persistente, zeloso, diligente.

infecção

IN.FEC.ÇÃO *s.f.* 1) Ato ou efeito de infeccionar (-se). 2) *Med.* Ação exercida no organismo por agentes patogênicos: bactérias, vírus, fungos e protozoários.

IN.FEC.CIO.NAR *v.t.d.* 1) Provocar infecção em; contaminar. 2) *fig.* Corromper, adulterar. / *v.p.* 3) Contaminar-se. 4) *fig.* Corromper-se.

IN.FEC.TAR *v.t.d.*, *v.i.* e *v.p.* 1) Contaminar(-se) com doença; infeccionar(-se). / *v.t.d.* 2) *Inform.* Transferir ou instalar vírus de computador em um arquivo, sistema, etc.

IN.FE.CUN.DO *adj.* Que não é fecundo; estéril, improdutivo.

IN.FE.LI.CI.DA.DE *s.f.* 1) Falta de felicidade. 2) Desgraça, desventura, infortúnio.

IN.FE.LIZ *adj.2gên.* 1) Desafortunado, desditoso, desgraçado, infausto. 2) Desastrado, que teve mau êxito.

IN.FE.RI.OR *adj.2gên.* 1) Que está abaixo ou para baixo. 2) Que é de categoria subordinada a outro. 3) Que tem pouco valor. / *s.m.* 4) Aquele que é subordinado a um superior; subalterno.

IN.FE.RI.O.RI.ZAR *v.t.d.* e *v.p.* 1) Tornar(-se) inferior. / *v.t.d.* 2) *fig.* Rebaixar, menosprezar, diminuir.

IN.FE.RIR *v.t.d.i.* Concluir por meio de raciocínio; deduzir.

IN.FER.NAL *adj.2gên.* 1) Pertencente ou relativo ao inferno. 2) Arrepiante, terrível. 3) Furioso. 4) Cruel. 5) Tumultuoso. 6) Atormentador, horripilante.

IN.FER.NAR *v.t.d.* 1) Meter no inferno. 2) Atormentar em demasia; infernizar.

IN.FER.NEI.RA *s.f.* 1) Barulho, alvoroço, desordem, agitação. 2) Gente em tumulto.

IN.FER.NI.ZAR *v.t.d.* 1) Tornar ruim como o inferno; atormentar, afligir. 2) *Por ext.* Provocar irritação ou aborrecimento em; incomodar.

IN.FER.NO *s.m.* 1) *Mit.* Lugar subterrâneo em que habitavam as almas dos mortos. 2) Segundo o Cristianismo, lugar destinado à tortura e punição das almas dos condenados; lugar onde habitam os demônios.

IN.FÉR.TIL *adj.2gên.* 1) Que não é fértil; estéril, inútil. 2) Que não produz quanto se esperava.

IN.FES.TAR *v.t.d.* 1) Assolar, invadir, frequentar com incursões. 2) Causar muito dano a. 3) Existir em grande quantidade.

IN.FE.TAR *v.t.d.* Infeccionar, contaminar.

IN.FE.TO *adj.* 1) Que tem infecção. 2) Que lança mau cheiro. 3) Contra a ética; detestável; infecto.

IN.FI.DE.LI.DA.DE *s.f.* 1) Falta de fidelidade, infiel. 2) Traição. 3) Falta de exatidão ou de verdade. 4) Falta de crença religiosa. 5) *Dir.* Violação da fé matrimonial, ou do dever de fidelidade, comum aos cônjuges.

IN.FI.EL *adj.2gên.* 1) Que não é fiel, traidor, falso. 2) Que carece de exatidão. / *s.2gên.* 3) Pessoa que

não professa a fé tida como verdadeira. 4) Pessoa que não é fiel.

IN.FIL.TRA.ÇÃO *s.f.* 1) Ato ou efeito de infiltrar. 2) Penetração lenta e insensível. 3) *Med.* Derrame de um líquido entre os elementos físicos.

IN.FIL.TRAR *v.t.d.* 1) Penetrar através de um filtro. 2) Fazer penetrar. 3) Embeber; impregnar. 4) *fig.* Introduzir lentamente; insinuar. / *v.p.* 5) Penetrar através de. 6) *fig.* Infundir-se, introduzir-se pouco a pouco.

ÍN.FI.MO *adj.* e *s.m.* Que ou o que é muito pequeno ou sem valor.

IN.FIN.DÁ.VEL *adj.2gên.* Que não tem ou parece não ter fim; interminável.

IN.FI.NI.DA.DE *s.f.* 1) Característica do que é infinito. 2) Grande quantidade; grande número; muito.

IN.FI.NI.TI.VO *s.m. Gram.* Forma nominal de um verbo.

IN.FI.NI.TO *adj.* 1) Que não tem fim, sem limites, sem medida. 2) Eterno; infindo. 3) Muito grande em extensão, em duração, em intensidade. 4) Incontável, numeroso. 5) *Gram.* Uma das formas nominais do verbo: infinitivo. / *s.m.* 6) O que não tem limites; o absoluto. 7) O céu.

IN.FI.XO (cs) *s.m. Gram.* 1) Afixo no interior da palavra quando no diminutivo ou no aumentativo. 2) Fonemas existentes em certos vocábulos derivados entre o radical e o sufixo ➡ o "l" de chaleira; o "t" de cafeteira.

IN.FLA.ÇÃO *s.f.* 1) Ato ou efeito de inflar. 2) Orgulho, vaidade. 3) *Polít.* Envio excessivo de papel-moeda, provocando a diminuição do valor real de moeda em relação a determinado padrão monetário estável. 4) Aumento dos níveis de preços.

IN.FLA.CI.O.NAR *v.i.* 1) Emitir grandes quantidades de papel-moeda causando a sua desvalorização. / *v.t.d.* 2) Causar inflação (em um país).

IN.FLA.DO *adj.* 1) Que se inflou ou inchou. 2) *fig.* Orgulhoso, soberbo, arrogante.

IN.FLA.MA.ÇÃO *s.f.* 1) Ação ou efeito de inflamar. 2) *Med.* Reação local do organismo contra micróbios, que se caracteriza pela cor, dor, calor, etc., da parte infectada.

IN.FLA.MA.DO *adj.* 1) Que tem inflamação. 2) Aceso em chamas, esbraseado. 3) *fig.* Exaltado, afogueado, cheio de amor. 4) Irritado, transtornado.

IN.FLA.MAR *v.t.d.* e *v.p.* 1) Acender(-se), incendiar(-se), ruborizar(-se). / *v.t.d.* 2) *Med.* Causar inflamação em. 3) Pôr fogo em. / *v.p.* 4) Encher-se de ardor, exaltar-se.

IN.FLA.MA.TÓ.RIO *adj.* 1) Inflamativo. 2) *Med.* Relativo à inflamação.

IN.FLA.MÁ.VEL *adj.2gên.* Que se incendeia facilmente.

IN.FLAR *v.t.d.* 1) Encher de ar ou de gás. 2) Enfunar, intumescer, inchar. / *v.t.d.* e *v.p.* 3) Tornar (-se) orgulhoso.

283

inflexão · inibição

IN.FLE.XÃO (cs) *s.f.* 1) Ato ou efeito de inflectir. 2) Ponto em que uma linha ou um raio luminoso sofre alteração na direção. 3) Mudança de acento ou de tom na voz.

IN.FLE.XÍ.VEL (cs) *adj.2gên.* 1) Que não é flexível, firme, duro. 2) Implacável, indiferente, impassível.

IN.FLI.GIR *v.t.d.* 1) Aplicar (castigo, pena). 2) Condenar.

IN.FLU.ÊN.CIA *s.f.* 1) Ação que uma pessoa ou coisa exerce sobre outra. 2) Prestígio, dominação. 3) Autoridade moral.

IN.FLU.IR *v.t.d.* 1) Fazer correr, escorrer para dentro de. 2) Fazer penetrar em. 3) Notificar, incutir, inspirar. 4) *fig.* Entusiasmar, excitar. / *v.t.i.* e *v.i.* 5) Causar influência. / *v.p.* 6) Entusiasmar-se.

IN.FLU.XO (cs) *s.m.* 1) Ato ou efeito de influir, absorção. 2) Aglomeração, grande cópia. 3) Enchente; maré alta.

IN.FOR.MA.ÇÃO *s.f.* 1) Ato ou efeito de informar(-se); informe. 2) Transmissão de notícias. 3) Dados sobre alguém ou alguma coisa. 4) Comunicação. 5) Ensino, aprendizado.

IN.FOR.MA.DO *adj.* 1) Que se informou. 2) Culto, instruído, letrado.

IN.FOR.MAL *adj.2gên.* 1) Que não observa formalidades; sem cerimônia; descontraído. 2) Diz-se de trabalho, atividade, etc. que se realiza sem as formalidades oficiais, sem contrato ou carteira de trabalho assinada.

IN.FOR.MAN.TE *adj.2gên.* e *s.2gên.* Que ou pessoa que informa; informador.

IN.FOR.MAR *v.t.d.* 1) Dar informação, conhecimento ou notícias a; avisar. 2) Contar, participar. / *v.p.* 3) Tomar conhecimento de; informar-se. / *v.t.d.i.* 4) Informar algo a alguém; informar alguém de alguma coisa.

IN.FOR.MÁ.TI.CA *s.f.* Ciência do tratamento automático da informação, considerada esta como base dos conhecimentos e comunicações.

IN.FOR.ME *adj.2gên.* 1) Sem forma determinada, disforme. 2) Anormal, irregular. / *s.m.* 3) Informação, conhecimento. 4) Sugestão a respeito de alguém ou alguma coisa. 5) Investigação.

IN.FOR.TÚ.NIO *s.m.* 1) Má sorte; infelicidade, adversidade. 2) Acontecimento infausto; desgraça, calamidade.

IN.FRA.ÇÃO *s.f.* 1) Ato ou efeito de infringir. 2) Desobediência ou violação de regras ou leis.

IN.FRA.ES.TRU.TU.RA *s.f.* 1) Suporte de uma edificação ou estrutura. 2) Sistema de serviços públicos de uma cidade (esgoto, água, energia elétrica, etc.). 3) Base material ou econômica de uma sociedade ou organização.

IN.FRA.TOR (ô) *s.m.* Pessoa que infringe, transgressor.

IN.FRA.VER.ME.LHO (ê) *s.m.* 1) *Fís.* Radiação eletromagnética usada em medicina, fotografia, etc. / *adj.* 2) *Fís.* Diz-se dessa radiação.

IN.FRIN.GIR *v.t.d.* Transgredir, violar (leis, ordens, tratados), desobedecer.

IN.FRU.TÍ.FE.RO *adj.* 1) Que não produz fruto, infértil. 2) Frustrado. 3) *fig.* Que não dá resultado; inútil.

IN.FUN.DA.DO *adj.* 1) Que não é fundado; sem base ou razão de ser. 2) Que não tem alicerce.

IN.FUN.DIR *v.t.d.* 1) Derramar, despejar ou lançar (líquido) em algum recipiente. 2) *Quím.* e *Farm.* Pôr em cozimento. 3) *fig.* Inspirar. / *v.t.d.* e *v.p.* 4) Inserir(-se).

IN.FU.SÃO *s.f.* 1) Ato ou efeito de infundir(-se). 2) *Farm.* Conservação temporária de uma substância em líquido para que dela se retirem princípios medicamentosos. 3) Causar, gerar.

IN.FU.SO *adj.* 1) Posto de infusão. 2) Infundido, derramado. / *s.m.* 3) Produto de uma infusão.

IN.GÊ.NI.TO *adj.* Que nasceu com o indivíduo; gerado simultaneamente, inato.

IN.GÊ.NUA *s.f.* Atriz que desempenha papéis ingênuos em filmes e teatros, geralmente, "a mocinha".

IN.GE.NU.I.DA.DE *s.f.* 1) Qualidade de ingênuo. 2) Simplicidade extrema, inocência. 3) Ato ou dito infantil. 4) Excesso de credulidade.

IN.GÊ.NUO *adj.* 1) Inocente, natural, infantil. 2) Simples, sem malícia. / *s.m.* 3) Diz-se dos filhos de escravizados nascidos após a Lei do Ventre Livre (1871). 4) Pessoa simples.

IN.GE.RIR *v.t.d.* 1) Introduzir. 2) Passar da boca ao estômago; engolir, comer.

IN.GES.TÃO *s.f.* 1) Ato ou efeito de ingerir, engolir. 2) Deglutição.

IN.GLÊS *adj.* 1) Pertencente ou relativo à Inglaterra (Europa). / *s.m.* 2) O natural ou habitante da Inglaterra. 3) A língua dos ingleses.

IN.GRA.TI.DÃO *s.f.* Falta de gratidão, de reconhecimento ou de agradecimento por algo recebido.

IN.GRA.TO *adj.* 1) Que não mostra reconhecimento. 2) Desagradável, displicente. / *s.m.* 3) Indivíduo que não é agradecido; que não reconhece os feitos.

IN.GRE.DI.EN.TE *s.m.* Componente que faz parte de um medicamento ou de uma comida; elemento integrante de.

ÍN.GRE.ME *adj.2gên.* 1) Que tem grande declive. 2) Árduo, arriscado, trabalhoso. 3) Que é difícil de subir.

IN.GRES.SAR *v.t.i.* 1) Entrar, adentrar, penetrar. 2) Passar a fazer parte de; integrar.

IN.GRES.SO *s.m.* 1) Ato de ingressar. 2) Entrada, abertura. 3) Bilhete de entrada em teatro, cinema, baile, etc.

ÍN.GUA *s.f. Med.* Ingurgitamento dos gânglios linfáticos da virilha, axila, etc.

I.NI.BI.ÇÃO *s.f.* 1) Ato ou efeito de inibir(-se). 2) *Psicol.* Resistência íntima a certos atos ou sentimentos.

I.NI.BI.DO *adj.* e *s.m.* Que ou o aquele que sofre de inibição.

I.NI.BIR *v.t.d.* 1) Proibir. 2) Bloquear, atrapalhar, impedir. / *v.p.* 3) Inibir-se; ficar tolhido.

I.NI.CI.A.ÇÃO *s.f.* 1) Ato ou efeito de iniciar(-se). 2) Ação de começar. 3) Catequese, instrução.

I.NI.CI.A.DO *adj.* 1) Principiado, começado. 2) Que foi admitido à introdução. / *s.m.* 3) Novato de uma seita ou ordem.

I.NI.CI.A.DOR (ô) *adj.* e *s.m.* Mestre, guia, dirigente.

I.NI.CI.AL *adj.2gên.* 1) Que está ou que acontece no início ou na origem. / *s.f.* 2) A primeira letra de uma palavra. 3) A letra que inicia o prenome ou sobrenome de uma pessoa.

I.NI.CI.AR *v.t.d.* 1) Dar início, principiar. 2) Ensinar em alguma arte, ciência ou religião. / *v.p.* 3) Adquirir conhecimento das primeiras noções de qualquer assunto.

I.NI.CI.A.TI.VA *s.f.* 1) Aquele que é o primeiro a propor ou tentar alguma coisa. 2) Ato, empreendimento.

I.NÍ.CIO *s.m.* 1) Princípio, começo. 2) Estreia, inauguração.

I.NI.GUA.LÁ.VEL *adj.2gên.* Que não pode ser igualado, incomparável.

I.NI.LU.DÍ.VEL *adj.2gên.* Que não admite dúvidas, que não pode ser iludido.

I.NI.MA.GI.NÁ.VEL *adj.2gên.* Que não se pode imaginar; extraordinário.

I.NI.MI.GO *adj.* 1) Que não é amigo. 2) Adverso, contrário, hostil. / *s.m.* 3) Pessoa que tem inimizade a alguém. 4) Nação, tropa, gente com quem se está em guerra. 5) *pop.* O diabo, oponente, agressor.

I.NI.MI.TÁ.VEL *adj.2gên.* Que não se pode imitar, inigualável.

I.NI.MI.ZA.DE *s.f.* 1) Falta de amizade. 2) Aversão, ódio.

I.NI.MI.ZAR *v.t.d., v.i.* e *v.p.* 1) Tornar(-se) inimigo, intrigar(-se). 2) Cessar as relações pessoais com alguém.

I.NIN.TE.LI.GÍ.VEL *adj.2gên.* Que não se consegue entender; incompreensível.

I.NIN.TER.RUP.ÇÃO *s.f.* 1) Falta de interrupção. 2) Continuação, sequência.

I.NI.QUI.DA.DE *s.f.* 1) Falta de justiça. 2) Qualidade de injusto.

IN.JE.ÇÃO *s.f.* 1) Ato ou efeito de injetar. 2) Líquido que se injeta. 3) *Med.* Introdução, no corpo, de líquido medicinal. 4) Inserção de combustível em motor.

IN.JE.TAR *v.t.d.* 1) Introduzir um líquido numa cavidade do corpo por meio de injeção. 2) Introduzir sob pressão.

IN.JE.TOR (ô) *adj.* 1) Que injeta. / *s.m.* 2) Aparelho para injetar líquidos.

IN.JUN.ÇÃO *s.f.* 1) Ato ou efeito de injungir. 2) Imposição. 3) Força, pressão das circunstâncias.

IN.JUN.GIR *v.t.d.* 1) Impor a obrigação de. 2) Ordenar formalmente.

IN.JÚ.RIA *s.f.* 1) Afronta, insulto, ofensa, ultraje. 2) Aquilo que é contra o direito.

IN.JU.RI.A.DOR (ô) *adj.* e *s.m.* Que ou aquele que injuria.

IN.JU.RI.AN.TE *adj.2gên.* Injuriador.

IN.JU.RI.AR *v.t.d.* 1) Afrontar, ofender, difamar. 2) Causar dano ou estrago. / *v.p.* 3) Rebaixar-se, afrontar-se.

IN.JU.RI.O.SO (ô) *adj.* 1) Em que há injúria. 2) Ofensivo, humilhante.

IN.JUS.TI.ÇA *s.f.* 1) Falta de justiça. 2) Desonestidade, fraude. 3) Ato contrário à justiça.

IN.JUS.TI.ÇA.DO *adj.* e *s.m.* Que ou aquele que sofreu injustiça, tirania.

IN.JUS.TI.FI.CÁ.VEL *adj.2gên.* Que não se pode justificar, inexplicável.

IN.JUS.TO *adj.* 1) Sem fundamento. / *s.m.* 2) Aquele que não é justo.

I.NOB.SER.VÂN.CIA *s.f.* 1) Falta de observância. 2) Falta de cumprimento, de realização.

I.NOB.SER.VÁ.VEL *adj.2gên.* Que não se pode observar, ou exercer.

I.NO.CÊN.CIA *s.f.* 1) Qualidade de inocente. 2) Falta de culpa. 3) Naturalidade, ingenuidade, simplicidade.

I.NO.CEN.TAR *v.t.d.* 1) Considerar ou declarar inocente. 2) Desculpar, libertar.

I.NO.CEN.TE *adj.2gên.* 1) Que ou quem não é culpado, inofensivo. 2) Isento de malícia. 3) Simples, ingênuo. 4) *pop.* Idiota, imbecil. / *adj.2gên.* e *s.2gên.* 5) Indivíduo não conspurcado pelo pecado. 6) Pessoa excessivamente ingênua.

I.NO.CUI.DA.DE *s.f.* Qualidade de inócuo, inocente.

I.NO.CU.LA.ÇÃO *s.f. Med.* Ato ou efeito de inocular.

I.NO.CU.LAR *v.t.d.* e *v.p.* 1) Introduzir(-se) por inoculação. 2) *fig.* Transmitir(-se), propagar(-se), difundir(-se).

I.NÓ.CUO *adj.* Que não é nocivo, que não causa dano; inofensivo, inocente.

I.NO.DO.RO *adj.* Que não tem odor, sem cheiro.

I.NO.FEN.SI.VO *adj.* 1) Que não ofende, que não é agressivo. 2) Que não faz mal.

I.NOL.VI.DÁ.VEL *adj.2gên.* 1) Que não se olvida. 2) Merecedor de ser lembrado, inesquecível.

I.NO.MI.NÁ.VEL *adj.2gên.* 1) Que não se pode indicar por um nome. 2) *fig.* Vil, baixo, revoltante, desprezível.

I.NO.PE.RÂN.CIA *s.f.* Qualidade de inoperante.

I.NO.PE.RAN.TE *adj.2gên.* 1) Que não atua. 2) Que não é abonatório. 3) Inútil, ineficaz.

I.NO.POR.TU.NO *adj.* 1) Que não é oportuno. 2) Que vem inadequadamente, em tempo ou situação inconveniente.

I.NOR.GÃ.NI.CO *adj.* 1) Constituído de matéria que não é vegetal nem animal. 2) Que forma o mundo inerte ou a ele pertence. 3) Natureza morta.

I.NÓS.PI.TO *adj.* 1) Que não apresenta condições de vida; inabitável. 2) Que não é hospitaleiro; que não é acolhedor; hostil.

I.NO.VA.ÇÃO *s.f.* 1) Ato ou efeito de inovar. 2) Novidade.

I.NO.VAR *v.t.d.* 1) Fazer inovações, introduzir novidades em. 2) Tornar novo, mudar.

I.NO.XI.DÁ.VEL (cs) *adj.2gên.* 1) Que não é oxidável, que não enferruja. 2) Diz-se do que é resistente à corrosão.

IN.QUE.BRAN.TÁ.VEL *adj.2gên.* 1) Que não se pode quebrar. 2) Rijo, consistente, concreto.

IN.QUE.BRÁ.VEL *adj.2gên.* Que não se pode quebrar ou partir.

IN.QUÉ.RI.TO *s.m.* 1) Ato ou efeito de inquirir, pesquisar. 2) Interrogatório, investigação, devassa.

IN.QUES.TI.O.NÁ.VEL *adj.2gên.* 1) Que não é questionável; o que não se põe em dúvida. 2) Certíssimo, indiscutível.

IN.QUI.E.TA.ÇÃO *s.f.* 1) Falta de calma; inquietude. 2) Agitação, movimentação.

IN.QUI.E.TAR *v.t.d.* 1) Tornar ansioso. 2) Pôr em movimento. 3) Tirar o sossego a; perturbar. / *v.p.* 4) Revoltar(-se), excitar(-se).

IN.QUI.E.TO *adj.* 1) Que não está calmo. 2) Que denota desassossego; agitado, oscilante. 3) Nervoso, perturbado.

IN.QUI.LI.NA.TO *s.m.* 1) Quem reside em casa alugada. 2) Os inquilinos.

IN.QUI.LI.NO *s.m.* Aquele que mora em casa alugada.

IN.QUI.RIR *v.t.d.* 1) Indagar, perguntar, pesquisar. 2) Interrogar judicialmente (testemunhas). / *v.i.* 3) Buscar informações.

IN.QUI.SI.ÇÃO *s.f.* 1) Ato ou efeito de inquirir; inquirição. 2) *Hist.* Antigo conselho patriarcal, formado para investigar e punir os crimes contra a fé católica.

IN.QUI.SI.DOR (ô) *s.m.* Juiz do tribunal da Inquisição; membro do Santo Ofício.

IN.SA.CI.Á.VEL *adj.2gên.* 1) Que não é saciável, que não se farta ou não se satisfaz. 2) Sôfrego, ávido.

IN.SA.LU.BRE *adj.2gên.* Que não é bom para a saúde; doentio.

IN.SA.NI.DA.DE *s.f.* 1) Condição de insano; loucura, demência. 2) Desatino, desvario, insensatez.

IN.SA.NO *adj.* e *s.m.* 1) Que ou quem não apresenta sanidade; louco, demente. / *adj.* 2) Excessivo, demasiado, custoso, árduo.

IN.SA.TIS.FA.ÇÃO *s.f.* Descontentamento, desagrado, desprazer.

IN.SA.TIS.FEI.TO *adj.* e *s.m.* Que ou aquele que não está satisfeito, descontente.

IN.SA.TU.RA.DO *adj.* *Quím.* 1) Que não está saturado. 2) Diz-se de composto orgânico com ligações múltiplas.

INS.CRE.VER *v.t.d.* 1) Escrever sobre, gravar. 2) *Geom.* Traçar uma figura dentro de outra. / *v.p.* 3) Matricular-se.

INS.CRI.ÇÃO *s.f.* 1) O que está inscrito. 2) Ato de inscrever. 3) Matrícula, alistamento, registro.

INS.CRI.TO *adj.* 1) Escrito sobre, impresso. 2) *Geom.* Diz-se do ângulo com o vértice na circunferência.

IN.SE.GU.RAN.ÇA *s.f.* 1) Falta de segurança. 2) Falta de confiança em si mesmo.

IN.SE.GU.RO *adj.* 1) Que não é seguro; que não possui segurança ou proteção; perigoso, arriscado. 2) Que não tem confiança em si mesmo; hesitante. 3) Que não tem estabilidade ou garantia; incerto, instável.

IN.SE.MI.NA.ÇÃO *s.f.* Processo pelo qual o espermatozoide entra em contato com o óvulo; fecundação.

IN.SE.MI.NAR *v.t.d.* Fertilizar artificialmente a.

IN.SEN.SA.TEZ (ê) *s.f.* 1) Falta de sensatez, de bom senso. 2) Ato insensato, maluquice.

IN.SEN.SA.TO *adj.* e *s.m.* Desprovido de bom senso; desajuizado, imprudente.

IN.SEN.SI.BI.LI.DA.DE *s.f.* 1) Característica do que é insensível a estímulos físicos. 2) Incapacidade de se emocionar; indiferença, frieza. 3) Indiferença a certos valores e realidades.

IN.SEN.SÍ.VEL *adj.2gên.* 1) Que não reage a estímulos físicos. 2) Que não pode ser sentido; imperceptível. / *adj.2gên.* e *s.2gên.* 3) Que ou quem é indiferente a emoções e sentimentos.

IN.SE.PA.RÁ.VEL *adj.2gên.* 1) Que não se pode separar daquilo a que está unido; indivisível, indissolúvel. 2) Que está ligado por laços afetivos ou de companheirismo.

IN.SER.ÇÃO *s.f.* Ato ou efeito de inserir(-se); inclusão, introdução.

IN.SE.RIR *v.t.d.i.* 1) Fazer entrar; colocar dentro; introduzir. 2) *Por ext.* Passar a fazer parte de; incluir. / *v.p.* 3) Implantar-se, fixar-se.

IN.SE.TI.CI.DA *adj.2gên.* e *s.m.* Diz-se de ou substância que mata insetos.

IN.SE.TO *s.m.* 1) *Zool.* Classe de artrópodes com um par de antenas, geralmente dois pares de asas e três pares de patas articuladas com o tórax, respiram por traqueias e são terrestres ➡ barata, grilo. 2) *pop.* Pessoa insignificante.

IN.SIG.NI.FI.CÂN.CIA *s.f.* 1) Qualidade do que é insignificante. 2) Coisa de pouco valor, de mínima importância; ninharia. 3) Quantia muito pequena; bagatela.

IN.SI.NU.A.ÇÃO *s.f.* 1) Ato ou efeito de insinuar(-se). 2) Ato de dar a entender algo sem expressáinsinuante · instrumento

-lo claramente, sem explicitar; indireta. 3) Provocação, advertência ou acusação disfarçada.

INS.SI.NU.AN.TE *adj.2gên.* 1) Que desperta simpatia e admiração. 2) Persuasivo, convincente.

INS.SI.NU.AR *v.t.d.* e *v.i.* 1) *Por ext.* Dar a entender de modo indireto e sutil; sugerir. / *v.t.d.* e *v.p.* 2) *fig.* Introduzir(-se) de forma gradual e sutil no ânimo de alguém. / *v.t.d.i.* e *v.p.* 3) Introduzir(-se) em um lugar de maneira sutil; infiltrar(-se). 4) *fig.* Demonstrar interesse por alguém; seduzir.

IN.SÍ.PI.DO *adj.* 1) Sem sabor; sem gosto. 2) *fig.* Sem graça; monótono, desinteressante.

IN.SI.PI.EN.TE *adj.2gên.* 1) Ignorante. 2) Imprudente.

IN.SIS.TÊN.CIA *s.f.* Ato ou efeito de insistir; persistência, perseverança.

IN.SIS.TIR *v.t.i.* 1) Não desistir; persistir, perseverar, teimar. / *v.t.i.* e *v.i.* 2) Dizer ou pedir algo a alguém com insistência; repetir.

IN.SO.LA.ÇÃO *s.f.* Mal causado pelo excesso de exposição ao sol.

IN.SO.LEN.TE *adj.2gên.* 1) Desrespeitoso em seus ditos e atitudes; malcriado, atrevido, desaforado. 2) Que trata os demais como inferiores; arrogante.

IN.SÓ.LI.TO *adj.* 1) Que não é habitual ou frequente; estranho, raro. 2) Que é contrário à tradição, aos costumes e às regras.

IN.SO.LÚ.VEL *adj.2gên.* 1) Que não se dissolve. 2) *fig.* Que não se pode solucionar.

IN.SON.DÁ.VEL *adj.2gên.* 1) Impossível de sondar. 2) *fig.* Que não se pode explicar; incompreensível.

IN.SÔ.NIA *s.f.* 1) Carência de sono, vigília. 2) Dificuldade de dormir.

IN.SOS.SO (ô) *adj.* 1) Que tem pouco ou nenhum sal. 2) *fig.* Sem graça; monótono, tedioso.

INS.PE.ÇÃO *s.f.* Pesquisa minuciosa; fiscalização, vistoria.

INS.PI.RA.ÇÃO *s.f.* 1) Ato ou efeito de inspirar ou de ser inspirado. 2) Servir de exemplo.

INS.PI.RAR *v.t.d.* 1) *Med.* Colocar o ar atmosférico nos pulmões por meio dos movimentos do tórax. 2) Causar inspiração ou entusiasmo a. / *v.p.* 3) Receber inspiração, sentir-se inspirado. / *v.t.i.* 4) Motivar, sugerir.

INS.TA.BI.LI.DA.DE *s.f.* Falta de estabilidade, de solidez, de firmeza; risco.

INS.TA.LA.ÇÃO *s.f.* 1) Ato ou efeito de instalar. 2) Disposição de objetos em lugar apropriado. 3) Conjunto de aparelhos ou peças que compõem uma determinada unidade.

INS.TA.LAR *v.t.d.* 1) Dispor para funcionar; inaugurar. 2) Dar hospedagem a. / *v.p.* 3) Hospedar-se. 4) Tomar posse.

INS.TÂN.CIA *s.f.* 1) Ato ou efeito de instar. 2) Convidar, solicitar. 3) Pedido urgente e repetido.

INS.TAN.TÂ.NEO *adj.* 1) Que sucede num instante; rápido, súbito, breve, acelerado. 2) Que se produz repentinamente.

INS.TAN.TE *adj.* 1) Que está iminente. 2) Inadiável, urgente. / *s.m.* 3) Momento muito breve, ocasião.

INS.TAU.RA.ÇÃO *s.f.* 1) Ato ou efeito de instaurar, tentativa. 2) Estabelecimento, estreia, começo.

INS.TAU.RA.DOR (ô) *adj.* e *s.m.* Que ou o que instaura.

INS.TAU.RAR *v.t.d.* 1) Estabelecer, constituir, edificar. 2) Renovar.

INS.TÁ.VEL *adj.2gên.* 1) Sem estabilidade ou segurança, sem condições de permanência. 2) Variável, volúvel. 3) Móvel, movediço.

INS.TI.GA.ÇÃO *s.f.* 1) Ato ou efeito de instigar. 2) Estimular, excitar, sugerir.

INS.TI.GAR *v.t.d.i.* 1) Estimular alguém a fazer algo; induzir, incentivar. 2) Incitar, açular.

INS.TIN.TO *s.m.* Impulso natural pelo qual homens e animais executam certos atos sem conhecer a razão desses atos.

INS.TI.TU.I.ÇÃO *s.f.* 1) Ato ou efeito de instituir. 2) Criar, estabelecer. 3) Sociedade de caráter social, educacional, filantrópico, religioso, etc. / *s.f. pl.* 4) Instituições: leis fundamentais de uma sociedade política.

INS.TI.TU.IR *v.t.d.* 1) Dar início a; estabelecer, criar, fundar. 2) Marcar (data, prazo, etc.); fixar, determinar. 3) Declarar alguém como herdeiro; constituir. / *v.t.d.* e *v.p.* 4) Indicar alguém para uma tarefa; nomear(-se), designar(-se).

INS.TI.TU.TO *s.m.* 1) Fato instituído. 2) Regulamento, regime, regra. 3) Projeto, intenção. 4) Constituição de uma ordem religiosa.

INS.TRU.ÇÃO *s.f.* 1) Ato de instruir. 2) Ensino, lição. 3) Esclarecimentos de dados para uso distinto. 4) Educação intelectual, culta.

INS.TRU.Í.DO *adj.* 1) Que tem instrução. 2) Culto, informado, letrado.

INS.TRU.IR *v.t.d.* 1) Doutrinar, ensinar. 2) Adestrar, habilitar. / *v.t.d.i.* 3) Esclarecer, informar. / *v.p.* 4) Receber instrução; informar-se.

INS.TRU.MEN.TA.ÇÃO *s.f.* 1) Ato ou efeito de instrumentar. 2) *Mús.* Método de demonstrar a música através de instrumentos.

INS.TRU.MEN.TAR *v.t.d.* 1) Equipar com instrumentos. 2) *Cir.* Passar à mão do cirurgião os instrumentos para operar. 3) *Mús.* Escrever e dispor (na partitura), para cada instrumento, a parte que lhe pertence.

INS.TRU.MEN.TIS.TA *adj.2gên.* e *s.2gên.* Pessoa que toca alguns instrumentos ou compõe música instrumental.

INS.TRU.MEN.TO *s.m.* 1) Aparelho, objeto ou utensílio que serve para executar uma obra ou instrutor · inteligível

levar a efeito uma operação. 2) Aparelho determinado a gerar sons musicais.

INS.TRU.TOR (ô) *adj.* e *s.m.* Que ou aquele que dá instruções ou educação.

IN.SUB.MIS.SO *adj.* 1) Não submisso. 2) Independente, ativo. / *s.m.* 3) Diz-se do cidadão que, embora convocado para o serviço militar, não se apresentou onde devia e dentro do prazo marcado.

IN.SU.BOR.DI.NA.ÇÃO *s.f.* 1) Sublevação, ato de indisciplina. 2) Revolução, rebeldia, desordem.

IN.SU.BOR.DI.NAR *v.t.d.* Causar ou cometer insubordinação.

IN.SU.BOR.NÁ.VEL *adj.2gên.* 1) Que não se pode subornar. 2) Digno, correto.

IN.SUBS.TI.TU.Í.VEL *adj.2gên.* Que não se pode substituir.

IN.SU.CES.SO *s.m.* Mau êxito; falta de bom resultado, falta de energia, impotência.

IN.SU.FI.CI.ÊN.CIA *s.f.* 1) Qualidade de insuficiente. 2) Inaptidão, inabilidade, incompetência.

IN.SU.FI.CI.EN.TE *adj.2gên.* 1) Que não é suficiente, insatisfatório. 2) Impossibilitado, incompetente.

IN.SU.FLA.DOR (ô) *adj.* 1) Quem insufla. 2) Atiçador, insinuador. / *s.m.* 3) *Med.* Aparelho que serve para insuflar.

IN.SU.FLAR *v.t.d.* 1) Encher de ar, fazer inchar assoprando. 2) Inserir por meio de sopro. 3) Imprimir, inspirar.

IN.SU.LAR *v.t.d.* 1) Ilhar, isolar. 2) Impedir que a eletricidade passe de um corpo para outro. / *adj.2gên.* 3) Relativo à ilha. / *s.2gên.* 4) Pessoa natural de uma ilha; insulano.

IN.SU.LI.NA *s.f. Biol.* e *Med.* Hormônio pancreático proteínico, expelido pelas ilhotas de Langerhans, empregado no tratamento do diabetes.

IN.SUL.TA.DO *adj.* 1) Que recebeu insulto. 2) Injuriado, ofendido.

IN.SUL.TAR *v.t.d.* 1) Dirigir insultos a; afrontar, ultrajar. 2) Assaltar, atacar com violência, prejudicar.

IN.SUL.TO *s.m.* 1) Injúria violenta. 2) Ofensa, por atos ou palavras.

IN.SU.PE.RÁ.VEL *adj.2gên.* Que não é superável, que não se pode ganhar, invencível.

IN.SU.POR.TÁ.VEL *adj.2gên.* Que não se pode suportar; inadmissível, incômodo.

IN.SUR.GIR *v.t.d.* e *v.p.* Alvorotar(-se), revoltar(-se), sublevar(-se).

IN.SUR.RE.CI.O.NA.DO *adj.* 1) Insurgido, revoltado. / *s.m.* 2) Homem rebelde.

IN.SUR.RE.CI.O.NAL *adj.2gên.* 1) Próprio de insurreição. 2) Levantamento.

IN.SUR.REI.ÇÃO *s.f.* 1) Rebelião, revolta. 2) Reação vigorosa.

IN.SUS.PEI.TO *adj.* 1) Que não é suspeito, sem culpa. 2) Imparcial, justo.

IN.SUS.TEN.TÁ.VEL *adj.2gên.* 1) Que não se pode sustentar, defender ou preservar. 2) Insu-

portável. 3) Que não há argumento; sem fundamento.

IN.TAC.TO *adj.* 1) Que não foi tocado, mexido ou alterado. 2) Que não sofreu dano. 3) *fig.* Sem mácula; puro, íntegro.

IN.TAN.GÍ.VEL *adj.2gên.* 1) Que não é tangível. 2) Em que não pode tocar ou apalpar, insensível.

ÍN.TE.GRA *s.f.* 1) Contexto completo. 2) Totalidade.

IN.TE.GRA.ÇÃO *s.f.* Ato ou processo de integrar, associação.

IN.TE.GRAL *adj.2gên.* 1) Inteiro, total. 2) Cereal que não sofreu beneficiamento, energético.

IN.TE.GRAN.TE *adj.2gên.* 1) Que integra, que completa. 2) Que forma corpo simples ou composto. 3) Indispensável. / *s.2gên.* 4) Pessoa que integra um grupo, uma associação, etc.

IN.TE.GRAR *v.t.d.* e *v.p.* 1) Tornar(-se) inteiro, completar(-se); integralizar. / *v.p.* 2) Adaptar-se, habituar-se. 3) Juntar-se, formando parte integrante.

IN.TE.GRI.DA.DE *s.f.* 1) Qualidade do que é íntegro. 2) Honestidade, imparcialidade. 3) Inocência, virgindade.

ÍN.TE.GRO *adj.* 1) Inteiro, finalizado. 2) Reto, pundonoroso, imparcial.

IN.TEI.RAR *v.t.d.* 1) Tornar inteiro ou completo. 2) Findar, completar, terminar. 3) Informar, avisar. / *v.p.* 4) Ficar ciente, informar-se.

IN.TEI.RE.ZA (ê) *s.f.* 1) Qualidade daquilo que é inteiro. 2) Integridade física e moral. 3) Honestidade própria.

IN.TEI.RI.ÇO *adj.* 1) De uma só peça, elemento único. 2) Hirto, constante, teso.

IN.TEI.RO *adj.* 1) Que possui todas as suas partes, a sua extensão. 2) Completo, exato. 3) Que não sofreu diminuição ou modificação. / *s.m.* 4) *Mat.* Número sem frações.

IN.TE.LEC.TO *s.m.* 1) Inteligência, intelectualidade. 2) Facilidade em compreender.

IN.TE.LEC.TU.AL *adj.2gên.* 1) Pertencente ou referente a inteligência. / *s.2gên.* 2) Pessoa estudiosa, culta.

IN.TE.LEC.TU.A.LIS.MO *s.m.* 1) Domínio abusivo dos intelectuais. 2) *Filos.* Predominância da inteligência e da razão.

IN.TE.LEC.TU.A.LI.ZAR *v.t.d.* 1) Elevar à categoria intelectual. / *v.p.* 2) Torna-se intelectual.

IN.TE.LI.GÊN.CIA *s.f.* 1) Capacidade de entender, pensar, raciocinar e interpretar. 2) Compreensão, conhecimento profundo. 3) Pessoa de grande campo intelectual.

IN.TE.LI.GEN.TE *adj.2gên.* 1) Quem possui inteligência. 2) Que tem capacidade de compreender, entender, raciocinar e interpretar. 3) Hábil, apto.

IN.TE.LI.GÍ.VEL *adj.2gên.* 1) De fácil entendimento e compreensão. 2) Claro, perceptível, compreensível.

intempérie · interjeição

IN.TEM.PÉ.RIE *s.f.* 1) Mau tempo. 2) Irregularidade das condições atmosféricas.

IN.TEM.PES.TI.VO *adj.* 1) Que não se concretiza no tempo esperado. 2) Repentino, súbito. 3) Fora do tempo adequado; inoportuno.

IN.TEN.ÇÃO *s.f.* 1) Propósito. 2) Pensamento secreto e reservado. 3) Vontade, desejo.

IN.TEN.DÊN.CIA *s.f.* 1) Direção, administração de negócios. 2) Administração ou cargo de intendente. 3) Estabelecimento onde o intendente exerce suas funções.

IN.TEN.DEN.TE *s.2gên.* Pessoa que comanda, dirige ou administra alguma coisa.

IN.TEN.SI.DA.DE *s.f.* 1) Grau elevado, intenso. 2) Grau de força em que o som é produzido. 3) Diz-se de tudo que é intenso.

IN.TEN.SI.FI.CAR *v.t.d.* e *v.p.* Tornar(-se) intenso, fortificar.

IN.TEN.SI.VO *adj.* 1) Que possui intensidade, ativo. 2) Que acumula maior soma de energia.

IN.TEN.SO *adj.* 1) Que se manifesta em alto grau, em que há muita tensão. 2) Forte, enérgico, excitado.

IN.TEN.TAR *v.t.d.* Ter intento de; planejar, formular, projetar.

IN.TEN.TO *s.m.* Desígnio, intenção, propósito, plano.

IN.TEN.TO.NA *s.f.* 1) *pop.* Plano insensato. 2) Conspiração de revolta.

IN.TE.RA.ÇÃO *s.f.* Ação mútua entre duas partículas ou dois corpos.

IN.TE.RA.GIR *v.t.i.* e *v.i.* 1) Executar interação; relacionar(-se), comunicar(-se). / *v.t.i.* 2) Intervir em um programa de computador, em uma videoconferência, etc.

IN.TER.CA.LAR *adj.2gên.* 1) Que se intercala, encaixe. 2) Adicional, suplementar. / *v.t.d.* e *v.p.* 3) Pôr(-se) de permeio, inserir(-se), interpor(-se), introduzir(-se).

IN.TER.CÂM.BIO *s.m.* 1) Troca, permuta, relações entre Estados. 2) Relações bancárias, comerciais.

IN.TER.CE.DER *v.t.i.* 1) Rogar por alguém ou por algo. / *v.t.d.* e *v.i.* 2) Intervir a favor de alguém ou de algo.

IN.TER.CE.LU.LAR *adj. Biol.* Diz-se do que está localizado entre as células.

IN.TER.CEP.TAR *v.t.d.* 1) Pôr obstáculo no meio de. 2) Fazer parar, cessar, interromper.

IN.TER.CES.SÃO *s.f.* 1) Ato ou efeito de interceder. 2) Mediação, intromissão, interferência.

IN.TER.CES.SOR (ô) *adj.* e *s.m.* Que ou aquele que intercede, mediadeiro.

IN.TER.CLU.BE *adj.2gên.* Diz-se do que ocorre entre vários clubes.

IN.TER.CO.MU.NI.CAR *v.t.d.* 1) Possibilitar comunicação mútua entre dois pontos. / *v.p.* 2) Comunicar-se reciprocamente.

IN.TER.CON.TI.NEN.TAL *adj.2gên.* 1) Situado entre continentes. 2) Que se refere a dois ou mais continentes.

IN.TER.COS.TAL *adj.2gên.* 1) *Anat.* Situado entre as costelas. 2) *Bot.* Situado entre as nervuras das folhas.

IN.TER.DE.PEN.DÊN.CIA *s.f.* Dependência mútua.

IN.TER.DI.ÇÃO *s.f.* 1) Proibição que impede o funcionamento de um estabelecimento ou o uso de uma área. 2) *Jur.* Privação do direito de uma pessoa de dispor de seus bens ou de praticar qualquer ato jurídico.

IN.TER.DI.GI.TAL *adj.2gên. Anat.* Situado entre os dedos.

IN.TER.DI.TAR *v.t.d.* 1) Proibir a entrada. 2) Tornar ou declarar interdito, proibido.

IN.TER.DI.TO *adj.* 1) Proibido. 2) Que está sob os efeitos da interdição. 3) *Dir.* Privado judicialmente de certos direitos e da livre disposição dos seus bens e da sua pessoa. / *s.m.* 4) Proibição, interdição.

IN.TE.RES.SAN.TE *adj.2gên.* 1) Que interessa ou atrai a atenção. 2) Admirável, atraente. 3) Importante.

IN.TE.RES.SAR *v.t.i.* 1) Atrair ou provocar o interesse. 2) Ser proveitoso, ser útil. 3) Dizer respeito. / *v.i.* 4) Ter ou despertar interesse. / *v.p.* 5) Tomar interesse. 6) Empenhar-se. / *v.t.d.* 7) Dar parte nos lucros a.

IN.TE.RES.SE (ê) *s.m.* 1) Oportunidade, lucro, utilidade, benefício encontrado em algo. 2) Atrativo, simpatia.

IN.TE.RES.SEI.RO *adj.* e *s.m.* 1) Que ou quem finge simpatia visando apenas seus próprios interesses. / *adj.* 2) Inspirado ou feito por interesse.

IN.TER.FE.RÊN.CIA *s.f.* 1) Intervenção, interposição. 2) Perturbação na recepção de ondas sonoras por um aparelho de rádio.

IN.TER.FE.RIR *v.t.i.* 1) Intervir, intrometer-se em algo com a intenção de influenciar o seu desenvolvimento. 2) Produzir interferência. 3) *Fís.* Causar interferência em uma missão radioelétrica.

IN.TER.FO.NE *s.m.* Aparelho telefônico para comunicação interna em edifícios, condomínios, escritórios, etc.

ÍN.TE.RIM *s.m.* 1) Tempo interposto. 2) Qualidade de interino, temporário.

IN.TE.RI.NO *adj.* 1) Provisório, passageiro. 2) Cargo não efetivo.

IN.TE.RI.OR *adj.* 1) Que está situado dentro de, interno. 2) Íntimo, reservado, particular. 3) Relativo à alma, à natureza moral. / *s.m.* 4) A parte interna de um país, sertão. 5) Conjunto de municípios de um estado com exclusão da capital.

IN.TER.JEI.ÇÃO *s.f. Gram.* Palavra ou expressão que exprime emoção, ordem, apelo ou reproduz certos ruídos.

interlocutor | intervir

IN.TER.LO.CU.TOR (ô) *s.m.* 1) Cada um dos participantes de uma conversa. 2) *Por ext.* A pessoa com quem se conversa.

IN.TER.LO.CU.TÓ.RIO *adj.* 1) *Dir.* Pronunciado no decorrer de um pleito. / *s.m.* 2) Despacho proferido no decurso de um pleito.

IN.TER.LÚ.DIO *s.m. Mús.* Trecho que se intercala entre as diversas partes de uma longa composição.

IN.TER.ME.DI.AR *v.t.d.* 1) Meter de permeio. 2) Entremear. / *v.t.d.i.* 3) Entremear uma situação a outra; servir de intermediário. / *v.i.* 4) Intervir, interceder.

IN.TER.ME.DI.Á.RIO *adj.* 1) Que está de permeio. 2) Que intervém. / *s.m.* 3) Mediador.

IN.TER.MÉ.DIO *adj.* 1) Interposto, entre, no meio. 2) Intermediário. / *s.m.* 3) O que estabelece comunicação entre duas coisas ou pessoas. 4) Mediação.

IN.TER.MI.NÁ.VEL *adj.2gên.* 1) Que não termina, inacabável, infindável. 2) Que se prolonga, infinito.

IN.TER.MI.TEN.TE *adj.2gên.* Que ocorre a intervalos separados; não contínuo.

IN.TER.MU.NI.CI.PAL *adj.2gên.* 1) Que fica, existe ou ocorre entre municípios. 2) Que vai de um município a outro.

IN.TER.NA.ÇÃO *s.f.* 1) Ato ou efeito de internar; internamento. 2) Fechamento, hospitalização.

IN.TER.NA.CIO.NAL *adj.2gên.* 1) Relativo às relações entre nações. 2) Efetuado entre nações.

IN.TER.NAR *v.t.d.* e *v.p.* 1) Introduzir(-se), pôr(-se) dentro, tornar(-se) interno. / *v.t.d.* 2) Pôr em colégio ou hospital. 3) Obrigar alguém a residir em determinado lugar sem direito de ausentar-se.

IN.TER.NO *adj.* 1) De dentro, interior, íntimo. 2) Diz-se do aluno que reside no colégio em que estuda. 3) Estudante de medicina que reside no hospital. 4) Diz-se do médico recém-formado que reside no hospital onde adquire prática. 5) Diz-se do indivíduo que está internado em estabelecimento de recuperação: drogado, presidiário.

IN.TER.PAR.TI.DÁ.RIO *adj.* Que é efetuado entre partidos.

IN.TER.PE.LAR *v.t.d.* 1) Perguntar algo a alguém. 2) Interromper a fala de alguém, perturbar por súbito apelo. 3) *Dir.* Intimar, notificar.

IN.TER.PE.NE.TRAR *v.p.* Penetrar-se mutuamente.

IN.TER.PLA.NE.TÁ.RIO *adj.* Que se situa, realiza-se, ou ocorre entre planetas.

IN.TER.PO.LA.ÇÃO *s.f.* 1) Ato ou efeito de interpolar. 2) Introdução ou intercalação de palavras ou frases no texto.

IN.TER.PO.LAR *v.t.d.* 1) Inserir, introduzir num texto palavras ou frases com o objetivo de alterá-lo ou torná-lo mais claro. 2) Intercalar; entremear. / *adj.2gên.* 3) *Fís.* Que está entre dois polos. 4) Que está entre os polos de uma pilha.

IN.TER.POR *v.t.d.* e *v.p.* 1) Colocar(-se), pôr(-se) entre; meter(-se) de permeio. / *v.t.d.* 2) Interferir, surgir como obstáculo. 3) Opor, contrapor.

IN.TER.PO.SI.ÇÃO *s.f.* 1) Ato ou efeito de interpor ou interpor-se. 2) Intervenção.

IN.TER.PRE.TA.ÇÃO *s.f.* 1) Ato ou modo de interpretar. 2) Tradução, versão. 3) Explicação, elucidação. 4) Modo como atores desempenham os seus papéis.

IN.TER.PRE.TAR *v.t.d.* 1) Esclarecer, explicar o significado de. 2) Tirar de (alguma coisa) uma explicação ou presságio. 3) Traduzir de uma língua para outra. 4) Desempenhar um papel em uma peça. 5) Executar um trecho musical.

IN.TÉR.PRE.TE *s.2gên.* 1) Pessoa que interpreta. 2) Pessoa que serve de intermediária para que duas pessoas de línguas diferentes se compreendam. 3) Tradutor.

IN.TER.REG.NO *s.m.* 1) Tempo entre a morte do rei e a sagração do seu sucessor. 2) Interrupção, intervalo, espaço.

IN.TER.RO.GA.ÇÃO *s.f.* 1) Ato ou efeito de interrogar; interrogatório. 2) Ponto de interrogação.

IN.TER.RO.GAR *v.t.d.* 1) Perguntar, inquirir, interpelar, investigar. 2) Questionar, propor questões a. / *v.p.* 3) Consultar-se, examinar-se.

IN.TER.RO.GA.TÓ.RIO *adj.* 1) Interrogativo. / *s.m.* 2) Ato de interrogar, questionário. 3) Conjunto de perguntas que o juiz dirige ao réu e às testemunhas e as respostas respectivas. 4) Inquirição.

IN.TER.ROM.PER *v.t.d.* 1) Fazer cessar por algum tempo, suspender. 2) Cortar ou romper a continuidade de.

IN.TER.RUP.TOR (ô) *adj.* e *s.m.* Diz-se de ou dispositivo que serve para ligar e desligar um circuito elétrico ou eletrônico.

IN.TE.RUR.BA.NO *adj.* 1) Que se realiza entre cidades. / *s.m.* 2) Comunicação telefônica entre duas cidades.

IN.TER.VA.LO *s.m.* 1) Distância em tempo ou espaço entre duas referências. 2) *Mús.* Distância ou altura entre duas notas musicais. 3) Espaço de tempo entre duas épocas, entre dois fatos, etc. 4) Interrupção de um trabalho ou estudo para descanso.

IN.TER.VEN.ÇÃO *s.f.* 1) Ato ou efeito de intervir; interferência. 2) *Med.* Operação, cirurgia. 3) Intercessão, mediação. 4) Ação direta do governo em um estado da Federação.

IN.TER.VEN.TOR (ô) *adj.* 1) Que intervém, interveniente. / *s.m.* 2) Autoridade que assume o governo como representante do presidente da República. 3) Intermediário, administrador, mediador.

IN.TER.VIR *v.t.i.* 1) Ser ou estar presente; assistir. 2) Tomar parte voluntariamente, interferir. 3) *Polít.* Colocar tropas num país estrangeiro. / *v.i.* 4) Suceder inesperadamente. / *v.t.i.* e *v.i.* 5) Interpor a sua autoridade.

intestino / inundar

IN.TES.TI.NO *adj.* 1) Diz-se do que está ou se passa no interior, no íntimo de qualquer corpo. 2) Que está muito interior, profundo. / *s.m.* 3) *Anat.* Parte do tubo digestivo que é responsável pela absorção de nutrientes e água e pela excreção dos resíduos; estende-se do estômago ao ânus e divide-se em intestino delgado e intestino grosso.

IN.TI.MAR *v.t.d.* 1) Fazer ciente de, noticiar. 2) Notificar juridicamente. 3) Insultar, afrontar, provocar briga.

IN.TI.MI.DA.DE *s.f.* 1) Qualidade de íntimo, profundo. 2) Vida doméstica, particular. 3) Familiaridade, proximidade. 4) Relação muito próxima; amizade estreita; convivência fraterna. 5) Comportamento atrevido; intromissão na vida de alguém.

IN.TI.MI.DAR *v.t.d.* 1) Tornar tímido, temeroso. 2) Assustar, horrorizar, amedrontar. / *v.p.* 3) Atemorizar-se, tornar-se tímido.

ÍN.TI.MO *adj.* 1) Interno, profundo, da alma, do coração. 2) Diz-se do que é inteiramente privado. / *s.m.* 3) Grande amigo. 4) Diz-se do que há de mais profundo em nós mesmos.

IN.TI.TU.LAR *v.t.d.* 1) Dar título a. 2) Chamar, nomear, apelidar. / *v.p.* 3) Intitular-se, nomear-se.

IN.TO.CÁ.VEL *adj.2gên.* 1) Em que não se pode tocar. 2) Inatacável, inatingível.

IN.TO.LE.RÂN.CIA *s.f.* Tendência a não suportar ou condenar o que não agrada; falta de tolerância; intransigência.

IN.TO.LE.RAN.TE *adj.2gên.* 1) Que não é tolerante, intransigente. 2) Pessoa que nada tolera; manifesta contrariedade a qualquer pensamento.

IN.TO.XI.CA.ÇÃO (cs) *s.f.* 1) Ato ou efeito de intoxicar, envenenamento. 2) *Med.* Introdução de substância tóxica no organismo.

IN.TO.XI.CAR (cs) *v.t.d.* 1) Saturar de substância tóxica a; envenenar. / *v.p.* 2) Ingerir substância tóxica.

IN.TRA.GÁ.VEL *adj.2gên.* 1) Que não se consegue tragar ou ingerir. 2) Desagradável, insuportável, intolerável.

IN.TRAN.SI.GEN.TE (zi) *adj.2gên.* e *s.2gên.* 1) Pessoa que não transige, sem tolerância. 2) Pessoa severa nos princípios.

IN.TRAN.SI.TI.VO (zi) *adj.* e *s.m. Gram.* Diz-se de ou verbo que apresenta significação completa, não necessitando de complemento verbal ➡ nascer, morrer, acordar, etc.

IN.TRA.TÁ.VEL *adj.2gên.* 1) Que não se pode tratar ou curar. 2) Que não se pode tratar ou abordar. 3) Que é de difícil convivência; insociável.

IN.TRÉ.PI.DO *adj.* 1) Audaz, corajoso, atrevido. 2) Impassível, insensível.

IN.TRI.CA.DO *adj.* 1) Embaraçado, atrapalhado, complicado. 2) Obscuro, duvidoso. 3) Diz-se do que é difícil de resolver.

IN.TRI.GA *s.f.* 1) Plano secreto, trama para obter proveito ou prejudicar alguém. 2) Cilada, falsidade. 3) *Lit.* Enredo de uma peça literária.

IN.TRI.GA.DO *adj.* 1) Em que há intriga, bisbilhoteiro. / *s.m.* 2) Inimigo, adversário.

IN.TRI.GAR *v.i.* 1) Fazer intrigas, maquinar. / *v.t.d.* 2) Envolver em mexericos. / *v.t.d.* e *v.i.* 3) Provocar a curiosidade.

IN.TRO.DU.ÇÃO *s.f.* 1) Ato ou efeito de introduzir. 2) Importação. 3) Apresentação, prefácio, prólogo.

IN.TRO.DU.TOR (ô) *adj.* 1) Que introduz. / *s.m.* 2) Indivíduo que introduz ou apresenta alguém. 3) Aquele que primeiro introduz algo em um país.

IN.TRO.DU.ZIR *v.t.d.* 1) Enfiar, meter dentro de. 2) Fazer entrar, levar para dentro. / *v.p.* 3) Entrar, penetrar-se. 4) Intrometer-se.

IN.TRO.ME.TER *v.t.d.* 1) Fazer entrar, introduzir, entremeter. / *v.p.* 2) Intrometer-se com as coisas de outrem; interferir.

IN.TRO.ME.TI.DO *adj.* 1) Que se intromete. / *s.m.* 2) Indivíduo que se mete onde não lhe diz respeito. 3) Ousado, atrevido.

IN.TRO.MIS.SÃO *s.f.* Ato ou efeito de intrometer ou intrometer-se; intrometimento.

IN.TROS.PEC.ÇÃO *s.f. Psicol.* 1) Descrição da experiência pessoal em termos de elementos e atitudes. 2) Observação ou exame da vida interior pela própria pessoa.

IN.TRO.VER.TI.DO *adj.* 1) Voltado para dentro. 2) Abstraído, concentrado.

IN.TRU.SÃO *s.f.* 1) Ato de se introduzir, sem direito ou por violência. 2) Entrada ilegal, sem convite. 3) Usurpação, posse ilegal.

IN.TRU.SO *adj.* e *s.m.* Que ou aquele que se introduz sem direito ou sem ser chamado; intrometido.

IN.TU.I.ÇÃO *s.f.* 1) Percepção clara e imediata, sem necessidade de recorrer ao raciocínio. 2) Pressentimento. 3) *Teol.* Visão beatífica.

IN.TU.I.TI.VO *adj.* 1) Relativo à intuição. 2) Que se percebe facilmente, por intuição. 3) Claro, evidente, incontestável.

IN.TUI.TO (túi) *s.m.* 1) Aquilo que se tem em mente ou em vista. 2) Finalidade; escopo; plano; propósito.

I.NU.MA.NO *adj.* 1) Diz-se do que não tem humanidade; desumano. 2) Bárbaro; cruel; sanguinário.

I.NU.MAR *v.t.d.* Enterrar; sepultar.

I.NU.ME.RÁ.VEL *adj.2gên.* 1) Que não se pode numerar. 2) Muito numeroso. 3) Infinito em número. 4) Incontável; incalculável; inúmero.

I.NUN.DA.ÇÃO *s.f.* Grande volume de águas que causam alagamentos; enchente.

I.NUN.DAR *v.t.d.* e *v.p.* 1) Encher(-se), cobrir (-se) de água que transborda. / *v.t.d.* 2) Banhar, encharcar, umedecer. 3) Derramar; espalhar. 4) Invadir em tumulto.

inusitado · inviolável

I.NU.SI.TA.DO *adj.* 1) Que não é usado. 2) Que não é comum. 3) Alheio. 4) Desconhecido; esquisito.

I.NÚ.TIL *adj.2gên.* 1) Que não tem utilidade. 2) Frustrado, improdutivo. 3) Vão. 4) Desnecessário. 5) Sem préstimo.

I.NU.TI.LI.ZAR *v.t.d.* e *v.p.* Tornar(-se) inútil, inválido, incapaz, imprestável.

IN.VA.DIR *v.t.d.* 1) Entrar à força em; penetrar; ocupar. 2) Usurpar; assumir de forma ilícita. 3) Propagar-se, alastrar-se por. 4) Tomar conta de; avassalar.

IN.VA.LI.DAR *v.t.d.* 1) Tornar inválido, sem efeito ou inexistente. 2) Inutilizar; anular.

IN.VA.LI.DEZ (ê) *s.f.* 1) Qualidade ou estado de inválido. 2) Invalidade; inutilidade. 3) Impossibilidade para o exercício de alguma profissão.

IN.VÁ.LI.DO *adj.* 1) Débil, impotente, enfermo. 2) Que não tem força nem vigor. 3) Inutilizado, sem validade. 4) Impossibilitado para o trabalho. / *s.m.* 5) Indivíduo que, por doença ou velhice, é incapaz de exercer as funções de seu cargo.

IN.VA.RI.Á.VEL *adj.2gên.* 1) Que não varia; que não muda; estável. 2) Que se repete; rotineiro. 3) *Gram.* Que não admite flexão.

IN.VA.SÃO *s.f.* 1) Ato ou efeito de invadir. 2) Ocupação ilegal; incursão. 3) Violação do direito de outrem. 4) *Med.* Irrupção de uma epidemia.

IN.VE.JA *s.f.* 1) Aspiração; pretensão. 2) Ambição; cobiça. 3) Desejo de possuir ou gozar bens alheios.

IN.VE.JAR *v.t.d.* 1) Ter inveja de; desejar o que é de outrem. 2) Cobiçar; ambicionar.

IN.VE.JO.SO (ô) *adj.* e *s.m.* Que ou quem sente ou demonstra inveja.

IN.VEN.ÇÃO *s.f.* 1) Ato ou efeito de inventar. 2) Faculdade inventiva; criação. 3) Coisa inventada; invento. 4) Ideia espirituosa; descoberta. 5) Esperteza. 6) Manha, tramoia.

IN.VEN.CÍ.VEL *adj.2gên.* 1) Que não se pode vencer. 2) Irresistível; insuperável. 3) Que não se pode eliminar ou fazer desaparecer; irremediável. 4) Imbatível; inconquistável; indomável.

IN.VEN.TAR *v.t.d.* 1) Criar; imaginar; fabricar. 2) Idear; projetar; arquitetar. 3) Descobrir. 4) Tramar, urdir. 5) Fantasiar. 6) Contar falsamente; mentir.

IN.VEN.TÁ.RIO *s.m.* 1) Descrição detalhada dos bens deixados por pessoa falecida. 2) Relação detalhada de algo; levantamento, lista.

IN.VEN.TI.VO *adj.* 1) Referente à invenção. 2) Dotado de invenção, engenhoso; criativo.

IN.VEN.TO *s.m.* Invenção; descoberta.

IN.VEN.TOR (ô) *adj.* e *s.m.* Que ou pessoa que inventa ou tem talento para inventar.

IN.VER.NAR *v.i.* 1) Fazer tempo frio. 2) Passar o inverno, hibernar, fazer mau tempo. / *v.t.d.* 3) Recolher (gado) na invernada para descanso e engorda.

IN.VER.NI.A *s.f.* Inverno rigoroso; invernada.

IN.VER.NO *s.m.* 1) Uma das quatro estações do ano, entre o outono e a primavera; no Hemisfério Sul vai de 21 de junho a 23 de setembro e no Hemisfério Norte vai de 21 de dezembro a 20 de março. 2) Estação mais fria do ano e de muita chuva. 3) *fig.* Velhice.

IN.VE.ROS.SÍ.MIL *adj.2gên.* e *s.m.* Diz-se de ou o que não é verossímil; que não parece ser verdadeiro; improvável, inacreditável.

IN.VER.SA *s.f. Lóg.* Proposição de termos invertidos.

IN.VER.SÃO *s.f.* 1) Ato ou efeito de inverter. 2) Mudança; troca.

IN.VER.SO *s.m.* 1) O contrário, o oposto. / *adj.* 2) Ordenado em sentido contrário; invertido.

IN.VER.SOR (ô) *adj.* e *s.m.* Que ou o que inverte; inversivo.

IN.VER.TE.BRA.DO *adj.* e *s.m.* 1) *Zool.* Diz-se do animal que não tem coluna vertebral ➡ ouriços--do-mar; insetos, etc. 2) Pertencente ou referente aos invertebrados.

IN.VER.TER *v.t.d.* e *v.p.* 1) Virar(-se), volver(-se) em sentido oposto ao natural; colocar(-se) em ordem inversa. / *v.t.d.* 2) Modificar, trocar, transtornar.

IN.VÉS *s.m.* 1) Avesso; o lado adverso; ao contrário. / *loc. adv.* 2) Ao invés, ao contrário, ao revés. / *loc. prep.* 3) Ao invés de, ao contrário de, ao revés de.

IN.VES.TI.DA *s.f.* 1) Ato de investir; arremetida. 2) Assalto; ataque. 3) Ensaio, tentativa.

IN.VES.TI.DU.RA *s.f.* 1) Ato de dar ou tomar posse. 2) Posse. 3) Cerimônia do ato da posse ou provimento de algum cargo.

IN.VES.TI.GA.ÇÃO *s.f.* 1) Ato ou efeito de inquirir ou investigar. 2) Indagação cuidadosa; averiguação.

IN.VES.TI.GA.DOR (ô) *adj.* e *s.m.* 1) Que investiga. 2) Diz-se daquele que examina cuidadosamente. 3) Agente policial.

IN.VES.TI.GAR *v.t.d.* 1) Fazer investigações sobre. 2) Seguir as pistas de. 3) Indagar, averiguar, pesquisar.

IN.VES.TIR *v.t.i.* 1) Conferir posse ou investidura a. 2) Aplicar capitais, empregar. / *v.p.* 3) Acometer, atacar. 4) Tomar posse de, empossar-se. / *v.i.* 5) Arrojar-se com ímpeto.

IN.VE.TE.RA.DO *adj.* 1) Que se inveterou. 2) Radicado profundamente por seu tempo de duração. 3) Fortalecido pelo tempo. 4) Muito antigo, arraigado.

IN.VE.TE.RAR *v.t.d.* e *v.p.* 1) Habituar(-se), arraigar(-se). 2) Tornar(-se) velho, antigo.

IN.VI.Á.VEL *adj.2gên.* Que não é viável; inexequível.

IN.VIC.TO *adj.* Insuperável, que ainda não foi vencido, invencível.

IN.VI.O.LÁ.VEL *adj.2gên.* 1) Que não se pode violar. 2) Diz-se do que não pode ser tocado; privilegiado.

invisível / irracionalismo

IN.VI.SÍ.VEL *adj.2gên.* 1) Que não se pode ou não se deixa ver. / *s.m.* 2) O que não pode ser visto.

IN.VO.CA.ÇÃO *s.f.* 1) Ato ou efeito de invocar. 2) Chamado de socorro; apelo; súplica. 3) Alegação, argumentação.

IN.VO.CA.DO *adj.* 1) Que se invocou; que foi objeto de invocação. 2) *gír.* Cismado, desconfiado, bravo.

IN.VO.CAR *v.t.d.* 1) Suplicar auxílio ou proteção. 2) Pedir, rogar. 3) Alegar em seu favor. 4) Recorrer a. 5) Evocar, chamar, conjurar. 6) *pop.* Irritar a; aborrecer; implicar.

IN.VÓ.LU.CRO *s.m.* Coisa que envolve, que cobre; envoltório, capa, embalagem, revestimento.

IN.VO.LUN.TÁ.RIO *adj.* 1) Que é contra a vontade ou independente dela. 2) Que não é voluntário.

IN.VUL.GAR *adj.2gên.* Que não é vulgar; raro, incomum.

IN.VUL.NE.RÁ.VEL *adj.2gên.* Que não pode ser ferido; inatingível; não vulnerável.

I.O.DAR *v.t.d.* Cobrir de ou misturar com iodo.

I.O.DO (ó) *s.m. Quím.* Elemento químico não metálico, obtido em forma de cristais cinza-escuros brilhantes, de símbolo I, número atômico 53 e massa atômica 126,91.

I.O.GA *s.f.* Sistema místico-filosófico que busca o domínio do espírito sobre a matéria e a união com Deus, por meio de exercícios corporais, respiratórios e mentais.

I.O.GUR.TE *s.m.* Espécie de alimento composto de leite coalhado e bactérias.

Í.ON *s.m. Fís.* Partícula carregada com cargas elétricas positivas ou negativas, resultante da perda ou ganho de elétrons de um átomo neutro.

I.Ô.NI.CO *adj.* Relativo a íon.

I.O.NI.ZA.ÇÃO *s.f.* 1) Desagregação de uma substância em seus íons constituintes por ação de determinadas reações. 2) Condição de ser ionizado.

I.O.NI.ZAR *v.t.d.* e *v.i. Quím.* Decompor ou ser decomposto em íons.

I.O.NOS.FE.RA *s.f. Fís.* Camada acima da estratosfera que contém partículas livres carregadas eletricamente e que, devido à sua composição, reflete ondas de rádio até aproximadamente 30 Mhz, podendo alcançar mil quilômetros de altitude.

I.PÊ *s.m. Bot.* Designação dada às árvores da família das Bignoniáceas, de flor roxa, amarela, branca, arroxeada ou rósea e constituída de madeira resistente e dura.

IR *v.i.* 1) Deslocar-se, mover-se, percorrer ou transitar de um lugar a outro. 2) Partir, ausentar-se. 3) Andar, caminhar. 4) *pop.* Passar, sentir-se bem ou mal de saúde ➡ Vou bem. 5) Morrer ➡ Ir desta para melhor. / *v.p.* 6) Dissipar-se, desvanecer-se.

I.RA *s.f.* 1) Raiva; cólera; fúria. 2) Aversão; ódio. 3) Desejo de vingança. 4) Indignação.

I.RA.CUN.DO *adj.* Que é propenso ou está tomado pela ira; irado, raivoso, colérico.

I.RA.DO *adj.* Que tem ira, arrenegado; encolerizado; enfurecido.

I.RA.NI.A.NO *adj.* e *s.m.* 1) Do Irã; irânico. 2) Diz-se de ou natural do Irã.

I.RA.QUI.A.NO *adj.* e *s.m.* Diz-se de ou natural do Iraque.

I.RAR *v.t.d.* 1) Causar ira a, encolerizar, irritar. / *v.p.* 2) Encher-se de ira, enfurecer-se; agastar-se.

I.RA.RA *s.f. Zool.* Mamífero carnívoro mustelídeo, pequeno, pelo longo e pardo, que se alimenta de aves e também de mel; papa-mel.

I.RÍ.DIO *s.m. Quím.* Elemento metálico, do grupo da platina, principalmente trivalente e tetravalente, branco-amarelado, muito pesado, duro, quebradiço. Símbolo Ir, número atômico 77 e massa atômica 193,1.

Í.RIS *s.f.* 1) *Anat.* Membrana circular, retrátil, que ocupa o centro anterior do globo ocular, situada entre a córnea e a parte anterior do cristalino, com um orifício central, a pupila. / *s.m.* 2) O espectro solar. 3) *Bot.* Erva iridácea, ornamental e sua flor.

I.RI.SAN.TE *adj.2gên.* 1) Brilhante; colorido. 2) As cores do arco-íris.

I.RI.SAR *v.t.d.* e *v.p.* Matizar(-se); dar as cores do arco-íris.

IR.LAN.DÊS *s.m.* 1) Habitante ou natural da Irlanda. 2) Língua falada na Irlanda. / *adj.* 3) Referente à Irlanda.

IR.MÃ *s.f.* 1) Feminino de irmão. 2) Freira, religiosa.

IR.MA.NAR *v.t.d.* e *v.p.* Tornar(-se) irmão, adaptar(-se) fraternalmente; igualar(-se); unir(-se).

IR.MAN.DA.DE *s.f.* 1) Fraternidade, familiaridade. 2) Parentesco entre irmãos. 3) Congregação, liga.

IR.MÃO *s.m.* 1) Filho dos mesmos pais, ou de um só deles em relação ao(s) outro(s) filho(s). 2) Cada um dos membros duma congregação. 3) Correligionário. 4) Frade que não exercia cargos superiores. 5) Amigo inseparável. / *adj.* 6) Igual; fraterno. 7) Diz-se de duas coisas que têm fortes semelhanças entre si.

I.RO.NI.A *s.f.* 1) Expressão de ideia ou sentimento com palavras que, aparentemente, exprimem o contrário. 2) Ar ou gesto irônico. 3) Zombaria afrontosa; crítica mordaz. 4) Sarcasmo; deboche.

IR.RA.CI.O.NAL *s.2gên.* 1) Animal que não tem a faculdade de raciocínio. / *adj.2gên.* 2) Que não é racional, contrário à razão. 3) *Mat.* Diz-se da quantidade cuja relação com a unidade não se pode traduzir em números.

IR.RA.CI.O.NA.LIS.MO *s.m.* 1) Doutrina filosófica que nega à razão humana a prioridade que o racionalismo lhe dá. 2) Qualidade de irracional.

irradiação · isolar

IR.RA.DI.A.ÇÃO *s.f.* 1) Ato de irradiar, difusão ou emissão de raios luminosos em todas as direções. 2) Expansão; propagação.

IR.RA.DI.AN.TE *adj.2gên.* 1) Que irradia; irradiador. 2) Que emite raios luminosos ou caloríficos. 3) Que propaga; que difunde.

IR.RA.DI.AR *v.t.d.* 1) Emitir, difundir, lançar de si (raios luminosos, ou caloríficos). 2) Espalhar, propagar. 3) Divulgar pelo rádio. / *v.t.i.* e *v.p.* 4) Expandir-se, espalhar-se, alastrar-se.

IR.RE.AL *adj.2gên.* 1) Sem vida real. 2) Fantasioso; imaginário. 3) Fantástico.

IR.RE.A.LI.ZÁ.VEL *adj.2gên.* Que não se pode realizar.

IR.RE.CO.NHE.CÍ.VEL *adj.2gên.* Que não é ou não pode ser reconhecido, por estar muito alterado ou desfigurado.

IR.RE.CU.PE.RÁ.VEL *adj.2gên.* Que não pode ser recuperado; perdido.

IR.RE.CU.SÁ.VEL *adj.2gên.* 1) Que não se pode recusar. 2) Que não se pode contestar; irrefutável.

IR.RE.DU.TÍ.VEL *adj.2gên.* 1) Que não se pode reduzir ou diminuir. 2) Que não se pode dividir ou recompor. 3) *fig.* Que não se deixa convencer; inflexível.

IR.RE.FRE.Á.VEL *adj.2gên.* Que não se pode refrear ou reprimir.

IR.RE.FU.TÁ.VEL *adj.2gên.* Que não se pode refutar ou contestar; irrecusável.

IR.RE.GU.LAR *adj.2gên.* 1) Que não é regular, que não obedece às regras. 2) Contrário às leis. 3) Errado. 4) Excepcional.

IR.RE.LE.VÂN.CIA *s.f.* Falta de relevância; de pouco valor.

IR.RE.PA.RÁ.VEL *adj.2gên.* 1) Que não se pode reparar ou corrigir; irremediável.

IR.RE.SIS.TÍ.VEL *adj.2gên.* 1) A que não se pode resistir. 2) Contra o qual é impossível lutar ou vencer. 3) Que não se pode dominar; incontrolável. 4) *fig.* Que exerce atração ou sedução.

IR.RE.SO.LU.TO *adj.* e *s.m.* 1) Que ou aquele que não é resoluto; indeciso, hesitante. / *adj.* 2) Que não teve solução; não resolvido.

IR.RES.PI.RÁ.VEL *adj.2gên.* 1) Que não se pode respirar. 2) *fig.* Que não se pode suportar.

IR.RES.PON.SÁ.VEL *adj.2gên.* 1) Que não é responsável. / *adj.2gên.* e *s.2gên.* 2) Que ou quem age sem pensar. 3) *Jur.* Que ou quem não pode ser responsabilizado judicialmente pelos seus atos.

IR.RES.TRIN.GÍ.VEL *adj.2gên.* Que não pode ser restringido ou limitado.

IR.RE.VE.RÊN.CIA *s.f.* 1) Falta de reverência, de respeito. 2) Ato ou dito irreverente.

IR.RE.VER.SÍ.VEL *adj.2gên.* 1) Que não pode voltar ao estado anterior ou ser alterado. 2) Que age apenas num sentido.

IR.RE.VO.GÁ.VEL *adj.2gên.* Impossível de ser revogado, que não se pode anular.

IR.RI.GA.ÇÃO *s.f.* 1) Ato de irrigar. 2) *Agr.* Rega artificial. 3) *Med.* Aplicação terapêutica de um líquido sob pressão nas cavidades do organismo; nutrição sanguínea. 4) Clister.

IR.RI.GA.DOR (ô) *adj.* 1) Que irriga. / *s.m.* 2) Regador. 3) Utensílio usado para regar. 4) Instrumento próprio para fazer irrigações medicinais.

IR.RI.GAR *v.t.d.* 1) *Agr.* Regar. 2) *Med.* Aplicar irrigações em; nutrir de sangue.

IR.RI.SÓ.RIO *adj.* 1) Que envolve irrisão. 2) Que provoca riso ou motejo; ridículo. 3) Irrelevante, de pouca monta.

IR.RI.TA.BI.LI.DA.DE *s.f.* 1) Condição de irritável. 2) Tendência para se irritar. 3) *Biol.* Propriedade que os tecidos vivos possuem de reagir às mudanças exteriores.

IR.RI.TA.ÇÃO *s.f.* 1) Ato ou efeito de irritar (-se). 2) Enfado, exacerbação, zanga. 3) Reação da matéria viva contra as influências exteriores; prurido.

IR.RI.TA.DI.ÇO *adj.* Que se irrita com facilidade; irritável.

IR.RI.TA.DO *adj.* 1) Que demonstra irritação. 2) Encolerizado, nervoso.

IR.RI.TAR *v.t.d.* 1) Tornar irado, encolerizar. 2) Produzir irritação em. / *v.p.* 3) Exasperar-se, irar-se. / *v.t.d.* e *v.p.* 4) Agravar, exacerbar.

IR.ROM.PER *v.i.* 1) Entrar com ímpeto ou violência; invadir, precipitar-se. 2) Aparecer ou acontecer de repente; brotar, surgir.

IS.CA *s.f.* 1) Tudo aquilo que, podendo servir de alimento aos peixes, é utilizado nos aparelhos de pesca para os atrair. 2) *fig.* Atrativo, chamariz. 3) Deixar-se seduzir ou lograr ➙ Morder a isca.

I.SEN.ÇÃO *s.f.* 1) Ato de eximir. 2) Ato de esquivar-se. 3) Altivez. 4) Privação. 5) Abnegação. 6) Nobreza de caráter. 7) Estado ou qualidade daquilo que é isento.

I.SEN.TO *adj.* 1) Desobrigado, livre. 2) Imparcial.

I.SO.LA.DO *adj.* 1) Que se isolou. 2) Só, solitário. 3) Designação dada ao corpo que se encontra separado dos outros por um isolante. 4) Diz-se de lugar pouco frequentado.

I.SO.LA.DOR (ô) *adj.* 1) Que isola. 2) Capaz de interromper ou dificultar a comunicação da eletricidade. / *s.m.* 3) Material que isola.

I.SO.LA.MEN.TO *s.m.* 1) Ato de isolar. 2) Local em que se está isolado. 3) Sala ou hospital destinado aos doentes portadores de moléstias contagiosas.

I.SO.LAN.TE *adj.2gên.* 1) Que isola. / *s.m.* 2) Corpo ou material mau condutor de eletricidade, calor ou som. 3) Material usado na isolação.

I.SO.LAR *v.t.d.* 1) Separar de forma que não ocorra comunicação. 2) Tornar incomunicável ou solitário. / *v.p.* 3) Afastar-se do convívio social.

I.SO.POR (ô) *s.m.* Espuma de poliestireno usada como isolante térmico.

IS.QUEI.RO *s.m.* Pequeno aparelho, munido de um pavio umedecido de gasolina, ou carregado de gás, que se inflama em contato com faíscas.

IS.RA.E.LI.TA *adj.2gên.* 1) Referente aos israelitas; hebreu, judeu. / *s.2gên.* 2) Aquele que pertence ao povo de Israel.

IS.SO *pron. dem.* 1) Essa(s) coisa(s); esse(s) objeto(s). 2) *pej.* Essa pessoa ➡ Ela é isso! / *interj.* 3) Indica aprovação ➡ Isso!

IS.TO *pron. dem.* 1) Esta(s) coisa(s), este(s) objeto(s). 2) *pej.* Esta pessoa.

I.TA.LI.A.NI.DA.DE *s.f.* 1) Qualidade de italiano. 2) Estado do que pertence à Itália.

I.TA.LI.A.NIS.MO *s.m.* 1) Apego exagerado a coisas italianas. 2) Modo de falar peculiar à língua italiana. 3) Palavra que, procedente do italiano, incorporou-se a outra língua.

I.TA.LI.A.NI.ZAR *v.t.d.* 1) Tornar italiano, dar feição italiana a. / *v.p.* 2) Tomar hábitos ou costumes italianos.

I.TA.LI.A.NO *adj.* 1) Pertencente ou relativo à Itália (Europa). / *s.m.* 2) Pessoa natural da Itália. 3) Língua falada na Itália.

I.TÁ.LI.CO *adj.* 1) Que diz respeito à Itália. 2) *Tip.* Diz-se do tipo um pouco inclinado para a direita; grifo. / *s.m.* 3) Povo pré-histórico da Itália, que teve sua origem na Europa Central.

Í.TA.LO *adj.* 1) Relativo à Itália. 2) Latino, romano, italiano. / *s.m.* 3) Pessoa natural ou habitante da Itália.

I.TEM *adv.* 1) Da mesma forma, também, outrossim. 2) Igualmente, desta maneira. / *s.m.* 3) Cada um dos artigos ou argumentos de uma exposição escrita. 4) Artigo, parcela, verba. 5) *pop.* Dado elementar.

I.TE.RAR *v.t.d.* Tornar a dizer; repetir.

I.TE.RA.TI.VO *adj.* 1) Próprio para iterar. 2) *Gram.* Frequentativo. 3) Feito ou repetido muitas vezes.

I.TI.NE.RAN.TE *adj.2gên.* e *s.2gên.* 1) Deslocado de lugar para lugar. 2) Que percorre itinerários.

I.TI.NE.RÁ.RIO *adj.* 1) Que diz respeito a caminhos. 2) Denominação dada às medidas de distância. / *s.m.* 3) Descrição de roteiro de viagens. 4) Caminho a percorrer. 5) Trajeto.

I.TO.RO.RÓ *s.m.* Pequena cachoeira.

IU.GOS.LA.VO *adj.* 1) Que pertence ou diz respeito à antiga Iugoslávia (Europa). / *s.m.* 2) Pessoa natural ou habitante da Iugoslávia.

J (jota) *s.m.* 1) Décima letra do alfabeto. 2) Consoante linguodental, fricativa, sonora. 3) *Fís.* Símbolo de *joule*.
JÁ *adv.* 1) Agora, neste instante, imediatamente. 2) Nesse tempo. 3) Então; desde logo. / *conj.* 4) Ora.
JA.BÁ *s.m.* 1) Carne seca, charque. 2) *gír.* Comida de quartel.
JA.BO.TA *s.f. Zool.* A fêmea do jabuti.
JA.BU.RU *s.m.* 1) *Ornit.* Ave de grande porte que vive às margens de lagos e pântanos; tuiuiú. 2) *fig.* Indivíduo esquisito, tristonho.
JA.BU.TI *s.m.* 1) *Zool.* Espécie de tartaruga terrestre da ordem dos Quelônios. 2) Engenho simples para o descaroçamento do algodão.
JA.BU.TI.CA.BA *s.f.* Fruto da jabuticabeira.
JA.BU.TI.CA.BEI.RA *s.f. Bot.* Árvore de médio porte, cujos frutos são bagas pretas comestíveis, muito apreciados.
JA.CA *s.f.* Fruto da jaqueira.
JA.CA.RAN.DÁ *s.m. Bot.* Árvore que produz madeira de lei muito apreciada.
JA.CA.RÉ *s.m. Zool.* 1) Nome comum a várias espécies de répteis de grande porte, semelhantes aos crocodilos, existentes no Brasil. 2) Caimão.
JA.CEN.TE *adj.2gên.* 1) Que jaz. 2) Diz-se da estátua que representa uma pessoa deitada.
JA.CIN.TO *s.m.* Planta de flores perfumadas e ornamentais, usada em perfumes e que simboliza a tristeza.
JA.CO.BI.NO *s.m.* 1) Partidário ou integrante do jacobinismo. 2) Membro de um movimento revolucionário radical fundado em Paris durante a Revolução Francesa.
JAC.TÂN.CIA *s.f.* 1) Arrogância, vaidade exagerada. 2) Pretensão de bravura ou de altos méritos e conquistas.
JA.DE *s.m.* 1) *Miner.* Pedra ornamental muito dura, considerada semipreciosa, variando na cor esbranquiçada a verde escura. 2) A cor verde do jade.
JA.EZ (ê) *s.m.* 1) Conjunto de arreios de animal de carga ou de tração. 2) *fig.* Conjunto de traços ou características; tipo, espécie.
JA.GUAR *s.m. Zool.* A maior onça da América do Sul; onça-pintada.
JA.GUA.TI.RI.CA *s.f. Zool.* Grande gato selvagem, que vive nas matas e se alimenta de pequenos animais e ervas.
JA.GUN.ÇO *s.m.* 1) Cangaceiro, capanga. 2) Indivíduo partidário de Antônio Conselheiro.
JA.LE.CO *s.m.* Casaco curto, semelhante à jaqueta, usado por médicos e dentistas.
JA.MAI.CA.NO *adj.* 1) Referente à Jamaica. / *s.m.* 2) Habitante ou natural da Jamaica.

JA.MAIS *adv.* Nunca, em tempo algum, em tempo nenhum.

JA.MAN.TA *s.f.* 1) Arraia de grande porte. 2) *pop.* Grande veículo automóvel, para transporte de cargas pesadas; carreta. / *s.2gên.* 3) *gír.* Pessoa grandalhona e desengonçada.

JAM.BO *s.m.* 1) *Bot.* Fruto do jambeiro. 2) Diz-se do que tem a cor desse fruto.

JA.ME.LÃO *s.f.* 1) Árvore cuja madeira é usada como lenha e que produz frutos de forma semelhante à da azeitona, de cor roxa-escura e de sabor adstringente. 2) O fruto dessa árvore.

JA.NE.LA *s.f.* 1) Abertura nas paredes das construções, para passagem da luz e do ar. 2) Caixilho de madeira, ferro, etc., com que se fecha essa abertura. 3) *Fam.* Buraco ou rasgão na roupa ou no calçado.

JAN.GA.DA *s.f.* Embarcação rasa e chata composta de paus roliços, destinada à pesca e usada como meio de transporte.

JAN.GA.DEI.RO *s.m.* Patrão, proprietário ou tripulante de jangada.

JA.NO.TA *adj.2gên.* e *s.2gên.* 1) *pej.* Que ou quem se mostra afetado no vestir; almofadinha. 2) *Por ext.* Que ou quem chama a atenção pela elegância.

JAN.TA *s.f. pop.* Ato de jantar.

JAN.TAR *v.i.* 1) Comer a janta ou o jantar. / *s.m.* 2) Refeição que se faz geralmente à noite ou à tarde. 3) Conjunto de pratos do jantar.

JA.PO.NA *s.f. pop.* Casaco grosso para abrigar do frio.

JA.PO.NÊS *adj.* 1) Referente ou pertencente ao Japão. / *s.m.* 2) Habitante ou natural do Japão; nipônico. 3) A língua oficial do Japão.

JA.QUEI.RA *s.f. Bot.* Árvore que produz a jaca.

JA.QUE.TA (ê) *s.f.* Casaco curto e justo na cintura.

JA.RA.RA.CA *s.f.* 1) *Zool.* Nome comum a diversas serpentes venenosas, com cabeça triangular e cauda afilada. 2) *pop.* Pessoa má, traiçoeira.

JAR.DA *s.f.* Medida de comprimento que equivale a 91 centímetros.

JAR.DIM *s.m.* 1) Pedaço de terreno destinado ao cultivo de flores e árvores ornamentais. 2) Local florido ou bem cultivado. 3) *fig.* País, terreno fértil, onde há muita vegetação ou cultura abundante.

JAR.DI.NA.GEM *s.f.* Técnica de cultivar e manter jardins.

JAR.DI.NAR *v.t.d.* 1) Cultivar um jardim. / *v.i.* 2) Distrair-se com ligeiros trabalhos de jardinagem. 3) *pop.* Passear.

JAR.DI.NEI.RA *s.f.* 1) Mulher que cuida de jardins. 2) Recipiente usado para o cultivo de plantas ornamentais ou flores. 3) Modelo de roupa em que a parte da frente é presa por alças ou suspensórios e que é usada sobre a blusa ou camisa. 4) *Cul.*

Prato preparado com carne e legumes picados. 5) Ônibus pequeno e aberto com bancos paralelos.

JAR.DI.NEI.RO *s.m.* Quem cuida de jardins.

JAR.GÃO *s.m.* 1) Linguagem própria de certos grupos, ou de uma profissão. 2) Gíria; calão.

JAR.RA *s.f.* Vaso para água ou para conter flores.

JAR.RO *s.m.* 1) Recipiente alto e bojudo, com asa e bico, próprio para conter ou servir água, vinho, sucos, etc. 2) Nome comum a diversas plantas.

JAS.MIM *s.m.* 1) Planta com pequenas flores brancas e perfumadas. 2) A flor dessa planta.

JAS.PE *s.m. Miner.* Variedade de quartzo opaco e colorido.

JA.TO *s.m.* 1) Arremesso, impulso. 2) Lançamento impetuoso de qualquer matéria através de um orifício ou bocal. 3) Jorro que sai sob pressão.

JA.TO.BÁ *s.m.* Grande árvore de frutos comestíveis e cuja madeira é usada em construção civil e naval.

JA.Ú *s.m.* 1) *Constr.* Espécie de andaime preso por cordas ao teto de um edifício, usado para realizar trabalhos externos. 2) *Zool.* Peixe dos rios amazônicos.

JAU.LA *s.f.* 1) Grande gaiola, com grades de ferro, para prender animais ferozes. 2) *gír.* Cadeia; prisão.

JA.VA.LI *s.m. Zool.* Porco selvagem de grande porte e grandes presas.

JA.VA.NÊS *adj.* 1) Pertencente ou referente à ilha de Java, na Indonésia (Ásia). / *s.m.* 2) Habitante ou natural de Java. 3) Língua de Java.

JA.ZER *v.i.* 1) Estar deitado; morto; sepultado; quieto ou imóvel. 2) Permanecer.

JA.ZI.DA *s.f.* 1) Lugar onde alguém jaz. 2) *Miner.* Depósito natural de minérios ou local onde há minério em grande quantidade; mina. 3) *fig.* Serenidade, quietação.

JA.ZI.GO *s.m.* 1) Túmulo, sepultura; monumento funerário. 2) *fig.* Depósito; abrigo.

JAZZ (djéz) *s.m. ingl. Mús.* Música de origem norte-americana, caracterizada, principalmente, pela improvisação e ritmos sincopados.

JEANS *s.m. ingl.* 1) Tecido de algodão muito resistente, geralmente azul. 2) Calças ou outra roupa feita desse tecido.

JE.CA *adj.2gên.* e *s.2gên.* Caipira; cafona.

JE.GUE *s.m.* Jumento; burrico.

JEI.TO *s.m.* 1) Modo, maneira. 2) Arranjo, conveniência. 3) Destreza, manha, habilidade. 4) Hábito.

JEI.TO.SO (ô) *adj.* 1) Habilidoso, apto. 2) De boa aparência. 3) Adequado, apropriado.

JE.JU.AR *v.i.* 1) Praticar o jejum; não comer. 2) *fig.* Privar-se; abster-se de qualquer coisa. / *v.t.i.* 3) Ignorar; ser ignorante.

JE.JUM *s.m.* 1) Abstinência de alimentos em certos dias; privação. 2) Estado de quem não se jejuno | jornal

alimenta desde o dia anterior. 3) *fig.* Privação de qualquer coisa.

JE.JU.NO *adj.* 1) Que está em jejum. 2) Vazio de conhecimentos. / *s.m.* 3) *Anat.* Parte do intestino delgado entre o duodeno e o íleo.

JE.NI.PA.PO *s.m.* Fruto do jenipapeiro com o qual se fazem doces, sucos e licores.

JE.QUI *s.m.* Cesto afunilado e elíptico, próprio para pesca.

JE.QUI.TI.BÁ *s.m. Bot.* Árvore de grande porte e madeira de grande valor, usada em carpintaria.

JE.RI.CO *s.m. Fam.* Jumento, burrico.

JE.RI.MUM *s.m.* Abóbora.

JÉR.SEI *s.m.* 1) Tecido leve de malha, lã ou seda. 2) Raça de gado bovino leiteiro, originário da Ilha de Jersey.

JE.SU.Í.TA *s.m.* Membro integrante da Companhia de Jesus, ordem religiosa fundada por Santo Inácio de Loyola.

JE.SU.I.TIS.MO *s.m.* 1) Doutrina, sistema e modo de proceder dos jesuítas. 2) Fanatismo, hipocrisia, falsidade.

JI.BOI.A *s.f.* Grande serpente arborícola não venenosa.

JI.LÓ *s.m.* 1) Fruto de jiloeiro. / *adj.2gên.* 2) *pop.* Muito amargo.

JI.LO.EI.RO *s.m. Bot.* Planta hortense que produz o jiló.

JIN.GA *s.2gên.* 1) *Etnol.* Indivíduo dos jingas, tribo africana do Congo. / *adj.* 2) Relativo a essa tribo.

JINGLE (gingól) *s.m. ingl.* Composição musical e vocal com que se veicula um produto comercial ou institucional, em rádio e televisão.

JI.PE *s.m.* Automóvel pequeno com tração nas quatro rodas.

JIU-JÍT.SU *s.m. Esp.* Sistema de luta corporal que consiste em aplicar golpes nas partes sensíveis do adversário para imobilizá-lo.

JO.A.LHEI.RO *s.m.* 1) Vendedor ou fabricante de joias. 2) Engastador de pedras preciosas.

JO.A.LHE.RI.A *s.f.* Estabelecimento onde se vendem joias.

JO.A.NE.TE (ê) *s.m.* 1) *Anat.* Saliência na articulação do dedo grande do pé. 2) *Náut.* Vela imediatamente superior à gávea.

JO.A.NI.NHA *s.f.* 1) Inseto de carapaça e asas coloridas ou pintadas. 2) *Náut.* Pequena ancoreta.

JO.ÃO-DE-BAR.RO *s.m. Ornit.* Ave que constrói seu ninho com barro amassado; forneiro.

JO.ÃO-NIN.GUÉM *s.m. pop.* Homem insignificante, sem valor.

JO.ÇA *s.f.* 1) *gír.* Coisa desajeitada, sem importância. 2) *gír.* Objeto sem valor.

JO.CO.SO (ô) *adj.* Que provoca o riso, gracioso; alegre; faceto; chistoso.

JO.EI.RA *s.f.* Peneira para separar o trigo do joio e de outras sementes misturadas a ele.

JO.EI.RA.DO.RA (ô) *s.f.* Máquina usada para joeirar os grãos de trigo.

JO.EI.REI.RO *s.m.* 1) Fabricante de joeiras. 2) Quem executa a atividade de joeirar.

JO.E.LHA.DA *s.f.* Pancada com joelho.

JO.E.LHAR *s.f.* Ajoelhar.

JO.E.LHEI.RA *s.f.* 1) Parte da armadura ou da roupa que cobre o joelho. 2) *Esp.* Peça acolchoada que serve para proteção dos joelhos dos atletas em jogos esportivos.

JO.E.LHO (ê) *s.m.* 1) *Anat.* Articulação ou região da articulação da coxa com a perna. 2) Aparelho que liga os instrumentos topográficos aos respectivos tripés.

JO.GA.DA *s.f.* 1) Ato de jogar. 2) Lance de jogo.

JO.GA.DO *adj.* 1) Que jogou. 2) Arriscado em jogo. 3) Prostrado, inerte. 4) Abandonado. 5) Arremessado.

JO.GA.DOR (ô) *adj.* e *s.m.* 1) Que ou o que joga. 2) O que sabe jogar. 3) Viciado no jogo.

JO.GAR *v.t.d.* 1) Dar-se ao jogo de. 2) Manejar com destreza. / *v.t.i.* e *v.i.* 3) Fazer apostas em jogo. / *v.t.d.* e *v.p.* 4) Arremessar(-se), atirar(-se).

JO.GA.TI.NA *s.f.* Hábito ou vício de jogo.

JO.GO (ô) *s.m.* 1) Brinquedo, divertimento submetido a regras as quais deve-se observar. 2) Passatempo em que se arrisca dinheiro ou outra coisa. 3) Ato ou maneira de jogar. 4) Exercício ou brincadeira de criança. 5) Aposta.

JO.GRAL *s.m.* 1) Artista medieval que cantava e recitava poesia. 2) Músico que tocava em festas populares; recitador. 3) Bobo, farsista, truão.

JO.GUE.TE (ê) *s.m.* 1) Brincadeira, divertimento. 2) Ludíbrio, zombaria. 3) Aquele ou aquilo que é objeto de ludíbrio ou zombaria.

JOI.A *s.f.* 1) Objeto de adorno, de matéria preciosa ou imitante. 2) Artefato de grande valor artístico. 3) Taxa de admissão em associação. 4) *fig.* Pessoa ou coisa de grande valor ou muito boa.

JOI.O *s.m.* 1) *Bot.* Planta gramínea, que infesta as searas. 2) Semente dessa planta. 3) *fig.* Coisa má que, misturada com as boas, prejudica-as e deprecia.

JON.GO *s.m.* Dança de roda de origem africana, com acompanhamento de tambor e canto em coro.

JÔ.NI.CO *adj.* 1) Relativo à antiga Jônia. 2) Designativo da terceira das cinco ordens de arquitetura. 3) Diz-se de um dos dois dialetos literários da Grécia Antiga.

JÓ.QUEI *s.m.* 1) Indivíduo cuja profissão é montar cavalos nas corridas. 2) Clube onde se fazem corridas de cavalos.

JOR.NA.DA *s.f.* 1) Marcha ou percurso que se faz num dia. 2) Viagem por terra. 3) Empresa militar; expedição; campanha. 4) Duração do trabalho diário.

JOR.NAL *s.m.* 1) Paga de um dia de trabalho; salário. 2) Folha diária; gazeta; qualquer periódico.

jornaleco — junta

3) Livro em que se faz, diariamente, qualquer registro.

JOR.NA.LE.CO *s.m. pej.* Jornal mal redigido ou sem importância.

JOR.NA.LEI.RO *adj.* 1) Que se faz dia a dia; diário. / *s.m.* 2) Trabalhador a quem se paga jornal. 3) Entregador ou vendedor de jornais.

JOR.NA.LIS.MO *s.m.* 1) A imprensa periódica. 2) Profissão de jornalista. 3) Em rádio e televisão, transmissão da notícia.

JOR.NA.LIS.TA *s.2gên.* 1) Pessoa que escreve em jornal por hábito ou profissão. 2) Pessoa que dirige um jornal.

JOR.RAR *v.t.d.* 1) Fazer cair com ímpeto; lançar em jorro. 2) Emitir, lançar de si. / *v.i.* 3) Fluir, rebentar.

JOR.RO (ô) *s.m.* Jato de líquido que sai com força.

JO.VEM *adj.2gên.* 1) Juvenil, moço, novo, rapaz. 2) Que está nos primeiros tempos de existência. 3) Que ainda tem a graça e o vigor da juventude. / *s.2gên.* 4) Pessoa jovem.

JO.VI.AL *adj.2gên.* 1) Alegre, contente, bem-humorado. 2) Que tem graça; espirituoso.

JU.Á *s.m.* Fruto do juazeiro.

JU.BA *s.f.* A crina do leão.

JU.BI.LA.ÇÃO *s.f.* 1) Ato de jubilar. 2) Júbilo; grande alegria. 3) Aposentadoria honrosa de um serviço oficial.

JU.BI.LAR *v.t.d.* 1) Encher de júbilo; alegrar muito. / *v.i.* e *v.t.i.* 2) Ter grande alegria; encher-se de júbilo. / *v.p.* 3) Aposentar-se.

JU.BI.LEU *s.m.* 1) Perdão concedido pelo papa em certas solenidades. 2) Aniversário solene.

JÚ.BI.LO *s.m.* 1) Grande alegria ou contentamento. 2) Regozijo.

JU.CUN.DO *adj.* 1) Que transmite alegria; feliz, jovial. 2) Agradável, aprazível.

JU.DA.ÍS.MO *s.m.* 1) Religião dos judeus. 2) Conjunto das pessoas que professam essa religião.

JU.DA.I.ZAR *v.i.* 1) Observar as leis e ritos judaicos. / *v.t.d.* 2) Interpretar judaicamente. 3) Converter ao judaísmo.

JU.DAS *s.m.* 1) Amigo falso. 2) Boneco que se queima no sábado de Aleluia. 3) Indivíduo mal trajado.

JU.DEU *adj.* 1) Relativo à Judeia (Ásia) ou aos judeus; israelense. / *s.m.* 2) Pessoa natural da Judeia.

JU.DI.A.ÇÃO *s.f.* 1) Ato de judiar. 2) Malvadeza, maus tratos, perversidade.

JU.DI.AR *v.t.i.* 1) Fazer judiarias, afligir, atormentar. 2) Escarnecer, zombar; mofar. / *v.i.* 3) Judaizar.

JU.DI.CI.AL *adj.2gên.* 1) Referente aos tribunais ou à justiça; forense. 2) De juiz.

JU.DI.CI.Á.RIO *adj.* 1) Referente ao direito processual ou à organização da justiça; judicial. / *s.m.* 2) O poder judiciário.

JU.DI.CI.O.SO (ô) *adj.* 1) Que tem juízo e prudência. 2) Que procede com acerto. 3) Feito com sensatez; sensato. 4) Que indica bom senso. 5) Sentencioso.

JU.DÔ *s.m.* Jogo esportivo de origem japonesa que se baseia na agilidade do jogador, uma modalidade do jiu-jítsu.

JU.DO.CA *s.2gên.* Quem pratica judô.

JU.GO *s.m.* 1) Canga com que se jungem os bois para puxarem o arado ou o carro. 2) Junta de bois. 3) *Ant.* Dispositivo curvo colocado ao pescoço dos vencidos. 4) *fig.* Sujeição, opressão, submissão.

JU.GU.LAR *adj.2gên.* 1) Relativo à garganta ou ao pescoço. / *s.f.* 2) *Anat.* Cada uma das quatro principais veias que passam pelo pescoço. / *v.t.d.* 3) Decapitar; cortar o pescoço de. 4) Impedir a manifestação ou o desenvolvimento de (motim, epidemia, etc.).

JU.IZ *s.m.* 1) Magistrado cuja função é ministrar a justiça. 2) Aquele que tem autoridade e poder para julgar e sentenciar. 3) Membro do poder judicial. 4) Membro de um júri. 5) Árbitro, julgador.

JU.Í.ZA *s.f.* 1) Feminino de juiz. 2) Mulher que dirige certas festividades religiosas.

JU.I.ZA.DO *s.m.* 1) Cargo ou dignidade de juiz. 2) Órgão da justiça dirigido por um juiz.

JU.Í.ZO *s.m.* 1) Faculdade intelectual que compara e julga. 2) Apreciação, conceito. 3) Opinião, parecer, prognóstico.

JU.JU.BA *s.f.* 1) Árvore com folhagem vistosa e frutos comestíveis, de uso medicinal. 2) Fruto dessa árvore. 3) *Cul.* Guloseima feita de açúcar e amido; bala de goma.

JUL.GA.MEN.TO *s.m.* 1) Ato ou efeito de julgar. 2) *Jur.* Audiência de um tribunal perante o juiz. 3) Juízo, sentença, parecer.

JUL.GAR *v.t.d.* 1) Resolver como juiz ou como árbitro; arbitrar; lavrar sentenças; decidir. / *v.i.* 2) Pronunciar uma sentença; adjudicar.

JU.MEN.TO *s.m.* 1) *Zool.* Mamífero perissodáctilo; jegue, asno, burro, jerico. 2) *fig.* Diz-se do indivíduo muito grosseiro.

JUN.ÇÃO *s.f.* 1) Ato ou efeito de juntar. 2) Confluência, junta, ligação, união. 3) Reunião.

JUN.CO *s.m.* 1) *Bot.* Nome de várias plantas que vegetam em lugares úmidos ou na água e que podem ser usadas como ornamento ou em trabalhos trançados. 2) *Náut.* Antiga embarcação chinesa empregada na guerra ou no comércio.

JÚ.NI.OR *adj.* e *s.m.* 1) Que ou quem é mais jovem; caçula. 2) Que ou quem é iniciante em uma profissão ou atividade; que ou quem ainda não tem muita experiência.

JUN.TA *s.f.* 1) Ponto ou lugar de junção de objetos contíguos; união. 2) *Anat.* e *Zool.* Parte ou mecanismo da parte onde dois ossos se ligam; articujuntar / juventude

lação. 3) Conferência médica. 4) Parelha de bois. 5) Primeira instância da justiça do trabalho.

JUN.TAR *v.t.d.* 1) Ajuntar. 2) Aproximar, pôr junto. 3) Coser, ligando as peças superiores do calçado. / *v.p.* 4) Associar-se, unir-se. 5) *pop.* Amigar-se, amasiar-se.

JUN.TO *adj.* 1) Posto em contato; unido; reunido. 2) Adido. 3) Muito próximo, incluído. / *adv.* 4) Ao lado; juntamente. 5) Junto a ou junto de.

JUN.TU.RA *s.f.* 1) Junção, junta. 2) Articulação. 3) Ligação, união. 4) Linha de união.

JÚ.PI.TER *s.m.* 1) *Astr.* O maior dos planetas do sistema solar, gira entre Marte e Saturno. 2) *Mit.* O pai dos deuses romanos, correspondente ao Zeus dos gregos.

JU.RA.DO *adj.* 1) Que se jurou; declarado. 2) Protestado com juramento. 3) Ameaçado. / *s.m.* 4) Cada uma das pessoas que compõem o tribunal do júri.

JU.RA.MEN.TO *s.m.* 1) Ato de jurar. 2) Afirmação ou negação explícita de alguma coisa, tomando por testemunha uma coisa sagrada.

JU.RAR *v.t.d.* 1) Afirmar, asseverar, declarar ou prometer sob juramento. 2) Reconhecer, prometer mediante juramento. 3) Afirmar de forma categórica. / *v.i.* 4) Prestar, dar ou proferir juramento.

JU.RÁS.SI.CO *adj. Geol.* Diz-se do ou o período da era mesozoica, entre o cretáceo e o triássico, assim denominado devido à formação de rochas no Jura, cordilheira da Europa Central.

JÚ.RI *s.m.* 1) Tribunal, presidido por um juiz de direito, composto de cidadãos que servem como juízes de fato no julgamento de um crime. 2) Conjunto dos cidadãos que podem ser jurados.

JU.RÍ.DI.CO *adj.* 1) Relativo ao direito. 2) Conforme as ciências do direito ou aos seus preceitos.

JU.RIS.CON.SUL.TO *s.m.* Advogado especializado em dar pareceres sobre questões jurídicas; jurista; doutor em Direito.

JU.RIS.DI.ÇÃO *s.f.* 1) *Dir.* Poder, direito ou autoridade legal para ouvir e determinar uma causa. 2) Autoridade de um poder soberano de governar e legislar. 3) Território a que se estende qualquer autoridade; vara.

JU.RIS.PRU.DÊN.CIA *s.f.* 1) Ciência do direito e das leis. 2) Modo especial de interpretar e aplicar as leis.

JU.RIS.TA *s.2gên.* 1) Jurisconsulto; autoridade em Direito. 2) Pessoa que estuda Direito. 3) Pessoa que vive de juros; capitalista.

JU.RO *s.m.* 1) Taxa percentual incidente sobre um valor ou quantia, num certo tempo. 2) Rendimen-

to de dinheiro emprestado. 3) Lucro, interesse, rendimento, prêmio. 4) *pop.* Recompensa.

JU.RU.RU *adj.2gên.* Acabrunhado, melancólico, triste.

JUS *s.m.* 1) Direito considerado. 2) Fazer jus a: merecer; ter direito a.

JUS.TA.POR *v.t.d.* 1) Pôr junto; aproximar; anexar; sobrepor. / *v.p.* 2) Juntar-se; unir-se.

JUS.TA.PO.SI.ÇÃO *s.f.* 1) Ato ou efeito de justapor. 2) Aposição; sobreposição. 3) Agregação de novas moléculas ao núcleo primitivo, em corpos inorgânicos. 4) *Gram.* Processo de composição para formar novos vocábulos.

JUS.TAR *v.t.d.* 1) *pop.* Ajustar. 2) Acertar. 3) Combater, lutar. 4) Assoldadar, assalariar.

JUS.TE.ZA (ê) *s.f.* 1) Qualidade do que é justo; justiça. 2) Exatidão, precisão. 3) Conveniência, propriedade. 4) Afinação rigorosa.

JUS.TI.ÇA *s.f.* 1) Virtude que consiste em dar ou deixar a cada um o que lhe pertence por direito. 2) Conformidade com o direito. 3) Direito. 4) Jurisdição, alçada. 5) Tribunais, magistrados e pessoas encarregadas de aplicar as leis. 6) Autoridade judicial.

JUS.TI.ÇAR *v.t.d.* 1) Punir com pena de morte. 2) Castigar. 3) Aplicar a justiça.

JUS.TI.CEI.RO *adj.* 1) Rigorosamente justo, imparcial. 2) Severo, implacável, inflexível. 3) Íntegro, incorruptível / *s.m.* 4) Aquele que faz justiça com as próprias mãos.

JUS.TI.FI.CA.ÇÃO *s.f.* 1) Ato ou efeito de justificar (-se). 2) Coisa que serve para justificar. 3) Fundamento, causa, desculpa, razão. 4) *Dir.* Prova judicial. 5) *Teol.* Restituição à graça divina.

JUS.TI.FI.CAR *v.t.d.* 1) Declarar justo ou inocente. 2) *Teol.* Reabilitar; absolver. 3) Provar judicialmente por meio de justificação. 4) Desculpar. 5) Explicar com razões plausíveis; demonstrar.

JUS.TI.FI.CA.TI.VA *s.f.* Razão ou motivo apresentado para justificar algo.

JUS.TO *adj.* 1) Diz-se daquilo que está conforme à justiça, à razão e ao direito. 2) Reto, imparcial. 3) Exato, preciso. 4) *Dir.* Legítimo. 5) Que tem fundamento. 6) Merecido. 7) Que se adapta perfeitamente, sem folgas. / *s.m.* 8) Diz-se do indivíduo que fundamenta sua vida pela justiça, pela equidade.

JU.VE.NIL *adj.2gên.* 1) Relativo à juventude. 2) Próprio da idade jovem. 3) Moço. 4) *Esp.* Torneio em que participam adolescentes entre 16 e 17 anos.

JU.VEN.TU.DE *s.f.* 1) Período da vida entre a infância e a idade adulta; adolescência. 2) A gente moça, mocidade; os jovens. 3) *fig.* Energia, viço, vigor.

Kk

K (cá) *s.m.* 1) Letra procedente do alfabeto fení-cio. 2) Com a Reforma Ortográfica, volta a integrar o alfabeto português constituindo a 11ª letra. 3) Empregada em abreviaturas e símbolos de uso internacional e em palavras derivadas de nomes próprios estrangeiros ➡ km; kg, etc. 4) *Quím.* Símbolo do potássio.

KAISER (cáiser) *s.m. al.* Imperador.

KAMIKASE (camicáse) *s.m. jap.* 1) Avião japonês carregado de explosivos, utilizado para provocar choque suicida. 2) Membro de um corpo aéreo que pilotava esses aviões.

KAN.TIS.MO *s.m. Filos.* Sistema de doutrina do filósofo alemão Immanuel Kant (1724-1804).

KARAOKE (caraoquê) *s.m. jap.* 1) Ato de cantar acompanhado por músicos ou por um fundo ins-trumental já gravado. 2) Aparelho que reproduz fundos instrumentais de músicas para que se cante junto. 3) Estabelecimento que oferece esse lazer.

KART *s.m. ingl.* Pequeno carro motorizado, sem marchas, usado em competições.

KAR.TIS.MO *s.m. Esp.* Corrida realizada com *kart*.

KAR.TÓ.DRO.MO *s.m.* Pista para prática de kartismo.

KEL.VIN *s.m. Fís.* Unidade internacional de tem-peratura que equivale a 1/273,16 da temperatura termodinâmica do ponto triplo da água.

KETCHUP (quétxâp) *s.m. ingl.* Molho de tomate temperado com especiarias.

KIBUTZ (quibúts) *s.m. hebr.* Propriedade coletiva em Israel.

KILT (quilt) *s.m. ingl.* Saiote típico do vestuário masculino escocês.

KIT *s.m. ingl.* Conjunto de objetos colocados jun-tos e que possuem relação entre si ou têm um objetivo comum.

KIWI (quiuí) *s.m. ingl.* Fruta oval de casca peluda fina e marrom e polpa verde.

KNOW-HOW (nôu-ráu) *s.m. ingl.* Conjunto de técnicas e práticas eficientes num processo de produção.

KÜMMEL (químel) *s.m. al.* Licor aromatizado de alto teor alcoólico.

KU.WAI.TI.A.NO *adj.* 1) Relativo ao Kuwait. / *s.m.* 2) Natural ou habitante do Kuwait.

KYRIE (kýrie) *s.m. gr. Rel.* Oração litúrgica que faz parte da missa e se inicia com a invocação "Se-nhor, tende piedade", recitada ou cantada.

L (ele) *s.m.* 1) Décima segunda letra do alfabeto. 2) Consoante constritiva, lateral, sonora. 3) Símbolo de litro ➙ l, em minúsculo e sem ponto. / *num.* 4) Cinquenta na numeração romana.

LÃ *s.f.* 1) Pelo animal, especialmente de ovelhas e carneiros. 2) Tecido feito desse pelo. 3) *Bot.* Lanugem de certas plantas. 4) Carapinha.

LÁ *s.m.* 1) *Mús.* Sexta nota da escala musical. 2) *Mús.* Sinal que representa esta nota. / *adv.* 3) Ali, naquele lugar. 4) Para aquele lugar. 5) Ao longe ou para longe; além.

LA.BA.RE.DA ou **LA.VA.RE.DA** (ê) *s.f.* 1) Grande chama, língua de fogo. 2) Intensidade, vivacidade. 3) *fig.* A maior força de um sentimento; ardor; paixão. 4) *fig.* Impetuosidade. / *s.m.* 5) *pop.* Homem azafamado.

LÁ.BA.RO *s.m.* Bandeira, estandarte, pendão.

LÁ.BIA *s.f.* 1) Falas agradáveis para enganar; loquacidade. 2) Astúcia; esperteza; manha. 3) *Anat.* Os grandes e pequenos lábios.

LA.BI.A.DO *adj.* 1) Que possui lábios. 2) *Biol.* Semelhante a lábio em estrutura ou função. 3) Que tem margens grossas e carnudas. 4) *Bot.* Que possui corola tubular ou cálice com limbo dividido em duas partes desiguais. / *s.m.* 5) *Zool.* Animais de lábios alongados, grossos ou de cor diferente do resto do corpo.

LA.BI.AL *adj.2gên.* 1) Referente ou pertencente aos lábios. 2) *Gram.* Que se articula com os lábios. 3) Fonema ou letra labial.

LA.BI.A.LI.ZAR *v.t.d.* 1) *Gram.* Tornar labial. 2) Pronunciar com os lábios.

LÁ.BIO *s.m.* 1) *Anat.* Borda móvel e carnosa que contorna a abertura bucal; beiço. 2) A boca. 3) *Med.* As duas extremidades de uma ferida simples. 4) *Bot.* Lóbulos de uma corola labiada.

LA.BI.RIN.TI.TE *s.f. Med.* Inflamação do labirinto.

LA.BI.RIN.TO *s.m.* 1) Lugar composto de caminhos entrecruzados e muitas divisões, de modo que é muito difícil achar a saída. 2) *Anat.* Conjunto de canais e cavidades que formam a orelha interna. 3) *fig.* Grande embaraço; confusão.

LA.BOR (ô) *s.m.* Faina, lavor, lida, trabalho.

LA.BO.RAR *v.t.d.* 1) Trabalhar, lidar. 2) Cultivar, lavrar. / *v.i.* 2) Exercer o seu mister.

LA.BO.RA.TÓ.RIO *s.m.* 1) Local de trabalho e investigação científica. 2) Oficina de químico ou de farmacêutico. 3) Parte de um forno de revérbero onde se efetuam as trocas de calor ou as reações químicas.

LA.BO.RI.O.SO (ô) *adj.* 1) Que trabalha duramente. 2) Muito difícil; árduo, penoso.

LA.BU.TA *s.f.* 1) Trabalho árduo e penoso. 2) *Por ext.* Qualquer forma de trabalho.

LA.BU.TAR *v.i.* 1) Trabalhar intensamente, laborar, lutar. 2) Funcionar com grande atividade; empenhado. 3) Esforçar-se, lidar.

LA.CA *s.f.* 1) Resina vermelha extraída das sementes de algumas plantas. 2) Verniz feito com esta resina.

LA.ÇA.DA *s.f.* 1) Nó corredio, laço que se desata facilmente. 2) *gír.* Ardil, armadilha.

LA.ÇA.DOR (ô) *adj.* e *s.m.* Que ou quem é hábil para laçar cavalos e outros animais em movimento.

LA.CAI.O *s.m.* 1) Homem sem dignidade, indivíduo desprezível. 2) Criado que acompanha o amo. 3) Quartzo cor de fumaça.

LA.ÇAR *v.t.d.* 1) Capturar com laço; enlaçar; atar. / *v.p.* 2) Apertar-se com laço; enforcar-se. / *v.i.* 3) Manejar o laço.

LA.ÇA.RO.TE *s.m.* Laço grande e vistoso.

LA.CE.RAR *v.t.d.* e *v.p.* Fazer em pedaços; rasgar; dilacerar(-se).

LA.ÇO *s.m.* 1) Nó corredio, desatado com facilidade; laçada. 2) Armadilha de caça. 3) Corda de couro cru trançado com uma argola corredia em uma das extremidades. 4) Traição, trapaça. 5) Aliança, casamento, compromisso. 6) Prisão, vínculo.

LA.CÔ.NI.CO *adj.* Breve, conciso, resumido; dito ou escrito em poucas palavras, de acordo com o estilo dos habitantes da Lacônia.

LA.CO.NIS.MO *s.m.* 1) Maneira lacônica de escrever ou falar. 2) *Lit.* Estilo lacônico; brevidade; concisão.

LA.CRAI.A *s.f.* Centopeia.

LA.CRAR *v.t.d.* Aplicar lacre em, fechar com lacre, selar.

LA.CRE *s.m.* 1) Substância resinosa usada para garantir a inviolabilidade do fecho em cartas, garrafas e outros objetos. 2) Nome vulgar do jaspe vermelho.

LA.CRI.MA.ÇÃO *s.f.* Derramamento de lágrimas, lagrimação.

LA.CRI.MAL *adj.2gên.* 1) Que se refere às lágrimas; lagrimal. 2) *Anat.* Que diz respeito ou pertence aos órgãos que segregam as lágrimas. / *s.m.* 3) Pequena nascente de água.

LA.CRI.MAN.TE *adj.2gên.* 1) Que chora. 2) Lastimoso. 3) Aflito. 4) Lacrimejante, lagrimejante, lagrimoso, lacrimoso.

LA.CRI.MÁ.VEL *adj.2gên.* Lamentável, lastimável, digno de dó.

LA.CRI.ME.JAR *v.i.* 1) Derramar lágrimas, chorar, lacrimejar. 2) Gotejar, pingar.

LA.CRI.MO.SO (ô) *adj.* 1) Que chora; choroso. 2) Que demonstra aflição.

LAC.TA.ÇÃO *s.f.* 1) Ação ou efeito de lactar. 2) Secreção e excreção do leite.

LAC.TAN.TE *adj.2gên.* 1) Que lacta. 2) Que produz leite. / *s.f.* 3) Mulher que amamenta.

LAC.TAR *v.t.d.* 1) Aleitar, amamentar, alimentar com leite. / *v.i.* 2) Mamar.

LAC.TEN.TE *adj.2gên.* e *s.2gên.* Que ou aquele que ainda mama; criança de peito.

LÁC.TEO *adj.* 1) Relativo ao leite. 2) Semelhante ao leite; leitoso. 3) Que tem ou produz leite.

LAC.TI.CÍ.NIO ou **LA.TI.CÍ.NIO** *s.m.* 1) Alimento feito com leite ou no qual o leite entra como elemento principal. / *adj.* 2) Relativo à indústria de leite.

LÁC.TI.CO *adj.* 1) Referente ao leite, lático. 2) *Quím.* Ácido láctico.

LAC.TÍ.FE.RO *adj.* Que produz ou conduz leite.

LAC.TO.SE *s.f.* *Quím.* Açúcar branco e cristalino encontrado no leite.

LA.CU.NA *s.f.* 1) Espaço vazio, falha. 2) Pequena abertura, cavidade ou depressão. 3) *Biol.* Espaço intercelular. 4) *Anat.* Cavidade óssea.

LA.CUS.TRE *adj.2gên.* 1) Pertencente ou relativo a um lago. 2) Que vive ou cresce em lagos ou lagoas. 3) Que está sobre um lago.

LA.DA.I.NHA (a-i) *s.f.* 1) Série de invocações em honra de Deus, à Virgem ou aos santos. 2) *fig.* Enumeração ou relação fastidiosa, lenga-lenga, lamúria monótona. 3) Discurso longo e fastidioso.

LA.DE.AR *v.t.d.* 1) Acompanhar, indo ao lado. 2) Correr ao lado de. 3) Atacar de lado, flanquear. 4) Contornar. 5) Não tratar diretamente de. / *v.i.* 6) *Equit.* Andar para os lados.

LA.DEI.RA *s.f.* 1) Declive, encosta, inclinação de terreno. 2) Via pública ou terreno inclinado. 3) Inclinação, tendência. 4) Rua íngreme.

LA.DI.NO *adj.* e *s.m.* 1) Que ou quem é esperto, cheio de manhas e astúcias. / *s.m.* 2) *Linguíst.* Dialeto românico falado na Suíça. 3) *Linguíst.* Dialeto falado por comunidades judaicas na Europa central e meridional.

LA.DO *s.m.* 1) Parte direita ou esquerda de qualquer coisa; superfície; face. 2) Parte direita ou esquerda do corpo humano compreendida entre a espádua e as ancas. 3) Flanco, ilharga. 4) Parte externa de uma coisa voltada para certa direção. 5) *Geom.* Qualquer das faces de um sólido.

LA.DRÃO *adj.* e *s.m.* 1) Que ou aquele que furta, rouba ou se apodera do alheio; salteador. 2) Maroto; tratante. / *s.m.* 3) Cano ou orifício das caixas de água por lajear onde é escoado o excedente do líquido. 4) Broto que, nas plantas, nasce abaixo do enxerto. 5) Rebento vegetal que prejudica o desenvolvimento da planta. 6) *fig.* Diz-se da pessoa que não tem consciência.

LA.DRAR *v.i.* 1) Dar ladridos ou latidos (o cão). 2) Gritar em vão. / *v.t.d.* 3) Proferir com violência.

LA.DRI.LHA.DO *adj.* Guarnecido ou pavimentado de ladrilhos.

LA.DRI.LHAR *v.t.d.* 1) Revestir ou pavimentar com ladrilhos; assentar ladrilhos. / *v.i.* 2) Exercer o ofício de ladrilheiro ou ladrilhador.

LA.DRI.LHEI.RO *s.m.* 1) Pessoa que faz ou vende ladrilhos. 2) Profissional que assenta ladrilhos. 3) Azulejador.

LA.DRI.LHO *s.m.* 1) Peça de barro cozido para revestimentos. 2) Aquilo que tem forma ou aparência de ladrilho. 3) Variedade de bolo seco.

LA.GAR *s.m.* 1) Tanque em que se espremem e reduzem certos frutos a líquido. 2) Estabelecimento com a aparelhagem necessária a esse trabalho.

LA.GAR.TA *s.f.* 1) *Zool.* Larva dos insetos lepidópteros. 2) Primeira fase da vida das borboletas.

lagartixa

lança

3) *Mec.* Cada uma das esteiras de placas de ferro articuladas que funcionam como rodas em tratores pesados e tanques de guerra.

LA.GAR.TI.XA *s.f.* 1) *Zool.* Denominação comum de pequenos lacertílios da família dos Geconídeos. 2) *gír. Mil.* Divisa. 3) Pessoa magra e feia.

LA.GAR.TO *s.m.* 1) *Zool.* Nome comum dado aos répteis de corpo alongado, pernas curtas e cauda afunilada e comprida. 2) Certa parte da carne da coxa do boi. 3) *pop.* Barriga da perna. 4) *fig.* Bíceps.

LA.GO *s.m.* 1) *Geogr.* Certa quantidade de água cercada de terras. 2) Tanque de jardim. 3) Grande porção de líquido derramado no chão; poça.

LA.GO.A (ô) *s.f.* 1) Pequeno lago. 2) Charco, pântano.

LA.GO.EI.RO *s.m.* 1) Água de chuva que fica depositada em um terreno. 2) Local alagado.

LA.GOS.TA (ô) *s.f. Zool.* Nome de vários crustáceos marinhos da família dos Palinurídeos.

LÁ.GRI.MA *s.f.* 1) *Anat.* Gota do líquido segregado pelas glândulas lacrimais. 2) Gota ou pingo de qualquer líquido. 3) *Arquit.* Ornato em forma de lágrimas. 4) Resina ou goma que aparece no tronco de algumas árvores.

LA.GU.NA *s.f.* 1) Canal ou braço de mar pouco profundo entre ilhas ou bancos de areia. 2) Expansão de rio. 3) Lagoa de água salgada cercada por recifes de coral.

LAI.A *s.f. pop.* Casta, feitio, espécie, raça.

LAI.CO *adj.* 1) Leigo. 2) Secular, em oposição a eclesiástico.

LAI.VO *s.m.* Mancha, nódoa.

LA.JE ou **LA.JEM** *s.f.* 1) Pedra de superfície plana, chata e larga, de grandes dimensões. 2) *Constr.* Bloco de concreto armado, principalmente os que separam os andares de um prédio.

LA.JE.AR *v.t.d.* Cobrir com lajes, colocar lajes; fazer o pavimento de; assentar lajes.

LA.JO.TA *s.f.* Pequena laje.

LA.MA *s.f.* 1) Mistura pastosa de terra e substâncias orgânicas, com muita água; lodo. 2) *fig.* Degradação, ignomínia.

LA.MA.ÇAL *s.m.* 1) Local onde há muita lama. 2) Atoleiro, lameiro, lodaçal, pântano. 3) *fig.* Coisa sórdida, desprezível, lamaceiro.

LA.MA.CEN.TO *adj.* 1) Com aspecto de lama. 2) Em que há muita lama; lamoso. 3) Relativo a lama; mole como a lama.

LAM.BA.DA *s.f.* 1) Chicotada, pancada, paulada, lapada. 2) Sova, tunda. 3) Dança e música de ritmo extremamente acentuado.

LAM.BAN.ÇA *s.f.* 1) *fig.* Algo feito de qualquer jeito, sem cuidado ou capricho. 2) Sujeira, imundície. 3) *fig.* Tumulto, confusão, algazarra. 4) História mentirosa; conversa fiada. 5) Bajulação. 6) O que se pode lamber e comer.

LAM.BER *v.t.d.* 1) Passar a língua sobre. 2) Comer sofregamente. 3) Tocar, atingir de leve. 4) Polir,

aperfeiçoar, apurar demais. / *v.p.* 5) Dar sinais de alegria.

LAM.BI.DA *s.f.* Ato ou efeito de lamber.

LAM.BIS.CAR *v.t.d.* e *v.i.* Comer pequenas porções de alguma coisa; beliscar.

LAM.BIS.GOI.A (ói) *s.2gên.* Pessoa (especialmente mulher) magra, sem graça e antipática.

LAM.BRE.TA (ê) *s.f.* Espécie de motocicleta pequena em que é possível juntar as pernas à frente do assento.

LAM.BRIL ou **LAM.BRI** *s.m.* Revestimento interno de parede em forma de placas ou painéis.

LAM.BU.JA *s.f.* 1) O que se dá ou ganha além do esperado ou estipulado. 2) Lucro ou vantagem em jogo, aposta ou negócio.

LAM.BU.ZAR *v.t.d.* e *v.p.* 1) Sujar(-se) com comida, graxa, óleo, etc. / *v.t.d.* 2) Deixar mancha de gordura em; engordurar.

LA.MEN.TA.ÇÃO *s.f.* 1) Ato ou efeito de lamentar. 2) Clamor, queixa, lamento. 3) Canto fúnebre.

LA.MEN.TAR *v.t.d.* 1) Exprimir dor ou pesar, manifestar mágoa, prantear. 2) Afligir-se em razão de. 3) Lastimar. / *v.p.* 4) Afligir-se, lastimar-se.

LA.MEN.TÁ.VEL *adj.2gên.* 1) Digno de ser lamentado ou lastimado; lastimoso. 2) Digno de dó. 3) Que encerra lamentação ou provoca lamentos. 4) Que deve ser censurado.

LA.MEN.TO *s.m.* 1) Lamentação. 2) Pranto, choro.

LÂ.MI.NA *s.f.* 1) Chapa delgada de metal. 2) Placa ou fragmento delgado de qualquer substância. 3) Chapa de aço estreita e delgada, de alguns instrumentos cortantes. 4) Lamínula.

LA.MI.NA.DO *adj.* 1) Formado por camadas ou lâminas. 2) Que é semelhante à lâmina. 3) Que se obtém pelo processo de laminação.

LÂM.PA.DA *s.f.* 1) Vaso que contém combustível para iluminar. 2) Ampola de vidro com filamento metálico, incandescido por corrente elétrica. 3) Clarão, claridade, foco luminoso. 4) Utensílio que produz luz artificial.

LAM.PA.DÁ.RIO *s.m.* Lustre com muitas lâmpadas.

LAM.PA.RI.NA *s.f.* Pequena lâmpada composta de um pavio sobre azeite, querosene, etc.

LAM.PE.JAR *v.i.* 1) Emitir brilho ou clarão momentâneo. 2) Lançar faíscas.

LAM.PE.JO (ê) *s.m.* 1) Clarão momentâneo. 2) Faísca, centelha. 3) *fig.* Manifestação momentânea e brilhante de inteligência ou de qualquer outro sentimento.

LAM.PI.ÃO *s.m.* Utensílio de iluminação, portátil ou fixo, com reservatório para combustível e vidro para proteger a chama.

LA.MÚ.RIA *s.f.* Expressão lamentosa de sofrimento; queixa, lamentação interminável.

LAN.ÇA *s.f.* 1) Arma de arremesso, formada por uma haste com uma lâmina pontiaguda na extremidade. 2) *Agr.* Pau roliço que atravessa o mourão com o qual se limpam as videiras. 3) *Mec.* Braço de guindaste. 4) Varal de carruagem.

LAN.ÇA.DOR *adj.* e *s.m.* Que ou aquele que lança ou arremessa.

LAN.ÇA.MEN.TO *s.m.* 1) Ato de lançar, lance, lanço. 2) *Arquit.* Assentamento de pedra fundamental de um edifício. 3) Escrituração em livro comercial. 4) *Bot.* O gomo das árvores.

LAN.ÇAR *v.t.d.* 1) Arremessar, atirar com força, impelir. 2) Arrojar. 3) Afastar para longe, expulsar. 4) Enterrar, sepultar. 5) Derramar, despejar. 6) Declarar, proferir. 7) Escriturar, fazer lançamento de. 8) Pôr em voga. 9) Editar, publicar. 10) Atribuir, imputar. / *v.p.* 11) Precipitar-se. 12) Arriscar-se, aventurar-se, avançar. 13) Desaguar. 14) Entregar-se inteiramente. 15) Inscrever-se. / *v.t.d.* e *v.i.* 16) Vomitar.

LAN.CE *s.m.* 1) Lançamento. 2) Ocasião. 3) Risco, perigo. 4) Vicissitude. 5) Acontecimento. 6) Impulso. 7) Feito, façanha. 8) Fato notável ou difícil. 9) Oferta verbal de preço por coisa apregoada em leilão. 10) Licitação. 11) Segmento de escadaria. 12) *Esp.* Jogada.

LAN.CE.AR *v.t.d.* e *v.p.* Ferir(-se), golpear(-se) com lança.

LAN.CHA *s.f.* 1) Pequena embarcação movida a motor. 2) Barco maior que o bote, empregado no transporte de cargas. 3) *pop.* Pé muito grande.

LAN.CHAR *v.i.* 1) Comer um lanche. / *v.t.d.* 2) Comer ou tomar lanche.

LAN.CHE *s.m.* Pequena refeição; merenda.

LAN.CHEI.RA *s.f.* Maleta para carregar lanche ou merenda.

LAN.CHO.NE.TE *s.f.* Estabelecimento onde são servidos lanches ou refeições ligeiras.

LAN.CI.NAN.TE *adj.2gên.* 1) Que se faz sentir por pontadas, picadas ou fisgadas. 2) *fig.* Extremamente doloroso.

LAN.GUI.DEZ (gu ou gü...ê) *s.f.* 1) Diminuição do ânimo, do vigor. 2) *fig.* Doçura, brandura. 3) *fig.* Sensualidade.

LÂN.GUI.DO (gu ou gü) *adj.* 1) Em estado de abatimento; desanimado, debilitado. 2) Que evoca ternura, doçura. 3) Sensual, libidinoso.

LA.NI.FÍ.CIO *s.m.* 1) Fabricação de fios e tecidos de lã. 2) Fábrica que produz fios ou tecidos de lã.

LA.NO.LI.NA *s.f. Quím.* Substância extraída da lã de carneiro, usada em pomadas e cosméticos.

LAN.TE.JOU.LA *s.f.* Pequena lâmina circular cintilante usada para bordados e ornamentos em tecidos e fantasias.

LAN.TER.NA *s.f.* 1) Lâmpada elétrica portátil, a pilha. 2) Farol. 3) Farolete de veículo. 4) Claraboia de um zimbório.

LAN.TER.NI.NHA *s.f.* 1) Pequena lanterna. / *s.2gên.* 2) *Por ext.* Funcionário munido de lanterna que conduz as pessoas aos seus lugares em cinemas, teatros, etc. 3) *Por ext.* O último colocado em competições; lanterna.

LA.PA *s.f.* 1) Cavidade em rochedo; gruta. 2) Abrigo selvagem.

LA.PE.LA *s.f.* Parte anterior e superior dos paletós ou casacos voltada para fora.

LÁ.PI.DA *s.f.* 1) Pedra com inscrição para comemorar qualquer acontecimento, lápide. 2) Laje tumular.

LA.PI.DA.ÇÃO *s.f.* Trabalho de cortar, formar, facetar e polir pedras preciosas.

LA.PI.DAR *v.t.d.* 1) *fig.* Submeter à lapidação (pedra preciosa). 2) *fig.* Tornar melhor; aperfeiçoar, aprimorar. / *adj.2gên.* 3) Referente a lápides. 4) *fig.* Perfeito, primoroso.

LÁ.PI.DE *s.f.* 1) Laje que se coloca sobre o túmulo. 2) Pedra com inscrição comemorativa ou em homenagem a alguém.

LÁ.PIS *s.m.* 1) Cilindro delgado de grafita, encerrado em um bastonete de madeira, próprio para escrever ou desenhar. 2) Pequeno bastão de qualquer substância de uso tópico.

LA.PI.SA.DA *s.f.* Traço feito a lápis.

LA.PI.SEI.RA *s.f.* 1) Utensílio para escrever, que consiste em um cilindro, com grafita, do qual se faz projetar pequena ponta para fora por meio de uma mola. 2) Estojo para guardar lápis.

LAP.SO *s.m.* 1) Ato de decorrer. 2) Espaço do tempo. / *adj.* 3) Culpa, erro, falta. 4) Descuido, engano.

LA.QUÊ *s.m.* Produto à base de laca, usado pelas mulheres para fixar o cabelo.

LA.QUE.AR *v.t.d.* 1) Estrangular, garrotear, ligar vaso sanguíneo. 2) Cobrir com laca. 3) Pintar com tinta esmalte. / *s.m.* 4) Dossel de leito; sobrecéu.

LAR *s.m.* 1) A casa onde se habita. 2) Terra natal; pátria. 3) Família. 4) Local na cozinha onde se acende o fogo; fogão. / *s.m. pl.* 5) Deuses domésticos, entre os romanos e etruscos.

LA.RAN.JA *s.f.* 1) Fruto da laranjeira. 2) *fig.* Pessoa ingênua ou insignificante. / *adj.2gên.* 3) Que tem a cor da laranja; alaranjado.

LA.RAN.JA.DA *s.f.* 1) Grande quantidade de laranja. 2) Doce pastoso de laranja. 3) Bebida feita com o suco de laranja.

LA.RÁ.PIO *s.m.* Pessoa que tem o hábito de furtar; gatuno.

LA.REI.RA *s.f.* 1) Laje em que se acende o fogo. 2) Espécie de fornalha, de pedra ou tijolo, na qual se acende o fogo para aquecer o ambiente do aposento.

LAR.GA *s.f.* 1) Ato ou efeito de largar. 2) Largueza, liberdade, folga. 3) Amplidão.

LAR.GA.DA *s.f.* 1) Ato de largar, partida. 2) Facécia. 3) Partida em provas esportivas; arrancada.

LAR.GA.DO *adj.* 1) Folgado, indômito. 2) Abandonado, menosprezado. 3) Incorrigível. 4) Que não cuida de si.

LAR.GAR *v.t.d.* 1) Soltar, deixar cair. 2) Deixar fugir, libertar. 3) Abandonar. 4) Conceder. 5) Tornar frouxo, alargar. / *v.p.* 6) Deitar-se. / *v.i.* 7) Partir (o navio).

largo | latir

LAR.GO *adj.* 1) Extenso de lado a lado; amplo; espaçoso; grande; longo. 2) Nome dado ao vestuário que não está justo ao corpo. 3) Generoso; liberal. 4) Importante; considerável. 5) Douradouro. 6) Minucioso; prolixo. 7) Numeroso. 8) Desenvolvido. / *s.m.* 9) Praça urbana. 10) O alto-mar. / *adv.* 11) Com largueza; largamente.

LAR.GUE.AR *v.t.d.* 1) Despender largamente. / *v.i.* 2) Prodigalizar; não fazer caso de dinheiro. 3) Alargar.

LAR.GU.RA *s.f.* 1) Qualidade de largo. 2) Distância de lado a lado de uma superfície; dimensão transversal.

LA.RIN.GE *s.f. Anat.* Órgão essencial à fonação, situado entre a parte posterior da língua e a traqueia.

LA.RIN.GI.TE *s.f. Med.* Inflamação da laringe.

LAR.VA *s.f. Zool.* Estágio pós-embrionário de certos animais, como alguns peixes, anfíbios e invertebrados.

LA.SA.NHA *s.f. Cul.* Prato composto de tiras de massa entremeadas de recheio e molho.

LAS.CA *s.f.* 1) Fragmento de madeira, pedra ou metal. 2) *Por ext.* Pedaço mínimo de alguma coisa.

LAS.CAR *v.t.d., v.i.* e *v.p.* 1) Tirar lascas de, rachar(-se) ou quebrar(-se) em lascas. / *v.t.d.i.* 2) *fig.* Dar em; aplicar. / *v.p.* 3) *pop.* Sair-se mal, não ter sucesso.

LAS.CI.VO *adj.* 1) Que produz lascívia. 2) Libidinoso, licencioso, sensual. / *s.m.* 3) Indivíduo sensual, libidinoso.

LASER (lêizer) *s.m. ingl. Fís.* Fonte de luz desenvolvida para produzir um feixe de luz monocromático, muito condensado, de grande intensidade luminosa e utilizado, principalmente, na informática e na medicina.

LAS.SO *adj.* 1) Com esgotamento físico e mental; cansado, fatigado. 2) Que não está bem amarrado; frouxo.

LÁS.TI.MA *s.f.* 1) Sentimento de pena ou compaixão. 2) Lamentação interminável; lamúria. 3) Desprezível, sem valor. 4) Desgraça.

LAS.TI.MAR *v.t.d.* 1) Deplorar, lamentar. 2) Afligir, causar dor a. 3) Compadecer-se ou ter pena de. / *v.p.* 4) Lamentar-se; queixar-se.

LAS.TI.MÁ.VEL *adj.2gên.* Que é digno de lástima; lamentável.

LAS.TRAR ou **LAS.TRE.AR** *v.t.d.* 1) Carregar com lastro, pôr lastro em. 2) Tornar mais firme, aumentando o peso. / *v.i.* 3) Propagar-se; alastrar-se por.

LA.TA *s.f.* 1) Folha de ferro estanhado; folha de flandres. 2) Qualquer recipiente de folha de flandres para uso doméstico e industrial. 3) *pop.* Cara, rosto. 4) *pop.* Recusa amorosa.

LA.TA.DA *s.f.* 1) Pancada com lata. 2) Porção de cipós entrelaçados, dentro do mato, formando uma espécie de cobertura natural. 3) Grade de varas para sustentar plantas trepadeiras. 4) *pop.* Bofetada.

LA.TÃO *s.m.* 1) Liga de cobre e zinco, maleável e dúctil; cobre amarelo. 2) Utensílio próprio para remessa de leite às usinas.

LA.TA.RI.A *s.f.* 1) Porção de latas ou de utensílios de lata. 2) Alimentos enlatados. 3) *pop.* Carroceria de automóvel.

LÁ.TE.GO *s.m.* 1) Açoite, chicote. 2) *fig. Por ext.* Castigo, punição. 3) *fig.* Estímulo.

LA.TE.JAR *v.i.* 1) *Med.* Pulsar. 2) Ter movimento pulsativo; bater. 3) Palpitar. 4) Arquejar.

LA.TE.JO (ê) *s.m.* 1) Ato ou efeito de latejar. 2) Pulsação. 3) Grande agitação, zoada.

LA.TEN.TE *adj.2gên.* 1) Que não se vê, que está oculto. 2) *fig.* Dissimulado; disfarçado. 3) Subentendido, encoberto.

LA.TE.RAL *adj.2gên.* 1) Referente ao lado. 2) Situado ao lado. 3) Transversal. 4) *Bot.* Qualifica a inserção de qualquer órgão lateralmente feita sobre o principal. 5) *Gram.* Designativo da consoante que é proferida quando o ar se projeta pelas partes laterais da boca, em consequência de se achar a língua apoiada aos dentes ou ao palato.

LÁ.TEX (cs) *s.m. Bot.* Suco leitoso de certas plantas, especialmente das seringueiras, com o qual se faz a borracha.

LA.TI.DO *s.m.* 1) Ato ou efeito de latir; ladrido. 2) Voz do cão. 3) Remorso. 4) *pop.* Palavras vãs.

LA.TI.FÚN.DIO *s.m.* Propriedade rural de grande extensão.

LA.TIM *s.m.* 1) Língua falada antigamente no Lácio e em Roma. 2) O estudo dessa língua. 3) *fig.* Coisa de difícil compreensão. 4) Latim vulgar: base das línguas neolatinas modernas.

LA.TI.NI.DA.DE *s.f.* 1) Língua latina. 2) Construção gramatical rigorosa em latim. 3) Uso da língua ou do estilo latino. 4) Caráter dos povos de raça latina. 5) Conjunto dos povos latinos.

LA.TI.NIS.MO *s.m.* 1) Construção gramatical imitante à da língua latina. 2) Palavra ou locução própria da língua latina.

LA.TI.NIS.TA *s.2gên.* Indivíduo que tem grandes conhecimentos da língua e da literatura latinas.

LA.TI.NI.ZAR *v.t.d.* 1) Dar forma latina a. / *v.i.* 2) Falar latim; usar de expressões latinas.

LA.TI.NO *adj.* 1) Que pertence ou diz respeito ao Lácio. 2) Referente aos latinos. 3) Escrito ou pronunciado em latim. 4) Relativo à Igreja Católica do Ocidente. 5) Designação do barco que tem velas latinas (triangulares). / *s.m.* 6) Natural do Lácio. 7) Indivíduo que pertence a uma das nações neolatinas. 8) Latinista.

LA.TI.NO-A.ME.RI.CA.NO *adj.* 1) Que se refere ou pertence a qualquer uma das nações ou países americanos cuja língua oficial é uma das neolatinas. 2) Referente à parte da América onde se situam esses países. / *s.m.* 3) Pessoa natural de algum desses países.

LA.TIR *v.i.* 1) Ladrar. 2) Gritar. 3) Palpitar, latejar.

latitude | legião

LA.TI.TU.DE *s.f.* 1) Qualidade daquilo que é lato; extensão; largueza. 2) *Geogr.* Distância do Equador a um lugar da Terra, medida em graus sobre o meridiano desse lugar. 3) Desenvolvimento. 4) Paragens.

LA.TO *adj.* 1) Amplo, largo. 2) Extensivo.

LA.TRI.NA *s.f.* 1) Vaso sanitário. 2) Local reservado que contém um vaso sanitário ou outro aparato para recolher dejeções.

LA.TRO.CÍ.NIO *s.m. Jur.* 1) Roubo ou assalto à mão armada. 2) Roubo seguido de morte ou graves lesões corporais da vítima.

LAU.DA *s.f.* 1) Cada lado de uma folha de papel. 2) Cada uma das folhas de um original escritas de um só lado.

LAU.DO *s.m.* Parecer emitido por um perito ou árbitro, o qual responde a todos os quesitos propostos pelo juiz e pelas partes interessadas.

LAU.RE.AR *v.t.d.* 1) Cingir ou coroar de louros. 2) Premiar. 3) Adornar, enfeitar. 4) Aplaudir, festejar.

LA.VA *s.f.* 1) Matéria em fusão, expelida pelos vulcões. 2) A matéria que sai dos vulcões solidificada pelo esfriamento. 3) Torrente, enxurrada. 4) Chama.

LA.VA.BO *s.m.* 1) *Liturg.* Oração que o sacerdote católico profere durante a celebração da missa. 2) *Liturg.* Ato de o sacerdote lavar os dedos ao proferir essa oração. 3) Recipiente para lavar as mãos; lavatório.

LA.VA.DA *s.f.* 1) Espécie de rede de pesca. 2) *gír. Esp.* Derrota por enorme diferença de pontos. 3) Descompostura.

LA.VA.DEI.RA *s.f.* 1) Mulher que lava roupa. 2) Libélula.

LA.VA.DEI.RO *adj.* 1) Que lava. / *s.m.* 2) Homem que se emprega em lavar roupa. 3) Cova para depósito de águas pluviais.

LA.VA.DO *adj.* 1) Aquilo que se lavou, limpo. 2) Banhado. 3) Muito molhado, encharcado. 4) *Pint.* Dissolvido em água.

LA.VA.GEM *s.f.* 1) Ato ou efeito de lavar(-se). 2) Limpeza pela ação de líquido, principalmente água. 3) Comida que se dá a porcos. 4) *Med.* Introdução de água em um órgão do corpo para remover corpos estranhos ou substâncias nocivas.

LA.VAN.DA *s.f.* 1) Alfazema. 2) *Farm.* Essência extraída dessa planta. 3) Água-de-colônia feita com essa essência. 4) Pequena taça com água para lavar os dedos após as refeições.

LA.VAN.DE.RI.A *s.f.* 1) Local em que se lavam e passam roupas de cama e mesa. 2) Parte da casa, hotel, etc., onde a roupa é lavada e passada a ferro.

LA.VAR *v.t.d.* 1) Limpar banhando, tirar com água as impurezas de. 2) *Pint.* Dissolver as cores em água para purificar e temperar. 3) Purificar. 4) Vingar injúria. / *v.p.* 5) Banhar-se em água. 6) Reabilitar-se.

LA.VA.TÓ.RIO *s.m.* 1) Ato de lavar. 2) Purificação, limpeza. 3) Utensílio que sustenta uma bacia e jarro de água para lavagem do rosto e das mãos. 4) Bacia fixa ou pia, com água corrente; lavabo.

LA.VOU.RA *s.f.* 1) Cultivo da terra; lavra. 2) Agricultura.

LA.VRA *s.f.* 1) Ação de lavrar. 2) Lavoura. 3) Lugar e exploração de jazidas; mineração. 4) Autoria, composição.

LA.VRA.DOR (ô) *s.m.* 1) Que lavra. 2) Indivíduo que tem propriedade agrícola; agricultor. 3) Aquele que trabalha em lavoura. 4) Proprietário de salinas.

LA.VRAR *v.t.d.* 1) Amanhar, cultivar a terra, remexer com arado. 2) Fazer lavrados em. 3) Bordar; ornar com trabalhos em relevo. 4) Talhar pedras; lapidar. 5) Aplainar. 6) Explorar jazidas de minérios. 7) Cunhar. 8) Escrever, redigir.

LA.XAN.TE *adj.2gên.* 1) Que laxa ou afrouxa. / *s.m.* 2) *Med.* Purgante de efeito brando; laxativo.

LA.ZA.REN.TO *adj.* e *s.m.* 1) Que ou quem tem lepra; leproso. / *adj.* 2) *pop.* Terrível, insuportável.

LA.ZER (ê) *s.m.* Tempo livre, descanso, vagar, ócio.

LE.AL *adj.2gên.* 1) De acordo com as leis da probidade e da honra. 2) Digno, honesto. 3) Franco, sincero. 4) Fiel.

LE.AL.DA.DE *s.f.* Qualidade de ser leal.

LE.ÃO *s.m.* 1) *Zool.* Mamífero carnívoro, da família dos Felídeos. 2) *fig.* Homem valente e ousado. 3) *fig.* Homem de mau gênio, intratável.

LE.BRÃO *s.m. pop.* Macho da lebre.

LE.BRE *s.f. Zool.* Designação comum de várias espécies de roedores da família dos Leporídeos.

LE.CI.O.NAR *v.t.d.i.* Ministrar lição de; dar aula de; ensinar.

LE.GA.DO *s.m.* 1) *Jur.* Doação discriminada em testamento. 2) *Jur.* Patrimônio que se deixa para a posteridade. 3) *fig.* O que é transmitido às gerações futuras. / *adj.* e *s.m.* 4) Diz-se de ou pessoa enviada como representante de um governo para outro Estado ou país.

LE.GAL *adj.2gên.* 1) De acordo com a lei. 2) Que diz respeito à lei. 3) Prescrito pela lei. 4) *pop.* Como deve ser. 5) Certo, regular.

LE.GA.LIS.TA *adj.2gên.* 1) Referente à lei. / *s.2gên.* 2) Indivíduo que, em épocas de revolução, apoia o governo legal.

LE.GA.LI.ZAR *v.t.d.* Tornar legal; dar legalidade a; legitimar.

LE.GAR *v.t.d.* 1) Enviar alguém como legado. 2) Deixar em testamento. 3) Transmitir, deixar como legado.

LE.GEN.DA *s.f.* 1) Pequeno texto, descritivo ou explicativo, que é colocado logo abaixo das ilustrações, fotografias ou imagens cinematográficas. 2) Letreiro, rótulo.

LE.GEN.DÁ.RIO *adj.* 1) Fabuloso; lendário. / *s.m.* 2) Autor de legendas ou de lendas.

LE.GI.ÃO *s.f.* 1) Divisão principal da milícia romana constituída de infantaria e cavalaria. 2) Corpo

307

legibilidade   lenha

de um exército. 3) Grande número de pessoas; multidão.

LE.GI.BI.LI.DA.DE *s.f.* Característica do que é legível, do que se lê com facilidade.

LE.GIO.NÁ.RIO *adj.* 1) Relativo a uma legião. / *adj. e s.m.* 2) *Mil.* Soldado de uma legião do exército.

LE.GIS.LA.ÇÃO *s.f.* 1) Conjunto de leis de uma nação. 2) Parte do direito que estuda os atos legislativos 3) Direito ao ato de fazer leis.

LE.GIS.LA.DOR (ô) *adj.* 1) Que legisla. 2) Que explica as leis. / *s.m.* 3) Pessoa que elabora leis. 4) Membro de uma câmara legislativa.

LE.GIS.TA *s.2gên.* 1) Indivíduo que conhece as leis a fundo; jurisconsulto. 2) Médico que se dedica à medicina legal, a qual aplica os conhecimentos médicos às questões jurídicas.

LE.GI.TI.MA.DO *adj.* 1) Que se tornou legítimo. / *s.m.* 2) Filho natural que passa à condição de legítimo pelo matrimônio dos pais.

LE.GI.TI.MAR *v.t.d.* e *v.p.* 1) *Jur.* Tornar(-se) conforme a lei; legalizar. 2) *Jur.* Tornar(-se) ou reconhecer(-se) legítimo. / *v.t.d.* 3) Reconhecer como autêntico, verdadeiro. / *Jur.* Reconhecer um filho como legítimo.

LE.GI.TI.MI.DA.DE *s.f.* 1) Caráter, condição ou qualidade daquilo que é legítimo. 2) Estado daquele ou daquilo que se legitimou.

LE.GÍ.TI.MO *adj.* 1) Que é reconhecido pela lei. 2) *Por ext.* Autêntico, verdadeiro, genuíno. 3) Que é justo; procedente, justificado. 4) Diz-se de filho concebido dentro do matrimônio.

LE.GÍ.VEL *adj.2gên.* 1) Que pode ser lido. 2) Escrito de maneira nítida e bem visível.

LÉ.GUA *s.f.* 1) Antiga medida de extensão que, no Brasil, corresponde de 6 mil a 6.600 metros. 2) *pop.* Distância considerável.

LE.GU.ME *s.m.* 1) Fruto seco monocarpelar, característico das leguminosas. 2) Vagem. 3) Hortaliça, verdura.

LE.GU.MI.NO.SAS *s.f. pl. Bot.* Família de plantas dicotiledôneas, cujo fruto é um legume e cujas raízes possuem nódulos que contêm bactérias fixadoras de nitrogênio.

LEI *s.f.* 1) Preceito originado da autoridade soberana. 2) Prescrição do poder legislativo. 3) Regra ou norma de vida ou moral.

LEI.AU.TE *s.m. Por ext.* Esboço de uma publicação ou de qualquer obra gráfica.

LEI.GO *adj.* 1) Designação dada àquele que não tem ordens sacras; laico. 2) Pessoa que ignora um assunto.

LEI.LÃO *s.m.* 1) Venda pública de objetos àquele que oferecer maior lanço. 2) Hasta pública.

LEI.LO.AR *v.t.d.* Colocar ou vender em leilão.

LEI.LO.EI.RO *s.m.* 1) Aquele que organiza leilões. 2) Pregoeiro em leilões.

LEI.TÃO *s.m.* Porco novo; bácoro.

LEI.TA.RI.A ou **LEI.TE.RI.A** *s.f.* Lugar destinado a depositar leite ou estabelecimento em que ele é vendido.

LEI.TE *s.m.* 1) Líquido branco, opaco, segregado pelas glândulas mamárias da fêmea dos mamíferos. 2) Suco branco de alguns vegetais. 3) Tudo aquilo que parece leite ou se assemelha ao leite. 4) *pop.* Produto líquido destinado a amaciar, refrescar ou limpar a pele.

LEI.TEI.RO *adj.* 1) Que produz leite. / *s.m.* 2) Quem vende ou entrega leite.

LEI.TO *s.m.* 1) Armação de ferro ou madeira sobre a qual se coloca o colchão; cama. 2) Tudo aquilo sobre o que se pode descansar o corpo. 3) Suporte, base, armação. 4) Camada. 5) Depressão de terreno em que correm águas de rio ou regato.

LEI.TO.A (ô) *s.f.* Feminino de leitão.

LEI.TO.A.DA *s.f.* 1) Refeição que tem como iguaria leitões assados. 2) Certa porção de leitões juntos.

LEI.TOR (ô) *s.m.* Pessoa que lê; leitor.

LEI.TU.RA *s.f.* 1) A ação ou o hábito de ler. 2) O que se lê. 3) *fig.* Interpretação que se dá a um fato, um texto, etc.

LE.MA *s.m. fig.* Frase que resume um ideal que se busca.

LEM.BRAN.ÇA *s.f.* 1) Ato ou efeito de lembrar. 2) Memória. 3) Recordação. 4) A faculdade da memória. 5) Presente, mimo. / *s.f. pl.* 6) Cumprimentos, expressões de amizade.

LEM.BRAR *v.t.d.* 1) Trazer à memória; recordar. 2) Fazer vir à memória. 3) Advertir, notar. 4) Sugerir. 5) Recomendar. 6) Recordar; não se esquecer de. / *v.p.* 7) Ter lembrança de. / *v.t.i.* 8) Vir à lembrança; ocorrer.

LEM.BRE.TE (ê) *s.m.* 1) Papel com apontamentos. 2) Nota para ajudar a memória. 3) *pop.* Censura, leve castigo.

LE.ME *s.m.* 1) *Aeron.* e *Náut.* Peça ou estrutura plana de madeira ou metal que serve para dirigir embarcações ou aeroplanos. 2) Direção. 3) Guia. 4) Governo.

LEN.ÇO *s.m.* Pequeno pano quadrangular que se usa para assoar ou resguardar a cabeça ou pescoço.

LEN.ÇOL *s.m.* 1) Peça de pano que se usa para forrar o colchão ou servir de coberta. 2) Mortalha. 3) Lençol de água: depósito natural de água no subsolo. 4) *pop.* Estar numa situação difícil ➡ Estar em maus lençóis.

LEN.DA *s.f.* 1) Tradição popular. 2) Narrativa transmitida pela tradição cuja autenticidade dos fatos não se pode provar. 3) História fantástica, imaginosa. 4) *fig.* Mentira.

LEN.DÁ.RIO *adj.* 1) Referente à lenda ou relacionado a ela. 2) De quem todos falam; muito conhecido. 3) Que só existe na imaginação; fantástico.

LÊN.DEA *s.f.* Ovo de piolho.

LE.NHA *s.f.* 1) Ramagem ou troncos de madeira cortados para queimar. 2) *pop.* Pancada, sova.

lenhador / levar

LE.NHA.DOR (ô) *adj.* e *s.m.* Que ou quem colhe, racha ou corta lenha; lenheiro.

LEN.TE *s.f.* 1) *Fís.* Disco de vidro ou outra substância semelhante, utilizado em instrumentos ópticos. 2) *Anat.* Cristalino. / *s.2gên.* 3) Professor de escola superior.

LEN.TI.DÃO *s.f.* 1) Condição ou qualidade de lento. 2) Demora, vagar. 3) Ligeira umidade.

LEN.TI.LHA *s.f.* 1) *Bot.* Pequena erva da família das Leguminosas de vagens com sementes altamente nutritivas. 2) A semente dessa planta.

LEN.TO *adj.* 1) Que se move sem pressa; demorado; vagaroso. 2) Preguiçoso. 3) Frouxo, espaçoso. 4) Diz-se do fogo brando e fraco.

LE.O.A (ô) *s.f.* 1) Fêmea do leão. 2) Mulher de mau gênio. 3) Mulher garrida.

LE.O.NI.NO *adj.* 1) Próprio do leão. 2) Relativo ou semelhante ao leão. 3) *fig.* Desleal, pérfido. / *s.m.* 4) Indivíduo que nasceu sob o signo de leão.

LE.O.PAR.DO *s.m.* 1) *Zool.* Mamífero carnívoro, felídeo, de pele mosqueada. 2) Leão do escudo da Inglaterra.

LÉ.PI.DO *adj.* 1) Lesto, ligeiro, ágil. 2) Jovial; risonho; bem-humorado; gracioso.

LE.PO.RI.NO *adj.* 1) Relativo à lebre. 2) Que lembra a lebre.

LE.PRA *s.f.* 1) *Med.* Infecção causada pelo bacilo de Hansen que se caracteriza pelo aparecimento de lesões na pele; hanseníase. 2) *pop.* Vício que se propaga com rapidez. 3) *pop.* Sarna de cachorro.

LE.PRO.SO (ô) *adj.* 1) Relativo a lepra. / *s.m.* 2) Pessoa que tem lepra.

LE.QUE *s.m.* 1) Ventarola com varetas que se abre e fecha quando aberto. 2) Curva de uma escada. 3) Diz-se de qualquer objeto que tem o formato de leque aberto.

LER *v.i.* 1) Conhecer as letras do alfabeto e saber juntá-las em palavras. / *v.t.d.* 2) Estudar, vendo o que está escrito. 3) Decifrar bem o sentido de. / *v.t.d.* e *v.i.* 4) Pronunciar ou recitar em voz alta o que está escrito.

LER.DE.ZA (ê) *s.f.* Qualidade de lerdo, preguiçoso, de movimento ou raciocínio lento.

LER.DO *adj.* 1) De atos lentos. 2) Acanhado. 3) Lento, demorado. 4) Pesado.

LE.SA.DO *adj.* 1) Que sofreu lesão; ferido. 2) Danificado, prejudicado.

LE.SÃO *s.f.* 1) Ato ou efeito de lesar. 2) Dano, prejuízo. 3) Pancada, contusão. 4) Violação de um direito. 5) Ofensa na reputação de alguém.

LE.SAR *v.t.d.* 1) Causar lesão a; ofender fisicamente. 2) Ofender a reputação ou o crédito de. / *v.p.* 3) Prejudicar-se. / *v.i.* 4) Tornar-se pateta ou idiota.

LES.BI.A.NI.DA.DE *s.m.* Homossexualidade entre mulheres.

LÉS.BI.CA *s.f.* Mulher homossexual.

LES.MA (ê) *s.f.* 1) *Zool.* Nome vulgar de certos moluscos gastrópodes, terrestres, que não possuem concha. 2) *Zool.* Turbelário terrestre. 3) *gír.* Pessoa mole, vagarosa.

LE.SO (é) *adj.* 1) Ferido, ofendido, violado. 2) Paspalhão. 3) Tolhido. 4) Paralítico. 5) Indivíduo leso.

LES.TE *s.m.* 1) Este; nascente; oriente. 2) Vento que sopra do lado do nascente. *Abrev.*: L.

LE.TAL *adj.2gên.* 1) Relativo à morte, mortal; mortífero. 2) Lúgubre. 3) Fatídico.

LE.TAR.GI.A *s.f.* 1) Estado de profunda e prolongada inconsciência; letargo. 2) *Por ext.* Estado de apatia; desinteresse.

LE.TI.VO *adj.* Relativo a lições ou ao regime escolar.

LE.TRA (ê) *s.f.* 1) Símbolo gráfico com que se representa um som. 2) Escrita, caligrafia. 3) *Tip.* Tipo de impressão. 4) Sentido literal. 5) Versos que são acompanhados por música ou toada. 6) Inscrição, letreiro. 7) Algarismo.

LE.TRA.DO *adj.* e *s.m.* Que ou aquele que é versado em letras ou literatura; erudito; literato.

LE.TREI.RO *s.m.* 1) Inscrição, legenda, rótulo. 2) Placa com anúncio.

LE.TRIS.TA *s.2gên.* 1) Pessoa especializada em desenhar letras e letreiros de propaganda. 2) Pessoa que faz letra para ser musicada.

LÉU *s.m.* 1) *pop.* Ócio, vagar, vadiagem. 2) Ensejo, ocasião. / *loc. adv.* 3) Viver ao léu, à toa, sem destino, sem rumo.

LEU.CE.MI.A *s.f. Med.* Doença caracterizada pelo aumento do número de leucócitos no sangue.

LEU.CÓ.CI.TO *s.m.* Célula encontrada no sangue, responsável pela defesa do organismo; glóbulo branco.

LE.VA *s.f.* 1) Ato de levantar a âncora para navegar. 2) Grupo, magote, rancho. 3) Número de pessoas levadas ou trazidas por vez num transporte ou condução. 4) Recrutamento de tropas.

LE.VA.DA *s.f.* 1) Ação ou efeito de levar. 2) Torrente para regar plantas ou mover moinhos. 3) Açude, cascata. 4) Elevação de terreno, colina.

LE.VA.DI.ÇO *adj.* Móvel, movediço, que pode ser levantado e abaixado com facilidade.

LE.VA.DO *adj.* 1) Buliçoso, azougado. 2) Irrequieto.

LE.VAN.TAR *v.p.* 1) Erguer-se, pôr-se de pé. 2) Aparecer (um astro) sobre o horizonte. 3) Rebelar-se, revoltar-se. 4) Manifestar-se, com protesto. / *v.i.* e *v.p.* 5) Altear-se. 6) Sair da cama. / *v.t.d.* 7) Pôr ao alto; erguer. 8) Tornar mais alto; hastear. 9) Construir.

LE.VAN.TE *s.m.* 1) Ato de levantar. 2) Levantamento. 3) Oriente, nascente. 4) Território dos países banhados pelo Mediterrâneo oriental. 5) Motim. 6) Ação de fazer sair a caça do lugar onde se acolhe.

LE.VAR *v.t.d.* 1) Conduzir algo consigo de um lugar para outro. 2) Afastar, retirar. 3) Arrastar, puxar. 4) Guiar. 5) Visar a. 6) Ser portador de, transmitir. 7) Induzir. 8) Apagar, delir. 9) Apanhar, receber, roubar, obter. 10) Dar cabo de. 11) Consumir (tempo). 12) Viver. 13) Empregar, gastar. 14) Auferir, leve   lícito

perceber. 15) Trajar, usar, vestir. 16) Ter capacidade para; comportar. / *v.t.i.* 17) Dar acesso. / *v.p.* 18) *Náut.* Deixar o porto, seguir viagem.

LE.VE *adj.2gên.* 1) De pouco peso. 2) Que não é grave, sem perigo. 3) Sem importância, insignificante. 4) Delicado, ameno. 5) Simples. 6) Airoso na forma. 7) Ágil, rápido. 8) Aliviado, desoprimido.

LE.VE.DAR *v.t.d.* 1) Fazer fermentar, tornar lêvedo. / *v.i.* 2) Fazer crescer a massa de pão.

LE.VE.DO (ê), **LÊ.VE.DO** ou **LE.VE.DU.RA** *adj.* 1) Fermentado. 2) Aumentado de volume, crescido. / *s.m.* 3) *Bot.* Nome comum a certos fungos responsáveis pela fermentação nas bebidas alcoólicas e na panificação; levedura.

LE.VE.ZA (ê) *s.f.* 1) Qualidade de leve; pouco pesado. 2) Leviandade. 3) Superficialidade. 4) Falta de reflexão. 5) Ligeireza. 6) Suavidade.

LE.VI.AN.DA.DE *s.f.* 1) Qualidade de leviano. 2) Imprudência; pouco juízo. 3) Falta de reflexão.

LE.VI.A.NO *adj.* 1) Que tem pouco siso. 2) Irrefletido. 3) Imprudente; precipitado; insensato. 4) Que não tem seriedade. 5) De pequena carga. 6) Que exige pouco esforço; maneiro; leve.

LE.VI.TAR *v.i.* e *v.p.* Erguer-se no espaço sem apoio visível.

LE.XI.CAL (cs) *adj.2gên. Linguíst.* Relativo a léxico ou aos vocábulos de uma língua.

LÉ.XI.CO (cs) *s.m.* 1) Dicionário. 2) Dicionário de vocábulos usados por determinado escritor. 3) Glossário. 4) Dicionário de línguas clássicas antigas. 5) Vocabulário. 6) Conjunto de vocábulos de um idioma.

LE.XI.CO.GRA.FI.A (cs) *s.f.* 1) Arte, processo ou ocupação de fazer léxico. 2) Estudo das palavras que vão constituir o léxico.

LE.XI.CÓ.GRA.FO (cs) *s.m.* 1) Pessoa versada em lexicografia. 2) Autor de dicionários; dicionarista.

LE.XI.CO.LO.GI.A (cs) *s.f. Linguíst.* Estudo das palavras de acordo com a sua formação, derivação, etimologia e significado.

LE.XI.CÓ.LO.GO (cs) *s.m.* Pessoa que se dedica à lexicologia; dicionarista.

LHA.MA *s.2gên. Zool.* Ruminante camelídeo originário do Peru.

LHE *pron. pess.* 1) Oblíquo, de ambos os gêneros, da 3ª pessoa do singular. 2) Sintaticamente, complemento indireto do verbo.

LI.BA.ÇÃO *s.f.* 1) Ato de libar. 2) Ato de aspergir um líquido como oferenda a uma divindade.

LI.BAR *v.i.* 1) Fazer libações em honra de divindade. / *v.t.d.* 2) Sorver o conteúdo de; beber.

LI.BÉ.LU.LA *s.f. Zool.* Inseto com corpo longo e estreito e quatro asas, que voa junto à água.

LI.BE.RA.ÇÃO *s.f.* 1) Libertação. 2) Dispensa de compromisso ou obrigação. 3) *Com.* Suspensão de restrições legais ao uso ou circulação de certas mercadorias.

LI.BE.RAL *adj.2gên.* 1) Franco, generoso. 2) Amigo da liberdade política e civil. 3) Próprio de pessoa livre. 4) De ideias avançadas sobre a vida social. 5) Tolerante. / *s.m.* 6) Indivíduo partidário do liberalismo; liberalista.

LI.BE.RA.LIS.MO *s.m.* 1) Conjunto de teorias e princípios liberais. 2) Sistema que procura restringir as atribuições do Estado em benefício da iniciativa privada.

LI.BE.RA.LI.ZAR *v.t.d.* 1) Dar com liberalidade, prodigalizar. / *v.p.* 2) Tornar-se liberal.

LI.BE.RAR *v.t.d.* 1) Tornar livre, libertar. 2) Desobrigar. 3) Suspender restrições. 4) Liquidar uma dívida.

LI.BER.DA.DE *s.f.* 1) Condição de pessoa livre; livre-arbítrio. 2) Condição do ser que não vive em cativeiro. 3) Independência, autonomia. 4) Ousadia. 5) Permissão. 6) Modo de proceder desprendido das convenções sociais.

LI.BER.TAR *v.t.d.* 1) Dar liberdade a. 2) Aliviar, desobrigar. 3) Descarregar, desobstruir. / *v.p.* 4) Escapar-se; tornar-se livre.

LI.BER.TÁ.RIO *adj.* e *s.m.* Que ou aquele que é partidário da liberdade.

LI.BER.TI.NA.GEM *s.f.* 1) Conduta de quem se entrega exageradamente a prazeres sexuais. 2) *fig.* Indisciplina, insubmissão.

LI.BI.DI.NO.SO (ô) *adj.* 1) Relativo ao prazer sexual. / *adj.* e *s.m.* 2) Que ou quem tem desejos sexuais intensos e constantes.

LI.BI.DO *s.f.* Apetite sexual; desejo.

LI.BRE.TO (ê) *s.m. Mús.* 1) O texto de uma ópera, oratório ou cantado. 2) *Por ext.* O livro com esse texto.

LI.ÇÃO *s.f.* 1) Exposição de matéria escolar feita pelo professor aos alunos; preleção; explicação. 2) Exercício para que o aluno aprenda; leitura. 3) *fig.* Experiência; exemplo.

LI.CEN.ÇA *s.f.* 1) Autorização para fazer ou deixar de fazer alguma coisa; permissão. 2) Vida dissoluta. 3) Liberdade. 4) Liberdade poética: liberdade tomada pelo poeta de alterar as normas da gramática ou da poética.

LI.CEN.CI.AR *v.t.d.* 1) Dar licença a. 2) Isentar temporariamente do serviço. / *v.p.* 3) Concluir um curso superior, tomar o grau de licenciado.

LI.CEN.CI.A.TU.RA *s.f.* 1) Licenciamento. 2) Grau universitário, entre o de bacharel e o de doutor. 3) Grau ou título universitário dado aos professores do Ensino Fundamental e Ensino Médio.

LI.CEU *s.m.* Estabelecimento oficial ou particular de Ensino Médio ou profissional.

LI.CI.TA.ÇÃO *s.f.* 1) Oferta de um lance em um leilão. 2) Ato ou efeito de colocar em leilão. 3) Escolha, por concorrência, de fornecedores de produtos ou serviços para órgãos públicos.

LI.CI.TAR *v.i.* 1) Oferecer uma quantia no ato de arrematação, hasta pública ou partilha judicial. / *v.t.d.* 2) Pôr em leilão. 3) Oferecer lance sobre.

LÍ.CI.TO *adj.* 1) De acordo com a lei. 2) Permitido pelo direito; justo.

LI.COR (ô) *s.m.* 1) Bebida alcoólica aromatizada e açucarada. 2) Qualquer líquido. 3) Denominação dos medicamentos que contêm álcool.

LI.DA *s.f.* 1) Ato ou efeito de lidar. 2) Trabalho; faina; lide.

LI.DAR *v.t.i.* e *v.i.* 1) Batalhar, pelejar. 2) Trabalhar com afã; esforçar-se.

LI.DE *s.f.* 1) Lida. 2) Questão judicial. 3) Luta, contenda, duelo, combate. 4) Questão.

LÍ.DER *s.m.* 1) Chefe, guia. 2) Aquele que representa um grupo.

LI.DE.RAN.ÇA *s.f.* 1) Posição, função ou característica de líder. 2) Espírito de chefia. 3) Tempo durante o qual se é líder.

LI.DE.RAR *v.t.d.* 1) Dirigir como líder; chefiar. 2) Ter a posição de líder.

LI.DO *adj.* 1) Aquilo que se leu. 2) Que possui conhecimentos adquiridos pela leitura. 3) Erudito; sabedor.

LI.GA *s.f.* 1) Ato ou efeito de ligar; ligação. 2) *Metal.* Substância composta de dois ou mais metais fundidos. 3) Aliança; pacto. 4) Fita com a qual se prende a meia à perna.

LI.GA.ÇÃO *s.f.* 1) Ato ou efeito de ligar; ligadura; ligamento. 2) Junção; conexão. 3) Coerência. 4) Vínculo; relação. 5) Amasio; concubinato.

LI.GA.DU.RA *s.f.* 1) Ligação. 2) Faixa, atadura. 3) *Mús.* Curva que indica ligação de notas. 4) *Med.* Interrupção.

LI.GA.MEN.TO *s.m.* 1) Ligação. 2) Aquilo que serve para atar ou ligar algo. 3) *Anat.* Faixa de tecido fibroso que liga ossos articulados ou suporta vísceras nos seus devidos lugares.

LI.GAR *v.t.d.* 1) Fazer laço em; atar; fixar. 2) Fazer aderir; cimentar. 3) Pôr em comunicação. 4) Unir, juntar, prender. 5) *Eletr.* Pôr em circuito. 6) *Metal.* Misturar metais, por fusão. / *v.p.* 7) Unir-se por vínculos morais e afetivos.

LI.GEI.RO *adj.* 1) Ágil, rápido, veloz. 2) Vago. 3) Esperto. 4) Desonesto em negócios; tratante. / *adv.* 5) Ligeiramente, às pressas ➡ Ele anda ligeiro.

LIGHT (láit) *adj.2gên.* ingl. 1) Diz-se de alimento com valor calórico mais baixo, ou com teor reduzido de gordura, açúcar, sal, álcool, etc., se comparado ao alimento tradicional. 2) *Por ext.* Moderado, suave.

LI.LÁ ou **LI.LÁS** *s.m.* 1) *Bot.* Arbusto da família das Oleáceas. 2) A flor ou o perfume da flor do lilás. / *adj.2gên.* 3) Arroxeado, como a flor do lilás.

LI.MA *s.f.* 1) *Mec.* Instrumento de aço temperado, que possui fileiras de estrias cortantes, que se usa para desbastar e alisar metais e outros materiais. 2) Aquilo que serve para polir ou aperfeiçoar. 3) Fruto da limeira.

LI.MÃO *s.m.* 1) O fruto do limoeiro. / *adj.2gên.* 2) Da cor dessa fruta.

LI.MAR *v.t.d.* 1) Serrar, polir ou desgastar com lima. 2) *fig.* Tornar melhor; aprimorar.

LIM.BO *s.m.* 1) Fímbria, zona. 2) Orla, rebordo exterior. 3) *Bot.* Parte laminar das folhas. 4) Arco de transferidor. 5) *Teol.* Lugar para onde vão as crianças que morrem sem batismo.

LI.MEI.RA *s.f. Bot.* Planta rutácea que produz a lima.

LI.MI.AR *s.m.* 1) Peça de madeira ou de outro material que fica debaixo da porta. 2) *fig.* Início, começo.

LI.MI.NAR *adj.2gên.* 1) Que é o início de alguma coisa; preliminar. / *adj.2gên.* e *s.f.* 2) *Jur.* Diz-se de ou medida provisória concedida pelo juiz no começo de uma ação judicial.

LI.MI.TA.ÇÃO *s.f.* 1) Fixação de limites; demarcação. 2) *fig.* Restrição, contenção. 3) *fig.* Insuficiência, imperfeição.

LI.MI.TA.DO *adj.* 1) Que tem limitações. 2) Delimitado, fixado. 3) Reduzido, restrito. 4) Pouco dotado; de pouco talento.

LI.MI.TAR *v.t.d.* 1) Demarcar os limites. 2) Restringir, diminuir. / *v.t.i.* e *v.p.* 3) Fazer fronteira com. / *v.t.d.i.* 4) Restringir.

LI.MI.TE *s.m.* 1) Linha ou ponto de divisão ou demarcação. 2) Fronteira natural que separa um país de outro. 3) Marco; extremo; meta. 4) *Mat.* Grandeza constante, da qual uma variável pode se aproximar indefinidamente, sem atingi-la jamais.

LI.MÍ.TRO.FE *adj.2gên.* 1) Que está ou vive na fronteira ou no limite com outra região, país, etc. 2) *fig.* Muito próximo, vizinho.

LI.MO *s.m.* 1) Massa esverdeada de algas que se forma sobre superfícies úmidas. 2) Lodo, lama.

LI.MO.EI.RO *s.m. Bot.* Planta da família das Rutáceas, cujo fruto é o limão.

LI.MO.NA.DA *s.f.* 1) Bebida refrigerante preparada com suco de limão ou ácido cítrico. 2) Qualquer refrigerante acidulado e adoçado.

LIM.PA *s.f.* 1) Ato de limpar; limpeza; limpadura. 2) Poda. 3) Lugar desprovido de vegetação; clareira. 4) *fig.* Roubo total; limpeza.

LIM.PA.DO *adj.* 1) Que se limpou. / *s.m.* 2) Terreno limpo de mato.

LIM.PA.DOR (ô) *adj.* 1) Que limpa. / *s.m.* 2) Pessoa que limpa. 3) Instrumento de limpar. 4) *Agr.* Máquina que joeira a palha e o trigo.

LIM.PA.DU.RA *s.f.* 1) Ato de limpar. 2) Resíduo daquilo que se limpa. 3) O que sobeja da comida nos pratos.

LIM.PAR *v.t.d.* 1) Tornar limpo, tirar as sujidades de, varrer. 2) Curar; purificar. 3) Comer todo o conteúdo de. 4) Tirar os ramos inúteis a. 5) Ganhar tudo a outrem, ao jogo. / *v.p.* 6) Tornar-se limpo ou asseado; purificar-se. / *v.i.* 7) Desanuviar-se.

LIM.PA-TRI.LHOS *s.m.* Armação forte, à frente das locomotivas, usada para remover obstáculos sobre os trilhos.

LIM.PE.ZA (ê) *s.f.* 1) Ato ou efeito de limpar. 2) Qualidade de limpo ou asseado; asseio. 3) Coisa limpa e asseada. 4) Perfeição. 5) Castidade, pureza, depuração.

LÍM.PI.DO *adj.* 1) Nítido, claro, transparente. 2) Puro. 3) Polido. 4) Desanuviado. 5) Sonoro. 6) Ingênuo.

LIM.PO *adj.* 1) Sem sujeira, lavado. 2) Nítido, puro. 3) Isento. 4) *pop.* Que não tem dinheiro. 5) Claro, evidente. 6) Desanuviado. 7) Honesto. 8) *Agr.* Livre de ervas daninhas. / *adv.* 9) Honestamente.

LI.MU.SI.NE *s.f.* Automóvel fechado, espaçoso, porém com vidros laterais.

LIN.CE *s.m.* Felino selvagem ao qual se atribui uma visão extraordinária.

LIN.CHAR *v.t.d.* Matar ou torturar alguém sem um julgamento regular e por decisão coletiva.

LIN.DO *adj.* 1) Belo, formoso. 2) Elegante, gentil. 3) Delicado. 4) Aprazível, agradável.

LI.NE.AR *adj.2gên.* 1) Relativo a linha. 2) Feito com linhas geométricas. 3) Que se assemelha a uma linha. 4) *fig.* Que segue uma sequência lógica; sem desvios; direto. 5) *fig.* Direto; simples.

LIN.FÁ.TI.CO *adj.* 1) Referente à linfa. 2) Em que há linfa. 3) Designação dada aos vasos pelos quais a linfa circula. 4) *fig.* Sem vigor; apático. / *s.m.* 5) Indivíduo que tem linfatismo.

LINGERIE (langerri) *s.f. fr.* Roupa íntima feminina.

LÍN.GUA *s.f.* 1) *Anat.* Órgão achatado, musculoso e móvel, da cavidade bucal e que é o principal órgão da deglutição, do gosto e, no homem, da articulação das palavras. 2) Idioma, linguagem. 3) Estilo. 4) Nome de vários objetos que se assemelham a esse órgão. 5) Sistema de sinais apropriados a uma notação. 6) *Entom.* Tromba ou sugadouro dos insetos lepidópteros. / *s.m.* 7) *Ant.* Intérprete.

LIN.GUA.GEM *s.f.* 1) Faculdade de expressão audível e articulada do homem. 2) Conjunto de sinais falados, escritos ou gesticulados por meio dos quais o homem se serve para exprimir ideias e sentimentos.

LIN.GUA.JAR *s.m. Linguíst.* Modo de falar. / *v.i.* Falar muito.

LIN.GUAL *adj.2gên.* 1) Pertencente ou relativo à língua. 2) *Gram.* Designação dada ao fonema formado com auxílio da língua.

LIN.GUA.RU.DO *adj.* e *s.m.* Que ou quem fala demais; tagarela, indiscreto.

LIN.GUE.TA (güê) *s.f.* 1) Objeto com o formato de uma pequena língua. 2) Peça da fechadura que é movida quando se gira a chave para abrir ou trancar porta, gaveta, etc. 3) Pequena aba dos sapatos situada na altura do peito do pé.

LIN.GUI.ÇA *s.f.* 1) Enchido de carne moída em tripa delgada. 2) O que é longo e estreito. 3) *pop.* Pessoa magra.

LIN.GUIS.TA (gü) *adj.2gên.* e *s.2gên.* Especialista em linguística.

LIN.GUÍS.TI.CA (gü) *s.f.* Ciência que estuda a linguagem humana e a estrutura, a origem, o desenvolvimento e a evolução das línguas.

LI.NHA *s.f.* 1) Fio de linho, algodão, seda, ou outro material, preparado para trabalhos de costura. 2) Barbante, cordel. 3) O linhol do sapateiro. 4) Fio metálico que liga uma estação telegráfica ou telefônica com outra; todo o sistema desses fios. 5) Fio para pescar. 6) Série de palavras escritas ou impressas na mesma direção. 7) Linha; fileira. 8) *Bel.-art.* Traço. 9) Grande viga transversa. 10) *Geom.* Interseção de dois planos. 11) Traço na palma da mão. 12) *Mús.* Cada traço horizontal que forma a pauta. 13) *Arit.* Duodécima parte da polegada. 14) Percurso, via, rota. 15) *Fam.* Compostura exigida pela posição social.

LI.NHA.ÇA *s.f. Bot.* Semente do linho.

LI.NHA.DA *s.f.* 1) Arremesso de anzol. 2) Espiadela. 3) Namoro a distância.

LI.NHA.GEM *s.f.* 1) Genealogia. 2) Linha de parentesco; ascendência; geração; estirpe; família. 3) *fig.* Condição social.

LI.NHO *s.m.* 1) *Bot.* Planta da família das Lináceas, de cujas hastes se tiram fibras com que se fazem panos e rendas. 2) Tecido de linho.

LI.NHOL *s.m.* 1) Fio grosso que os sapateiros usam para coser calçados. 2) Fio para coser lona.

LI.NÓ.LEO *s.m.* Tecido impermeável feito com óleo de linhaça.

LI.QUE.FA.ÇÃO *s.f.* 1) Ato de liquefazer. 2) Passagem de uma substância gasosa ao estado líquido.

LI.QUE.FA.ZER *v.t.d.* 1) Tornar líquido; liquidificar; derreter; fundir. / *v.p.* 2) Reduzir-se ao estado líquido; derreter-se.

LÍ.QUEN *s.m.* 1) *Bot.* Talófita terrestre que resulta da simbiose de uma alga e de um cogumelo. 2) *Med.* Dermatose crônica constituída por pápulas sólidas e avermelhadas.

LI.QUI.DA.ÇÃO *s.f.* 1) Ato ou efeito de liquidar. 2) Operação pela qual uma sociedade mercantil realiza o ajuste final de suas contas e distribui entre os sócios o ativo líquido ou os prejuízos que foram verificados. 3) Apuramento de contas. 4) Venda de mercadorias por baixo preço.

LI.QUI.DAR *v.t.d.* 1) *Com.* Fazer a liquidação de. 2) Apurar, ajustar (contas). 3) Tirar a limpo. 4) *fig.* Destruir, matar, assassinar. / *v.i.* 5) *Com.* Vender gêneros a preços reduzidos. 6) Encerrar transações comerciais.

LI.QUI.DI.FI.CA.DOR (qu ou qü...ô) *s.m.* 1) Aparelho eletrodoméstico composto de um recipiente com uma hélice de pás cortantes, usado para moer e misturar alimentos. / *adj.* 2) Que liquidifica.

LI.QUI.DI.FI.CAR (qu ou qü) *v.t.d.* Liquefazer.

LÍ.QUI.DO *adj.* 1) Que flui ou corre. 2) Ajustado, apurado, liquidado. 3) *Com.* Livre de descontos ou despesas. 4) *fig.* Verificado. / *s.m.* 5) Bebida. 6) Qualquer substância líquida.

LI.RA *s.f.* 1) *Mús.* Antigo instrumento de cordas em forma de U. 2) *fig.* Inspiração poética. 3) *Astr.* Constelação boreal. 4) Antiga unidade monetária da Itália.

LÍ.RI.CO *adj.* 1) Relativo ao instrumento musical lira. 2) Designação dada ao gênero poético no qual o poeta canta as próprias emoções. 3) Relativo à ópera. / *s.m.* 4) Poeta que cultiva a poesia lírica; lirista.

LÍ.RIO *s.m.* 1) *Bot.* Planta ornamental da família das Liliáceas, com flores aromáticas. 2) A flor dessa planta.

LI.RIS.MO *s.m.* 1) Entusiasmo, inspiração do poeta lírico; sentimentalismo; calor. 2) Feição da obra literária inspirada, à maneira da poesia lírica.

LI.SO *adj.* 1) De superfície plana e sem aspereza. 2) Macio. 3) Sem pregas e ornatos. 4) *fig.* Franco, lhano, suave. 5) *pop.* Sem dinheiro, pronto.

LI.SON.JA *s.f.* 1) Ação ou efeito de lisonjear. 2) Elogio exagerado; adulação; bajulação.

LI.SON.JE.AR *v.t.d.* e *v.p.* 1) Receber com satisfação lisonjas, elogios e agrados; envaidecer(-se). / *v.t.d.* 2) Enaltecer com exagero, para ter favores, privilégios, etc. 3) Dar prazer a; satisfazer.

LIS.TA *s.f.* 1) Catálogo, relação. 2) Listra. 3) Tira comprida e estreita de pano ou papel. 4) Listagem. 5) Cardápio, menu.

LIS.TAR *v.t.d.* Incluir em uma lista.

LIS.TRA *s.f.* Risca num tecido, de cor diferente da deste; lista.

LIS.TRA.DO *adj.* Que tem listras.

LI.TE.RAL *adj.2gên.* 1) Que acompanha rigorosamente a letra dos textos. 2) Rigoroso, formal. 3) Claro, evidente.

LI.TE.RÁ.RIO *adj.* 1) Relativo a letras ou à literatura. 2) Que possui valor aceitável na literatura.

LI.TE.RA.TU.RA *s.f.* 1) Arte de compor escritos. 2) O exercício dessa arte ou da eloquência e poesia. 3) Conjunto das obras literárias de um agregado social, ou em dada linguagem, ou referidas a determinado assunto. 4) A história das obras literárias do espírito humano. 5) O conjunto das pessoas distintas nas letras.

LI.TI.GAR *v.i.* e *v.t.i.* 1) Ter litígio, demanda. / *v.t.d.* 2) Questionar em juízo, pleitear.

LÍ.TIO *s.m. Quím.* Elemento de símbolo Li, univalente, do grupo dos metais alcalinos.

LI.TO.GRA.FI.A *s.f.* 1) Arte ou processo de produzir um desenho ou caracteres em pedra plana, e por meio desta reproduzi-los em papel. 2) Qualquer processo, baseado no mesmo princípio. 3) Folha ou estampa impressa litograficamente. 4) Oficina litográfica.

LI.TO.RAL *adj.2gên.* 1) Relativo à beira-mar; litorâneo. / *s.m.* 2) Região costeira; terreno banhado por mar. 3) Conjunto de costas de um mar de um país.

LI.TO.RÂ.NEO *adj.* Referente ou situado à beira-mar.

LI.TOS.FE.RA *s.f. Geol.* A parte sólida do globo terrestre; crosta da Terra.

LI.TRO *s.m.* 1) Unidade fundamental das medidas de capacidade, que corresponde ao volume de um decímetro cúbico. 2) Recipiente ou garrafa cuja capacidade é de um litro.

LI.VI.DEZ (ê) *s.f.* Estado do que é lívido; palidez.

LÍ.VI.DO *adj.* Pálido, sem cor de saúde.

LI.VRAR *v.t.d.* 1) Dar liberdade a, tornar livre. 2) Salvar. 3) Defender, preservar de. 4) Tirar de uma posição difícil, desembaraçar. / *v.p.* 5) Escapar. 6) Libertar-se.

LI.VRA.RI.A *s.f.* 1) Reunião de livros dispostos ordenadamente; biblioteca. 2) Enorme quantidade de livros. 3) Local de venda de livros.

LI.VRE *adj.2gên.* 1) Que goza de liberdade pessoal. 2) Sem restrições. 3) Que é caracterizado por, ou existe sob um regime de liberdade civil. 4) Que não é proibido. 5) Espontâneo. 6) Absolvido; posto em liberdade. 7) Desembaraçado, desimpedido. 8) Disponível. 9) Licencioso, descomedido. / *adv.* 10) À vontade, livremente ➡ Ele corre livre pelas ruas escuras.

LI.VREI.RO *s.m.* 1) Pessoa que negocia livros. / *adj.* 2) Relativo a livros.

LI.VRO *s.m.* 1) Publicação impressa que consiste em um conjunto de páginas impressas. 2) Divisão de uma obra literária.

LI.XA *s.f.* 1) Papel coberto com material abrasivo para desgastar ou alisar metais e madeira. 2) Nome de certas espécies de peixes, cuja pele seca é áspera serve para polir.

LI.XÃO *s.m.* Lugar onde se deposita lixo a céu aberto.

LI.XAR *v.t.d.* 1) Desgastar, raspar com lixa; polir com abrasivo. / *v.p.* 2) Indignar-se, amolar-se. 3) Sofrer contratempo.

LI.XEI.RA *s.f.* 1) Depósito de lixo. 2) Montão de lixo.

LI.XEI.RO *s.m.* Funcionário de empresa ou repartição encarregada da limpeza pública, que coleta o lixo.

LI.XO *s.m.* 1) Tudo o que não presta e se joga fora; imundície; sujidade. 2) Ralé. 3) Cisco. 4) Tudo o que é varrido de uma casa e se joga numa lixeira.

LO.BA *s.f.* 1) A fêmea do lobo. 2) Batina usada pelos religiosos. 3) *Vet.* Tumor que se forma no peito do cavalo.

LOBBY (lóbi) *s.m. ingl. Polít.* Grupo de pessoas que procuram influenciar legisladores para obter medidas favoráveis para si ou para grupos que representam.

LO.BI.NHO *s.m.* 1) Lobo pequeno. 2) Quisto sebáceo subcutâneo. 3) Categoria de escoteiros destinada a crianças de menos de dez anos.

LO.BI.SO.MEM *s.m. Folc.* Homem que se transforma temporariamente em lobo segundo a crença popular.

LO.BO (ó) *s.m. Anat.* Parte mais ou menos arredondada e saliente de um órgão.

LO.BO (ô) *s.m.* 1) *Zool.* Mamífero canídeo, selvagem e carnívoro, do tamanho de um cão grande. 2) *fig.* Indivíduo cruel, de maus instintos; sanguinário.

lóbulo

LÓ.BU.LO *s.m.* 1) Pequeno lobo. 2) *Anat.* Parte pendente e mole da orelha.

LO.CA.ÇÃO *s.f.* 1) Ato ou efeito de locar. 2) Aluguel, arrendamento.

LO.CAL *adj.2gên.* 1) Que pertence ou se refere a determinado lugar. 2) *Med.* Circunscrito, limitado a determinada região. / *s.m.* 3) Localidade ou lugar relativo a um fato ou acontecimento. / *s.f.* 4) Notícia dada por um periódico, relativa à localidade em que se publica.

LO.CA.LI.DA.DE *s.f.* 1) Espaço determinado. 2) Lugar. 3) Povoação. 4) Sítio.

LO.CA.LI.ZA.ÇÃO *s.f.* 1) Ato ou efeito de localizar. 2) Lugar determinado.

LO.CA.LI.ZAR *v.t.d.* 1) Descobrir o paradeiro ou a posição de algo ou alguém. 2) Detectar, identificar. / *v.t.d.i.* e *v.p.* 3) Situar(-se) em determinado local; posicionar(-se).

LO.ÇÃO *s.f.* 1) Ablução, lavagem de parte do corpo. 2) *Farm.* Líquido próprio para lavagens externas. 3) Preparado líquido perfumado para os cabelos ou para a pele.

LO.CAR *v.t.d.* 1) Dar de aluguel ou arrendamento; alugar. 2) *pop.* Marcar com estacas. 3) Localizar.

LO.CA.TÁ.RIO *s.m.* Aquele que toma alguma coisa de aluguel ou arrendamento; inquilino.

LO.CAU.TE *s.m.* Forma aportuguesada de *lockout*.

LOCKOUT (locáut) *s.m. ingl.* União de patrões que fecham as portas de suas fábricas ou estabelecimentos comerciais em resposta à ameaça de greve de seus empregados.

LO.CO.MO.ÇÃO *s.f.* 1) Ato ou efeito de locomover-se. 2) Ato de transportar(-se) de um lugar para outro.

LO.CO.MO.TI.VA *s.f.* Máquina a vapor, elétrica ou a óleo diesel, que faz a tração de vagões nas vias férreas.

LO.CO.MO.VER *v.t.d.* e *v.p.* Deslocar(-se) alguém ou alguma coisa de um lugar para outro, sair de um ponto para outro; andar; caminhar.

LO.CU.ÇÃO *s.f.* 1) Maneira de falar; linguagem; expressão. 2) Frase ou grupo de palavras equivalente a uma palavra. 3) *Mús.* Válvula na parte superior do órgão. 4) *Radiotécn.* A fala ao microfone.

LO.CU.TOR (ô) *s.m.* 1) Indivíduo que fala em público por ofício. 2) Profissional de telecomunicação que transmite programas de rádio ou de televisão.

LO.DA.ÇAL *s.m.* 1) Local em que há muito lodo; atoleiro; lamaçal; pântano. 2) Lugar aviltante. 3) *fig.* Vida desregrada.

LO.DO (ô) *s.m.* 1) Depósito formado de terra, detritos orgânicos e areia dos mares, rios e lagos; lama. 2) Degradação, baixeza. 3) *fig.* Vergonha; ignomínia; aviltamento.

LO.GA.RIT.MO *s.m. Mat.* Expoente da potência a que é necessário elevar um número para se obter um outro número.

LÓ.GI.CA *s.f. Filos.* Parte da filosofia que estuda as leis do raciocínio; coerência.

LÓ.GI.CO *adj.* 1) Relativo à lógica. 2) De acordo com as regras da lógica. 3) Coerente, racional. / *s.m.* 4) Pessoa que estuda lógica ou é versado nesta ciência.

LO.GÍS.TI.CA *s.f.* 1) *Mat.* Arte de calcular, entre os antigos gregos. 2) Forma moderna de lógica que utiliza símbolos matemáticos em lugar da língua gramatical. 3) *Mil.* Ciência militar que cuida das tropas, do material e das atividades não combatentes.

LO.GO *adv.* 1) Imediatamente, sem demora. 2) Após, em seguida. 3) Dentro em pouco, em breve. / *conj.* 4) Por consequência, por isso, portanto.

LO.GO.MAR.CA *s.f.* Representação visual da marca de um produto ou de uma empresa.

LO.GO.TI.PO *s.m. Por ext.* Símbolo que identifica uma empresa, produto ou marca, constituído por imagem ou estilização de uma ou mais letras.

LO.GRA.DOU.RO *s.m.* 1) Aquilo que pode ser logrado, desfrutado, usufruído. 2) Rua, praça ou jardim, de livre acesso. 3) Pastagem pública para o gado.

LO.GRAR *v.t.d.* 1) Conseguir, obter, alcançar algo que se quer. 2) Enganar com artimanhas; iludir; ludibriar. / *v.t.d.* e *v.p.* 3) Tirar proveito, vantagem de; aproveitar(-se). / *v.i.* 4) Ter o resultado esperado; funcionar.

LO.JA *s.f.* 1) Estabelecimento para venda de mercadorias ao público; casa comercial. 2) Pavimento térreo de um prédio. 3) Casa de associação maçônica.

LO.JIS.TA *adj.2gên.* 1) Relativo a comércio feito em loja. / *s.2gên.* 2) Dono ou vendedor de loja.

LOM.BA.DA *s.f.* 1) Parte arredondada de monte, serra ou colina. 2) Dorso do boi. 3) Parte da encadernação que cobre o dorso do livro e segura as capas. 4) Pequena elevação, nas ruas, rodovias ou estradas de rodagem, para fazer com que os carros diminuam a velocidade.

LOM.BI.NHO *s.m.* 1) Músculo do gado e do suíno, que corresponde ao lombelo dos bovinos. 2) Carne muito tenra da região lombar da rês. 3) Assado dessa carne.

LOM.BO *s.m.* 1) Parte do animal situada de cada lado e ao longo da espinha dorsal. 2) Carne dessa parte. 3) Costas, dorso. 4) Lombada.

LOM.BRI.GA *s.f. Zool.* Denominação de um parasito do intestino delgado do homem.

LO.NA *s.f.* 1) Tecido grosso e forte do qual são feitos toldos, sapatos, velas de navios e outros objetos. 2) Tecido que, depois de tratamento adequado, é usado na fabricação de pneus, de freios, etc.

LON.DRI.NO *adj.* 1) Pertencente ou relativo a Londres (Inglaterra). / *s.m.* 2) Pessoa natural de Londres.

LON.GÂ.NI.ME *adj.2gên.* 1) Que tem grandeza de ânimo; benigno; indulgente. 2) Corajoso. 3) Generoso. 4) Sofredor; resignado.

longe

LON.GE *adv.* 1) A grande distância, no espaço ou no tempo. / *adj.2gên.* 2) Afastado, distante, longínquo. / *s.m.* 3) Tempo passado. / *interj.* 4) Designa aversão ou ordem de afastamento ➡ Longe!
LON.GE.VI.DA.DE *s.f.* 1) Longa duração de vida. 2) Qualidade daquele que é longevo. 3) Tempo que duram as espécies nas épocas geológicas.
LON.GÍN.QUO *adj.* 1) Que vem de longe. 2) Afastado, distante, remoto, situado a longa distância.
LON.GI.TU.DE *s.f.* 1) Extensão em linha reta. 2) *Geogr.* Distância ao longo do equador entre o meridiano de Greenwich e o meridiano do lugar considerado.
LON.GI.TU.DI.NAL *adj.2gên.* 1) Relativo a ou próprio de longitude. 2) Que tem o sentido do comprimento de algo.
LON.GO *adj.* 1) Comprido; demorado. 2) Que dura muito; duradouro. 3) *Gram.* Designação dada à sílaba ou vogal cuja pronúncia demora mais que a da sílaba ou vogal breve.
LONG-PLAY (lon'plei) *s.m. ingl.* Disco fonográfico, de rotação baixa, que permite mais tempo de gravação.
LON.JU.RA *s.f. pop.* Grande distância.
LON.TRA *s.f. Zool.* Mamífero da família dos Mustelídeos, cuja pele é muito valiosa, tem o corpo delgado e membros curtos.
LO.QUAZ *adj.2gên.* 1) Que fala muito; tagarela. 2) *Por ext.* Que tem facilidade de expressão oral.
LOR.DE *s.m.* 1) Título da alta nobreza na Inglaterra. 2) Membro da câmara alta do parlamento inglês. 3) *pop.* Pessoa rica, que vive com ostentação. / *adj.2gên.* 4) *pop.* Próprio de lorde; magnificente.
LOR.DO.SE *s.f. Med.* Curvatura anormal da coluna vertebral com convexidade para diante.
LO.RO *s.m.* 1) Correia que sustenta o estribo às selas; estribeira. 2) Parte da cabeça das aves entre o bico e os olhos.
LO.RO.TA *s.f.* 1) Conversa fiada. 2) Mentira. 3) Bazófia, gabolice.
LO.SAN.GO *s.m. Geom.* Quadrilátero que possui quatro lados iguais e ângulos opostos iguais.
LO.TA.ÇÃO *s.f.* 1) Ato ou efeito de lotar. 2) Orçamento; avaliação. 3) *Náut.* Cálculo da capacidade que um navio tem para carga. 4) Carro que transporta passageiros num percurso determinado a uma tarifa fixa. 5) Conjunto de lugares que as pessoas podem ocupar em determinado recinto ou veículo. / *s.m.* 6) Autolotação.
LO.TA.DO *adj.* 1) Que se lotou. 2) De lotação completa. 3) Cheio, repleto.
LO.TAR *v.t.d.* 1) Calcular a capacidade de. 2) Determinar o número de. 3) Completar, preencher. / *v.i.* 4) Ficar totalmente tomado (um recinto, um veículo).
LO.TE *s.m.* 1) Cada uma das porções de um todo; parcela; quinhão. 2) Cada uma das partes de um terreno loteado. 3) Cada grupo de cargueiros com

lucidez

um condutor, em que, no Brasil, dividem-se as tropas de carga. 4) Grupo de pessoas ou coisas.
LO.TE.CA *s.f.* Nome popular da Loteria Esportiva.
LO.TE.RI.A *s.f.* 1) Jogo de azar no qual se premiam números sorteados. 2) Rifa. 3) Coisa ou negócio que depende do acaso.
LO.TO (ô) *s.m.* 1) Jogo de azar formado por cartões numerados de 1 a 90 e pedras com a mesma numeração; víspora; bingo. 2) O conjunto dos objetos e utensílios empregados nesse jogo.
LOU.ÇA *s.f.* 1) Objeto de cerâmica. 2) Artefato de porcelana, barro ou outra substância, para serviço de mesa.
LOU.CO *adj.* 1) Alienado, doido. 2) Arrebatado, imprudente. 3) Alegre, brincalhão, folgazão. / *s.m.* 4) Pessoa que perdeu a razão. 5) Indivíduo extravagante.
LOU.CU.RA *s.f.* 1) Estado daquele que é louco. 2) *Med.* Desarranjo mental; demência; psicose. 3) Atitude própria de louco. 4) Insensatez. 5) Enorme extravagância.
LOU.RA ou **LOI.RA** *s.f.* 1) Mulher de cabelo louro. 2) *pop.* Libra esterlina.
LOU.SA *s.f.* 1) Pedra chata; ardósia; laje. 2) Lápide rasa, sobre sepultura. 3) Sepulcro. 4) Lâmina de ardósia enquadrada em madeira para nela se escrever ou desenhar; quadro-negro.
LOU.VA-A-DEUS *s.m.* Denominação vulgar dos insetos da família dos Mantódeos, cujas patas anteriores, postas juntas e levantadas para o céu, lembram uma pessoa ajoelhada.
LOU.VA.ÇÃO *s.f.* 1) Ato ou efeito de louvar. 2) *pop.* Cântico em louvor dos santos.
LOU.VA.DO *adj.* 1) Que foi objeto de louvor. 2) Abençoado, bendito. / *s.m.* 3) Perito nomeado para avaliar bens móveis e imóveis; avaliador.
LOU.VAR *v.t.d.* 1) Dirigir louvores a; enaltecer. 2) Avaliar. / *v.p.* 3) Aceitar, aprovar a opinião ou o parecer de alguém.
LOU.VÁ.VEL *adj.2gên.* 1) Digno de louvor. 2) Que deve ser louvado.
LOU.VOR (ô) *s.m.* 1) Ato de louvar. 2) Aplauso, elogio. 3) Glorificação.
LU.A *s.f.* 1) Corpo celeste que ilumina a Terra de noite com a luz recebida do Sol e refletida. 2) Satélite. 3) Espaço de um mês lunar. 4) Parte dianteira e arqueada da sela. 5) Cio dos animais. 6) Mau humor.
LU.AR *s.m.* 1) Luz solar refletida pela Lua. 2) Claridade da Lua que se espalha de noite sobre a Terra.
LU.BRI.FI.CAN.TE *adj.2gên.* e *s.m.* Diz-se de ou substância usada para lubrificar.
LU.BRI.FI.CAR *v.t.d.* e *v.p.* 1) Tornar(-se) úmido, escorregadio. / *v.t.d.* 2) Aplicar óleo lubrificante ou graxa em peças de máquina, aparelho, etc.
LU.CI.DEZ (ê) *s.f.* 1) Qualidade ou estado de lúcido. 2) Brilho, claridade. 3) Nitidez. 4) Precisão de ideia.

L

315

lúcido

luzir

LÚ.CI.DO *adj.* 1) Que luz ou resplandece. 2) Polido, luzido. 3) Claro, transparente. 4) Que tem clareza e penetração de inteligência, perspicaz.

LU.CRAR *v.t.d.* 1) Receber lucro, vantagem. 2) Conseguir, lograr. 3) Desfrutar, gozar. / *v.t.i.* 4) Tirar lucro de.

LU.CRA.TI.VO *adj.* 1) Que dá lucro. 2) De que se tira proveito; útil.

LU.CRO *s.m.* 1) Proveito tirado de uma operação comercial, industrial, etc. 2) Ganho, depois de descontadas as despesas; ganho líquido. 3) Vantagem.

LU.DI.BRI.AR *v.t.d.* e *v.p.* 1) Enganar, iludir. / *v.t.d.* 2) Ridicularizar com palavras, gestos, etc.; zombar, caçoar.

LÚ.DI.CO *adj.* Relativo a jogo, brinquedo e divertimento.

LU.GAR *s.m.* 1) Espaço. 2) Espaço ocupado por um corpo. 3) Local onde está qualquer coisa; sítio. 4) Posição; classe. 5) Região, povoado, localidade, residência. 6) Cargo, posto, emprego, colocação. 7) Ponto de observação.

LU.GA.RE.JO (ê) *s.m.* Vilarejo, povoado, aldeia.

LÚ.GU.BRE *adj.2gên.* 1) Relativo a morte, a funerais; fúnebre. 2) *Por ext.* Que infunde tristeza; sombrio. 3) *Por ext.* Que inspira pavor; sinistro, escuro.

LU.LA *s.f. Zool.* Molusco cefalópode marinho, da família dos Loliginídeos.

LU.MI.NÁ.RIA *s.f.* Objeto ou aparelho que ilumina; lâmpada.

LU.MI.NO.SI.DA.DE *s.f.* 1) Qualidade do que é luminoso. 2) Propriedade de emitir ou refletir luz. 3) Intensidade da luz; claridade, brilho.

LU.MI.NO.SO (ô) *adj.* 1) Que emite ou reflete luz. 2) Brilhante, excelente, adequado. / *s.m.* 3) Anúncio de rua que é iluminado.

LU.NAR *adj.2gên.* 1) Pertencente ou relativo à Lua. 2) Medido pela revolução da Lua ➡ ano lunar. / *s.m.* 3) Mancha pigmentada em forma de lua crescente, observada na pele de alguns indivíduos.

LU.NÁ.TI.CO *adj.* 1) Influenciado pela Lua. 2) *fig.* Maníaco; extravagante; visionário. / *s.m.* 3) Pessoa que tem manias, caprichos ou excentricidades.

LU.NE.TA (ê) *s.f.* 1) Lente montada em armação para auxiliar a vista. 2) Parte da custódia em que se prende a hóstia. 3) Óculo de longo alcance. 4) *Constr.* Janela ou abertura, oval ou redonda. 5) Parte da guilhotina na qual se assenta o pescoço do condenado.

LU.PA *s.f.* 1) Lente convergente de vidro que se usa para aumentar a imagem de pequenos objetos. 2) *Vet.* Tumor mole no joelho de alguns animais.

LUS.TRAR *v.t.d.* 1) Dar lustre ou brilho, engraxar, envernizar, polir. 2) Limpar, purificar. / *v.i.* 3) Luzir; brilhar.

LUS.TRE *s.m.* 1) Brilho de um objeto engraxado, envernizado ou polido. 2) Brilho intenso. 3) Candelabro de vários braços suspenso do teto; lampadário. 4) *fig.* Honra, glória, fama.

LU.TA *s.f.* 1) Combate, peleja, batalha. 2) Conflito entre partidos políticos. 3) Empenho, esforço, lida. 4) *Esp.* Luta livre: luta que permite a aplicação de qualquer tipo de golpe.

LU.TA.DOR (ô) *adj.* 1) Que luta. / *s.m.* 2) Atleta que pratica a luta. 3) Quem está sempre pronto a enfrentar as dificuldades e a defender alguém ou uma causa.

LU.TAR *v.t.i.* e *v.i.* 1) Travar luta. 2) Esforçar-se muito, trabalhar com afinco. 3) Disputar, competir. / *v.t.i.* 4) Combater, lidar, pelejar, enfrentar. 5) Resistir.

LU.TO *s.m.* 1) Sentimento de pesar ou tristeza pela morte de alguém; dor; mágoa. 2) Vestuário escuro usado como sinal dessa dor. 3) Tempo durante o qual esse vestuário é usado.

LU.VA *s.f.* 1) Peça de vestuário com a qual se cobre a mão para resguardá-la do frio ou por adorno, e da qual apresenta a configuração exata. 2) Objeto semelhante, de couro, borracha, etc., usada para proteger as mãos.

LU.XA.ÇÃO *s.f. Med.* Deslocamento anormal de um osso.

LU.XAR *v.t.d.* 1) *Med.* Causar luxação em; deslocar. / *v.i.* 2) Ostentar luxo.

LU.XO *s.m.* 1) Ostentação; suntuosidade. 2) Pompa. 3) Tudo que apresenta mais riqueza de execução do que é necessário para sua utilidade; supérfluo. 4) Capricho, extravagância. 5) Viço, vigor. 6) Esplendor. 7) Dengue, melindre. 8) Afetação, recusa fingida.

LU.XU.O.SO (ô) *adj.* Que tem luxo; caro, requintado.

LU.XÚ.RIA *s.f.* Interesse incansável por prazeres carnais; lascívia.

LUZ *s.f.* 1) Agente que torna as coisas visíveis ou produz a iluminação. 2) Forma de energia radiante que age ou não sobre os órgãos da visão. 3) Iluminação, claridade, radiação luminosa provinda de qualquer substância em ignição. 4) A própria fonte de claridade, quando acesa. 5) Luz solar, luz do dia ou luz natural. 6) Brilho, fulgor. 7) Esclarecimento, explicação, ilustração. 8) Saber, ciência, erudição. 9) Certeza manifesta, evidência, verdade.

LU.ZEI.RO *s.m.* 1) Coisa que emite luz, brilho, clarão. 2) Astro, estrela. 3) Indivíduo ilustre, luminar. 4) *fig.* Indivíduo ilustre. / *s.m. pl.* 5) *fig.* Os olhos.

LU.ZEN.TE *adj.2gên.* Que emite luz ou brilho.

LU.ZIR *v.i.* 1) Emitir, espalhar ou irradiar luz. 2) Brilhar. / *v.t.d.* 3) Fazer brilhar.

316

Mm

M (eme) *s.m.* 1) Décima terceira letra do alfabeto. / *num.* 2) Na numeração romana, em maiúsculo, vale 1.000 e, encimado por um traço horizontal, 1.000.000.

MA.CA *s.f.* 1) Espécie de padiola, que serve para conduzir doentes. 2) Cama de lona, dobrável, para retirada, das quadras e campos esportivos, de atletas que sofreram contusão.

MA.ÇÃ *s.f.* 1) Fruto da macieira, de casca fina e vermelha e polpa esbranquiçada. 2) *pop.* Saliência das faces.

MA.CA.BRO *adj.* 1) Relativo à dança macabra. 2) Fúnebre. 3) Afeiçoado a coisas tristes.

MA.CA.CA *s.f.* 1) *Zool.* Fêmea do macaco. 2) *pop.* Mulher feia. 3) *pop.* Caiporismo, azar. 4) Diz-se da frequentadora entusiasta e assídua dos programas de auditório, de rádio e televisão ➡ Macaca de auditório.

MA.CA.CA.DA *s.f.* 1) Bando de macacos. 2) *gír.* Grupo de amigos; turma, pessoal.

MA.CA.CÃO *s.m.* 1) Vestimenta inteiriça usada por operários. 2) *pop.* Indivíduo feio e grotesco.

MA.CA.CO *s.m.* 1) Denominação comum a todos os símios ou primatas antropoides, exceto o homem. 2) *fig.* Aquele que imita as atitudes dos outros. 3) Máquina para levantar pesos. 4) Paralelepípedo.

MA.ÇA.DA *s.f.* 1) Pancada com maça ou maço. 2) Atividade fastidiosa, trabalho penoso.

MA.CAM.BÚ.ZIO *adj.* 1) Quem está triste, silencioso, taciturno. / *s.m.* 2) Jovem guardador de gado.

MA.ÇA.NE.TA (ê) *s.f.* 1) Remate esférico ou piramidal, que faz funcionar o trinco de portas ou janelas. 2) Puxador de portas.

MA.ÇAN.TE *adj.2gên.* e *s.2gên.* Que ou quem é enfadonho, tedioso, aborrecido.

MA.CA.QUI.CE *s.f.* 1) Ato ou efeito de macaquear. 2) Gesticulação exagerada; imitação malfeita e ridícula.

MA.ÇAR *v.t.d.* 1) Bater com maça ou maço. 2) Dar pancadaria, pisar com pau ou outro instrumento. 3) *fig.* Aborrecer, importunar.

MA.ÇA.RI.CO *s.m.* 1) *Zool.* Nome comum dado, no Brasil, a diversas espécies de aves da ordem dos Caradriiformes. 2) Lamparina de pressão usada por funileiros. 3) Aparelho para derreter ou soldar metais.

MA.ÇA.RO.CA *s.f.* 1) Emaranhado de fios, pelos, linhas, cabelos, etc. 2) Grande quantidade de coisas misturadas ou embaralhadas; miscelânea. 3) Espiga de milho. 4) *fig.* Mexerico, intriga.

MA.CAR.RÃO *s.m.* 1) Massa de farinha de trigo em diversos feitios para sopa e outros preparados culinários. 2) *pop.* Diz-se de indivíduo preguiçoso.

MA.CE.TA (ê) *s.f.* 1) Maça de ferro com a qual os pedreiros e escultores batem no cinzel. 2) Maça para tocar o bombo.

macete

MA.CE.TE (ê) *s.m.* 1) Maço pequeno usado pelos carpinteiros. 2) Recurso hábil para se fazer alguma coisa; trabalho improvisado.

MA.CHA.DA.DA *s.f.* Golpe dado com machado.

MA.CHA.DO *s.m.* 1) Instrumento cortante e encabado que serve para rachar lenha, fazer derrubadas, etc. 2) Instrumento náutico para picar mastros, amarras, etc.

MA.CHÃO *s.m.* Homem que exibe sua masculinidade; valentão; corajoso; resoluto.

MA.CHIS.MO *s.m.* 1) Atitude daquele que não admite a igualdade de direitos para o homem e a mulher; oposto ao feminismo. 2) Comportamento de quem considera o sexo masculino superior.

MA.CHO *s.m.* 1) Qualquer animal ou indivíduo do sexo masculino. 2) Ferramenta de aço, com a qual se abrem roscas dentro de um orifício. 3) Dobra no pano formando prega.

MA.CHU.CA.DO *adj.* 1) Que se machucou; ferido. 2) Amassado, deformado. 3) *fig.* Magoado, triste. / *s.m.* 4) Ferimento superficial; contusão, lesão.

MA.CHU.CAR *v.t.d.* 1) Esmagar um corpo com a dureza ou o peso de outro. 2) Amarfanhar, amarrotar. 3) Debulhar, descascar. 4) Ferir. 5) *fig.* Pisar, magoar. / *v.p.* 6) Produzir ferimento ou contusão. 7) *gír.* Sair-se mal.

MA.CI.ÇO *adj.* 1) Que não é oco; compacto. 2) Espesso, sólido. 3) Inabalável. / *s.m.* 4) Conjunto de montanhas agrupadas em torno de um ponto culminante.

MA.CI.EZ (ê) *s.f.* Qualidade de macio.

MA.CI.O *adj.* 1) Sem asperezas, liso, plano. 2) Agradável, aprazível. 3) Suave, fofo.

MA.ÇO *s.m.* 1) Instrumento de madeira com cabo usado por carpinteiros, escultores, etc. 2) Conjunto de coisas embaladas ou atadas.

MA.ÇOM *s.m.* Membro da maçonaria; pedreiro-livre.

MA.ÇO.NA.RI.A *s.f.* Associação filantrópica secreta que usa os instrumentos do pedreiro e do arquiteto como símbolos.

MA.CO.NHA *s.f.* Droga de efeito entorpecente feita de folhas e flores de cânhamo.

MA.CO.NHEI.RO *adj.* e *s.m.* Que ou quem usa ou faz tráfico de maconha.

MÁ.CU.LA *s.f.* 1) Marca de sujeira; mancha, nódoa. 2) *fig.* O que vai de encontro à honra ou à reputação de alguém; mancha, desonra.

MA.CU.LAR *v.t.d.* 1) Pôr mancha em; sujar, enodoar. / *v.t.d.* e *v.p.* 2) *fig.* Desonrar(-se), desacreditar(-se).

MA.CUM.BA *s.f.* 1) *Rel.* Culto afro-brasileiro e seus rituais. 2) Oferenda aos orixás desse culto; despacho. 3) *Por ext.* Feitiço, bruxaria.

MA.CUM.BEI.RO *adj.* e *s.m.* Que ou quem pratica ou frequenta a macumba.

MA.DA.ME *s.f.* 1) Tratamento dado à mulher adulta; senhora, dona. 2) *pop.* Dona de casa; esposa, patroa.

MA.DEI.RA *s.f.* 1) Parte lenhosa das plantas, constituída de fibras e vasos condutores da seiva bruta. / *s.m.* 2) Vinho generoso da Ilha da Madeira.

MA.DEI.RA.MEN.TO *s.m.* 1) Certa quantidade de madeira. 2) Conjunto de peças de madeira que constitui a armação de uma casa.

MA.DEI.RAR *v.t.d.* 1) Colocar madeira em. / *v.t.i.* 2) Assentar a armação de madeira. / *v.i.* 3) Trabalhar em madeira.

MA.DEI.REI.RA *s.f.* Empresa que se dedica à exploração e venda de madeira.

MA.DEI.REI.RO *s.m.* 1) Indivíduo que comercializa madeira. 2) Cortador de madeira nas matas. / *adj.* 3) Referente ao comércio ou indústria de madeiras.

MA.DEI.REN.SE *adj.2gên.* 1) Referente à Ilha da Madeira. / *s.2gên.* 2) Pessoa natural ou habitante da Ilha da Madeira.

MA.DEI.RO *s.m.* 1) Peça ou tronco grosso de madeira; lenho; trave. 2) A cruz de Cristo.

MA.DEI.XA *s.f.* 1) Pequena meada. 2) Porção de cabelos da cabeça; cachos.

MA.DO.NA *s.f.* Imagem, estatueta ou pintura que representa a Virgem Santíssima; Nossa Senhora.

MA.DRAS.TA *s.f.* 1) A mulher casada, em relação aos filhos que seu marido teve de núpcias anteriores. 2) *fig.* Mãe que maltrata os filhos.

MA.DRE *s.f.* 1) Nome comum a todas as religiosas professas; freira. 2) Título dado, nos conventos, à religiosa professa que é ou foi superiora.

MA.DRI.NHA *s.f.* 1) Mulher que serve de testemunha em batizado, crisma ou casamento. 2) *Por ext.* Mulher que ajuda ou protege uma pessoa. 3) *Por ext.* Mulher escolhida para inaugurar, nomear ou representar algo.

MA.DRU.GA.DA *s.f.* 1) Período entre zero hora e o amanhecer. 2) Alvorecer, alvorada, aurora.

MA.DRU.GAR *v.i.* 1) Levantar-se cedo. 2) Ser o primeiro a aparecer em qualquer parte; manifestar-se antes do tempo.

MA.DU.RAR *v.t.d.* 1) Tornar maduro. / *v.i.* 2) Amadurecer. 3) *fig.* Adquirir juízo.

MA.DU.RE.CER *v.i.* Amadurecer.

MA.DU.RO *adj.* 1) Nome dado ao fruto sazonado. 2) Amadurecido. 3) Experimentado. 4) *fig.* Refletido, prudente. 5) *fig.* Negócio ou pretensão em condição de produzir o resultado esperado.

MÃE *s.f.* 1) Mulher ou fêmea de animal que deu à luz um ou mais filhos. 2) *fig.* Fonte; causa; origem. 3) Mulher generosa que dispensa cuidados maternais.

MA.ES.TRI.A *s.f.* 1) Profundo conhecimento de qualquer matéria; perícia. 2) Categoria ou título de mestre; mestria.

MA.ES.TRI.NA *s.f.* Feminino de maestro.

MA.ES.TRO *s.m.* 1) Compositor de música. 2) Indivíduo que rege orquestra ou orfeão.

MÁ-FÉ *s.f.* Ação praticada com intenção dolosa.

MÁ.FIA *s.f.* 1) Forma de delinquência, organizada na Sicília por membros constituídos em sociedade secreta. 2) *Por ext.* Associação de malfeitores.

MÁ-FOR.MA.ÇÃO *s.f.* Malformação.

MA.GA.ZI.NE *s.m.* 1) Estabelecimento comercial com muitos tipos de artigos à venda. 2) Casa de artigos de moda. 3) *Tip.* Depósito de matrizes nas máquinas de compor.

MA.GEN.TA *s.m.* 1) Variação de tom da cor vermelha; carmim. / *adj.2gên.* 2) Que é dessa cor.

MA.GI.A *s.f.* 1) Religião dos magos. 2) Ciência e arte na qual são empregados efeitos invisíveis para se obter efeitos visíveis; mágica; bruxaria. 3) *fig.* Encanto que exercem nos sentidos, ou no espírito, as belas-artes, a poesia, as paixões.

MÁ.GI.CA *s.f.* 1) Magia; ilusionismo. 2) Encanto, deslumbramento, fascinação.

MÁ.GI.CO *adj.* 1) Relativo à magia. 2) Dotado de poder sobrenatural. 3) *fig.* Extraordinário, maravilhoso. / *s.m.* 4) Indivíduo que pratica a magia; mago.

MA.GIS.TÉ.RIO *s.m.* 1) Ofício de professor. 2) O exercício do professorado.

MA.GIS.TRA.DO *s.m.* 1) Pessoa investida de autoridade e poder civil para julgar e mandar na administração política do Estado. 2) *Jur.* Autoridade judiciária; membro do Poder Judiciário.

MA.GIS.TRAL *adj.2gên.* 1) Relativo a mestre. 2) *fig.* Feito com maestria; perfeito, exemplar. / *s.m.* 3) Cônego que leciona, especialmente teologia.

MAG.MA *s.m.* 1) Mistura de matéria mineral ou orgânica em estado de pasta fina. 2) Material espesso, de origem profunda, de cuja consolidação se originam as rochas ígneas ou magmáticas. 3) Lava esfriada.

MAG.NÂ.NI.MO *adj.* Que tem grandeza de alma; generoso; bondoso de coração.

MAG.NA.TA *s.2gên.* 1) Pessoa ilustre, importante, influente. 2) Grande capitalista. 3) Pessoa muito rica.

MAG.NÉ.SIA *s.f. Quím.* Óxido de magnésio, sólido, usado como refratário e como antiácido, laxativo e purgativo.

MAG.NÉ.TI.CO *adj.* 1) Relativo a magneto ou a magnetismo. 2) Capaz de atrair o ferro. 3) *fig.* Que exerce grande atração; fascinante, sedutor, encantador.

MAG.NE.TIS.MO *s.m.* 1) *Fís.* Propriedade de certas substâncias de atrair outras. 2) *fig.* Poder de atração exercido por alguém; fascínio, sedução.

MAG.NE.TI.ZAR *v.t.d.* 1) Transmitir a um corpo as propriedades magnéticas; imantar. 2) *fig.* Exercer forte atração sobre alguém; fascinar, seduzir. 3) *fig.* Ter grande poder sobre; dominar.

MAG.NI.FI.CEN.TE *adj.2gên.* 1) Grandioso, pomposo. 2) Luxuoso, soberbo.

MAG.NÍ.FI.CO *adj.* 1) Ostentoso, suntuoso. 2) Excelente, ótimo.

MAG.NI.TU.DE *s.f.* 1) Grandeza, importância, imponência. 2) *Astr.* Intensidade luminosa de um astro. 3) *Geofís.* Medida da intensidade de um terremoto, expressa na escala Richter.

MA.GO *s.m.* 1) Quem pratica a magia; feiticeiro; mágico. 2) Cada um dos três sábios que foram a Belém adorar o menino Jesus recém-nascido. / *adj.* 3) Mágico, fascinante.

MÁ.GOA *s.f.* 1) Desgosto, pesar, tristeza. 2) Ressentimento.

MA.GO.AR *v.i.* 1) Provocar mágoa. / *v.t.d.* 2) Ferir, pisar. 3) Ofender, melindrar. / *v.t.d.* e *v.p.* 4) Afligir(-se), contristar(-se).

MA.GRE.ZA (ê) *s.f.* Qualidade ou condição de magro.

MA.GRO *adj.* 1) Carente de tecido adiposo; que tem poucas carnes. 2) *fig.* Pouco rendoso; escasso.

MAI.Ô *s.m.* Traje de banho feminino composto de uma peça que cobre do busto ao alto das coxas.

MAI.O.NE.SE *s.f. Cul.* 1) Molho frio feito com gema de ovo, azeite e temperos. 2) Salada preparada com esse molho.

MAI.OR *adj.2gên.* 1) Que excede outro em duração, espaço, intensidade, número ou tamanho. 2) Mais importante. / *s.2gên.* 3) Pessoa que alcançou a maioridade.

MAI.O.RAL *s.2gên.* 1) Cabeça, chefe. 2) Mandachuva. 3) *fig.* O maior de todos.

MAI.O.RI.A *s.f.* 1) A maior parte; o maior número; superioridade. 2) Maior número de votos ou pessoas que numa assembleia legislativa apoia o governo.

MAI.O.RI.DA.DE *s.f.* 1) Idade em que se entra legalmente no gozo de todos os direitos civis. 2) Completo desenvolvimento de uma sociedade.

MAIS *adv.* 1) Designativo de aumento, grandeza ou comparação. 2) Em grau superior, em maior quantidade. 3) Além disso, também. 4) Outra vez. 5) Antes, com preferência. / *pron. indef.* 6) Em maior quantidade; maior. / *s.m.* 7) A maior porção, o maior número. 8) O resto; o restante.

MAI.SE.NA *s.f.* 1) Produto industrial constituído de amido de milho. 2) Farináceo de milho muito usado na culinária.

MAI.TA.CA *s.f.* 1) Designação comum a diversas aves da família dos Psitacídeos; maritaca. 2) *fig.* Indivíduo falador, tagarela.

MAÎTRE (métr) *s.m. fr.* Garçom que supervisiona o serviço dos outros garçons num restaurante.

MAI.ÚS.CU.LO *adj.* 1) Nome dado às letras com as quais começamos a escrever um período ou um nome próprio. 2) *fig.* Grande, importante.

MA.JES.TA.DE *s.f.* 1) Aspecto de grandeza; aparência solene; magnificência. 2) Poder real. 3) Título dos soberanos e suas esposas. 4) Grandeza que incute respeito.

majestático

MA.JES.TÁ.TI.CO *adj.* 1) Relativo à majestade ou ao poder supremo. 2) Majestoso.
MA.JOR *s.m.* Oficial do Exército, de posto inferior ao de tenente-coronel e superior ao de capitão.
MA.JO.RI.TÁ.RIO *adj.* 1) Referente à maioria. 2) Diz-se de um acionista que detém a maior parte do capital de uma empresa.
MAL *s.m.* 1) Tudo o que se opõe ao bem, que prejudica. 2) Calamidade, desgraça. 3) Dano, prejuízo. 4) Qualquer estado mórbido; epidemia. / *adv.* 5) Não bem, de modo diferente do que devia ser. 6) Apenas, com dificuldade. 7) Contra o que deve ser; contra a moral. 8) Diz-se de quem está muito doente. / *conj.* 9) Apenas, logo que.
MA.LA *s.f.* 1) Espécie de caixa para transporte de roupas e outros objetos em viagem. 2) Saco de tecido grosso para transportar correspondência.
MA.LA.BA.RIS.MO *s.m.* Equilibrismo difícil; acrobacia.
MA.LA.BA.RIS.TA *adj.2gên.* e *s.2gên.* 1) Diz-se de ou pessoa que pratica malabarismo, que equilibra e movimenta objetos. 2) *fig.* Diz-se de ou pessoa hábil em contornar situações difíceis e complicadas.
MA.LA.GUE.TA (ê) *s.f.* Espécie de pimenta da família das Solanáceas; pimenta-malagueta.
MA.LAI.O *adj.* 1) Relativo à Malásia (Ásia). / *s.m.* 2) Pessoa natural ou habitante da Malásia; malásio. 3) Idioma da Malásia.
MA.LAN.DRA.GEM *s.f.* 1) Atitude ou dito de malandro. 2) Súcia de malandros.
MA.LAN.DRAR ou **MA.LAN.DRE.AR** *v.i.* Levar vida de malandro.
MA.LAN.DRI.CE *s.f.* Qualidade, ato ou vida de malandro.
MA.LAN.DRO *adj.* e *s.m.* 1) Diz-se daquele que é tratante. 2) Preguiçoso. 3) Vadio. 4) Gatuno, ladrão. 5) Patife.
MAL.CRI.A.ÇÃO ou **MÁ-CRI.A.ÇÃO** *s.f.* Ato ou palavra grosseira; grosseria, indelicadeza.
MAL.CRI.A.DO *adj.* e *s.m.* Que ou quem não tem boa educação; grosseiro, impertinente.
MAL.DA.DE *s.f.* 1) Qualidade de mau. 2) Atitude ruim. 3) Crueldade.
MAL.DI.ÇÃO *s.f.* 1) Ato ou efeito de amaldiçoar. 2) Praga. 3) Desgraça, fatalidade.
MAL.DI.TO *adj.* 1) Amaldiçoado. 2) Que tem má índole; cruel. / *s.m.* 3) Pessoa amaldiçoada. 4) *pop.* O demônio.
MAL.DI.ZER *v.t.i.* 1) Dizer mal de alguém ou alguma coisa. / *v.t.d.* 2) Amaldiçoar, blasfemar.
MAL.DO.SO (ô) *adj.* 1) Mau, malvado, perverso, desumano. 2) Que dá interpretação maliciosa ao que os outros dizem. 3) *Por ext.* Que encerra malícia ou maledicência.
MA.LE.A.BI.LI.DA.DE *s.f.* 1) Qualidade do que é maleável, flexível. 2) *fig.* Capacidade de adaptação e de compreensão.

malquisto

MA.LE.AR *v.t.d.* 1) Distender metais com martelo, convertendo-os em lâminas. 2) *fig.* Tornar flexível; suavizar.
MA.LE.Á.VEL *adj.2gên.* 1) Que se pode malear. 2) Que é flexível, dobrável, elástico. 3) *fig.* Que se acomoda facilmente às circunstâncias.
MA.LE.DI.CÊN.CIA *s.f.* Ato de falar mal de alguém; calúnia, difamação.
MA.LE.FÍ.CIO *s.m.* 1) Dano, prejuízo, mal. 2) Sortilégio com a intenção de causar mal; feitiço.
MA.LÉ.FI.CO *adj.* 1) Que causa dano, prejuízo; nocivo. 2) Que faz o mal; malvado, malévolo.
MAL-ES.TAR *s.m.* 1) Incômodo físico. 2) Estado de inquietação; desassossego. 3) Embaraço, constrangimento.
MA.LE.TA (ê) *s.f.* Mala pequena.
MA.LÉ.VO.LO *adj.* e *s.m.* 1) Que ou quem é muito mal; malvado, maligno. 2) Que ou o que é nocivo, prejudicial.
MAL.FEI.TO *adj.* 1) Feito sem cuidado; mal executado, imperfeito. 2) Malformado, disforme. / *s.m.* 3) O que traz prejuízo ou dano; malefício.
MAL.FEI.TOR (ô) *adj.* e *s.m.* Que ou quem comete crimes ou atos condenáveis; criminoso, bandido.
MA.LHA *s.f.* 1) Cada uma das voltas ou nós formados por fios, quando entrançados ou tecidos por certos processos. 2) Trabalho feito de malha. 3) Mancha natural no pelo dos animais ou na penugem das aves. 4) Disco de metal que se arremessa a distância para derrubar um marco.
MA.LHAR *v.t.d.* 1) Bater com malho ou objeto semelhante. 2) Dar pancadas, espancar. 3) *fig.* Escarnecer, zombar de. 4) *fig.* Falar mal de; criticar. 5) Debulhar cereais na eira. 6) *pop.* Aquilo que o indivíduo faz nas academias para melhorar o físico.
MA.LÍ.CIA *s.f.* 1) Tendência para o mal. 2) Interpretação maliciosa. 3) Dissimulação, dolo.
MA.LI.CI.AR *v.t.d.* 1) Pôr malícia em, interpretar de forma maliciosa. 2) Suspeitar. 3) Fazer mau juízo de.
MA.LI.CI.O.SO (ô) *adj.* 1) Em que há malícia ou duplo sentido. / *adj.* e *s.m.* 2) Que ou quem age com malícia; esperto.
MA.LIG.NO *adj.* 1) Que tem tendência para o mal; malévolo, maléfico. 2) Que anuncia desgraças; funesto. 3) *Med.* Diz-se de doenças que se agravam lentamente e podem levar à morte. / *s.m.* 4) O diabo.
MA.LO.GRAR *v.t.d.* 1) Provocar danos ou estragos em; danificar. / *v.t.d.* e *v.p.* 2) Não ter sucesso; frustrar(-se), fracassar.
MA.LO.TE *s.m.* 1) Mala pequena; maleta. 2) *Por ext.* Serviço de entrega rápida de correspondências, documentos, etc. 3) *Por ext.* Saco que transporta essas correspondências.
MAL.QUIS.TO *adj.* 1) Que suscita antipatia e aversão; detestado, hostilizado. 2) Que tem má fama; malvisto, desmoralizado.

320

MAL.TE *s.m.* Cevada germinada usada principalmente na fabricação de cerveja.

MAL.TRA.PI.LHO *adj.* e *s.m.* Que ou quem anda malvestido ou esfarrapado.

MAL.TRA.TAR *v.t.d.* 1) Tratar mal; bater; espancar. 2) Receber mal. 3) Lesar fisicamente. 4) Danificar; destruir.

MA.LU.CO *adj.* 1) Adoidado, extravagante. / *s.m.* 2) Doido, alienado, apalermado. 3) Extravagante. 4) Doidivanas.

MA.LU.QUI.CE *s.f.* 1) Qualidade ou condição de maluco; loucura, insanidade. 2) Falta de juízo, de discernimento; absurdo. 3) Comportamento fora do esperado; excentricidade. 4) Tolice, bobagem, idiotice.

MAL.VA.DO *adj.* e *s.m.* 1) Que ou aquele que pratica atos cruéis. 2) Perverso.

MAL.VIS.TO *adj.* Que tem má fama; que não é bem-aceito ou apreciado; malquisto.

MA.MA *s.f.* 1) Órgão glandular que, na mulher e nas fêmeas dos mamíferos, secreta leite. 2) *Fam.* O leite que as crianças sugam do seio da mãe ou da ama.

MA.MÃ *s.f.* 1) Mãe, na linguagem das crianças pequenas. 2) Ama de leite.

MA.MA.DA *s.f.* 1) Ato de mamar. 2) Tempo de duração da amamentação. 3) Mamadura.

MA.MA.DEI.RA *s.f.* Recipiente com bico de borracha usado para amamentar crianças.

MA.MÃE *s.f.* 1) Mamã. 2) Tratamento carinhoso dado às mães.

MA.MÃO *adj.* 1) Diz-se daquele que ainda mama ou mama muito. / *s.m.* 2) Rebento que rouba a seiva do tronco principal; ladrão. 3) Fruto do mamoeiro; papaia.

MA.MAR *v.i.* 1) Sugar o leite da mama. / *v.t.d.* 2) Sugar qualquer coisa. 3) *pop.* Enganar, ludibriar. / *v.t.d.i.* 4) *pop.* Apanhar, extorquir, obter lucros.

MA.MA.TA *s.f.* 1) Empresa ou negócio, em que políticos e funcionários protegidos obtêm lucros ilícitos. 2) Ladroeira, roubalheira.

MAM.BO *s.m.* Música e dança originárias da América Central.

MA.ME.LU.CO *s.m.* Filho de indígena com branco.

MA.MÍ.FE.RO *adj.* 1) *Zool.* Que possui mamas. 2) Que se refere ou pertence aos Mamíferos. / *s.m.* 3) Vertebrado da classe dos Mamíferos. 4) Classe mais elevada dos vertebrados que compreende o homem e todos os outros animais que alimentam seus descendentes com leite.

MA.MI.LO *s.m.* 1) Bico do peito. 2) O que tem o formato de bico do peito.

MA.MI.NHA *s.f.* 1) Mama pequena. 2) Mamilo. 3) Bico do peito. 4) A mama do homem. 5) Parte mais macia da alcatra.

MA.MO.NA *s.f. Bot.* 1) Planta medicinal da família das Euforbiáceas, da qual é extraído o óleo de rícino. 2) Mamoneiro, carrapateira. 3) A semente dessa planta.

MA.MU.TE *s.m.* Animal pré-histórico de grande porte, parecido com o elefante, que possuía presas longas e curvadas e corpo coberto de longos pelos.

MA.NA.DA *s.f.* Rebanho de gado.

MA.NAN.CI.AL *s.m.* 1) Nascente de água; fonte. 2) *fig.* Princípio ou fonte de algo. / *adj.2gên.* 3) Que escorre, flui ou jorra sem cessar.

MAN.CA.DA *s.f. fig. pop.* 1) Falha, erro, engano, lapso. 2) Fala ou ato inconveniente; gafe, indiscrição.

MAN.CE.BO (ê) *adj.* e *s.m.* 1) Rapaz, moço. / *s.m.* 2) Pessoa que vive em concubinato. 3) Cabide para pendurar roupa, constituído de uma haste com diversos braços.

MAN.CHA *s.f.* 1) Laivo, nódoa. 2) Marca natural da pele no pelo de animais. 3) Malha. 4) Defeito. 5) Doença que ataca o fumo. 6) Mancha gráfica: área ocupada pelo texto nas páginas de um livro, por oposição ao espaço das margens.

MAN.CHÃO *s.m.* 1) Mancha grande. 2) Mancha no terreno onde jaz enterrado o diamante de aluvião. 3) *pop.* Remendo feito pelos borracheiros nos pneumáticos estragados. 4) Taco auxiliar no jogo de sinuca e bilhar.

MAN.CHAR *v.t.d.* 1) Pôr mancha em. 2) *fig.* Comprometer moralmente, infamar, denegrir a imagem de.

MAN.CHE.TE *s.f.* Título de notícia impresso em caracteres grandes, na parte superior da primeira página, por meio da qual um jornal chama a atenção do leitor.

MAN.CO *adj.* 1) Designativo de pessoa ou animal que manqueja ou que não se pode servir de um membro. 2) Defeituoso, imperfeito. 3) Ignorante. 4) Lento, vagaroso, tardio.

MAN.CO.MU.NAR *v.t.d.* Ajustar, combinar, conluiar, pôr de acordo.

MAN.DA.CHU.VA *s.2gên. pop.* Pessoa importante e influente; chefe, líder, maioral.

MAN.DA.DO *adj.* 1) Diz-se daquele a quem mandaram ou que tem o hábito de ser dirigido por outros. 2) Que recebeu ordem, orientado, comandado. / *s.m.* 3) Ato de mandar. 4) Determinação escrita, mandada de superior a inferior, de forma imperativa. 5) Recado, incumbência.

MAN.DA.MEN.TO *s.m.* 1) Ato ou efeito de mandar. 2) Mandado, ordem. 3) Voz de comando. 4) Preceito que constitui o decálogo; mandamentos de Deus transcritos no Antigo Testamento. 5) Preceito da Igreja.

MAN.DAN.TE *adj.2gên.* e *s.2gên.* 1) Que ou quem manda. 2) Que ou quem induz, incita ou instiga alguém a fazer algo, geralmente ilícito. / *s.2gên.* 3) *Jur.* Quem autoriza alguém a agir em seu nome.

MAN.DÃO *adj.* e *s.m.* 1) Que ou quem gosta de mandar; autoritário. 2) *Por ext.* Déspota, tirano.

MAN.DAR *v.t.i.* e *v.i.* 1) Exercer autoridade; dominar. / *v.t.d.* 2) Dar ordens a, exigir de. 3) Determinar, prescrever. 4) Enviar, remeter. 5) Delegar. 6) Arremessar, atirar.

MAN.DA.RIM *s.m.* 1) Alto funcionário no antigo império da China. 2) *fig.* Mandachuva. / *adj.* e *s.m.* 3) Diz-se de ou o principal dialeto da China.

MAN.DA.TO *s.m.* 1) Aquilo de que se está encarregado. 2) Poder concedido ou autorizado; procuração. 3) Poderes políticos que os eleitores confiam a seus representantes no governo ou nas assembleias legislativas. 4) Período de desempenho de um cargo eleitoral.

MAN.DÍ.BU.LA *s.f.* Anat. Osso da face onde ficam os dentes da arcada inferior.

MAN.DIN.GA *s.f.* 1) Feitiço, bruxaria. / *s.2gên.* 2) Indivíduo dos mandingas.

MAN.DI.O.CA *s.f.* Bot. 1) Arbusto cujas raízes têm casca grossa marrom-escura e tubérculos carnosos. 2) A raiz dessa planta.

MA.NÉ *s.m. pop. pej.* Indivíduo pouco inteligente; tolo, bobo.

MA.NEI.RA *s.f.* 1) Feitio ou maneira de ser de uma coisa. 2) Forma, modo, uso. 3) Habilidade, jeito. 4) Circunstância, condição. 5) *Bel.-art.* Modo característico de operar de cada artista. 6) Afabilidade, boa educação.

MA.NEI.RAR *v.i.* 1) Ser ou mostrar-se maneiroso. 2) *gír.* Aguentar, disfarçar, ir com calma.

MA.NEI.RO *adj.* 1) De manejo fácil; 2) Portátil; manual. 3) Que exige pouco esforço; leve. 4) Ágil; jeitoso.

MA.NE.JAR *v.t.d.* 1) Mover ou controlar com as mãos; manusear. 2) *fig.* Ter autoridade sobre; manipular, controlar, dirigir. 3) *Por ext.* Ter conhecimento; praticar, dominar.

MA.NE.JO (ê) *s.m.* 1) Ato de manejar. 2) Exercício manual. 3) Gerência, administração. 4) Arte de domar ou ensinar cavalos.

MA.NE.QUIM *s.m.* 1) Boneco que representa uma figura humana e serve para estudos artísticos ou científicos ou para trabalhos de costura. 2) *fig.* Pessoa sem vontade própria, que se deixa governar e dominar pelas opiniões dos outros; fantoche. 3) Medida para roupas feitas. / *s.2gên.* 4) Profissional que posa para fotos publicitárias, modelo. 5) Profissional que apresenta os novos modelos em desfile de modas.

MAN.GA *s.f.* 1) Parte do vestuário que cobre o braço. 2) Mangueira de bomba. 3) Filtro afunilado para líquidos. 4) Ajuntamento, grupo. 5) Tromba-d'água. 6) Parte do eixo de um veículo que fica dentro da caixa de graxa. 7) Fruto da mangueira.

MAN.GUE *s.m.* 1) Terreno pantanoso junto a praias, foz de rios, etc., sujeito às inundações da maré e com vegetação densa de raízes aéreas; manguezal. 2) Esse tipo de vegetação.

MAN.GUEI.RA *s.f.* 1) Tubo flexível que se adapta a uma bomba ou outras máquinas e conduz líquidos ou gases. 2) Árvore que produz a manga.

MAN.GUE.ZAL *s.m.* O mesmo que mangue.

MA.NHA *s.f.* 1) Astúcia, finura. 2) Destreza, habilidade, jeito. 3) Mau costume. 4) Defeito. 5) Choro de criança, sem motivo. 6) Costumes, hábitos.

MA.NHÃ *s.f.* 1) Período que vai do nascer do Sol ao meio-dia. 2) O alvorecer, o amanhecer. 3) Começo, princípio.

MA.NHO.SO (ô) *adj.* 1) *pop.* Que faz manha; birrento, pirracento. 2) Que tem habilidade para realizar algo; esperto, astuto. 3) Ardiloso, malicioso.

MA.NI.A *s.f.* 1) *Med.* Desordem mental que se caracteriza por grande excitação psíquica, exaltação e instabilidade da atenção. 2) Hábito estranho, esquisitice. 3) Excentricidade. 4) Ideia fixa.

MA.NÍ.A.CO *adj.* e *s.m.* 1) Que ou aquele que tem manias. 2) Obcecado por alguma coisa. 3) Excêntrico, esquisito.

MA.NI.CÔ.MIO *s.m.* Hospital de doentes mentais.

MA.NI.CU.RE *s.f.* Profissional que trata das mãos dos seus clientes, aparando, polindo e esmaltando-lhes as unhas.

MA.NI.FES.TA.ÇÃO *s.f.* 1) Ato ou efeito de manifestar(-se); expressão, declaração, revelação. 2) Demonstração pública a respeito de algo ou alguém; pronunciamento. 3) Grupo de pessoas reunidas para reivindicar algo.

MA.NI.FES.TAR *v.t.d.* 1) Tornar manifesto, público, notório. 2) Mostrar, revelar. / *v.p.* 3) Revelar-se, traduzir-se. 4) Exprimir-se, mostrar opinião.

MA.NI.FES.TO *adj.* 1) Claro, evidente, patente, notório. / *s.m.* 2) Declaração pública. 3) Documento escrito que expõe uma declaração.

MA.NI.PU.LA.DOR (ô) *s.m.* 1) Indivíduo que manipula. 2) Instrumento com o qual o telegrafista transmite sinais telegráficos.

MA.NI.PU.LAR *v.t.d.* 1) Preparar algo com a mão. 2) Preparar medicamentos misturando ou amassando certas substâncias químicas ou farmacêuticas. 3) *fig.* Engendrar, forjar. 4) Organizar.

MA.NI.QUE.ÍS.MO *s.m.* 1) *Rel.* Doutrina segundo a qual o Universo é regido por dois princípios: o bem e o mal. 2) *Por ext.* Qualquer visão do mundo que o divide em poderes opostos e incompatíveis.

MA.NI.VE.LA *s.f.* Mec. Parte de um eixo que, sujeita a uma força motriz, transmite rotação a este ou recebe dele um movimento circular.

MAN.JA.DO *adj. pop.* Que é perfeitamente conhecido.

MAN.JAR *v.t.d.* 1) *pop.* Observar o comportamento de; acompanhar, espionar. 2) *pop.* Captar propósito ou motivo de; perceber. / *v.t.d.* e *v.t.i.* 3) *pop.* Ter conhecimento sobre; saber, entender. / *s.m.* 4) Alimento, comida. 5) Comida sofisticada; iguaria. 6) *fig.* Aquilo que deleita e satisfaz o espírito.

MAN.JE.DOU.RA *s.f.* Tabuleiro em que se põe comida aos animais nas estrebarias.

MAN.JE.RI.CÃO *s.m. Bot.* Erva aromática cultivada como ornamental e como condimento.

MA.NO *s.m.* 1) Irmão. 2) *gír.* Modo como as pessoas chamam outras sem grau de parentesco. / *adj.* 3) Muito amigo, íntimo, inseparável.

MA.NO.BRA *s.f.* 1) Ato ou modo de pôr em ação um aparelho. 2) Destreza, indústria engenhosa no obrar. 3) Prestidigitação. 4) Trama astuciosa.

MA.NO.BRAR *v.t.d.* 1) Fazer funcionar; acionar, usar. 2) Realizar movimento com; mover. 3) *fig.* Dar orientação a; conduzir, dirigir, governar. / *v.t.d.* e *v.i.* 4) Fazer manobras; movimentar um veículo.

MAN.SÃO *s.f.* 1) Morada. 2) Residência de grandes dimensões e muito luxo.

MAN.SI.DÃO *s.f.* 1) Qualidade de manso. 2) Serenidade. 3) Índole pacífica. 4) Brandura ou lentidão nas palavras ou na voz. 5) Lhaneza.

MAN.SO *adj.* 1) Que tem mansidão, brando de gênio. 2) Sossegado, tranquilo. 3) Que não faz ruído; leve.

MAN.TA *s.f.* 1) Cobertor. 2) Pano de lã ou de algodão semelhante a um cobertor e que serve para agasalhar. 3) Pano de lã que se coloca debaixo do selim das cavalgaduras.

MAN.TEI.GA *s.f.* 1) Substância gordurosa e alimentícia extraída do leite de vaca. 2) Substância gordurosa de vários vegetais.

MAN.TER *v.t.d.* 1) Prover do que é necessário à subsistência; sustentar. 2) Defender, respeitar. 3) Fazer permanecer em. / *v.p.* 4) Alimentar-se, sustentar-se. 5) Conservar-se.

MAN.TI.MEN.TO *s.m.* Conjunto de gêneros alimentícios.

MAN.TO *s.m.* 1) Hábito usado por algumas religiosas. 2) Vestidura larga para abrigo da cabeça e do tronco; grande véu. 3) Tudo que cobre ou encobre. 4) Pretexto, disfarce. 5) Trevas. 6) *Zool.* Dobra do tegumento que envolve o corpo dos moluscos.

MAN.TRA *s.m. Rel.* Palavra ou verso entoados repetidamente pelos budistas ou hindus enquanto meditam.

MA.NU.AL *adj.* 1) Relativo à mão. 2) Feito a mão. 3) De manuseio fácil. / *s.m.* 4) Livro pequeno e portátil, contendo o resumo de alguma ciência ou arte; compêndio. 5) Livro de rezas. 6) Escrito que acompanha e explica o uso de aparelhos eletrônicos e de certos utensílios domésticos.

MA.NU.FA.TU.RA *s.f.* 1) Trabalho ou obra feito a mão. 2) Estabelecimento industrial que fabrica seus produtos em grande quantidade. 3) Produto desse estabelecimento.

MA.NUS.CRI.TO *adj.* 1) Escrito a mão. / *s.m.* 2) Obra escrita a mão. 3) Originais de uma obra.

MA.NU.SE.AR *v.t.d.* 1) Mover com a mão; manejar; manear. 2) Amarrotar; enxovalhar. 3) Folhear.

MA.NU.TEN.ÇÃO *s.f.* 1) Ato ou efeito de manter (-se). 2) Sustento. 3) Gasto com a conservação de algo. 4) Conjunto de revisões e operações normais na conservação de um veículo em uso.

MÃO *s.f.* 1) *Anat.* Extremidade dos membros superiores do homem, e que serve para a apreensão dos objetos e exercício do tato. 2) Membros dianteiros dos quadrúpedes. 3) Garra de certas aves. 4) Posse, domínio. 5) Autoridade, poder. 6) Lanço inteiro que se joga de cada vez que se dão as cartas. 7) Filamento ou gavinha das plantas trepadeiras.

MA.PA *s.m.* 1) Representação plana e reduzida de um setor da superfície terrestre. 2) Carta geográfica ou celeste. 3) Lista, catálogo, relação.

MA.PA-MÚN.DI *s.m.* Mapa que representa toda a superfície da Terra, em dois hemisférios.

MA.PO.TE.CA *s.f.* 1) Coleção de mapas e cartas. 2) Móvel no qual se guardam mapas ou cartas geográficas.

MA.QUE.TA ou **MA.QUE.TE** (ê) *s.f.* 1) Esboço, em pequena escala, em três dimensões, de uma obra de escultura, modelado em barro, cera, ou outro material. 2) Protótipo de pequenas dimensões; modelo reduzido.

MA.QUI.A.DOR (ô) *adj.* 1) Que maquila, maquilador. / *s.m.* 2) Profissional especialista em maquilagem.

MA.QUI.A.GEM ou **MA.QUI.LA.GEM** *s.f.* 1) Conjunto de produtos cosméticos usados para maquiar. 2) O efeito produzido por esses produtos. 3) *fig.* Ato de fazer mudanças superficiais em algo para melhorar-lhe o aspecto e valorizá-lo.

MA.QUI.AR ou **MA.QUI.LAR** *v.t.d.* e *v.p.* 1) Aplicar (-se) produtos cosméticos (batom, sombra, etc.) para embelezamento, disfarce ou fins teatrais ou artísticos. / *v.t.d.* 2) *fig.* Alterar algo superficialmente para torná-lo mais atraente. 3) *fig.* Alterar algo para encobrir uma realidade, um fato ou uma intenção que se quer ocultar; disfarçar, camuflar.

MÁ.QUI.NA *s.f.* 1) Aparelho ou instrumento que produz, dirige ou comunica uma força, ou aproveita a ação de um agente natural. 2) Aparelho ou veículo motor ou locomotor. 3) Qualquer instrumento ou ferramenta empregada na indústria. 4) Pessoa sem iniciativa e sem energia, que só faz alguma coisa por hábito ou rotina.

MA.QUI.NAR *v.t.d.i.* 1) Planejar algo em segredo para prejudicar alguém; tramar. / *v.t.i.* 2) Fazer conluio para prejudicar alguém; conspirar. / *v.t.d.* 3) Traçar planos para; projetar, planejar.

MA.QUI.NIS.MO *s.m.* 1) Conjunto de peças de uma máquina; mecanismo. 2) Conjunto de máquinas; maquinaria.

MA.QUI.NIS.TA *s.2gên.* 1) Quem conduz ou opera máquinas, especialmente locomotivas. 2) Quem inventa ou constrói máquinas.

MAR *s.m.* 1) Grande massa e extensão de água salgada que cobre a maior parte da superfície da Terra. 2) Porção definida dessa extensão. 3) *fig.* Grande quantidade, abismo, imensidão.

MA.RA.CU.JÁ *s.m.* 1) *Bot.* Denominação comum a diversas trepadeiras sublenhosas; maracujazeiro. 2) Fruto dessas plantas.

MA.RA.JÁ *s.m.* 1) Título dos príncipes indianos. 2) *Por ext.* Funcionário público com salário exorbitante e muitas mordomias. 3) *Bot.* Nome comum a diversas palmeiras do gênero Bactris. 4) Palmeira nativa da Amazônia, de frutos comestíveis, roxo-escuro, de que se faz refresco e se extrai óleo, e folhas penadas, cujas fibras são usadas na confecção de tecidos.

MA.RAS.MO *s.m.* 1) Falta de atividade; paralisação. 2) Estado de apatia; falta de ânimo, de coragem; abatimento.

MA.RA.TO.NA *s.f.* 1) *Esp.* Prova esportiva que consiste em uma corrida a pé de longo percurso. 2) Qualquer competição difícil ou que exija grande resistência. 3) *fig.* Atividade de longa duração.

MA.RA.VI.LHA *s.f.* 1) Coisa que provoca admiração por sua beleza ou grandeza. 2) Objeto de rara perfeição. 3) Diz-se de tudo que é excelente.

MA.RA.VI.LHO.SO (ô) *adj.* 1) Que causa admiração, fascínio; deslumbrante. 2) Perfeito, excelente, magnífico. 3) Extraordinário, sobrenatural, mágico.

MAR.CA *s.f.* 1) Ato ou efeito de marcar. 2) Carimbo. 3) Grau, categoria. 4) Letra, nome ou emblema feito em uma peça. 5) Nódoa deixada no corpo por uma pancada. 6) Nódoa deixada em uma roupa. 7) Estigma, ferrete, distintivo, sinal. 8) Indicação, nota. 9) Limite, fronteira. 10) Cunho, caráter.

MAR.CA.ÇÃO *s.f.* 1) Ato ou efeito de marcar. 2) *Esp.* Pressão exercida por um jogador sobre o adversário para dificultar ou impedir as suas jogadas. 3) Definição das posições e dos movimentos dos atores durante a atuação.

MAR.CA.DO *adj.* 1) Que possui marca ou sinal distintivo. 2) Combinado, determinado.

MAR.CA.DOR (ô) *adj.* 1) Que marca. / *s.m.* 2) Indivíduo que aquece os ferros e os leva para marcar o gado. 3) *Esp.* Tabuleta na qual são marcados os gols que vão sendo conquistados; placar. 4) Jogador que marca o adversário. 5) Fita estreita ou cartão que serve para demarcar a página de um livro que está sendo lido.

MAR.CAN.TE *adj.2gên.* 1) Que marca. 2) Expressivo, pronunciado. 3) Digno de nota; notável.

MAR.CAR *v.t.d.* 1) Pôr marca ou sinal em. 2) Assinalar, determinar. 3) Indicar, mostrar. 4) Contundir, ferir. 5) *Esp.* Vigiar. 6) *Esp.* Fazer gol. 7) Assinalar o gado com ferro em brasa; ferretear.

MAR.CE.NA.RI.A *s.f.* 1) Trabalho feito com madeira para fabricação de móveis e objetos de de-

coração. 2) Oficina onde são feitos esses móveis e objetos.

MAR.CE.NEI.RO *s.m.* Indivíduo que fabrica móveis e objetos decorativos de madeira.

MAR.CHA *s.f.* 1) Ato ou efeito de marchar. 2) Cadência com que um corpo de tropa caminha. 3) Curso regular. 4) Modo de proceder. 5) Modo de andar. 6) Dança e forma musical de ritmo peculiar.

MAR.CHAR *v.i.* 1) Andar, caminhar em cadência militar. 2) Progredir. 3) Seguir os seus trâmites. 4) *pop.* Arcar com as despesas.

MAR.CI.AL *adj.2gên.* 1) Relativo à guerra; bélico. 2) Referente a militares ou a guerreiros. 3) Lei marcial: lei que autoriza a aplicação da força armada em certos casos.

MAR.CI.A.NO *adj.* 1) Relativo ao planeta Marte. / *s.m.* 2) Suposto habitante do planeta Marte.

MAR.CO *s.m.* 1) Sinal de demarcação de um território; limite. 2) *fig.* Acontecimento marcante. 3) Monumento que simboliza um acontecimento, uma vitória, etc.

MA.RÉ *s.f.* 1) Fluxo e refluxo periódico das águas do mar que se elevam e se abaixam duas vezes por dia. 2) Ensejo, oportunidade. 3) Disposição.

MA.RE.CHAL *s.m. Mil.* 1) O mais alto posto do Exército. 2) Oficial que ocupa esse posto.

MA.RE.JAR *v.t.d., v.t.i.* e *v.i.* 1) Derramar um líquido; verter, gotejar, destilar. / *v.t.i.* e *v.p.* 2) Encher-se de lágrimas.

MA.RE.MO.TO *s.m. Geofís.* Agitação marítima violenta causada por fortes vendavais ou tremores de terra; tsunami.

MA.RE.SI.A *s.f.* 1) Odor típico do mar. 2) O grande movimento das marés.

MAR.FIM *s.m.* 1) Substância óssea que constitui, na sua maior espessura, os dentes dos mamíferos. 2) Obra de marfim.

MAR.GA.RI.NA *s.f. Quím.* Produto alimentício empregado como substituto da manteiga, extraído de gorduras animais e vegetais.

MAR.GE.AR *v.t.d.* 1) Ir ou seguir pela margem de; marginar. 2) Caminhar ao lado ou ao longo de; flanquear. 3) Fazer margem em.

MAR.GEM *s.f.* 1) Beira, terreno que ladeia um rio ou corrente de água. 2) Litoral. 3) Cercadura, orla. 4) Espaços sem letras de cada um dos lados de uma obra impressa ou manuscrita.

MAR.GI.NAL *adj.2gên.* 1) Relativo à margem. 2) Situado na margem de um curso de água. 3) *Por ext.* Que vive à margem da sociedade, das convenções ou das leis. / *s.2gên.* 4) Pessoa marginal; bandido, delinquente, meliante.

MA.RI.DO *s.m.* Homem casado em relação à esposa; cônjuge do sexo masculino.

MA.RI.NHA *s.f.* 1) Ciência ou arte de navegar. 2) Serviço de marinheiros. 3) Órgão integrante das Forças Armadas que se constitui pelo conjunto

MA.RI.NHEI.RO *adj.* 1) Pertencente ou relativo à arte de navegar. 2) Que é amigo do mar e da vida marítima. / *s.m.* 3) Homem do mar. 4) Aquele que serve na Marinha. 5) Grão de arroz com casca que se encontra no arroz já cozido.

MA.RI.NHO *adj.* 1) Que pertence ou diz respeito ao mar. 2) Procedente do mar; marítimo.

MA.RI.O.LA *adj.2gên.* 1) *pop.* Diz-se da pessoa de mau caráter, patife, tratante. / *s.m.* 2) Moço de fretes. 3) Homem de recados. / *s.f.* 4) Doce de banana ou de goiaba enrolado em papel fino ou em folha de bananeira seca, em tabletes.

MA.RI.O.NE.TE *s.f.* 1) Boneco articulado manipulado por cordas. 2) *fig. pej.* Pessoa que se deixa manipular; pessoa sem personalidade.

MA.RI.PO.SA (ô) *s.f. Entom.* Inseto da família das borboletas, de asas finas e hábitos noturnos.

MA.RIS.CO *s.m.* 1) Nome dos crustáceos e moluscos comestíveis. 2) Utensílio em formato de garra ou colher denteada, com o qual se despolpa o coco partido em duas metades.

MA.RÍ.TI.MO *adj.* 1) Relativo ao mar; marinho. 2) Relativo à marinha; naval. 3) Que se faz ou que acontece no mar. / *s.m.* 4) *Náut.* Marinheiro.

MAR.MAN.JO *adj.* 1) *pop.* Designação dada ao indivíduo que é mariola, velhaco. / *s.m.* 2) Rapaz corpulento. 3) Homem feito.

MAR.MI.TA *s.f.* 1) *Por ext.* Vasilha usada para transportar a refeição. 2) A comida transportada nessa vasilha.

MAR.MI.TEI.RO *s.m.* 1) Indivíduo que entrega marmitas em domicílios, levando a comida fornecida por pensões. 2) *pop.* Operário que leva o almoço em marmita.

MÁR.MO.RE *s.m.* 1) Pedra calcária de variadas cores, dura, que é empregada em arquitetura e estatuária. 2) Estátua ou monumento dessa pedra. 3) *fig.* Diz-se de indivíduo frio, insensível. 4) *fig.* Dureza de coração.

MAR.MO.TA *s.f.* 1) Pequeno quadrúpede roedor. 2) Caixa de amostras de vendedores viajantes. 3) Pessoa feia e malvestida. 4) Espantalho, fantasma.

MA.RO.LA *s.f.* 1) Ondulação na superfície do mar. 2) Onda pequena.

MA.RO.TO (ô) *adj.* 1) Malicioso, brejeiro ➡ olhar maroto. 2) Folgazão. 3) Patife, tratante, velhaco. 4) Malcriado. / *s.m.* 5) Alcunha dos portugueses na época da Independência, principalmente na Bahia.

MAR.QUÊS *s.m.* Título de nobreza inferior ao de duque e superior ao de conde.

MAR.QUE.SA.DO *s.m.* Cargo ou dignidade de marquês.

MAR.QUI.SE *s.f. Arquit.* Pequena laje saliente na fachada externa de edifícios.

MAR.RAR *v.i.* 1) Bater com o marrão. 2) Dar marrada. 3) *pop.* Arremeter e bater com a cabeça. / *v.t.i.* 4) Encontrar-se de frente com alguém ou alguma coisa; esbarrar.

MAR.RE.CO *s.m. Ornit.* Denominação comum das aves palmípedes da família dos Anatídeos, que apresentam semelhanças com o pato, porém menores que ele.

MAR.RE.TA (ê) *s.f.* 1) Marrão pequeno de cabo comprido. 2) Grande cacete. 3) Malho. 4) Ferramenta utilizada no matadouro de bovinos. 5) *pop.* Negocista, picareta.

MAR.RE.TAR *v.t.d.* 1) Bater com marreta em. 2) Desbaratar. 3) Espancar. 4) Falar mal de. 5) *gír.* Realizar um trabalho apressado de forma malfeita.

MAR.RE.TEI.RO *s.m.* 1) Operário que trabalha com a marreta. 2) Vigarista. 3) Vendedor ambulante.

MAR.ROM *adj.2gên.* e *s.m.* Castanho.

MAR.SE.LHÊS *adj.* 1) Que pertence ou se refere a Marselha (França). / *s.m.* 2) Pessoa natural de Marselha.

MAR.SE.LHE.SA (ê) *s.f.* Hino nacional francês.

MAR.SU.PI.AL *adj.2gên.* 1) Com formato de bolsa. 2) *Zool.* Que tem órgão em forma de bolsa. / *s.m.* 3) *Zool.* Espécime dos marsupiais, ordem de mamíferos cujo desenvolvimento embrionário termina no marsúpio ➡ canguru, gambá. 4) Ordem de mamíferos que não possuem placenta ou possuem placenta rudimentar.

MAR.SÚ.PIO *s.m. Zool.* Bolsa situada na região inguinal dos marsupiais, formada pela pele do abdome.

MAR.TE *s.m.* 1) Deus da guerra, na mitologia latina. 2) *Astr.* Planeta, cuja órbita é exterior à da Terra e interior à de Júpiter. 3) *Astr.* Quarto planeta em ordem de afastamento do Sol. 4) Guerra. 5) Homem guerreiro.

MAR.TE.LAR *v.t.d.* 1) Bater com martelo em. 2) Afligir, importunar. 3) Repetir muitas vezes para aprender ou decorar. / *v.i.* 4) Dar marteladas. / *v.t.i.* e *v.i.* 5) Insistir.

MAR.TE.LO *s.m.* 1) Instrumento de ferro, com cabo de madeira, destinado a bater, pregar ou quebrar. 2) Peça do piano para percutir as cordas. 3) *Anat.* O maior dos três ossículos auditivos. 4) Peça que no relógio dá as horas e os quartos. 5) *pop.* Pessoa que procura exterminar um mal. 6) Larva do mosquito transmissor da febre amarela.

MÁR.TIR *s.2gên.* 1) Pessoa que sofreu tormentos ou a morte, pela fé cristã. 2) Aquele que sofre por sustentar as suas crenças ou opiniões. 3) Pessoa que sofre muito.

MAR.TÍ.RIO *s.m.* 1) Sofrimento ou suplício de mártir. 2) Tormento ou grande sofrimento.

MAR.TI.RI.ZAR *v.t.d.* 1) Infligir martírio a; torturar. / *v.t.d.* e *v.p.* 2) Sentir ou causar sofrimento, aflição, angústia; atormentar(-se).

marujo / matemática

MA.RU.JO *s.m.* Marinheiro.

MA.RU.LHO *s.m.* 1) Movimento incessante das águas do mar. 2) O ruído característico desse movimento. 3) *fig.* Confusão, desordem.

MAR.XIS.MO (cs) *s.m. Filos.* Sistema doutrinário do socialista alemão Karl Marx e seus seguidores; comunismo.

MAR.ZI.PÃ *s.m. Cul.* Doce feito de pasta de amêndoas, ovos e açúcar.

MAS *conj.* 1) Indicativa de oposição ou restrição. 2) Defeito, senão. / *adv.* 3) Usa-se para corroborar o que acabou de ser dito.

MAS.CAR *v.t.d.* 1) Mastigar sem engolir. 2) Remoer, ruminar. 3) Falar por meias palavras; resmungar. 4) Refletir, planejar. 5) *Fam.* Insinuar, planejar, meditar.

MÁS.CA.RA *s.f.* 1) Artefato que representa uma cara ou parte dela, e que se põe no rosto, para disfarçar a pessoa que o põe. 2) Disfarce, falsa aparência. 3) Cobertura com que se resguarda o rosto, na esgrima, na guerra ou na limpeza de colmeias. 4) *Fot.* Recorte de material opaco com o qual se cobre a parte do original a ser fotografado para impressão, e que não deve aparecer na reprodução.

MAS.CA.RA.DO *adj.* 1) Que está com máscara. 2) Disfarçado. / *s.m.* 3) Indivíduo mascarado. 4) *gír.* Profissional que revela desinteresse pelo que faz.

MAS.CA.RAR *v.t.d.* 1) Pôr máscara em. 2) Disfarçar, dissimular. 3) Encobrir, ocultar. / *v.p.* 4) Assumir falsa aparência.

MAS.CA.TE *s.m.* Vendedor ambulante de objetos manufaturados, panos, joias, etc.

MAS.CA.VA.DO *adj.* 1) Diz-se do açúcar não refinado. 2) Adulterado, falsificado, mascavo. 3) Incompreensível.

MAS.CO.TE *s.f. pop.* Pessoa, animal ou coisa que, segundo se crê, dá sorte, ou traz felicidade; talismã.

MAS.CU.LI.NI.DA.DE *s.f.* 1) Qualidade de masculino ou másculo. 2) Virilidade.

MAS.CU.LI.NI.ZAR *v.t.d.* 1) Atribuir gênero masculino a. 2) Dar forma ou aparência masculina a. / *v.p.* 3) Tornar-se masculino.

MAS.CU.LI.NO *adj.* 1) Pertencente ou relativo ao sexo dos animais machos. 2) Próprio de homem, varonil. / *s.m.* 3) *Gram.* Gênero dos nomes que designam entes masculinos ou objetos considerados como tais.

MÁS.CU.LO *adj.* 1) Referente ao homem ou a animal macho. 2) Viril, enérgico.

MAS.MOR.RA (ô) *s.f.* 1) Cárcere ou prisão subterrânea. 2) Lugar isolado, sombrio e triste.

MA.SO.QUIS.MO *s.m.* 1) Perversão sexual em que o indivíduo só satisfaz o desejo erótico quando sofre violências físicas ou psíquicas. 2) *Por ext.* Prazer sentido com o próprio sofrimento.

MAS.SA *s.f.* 1) Farinha misturada com água ou outro líquido formando pasta. 2) O todo cujas partes são da mesma natureza. 3) Corpo informe. 4) A multidão, o povo, ajuntamento de gente. 5) *Fís.* Quantidade de matéria que forma um corpo. 6) *Fís.* Medida quantitativa da inércia de um corpo, ou seja, sua resistência à aceleração, cuja unidade básica de medida é o quilograma.

MAS.SA.CRAR *v.t.d.* 1) Matar em massa e cruelmente; chacinar. 2) Pôr em situação humilhante. 3) *fig.* Aborrecer, abalar moralmente.

MAS.SA.CRE *s.m.* 1) Ato de massacrar. 2) Carnificina, morticínio cruel. 3) Grande matança de animais.

MAS.SA.GEM *s.f.* Fricção ou compressão das partes musculares do corpo para modificar a circulação e, assim, obter vantagens terapêuticas.

MAS.SA.GIS.TA *s.2gên.* Aquele que faz massagens.

MAS.SA.PÉ *s.m.* Terra argilosa, formada pela decomposição de calcários cretáceos e ótima para a cultura da cana-de-açúcar, massapê.

MAS.TI.GA.DO *adj.* 1) Triturado com os dentes. 2) *pop.* Preparado cuidadosamente. 3) *fig.* Mal articulado entre os dentes; pronunciado confusamente.

MAS.TI.GA.DOU.RO *s.m.* Freio que facilita a mastigação do animal.

MAS.TI.GAR *v.t.d.* e *v.i.* 1) Triturar com os dentes. 2) Comer. 3) *fig.* Resmungar. / *v.t.d.* 4) Examinar, ruminar. 5) Repetir ou repisar palavras.

MAS.TRO *s.m.* 1) *Náut.* Tronco comprido e vertical que sustenta as velas do navio. 2) Pau em que se hasteia a bandeira. 3) Pau comprido, fincado no chão, verticalmente, para uso de ginastas.

MAS.TUR.BAR *v.t.d.* e *v.p.* Provocar com a mão ou com objetos adequados o prazer sexual em si mesmo ou em alguém.

MA.TA *s.f.* 1) Terreno extenso coberto de árvores silvestres. 2) Bosque, selva, floresta. 3) Grande quantidade de hastes ou objetos análogos.

MA.TA.DOR (ô) *adj.* e *s.m.* 1) Que ou o que mata ou causa a morte; assassino. 2) Que ou o que é irresistível; sedutor.

MA.TA.DOU.RO *s.m.* 1) Local destinado à matança de reses para o consumo público; abatedouro. 2) Carnificina. 3) Lugar muito insalubre.

MA.TA.GAL *s.m.* 1) Terreno revestido de plantas bravas. 2) Bosque espesso; mato contínuo. 3) Conjunto de coisas densas ou eriçadas.

MA.TAN.ÇA *s.f.* 1) Ato de matar. 2) Abatimento de reses para consumo. 3) Assassínio de muitas pessoas simultaneamente; morticínio. 4) Carnificina.

MA.TAR *v.t.d.* 1) Assassinar; causar a morte a. 2) Prejudicar a saúde de. 3) Extinguir, saciar. 4) *pop.* Decifrar, descobrir. 5) Fazer murchar ou secar. 6) *gír.* Deixar de comparecer à aula. / *v.i.* 7) Privar da vida; destruir. 8) Abater reses para o consumo público. / *v.p.* 9) Sacrificar-se. 10) Suicidar-se.

MA.TE.MÁ.TI.CA *s.f.* 1) Ciência que trata das medidas, propriedades e relações de quantidades e grandezas. 2) Compêndio de Matemática.

matéria / mecanismo

MA.TÉ.RIA *s.f.* 1) O que compõe os corpos físicos. 2) *Fís.* Tudo que ocupa lugar no espaço; o conteúdo em contraposição à forma. 3) Substância específica. 4) Substância excretada por um corpo vivo.

MA.TE.RI.AL *adj.2gên.* 1) Relativo a matéria; físico, corpóreo, concreto. / *s.m.* 2) Conjunto de objetos, instrumentos ou apetrechos usados em um serviço qualquer. 3) Aquilo do que é feito algo.

MA.TE.RI.A.LIS.MO *s.m.* 1) *Filos.* Doutrina que acredita que a matéria é capaz de explicar todos os fenômenos naturais, mentais e sociais. 2) *Por ext.* Atitude caracterizada pela valorização excessiva de bens, valores e prazeres materiais.

MA.TE.RI.A.LI.ZAR *v.t.d.* e *v.p.* 1) Tornar(-se) real ou possível de realizar; concretizar(-se). 2) *Espir.* Atribuir ou adquirir características materiais ou materialidade; corporificar(-se).

MA.TÉ.RIA-PRI.MA *s.f.* 1) Substância natural usada para produzir coisas novas. 2) *fig.* Base de alguma coisa; fundamento.

MA.TER.NAL *adj.2gên.* 1) Relativo a ou próprio de mãe; materno. / *adj.2gên.* e *s.m.* 2) Diz-se de ou escola intermediária entre a creche e o jardim de infância.

MA.TER.NI.DA.DE *s.f.* 1) Qualidade ou estado de mãe. 2) Hospital ou setor hospitalar destinado à assistência pré-natal a gestantes, à realização de partos e cuidados com recém-nascidos.

MA.TER.NO *adj.* 1) Próprio de mãe; maternal. 2) Por parte de mãe (parentesco). 3) Do país ou da comunidade natal de alguém.

MA.TI.NA *s.f.* Madrugada.

MA.TI.NAL *adj.2gên.* Relativo a ou próprio da manhã; matutino.

MA.TI.NÊ *s.f.* Festa, espetáculo, evento, etc. realizado durante o dia, especialmente à tarde.

MA.TIZ *s.m.* 1) Combinação de várias cores. 2) Gradação de uma cor; tom, tonalidade. 3) *fig.* Gradação delicada, sutil.

MA.TO *s.m.* 1) Vegetação que nasce espontaneamente. 2) Área coberta por essa vegetação. 3) Local fora da cidade; interior, roça.

MA.TRA.CA *s.f.* 1) Instrumento de percussão formado por uma peça de madeira com argolas ou placas que fazem barulho. 2) *fig.* Pessoa que fala demais; tagarela.

MA.TREI.RO *adj.* Esperto, astuto, malandro.

MA.TRI.AR.CA *s.f.* A mulher considerada a base da família.

MA.TRÍ.CU.LA *s.f.* 1) Ato ou efeito de matricular(-se). 2) Inscrição de algo ou alguém em um registro.

MA.TRI.CU.LAR *v.t.d.i.* e *v.p.* Fazer a matrícula de alguém ou de si próprio; inscrever(-se).

MA.TRI.MÔ.NIO *s.m.* União legal entre duas pessoas; casamento.

MA.TRIZ *s.f.* 1) *Por ext.* Lugar onde algo é criado ou gerado. 2) Molde ou forma para reprodução de certas peças e objetos. 3) Estabelecimento onde funciona a direção central de uma empresa. 4) *Mat.* Arranjo de elementos matemáticos em um quadro retangular. / *adj.2gên.* 5) Que é fonte ou origem de algo. 6) Que é fundamental; primordial, básico. / *adj.2gên.* e *s.f.* 7) Diz-se de ou a igreja matriz.

MA.TRO.NA *s.f.* 1) *Por ext.* Mulher respeitável pela idade madura e pela compostura. 2) *pej.* Mulher não jovem e corpulenta.

MA.TU.RAR *v.t.d.*, *v.i.* e *v.p.* Amadurecer(-se).

MA.TU.RI.DA.DE *s.f.* 1) Estado ou condição de adulto. 2) Qualidades morais e intelectuais dessa idade. 3) Ápice do desenvolvimento.

MA.TU.TAR *v.t.i.* e *v.i.* 1) *pop.* Pensar demoradamente sobre algo; meditar, refletir. / *v.t.d.* 2) *pop.* Planejar, conceber, intentar.

MA.TU.TI.NO *adj.* 1) Que se refere a ou acontece de manhã; matinal. / *adj.* e *s.m.* 2) Diz-se de ou jornal que circula de manhã.

MA.TU.TO *adj.* e *s.m.* 1) Que ou quem vive no campo, no interior, na roça. 2) Que ou quem não tem conhecimentos ou instrução. 3) Tímido, acanhado, desconfiado.

MAU *adj.* 1) Que pratica o mau; malvado, cruel, impiedoso. 2) Que prejudica, causa danos ou perdas. 3) Que é de qualidade inferior; ruim. 4) Que causa dano físico ou mal-estar; nocivo. 5) Que se sai mal no que faz; incompetente. / *s.m.* 6) Quem pratica o mal. 7) O diabo.

MAU-O.LHA.DO *s.m.* 1) Olhar a que se atribuem poderes de causar desgraças e malefícios. 2) O suposto efeito desse olhar.

MAU.SO.LÉU *s.m.* Túmulo monumental e suntuoso.

MA.XI.LA (cs) *s.f. Anat.* Os dois ossos situados na face que formam a arcada dentária superior.

MA.XI.LAR (cs) *adj.2gên.* 1) *Anat.* Relativo à maxila. / *s.m.* 2) *Anat.* Maxila.

MÁ.XI.MA (cs ou ss) *s.f.* 1) *Por ext.* Princípio de conduta; preceito, ditado.

MÁ.XI.MO (cs ou ss) *adj.* 1) Que atingiu seu mais alto grau ou sua maior quantidade. / *s.m.* 2) O mais alto grau.

ME.A.DO *adj.* e *s.m.* Que ou o que está no meio ou perto da metade de algo.

ME.CÂ.NI.CA *s.f.* 1) *Fís.* Ramo da física que estuda a ação de forças sobre um corpo. 2) Atividade relacionada a máquinas e seu funcionamento; mecanismo. 3) Oficina mecânica.

ME.CÂ.NI.CO *adj.* 1) Relativo à mecânica. 2) Fabricado ou executado por meio de máquina ou mecanismo. 3) *fig.* Que se faz sem pensar; automático, maquinal. / *s.m.* 4) Pessoa que monta e conserva máquinas.

ME.CA.NIS.MO *s.m.* 1) Conjunto de peças combinadas usadas para colocar uma máquina em movimento. 2) *Por ext.* Conjunto de elementos

mecanizar

envolvidos no funcionamento de uma estrutura ou sistema; mecânica.

ME.CA.NI.ZAR *v.t.d.* 1) Equipar com máquina ou mecanismo. / *v.t.d.* e *v.p.* 2) *fig.* Tornar(-se) semelhante à máquina; automatizar(-se).

ME.CE.NAS *s.m.* Indivíduo rico que protege e patrocina artistas, estudiosos, etc.

ME.CHA *s.f.* 1) Pavio de vela, lampião ou balão. 2) Feixe ou tufo de cabelos; madeixa. 3) *Por ext.* Porção de cabelos que se destaca do resto.

ME.DA.LHA *s.f.* 1) Pequena peça de metal que tem gravado emblema ou alguma inscrição comemorativa. 2) Peça de metal dada como prêmio aos vencedores de competições, concursos, etc.

ME.DA.LHÃO *s.m.* 1) Pequena caixa redonda ou oval que se usa pendurada ao pescoço como joia. 2) *fig.* Pessoa importante, influente. 3) *Cul.* Pedaço alto e redondo de carne bovina.

ME.DA.LHIS.TA *adj.2gên.* e *s.2gên.* Que ou quem recebeu medalha.

MÉ.DIA *s.f.* 1) *Mat.* Resultado da divisão de uma soma pelo número de suas partes. 2) Valor intermediário em relação a outros valores. 3) *pop.* Xícara de café com leite. 4) Quantidade mínima de pontos para ser aprovado em escola, concurso, etc.

ME.DI.A.ÇÃO *s.f.* 1) Ato ou efeito de servir de intermediário entre pessoas ou grupos. 2) *Jur.* Procedimento que visa a aproximação das partes interessadas na realização de um contrato, um negócio.

ME.DI.A.DOR (ô) *adj.* e *s.m.* 1) Que ou quem intervém. 2) Que ou quem dirige uma discussão em grupo.

ME.DI.A.NO *adj.* 1) Que se encontra no meio ou entre dois extremos. 2) Comum, normal.

ME.DI.AR *v.t.d.*, *v.t.i.* e *v.t.d.i.* Intervir como mediador.

ME.DI.CA.ÇÃO *s.f.* 1) Tratamento por meio de medicamentos. 2) O conjunto de medicamentos prescritos.

ME.DI.CA.MEN.TO *s.m.* Substância utilizada em tratamento terapêutico; remédio.

ME.DI.ÇÃO *s.f.* Ato ou efeito de medir; medida.

ME.DI.CAR *v.t.d.* e *v.p.* 1) Tratar(-se) com medicamentos. / *v.i.* 2) Exercer a medicina.

ME.DI.CI.NA *s.f.* Ciência que trata da manutenção da saúde e do tratamento e cura de doenças.

MÉ.DI.CO *s.m.* 1) Profissional formado em medicina. / *adj.* 2) Referente à medicina.

ME.DI.DA *s.f.* 1) Ato ou efeito de medir; medição. 2) Avaliação comparativa de grandezas. 3) Tamanho, dimensão, extensão. 4) Quantidade, dosagem. 5) Meio utilizado para atingir um fim; providência.

ME.DI.DOR (ô) *adj.* e *s.m.* Que ou aquilo que serve para medir.

ME.DI.E.VAL *adj.2gên.* Relativo a Idade Média.

meia

MÉ.DIO *adj.* 1) Que está no meio, entre dois extremos. 2) De condição ou posição intermediária. 3) Que é resultado de uma média estatística ou aritmética. / *s.m.* 4) Dedo maior da mão, que fica entre o indicador e o anelar.

ME.DÍ.O.CRE *adj.2gên.* e *s.2gên.* 1) Que ou o que é de qualidade média; comum, banal, mediano. 2) *pej.* Que ou o que tem pouco valor ou mérito.

ME.DIR *v.t.d.i.* e *v.i.* 1) Verificar, avaliar ou determinar, por meio de instrumento ou utensílio próprio, o tamanho, peso, etc. de algo. / *v.t.d.* 2) Ter por medida (em extensão, altura, etc.). 3) *Por ext.* Servir de medida para algo. 4) *fig.* Avaliar a importância, o efeito de; ponderar, pesar. 5) *fig.* Ter moderação; refrear, conter. 6) *fig.* Aferir por testes; avaliar. / *v.p.* 7) Entrar em competição com; enfrentar, rivalizar.

ME.DI.TA.ÇÃO *s.f.* 1) Ação de pensar cuidadosamente sobre um assunto; reflexão. 2) *Rel.* Exercício de concentração mental.

ME.DI.TAR *v.t.d.* 1) Preparar em detalhes; planejar, elaborar. / *v.t.d.*, *v.t.i.* e *v.i.* 2) Pensar profundamente sobre; ponderar, refletir. / *v.i.* 3) *Rel.* Fazer meditação, concentrar-se mentalmente.

ME.DI.TER.RÂ.NEO *adj.* 1) Relativo a ou próprio do mar Mediterrâneo. / *adj.* e *s.m.* 2) Que ou quem é das regiões banhadas por esse mar.

MÉ.DI.UM *s.2gên. Espir.* Segundo o espiritismo, pessoa que é capaz de se comunicar com os espíritos.

ME.DO (ê) *s.m.* 1) *Psicol.* Estado psíquico resultante da ideia de ameaça ou perigo real ou aparente; pavor, terror. 2) Ansiedade, temor ou apreensão diante de algo que se quer evitar.

ME.DO.NHO *adj.* Que causa medo ou repulsa; assustador, horripilante.

ME.DRO.SO (ô) *adj.* 1) Que tem medo; que se assusta facilmente; temeroso, receoso. 2) Hesitante, tímido, acanhado.

ME.DU.LA *s.f.* 1) Parte mais interior de um órgão ou estrutura animal ou vegetal. 2) *fig.* A parte mais interna ou central; âmago. 3) *Anat.* Material orgânico que preenche as cavidades dos ossos; medula óssea.

ME.DU.SA *s.f. Zool.* Animal marinho de corpo gelatinoso e em forma de sino, com tentáculos.

ME.GA.FO.NE *s.m.* Aparelho que serve para amplificar a voz ou sons emitidos.

ME.GA.LO.MA.NI.A *s.f.* 1) Distúrbio mental caracterizado por sentimento de grandeza, supervalorização de si mesmo ou onipotência. 2) *Por ext.* Predileção por tudo o que é grandioso.

ME.GA.LÓ.PO.LE *s.f.* 1) Cidade muito grande; grande metrópole. 2) Região constituída de uma ou várias metrópoles e cidades periféricas.

ME.GE.RA *s.f.* Mulher má, cruel, perversa.

MEI.A *s.f.* 1) Peça de tecido que cobre o pé e parte da perna. 2) Tecido de malha de algodão usado meigo | memorial

para fazer a meia e outras peças de roupa. / *num.* 3) Seis.

MEI.GO *adj.* Que tem meiguice; gentil, carinhoso.

MEI.GUI.CE *s.f.* 1) Qualidade de meigo. 2) Ato, fala ou gesto que expressa afeição, gentileza, carinho, ternura. 3) Suavidade, brandura, doçura.

MEI.O *adj.* 1) Que indica metade de um todo. 2) Médio, intermédio. / *s.m.* 3) Ponto médio, equidistante dos extremos. 4) *Sociol.* Totalidade dos fatores externos suscetíveis de influírem sobre a vida biológica, social ou cultural de um indivíduo ou grupo. 5) Intermediário. / *num.* 6) Metade de um ➡ Comi meio lanche. / *adv.* 7) Não inteiramente; um pouco ➡ Estou meio cansada.

MEI.O-FI.O *s.m.* Fileira de pedras ou de blocos de cimento que arremata a calçada ao longo da rua; guia.

MEI.O-TER.MO *s.m.* 1) O que é intermediário entre duas situações ou posições extremas. 2) *fig.* Equilíbrio, comedimento.

MEL *s.m.* 1) Substância doce, preparada pelas abelhas à custa do néctar que recolhem das flores. 2) Calda de açúcar destilada das formas nos respectivos engenhos. 3) *fig.* Grande doçura, extrema suavidade.

ME.LA.ÇO *s.m.* 1) Calda viscosa resultante da cristalização do açúcar. 2) *fig.* Qualquer substância viscosa e muito doce.

ME.LA.DO *adj.* 1) Adoçado com mel. 2) *Por ext.* Doce demais. 3) *pop.* Lambuzado de mel ou outra substância viscosa e pegajosa; sujo. / *s.m.* 4) Calda espessa com a qual se faz a rapadura; mel.

ME.LAN.CI.A *s.f.* 1) Planta de caule rasteiro que produz fruto grande de casca verde e polpa vermelha. 2) O fruto dessa planta.

ME.LAN.CO.LI.A *s.f.* Sentimento de profunda tristeza, desânimo; depressão.

ME.LAN.CÓ.LI.CO *adj.* *Psiq.* Que sente, exprime ou causa melancolia.

ME.LÃO *s.m.* 1) Fruto do meloeiro. 2) Meloeiro.

ME.LE.CA *s.f.* *pop.* Catarro seco das fossas nasais.

ME.LHOR *adj.2gên.* 1) Superior a outro; mais bom. 2) *Fam.* Menos mal de saúde ou de situação. / *s.m.* 3) Que é preferível, que tem melhor qualidade que qualquer outra coisa. 4) Aquilo que é sensato ou acertado. / *adv.* 5) De maneira superior; mais bem. 6) De maneira mais perfeita. 7) Com mais justiça ou verdade. 8) Com maior apreço.

ME.LHO.RA *s.f.* 1) Ato ou efeito de melhorar; melhoria; melhoramento. / *s.f. pl.* 2) Diminuição de doença; alívio.

ME.LHO.RA.MEN.TO *s.m.* 1) Ato ou efeito de melhorar; melhora, melhoria. 2) Benfeitoria ou benefício. 3) Adiantamento, aumento. 4) Progresso para o bem.

ME.LHO.RAR *v.p.* 1) Tornar-se melhor. / *v.t.d.* 2) Tornar mais próspero. 3) Aperfeiçoar, reparar.

4) Restituir a saúde a. / *v.i.* 5) Sentir melhoras ou alívio na doença. 6) Abonançar-se. / *v.t.i.* e *v.i.* 7) Passar à condição mais próspera.

ME.LHO.RI.A *s.f.* 1) Transição para melhor estado. 2) Melhora, melhoramento. 3) Superioridade. 4) Diminuição de doenças. 5) Melhoramento material.

ME.LI.AN.TE *s.2gên.* 1) Malandro, vadio. 2) Indivíduo que usa de meios ilícitos ou pratica atos passíveis de punição.

ME.LÍ.FLUO *adj.* 1) Que flui como mel. 2) Que é doce como o mel. 3) *fig.* Que é agradável. 4) *fig. pej.* Que demonstra falsa doçura; hipócrita, fingido.

ME.LIN.DRE *s.m.* 1) Delicadeza no trato, amabilidade, polidez. 2) Sentimento de vergonha; pudor, recato. 3) Facilidade para se ofender. 4) Falta de naturalidade.

ME.LIN.DRO.SO (ô) *adj.* 1) Que possui ou causa dificuldade; complicado, embaraçoso. 2) Perigoso, arriscado. 3) Cheio de suscetibilidade; escrupuloso. / *adj.* e *s.m.* 4) Que ou quem se ofende com facilidade. 5) Que ou quem possui atitudes afetadas.

ME.LO.DI.A *s.f.* 1) Sucessão de sons, dos quais resulta um canto regular e agradável. 2) Peça musical suave para uma só voz ou para um coro uníssono. 3) Ária. 4) Qualidade de um canto agradável. 5) Suavidade no cantar, falar ou escrever.

ME.LO.DRA.MA *s.m.* Obra dramática ou situação caracterizada por sentimentos exagerados.

ME.LO.SO (ô) *adj.* 1) Que contém mel. 2) Cheio de mel. 3) Que tem semelhança com o mel; doce. 4) Melifluo. 5) *fig.* Muito sentimental.

MEM.BRA.NA *s.f.* 1) Tecido tênue, flexível, que envolve alguns órgãos e se destina a absorver, exalar ou segregar certos fluidos. 2) *Bot.* Película que envolve certos órgãos finos e delicados. 3) Película. 4) Pele, couro. 5) Placa vibratória de alto-falantes, telefones, microfones, etc.

MEM.BRO *s.m.* 1) *Zool.* Parte do corpo dos vertebrados que serve para a locomoção ou a apreensão. 2) Indivíduo que faz parte de uma corporação, associação ou família. 3) O pênis. 4) Parte que constitui uma entidade ou instituição.

ME.MO.RAN.DO *s.m.* 1) Mensagem escrita breve, usada como forma rápida de comunicação interna. 2) Qualquer comunicação ou aviso por escrito.

ME.MO.RAR *v.t.d.* 1) Trazer à memória; tornar lembrado. 2) Comemorar.

ME.MO.RÁ.VEL *adj.2gên.* 1) Digno de permanecer na memória. 2) Notável, célebre.

ME.MÓ.RIA *s.f.* 1) Faculdade de conservar ideias ou imagens. 2) Lembrança. 3) Monumento para comemorar os feitos de alguma pessoa ilustre, ou algum sucesso notável. 4) Memorial.

ME.MO.RI.AL *s.m.* 1) Relato de fatos vividos por alguém; memórias. 2) Relato de fatos promemorizar

fissionais marcantes. 3) *Arquit.* Monumento comemorativo.

ME.MO.RI.ZAR *v.t.d.* 1) Conservar a memória de; lembrar, recordar. / *v.t.d.* e *v.i.* 2) Fixar na memória; saber de cor; decorar.

MEN.ÇÃO *s.f.* 1) Ato de mencionar ou citar. 2) Atitude de quem se dispõe a praticar um ato. 3) Inscrição. 4) *Dir.* Referência, num escrito, a uma circunstância ou fato.

MEN.CIO.NAR *v.t.d.* 1) Fazer menção de; citar. 2) Narrar, referir.

MEN.DI.GAR *v.i.* 1) Ser mendigo, viver de esmolas. / *v.t.d.* 2) Pedir por esmola; esmolar. 3) Ganhar com dificuldade os meios de subsistência. 4) Pedir com humildade ou servilmente.

MEN.DI.GO *s.m.* Aquele que vive de pedir esmolas; pedinte.

ME.NI.NA *s.f.* 1) Feminino de menino. 2) Criança do sexo feminino. 3) Mulher nova e solteira. 4) Tratamento carinhoso ou familiar dado às pessoas do sexo feminino, novas ou adultas.

ME.NI.NO *s.m.* 1) Criança do sexo masculino. 2) Tratamento afetuoso entre parentes ou amigos, mesmo que sejam adultos. 3) *iron.* Espertalhão.

ME.NI.NO.TE *s.m.* Rapazote, mocinho.

ME.NO.PAU.SA *s.f.* 1) *Fisiol.* Cessação definitiva das regras menstruais da mulher. 2) Idade crítica da mulher.

ME.NOR *adj.2gên.* 1) Comparativo de pequeno; mais pequeno. 2) Inferior. 3) Mínimo. 4) Pessoa que ainda não chegou à maioridade. 5) De segundo grau, de segundo plano. / *s.2gên.* 6) Diz-se daquele que não atingiu a maioridade. / *s.m. pl.* 7) Os descendentes. 8) Minúcias.

ME.NOS *adv.* 1) Em menor número ou quantidade. 2) Em menor grau, com menor intensidade. 3) Comparativo de pouco. 4) Inferior em quantidade ou em valor. 5) Inferior em condição ou posição. / *s.m.* 6) O que tem a menor importância; o mais baixo; o mínimo. 7) *Mat.* Traço horizontal, que indica uma subtração ou uma quantidade negativa. / *prep.* 8) Afora, exceto ou salvo.

ME.NOS.PRE.ZAR *v.t.d.* 1) Depreciar, desprezar, ter em pouca conta. 2) Desdenhar, não fazer caso de.

MEN.SA.GEI.RO *adj.* e *s.m.* 1) Que ou aquele que leva mensagem. 2) Que ou quem anuncia ou prenuncia. / *s.m.* 3) Indivíduo que faz presságio. 4) O que envolve presságio.

MEN.SA.GEM *s.f.* 1) Recado ou notícia verbal ou escrita. 2) Discurso escrito de caráter político. 3) O significado íntimo e profundo de uma obra filosófica ou literária. 4) *Espir.* Recepção, pelo médium, de uma comunicação dos espíritos.

MEN.SAL *adj.2gên.* 1) Referente a mês. 2) Que tem duração de um mês. 3) Que se realiza de mês em mês.

MEN.SA.LI.DA.DE *s.f.* Quantia paga ou recebida por mês; mesada, mês.

mercadoria

MEN.SA.LIS.TA *adj.2gên.* e *s.2gên.* 1) Diz-se da ou a pessoa que recebe remuneração calculada por mês. 2) *Dir.* Diz-se da ou a pessoa que é servidora extranumerária.

MENS.TRU.A.ÇÃO *s.f.* 1) Ato ou efeito de menstruar; mênstruo, paquete. 2) Período de duração do fluxo menstrual.

MEN.SU.RAR *v.t.d.* 1) Determinar a medida de; medir. 2) Ter por medida.

MEN.SU.RÁ.VEL *adj.2gên.* Que pode ser medido.

MEN.TAL *adj.2gên.* Relativo a ou próprio da mente.

MEN.TA.LI.DA.DE *s.f.* 1) Qualidade de mental. 2) Estado de espírito ou psicológico. 3) A mente. 4) Movimento intelectual. 5) Maneira individual de pensar e julgar.

MEN.TA.LI.ZAR *v.t.d.* 1) Elaborar mentalmente; conceber, inventar. 2) Criar na imaginação; fantasiar, imaginar. 3) Dirigir o pensamento para algo; concentrar-se em. / *v.t.d.* e *v.p.* 4) Tornar(-se) presente na mente.

MEN.TE *s.f.* 1) Faculdade de conhecer; inteligência. 2) Entendimento, alma, espírito. 3) Ideia, resolução. 4) Concepção, imaginação. 5) Intuito, plano.

MEN.TE.CAP.TO *adj.* e *s.m.* 1) Privado da razão; louco, alienado. 2) Que ou quem não tem inteligência; tolo, idiota.

MEN.TIR *v.i.* 1) Proferir mentira. 2) Negar o que se sabe ser verdade ou afirmar o que se sabe ser mentira. 3) Deixar de dizer a verdade. 4) Enganar, iludir, ludibriar. / *v.t.i.* 5) Não corresponder. 6) Falhar; faltar.

MEN.TI.RA *s.f.* 1) Ato de mentir; afirmação contrária à verdade; falsidade. 2) Hábito de mentir. 3) Erro, ilusão, vaidade. 4) Fábula, ficção.

MEN.TI.RO.SO (ô) *adj.* e *s.m.* 1) Que ou quem conta mentiras. / *adj.* 2) Que é contrário à verdade; falso, enganoso.

MEN.TOL *s.m. Quím.* Substância orgânica, conhecida em 12 formas opticamente isoméricas, usada em medicina e algumas indústrias.

MEN.TOR *s.m.* Pessoa que aconselha, ensina ou guia.

ME.NU *s.m.* 1) Cardápio. 2) *Inform.* Lista de opções posta à disposição do usuário de computador para que ele selecione a alternativa desejada.

ME.QUE.TRE.FE *s.m.* Diz-se da pessoa que se envolve ou se mete onde não é chamado; metediço.

MER.CA.DO *s.m.* 1) Local público onde se compram mercadorias postas à venda. 2) Ponto em que se faz o principal comércio de certos artigos. 3) Centro de comércio. 4) O comércio.

MER.CA.DO.LO.GI.A *s.f.* Marketing.

MER.CA.DOR (ô) *s.m.* Mercante; negociante.

MER.CA.DO.RI.A *s.f.* 1) O que é objeto de compra ou venda. 2) Aquilo que se comprou e que se põe à venda.

mercante   mesquinho

MER.CAN.TE *adj.2gên.* 1) Do comércio ou referente ao movimento comercial. / *s.2gên.* 2) Mercador.

MER.CAN.TIL *adj.2gên.* 1) Referente a mercadores ou a mercadorias. 2) Que pratica o comércio. 3) Ambicioso, interesseiro.

MER.CAN.TI.LIS.MO *s.m.* 1) Tendência para subordinar tudo ao comércio, ao ganho, ao interesse. 2) *Econ. polít.* Doutrina do século XVIII, segundo a qual a riqueza e o poder de um país consistiam na posse de metais preciosos.

MER.CAR *v.t.d.* 1) Comprar para revender. 2) Adquirir, comprando. 3) Apregoar para vender. 4) Alcançar, conseguir com esforço ou sacrifício.

MER.CÊ *s.f.* 1) Paga, retribuição. 2) Nomeação para emprego público. 3) Concessão de título honorífico. 4) Benefício, favor, graça.

MER.CE.A.RI.A *s.f.* 1) Comércio de pouco valor. 2) Estabelecimento em que este comércio é feito. 3) Loja de gêneros alimentícios e quaisquer especiarias.

MER.CE.NÁ.RIO *adj.* e *s.m.* 1) Que ou aquele que serve ou trabalha por um preço ou salário ajustado. 2) Interesseiro. / *s.m.* 3) Soldado que, por dinheiro, serve a um governo estrangeiro.

MERCHANDISING (merchándáisin) *s.m. ingl.* 1) Planejamento promocional de um produto antes do seu lançamento. 2) Apresentação de um produto, serviço ou marca, de forma não declarada, durante um programa de rádio ou televisão, filme, etc.

MER.CÚ.RIO *s.m.* 1) *Quím.* Elemento metálico, pesado, de símbolo Hg, líquido e venenoso. 2) Preparação na qual entra essa substância. 3) *Astr.* O planeta mais próximo do Sol. 4) *Mit.* Deus do comércio.

MER.DA *s.f. pop.* 1) Excremento. 2) Porcaria, sujidade, dejeto. 3) *fig.* Coisa sem valor. / *s.2gên.* 4) Sujeito sem préstimo, insignificante. / *interj.* 5) Indica repulsão ou desprezo.

ME.RE.CER *v.t.d.* 1) Ser digno ou merecedor de; ter direito a. 2) Valer. / *v.i.* 3) Tornar-se merecedor. / *v.t.i.* 4) Prestar serviços importantes a.

ME.REN.DA *s.f.* 1) Refeição ligeira. 2) Lanche que as crianças levam para comer na escola; lanche. 3) O que se leva em farnel para comer no campo ou em viagem.

ME.REN.DEI.RA *s.f.* 1) Mulher que prepara merendas nas escolas. 2) Essa função nas escolas públicas. 3) Cesto, bolsa, maleta, lancheira em que vai a merenda.

ME.REN.QUE ou **ME.REN.GUE** *s.m.* 1) *Cul.* Mistura de claras de ovo com açúcar. 2) *Cul.* Bolo cuja superfície é formada por uma casca dessa mistura. 3) *Mús.* Dança nacional da República Dominicana, em dois tempos.

ME.RE.TRIZ *s.f.* 1) Diz-se da mulher que pratica o ato sexual por dinheiro. 2) Prostituta, rapariga.

MER.GU.LHA.DOR (ô) *adj.* e *s.m.* 1) Que ou aquele que mergulha. / *s.m.* 2) Indivíduo que trabalha debaixo de água. 3) Pescador de pérolas. 4) Escafandrista.

MER.GU.LHAR *v.t.d.* 1) Imergir na água ou em outro líquido. 2) Meter debaixo de qualquer substância. 3) *Agr.* Meter o mergulhão na terra. 4) Cravar profundamente. / *v.i.* e *v.p.* 5) Afundar-se, meter-se debaixo d'água.

MER.GU.LHO *s.m.* 1) Ato de mergulhar. 2) *Agr.* Mergulhia. 3) *Geol.* Ângulo formado por uma camada ou dique com o plano do horizonte; inclinação.

ME.RI.DI.A.NO *s.m.* 1) *Astr.* Linha imaginária que une os pontos dos eixos norte-sul do globo terrestre. 2) *Med.* Em acupuntura, linhas imaginárias que ligam os diferentes pontos do corpo. / *adj.* 3) Relativo ao meio-dia.

ME.RI.DI.O.NAL *adj.2gên.* 1) Situado no ou voltado para o sul. / *s.2gên.* 2) Habitante das regiões do sul.

MÉ.RI.TO *s.m.* 1) Merecimento. 2) Valor moral ou intelectual. 3) Capacidade, superioridade. 4) Qualidade apreciável de alguém ou de alguma coisa.

ME.RO *adj.* 1) Simples. 2) Genuíno, sem mistura, puro. / *s.m.* 3) *Ictiol.* Peixe marinho muito grande, da família dos Serranídeos.

MÊS *s.m.* 1) Cada uma das 12 divisões do ano solar. 2) Espaço de 30 ou 31 dias; no mês de fevereiro, contam-se 28 ou 29 dias (ano bissexto). 3) Mênstruo.

ME.SA (ê) *s.f.* 1) Móvel que serve principalmente para sobre ele se colocar as iguarias, na hora da refeição, e também para se executar certos trabalhos artísticos ou mecânicos. 2) Qualquer superfície lisa e horizontal. 3) Conjunto do presidente e secretários de uma assembleia ➡ a mesa do Senado. 4) Grupo das pessoas que dirigem uma associação.

ME.SA.DA *s.f.* Quantia recebida ou paga em cada mês; mensalidade.

ME.SÁ.RIO *s.m.* Membro de uma seção eleitoral.

MES.CLAR *v.t.d.i.* e *v.p.* 1) Misturar(-se), combinar (-se). / *v.t.d.i.* 2) Integrar um ou mais elementos a outro; incorporar, unir.

MES.MI.CE *s.f.* Presença das mesmas coisas; monotonia, pasmaceira.

MES.MO (ê) *adj.* 1) Igual, idêntico. 2) Em pessoa. 3) Referido, citado. / *s.m.* 4) Coisa igual, semelhante ou parecida. / *adv.* 5) Num exato instante; exatamente, precisamente. 6) Inclusive, também, até. 7) De fato; realmente, justamente. / *conj.* 8) Embora, ainda que.

MES.QUI.NHO *adj.* e *s.m.* 1) Que ou quem é apegado em excesso aos bens materiais e ao lucro; avarento, sovina. / *adj.* 2) Desprezível, insignificante, escasso. 3) De pouco mérito; medíocre.

mesquita / metrô

MES.QUI.TA *s.f. Arquit.* e *Rel.* Templo dos muçulmanos.

MES.TI.ÇO *adj.* e *s.m.* 1) Diz-se de ou pessoa cujos pais provêm de etnias diferentes. 2) Que ou o que nasce do cruzamento de espécies diferentes (plantas ou animais).

MES.TRA.DO *s.m.* 1) Curso de pós-graduação. 2) Grau que se obtém ao término desse curso.

MES.TRE *s.m.* 1) Aquele que ensina; professor. 2) Pessoa de grande saber, capacidade ou talento em determinada área; especialista, perito. 3) Quem concluiu o mestrado. / *adj.* 4) Que é o mais importante; principal. 5) Que serve de base, de guia.

ME.SU.RA *s.f.* 1) Cumprimento respeitoso; reverência. 2) Discrição, comedimento.

ME.TA *s.f.* 1) Alvo, mira. 2) Objetivo, finalidade. 3) Barreira, limite. 4) *Esp.* Poste ou sinal que indica ponto de chegada em algumas competições esportivas.

ME.TA.BÓ.LI.CO *adj.* 1) Relativo a metabolismo. 2) Que se refere à mudança de natureza dos corpos.

ME.TA.BO.LIS.MO *s.m. Fisiol.* Conjunto dos processos bioquímicos que ocorrem no organismo e transformam matéria em energia.

ME.TA.CAR.PO *s.m. Anat.* Parte da mão, entre o carpo e os dedos.

ME.TA.DE *s.f.* 1) Cada uma das duas partes iguais em que se divide um todo. 2) *Arit.* Quociente da divisão de um número por dois.

ME.TÁ.FO.RA *s.f. Ret.* Emprego de uma palavra em sentido diferente do próprio por analogia ou semelhança ➡ Olhos de esmeralda, que pressupõe a comparação "olhos verdes como esmeralda".

ME.TAL *s.m.* 1) Substância simples, boa condutora de calor e eletricidade, dúctil, maleável e dotada de brilho. 2) Dinheiro, moeda sonante. 3) Timbre da voz. / *s.m. pl.* 4) Instrumentos musicais de latão. 5) Utensílios de cozinha.

ME.TA.LI.ZAR *v.t.d.* 1) Dar brilho metálico ou aparência metálica a. 2) Revestir com camada de metal a superfície de. 3) Tornar um metal puro. 4) Converter, reduzir a metal.

ME.TA.LUR.GI.A *s.f.* 1) Arte de extrair os metais e de os manipular industrialmente. 2) O estudo das técnicas dessa arte.

ME.TA.MOR.FO.SE *s.f.* 1) Mudança de forma; transformação; transmutação. 2) Mudança radical na aparência ou nas características. 3) *Biol.* Mudança de forma e de estrutura que ocorre durante o ciclo de vida de certos animais.

ME.TE.O.RI.TO *s.m.* Fragmento de meteoro que cai na superfície da Terra depois de ter atravessado a atmosfera.

ME.TE.O.RO *s.m.* 1) *Meteor.* Qualquer fenômeno atmosférico: chuva, neve, estrela cadente, re-

lâmpago, etc. 2) Fenômeno luminoso resultante do atrito de meteoroide com gases da atmosfera terrestre. 3) Personagem cuja carreira é deslumbrante, mas de curta duração; aparição brilhante. 4) Estrela cadente.

ME.TE.O.RO.LO.GI.A *s.f.* Ciência que trata dos fenômenos atmosféricos, como variações de temperatura, umidade, etc.

ME.TER *v.t.d.* 1) Introduzir uma coisa em outra. 2) Colocar, pôr, inserir. / *v.p.* 3) Intrometer-se. 4) Provocar, desafiar. 5) Esconder-se, encafuar-se. 6) Desaguar, desembocar, entrar no mar. 7) *fig.* Afundar-se, submergir-se. / *v.t.d.i.* 8) *fig.* Fazer participar de; envolver ➡ Nós o metemos em confusão.

ME.TI.CU.LO.SO (ô) *adj.* 1) Atento a detalhes e pormenores; minucioso. 2) Que demonstra precaução; cauteloso, cuidadoso. 3) Que tem escrúpulos.

ME.TI.DO *adj.* e *s.m.* 1) Que ou quem tenta passar pelo que não é; presunçoso. 2) Que ou quem se intromete no que não lhe diz respeito. / *adj.* 3) Que se meteu.

ME.TÓ.DI.CO *adj.* 1) Que age com método; meticuloso. 2) Em que há método; ordenado.

MÉ.TO.DO *s.m.* 1) Conjunto dos meios para alcançar um fim. 2) Ordem ou sistema seguido no estudo ou no ensino de qualquer disciplina. 3) Maneira de fazer as coisas; modo de proceder.

ME.TO.DO.LO.GI.A *s.f.* Conjunto de métodos, princípios e regras empregados por uma atividade ou disciplina.

ME.TRA.GEM *s.f.* 1) Medida em metros. 2) Quantidade de metros.

ME.TRA.LHA.DO.RA (ô) *s.f.* Arma de fogo automática que dispara de forma rápida e contínua.

ME.TRA.LHAR *v.t.d.* 1) Disparar tiros de metralhadora. 2) Abrir fogo intenso contra. 3) *fig.* Encher alguém de perguntas sem dar-lhe tempo de responder.

MÉ.TRI.CA *s.f.* 1) *Ret.* Arte de medir versos. 2) A estrutura de um verso em relação à medida. 3) Metrificação.

MÉ.TRI.CO *adj.* 1) Pertencente ou relativo ao metro ou à metrificação. 2) Posto em verso. 3) Diz-se do sistema de pesos e medidas que tem por base o metro.

ME.TRI.FI.CAR *v.t.d.* 1) Compor versos seguindo normas preestabelecidas de acordo com o número de sílabas desejado. 2) Contar as sílabas poéticas do verso. / *v.i.* 3) Estar de acordo à métrica.

ME.TRO *s.m.* 1) Unidade de comprimento, adotada como base do sistema métrico decimal, calculada como a décima milionésima parte de um quarto do meridiano terrestre. 2) Lei ou medida a que se sujeita um verso.

ME.TRÔ *s.m.* Abreviatura de metropolitano, sistema de transporte urbano de passageiros, metrópole

principalmente por vias subterrâneas, sobre trilhos.

ME.TRÓ.PO.LE *s.f.* 1) Cidade principal de um estado ou de uma arquidiocese. 2) Qualquer nação em relação às suas colônias. 3) Grande cidade; cidade importante. 4) A igreja arquiepiscopal em relação às outras que dela dependem. 5) Centro de civilização ou comércio.

ME.TROS.SE.XU.AL *adj.2gên.* 1) Relativo a ou que revela metrossexualidade. / *adj.2gên.* e *s.m.* 2) Diz-se de homem extremamente vaidoso, que se preocupa muito com a aparência.

MEU *pron. poss.* 1) Designativo de coisa que pertence à pessoa que fala. 2) Que me pertence ou me diz respeito. / *s.m.* 3) Aquilo que pertence à pessoa que fala ➡ Não tenho dúvidas, o meu é melhor. 4) No plural, é usado como expressão de afeto, significando caro, querido ➡ Os meus.

ME.XE.DOR (ô) *adj.* e *s.m.* 1) Que ou quem mexe. 2) Que ou aquele que faz intrigas. / *s.m.* 3) Objeto com o qual se mexe.

ME.XER *v.t.d.* 1) Dar movimento a, agitar. 2) Deslocar. 3) Confundir, misturar, revolver. / *v.p.* 4) Mover-se. 5) Sair do seu lugar ou posição. / *v.t.i.* 6) Bulir, tocar. / *v.i.* e *v.p.* 7) Agitar-se, virar-se.

ME.XE.RI.CA *s.f.* Tangerina.

ME.XE.RI.CAR *v.i.* e *v.t.d.* 1) Fazer mexericos ou intrigas. 2) Intrigar. / *v.p.* 3) Descobrir-se por si, revelar-se, denunciar-se.

ME.XE.RI.CO *s.m.* Fofoca, intriga.

ME.XE.RI.QUEI.RA *s.f.* 1) Mulher que faz mexericos. 2) Tangerineira.

ME.XI.CA.NO *adj.* 1) Pertencente ou relativo ao México (América do Norte). / *s.m.* 2) Pessoa natural ou habitante do México.

ME.XI.DA *s.f.* 1) Ato de mexer. 2) Intriga, discórdia. 3) Confusão, desordem.

ME.XI.DO *adj.* 1) Que se mexeu. 2) Agitado, revolvido. 3) Inquieto. 4) Tocado. / *s.m. Cul.* 5) Nome dado ao feijão, ou à carne picada preparada em panela com farinha de mandioca ou de milho. 6) Espécie de farofa feita com feijão, torresmo e verdura.

ME.XI.LHÃO *s.m.* Denominação vulgar de vários moluscos lamelibrânquios comestíveis que vivem fixos a pedras, a cascos de navios, etc.

ME.ZI.NHA *s.f.* 1) Líquido para clister. 2) *pop.* Diz-se de qualquer remédio caseiro.

MI *s.m.* 1) Terceira nota musical da escala de dó. 2) Sinal representativo dessa nota.

MI.A.DO *s.m.* 1) Ato de miar. 2) A voz dos gatos. 3) *pop.* Voz muito fraquinha, sem potência, com muito ar.

MI.AR *v.i.* Dar ou soltar miados.

MI.AU *s.m.* 1) Onomatopeia da voz do gato. 2) Maneira como a criança chama o gato.

MI.CA.GEM *s.f.* 1) Careta própria de mico. 2) Gestos ridículos, trejeito.

milésimo

MI.ÇAN.GA *s.f.* 1) Contas coloridas e miúdas de massa vitrificada. 2) Ornato feito com essas contas. 3) Bagatelas, coisas miúdas. 4) *Tip.* Variedade de tipo muito miúdo.

MIC.ÇÃO *s.f.* Ato de urinar.

MI.CHO *s.m.* 1) *gír.* Diz-se do indivíduo sem dinheiro. 2) *gír.* Diz-se de qualquer coisa desprovida de valor.

MI.CO *s.m.* 1) *Zool.* Espécie de sagui. 2) Pessoa de aspecto grotesco. 3) Jogo de cartas apreciado pelas crianças.

MI.CO.SE *s.f.* 1) *Med.* Doença produzida por fungos. 2) Excrescência fungosa da pele.

MI.CRO *s.m.* 1) Micrômetro, mícron; símbolo m. 2) Forma reduzida de microcomputador.

MI.CRO.BI.CI.DA *adj.2gên.* e *s.m.* Que ou aquilo que serve para destruir micróbios.

MI.CRÓ.BIO *s.m.* Organismo unicelular de dimensões microscópicas, especialmente bactéria, que causam fermentação e doenças infecciosas.

MI.CRO.FO.NE *s.m.* Aparelho que converte ondas sonoras em sinais elétricos, usado para transmitir, amplificar ou gravar sons.

MI.CRO-OR.GA.NIS.MO *s.m.* Organismo, animal ou vegetal, de dimensões microscópicas; micróbio.

MI.CROS.CÓ.PIO *s.m. Ópt.* Instrumento óptico usado para observar seres e objetos muito pequenos, especialmente os que não podem ser vistos a olho nu.

MIC.TÓ.RIO *s.m.* 1) Local próprio para urinar. / *adj.* 2) Que faz urinar; diurético.

MI.GA.LHA *s.f.* 1) Pedaço muito pequeno de um alimento. 2) Quantidade muito pequena de alguma coisa.

MI.GRA.ÇÃO *s.f.* 1) Mudança ou passagem de indivíduos de um local para outro país ou região. 2) Viagem periódica de animais de uma região a outra.

MI.GRAR *v.t.i.* e *v.i.* 1) Sair de uma região ou de um país e estabelecer-se em outra(o). 2) *Zool.* Passar periodicamente de uma região ou clima a outro, para procurar alimentação ou para procriar.

MI.JAR *v.t.d.*, *v.i.* e *v.p.* 1) *pop.* Urinar. / *v.p.* 2) *pop.* Demonstrar medo; acovardar-se.

MIL *num.* 1) Novecentos mais cem. 2) Sem conta; inumerável. / *s.m.* 3) Representação gráfica desse número.

MI.LA.GRE *s.m.* 1) Fato atribuído a uma causa sobrenatural. 2) *Teol.* Algo difícil e insólito que ultrapassa o poder da natureza e a previsão dos espectadores. 3) Coisa admirável pela sua grandeza ou perfeição; maravilha.

MI.LE.NAR *adj.2gên.* Que tem mil anos ou mais.

MI.LÊ.NIO *s.m.* Período de mil anos.

MI.LÉ.SI.MO *num.* 1) Que ou o que, numa sequência, ocupa a posição número mil. 2) Que ou o que é mil vezes menor que o todo.

milha | minguar

MI.LHA *s.f.* Unidade inglesa de medida de distância terrestre.

MI.LHA.RAL *s.m.* Plantação de milho.

MI.LHO *s.m.* 1) *Bot.* Planta gramínea anual, oriunda da América do Sul. 2) Grão ou semente da mesma planta. 3) Qualquer quantidade de grãos dessa planta. 4) *pop.* Dinheiro.

MI.LÍ.CIA *s.f.* 1) Carreira, disciplina, vida militar. 2) A arte ou exercício da guerra. 3) Força militar de um país. 4) Qualquer organização de cidadãos armados.

MI.LI.GRA.MA *s.m.* Milésima parte do grama.

MI.LI.LI.TRO *s.m.* Milésima parte do litro.

MI.LÍ.ME.TRO *s.m.* Milésima parte do metro.

MI.LI.O.NÁ.RIO *adj.* e *s.m.* 1) Que ou quem possui milhões. / *s.m.* 2) Indivíduo muito rico.

MI.LI.O.NÉ.SI.MO *num.* e *s.m.* 1) Que, numa série numérica ou de coisas, é o número 1 milhão. 2) Cada uma de 1 milhão de partes iguais em que qualquer coisa foi dividida ou é divisível.

MI.LI.TAN.TE *adj.2gên.* 1) Que milita. 2) Que está em exercício. 3) *Teol.* Pertencente à milícia de Jesus Cristo. / *s.2gên.* 4) Aquele que trabalha ativamente por uma causa ➡ Os militantes da paz.

MI.LI.TAR *adj.2gên.* 1) Relativo à guerra, à milícia, às tropas. 2) Baseado na força ou nos costumes militares. 3) Determinado pelas leis de guerra. 4) Que pertence ao exército. 5) Próprio de quem segue a carreira das armas. / *s.m.* 6) Aquele que faz carreira nas Forças Armadas; soldado. / *v.i.* 7) Servir no exército. 8) Seguir qualquer carreira em que se defendem ideias ou doutrinas. 9) Professar uma doutrina ou seita. 10) Combater, lutar, fazer guerra. 11) Estar em oposição.

MI.LI.TA.RIS.MO *s.m.* 1) Predomínio dos militares no governo de uma nação. 2) A milícia.

MI.LI.TA.RI.ZAR *v.t.d.* 1) Dar feição militar a, organizar militarmente. / *v.p.* 2) Preparar-se militarmente.

MIM *pron. pess.* Variação do pronome pessoal *eu*, sempre regida de preposição ➡ a mim, para mim, por mim, sem mim, etc.

MI.MAR *v.t.d.* 1) Acariciar, amimar. 2) Tratar com excesso de atenção e carinho satisfazendo todas as vontades.

MI.ME.Ó.GRA.FO *s.m.* Aparelho de impressão, com o qual se reproduzem cópias de páginas escritas ou de desenhos.

MI.ME.SE *s.f.* 1) *Ret.* Figura em que o orador imita a voz ou o gesto de outrem. 2) *Lit.* Representação do real na arte literária. 3) *Med.* Simulação de doença.

MI.ME.TIS.MO *s.m.* 1) Capacidade que têm certos animais e plantas de adaptar-se à cor do ambiente ou de outros seres ou objetos, para passarem despercebidos de seus inimigos ou vítimas. 2) Mania de imitação. 3) Disfarce.

MÍ.MI.CA *s.f.* 1) Arte ou ato de exprimir o pensamento por meio de gestos, expressão fisionômica, etc. 2) Gesticulação.

MI.MO *s.m.* 1) Presente delicado. 2) Gesto ou expressão carinhosa com que se trata alguém. 3) Coisa encantadora pela beleza e harmonia das formas. 4) Delicadeza, primor.

MI.MO.SO (ô) *adj.* 1) Habituado a mimo ou meiguice. 2) Sensível. 3) Delicado. 4) Carinhoso, meigo, suave. 5) Fino, excelente. 6) Diz-se do fubá muito fino. / *s.m.* 7) Aquele que é favorecido ou feliz.

MI.NA *s.f.* 1) Cavidade ou veio natural na terra, de minérios, combustíveis ou água economicamente exploráveis. 2) Jazida de explosivos destinada a destruir o que está em cima. 3) Nascente de água. 4) *fig.* Fonte de informações. 5) *fig.* Fonte de riquezas, de grande lucro. 6) *gír.* Menina, garota.

MI.NAR *v.t.d.* 1) Cavar, abrir galerias subterrâneas. 2) Pôr, espalhar cargas explosivas em. 3) Desarraigar, solapar. 4) Fazer tremer o que estava firme; abalar. 5) Arruinar pouco a pouco; deteriorar. 6) Alastrar-se, propagar-se destruidoramente por baixo de. 7) Prejudicar ocultamente. 8) Afligir, atormentar.

MIN.DI.NHO *adj.* e *s.m.* 1) Diz-se do, ou o dedo mínimo. 2) *pop.* Minguinho.

MI.NEI.RO *adj.* 1) Referente a mina. 2) Relativo ao estado de Minas Gerais. / *s.m.* 3) Pessoa natural de Minas Gerais. 4) Aquele que trabalha em minas.

MI.NE.RA.ÇÃO *s.f.* 1) Exploração ou trabalho das minas. 2) Purificação do minério.

MI.NE.RAL *adj.2gên.* 1) Que se refere ou pertence aos minerais. 2) Relativo às águas que contêm minerais em dissolução. / *s.m.* 3) Elemento ou composto químico, homogêneo, resultante de processos inorgânicos da natureza.

MI.NE.RA.LO.GI.A *s.f.* Parte da História Natural que trata dos minerais.

MI.NE.RAR *v.t.d.* 1) Explorar minas. 2) Extrair de mina. / *v.i.* 3) Trabalhar na exploração de minas.

MI.NÉ.RIO *s.m.* 1) O mineral tal como se extrai da mina. 2) Qualquer substância metalífera.

MIN.GAU *s.m.* 1) Papas de farinha de trigo, milho, ou mandioca. 2) *fig.* Coisa muito aguada. 3) Lamaçal, lodo.

MÍN.GUA *s.f.* 1) Diminuição. 2) Perda, quebra. 3) Carência, escassez, falta do necessário. 4) Defeito.

MIN.GUAN.TE *adj.2gên.* 1) Que míngua, que decresce. 2) Diz-se de tudo que está declinante. / *s.m.* 3) Último quarto da Lua; quarto minguante; meia-lua. 4) *fig.* Decadência, diminuição, quebra.

MIN.GUAR *v.i.* 1) Decrescer, diminuir. 2) Tornar-se menos abundante. 3) Diz-se da Lua ao passar de cheia a nova. 4) Escassear, faltar. 5) Decair, declinar. / *v.t.d.* 6) Amesquinhar, apoucar, menoscabar.

MI.NHA *pron. poss.* Forma feminina de meu, 1ª pessoa do singular.

MI.NHO.CA *s.f.* 1) *Zool.* Verme anelídeo que vive subterraneamente em lugares úmidos. / *s.f. pl.* 2) *pop.* Crendices, superstições ➡ Você está com minhocas na cabeça.

MI.NI.A.TU.RA *s.f.* 1) Letra vermelha traçada com mínio e com a qual eram iniciados os capítulos dos antigos manuscritos. 2) Gênero de pintura em ponto pequeno. 3) Objeto de arte, de pequena dimensão. 4) *pop.* Pessoa de estatura pequena e graciosa.

MI.NI.DES.VA.LO.RI.ZA.ÇÃO *s.f. Econ.* Desvalorização muito pequena, mínima.

MI.NI.FÚN.DIO *s.m.* Propriedade agrícola de pequena extensão.

MÍ.NI.MA *s.f.* 1) Valor mais baixo observado num fenômeno determinado, durante um período dado. 2) *Mús.* Nota musical de valor igual à metade da semibreve.

MI.NI.MI.ZAR *v.t.d.* 1) Reduzir ao número, grau ou extensão menor possível. 2) Estimar, no menor possível, número ou proporção. 3) Depreciar.

MÍ.NI.MO *adj.* 1) Que é o menor; que está no grau mais baixo. / *s.m.* 2) A menor porção de uma coisa. 3) Religioso da ordem de São Francisco de Paula. 4) Dedo mínimo.

MI.NIS.SAI.A *s.f.* Saia de reduzida extensão, acima do joelho; míni.

MI.NIS.TÉ.RIO *s.m.* 1) O conjunto dos ministros que formam um gabinete governamental. 2) Parte da administração dos negócios do Estado atribuída a cada ministro. 3) Edifício e repartições em que funciona esse serviço público. 4) Cargo, função. 5) Ocupação, ofício, profissão manual.

MI.NIS.TRAR *v.t.d.* 1) Dar, fornecer. 2) Apresentar, servir. 3) Administrar, conferir. / *v.i.* 4) Servir ou atuar como ministro.

MI.NIS.TRO *s.m.* 1) Aquele que tem um cargo ou está incumbido de uma função. 2) Chefe da legação de um país. 3) Graduação correspondente a esse cargo. 4) Auxiliar. 5) Medianeiro. 6) *Ecles.* Diácono e subdiácono. 7) Clérigo protestante, pastor. 8) Nome dado aos juízes da Corte Suprema, do Supremo Tribunal Militar, do Tribunal de Contas, etc. 9) *Ornit.* Pássaro da família dos Fringilídeos.

MI.NO.RAR *v.t.d.* 1) Tornar menor, diminuir. 2) Abrandar, suavizar, aliviar.

MI.NO.RI.A *s.f.* 1) Inferioridade numérica; desvantagem. 2) Grupo de pessoas diferente da maioria da sociedade e que acaba sofrendo discriminação e preconceito.

MI.NO.RI.TÁ.RIO *adj.* 1) Referente à minoria. 2) Diz-se do partido que obtém a minoria dos votos.

MI.NU.A.NO *s.m.* 1) Vento muito forte e seco do sudoeste, que se manifesta no Sul do Brasil, no inverno, em geral num período de três dias. / *adj.* 2) Relativo aos minuanos, antiga tribo indígena do Rio Grande do Sul.

MI.NÚ.CIA *s.f.* Detalhe, pormenor.

MI.NU.CI.O.SO (ô) *adj.* 1) Que se ocupa com minúcias. 2) Narrado com todos os pormenores; circunstanciado. 3) Feito com todo o escrúpulo e atenção. 4) Detalhe.

MI.NU.EN.DO *s.m. Arit.* Diminuendo.

MI.NU.E.TO (ê) *s.m.* 1) Dança francesa, de compasso ternário, originária do Poitou. 2) Música que acompanhava essa dança.

MI.NÚS.CU.LO *adj.* 1) Muito pequeno. 2) *fig.* De pouco valor, insignificante. 3) Diz-se das letras pequenas.

MI.NU.TA *s.f.* 1) Primeira redação escrita de um documento oficial; rascunho. 2) Desenho traçado geometricamente à vista do terreno, no levantamento de uma planta. 3) Nos restaurantes, prato preparado no momento, no minuto.

MI.NU.TO *adj.* 1) Diminuto, muito pequeno. / *s.m.* 2) Sexagésima parte da hora. 3) Centésima parte do grau ou da hora, no sistema centígrado. 4) *Geom.* Sexagésima parte do grau. 5) Curto lapso de tempo; instante, momento.

MI.O.LO (ô) *s.m.* 1) Parte do pão que fica entre as côdeas. 2) Parte interior de certos frutos de casca rija ou espessa. 3) Medula. 4) Cérebro, massa encefálica. 5) *fig.* Juízo, razão. 6) Parte interior.

MI.O.MA *s.m. Med.* Tumor constituído, principalmente, por tecido muscular.

MI.O.PI.A *s.f.* 1) *Med.* Anormalidade visual que só permite ver os objetos à pequena distância do olho; vista curta. 2) *fig.* Falta de inteligência.

MI.RA *s.f.* 1) Ato de mirar; pontaria. 2) Peça que, em alguns instrumentos e armas de fogo, serve para dirigir a vista nas pontarias. 3) Intenção, interesse, intuito.

MI.RA.BO.LAN.TE *adj.2gên.* Que dá muito na vista; espalhafatoso.

MI.RA.CU.LO.SO (ô) *adj.* Milagroso, maravilhoso.

MI.RA.GEM *s.f.* 1) Efeito da refração que, nos desertos arenosos, faz com que se veja, na atmosfera, a imagem invertida de objetos muito distantes. 2) Engano dos sentidos, ilusão.

MI.RAN.TE *s.m.* 1) Ponto superior de um edifício de onde pode se avistar largo horizonte. 2) Construção no pico de um morro para observação meteorológica. / *s.m. pl.* 3) *pop.* Os olhos.

MI.RAR *v.t.d.* 1) Encarar. 2) Espreitar, observar. 3) Estudar, observar atentamente. / *v.p.* 4) Contemplar-se; ver-se num espelho; refletir-se.

MI.RIM *adj.2gên.* 1) Pequeno. 2) Que ainda é criança. 3) Que diz respeito a criança.

MIR.RAR *v.t.d.* e *v.i.* 1) *Por ext.* Tornar(-se) seco ou murcho; ressecar. 2) Ficar ou tornar fraco, magro, abatido, sem energia; definhar. / *v.i.* 3) Sentir-se humilhado.

MIS.CI.GE.NA.ÇÃO *s.f.* União ou casamento de indivíduos de etnias diferentes.

MI.SE.RÁ.VEL *adj.2gên.* 1) Extremamente pobre; paupérrimo. 2) De pouco valor; insignificante. / *adj.2gên.* e *s.2gên.* 3) Que ou quem é digno de compaixão, de piedade; desgraçado, infeliz. 4) *Por ext.* Avarento, sovina, mesquinho. 5) *pej.* Desprezível, torpe, canalha.

MI.SÉ.RIA *s.f.* 1) Estado de miserável. 2) Falta de recursos, pobreza extrema. 3) Estado indigno, vergonhoso, que inspira dó. 4) Diz-se de procedimentos vis.

MI.SE.RI.CÓR.DIA *s.f.* 1) Pena; comiseração. 2) Graça ou perdão.

MÍ.SE.RO *adj.* 1) Que está na miséria; desgraçado; infeliz. 2) Miserável.

MIS.SA *s.f.* 1) *Ecles.* Cerimônia eucarística por meio da qual a Igreja Católica celebra o sacrifício de Jesus Cristo pela humanidade. 2) Música composta para uma missa de festa.

MIS.SAL *s.m.* 1) Livro no qual estão contidas as missas que os sacerdotes celebram durante o ano. 2) Variedade de caracteres tipográficos.

MIS.SÃO *s.f.* 1) Ato de mandar. 2) Encargo, incumbência. 3) Comissão diplomática.

MÍS.SIL *adj.2gên.* 1) Que serve para ser arremessado; missivo. / *s.m.* 2) *Astronáut.* Objeto arremessado ao espaço. 3) Arma com propulsão própria.

MIS.SI.O.NÁ.RIO *s.m.* 1) Aquele que é pregador de missões. 2) Propagandista de uma ideia. / *adj.* 3) Relativo ou pertencente a missões.

MIS.SI.O.NEI.RO *adj.* 1) Relativo às antigas missões jesuíticas. / *s.m.* 2) Habitante, indígena ou natural das regiões onde se estabeleceram as antigas missões jesuíticas.

MIS.TER (é) *s.m.* 1) Emprego, ocupação. 2) Serviço, trabalho. 3) Necessidade. 4) O que é forçoso.

MIS.TÉ.RIO *s.m.* 1) Segredo religioso. 2) Cada uma das verdades da religião cristã, impostas como artigo de fé, mas inexplicáveis à razão humana. 3) Tudo aquilo que a razão não pode compreender. 4) Coisa oculta.

MIS.TE.RI.O.SO (ô) *adj.* 1) Desconhecido, enigmático, inexplicável. 2) Falta de clareza, obscuridade. / *s.m.* 3) O que encerra mistério. 4) Indivíduo enigmático.

MIS.TI.CIS.MO *s.m.* 1) *Filos.* Crença religiosa ou filosófica dos místicos, segundo a qual os homens e a divindade mantêm comunicações ocultas. 2) Tendência para crer no sobrenatural. 3) Devoção religiosa; mística.

MÍS.TI.CO *adj.* 1) Relativo a misticismo. 2) Diz-se de quem crê e se dedica a uma doutrina religiosa; devoto. 3) Que não se dá segundo as leis naturais ou físicas; espiritual, sobrenatural. 4) Próprio do ambiente religioso; espiritual. / *adj.* e *s.m.* 5) Que ou quem crê no sobrenatural e na interferência

deste na sua vida. 6) Que ou quem tem o lado espiritual muito desenvolvido.

MIS.TI.FI.CAR *v.t.d.* Induzir alguém a acreditar em mentira ou algo falso; enganar, iludir.

MIS.TO *adj.* 1) Que resulta da mistura de elementos de natureza diversa. 2) Que consta de parte inteira e parte fracionária. 3) Nome dado ao trem que transporta passageiros e mercadorias. 4) Diz-se do colégio que tem matriculados alunos e alunas. / *s.m.* 5) Conjunto, mistura, composto. 6) *Esp.* Equipe composta de atletas profissionais e amadores.

MIS.TU.RA *s.f.* 1) Ato ou efeito de misturar; composto de coisas misturadas. 2) Conjunto de pessoas de camadas sociais distintas. 3) Mescla ou adição de substância estranha. 4) *Fís.* e *Quím.* União em proporções indefinidas, e sem combinação química, de corpos que conservam as suas propriedades específicas. 5) Cruzamento de seres, raças e espécies diferentes. 6) Peixe miúdo e sem classificação para o comércio. 7) *pop.* Diz-se do alimento que faz parte da refeição principal, exceto arroz e feijão.

MIS.TU.RAR *v.t.d.i.* e *v.p.* 1) Juntar(-se) coisas diferentes; mesclar(-se), adicionar(-se). 2) Confundir(-se); baralhar(-se). / *v.t.d.* 3) Mexer para incorporar bem os ingredientes.

MÍ.TI.CO *adj.* 1) Relativo a mito. 2) Fantástico, fabuloso, mitológico.

MI.TI.FI.CAR *v.t.d.* 1) Transformar em mito. 2) *fig.* Exaltar exageradamente uma característica de algo ou alguém.

MI.TI.GAR *v.t.d.* e *v.p.* Tornar(-se) algo (dor, sofrimento, etc.) mais suave; aplacar(-se), atenuar (-se).

MI.TO *s.m.* 1) Narrativa fantástica sobre divindades, heróis ou elementos da natureza. 2) Pessoa cujas qualidades e ações são aumentadas e enaltecidas. 3) *fig.* Ideia fantasiosa que não condiz com a realidade.

MI.TO.LO.GI.A *s.f.* 1) Conjunto de mitos de determinado povo. 2) Estudo dos mitos.

MI.TO.SE *s.f. Biol.* Reprodução celular indireta pela diferenciação dos cromossomos e sua distribuição em duas partes iguais; cariocinese.

MI.Ú.DO *adj.* 1) De dimensões pequenas; diminuto. 2) Amiudado, frequente. 3) Delicado. 4) Dinheiro em moedas de pouco valor. / *s.m.* 5) *pop.* Menino. / *s.m. pl.* 6) Vísceras das reses, aves e outros animais ➡ miúdos.

MI.XA.GEM (cs) *s.f.* No cinema, operação que consiste em mesclar, numa só faixa sonora, os sons de várias outras faixas de diálogos, música e ruídos.

MI.XA.RI.A *s.f.* 1) Coisa de pouco valor; insignificância. 2) *gír.* Mixuruquice; mixo.

MI.XE ou **MI.XU.RU.CA** *adj.2gên.* 1) Insignificante; de pouco valor; pequeno. 2) Diz-se do que é de má qualidade.

MI.XÓR.DIA *s.f.* 1) Mistura confusa de coisas; bagunça, confusão. 2) Situação ou fato atrapalhado; desentendimento.

MNE.MÔ.NI.CO *adj.* 1) Relativo à memória. 2) Que ajuda a memória. 3) Que pode ser facilmente gravado na memória.

MÓ.BIL *adj.2gên.* 1) Móvel, movediço. 2) Que se caracteriza por extrema fluidez, como o mercúrio. / *s.m.* 3) O que motiva alguém a uma atitude. 4) Causa, razão, motivação.

MO.BI.LHAR ou **MO.BI.LI.AR** *v.t.d.* Guarnecer com mobília; fornecer móveis para.

MO.BÍ.LIA *s.f.* Conjunto dos móveis que adornam ou guarnecem um recinto; mobiliário.

MO.BI.LI.Á.RIA *s.f.* Estabelecimento que vende ou fabrica móveis.

MO.BI.LI.Á.RIO *adj.* 1) Referente à mobília ou a bens móveis. 2) Que tem a natureza de bens móveis. 3) Que trata de bens móveis. 4) Diz-se do herdeiro que apenas herda bens móveis. / *s.m.* 5) Mobília.

MO.BI.LI.DA.DE *s.f.* 1) Propriedade daquilo que é móvel ou obedece às leis do movimento. 2) *Sociol.* Deslocamento de indivíduos, grupos ou elementos culturais no espaço social. 3) Movimento comunicado por uma força qualquer. 4) Falta de estabilidade; inconstância.

MO.BI.LI.ZAR *v.t.d.* 1) Dar movimento a; pôr em movimento. 2) *Mil.* Fazer tropas passarem do estado de paz para o de guerra. 3) Pôr capitais ou fundos em circulação.

MO.ÇA (ô) *s.f.* 1) Feminino de moço. 2) Mulher ainda jovem. 3) *pop.* Mulher virgem. 4) *pop.* Mocinha.

MO.ÇAM.BI.CA.NO *adj.* 1) Referente a Moçambique (África). / *s.m.* 2) Pessoa natural ou habitante de Moçambique.

MO.CAM.BO *s.m.* 1) Esconderijo no qual os escravizados se refugiavam quando fugiam para o mato a fim de escapar de seus senhores. 2) Cabana no mato. 3) Cerrado ou moita para esconder o gado nos sertões. 4) Abrigo de quem vigia a lavoura.

MO.CHI.LA *s.f.* 1) Certo tipo de saco no qual os soldados transportam os artigos de vestuário, em viagem. 2) Saco próprio para viagem. 3) Mala usada pelos escolares. 4) *pop.* Bornal.

MO.CI.DA.DE *s.f.* 1) Estado ou idade de moço; juventude. 2) O frescor e o verdor próprio das pessoas novas. 3) Os moços, adolescência.

MO.CI.NHA *s.f.* 1) *pop.* Modo como a menina que tem a primeira menstruação é chamada; moça. 2) Moça muito jovem, moçoila. 3) Nome dado às heroínas em filmes de aventuras, faroeste, principalmente.

MO.CI.NHO *s.m.* Herói de filmes de aventura (na linguagem das crianças).

MO.ÇO (ô) *adj.* 1) Novo em idade; jovem. 2) Que ainda não parece velho. 3) Imprudente, inexperiente. / *s.m.* 4) Mancebo, rapaz.

MO.CO.TÓ *s.m.* Pata de boi sem o casco, usada na alimentação.

MO.DA *s.f.* 1) Uso corrente. 2) Forma atual do vestuário. 3) Cantiga, modinha. 4) *Estat.* O valor mais frequente numa série de observações.

MO.DA.LI.DA.DE *s.f.* Forma particular de alguma coisa; traço distintivo, tipo, modo.

MO.DE.LAR *v.t.d.* 1) Fazer o modelo ou molde de. 2) Dar forma ou contorno a; moldar, contornar. / *v.t.d.i.* e *v.p.* 3) *fig.* Estabelecer como exemplo, orientação ou modelo; moldar(-se). / *adj.2gên.* 4) Que serve como modelo; exemplar.

MO.DE.LO (ê) *s.m.* 1) Desenho ou imagem que representa o que se pretende reproduzir. 2) Aquilo que serve para ser imitado. 3) Representação de um objeto em escala menor. 4) Pessoa exemplar, que merece ser imitada. 5) Empregada de casa de modas que põe os vestidos para exibi-los à clientela.

MO.DE.RA.ÇÃO *s.f.* 1) Ato ou efeito de moderar (-se). 2) Afastamento de qualquer excesso; comedimento.

MO.DE.RA.DOR (ô) *adj.* 1) Que modera ou pode moderar. 2) Que dirige, governa, ou rege com prudência. 3) Que modifica, abranda ou atenua. / *s.m.* 4) Aquele que modera. 5) *Fís.* Substância usada para diminuir a velocidade dos nêutrons em um reator atômico.

MO.DE.RAR *v.t.d.* 1) Diminuir, tornar menos intenso. 2) Conter. 3) Regular, regrar. 4) Dirigir, reger. 5) Pôr no meio termo, entre os extremos. / *v.p.* 6) Evitar exageros ou excessos; tornar-se comedido, prudente.

MO.DER.NI.DA.DE *s.f.* Qualidade ou estado do que é moderno.

MO.DER.NIS.MO *s.m.* 1) Preferência por tudo aquilo que é moderno. 2) Movimento surgido no seio das religiões cristãs, cujo intuito era aplicar na exegese bíblica a crítica histórica, científica e filosófica. 3) Denominação genérica de vários movimentos literários e artísticos do fim do século XIX e início do século XX ➡ Cubismo, Futurismo, Dadaísmo, Expressionismo, Surrealismo, etc. 4) Movimento artístico cujo objetivo era libertar-se da influência estrangeira.

MO.DER.NI.ZAR *v.t.d.* e *v.p.* Tornar(-se) moderno; dar ou adquirir aspecto moderno; atualizar(-se).

MO.DER.NO *adj.* 1) Recente. 2) Dos nossos dias; atual; presente. 3) Que está em moda. 4) Existente há pouco tempo. / *s.m.* 5) Tudo o que é moderno. / *s.m. pl.* 6) Os que vivem na época atual ➡ Os modernos.

MO.DÉS.TIA *s.f.* 1) Sem vaidade ou luxo. 2) Humildade, simplicidade na maneira de ser. 3) Desambição. 4) Moderação, sobriedade.

MO.DES.TO *adj.* 1) Que revela modéstia. 2) Que pensa ou fala de si sem orgulho. 3) Comedido, modificar · molestar

moderado. 4) Despretensioso. 5) Grave, pudico. 6) Quieto, tranquilo, sóbrio.

MO.DI.FI.CAR *v.t.d.* 1) Mudar a forma ou a qualidade de. 2) Alterar, mudar, transformar. 3) Corrigir, emendar. / *v.p.* 4) Sofrer modificação; alterar-se; moderar-se. 5) Refrear-se. 6) *Biol.* Sofrer, experimentar modificações.

MO.DIS.MO *s.m.* 1) Maneira de falar exclusiva de uma língua, admitida pelo uso, não necessariamente de acordo com as regras gramaticais. 2) Idiotismo de linguagem.

MO.DO *s.m.* 1) Maneira de ser ou de manifestar uma coisa. 2) Forma particular de fazer as coisas, ou de falar. 3) Forma, método. 4) Disposição de espírito das pessoas. 5) Jeito, habilidade. 6) *Gram.* As diversas variações do verbo para exprimir as diferentes maneiras da ação, do estado, da qualidade, etc. ➡ Indicativo, Subjuntivo, Imperativo.

MÓ.DU.LO *adj.* 1) Que tem harmonia, melodioso. / *s.m.* 2) *Arquit.* Medida usada para as proporções nos corpos arquitetônicos. 3) Relação entre magnitudes matemáticas ou técnicas. 4) Modulação. 5) *Agr.* Quantidade de água, em litros por segundo, utilizada na irrigação. 6) *Mat.* Valor absoluto.

MO.E.DA *s.f.* 1) Peça de metal, cunhada por autoridade soberana, que representa o valor dos objetos que por ela se trocam; dinheiro. 2) Tudo a que moral ou intelectualmente se liga algum valor.

MO.E.DOR (ô) *adj.* 1) Que mói. 2) Importuno, maçante. / *s.m.* 3) Aquele que mói. 4) Aparelho de moer ou triturar.

MO.E.DU.RA *s.f.* 1) Ato ou efeito de moer; moagem. 2) Quantidade de grãos moídos de uma vez.

MO.E.LA *s.f.* Segundo estômago das aves que apresenta paredes musculares grossas e rígidas.

MO.ER *v.t.d.* 1) Triturar, reduzir a pó. 2) Extrair, por meio de prensa, o suco de. 3) Mastigar, ruminar. 4) Repassar muitas vezes no espírito (ideia, pensamento). 5) Derrear, sovar. 6) Importunar, maçar. / *v.p.* 7) Cansar-se, fatigar-se. 8) Afligir-se, atormentar-se.

MO.FAR *v.t.d.* 1) Encher ou revestir de mofo. / *v.i.* 2) Criar mofo. 3) *gír.* Ficar esperando sem ter solução. / *v.t.i.* e *v.i.* 4) Fazer mofa; motejar, zombar.

MO.FI.NO *adj.* 1) Desditoso, infeliz. 2) Acanhado. 3) Turbulento, agitado. 4) Importuno, covarde. 5) Adoentado, indisposto. / *s.m.* 6) *pop.* O diabo.

MO.FO (ô) *s.m.* 1) Bolor. 2) Bafio. 3) Resíduos encontrados em lugares abafados e sem ventilação.

MO.Í.DO *adj.* 1) Tudo aquilo que se moeu; triturado. 2) Cansado, fatigado. 3) Importunado, aborrecido. 4) Reduzido a pó.

MO.I.NHA *s.f.* 1) Estilha da palha que fica depois da debulha dos cereais. 2) Pó a que se reduz qualquer coisa seca ou triturada.

MO.I.NHO *s.m.* 1) Máquina apropriada para moer grãos ou triturar substâncias. 2) Local onde se encontra instalado esse engenho ou máquina.

3) *pop.* Diz-se da pessoa que come bastante e depressa.

MOI.TA *s.f.* Quantidade espessa de plantas arborescentes e de pouca altura.

MOL *s.m.* Molécula-grama.

MO.LA *s.f.* 1) Peça metálica e elástica destinada a imprimir movimento ou dar resistência para que se possa utilizar a força de sua extensão. 2) Tudo o que pode se movimentar. 3) Incitamento, impulso.

MO.LAR *adj.2gên.* 1) Que tem casca pouco dura, fácil de partir. 2) Próprio para moer ou triturar. 3) *Fís.* e *Quím.* Pertencente a uma massa de matéria, separando as moléculas e os átomos das suas funções. 4) Relativo a ou que contém um mol ou moléculas. / *s.m.* 5) Redução de dente molar, dente de coroa adaptado à trituração e que se localiza depois dos caninos.

MOL.DAR *v.t.d.* 1) Ajustar ou formar o molde. 2) Vazar no molde o metal derretido; fundir. 3) Criar ou produzir; atribuir um formato, adquirir um feitio. / *v.p.* 4) Adaptar-se, conformar-se. 5) Dirigir-se, seguir o exemplo.

MOL.DE *s.m.* 1) Forma oca que atribui um formato para a matéria que é colocada dentro. 2) Modelo, exemplar. 3) *Tip.* Norma ou caixa de matriz para fundição de tipos.

MOL.DU.RA *s.f.* 1) Decoração, ornato saliente para acentuar partes de uma obra. 2) Caixilho de madeira ou de outra substância onde são colocados quadros, espelhos, etc.

MO.LE *adj.2gên.* 1) Que cede à pressão, não resiste à compressão facilmente. 2) *pop.* Indolente, preguiçoso, molenga. 3) De fácil obtenção ou fabricação. 4) *Pint.* Frouxo, sem expressão. / *s.f.* 5) Grande massa ou volume. 6) Construção gigantesca. 7) Multidão compacta.

MO.LE.CAR *v.i.* Ter ações ou atitudes de moleque.

MO.LÉ.CU.LA *s.f.* *Fís.* e *Quím.* A menor parte de um todo capaz de existência independente sem perder suas propriedades químicas.

MO.LEI.RA *s.f.* 1) *Fam.* Fontanela ou parte membranosa do crânio das crianças antes da sua completa ossificação. 2) Estrutura craniana, cérebro. 3) *Fam.* Juízo. 4) *pop.* Indolência. 5) Dona de moinho. 6) Mulher do moleiro.

MO.LEI.RO *s.m.* 1) Dono de moinho. 2) Quem trabalha em moagem.

MO.LEN.GA *adj.2gên.* 1) Característica de uma pessoa muito mole, preguiçosa. 2) Pessoa acanhada, apática.

MO.LE.QUE *s.m.* 1) Menino travesso. 2) Pessoa sem palavra, canalha. 3) Menino de pouca idade. 4) *Ictiol.* Peixe silurídeo; surubim. / *adj.* 5) Divertido, engraçado.

MO.LES.TAR *v.t.d.* 1) Afetar ou atacar por moléstia. 2) Magoar, maltratar, oprimir, ofender. 3) Originar dano ou prejuízo a. 4) Privar do sosmoléstia / monótono

sego, incomodar, importunar. 5) Causar desgosto ou pena a.

MO.LÉS.TIA *s.f.* 1) Doença, enfermidade. 2) Incômodo, inquietação; mal-estar. 3) *pop.* Hidrofobia, lepra, câncer ou outra doença grave.

MO.LE.ZA (ê) *s.f.* 1) Característica de mole. 2) Desânimo, falta de força. 3) Caráter infiel. 4) Exagerada misericórdia. 5) *pop.* Trabalho ou ato que não exige esforço.

MO.LHA.DE.LA *s.f.* 1) Prática ou efeito de molhar. 2) Chuva repentina.

MO.LHA.DO *adj.* 1) Umedecido com líquido. 2) *pop.* Embriagado, bêbado. / *s.m. pl.* 3) Vinho, azeite e outros líquidos que são comercializados nos armazéns.

MO.LHA.MEN.TO *s.m.* 1) Operação ou efeito de molhar. 2) Prática ou efeito de mergulhar.

MO.LHAR *v.t.d.* 1) Embeber com líquido. 2) Banhar, cobrir com líquido ou colocar sobre si este líquido. / *v.p.* 3) *pop.* Encher-se de lágrimas. 4) *pop.* Babar-se ou urinar-se.

MO.LHE *s.m.* Paredão espesso construído nos portos de mar em forma de cais para quebrar o ímpeto do mar e servir de abrigo a navios.

MO.LHEI.RA *s.f.* Vaso para servir molhos.

MO.LUS.CO *s.m.* 1) Animal invertebrado, sem articulações, de corpo mole e geralmente envolvido em conchas. 2) *pop.* Ser ou coisa mole. 3) *Zool.* Ramo ou filo constituído por moluscos.

MO.MEN.TÂ.NEO *adj.* 1) Que possui um momento de duração instantâneo, muito breve. 2) Transitório, passageiro.

MO.MEN.TO *s.m.* 1) Espaço em que o tempo se encontra dividido. 2) Curto espaço de tempo.

MO.MEN.TO.SO (ô) *adj.* 1) Grave ou muito importante no momento. 2) Considerável, esplêndido.

MO.MI.CE *s.f.* 1) Careta, gesto ridículo. 2) Disfarce, aparência. 3) Hipocrisia, fingimento. 4) Trejeito.

MO.MO *s.m.* 1) Momice. 2) Representação mímica. 3) Farsa satírica ou o atar dessa farsa. 4) Escárnio, chacota. 5) Rei do carnaval.

MO.NA.QUIS.MO *s.m.* 1) Modo de vida monástico, solitário. 2) Estado de monge, vida monástica. 3) O que constitui a maneira de ser dos monges.

MO.NAR.CA *s.m.* 1) Soberano de uma monarquia. 2) Que(m) domina em certa área ou gênero. 3) Gaúcho que monta bem a cavalo. / *adj.2gên.* 4) Muito grande. 5) Vaidoso; orgulhoso.

MO.NAR.QUI.A *s.f. Polít.* 1) Forma de governo na qual o poder é exercido pelo monarca. 2) *Por ext.* Estado que possui essa forma de governo.

MO.NAS.TÉ.RIO *s.m. Arquit.* Mosteiro.

MO.NÁS.TI.CO *adj.* Que se refere a monge ou monjas; monacal.

MON.ÇÃO *s.f.* Época ou condição climática favorável à navegação.

MO.NE.TÁ.RIO *adj.* 1) Respectivo à moeda. / *s.m.* 2) Coleção de moedas. 3) Livro que traz gravuras de moedas.

MON.GE *s.m.* 1) Religioso de mosteiro, anacoreta. 2) *pop.* Homem pouco sociável; misantropo.

MON.GOL *adj.2gên.* 1) Atinente à Mongólia (África). / *s.2gên.* 2) Habitante ou natural da Mongólia; mongólico. 3) Dialetos do grupo altaico.

MON.GO.LIS.MO *s.m. Med.* O mesmo que síndrome de Down. 2) Religião dos mongóis.

MO.NI.TOR (ô) *s.m.* 1) Quem admoesta, adverte ou dirige. 2) Responsável destinado a dirigir o estudo de uma classe de alunos em uma escola. 3) Navio de guerra. 4) Aparelho comum de televisão instalado em qualquer ponto da estação emissora. 5) *Inform.* Dispositivo de visualização com tela, associado a um microcomputador.

MO.NO *s.m.* 1) Macaco, bugio. 2) *fig.* Pessoa feia, inútil. 3) *fig.* Pessoa triste. 4) *pop.* Logro, engano, fraude.

MO.NO.CI.CLO *s.m.* Veículo de uma roda usado por acrobatas.

MO.NO.CRO.MÁ.TI.CO *adj.* De uma só cor.

MO.NO.GA.MI.A *s.f.* Instituição conjugal que permite que o homem tenha somente uma esposa e vice-versa.

MO.NO.GÂ.MI.CO *adj.* Concernente à monogamia.

MO.NÓ.GA.MO *adj.* 1) Marido que tem só uma esposa. 2) Animal que se acasala com uma só fêmea. 3) *Bot.* Planta cujas flores têm o mesmo sexo. 4) *Quím.* Corpos com combinações de um só equivalente dos corpos que se unem.

MO.NO.GRA.FI.A *s.f.* Trabalho escrito, sobre um ponto ou aspecto de um determinado assunto ou ciência.

MO.NO.GRA.MA *s.m.* Desenho feito do entrelaçamento das letras iniciais do nome de uma pessoa ou de uma entidade.

MO.NÓ.LO.GO *s.m.* 1) Discurso de uma pessoa que fala consigo mesma. 2) Peça teatral ou cena constituída de uma fala e um só ator.

MO.NÔ.MIO *s.m. Mat.* Quantidade algébrica em que não há interposição de sinais.

MO.NO.PÓ.LIO *s.m.* 1) Domínio completo do mercado; posse exclusiva. 2) Privilégio dado pelo governo a alguém para explorar uma indústria ou vender algum gênero especial. 3) Açambarque.

MO.NO.PO.LIS.TA *s.2gên.* Diz-se daquele ou daquela que possui monopólio ou monopoliza.

MO.NO.PO.LI.ZA.ÇÃO *s.f.* Prática ou efeito de monopolizar.

MO.NO.PO.LI.ZAR *v.t.d.* 1) Realizar monopólio; abarcar, açambarcar. 2) Explorar abusivamente. 3) Possuir exclusivamente para si.

MO.NO.TE.ÍS.MO *s.m.* Doutrina que aceita um só deus.

MO.NO.TE.ÍS.TA *adj.2gên.* 1) Referente ao monoteísmo. 2) Diz-se de quem adora um só deus. / *s.2gên.* 3) Adepto do monoteísmo.

MO.NÓ.TO.NO *adj.* 1) Onde existe monotonia. 2) Que está sempre no mesmo tom, sem va-

monovalente

riação. 3) Uniforme em excesso. 4) Enfadonho, sensabor.

MO.NO.VA.LEN.TE *adj.2gên. Quím.* Que é univalente.

MO.NÓ.XI.DO (cs) *s.m. Quím.* Óxido que contém um átomo de oxigênio na molécula.

MONS.TREN.GO ou **MOS.TREN.GO** *s.m.* 1) Monstro. 2) *Por ext.* Coisa malfeita, desproporcional, anormal. 3) Pessoa deformada, muito feia. 4) Pessoa que anda sem rumo; indivíduo errante.

MONS.TRO *s.m.* 1) Qualquer ser ou coisa contrária à natureza; deformidade, anomalia. 2) Ser mitológico de conformação extravagante. 3) Pessoa cruel, desumana, perversa. 4) Quem é muito feio, horroroso. 5) Portento, prodígio, assombro.

MONS.TRU.O.SI.DA.DE *s.f.* 1) Característica de monstruoso, monstro. 2) Coisa descomunal, extraordinária, abominável.

MONS.TRU.O.SO (ô) *adj.* 1) Natureza ou condição de monstro. 2) Contrário à ordem regular da natureza. 3) De grandeza extraordinária. 4) Que excede. 5) Muito feio, repulsivo.

MON.TA *s.f.* 1) Soma total de uma conta. 2) Estimação, custo, preço ou valor.

MON.TA.DO *adj.* 1) Posto sobre a cavalgadura. 2) Colocado à moda de cavaleiro. 3) Provido do necessário.

MON.TA.GEM *s.f.* 1) Prática ou efeito de montar. 2) Operação de dispor todas as partes de um conjunto. 3) Em cinematografia, operação técnico-estética. 4) Finalização de um filme ou peça teatral.

MON.TA.NHA *s.f.* 1) Monte elevado, amplo e extenso. 2) Série de montes. 3) Grande altura ou elevação de alguma coisa. 4) Grande volume.

MON.TA.NHÊS *adj.* e *s.m.* 1) Referente ou pertencente à montanha, montanhoso. 2) Que vive ou habita nas montanhas.

MON.TA.NHO.SO (ô) *adj.* 1) Lugar em que existem muitas montanhas. 2) Volumoso, extenso, amplo.

MON.TAN.TE *adj.2gên.* 1) Aquilo que se eleva. / *s.m.* 2) Grande espada antiga manejada com ambas as mãos. 3) Importe, soma.

MON.TAR *v.t.d., v.i.* e *v.p.* 1) Colocar(-se) sobre uma cavalgadura; cavalgar. / *v.t.d.* 2) Dispor, preparar, pôr em cena. 3) Abrir, organizar. 4) Prover do necessário, avaliar, estimar, orçar.

MON.TA.RI.A *s.f.* 1) Fornecimento de cavalos para o exército, cavalgadura. 2) Canoa provida de um só madeiro.

MON.TE *s.m.* 1) Elevação de um terreno acima do solo, com declives bastante sensíveis. 2) Terra alta com arvoredos e sem cultura. 3) Quantidade de coisas ou grandeza de volume em forma de monte.

MO.NU.MEN.TAL *adj.2gên.* 1) Referente a monumento. 2) Grandioso, enorme. 3) Extraordinário, magnífico.

mordidela

MO.NU.MEN.TO *s.m.* 1) Obra de arte realizada em honra de alguém. 2) Mausoléu. 3) Obra ou material digno de passar à posteridade. 4) Lembrança, recordação.

MO.RA.DA *s.f.* 1) Lugar onde se mora, domicílio, residência. 2) Lugar onde habita determinada coisa. 3) Estada, permanência.

MO.RA.DI.A *s.f.* 1) Morada, *habitat*. 2) Pensão que se dava aos fidalgos.

MO.RA.DOR (ô) *adj.* 1) Que mora. / *s.m.* 2) Quem mora, habitante, vizinho, inquilino. 3) Serviçal residente em propriedade rural.

MO.RAL *adj.2gên.* 1) Coerente à moralidade, aos bons costumes. 2) Procedente a honestidade e à justiça. 3) Diz-se do que é decente, educativo e instrutivo. / *s.f.* 4) *Filos.* Parte da filosofia que trata dos atos humanos, dos bons costumes e dos deveres do homem em sociedade.

MO.RA.LIS.MO *s.m.* 1) Sistema filosófico que estuda a moral. 2) Tendência para omitir o elemento religioso na moral.

MO.RA.LIS.TA *adj.2gên.* e *s.2gên.* 1) Que(m) escreve sobre moral. 2) Que(m) indica preceitos morais.

MO.RAN.GO *s.m.* Fruto do morangueiro; morangueiro.

MO.RAR *v.t.i.* 1) Habitar, residir, viver, existir, permanecer. 2) Achar-se, encontrar-se. / *v.t.d.* 3) Possuir residência em; habitar.

MO.RA.TÓ.RIA *s.f.* Prorrogação de prazo para o pagamento de uma dívida que o credor estabelece ao devedor.

MO.RA.TÓ.RIO *adj.* Que envolve prorrogação ou dilação para pagamento de uma dívida.

MÓR.BI.DO *adj.* 1) Referente à doença. 2) Doente, enfermo. 3) Que causa ou é causado por doença; doentio. 4) Entorpecente.

MOR.CE.GO (ê) *s.m. Zool.* Mamífero voador de hábitos noturnos, da ordem dos Quirópteros, que se alimenta de insetos e se locomove por meio da percepção das ondas sonoras que emite, quando as recebe de volta.

MOR.DA.ÇA *s.f.* 1) Pedaço de pano, fita, etc. usado para tapar a boca de alguém para impedi-lo de falar ou gritar. 2) Focinheira.

MOR.DAZ *adj.2gên.* 1) Cruelmente irônico; sarcástico. 2) Picante; amargo.

MOR.DE.DU.RA *s.f.* Ato ou efeito de morder, dentada.

MOR.DER *v.t.d.* 1) Ferir(-se) com os dentes. 2) *fig.* Afligir, atormentar, torturar. 3) Ferir ou picar com outros órgãos (diz-se dos insetos). / *v.i.* 4) *pop.* Pedir dinheiro emprestado, por hábito.

MOR.DI.CAR *v.t.d.* 1) Morder leve e repetidamente. 2) Picar, estimular; mordiscar.

MOR.DI.DA *s.f.* 1) Mordedura. 2) *pop.* Quantidade de alimento que é tirado numa dentada.

MOR.DI.DE.LA *s.f.* Mordedura.

MOR.DIS.CAR *v.t.d.* Mordicar.

MOR.DO.MI.A *s.f.* 1) Cargo ou função do mordomo. 2) *pop.* Facilidades e vantagens proporcionadas a alguém decorrentes do cargo que ocupa ou por desempenhos importantes. 3) *pop.* Bem-estar, comodidade, conforto, regalia.

MOR.DO.MO *s.m.* 1) Administrador de bens de uma casa, estabelecimento, confrarias ou irmandades. 2) Criado principal de casas nobres.

MO.REI.A *s.f. Zool.* Peixe marinho que possui o corpo em formato serpentiforme e de nadadeiras dorsais.

MO.RE.NA *s.f.* 1) Mulher trigueira. 2) Certa dança acompanhada de canto.

MO.RE.NA.DO *adj. Poét.* Que se tornou moreno.

MO.RE.NO *adj.* e *s.m.* 1) Que ou aquele de cor trigueira. 2) Diz-se do ou o indivíduo branco de cabelos negros ou escuros.

MOR.FI.NA *s.f. Quím.* Alcaloide extraído do ópio, de cor branca, cristalino, de efeito calmante, sonífero e anestésico.

MOR.FI.NIS.MO *s.m.* 1) Uso excessivo de morfina como calmante ou como excitante. 2) Fenômenos causados por esse excesso. 3) Intoxicação crônica pela morfina.

MOR.FO.LO.GI.A *s.f.* 1) Tratado das formas e estruturas dos seres e da matéria. 2) *Linguíst.* O estudo da estrutura e da formação das palavras. 3) *Biol.* Estudo dessas formas de que a matéria pode revestir-se nos seres organizados.

MO.RI.BUN.DO *adj.* e *s.m.* Que ou aquele que está para morrer; agonizante.

MOR.MA.ÇO *s.m.* Tempo quente, encoberto, úmido e abafado.

MÓR.MON *adj.2gên.* e *s.2gên.* Sectário ou seguidor do mormonismo.

MOR.MO.NIS.MO *s.m.* Seita protestante surgida nos E.U.A. que admite a poligamia, o fim do mundo, o batismo, etc.

MOR.NO (ô) *adj.* 1) Pouco quente ou cálido. 2) *fig.* Sem energia, frouxo. 3) *fig.* Sereno, tranquilo, monótono.

MO.RO.SI.DA.DE *s.f.* Condição do que é moroso; lentidão.

MO.RO.SO (ô) *adj.* 1) Demorado, vagaroso. 2) Custoso, prolongado, difícil de ser realizado.

MOR.RE.DI.ÇO *adj.* 1) Que está prestes a morrer ou findar. 2) Amortecido, fraco.

MOR.RE.DOU.RO *adj.* 1) Morrediço, mortal. 2) Decrépito. 3) Transitório, frágil. / *s.m.* 4) Lugar doentio ou miasmático, funerária.

MOR.RER *v.i.* 1) Deixar de viver, extinguir-se; falecer. 2) Afrouxar, desaparecer. / *v.t.d.* 3) Experimentar, sofrer (morte). 4) Desaguar, acabar. 5) *gír.* Pagar uma despesa. / *v.p.* 6) Sofrer muito, ter dores físicas e morais. 7) Finar-se.

MOR.RO (ô) *s.m.* 1) Monte com pouca altura; oiteiro. 2) Colina. 3) Monte arredondado.

MOR.TA.DE.LA *s.f.* Espécie de grande salame ou chouriço.

MOR.TAL *adj.2gên.* 1) Anexo à morte. 2) Passageiro, transitório. 3) Moribundo, morrediço ou que causa a morte. / *s.m.* 4) O homem.

MOR.TA.LI.DA.DE *s.f.* 1) Condição de mortal. 2) Obituário. 3) Mortandade, carnificina. 4) Mortes ocorridas num determinado período.

MOR.TAN.DA.DE *s.f.* 1) Número elevado de mortes. 2) Mortalidade, matança.

MOR.TE *s.f.* 1) Prática ou fato de morrer. 2) Fim da vida; termo da existência. 3) Pena capital. 4) Destruição, perdição. 5) Pesar profundo.

MOR.TEI.RO *s.m.* 1) Canhão curto e grosso. 2) Pequena peça pirotécnica para dar tiros ou fazer explosão festiva. / *adj.* 3) Amortecido, lânguido.

MOR.TI.CÍ.NIO *s.m.* Matança, mortandade.

MOR.TI.ÇO *adj.* 1) Que está perto de morrer. 2) *pop.* Prestes a apagar-se. 3) Desanimado, desmaiado, desfalecido.

MOR.TÍ.FE.RO *adj.* Que provoca a morte; letal, mortal.

MOR.TI.FI.CA.ÇÃO *s.f.* 1) Operação ou efeito de mortificar. 2) Aflição, tormento. 3) Domínio, repressão.

MOR.TI.FI.CA.DO *adj.* 1) Aquilo que se mortificou; castigado, flagelado. 2) Apoquentado, contrariado, atormentado.

MOR.TI.FI.CA.DOR (ô) *adj.* e *s.m.* Que(m) mortifica.

MOR.TI.FI.CAN.TE *adj.2gên.* Que mortifica.

MOR.TI.FI.CAR *v.t.d.* 1) Enfraquecer ou extinguir a vitalidade. 2) Destruir, reprimir, apagar, dissipar. / *v.t.d.* e *v.p.* 3) Macerar(-se) com jejuns e penitências. 4) Afligir(-se), atormentar(-se).

MOR.TO (ô) *adj.* 1) Que morreu; falecido. 2) Que deixou de existir. 3) Vegetais sem vida. 4) Língua que já não é falada. 5) Insensível ou indiferente. / *s.m.* 6) Aquele que morreu, cadáver.

MOR.TU.Á.RIO *adj.* Alusivo à morte ou aos mortos; fúnebre.

MO.SAI.CO *s.m.* 1) Obra, desenho ou decoração feito com pequenas peças coloridas colocadas juntas sobre uma superfície, formando um desenho. 2) A arte ou o processo de criar esses desenhos. 3) *fig.* Conjunto de elementos justapostos ou conglomerados; miscelânea, mistura.

MOS.CA (ô) *s.f.* 1) *Zool.* Inseto díptero, a mosca doméstica ou vulgar que são em grande número. 2) *fig.* Pessoa importuna, curiosa, parasita. 3) Pinta artificial no rosto. 4) Barba que nasce por baixo do lábio inferior. 5) Remate de costura que une duas peças contíguas.

MOS.QUI.TO *s.m.* 1) *Entom.* Denominação genérica dos insetos dípteros, de pequeno porte, cuja picada é dolorosa. 2) Anzol adequado para pescar peixes pequenos.

MOS.TAR.DA *s.f.* 1) Semente da mostardeira. 2) Farinha da semente de mostardeira que serve como mosteiro

condimento ou medicamento. 3) Molho que se prepara com essa farinha. / *s.m.* 4) Chumbo fino.

MOS.TEI.RO *s.m.* Habitação religiosa de monges ou monjas; convento.

MOS.TO (ô) *s.m.* 1) Sumo das uvas, antes da fermentação. 2) Suco de qualquer fruta que se encontra em fermentação. 3) Enxame de abelhas.

MOS.TRA *s.f.* 1) Prática ou efeito de mostrar. 2) Manifestação, sinal, exibição. 3) Aparência, aspecto. 4) Modelo, tipo, estilo.

MOS.TRA.DOR (ô) *adj.* e *s.m.* 1) Que(m) mostra, revela, manifesta. 2) Dedo indicador. / *s.m.* 3) Quadrante do relógio que marca as horas e os minutos.

MOS.TRAR *v.t.d.* 1) Exibir, expor, fazer ver, denotar, manifestar, significar. 2) Apontar, indicar, notar, sinalizar. 3) Aparentar, simular. / *v.p.* 4) Dar-se a conhecer; manifestar-se. 5) Aparecer, expor-se. 6) *pop.* Exibir-se, evidenciar-se vaidosamente.

MOS.TRU.Á.RIO *s.m.* Local, balcão ou móvel onde se expõem amostras de mercadorias; vitrine.

MO.TE *s.m.* 1) *Lit.* Estrofe inicial de um poema que resume o tema desenvolvido. 2) *Lit.* Título ou frase que vem antes do início de um capítulo, livro, etc. que serve como motivo ou resumo da obra; epígrafe. 3) *Por ext.* Lema de vida. 4) Assunto, tema.

MO.TE.JAR *v.t.i.* 1) Gracejar, divertir-se, zombar. / *v.t.d.* 2) Troçar, fazer motejo. 3) Censurar, criticar. / *v.i.* 4) Dizer gracejos; satirizar.

MO.TE.JO (ê) *s.m.* 1) Gracejo, zombaria. 2) Censura, crítica.

MO.TEL *s.m.* 1) Hospedaria para viajantes localizada em beira de estrada. 2) Local de encontros amorosos.

MO.TIM *s.m.* 1) Distúrbio popular, movimento sedicioso, desordem. 2) Estrondo, fragor, revolta.

MO.TI.VA.ÇÃO *s.f.* 1) Prática ou exposição de motivos. 2) *Psicol.* Energia psicológica ou tensão que põe em movimento o organismo humano.

MO.TI.VA.DO *adj.* 1) Causado, ocasionado. 2) Fundamentado. 3) Atividade que desperta o entusiasmo, o interesse. 4) Aquele cujo interesse foi despertado.

MO.TI.VA.DOR (ô) *adj.* e *s.m.* Que(m) motiva, ou dá causa; causador.

MO.TI.VAR *v.t.d.* 1) Expor os motivos, explicar as razões de; fundamentar. / *v.t.d.* e *v.p.* 2) Despertar o interesse por.

MO.TI.VO *adj.* 1) Diz-se de tudo que pode fazer mover. / *s.m.* 2) Princípio ou origem de. / *s.m.* 3) Causa, razão. 4) Escopo. 5) *Psicol.* Fator de impulsão e direção do comportamento. 6) *Mús.* Pequena frase musical que compõe o tema.

MO.TO *s.m.* 1) Movimento, giro. 2) Andamento musical. / *s.f.* 3) Forma reduzida de motocicleta.

MO.TO.CA *s.f. gír.* Motocicleta.

mucosa

MO.TO.CI.CLE.TA *s.f.* Veículo, análogo à bicicleta, mas bem mais reforçado que esta e movido por motor a combustão; motoca.

MO.TO.CI.CLIS.TA *s.2gên.* Aquele que conduz uma motocicleta.

MO.TO.QUEI.RO *adj.* e *s.m. gír.* Diz-se do ou o indivíduo que anda de motocicleta.

MO.TOR (ô) *adj.* 1) Que faz mover. 2) Que causa ou determina. 3) Que se refere ou pertence a movimento muscular. / *s.m.* 4) O que movimenta um maquinismo; máquina. 5) O que impulsiona ou imprime movimento. 6) O que aconselha ou convence a fazer qualquer coisa.

MO.TO.RIS.TA *s.2gên.* 1) Aquele que conduz um veículo motorizado. 2) Pessoa que dirige um automóvel.

MO.TO.RI.ZA.DO *adj.* Que é movido a motor.

MO.TO.RI.ZAR *v.t.d.* Instalar motor em.

MO.TOR.NEI.RO *s.m.* 1) Indivíduo que dirige um motor. 2) Aquele que conduz o bonde.

MO.TRI.CI.DA.DE *s.f.* 1) Característica da força motriz. 2) Propriedade de algumas células nervosas de determinar a contração muscular.

MO.TRIZ *s.f.* Coisa ou força que imprime movimento.

MOU.RE.JAR *v.t.i.* e *v.i.* Trabalhar como um mouro, ou seja, trabalhar muito, sem descanso; lutar pela vida.

MÓ.VEL *adj.2gên.* 1) Que pode ser movido; que não está fixo; movediço. 2) Inconstante, variável. / *s.m.* 3) Causa motriz; motor. 4) Causa de qualquer ação. 5) Cada peça de mobiliário. 6) Motivo que conduz alguém a praticar certo ato. / *s.m. pl.* 7) Os objetos materiais que não são bens imóveis e todos os direitos a eles inerentes ➡ Os móveis.

MO.VER *v.t.d.* 1) Imprimir movimento a; colocar em movimento. 2) Realizar movimentos com; mexer. 3) Deslocar, fazer sair do local. 4) Menear. 5) Induzir, persuadir a fazer algo. 6) Estimular.

MO.VI.MEN.TAR *v.t.d.* e *v.p.* 1) Pôr(-se) em ação, em movimento; mexer(-se), mover(-se). 2) Entusiasmar(-se), animar(-se). / *v.t.d.* 3) Pôr em funcionamento; acionar.

MO.VI.MEN.TO *s.m.* 1) Ação de mover ou de se mover. 2) Alteração do lugar ou posição; deslocação. 3) Impulso da paixão que se eleva na alma. 4) *Astr.* Marcha real ou aparente dos corpos celestes. 5) Variante em certas quantidades. 6) Agitação produzida por uma multidão que se move em diferentes sentidos.

MU.AM.BA *s.f.* Mercadoria contrabandeada ou roubada; contrabando.

MU.CO *s.m.* 1) Humor mucoso segregado pelas fossas nasais. 2) Mucosidade nasal; monco. 3) Ranho.

MU.CO.SA *s.f. Anat.* Membrana que reveste as cavidades de alguns órgãos e é lubrificada pelo muco.

mucosidade | mundanismo

MU.CO.SI.DA.DE *s.f.* Muco.

MU.ÇUL.MA.NO *adj.* 1) Relativo ao muçulmanismo; maometano. / *s.m.* 2) Indivíduo sectário do muçulmanismo; maometano.

MU.CU.RA *s.f.* 1) *Bot.* Planta fitolacácea. 2) Prisão, enxovia. / *s.m.* 3) *Zool.* Gambá.

MU.CU.RA.NA *s.f.* Piolho.

MU.ÇU.RA.NA *s.f.* 1) Cobra da família dos Colubrídeos, que é útil por devorar cobras venenosas; limpa-campo. 2) Corda usada pelos indígenas para amarrar os prisioneiros que seriam sacrificados com o tacape.

MU.DA *s.f.* 1) Ato ou efeito de mudar(-se). 2) Renovação das penas, do pelo, da pele, etc., que ocorre com alguns animais. 3) Troca de animais cansados por descansados, em jornadas longas. 4) *Agr.* Planta tirada do viveiro para plantação definitiva. 5) Roupa para troca.

MU.DA.DO *adj.* 1) Modificado, diferente, transformado. 2) Transportado. 3) Deslocado.

MU.DAN.ÇA *s.f.* 1) Ato ou efeito de mudar. 2) Os móveis que se mudam. 3) Alteração, modificação, transferência. 4) Substituição. 5) *Mec.* Câmbio.

MU.DAR *v.t.d.* 1) Deslocar, dispor de maneira diferente, remover para outro lugar. 2) Desviar. 3) Substituir. / *v.t.d.*, *v.i.* e *v.p.* 4) Instalar(-se), transferir(-se) para outro prédio, local ou cidade. / *v.t.i.* e *v.i.* 5) Adquirir outra forma. / *v.t.i.* 6) Sofrer alteração. 7) Estar na muda (certos animais).

MU.DÁ.VEL *adj.2gên.* 1) Que pode ser mudado. 2) Sujeito à mudança; mutável. 3) Volúvel.

MU.DEZ (ê) *s.f.* 1) Condição ou qualidade daquele que é mudo; mutismo. 2) Incapacidade para articular as palavras; impossibilidade de falar, por defeito orgânico. 3) Silêncio. 4) Privação voluntária de falar.

MU.DO *adj.* 1) Calado. 2) *fig.* Sombrio, taciturno. 3) *Gram.* Diz-se da letra ou sílaba que se escreve, mas não se pronuncia. 4) Diz-se daquilo que não produz som. / *s.m.* 5) Indivíduo que não possui a faculdade de falar.

MU.GI.DO *s.m.* 1) Voz dos bovídeos, especialmente da vaca. 2) Som semelhante a essa voz.

MU.GIR *v.i.* 1) Dar, soltar mugidos. 2) *fig.* Bramir. 3) *fig.* Fazer grande estrondo, soprar fortemente (o mar, o vento, etc.). / *v.t.d.* 4) Dar, emitir, soltar à maneira de mugido.

MUI.TO *pron. indef.* 1) Em grande número, em abundância. 2) Demasiado, excessivo. 3) Acompanha o substantivo concordando com ele ➡ muitos amigos. / *adv.* 4) Com intensidade ➡ muito bonito. / *s.m.* 5) Grande quantidade; grande valor, muitas coisas ➡ Lembra-te do muito que me deves.

MU.LA *s.f.* 1) Fêmea do mulo. 2) *pop.* Pessoa ruim, com manhas nocivas. 3) *pop.* Adenite inguinal, de origem venérea.

MU.LA.TA *s.f.* 1) Filha de pai branco e mãe negra ou vice-versa. 2) Mestiça. 3) Cachaça.

MU.LA.TO *s.m.* 1) Filho de pai branco e mãe negra ou vice-versa. 2) Mestiço. 3) Indivíduo que é escuro ou trigueiro. 4) *pop.* Café com leite.

MU.LE.TA (ê) *s.f.* 1) Bordão com uma travessa na extremidade superior que serve de apoio aos coxos ou tolhidos das pernas. 2) O que moralmente serve de apoio, arrimo ou argumento. 3) Amparo. 4) Pau em que o toureiro suspende a capa com a qual chama o touro nas sortes de morte.

MU.LHER *s.f.* 1) Pessoa adulta do sexo feminino. 2) Esposa. 3) Mulher da plebe ou de classes inferiores. 4) *pop.* Homem efeminado.

MU.LHE.REN.GO *adj.* e *s.m.* Diz-se de ou homem que costuma paquerar muitas mulheres.

MU.LO *s.m.* Animal mamífero da ordem dos Perissodáctilos, que resulta do cruzamento de jumento com égua; mu, burro.

MUL.TA *s.f.* 1) Ato ou efeito de multar; pena pecuniária a quem infringe leis ou regulamentos. 2) Condenação, pena.

MUL.TAR *v.t.d.* 1) Aplicar multa a. 2) *fig.* Condenar.

MUL.TI.DÃO *s.f.* 1) Aglomeração de pessoas ou de coisas. 2) O povo, o populacho. 3) Grande número. 4) Abundância, profusão.

MUL.TI.NA.CIO.NAL *adj.2gên.* 1) Do interesse de várias nações. / *s.f.* 2) Empresa multinacional.

MUL.TI.PLI.CA.ÇÃO *s.f.* 1) Ação ou efeito de multiplicar. 2) Reprodução. 3) *Arit.* Operação aritmética por meio da qual se repete um número, chamado multiplicando, tantas vezes quantas são as unidades de outro, chamado multiplicador, para achar um terceiro que representa o produto dos dois.

MUL.TI.PLI.CAR *v.t.d.* 1) *Arit.* Repetir um número tantas vezes quantas são as unidades de outro. 2) Aumentar o número de. / *v.i.* 3) *Arit.* Efetuar a operação da multiplicação. / *v.i.* e *v.p.* 4) Crescer em número; propagar-se. / *v.p.* 5) Desenvolver extraordinária atividade.

MÚL.TI.PLO *adj.* 1) Que se refere a quantidade maior que três. 2) Formado por elementos variados. / *s.m.* 3) *Arit.* Número que é dividido exatamente por outro.

MÚ.MIA *s.f.* 1) Cadáver dessecado, embalsamado ou não. 2) Cadáver embalsamado pelos antigos egípcios e descoberto nas sepulturas do Egito. 3) *pop.* Pessoa muito magra ou descarnada. 4) *fig.* Pessoa sem energia.

MU.MI.FI.CA.ÇÃO *s.f.* 1) Ato ou efeito de mumificar. 2) Estado de dessecamento a que chegam frutas e outras partes aquosas de plantas.

MU.MI.FI.CAR *v.i.* e *v.p.* 1) Transformar-se em múmia. 2) Tornar-se excessivamente magro. 3) *fig.* Atrofiar-se intelectualmente.

MUN.DA.NIS.MO *s.m.* 1) Vida mundana. 2) Hábito ou sistema daqueles que procuram unicamente prazeres materiais.

mundanizar | música

MUN.DA.NI.ZAR *v.t.d.* 1) Tornar mundano. 2) Tirar o caráter religioso a.

MUN.DA.NO *adj.* 1) Pertence ou relativo ao mundo material e transitório. 2) Dado aos prazeres, aos gozos do mundo.

MUN.DÃO *s.m.* 1) Grande extensão de terras. 2) *fig.* Grande número de pessoas, animais ou coisas; mundaréu.

MUN.DA.RÉU *s.m.* 1) Mundo grande. 2) Mundão.

MUN.DI.AL *adj.2gên.* Relativo ao mundo; universal, geral.

MUN.DO *s.m.* 1) Conjunto de espaço, corpos e seres que a vista humana pode abranger. 2) Conjunto dos astros a que o Sol serve de centro. 3) O universo inteiro. 4) A parte do universo habitada pelos homens.

MU.NI.ÇÃO *s.f.* 1) Fortificação de uma praça. 2) Provisão; defesa. 3) Cartuchos, projéteis. 4) Chumbo miúdo de atirar aos pássaros.

MU.NI.CI.PAL *adj.2gên.* 1) Que pertence ou diz respeito ao município ou à municipalidade. / *s.m.* 2) Teatro mantido pela municipalidade.

MU.NI.CÍ.PIO *s.m.* 1) Limitação territorial administrada nos seus próprios interesses por um prefeito, que executa as leis emanadas do corpo de vereadores eleitos pelo povo. 2) Os habitantes dessa limitação.

MU.NIR *v.t.d.* e *v.p.* 1) Abastecer de munições; prover do necessário para a defesa ou o combate. / *v.t.d.* 2) Acautelar, resguardar. / *v.p.* 3) Armar-se, prevenir-se.

MU.QUI.RA.NA *s.f.* / *adj.2gên.* e *s.2gên.* *pop.* 2) Avarento, mesquinho, pão-duro. 3) Que ou quem é enfadonho, maçante, chato.

MU.RAL *adj.2gên.* 1) Relativo a muro ou parede. 2) Que cresce nos muros. / *s.m.* 3) Muro, baluarte. 4) *Pint.* Quadro pintado diretamente num muro ou parede.

MU.RA.LHA *s.f.* 1) Forte muro defensivo de uma fortaleza ou praça de armas. 2) Muro ou parede de grande espessura e altura. 3) *Por ext.* Tudo o que se opõe a um desígnio ou à execução de alguma coisa.

MU.RAR *v.t.d.* 1) Fechar com muro ou muros. 2) Servir de muro a. / *v.t.d.* e *v.p.* 3) Defender(-se) contra assaltos; fortificar(-se). 4) Acautelar(-se), prevenir(-se).

MUR.CHA *s.f.* 1) Ato ou efeito de murchar. 2) *Bot.* Perda de umidade dos tecidos foliares e das partes suculentas dos ramos das plantas.

MUR.CHAR *v.t.d.* 1) Pôr ou tornar murcho. 2) *fig.* Tirar ou perder a energia, o vigor. / *v.i.* e *v.p.* 3) Perder o viço, a beleza, a cor ou o brilho. 4) Arrefecer, perder a energia.

MUR.CHO *adj.* 1) Que perdeu o viço, a energia, a cor, a animação, a beleza, etc. 2) *fig.* Abatido, atenuado, triste.

MU.RE.NÍ.DEO *adj.* Relativo ou pertencente aos Murenídeos, família de peixes marinhos que não possuem nadadeiras peitorais.

MU.RI.ÇO.CA *s.f. Entom.* Mosquito.

MUR.MU.RA.DOR (ô) *adj.* Que produz murmúrio; murmurante.

MUR.MU.RAN.TE *adj.2gên.* Que produz murmúrio; que murmura; murmurador.

MUR.MU.RAR *v.i.* 1) Produzir murmúrio, sussurrar. 2) Queixar-se em voz baixa, resmungar. / *v.t.d.* 3) Dizer em voz baixa, segredar. / *v.t.i.* 4) Apontar faltas, criticar censurando, conversar difamando.

MUR.MÚ.RIO *s.m.* 1) Som confuso, sussurro da água corrente; a viração que agita as folhas das árvores, etc. 2) Rumor surdo de inúmeras vozes juntas. 3) Palavras em voz baixa, que mal se ouvem. 4) Queixa. 5) Cochicho. 6) Ato de murmurar; murmuração.

MU.RO *s.m.* 1) Parede forte que veda ou protege um lugar ou o separa de outro. 2) Defesa, proteção. 3) Lugar cerrado que serve para resguardar colmeias.

MUR.RO *s.m.* Pancada com a mão fechada; soco.

MU.SA *s.f.* 1) *Mit.* Cada uma das nove deusas que presidiam às ciências e as artes. 2) Suposta divindade inspiradora da poesia. 3) Faculdade de fazer versos; estro. 4) Tudo aquilo que pode inspirar um poeta. 5) Gênio de cada poeta.

MUS.CO.VI.TA *s.f. Miner.* Mineral monoclínico do grupo das micas, que é um silicato de alumínio e potássio; moscovita.

MUS.CU.LA.ÇÃO *s.f.* 1) Conjunto das ações e esforços musculares. 2) Exercício dos músculos.

MUS.CU.LAR *adj.2gên.* 1) Referente aos músculos. 2) Próprio dos músculos.

MUS.CU.LA.TU.RA *s.f.* 1) *Anat.* Disposição e arranjo dos músculos no corpo do animal. 2) Conjunto dos músculos do corpo humano. 3) Força ou vigor muscular; musculosidade.

MÚS.CU.LO *s.m.* 1) *Anat.* Massa de fibras contráteis de função motora. 2) Órgão carnoso cujas contrações operam os movimentos do corpo. 3) Energia, força.

MU.SEU *s.m.* 1) Coleção de objetos de arte, cultura, ciências naturais, etc. 2) Lugar onde se estudam e reúnem esses objetos. 3) Casa que contém muitas obras de arte.

MUS.GO *s.m. Bot.* Vegetal diminuto, sem caule e folhas, que pertence ao grupo das Briófitas.

MUS.GO.SO (ô) *adj.* 1) Cheio de musgo. 2) Que produz musgo. 3) Semelhante ao musgo.

MÚ.SI.CA *s.f.* 1) Arte e técnica de combinar sons de maneira agradável ao ouvido. 2) Composição musical. 3) Execução de qualquer peça musical. 4) Qualquer conjunto de sons. 5) Som agradável; harmonia. 6) Gorjeio. 7) Suavidade, ternura. 8) *Fam.* Choro, manha.

musical   muxoxo

MU.SI.CAL *adj.2gên.* 1) Relativo à música. 2) Harmonioso, melodioso. 3) Agradável ao ouvido. / *s.m.* 4) Espetáculo ou filme desse gênero.

MU.SI.CAR *v.t.d.* 1) Compor música para uma letra. / *v.i.* 2) Tocar instrumento musical. 3) Cantar.

MU.SI.CIS.TA *s.2gên.* 1) Aquele que aprecia a música. 2) Pessoa versada em assuntos musicais.

MÚ.SI.CO *adj.* 1) Que pertence ou diz respeito à música; musical. 2) Agradável ao ouvido; harmonioso. / *s.m.* 3) Aquele que sabe música. 4) Pessoa que exerce a arte da música. 5) Indivíduo que participa de uma banda, filarmônica ou orquestra.

MU.TA.ÇÃO *s.f.* 1) Ato ou efeito de mudar. 2) Mudança, alteração. 3) Substituição. 4) *Biol.* Variação hereditária, súbita e espontânea, em um indivíduo geneticamente puro.

MU.TAN.TE *adj.2gên.* e *s.2gên. Biol.* Diz-se da pessoa ou animal que apresenta características marcadamente distintas das de seus ascendentes.

MU.TA.TÓ.RIO *adj.* 1) Que muda. 2) Que serve para operar mudança.

MU.TÁ.VEL *adj.2gên.* Diz-se do que muda; do que é mudável.

MU.TI.LA.ÇÃO *s.f.* 1) Ato ou efeito de mutilar. 2) Estrago de um monumento por destruição de uma de suas partes. 3) Dano, corrupção.

MU.TI.LA.DO *adj.* 1) Que foi privado de algum membro ou parte do corpo. 2) Que sofreu dano. / *s.m.* 3) Indivíduo a quem falta um membro.

MU.TI.LAR *v.t.d.* e *v.p.* 1) Cortar um membro ou uma parte do corpo de alguém; amputar(-se), decepar(-se). / *v.t.d.* 2) Estragar, danificar, deteriorar. 3) *fig.* Suprimir parte ou trecho de; cortar, truncar.

MU.TI.RÃO *s.m.* 1) Sistema cooperativo em que as pessoas envolvidas tanto são trabalhadores quanto beneficiários do produto final. 2) Mutualismo.

MU.TIS.MO *s.m.* 1) Qualidade de mudo; mudez. 2) Condição daquele que não pode ou não quer exprimir o seu pensamento.

MÚ.TUA *s.f.* Sociedade de auxílios ou socorros mútuos.

MU.TU.A.LIS.MO *s.m.* 1) Sistema de solidariedade entre os membros de um grupo. 2) Tipo de associação entre plantas ou entre estas e animais com resultado benéfico a ambos.

MU.TU.AN.TE *adj.2gên.* 1) Que mutua. / *s.2gên.* 2) Aquele que cede um empréstimo. 3) Pessoa que dá qualquer coisa em mútuo.

MU.TU.AR *v.t.d.* 1) Dar ou receber por empréstimo. / *v.p.* 2) Trocar entre si, permutar.

MU.TU.Á.RIO *s.m.* 1) Indivíduo que recebe alguma coisa por mútuo; tomador de um empréstimo. 2) Mutualista. 3) Pessoa que paga prestação da casa própria ao Sistema Nacional de Habitação.

MÚ.TUO *adj.* 1) Feito reciprocamente entre duas ou mais pessoas; recíproco. / *s.m.* 2) Empréstimo. 3) Permutação, reciprocidade. 4) *Dir.* Empréstimo de coisa que deve ser restituída no mesmo gênero, quantidade e qualidade.

MU.XO.XO (ô) *s.m.* 1) Beijo, carícia. 2) Estalo com a língua e os lábios indicando desprezo ou desdém. 3) Certa árvore da Angola também chamada de sapato-do-diabo.

Nn

N (ene) *s.m.* 1) Décima quarta letra do alfabeto, consoante linguodental, nasal, sonora. 2) Qualquer número inteiro indeterminado. 3) *Por ext.* Qualquer quantidade indeterminada. 4) *Quím.* Símbolo do nitrogênio. 5) *Fís.* Símbolo de Newton.

NA.BA.BO *s.m.* 1) Indivíduo muito rico; milionário; aquele que vive na opulência e no fausto. 2) Príncipe ou governador de província na Índia muçulmana.

NA.BO *s.m.* 1) *Bot.* Planta crucífera, cuja raiz carnuda é usada como alimento. 2) Raiz dessa planta. 3) *pop.* Indivíduo ignorante e estúpido.

NA.ÇÃO *s.f.* 1) Conjunto dos indivíduos que habitam o mesmo território, falam a mesma língua, têm os mesmos costumes e obedecem à mesma lei, geralmente da mesma raça. 2) Povo de um país. 3) O Estado que se governa por leis próprias. 4) A pátria, o país natal. 5) Raça, origem, casta.

NÁ.CAR *s.m.* 1) Matéria que reveste a parte interior da concha de certos moluscos; madrepérola. 2) Cor ou tom rosado.

NA.CI.O.NAL *adj.2gên.* 1) Relativo a ou próprio de determinada nação. 2) Que representa a pátria. 3) Que abrange toda a nação. / *s.m.* 4) Quem é natural de um país.

NA.CI.O.NA.LI.DA.DE *s.f.* 1) Qualidade de nacional; naturalidade. 2) Conjunto dos caracteres que distinguem uma nação. 3) Nação. 4) Origem nacional de uma pessoa ou coisa.

NA.CI.O.NA.LIS.MO *s.m.* 1) Preferência acentuada por tudo o que é próprio da nação a que se pertence; patriotismo. 2) Política de nacionalização de todas as atividades de um país.

NA.CI.O.NA.LI.ZAR *v.t.d.* e *v.p.* 1) Tornar(-se) nacional. / *v.t.d.* 2) Naturalizar(-se).

NA.CO *s.m.* Pedaço de qualquer coisa; fatia grande.

NA.DA *pron. indef.* 1) Nenhuma coisa ➡ Nada me incomoda. / *s.m.* 2) A não existência; o que não existe. 3) Nenhum valor. 4) Coisa vã, nula. / *adv.* 5) De modo nenhum. 6) Não, absolutamente.

NA.DA.DEI.RA *s.f.* 1) Barbatana dos peixes. 2) Cada um dos órgãos exteriores de locomoção dos cetáceos e de alguns anfíbios.

NA.DA.DOR (ô) *adj.* 1) Que nada, que é conformado para o nado. / *s.m.* 2) Aquele que pratica o esporte da natação. 3) Que serve para nadar.

NA.DAR *v.i.* 1) Sustentar-se e mover-se à superfície da água. 2) Boiar, flutuar. / *v.t.i.* 3) Estar coberto de um líquido, imerso. 4) Estar ou ficar molhado. / *v.t.d.* 5) Percorrer nadando.

NÁ.DE.GA *s.f.* 1) Parte carnosa superior e traseira das coxas; bunda. 2) Parte carnuda, por baixo e atrás da garupa das cavalgaduras. 3) *pop.* O traseiro.

NA.DO *s.m.* 1) Ato de nadar; prática da natação. 2) Modo de nadar.

NAF.TA *s.f. Quím.* Mistura hidrocarbonada líquida volátil, resultante da retificação do petróleo, usada principalmente como solvente e diluente e como matéria-prima para conversão em gasolina.

NAF.TA.LI.NA *s.f. Quím.* Hidrocarboneto odorífero, resultante da junção de dois núcleos benzênicos, de grande importância industrial.

NA.GÔ *s.2gên.* Casta de negros do grupo sudanês.

NÁI.LON *s.m.* Material sintético, que consiste em poliamidas, em forma de fibras, filamentos, fios de seda ou folhas, de largo uso na indústria têxtil; nylon.

NAI.PE *s.m.* 1) Sinal gráfico com o qual se distingue cada um dos quatro grupos de cartas de um baralho. 2) Cada um desses grupos. 3) Espécie, classe, condição, qualidade. 4) Cada um dos grupos de instrumentos em que geralmente se divide uma orquestra.

NA.JA *s.f.* 1) *Zool.* Gênero de serpentes venenosas, da África e da Ásia. 2) Qualquer serpente desse gênero.

NA.MO.RA.DEI.RA *adj.* e *s.f.* 1) Diz-se daquela que namora muito. 2) Moça ou mulher que gosta de namorar ou de ser galanteada.

NA.MO.RA.DO *adj.* 1) Apaixonado, brando, amoroso. / *s.m.* 2) Aquele que sente amores ou corresponde a amores. 3) Aquele com quem se namora. 4) *Ictiol.* Nome comum de um peixe marinho.

NA.MO.RA.DOR (ô) *adj.* e *s.m.* Que ou aquele que faz ou aceita galanteios facilmente.

NA.MO.RAR *v.t.d.* 1) Cortejar, galantear. 2) Atrair, cativar, seduzir. 3) Desejar possuir; cobiçar. 4) *gír.* Procurar conquistar; paquerar. / *v.p.* 5) Afeiçoar-se, apaixonar-se. 6) Agradar-se, ficar encantado. / *v.i.* 7) Andar de namoro com alguém.

NA.MO.RI.CAR *v.t.d.* e *v.i.* Namorar por passatempo; requestar levianamente.

NA.MO.RI.CO *s.m.* Namoro por mero gracejo; inclinação passageira; leve afeição; galanteio por distração.

NA.MO.RO (ô) *s.m.* 1) Ato de namorar; namoração. 2) Galanteio. 3) *gír.* Paquera.

NA.NA *s.f.* 1) Ato de nanar. 2) Canto para acalentar. 3) Sono de criança.

NA.NAR *v.i.* Dormir.

NA.NI.CO *adj.* 1) Pequeno de corpo; de figura anã. 2) *fig.* Acanhado, apoucado.

NA.NIS.MO *s.m. Med.* Anomalia caracterizada pela interrupção prematura do processo de crescimento.

NAN.QUIM *s.m.* 1) Tinta preta, empregada especialmente para desenhos, aquarelas, etc. 2) Tecido de algodão, amarelo-claro, originariamente fabricado em Nanquim. / *adj.* 3) Nome dado à cor amarelada, semelhante à do tecido do mesmo nome.

NÃO *adv.* 1) Expressão de negação, sentido contrário. / *interj.* 2) Basta! / *s.m.* 3) Negativa, recusa, repulsa ➡ O não dói.

NÃO-ME-TO.QUES *s.m.* Arbusto da família das Compostas, com espinhos muito aguçados e reunidos em grupos, conhecida por espinho-de--santo-antônio.

NA.PA *s.f.* Variedade de couro usada na fabricação de roupas e de revestimento.

NA.PO.LI.TA.NO *adj.* 1) De Nápoles (Itália). / *s.m.* 2) Pessoa natural ou habitante de Nápoles. 3) *pop.* Embalagem de sorvete que comporta três sabores de uma vez: chocolate, morango e creme.

NAR.CI.SIS.MO *s.m.* 1) Mania dos que se olham no espelho como o Narciso da fábula ou se envaidecem facilmente. 2) Em psicanálise, designa o estado em que a libido é dirigida ao próprio ego. 3) Amor a si mesmo, em excesso.

NAR.CI.SIS.TA *adj.2gên.* e *s.2gên.* Que ou quem é apaixonado por si mesmo e pela própria imagem.

NAR.CI.SO *s.m.* 1) *Bot.* Gênero de ervas bulbosas da família das Amarilidáceas. 2) *Bot.* Qualquer planta desse gênero, cujas flores têm uma pequena coroa. 3) *Bot.* Flor dessa planta. 4) Homem vaidoso de si mesmo, enamorado de sua beleza.

NAR.CÓ.TI.CO *adj.* e *s.m.* 1) Que ou o que causa entorpecimento, inconsciência e dependência. / *s.m.* 2) Droga entorpecente.

NAR.CO.TI.ZAR *v.t.d.* 1) Aplicar narcótico a. 2) Misturar narcótico em. 3) *fig.* Causar tédio a; aborrecer.

NAR.CO.TRÁ.FI.CO *s.m.* Tráfico de drogas, de entorpecentes.

NA.RI.GA.DA *s.f.* Pancada com o nariz.

NA.RI.GU.DO *adj.* e *s.m.* 1) Que ou aquele que tem nariz grande. 2) Narigão.

NA.RI.NA *s.f.* 1) Cada uma das duas fossas nasais. 2) As ventas, o nariz.

NA.RIZ *s.m.* 1) Parte saliente do rosto, entre a testa e a boca, onde se concentra o sentido da olfação. 2) As ventas. 3) Focinho dos animais. 4) Parte dianteira do avião. 5) Botão que sai do meio da lingueta do ferrolho. 6) Olfato, faro. 7) *fig.* Sagacidade, tino.

NAR.RA.ÇÃO *s.f.* 1) Ato ou efeito de narrar. 2) Exposição oral ou escrita de um ou mais fatos; narrativa; descrição; história.

NAR.RA.DOR (ô) *adj.* e *s.m.* 1) Que ou quem faz uma narração. / *s.m.* 2) *Lit.* Em narrativas, aquele que enuncia o discurso, conduzindo a narração de seu ponto de vista.

NAR.RAR *v.t.d.* 1) Contar, expor, relatar, historiar. 2) Descrever, oralmente ou por escrito.

NAR.RA.TI.VA *s.f.* 1) Narração. 2) A maneira de narrar. 3) Conto, história.

NA.SAL *adj.2gên.* 1) Que pertence ou diz respeito ao nariz. 2) *Gram.* Designativo do som, da letra ou da sílaba cuja emissão ou pronúncia é modificada pelo nariz; nasalado, fanhoso. / *s.m.* 3) Som, letra, nasalar

sílaba nasal. 4) *Anat.* Cada um dos dois ossos que formam a cana do nariz.
NA.SA.LAR ou **NA.SA.LI.ZAR** *v.t.d.* Tornar nasal; pronunciar pelo nariz.
NAS.CE.DOU.RO *s.m.* 1) Local onde se nasce; nascedoiro. 2) Orifício do útero.
NAS.CEN.ÇA *s.f.* 1) Nascimento. 2) Origem, princípio.
NAS.CEN.TE *adj.2gên.* 1) Que nasce. 2) Que começa. / *s.f.* 3) Lugar onde começa uma corrente de água; fonte; manancial. / *s.m.* 4) Lado onde nasce o Sol; leste; levante; oriente.
NAS.CER *v.i.* 1) Começar a ter vida exterior; sair do ovo ou do ventre materno. 2) Brotar da terra; germinar. 3) Começar a brotar, a crescer, a surgir. / *v.t.i.* 4) Descender. 5) Proceder; provir; derivar. 6) Ter começo ou origem. / *v.lig.* 7) Diz-se quando a pessoa veio ao mundo com determinada qualidade ➡ Ele já nasceu escritor.
NAS.CI.MEN.TO *s.m.* 1) Ato de nascer; nascença. 2) Começo, origem, princípio.
NAS.CI.TU.RO *adj.* e *s.m.* Que ou quem está para nascer.
NA.TA *s.f.* 1) Camada formada na superfície do leite; creme. 2) *fig.* A melhor parte de qualquer coisa; a fina flor ➡ Estes jovens são a nata da escola.
NA.TA.ÇÃO *s.f.* 1) Ato de nadar. 2) Arte de nadar. 3) Sistema de locomoção próprio dos animais aquáticos.
NA.TAL *adj.2gên.* 1) Referente ao nascimento, natalício. 2) Pátrio; onde se deu o nascimento. / *s.m.* 3) Dia em que se comemora o nascimento de Jesus Cristo.
NA.TA.LÍ.CIO *adj.* 1) Relativo ao dia do nascimento. 2) Referente ao nascimento. / *s.m.* 3) O dia do nascimento.
NA.TA.LI.DA.DE *s.f.* Percentagem de nascimentos em determinada região num determinado período.
NA.TI.MOR.TO *adj.* e *s.m.* Que ou quem nasceu morto.
NA.TI.VI.DA.DE *s.f.* Dia do nascimento de Jesus Cristo e dos santos.
NA.TI.VIS.MO *s.m.* 1) Qualidade de nativista. 2) Aversão ao que é estrangeiro; nacionalismo. 3) *Filos.* Teoria das ideias inatas, que independem da experiência empírica.
NA.TI.VO *adj.* 1) Produzido pela natureza; natural. 2) Próprio do lugar onde nasce; oriundo. 3) Congênito. 4) Nacional. 5) Simples. 6) Diz-se de planta que vegeta espontaneamente nos campos. 7) *Miner.* Diz-se dos metais e metaloides encontrados livremente na natureza.
NA.TO *adj.* 1) Nascido; nado. 2) Congênito, natural.
NA.TU.RAL *adj.2gên.* 1) Pertencente ou relativo à natureza; produzido pela natureza. 2) Que segue a ordem regular das coisas, conforme a natureza.

navalha

3) Não contrafeito; desafetado. 4) Acomodado; apropriado. 5) Originário; oriundo. 6) Nome dado às ciências que tratam da natureza e das suas produções. / *s.m.* 7) Designativo dos números inteiros ➡ 1, 2, 3, 4, etc. 8) Nativo. 9) O que pertence a determinado local.
NA.TU.RA.LI.DA.DE *s.f.* 1) Qualidade do que é natural. 2) Espontaneidade. 3) Local de nascimento.
NA.TU.RA.LI.ZA.ÇÃO *s.f.* Concessão de cidadania a estrangeiro.
NA.TU.RA.LI.ZAR *v.t.d.* e *v.p.* 1) Conceder ou obter a cidadania de um país estrangeiro. / *v.t.d.* 2) Passar a ter como próprio; adotar.
NA.TU.RE.BA *adj.2gên.* e *s.2gên. pop.* Que ou quem é adepto de uma vida e, principalmente, de uma alimentação natural.
NA.TU.RE.ZA (ê) *s.f.* 1) Conjunto das leis que presidem à existência das coisas e à sucessão dos seres. 2) Força ativa que estabeleceu e conserva a ordem natural de quanto existe. 3) Conjunto de todas as coisas criadas; o Universo. 4) Essência ou condição própria de um ser ou de uma coisa. 5) A causa criadora do Universo. 6) Deus. 7) Constituição de um corpo. 8) Caráter, índole, temperamento. 9) *Biol.* Conjunto dos seres que se encontram na Terra.
NAU *s.f.* 1) Qualquer navio ou embarcação. 2) A tripulação, a equipagem de uma nau.
NAU.FRA.GA.DO ou **NÁU.FRA.GO** *adj.* 1) Que naufragou ou padeceu de naufrágio. 2) Procedente de naufrágio. / *s.m.* 3) *fig.* Indivíduo infeliz, arruinado.
NAU.FRA.GAR *v.i.* 1) Ir ao fundo; soçobrar. 2) Sofrer naufrágio. 3) Desaparecer, extinguir-se. 4) Falhar, fracassar, arruinar-se. / *v.t.d.* 5) Causar naufrágio a.
NAU.FRÁ.GIO *s.m.* 1) Ato ou efeito de naufragar. 2) Perda total ou parcial do navio que se submerge. 3) *fig.* Ruína, prejuízo. 4) *fig.* Decadência, fracasso, queda moral.
NÁU.SEA *s.f.* 1) Enjoo ou ânsia produzida pelo balanço da embarcação. 2) Ânsia. 3) Vontade de vomitar. 4) *fig.* Sentimento de repulsão; nojo, repugnância.
NAU.SE.A.BUN.DO *adj.* 1) Que causa náusea, enjoo; nauseante. 2) Que provoca nojo; repugnante.
NAU.SE.AR *v.t.d., v.i.* e *v.p.* Causar ou sentir náusea, ânsia, enjoo.
NAU.TA *s.m.* Marinheiro, navegante, navegador.
NÁU.TI.CA *s.f.* Ciência ou arte de navegar; navegação.
NA.VAL *adj.* 1) Relativo a assuntos de navegação. 2) Nome dado à batalha entre navios.
NA.VA.LHA *s.f.* 1) Instrumento de lâmina de aço cortante. 2) *Tip.* Lâmina utilizada na guilhotina para o corte do papel. 3) *Bot.* Tipo de capim ciperáceo. 4) Pessoa maldizente. / *s.2gên.* 5) *pop.* Mau motorista, barbeiro.

nave — **negativo**

NA.VE *s.f.* 1) Navio antigo. 2) Parte interior da igreja, desde a entrada até o santuário. 3) Espaço entre fileiras de colunas que sustentam a abóbada de uma igreja. 4) *fig.* Templo. 5) Nave espacial: engenho interplanetário.

NA.VE.GA.ÇÃO *s.f.* 1) Ato ou efeito de navegar. 2) Percurso habitual feito por uma embarcação. 3) Comércio marítimo. 4) Viagem por mar. 5) Arte de navegar; náutica.

NA.VE.GA.DOR (ô) *adj.* 1) Que navega ou sabe navegar. 2) Habituado a navegar. / *s.m.* 3) Marinheiro hábil na direção de um navio. 4) *Inform.* Programa que permite ao usuário a navegação pela internet.

NA.VE.GAR *v.i.* 1) Viajar pelo mar, rios, ar ou no espaço cósmico. 2) Atravessar, cruzar, percorrer o oceano ou o espaço. 3) *gír.* Locomover-se no computador. / *v.t.d.* 4) Percorrer, atravessar a água, o ar, o espaço.

NA.VI.O *s.m.* Embarcação que pode navegar em alto-mar.

NA.ZA.RE.NO *adj.* 1) Referente a Nazaré (cidade de Israel, na Galileia). / *s.m.* 2) Pessoa natural ou habitante de Nazaré. 3) Jesus Cristo.

NA.ZIS.MO *s.m.* Sistema político e doutrina do movimento nacional-socialista alemão chefiado por Adolf Hitler; hitlerismo.

NE.BLI.NA *s.f.* 1) Névoa densa e rasteira; nevoeiro; chuvisco. 2) *fig.* Sombra, trevas.

NE.BU.LI.ZA.ÇÃO *s.f.* 1) Transformação de líquido em vapor. 2) *Med.* Administração de medicamentos por inalação.

NE.BU.LI.ZA.DOR *s.m.* Dispositivo que permite atomizar substâncias medicamentosas.

NE.BU.LO.SA *s.f.* 1) Massa de poeira ou gás rarefeito que apresenta o aspecto de uma mancha láctea. 2) Universo em formação.

NE.BU.LO.SO (ô) *adj.* 1) Coberto de nuvens ou névoa. 2) Sem transparência; opaco; sombrio; turvo. 3) Confuso; ininteligível; obscuro; sem clareza.

NE.CES.SÁ.RIO *adj.* 1) Que tem de ser feito. 2) Que é de absoluta necessidade. 3) Essencial; indispensável. 4) Inevitável. 5) Preciso. 6) Oportuno, proveitoso, útil.

NE.CES.SI.DA.DE *s.f.* 1) O que é absolutamente necessário. 2) Precisão instante e urgente; aperto. 3) Pobreza; miséria. 4) Falta do que é absolutamente necessário para viver.

NE.CES.SI.TA.DO *adj.* e *s.m.* Que ou aquele que é pobre, miserável, indigente.

NE.CES.SI.TAR *v.t.i.* 1) Ter necessidade de; precisar; carecer. 2) Exigir, reclamar. / *v.i.* Padecer necessidades, ter privações. / *v.t.d.* 3) Exigir. 4) Fazer que seja necessário.

NE.CRÓ.FA.GO *adj.* e *s.m.* Que ou aquele que se alimenta de cadáveres ou substâncias em decomposição.

NE.CRO.FI.LI.A *s.f.* Atração sexual por cadáveres.

NE.CRO.LO.GI.A *s.f.* 1) Lista, relação de pessoas falecidas. 2) Necrológio.

NE.CRO.LÓ.GIO *s.m.* 1) Notícia em jornal que se refere a pessoas falecidas, necrologia. 2) Elogio fúnebre.

NE.CRO.MAN.CI.A *s.f.* 1) Suposta arte de adivinhar o futuro por meio da comunicação com os espíritos. 2) A prática dessa arte. 3) *Por ext.* Magia negra; bruxaria.

NE.CROP.SI.A *s.f.* Autópsia.

NE.CRO.SE *s.f. Med.* Morte de tecido orgânico.

NE.CRO.TÉ.RIO *s.m.* Lugar onde são expostos os cadáveres que vão ser autopsiados, ou identificados.

NÉC.TAR *s.m.* 1) *Mit.* Bebida dos deuses. 2) Líquido adocicado encontrado nos nectários das plantas e principal elemento utilizado pelas abelhas para produzir o mel. 3) *Por ext.* Qualquer bebida saborosa. 4) *fig.* Delícia.

NE.FAS.TO *adj.* 1) Que é de mau agouro. 2) Que causa desgraça. 3) Danoso, funesto, trágico.

NE.FRAL.GI.A *s.f. Med.* Dor nos rins.

NE.FRI.TE *s.f. Med.* Inflamação nos rins.

NE.FRO.LO.GI.A *s.f. Med.* Parte que estuda as doenças renais.

NE.FRO.SE *s.f. Med.* Doença renal não inflamatória caracterizada por degenerescência dos túbulos renais.

NE.GA.ÇA *s.f.* 1) Aproximação com dissimulação. 2) Atrativo, chamariz, convite, isca, sedução. 3) Engano, logro. 4) Provocação. 5) Recusa.

NE.GA.ÇÃO *s.f.* 1) Ato de negar; negativa. 2) Falta de vocação; inaptidão; incapacidade. 3) Carência; falta; ausência.

NE.GAR *v.t.d.* e *v.i.* 1) Afirmar que não. / *v.t.d.* 2) Não admitir a existência de; contestar. 3) Denegar; indeferir; recusar. 4) Não reconhecer. 5) Abandonar; largar; repudiar. 6) Desmentir. 7) Proibir; vedar. 8) Não realizar a função que lhe é peculiar.

NE.GA.TI.VA *s.f.* 1) Negação. 2) Proposição com a qual se nega alguma coisa; recusa. 3) Palavra que exprime negação.

NE.GA.TI.VI.DA.DE *s.f.* 1) *Fís.* Estado de um corpo que revela eletrização negativa. 2) Qualidade de negativo.

NE.GA.TI.VIS.MO *s.m.* Espírito de negação sistemática.

NE.GA.TI.VO *adj.* 1) Que contém ou exprime negação. 2) Proibitivo. 3) Contrário. 4) Contraproducente. 5) Suspensivo, restritivo. 6) Nulo. 7) *Fís.* Diz-se da eletricidade desenvolvida em corpos resinosos. 8) *Mat.* Designativo de uma quantidade menor que zero. 9) *Quím.* Diz-se da substância que funciona como ânion. *s.m.* 10) *Fot.* Chapa ou película fotográfica em que os claros e escuros aparecem invertidos em relação ao original. 11) *pop.* Não.

negligência | **neutralizar**

NE.GLI.GÊN.CIA *s.f.* 1) Descuido, desleixo, falta de aplicação. 2) Incúria, preguiça. 3) Desatenção, menosprezo, displicência.

NE.GLI.GEN.CI.AR *v.t.d.* e *v.p.* Tratar(-se) com negligência; descuidar(-se).

NE.GO (ê) *s.m. pop.* Homem, indivíduo, tipo.

NE.GO.CI.A.ÇÃO *s.f.* 1) Ato ou efeito de negociar; negócio. 2) Entendimento entre agentes autorizados de duas ou mais nações.

NE.GO.CI.AN.TE *s.2gên.* 1) Pessoa que trata de negócios. 2) Pessoa que exerce o comércio; comerciante. 3) Interesseiro.

NE.GO.CI.AR *v.t.i.* e *v.i.* 1) Fazer negócio; comerciar. / *v.t.d.* 2) Comprar ou vender. 3) Concluir tratado ou contrato. 4) Ajustar; contratar.

NE.GO.CI.A.TA *s.f.* 1) Negócio fraudulento, ou em que há logro. 2) Negócio suspeito.

NE.GÓ.CIO *s.m.* 1) Comércio, tráfico. 2) Relações comerciais, negociação. 3) Contrato, ajuste. 4) Qualquer casa comercial. 5) Empresa. 6) Questão pendente. 7) *pop.* Coisa, objeto. 8) *pop.* Qualquer coisa cujo nome não ocorre no momento.

NE.GRA (ê) *s.f.* 1) Mulher de cor preta. 2) *Esp.* Partida decisiva que desempata as anteriores.

NE.GREI.RO *adj.* 1) Relativo a negros. 2) Dizia-se do índio que fazia tráfico de escravizados. / *s.m.* 3) Aquele que negociava o tráfico de negros.

NE.GRI.TO *adj.* e *s.m. Tip.* Tipo de traço mais grosso que o comum, usado no texto para pôr em destaque alguma parte dele.

NE.GRI.TU.DE *s.f.* Movimento que visa dar maior destaque aos valores culturais das pessoas de cor negra.

NE.GRO (ê) *adj.* 1) Que recebe a luz e não a reflete, preto. 2) Escuro. 3) Sombrio. 4) Requeimado do tempo ou do sol. 5) Lutuoso, fúnebre, funesto. 6) Que causa sombra. / *s.m.* 7) Indivíduo de cor negra. 9) *Poét.* Escuridão, trevas.

NE.GRU.ME *s.m.* 1) Ausência de luz; escuridão, trevas. 2) Estado de abatimento, tristeza, depressão.

NE.GRU.RA *s.f.* 1) Qualidade ou condição do que é negro. 2) Escuridão; negrume.

NEM *conj.* 1) E não, também não. / *adv.* 2) Não.

NE.NÊ ou **NE.NÉM** *s.2gên.* Criança recém-nascida ou muito nova; bebê.

NE.NHUM *pron. indef.* 1) Nem um. 2) Qualquer. 3) Nulo.

NE.NHU.RES *adv.* Em lugar nenhum.

NE.O.LO.GIS.MO *s.m. Linguíst.* 1) O uso de uma palavra nova em uma língua. 2) Atribuição de novos sentidos a uma palavra já existente. 3) Palavra nova.

NE.ON *s.m.* 1) *Quím.* Neônio. 2) *Por ext.* Letreiro luminoso que utiliza o gás neônio.

NE.O.PLA.SI.A *s.f. Med.* Processo patológico que resulta no desenvolvimento de um tumor.

NE.O.PLAS.MA *s.m. Med.* Tumor.

NE.PO.TIS.MO *s.m.* Favorecimento de parentes ou amigos por pessoas que ocupam cargos importantes, principalmente cargos públicos.

NER.VO (ê) *s.m.* 1) *Anat.* Filamento de comunicação do cérebro e da medula espinal com a periferia do corpo e destinado a transmitir sensações e incitações motoras. 2) *Zool.* Órgão de sensação e movimento dos animais. 3) *pop.* Ligamento, tendão. 4) *fig.* Energia, fibra, robustez, vigor corporal.

NER.VO.SIS.MO *s.m.* 1) Doença caracterizada por perturbações do sistema nervoso. 2) Irritação, agitação, nervosidade, tensão nervosa.

NER.VO.SO (ô) *adj.* 1) Referente aos nervos. 2) Que tem nervos. 3) Que sofre de nervosismo. 4) Enérgico, robusto, vigoroso. 5) Exaltado, irritadiço. 6) *Bot.* Diz-se das folhas de nervuras muito salientes.

NER.VU.RA *s.f.* 1) *Bot.* Fibra ou veio saliente na superfície das folhas e das pétalas. 2) *Entom.* Estrutura, de natureza córnea, que se estende pelas asas membranosas dos insetos para sustentá-las. 3) *Tip.* Saliência transversal nas lombadas dos livros encadernados. 4) *Arquit.* Linha ou moldura saliente, que separa os panos de uma abóbada.

NÉS.CIO *adj.* 1) Que não sabe, inepto, ignorante. 2) Estúpido, irresponsável.

NE.TO *s.m.* 1) Filho de filho ou de filha com relação aos pais destes. 2) Descendentes, vindouros.

NE.TU.NO *s.m.* 1) *Mit.* Divindade que preside ao mar, também chamado de Poseidon. 2) *Astr.* Planeta do nosso sistema solar.

NEU.RI.TE ou **NE.VRI.TE** *s.f. Med.* Inflamação de um nervo.

NEU.RO.CI.RUR.GI.A *s.f.* Cirurgia praticada nos centros nervosos.

NEU.RO.FI.SI.O.LO.GI.A *s.f.* Parte da fisiologia que cuida do funcionamento do sistema nervoso.

NEU.RO.LO.GI.A ou **NE.VRO.LO.GI.A** *s.f.* Parte da medicina que estuda o sistema nervoso e suas doenças.

NEU.RÔ.NIO *s.m. Anat.* Célula nervosa com seus prolongamentos.

NEU.RO.PA.TI.A *s.f. Med.* Nome genérico dado às doenças nervosas.

NEU.RO.SE *s.f.* 1) *Med.* Qualquer doença nervosa, sem lesão aparente. 2) Distúrbio psíquico em decorrência de tensões e conflitos internos.

NEU.RÓ.TI.CO *adj.* e *s.m.* Que ou quem sofre de neurose.

NEU.TRA.LI.DA.DE *s.f.* 1) Estado ou qualidade de neutral. 2) Indiferença; imparcialidade. 3) Abstenção. 4) *Dir.* Situação de um país que não toma parte nas hostilidades existentes entre outras nações beligerantes.

NEU.TRA.LI.ZAR *v.t.d.* 1) Declarar neutro. 2) Anular, inutilizar, destruir. / *v.t.d.* e *v.p.* 3) *Quím.* Tornar(-se) neutro.

neutro

NEU.TRO *adj.* 1) Que não dá adesão a nenhuma das partes litigantes; neutral. 2) *Eletr.* Diz-se dos corpos que não apresentam nenhum fenômeno elétrico. 3) *Quím.* Nem ácido nem alcalino.

NÊU.TRON *s.m. Fís.* Partícula elementar, sem carga elétrica, de massa quase igual à do próton, que se encontra em todos os núcleos atômicos conhecidos, com exceção do núcleo de hidrogênio.

NE.VA.DA *s.f.* 1) Ato de nevar. 2) Formação ou queda de neve. 3) A neve que cai de uma vez.

NE.VAR *v.t.d.* 1) Cobrir de neve. 2) Tornar alvo como a neve. 3) Esfriar por meio de neve. / *v.i.* 4) Cair neve. 5) Produzir neve. / *v.i.* e *v.p.* 6) Branquejar.

NE.VAS.CA *s.f.* Nevada acompanhada de tempestade.

NE.VE *s.f.* 1) Vapor de água atmosférica, congelado em cristais, que cai em flocos brancos. 2) *fig.* Extrema brancura; alvura. 3) Frio intenso. 4) *fig.* As cãs; os cabelos brancos.

NÉ.VOA *s.f.* 1) Vapor aquoso e denso que sobe para a atmosfera. 2) *fig.* Falta de clareza; obscuridade. 3) O que dificulta a visibilidade de um objeto. 4) *Med.* Mancha que se forma na córnea e perturba a vista.

NE.VO.EI.RO *s.m.* 1) Névoa densa. 2) Obscuridade cerrada.

NE.VRAL.GI.A *s.f. Med.* Dor no trajeto de um nervo.

NE.XO (cs) *s.m.* 1) Conexão, ligação, união, vínculo. 2) Coerência.

NHO.QUE *s.m.* Massa alimentícia de origem italiana à base de farinha de trigo, ovos e queijo.

NI.CHO *s.m.* 1) Cavidade aberta numa parede para colocar uma imagem. 2) Divisão em estante ou armário. 3) Habitação pequena e retirada. 4) Porção restrita de um habitat, onde vigem condições especiais de ambiente. 5) *fig.* Emprego rendoso e fácil.

NI.CO.TI.NA *s.f. Quím.* Alcaloide básico líquido, que constitui o mais ativo princípio do tabaco.

NI.DI.FI.CAR *v.i.* Fazer o ninho.

NI.GRO.MAN.CI.A *s.f.* Necromancia.

NIM.BO *s.m.* 1) *Meteor.* Nuvem espessa e cinzenta que fica em altitude baixa. 2) Auréola.

NI.NAR *v.t.d.* 1) Acalentar, fazer adormecer. / *v.p.* 2) Não fazer caso; desdenhar.

NIN.FA *s.f.* 1) *Mit. gr.* e *rom.* Divindade inferior dos rios, dos bosques, dos montes, etc. 2) *fig.* Mulher formosa e jovem. 3) *Entom.* Designação das formas jovens dos insetos de metamorfose incompleta.

NIN.FO.MA.NI.A *s.f. Med.* 1) Exagero dos desejos sexuais na mulher e nas fêmeas, dos mamíferos em geral. 2) Furor uterino.

NIN.GUÉM *pron. indef.* Nenhuma pessoa.

NI.NHA.DA *s.f.* 1) Os ovos ou as avezinhas existentes em um ninho. 2) Os filhos que nascem de uma só vez da fêmea do animal. 3) *pop.* Filharada.

nobre

NI.NHA.RI.A *s.f.* Bagatela, coisa sem valor, insignificância.

NI.NHO *s.m.* 1) Vivenda construída pelas aves, por certos insetos e por certos peixes para a postura dos ovos e criação dos filhotes. 2) Local onde os animais se recolhem e dormem. 3) Esconderijo, retiro. 4) Lugar de abrigo. 5) Toca. 6) Covil. 7) A pátria.

NIN.JA *s.2gên.* Praticante de uma arte marcial do Oriente.

NI.PÔ.NI.CO *adj.* e *s.m.* Japonês.

NÍ.QUEL *s.m.* 1) *Quím.* Elemento metálico branco-prateado, usado principalmente em ligas, de símbolo Ni. 2) *pop.* Qualquer moeda; dinheiro miúdo.

NI.TI.DEZ (ê) *s.f.* Qualidade do que é nítido.

NÍ.TI.DO *adj.* 1) Que brilha, brilhante, fulgente. 2) Límpido. 3) Limpo, asseado. 4) Dotado de clareza, claro, definido.

NI.TRA.TO *s.m. Quím.* Sal ou éster do ácido nítrico.

NÍ.TRI.CO *adj. Quím.* Diz-se de um ácido em estado líquido, muito cáustico e corrosivo, que dissolve todos os metais, menos o ouro e a platina.

NI.TRI.TO *s.m. Quím.* Sal que resulta da combinação do ácido nitroso com uma base.

NI.TRO *s.m. Quím.* Nitrato de potássio ou azotato de potássio; salitre.

NI.TRO.GÊ.NIO *s.m. Quím.* Elemento de símbolo N, comumente não metálico, que, em forma livre, é um gás, constituindo 78% da atmosfera por volume.

NI.TRO.GLI.CE.RI.NA *s.f. Quím.* Líquido oleoso, usado na fabricação da dinamite, que provoca explosão por ação de choque ou elevação da temperatura.

NÍ.VEL *s.m.* 1) Instrumento que se usa para verificar a diferença de altura entre dois pontos ou para averiguar se um plano está horizontal. 2) Igualha. 3) Grau. 4) Regra, norma. 5) Estado, situação, altura. 6) *Agr.* Corte feito no terreno para plantio e/ou proteção contra erosão. 7) Nível de vida. 8) *Sociol.* Situação média de um grupo social no que se refere à maneira de satisfazer as necessidades básicas da vida.

NI.VE.LAR *v.t.d.* 1) Retirar as irregularidades de uma superfície; aplanar. / *v.t.i.* 2) Pôr ou estar no mesmo nível. / *v.t.d.i.* e *v.p.* 3) *fig.* Tornar(-se) igual em altura, capacidade, etc.; equiparar(-se).

NÓ *s.m.* 1) Laço feito de corda ou de coisa semelhante, cujas extremidades passam uma pela outra, apertando-se. 2) Articulação das falanges dos dedos. 3) *Bot.* Nível do caule em que se insere uma folha. 4) Parte mais apertada e rija da madeira, correspondente à inserção dos ramos.

NO.BI.LI.Á.RIO *adj.* 1) Relativo à nobreza. / *s.m.* 2) Tratado e registro das famílias nobres de um país; nobiliarquia.

NO.BRE *adj.2gên.* 1) De descendência ilustre. 2) Que tem títulos nobiliárquicos. 3) Que é próprio

351

da nobreza. 4) Alto, elevado, magnífico. 5) Majestoso. 6) Distinto, notável. 7) Generoso, sublime.

NO.BRE.ZA (ê) *s.f.* 1) Qualidade de nobre, distinção, mérito. 2) Fidalguia herdada ou doada pelo soberano. 3) Classe dos nobres. 4) Excelência, generosidade, magnanimidade. 5) Austeridade, gravidade, majestade.

NO.ÇÃO *s.f.* 1) Conhecimento ou ideia que se tem de uma coisa; informação. 2) Conhecimento elementar.

NO.CAU.TE *s.m. Esp.* No boxe, incidente em que o contendor, que é jogado ao solo pelo adversário, não consegue levantar-se dentro de dez segundos.

NO.CI.VO *adj.* Que causa dano, que prejudica.

NOC.TÂM.BU.LO *adj.* e *s.m.* 1) Que ou quem anda ou fala durante o sono; sonâmbulo. 2) Que ou o que vaga à noite; noctívago.

NO.DO *s.m.* 1) *Anat.* Pequena saliência da pele; gânglio. 2) *Med.* Tumor duro em volta da articulação dos ossos.

NÓ.DOA *s.f.* 1) Mancha. 2) Mácula, desonra.

NÓ.DU.LO *s.m.* 1) Pequeno nó. 2) *Anat.* Pequeno nodo; gânglio.

NOI.TA.DA *s.f.* 1) Espaço de uma noite. 2) Insônia, vigília, noite passada em claro. 3) Divertimento ou folia que dura toda a noite. 4) Trabalho durante a noite.

NOI.TE *s.f.* 1) Período em que o Sol está abaixo do horizonte. 2) Escuridão, trevas. 3) Noitada. 4) Cegueira. 5) Ignorância. 6) Sofrimento, tristeza.

NOI.VA.DO *s.m.* 1) Compromisso de casamento entre futuros esposos. 2) Período em que se é noivo. 3) A festa de noivado.

NOI.VAR *v.i.* 1) Celebrar noivado. 2) Passar a lua de mel. 3) Cortejar ou galantear a pessoa com que se ajustou noivado. 4) Ajustar casamento. / *v.t.i.* 5) Ficar noivo.

NOI.VO *s.m.* 1) Aquele que está para casar. 2) O recém-casado. 3) Homem e mulher que têm ajustado o seu casamento, ou que se casaram há pouco.

NO.JEN.TO *adj.* 1) Que causa nojo, repugnância. 2) Diz-se de quem sente nojo de tudo.

NO.JO (ô) *s.m.* 1) Enjoo, náusea. 2) Asco, repugnância, repulsão. 3) Mágoa, pesar, tristeza. 4) Tédio, aborrecimento. 5) Luto; pesar.

NÔ.MA.DE *adj.2gên.* 1) Diz-se das tribos e raças humanas que não têm sede fixa e vagueiam errantes e sem cultura. / *s.2gên.* 2) O que não tem residência fixa; vagabundo. 3) Povo sem residência fixa.

NO.ME *s.m.* 1) Palavra com a qual se designa e distingue qualquer pessoa, animal ou coisa, bem como ação, estado ou qualidade. 2) Denominação, designação. 3) Título, honra. 4) Alcunha, apelido. 5) Nomeada, reputação, fama. 6) Nome de família; sobrenome.

NO.ME.AR *v.t.d.* 1) Designar pelo nome. 2) Designar, indicar para exercício de. / *v.p.* 3) Proferir o próprio nome. 4) Intitular-se.

NO.MEN.CLA.TU.RA *s.f.* 1) Conjunto de termos peculiares numa ciência ou arte; terminologia. 2) Vocabulário de nomes. 3) Lista; catálogo.

NO.MI.NAL *adj.2gên.* 1) Relativo a nome. 2) Que só existe em nome; que não é real. 3) *Gram.* Diz-se do predicado representado por um verbo de ligação e pelo predicativo do sujeito.

NO.NA *s.f.* 1) Estrofe de nove versos. 2) Uma das horas em que os romanos dividiam o dia e que correspondia às três horas da tarde. 3) *Mús.* Intervalo de nove graus. 4) O sétimo e o quinto dia antes dos idos, no antigo calendário romano.

NONSENSE *s.m. ingl.* Palavra ou ação sem sentido ou coerência.

NO.RA *s.f.* A mulher do filho em relação aos pais.

NOR.DES.TI.NO *adj.* 1) Do nordeste brasileiro. / *s.m.* 2) Natural ou habitante do nordeste.

NÓR.DI.CO *adj.* e *s.m.* Dos países do norte da Europa; escandinavo.

NOR.MA *s.f.* 1) Preceito, princípio, regra. 2) Exemplo, modelo. 3) Regra de procedimento, teor de vida. 4) *Bot.* Nome de planta.

NOR.MAL *adj.2gên.* 1) Conforme a norma, regular. 2) Exemplar, modelar. 3) Diz-se da escola que diploma professores polivalentes. 4) *Geom.* Perpendicular. / *s.f.* 5) *Geom.* Linha perpendicular à tangente de uma curva.

NOR.MA.LI.ZAR *v.t.d.* 1) Tornar normal; regularizar. / *v.p.* 2) Reentrar na ordem; voltar à normalidade.

NOR.MAN.DO *adj.* 1) Referente a Normandia (França). 2) Que provém da Normandia. / *s.m.* 3) Pessoa natural ou habitante da Normandia. 4) Língua dos normandos. 5) *Tip.* O tipo, ou a letra, também conhecido por negrito.

NOR.MA.TI.VO *adj.* 1) Relativo a norma. 2) Que serve de norma ou regra. 3) Que estabelece normas ou padrões.

NO.RO.ES.TE *s.m.* 1) Ponto colateral da rosa dos ventos que fica entre o norte e o oeste, cuja abreviatura é N.O. ou N.W. 2) Vento que sopra do lado desse ponto. / *adj.2gên.* 3) Relativo ao noroeste ou dele precedente.

NOR.TE *s.m.* 1) Ponto cardeal da rosa dos ventos que tem, à sua direita, o nascente. *Abrev.:* N. 2) Regiões que ficam para o lado do norte. 3) Vento que sopra dessas regiões. 4) O polo ártico. 5) Países setentrionais. 6) A parte mais setentrional de um país. 7) Direção conhecida; guia; rumo.

NOR.TE-A.ME.RI.CA.NO *adj.* 1) Referente aos Estados Unidos da América. / *s.m.* 2) Pessoa natural ou habitante dos Estados Unidos da América; americano; estadunidense.

NOR.TE.AR *v.t.d.* 1) Dirigir ou encaminhar para o norte. 2) Dirigir, guiar. / *v.p.* 3) Orientar-se, guiar-se.

NOR.TIS.TA *adj.2gên.* 1) Que pertence ou se refere aos estados brasileiros do Norte, especialmente a região que compreende os estados do Pará e Amazonas. / *s.2gên.* 2) Pessoa natural de algum desses estados.

NOS *pron.* 1) Forma proclítica, mesoclítica e enclítica do pronome nós, que serve de objeto direto ou indireto do verbo. / *prep.* 2) Expressão contraída da preposição "em" mais o artigo definido "os" ➡ Andei nos lugares mais movimentados da cidade.

NÓS *pron. pess.* Designa a primeira pessoa do plural de ambos os gêneros.

NO.SO.FO.BI.A *s.f. Med.* Medo exagerado de doenças.

NOS.SO *pron. poss.* Que nos pertence, ou nos diz respeito; que é próprio de nós.

NOS.TAL.GI.A *s.f.* Melancolia causada pelo afastamento de lugares, pessoas ou coisas que se amam e pelo desejo de vê-las novamente.

NOS.TÁL.GI.CO *adj.* 1) Em que há nostalgia; melancólico, triste. / *s.m.* 2) Quem sente nostalgia.

NO.TA *s.f.* 1) Marca para assinalar algo ou fazer lembrar alguma coisa; apontamento. 2) Comunicação breve; exposição sumária. 3) Observação; reparo. 4) Defeito; erro. 5) Registro das escrituras dos tabeliães. 6) Grau com que se afere o aproveitamento. 7) Papel que representa moeda. 8) *Com.* Relação das mercadorias que o freguês adquire. 9) *Mús.* Sinal representativo de um som e da sua duração. 10) *Mús.* O som figurado por esse sinal; timbre. 11) Comunicação escrita e oficial trocada entre dois ministros de diferentes países.

NO.TA.ÇÃO *s.f.* 1) Ato ou efeito de notar. 2) Sistema de representação ou designação convencional. 3) *Gram.* Sinal que modifica os sons das letras, como os acentos, o til, a cedilha.

NO.TAR *v.t.d.* 1) Anotar. 2) Pôr nota, marca ou sinal em. 3) Fazer rascunho. 4) Registrar no livro de notas. 5) Representar por caracteres gráficos. 6) Observar, reparar em. 7) Fazer referência a, mencionar. 8) Advertir, censurar. 9) Estranhar. / *v.t.i.* 10) Acusar.

NO.TÁ.RIO *s.m.* Escrivão público; tabelião.

NO.TÁ.VEL *adj.2gên.* 1) Digno de nota. 2) Digno de apreço ou louvor. 3) Considerável, extraordinário, louvável. 4) Ilustre, insigne, importante. 5) Eminente pela posição social.

NO.TÍ.CIA *s.f.* 1) Conhecimento, informação. 2) Nova, novidade. 3) Resumo de um acontecimento; referência. 4) Memória, lembrança. 5) Nota, observação, apontamento.

NO.TI.CI.AR *v.t.d.* 1) Dar notícia de; anunciar; informar; comunicar. 2) Tornar conhecido; divulgar.

NO.TI.CI.Á.RIO *s.m.* 1) Conjunto de notícias. 2) Seção de um jornal que se destina à publicação de notícias.

NO.TI.FI.CA.ÇÃO *s.f.* 1) Ato de notificar. 2) *Dir.* Ordem judicial para que se faça ou não alguma coisa.

NO.TI.FI.CAR *v.t.d.* 1) Dar conhecimento de, comunicar, noticiar, participar, intimar. 2) Comunicar solenemente, de acordo com as formalidades da lei ou do estilo.

NO.TÍ.VA.GO *adj.* e *s.m.* 1) Que ou quem tem hábitos noturnos. 2) Que ou quem aprecia a noite e a vida noturna.

NO.TO.RI.E.DA.DE *s.f.* 1) Condição do que ou de quem é notório. 2) Pessoa de capacidade em sua área de trabalho ou conhecimento.

NO.TÓ.RIO *adj.* Sabido de todos ou de muitos; público; manifesto.

NO.TUR.NO *adj.* 1) Referente à noite. 2) Que anda de noite. 3) Que aparece ou se realiza de noite. / *s.m.* 4) *Liturg.* Uma das partes do ofício divino. 5) Quadro que representa uma paisagem iluminada pela lua e pelas estrelas.

NO.VA *s.f.* Notícia, novidade.

NO.VA.TO *s.m.* 1) Aprendiz, calouro, imperito, noviço. 2) Pessoa inexperiente, ingênua. 3) Aluno do primeiro ano de qualquer faculdade. / *adj.* 4) Inexperiente, ingênuo.

NO.VE.LA *s.f.* 1) Composição literária do gênero do romance; narração de aventuras interessantes. 2) *fig.* Enredo; intriga. 3) Narrativa em capítulos transmitida pelo rádio ou TV.

NO.VE.LIS.TA *adj.2gên.* 1) Que gosta de dar notícias. 2) Que gosta de intrigar. / *s.2gên.* 3) Pessoa que escreve novelas. 4) Pessoa que conta novelas.

NO.VE.LO (ê) *s.m.* 1) Bola de fio enrolado sobre si mesmo. 2) *fig.* Enredo.

NO.VE.NA *s.f.* 1) Período de nove dias. 2) Atos religiosos durante nove dias consecutivos. 3) Grupo de nove coisas ou pessoas. 4) Castigo infligido aos escravizados, que consistia em açoites nove dias seguidos.

NO.VI.ÇO *adj.* 1) Inexperiente, novato. / *s.m.* 2) Pessoa que se prepara para professar numa ordem religiosa. 3) Aprendiz, principiante.

NO.VI.DA.DE *s.f.* 1) Qualidade de novo. 2) Aquilo que é novo. 3) Fato que não é habitual. 4) Primeira informação de algum fato; nova. 5) Inovação. 6) Dificuldade; embaraço; imprevisto. 7) Artigos característicos da última moda.

NO.VI.LHO *s.m.* Boi novo; bezerro

NO.VO (ô) *adj.* 1) Que existe há pouco tempo, recente. 2) Que tem pouco uso. 3) Moço, jovem. 4) Moderno. 5) Original, diferente. 6) Visto ou ouvido pela primeira vez. 7) Inexperiente. 8) Emendado, reformado.

NOZ *s.f.* 1) *Bot.* Fruto da nogueira. 2) Qualquer fruto seco, com uma só semente. 3) Noz-moscada: árvore miristicácea, cujo fruto tem aroma muito agradável. 4) Fruto dessa árvore. 5) Noz-vômica: árvore apocinácea; fruto desta árvore, do qual se extrai a estricnina.

NU *adj.* 1) Não vestido; despido; descoberto. 2) Descalço. 3) Desfolhado. 4) Desataviado, desordenado. 5) Sem vegetação. 6) Privado, destituído. 7) Sem ornamento ou enfeite natural. 8) Desarmado, desprotegido. / *s.m.* 9) Nudez.

NU.AN.ÇA ou **NU.AN.CE** *s.f.* 1) Gradação de cores; matiz. 2) Diferença aplicada entre coisas do mesmo gênero. 3) *Mús.* Grau de força ou doçura que convém dar aos sons.

NÚ.BIL *adj.2gên.* Que está em idade de casar.

NU.BLA.DO *adj.* 1) Coberto ou toldado de nuvens. 2) Escuro, obscuro. 3) *fig.* Preocupado, sombrio, triste.

NU.CA *s.f.* Parte superior do pescoço; toutiço.

NU.CLE.AR *adj.2gên.* 1) Relativo a núcleo. 2) *Fís.* Que utiliza a energia liberada pelo núcleo do átomo. 3) Fundamental, central.

NÚ.CLEO *s.m.* 1) *Biol.* Massa esferoide complexa, essencial à vida das células, encontrada em quase todas as células dos seres vivos. 2) Miolo da noz e de outros frutos. 3) *Fís.* Parte central de um todo, parte central do átomo; centro. 4) O ponto principal, a parte essencial de uma coisa.

NU.DEZ (ê) ou **NU.DE.ZA** (ê) *s.f.* 1) Estado de nu. 2) Falta de vestuário. 3) Estado das plantas ou ramos a que caíram as folhas. 4) Ausência de ornatos, de vegetação, etc. 5) Privação. 6) Simplicidade.

NU.DIS.MO *s.m.* Tipo de culto e interesse compartilhados por pessoas que preconizam viver, passear e praticar esportes em estado de completa nudez.

NU.LO *adj.* 1) Nenhum. 2) Que não é válido. 3) Sem valor ou efeito. 4) Ineficaz. 5) Frívolo. 6) Vão. 7) Inerte. 8) Inepto; sem mérito.

NU.ME *s.m.* 1) Divindade. 2) *fig.* Inspiração poética vinda do poder divino.

NU.ME.RA.ÇÃO *s.f.* 1) Ação de numerar. 2) Sequência de números que marcam as páginas de um livro, as casas de uma rua, etc.

NU.ME.RAL *adj.2gên.* 1) Referente a número. 2) Indicativo de um número. / *s.m.* 3) *Gram.* O nome numeral.

NU.ME.RAR *v.t.d.* 1) Indicar, distinguir por meio de números; dispor por ordem numérica. 2) Verificar o número, a quantidade. 3) Contar, incluir.

NU.ME.RÁ.RIO *adj.* 1) Que se refere a dinheiro. / *s.m.* 2) Dinheiro efetivo. 3) Moeda cunhada.

NU.MÉ.RI.CO *adj.* 1) Relativo a números. 2) Que indica ou é expresso por números.

NÚ.ME.RO *s.m.* 1) Expressão da quantidade. 2) Coleção de unidades ou de partes da unidade. 3) *Mat.* Relação entre qualquer quantidade e uma outra tomada como termo de comparação. 4) Quantidade, abundância. 5) Multidão. 6) Cada uma das folhas ou fascículos de uma obra que se publica por partes. 7) Classe, categoria, série. 8) Exemplar de uma publicação periódica. 9) Algarismo ou conjunto de algarismos dispostos um ao lado do outro, usados em sorteios.

NU.ME.RO.LO.GI.A *s.f.* Estudo do significado oculto dos números e da sua influência no caráter e no destino das pessoas.

NU.ME.RO.SO (ô) *adj.* Em grande número; em grande quantidade.

NUN.CA *adv.* Em tempo algum; jamais.

NÚP.CIAS *s.f. pl.* 1) Casamento, matrimônio, boda. 2) A celebração do casamento e as respectivas cerimônias.

NU.TRI.ÇÃO *s.f.* 1) Ato ou efeito de nutrir(-se); nutrimento. 2) Conjunto de fenômenos biológicos que contribuem para a alimentação. 3) Sustento, alimento.

NU.TRI.CI.O.NIS.MO *s.m.* Estudo e investigação sistemática dos problemas referentes à nutrição.

NU.TRI.CI.O.NIS.TA *adj.2gên.* 1) Relativo ao nutricionismo. / *s.2gên.* 2) Pessoa que planeja o uso científico da alimentação, tanto na saúde quanto na doença. 3) Especialista no estudo racional da alimentação.

NU.TRI.EN.TE *adj.2gên.* 1) Nutritivo. / *s.m.* 2) Substância nutriente.

NU.TRIR *v.t.d.* e *v.p.* 1) Alimentar(-se), sustentar (-se). / *v.t.d.* 2) Ministrar recurso a. 3) Desenvolver, educar, instruir. 4) Promover. 5) Guardar, manter intimamente; sentir. 6) Agasalhar, proteger. / *v.i.* 7) Conservar-se, persistir.

NU.TRI.TI.VO *adj.* 1) Que serve para nutrir; nutriente. 2) Que exerce as funções de nutrição. 3) Relativo à nutrição.

NU.VEM *s.f.* 1) *Meteor.* Massa de vapores de água condensados na atmosfera em gotículas. 2) *Por ext.* Porção de fumaça ou pó que se eleva no ar. 3) *fig.* Grande multidão, grande quantidade de coisas em movimento. 4) Pesar. 5) *fig.* O que perturba.

O *s.m.* 1) Décima quinta letra do alfabeto e a quarta vogal. 2) *Gram.* Artigo definido masculino no singular. 3) *Gram.* Pronome pessoal oblíquo que, na sintaxe, exerce a função de objeto direto. 4) *Gram.* Pronome demonstrativo neutro. 5) Abreviatura de oeste. 6) Abreviatura de ohm, unidade de resistência elétrica. 7) *Quím.* Símbolo de oxigênio. 8) Minúsculo e colocado à direita e ao alto de um número exprime que o número é ordinal ou designa graus de circunferência ou temperatura. 9) *Arit.* Sinal numérico de zero.

O.Á.SIS *s.m.* 1) Região fértil, coberta de vegetação no meio de um deserto. 2) Lugar ou coisa aprazível no meio de outros que não o são. 3) *fig.* Satisfação; alívio; prazer entre muitos desgostos.

O.BA (ô) *interj.* 1) Expressa alegria, admiração, satisfação. 2) *pop.* Forma de saudação.

OB.CE.CA.DO *adj.* 1) Que tem a inteligência obscurecida. 2) Teimoso.

OB.CE.CAR *v.t.d.* 1) Tornar cego. 2) *fig.* Cegar, obscurecer. 3) Induzir ao erro ou tornar-se contumaz nele.

O.BE.DE.CER *v.t.i.* e *v.i.* 1) Submeter-se à vontade de, cumprir as ordens de. / *v.t.i.* 2) Estar sujeito; ficar sob a autoridade de. 3) Deixar-se governar ou conduzir por.

O.BE.DI.ÊN.CIA *s.f.* 1) Ato ou ação de obedecer. 2) Submissão a uma autoridade.

O.BE.LIS.CO *s.m.* Monumento de base quadrangular com ápice piramidal.

O.BE.SI.DA.DE *s.f. Med.* Condição ou estado de quem é obeso, muito gordo.

O.BE.SO (ê) *adj.* Que tem obesidade; gordo em excesso.

Ó.BI.CE *s.m.* Obstáculo, impedimento, empecilho.

Ó.BI.TO *s.m.* Morte de alguém; falecimento; passamento.

O.BI.TU.Á.RIO *s.m.* 1) Registro de óbitos. 2) Nota(s) de falecimento publicada(s) em jornais. / *adj.* 3) Referente a óbito.

OB.JE.ÇÃO *s.f.* 1) Ato ou efeito de objetar. 2) Réplica; contestação; oposição; obstáculo.

OB.JE.TAR *v.t.i.* 1) Fazer objeção; opor-se a. / *v.t.d.* 2) Alegar como razão contraditória. 3) Fazer objeção a.

OB.JE.TI.VA *s.f. Fís.* Lente ou vidro que está voltado para o objeto que se quer examinar ou fotografar.

OB.JE.TI.VAR *v.t.d.* 1) Concretizar, realizar. 2) Ter como objetivo, como fim; pretender.

OB.JE.TI.VO *adj.* 1) Que se refere ao objeto ou ao mundo exterior. 2) *Filos.* Diz-se de tudo baseado ou referente aos objetos materiais concretos, exteriores ao espírito. 3) Que expõe, investiga ou critica as coisas excluindo sentimentos pessoais. / *s.m.* 4) Fim, propósito.

OB.JE.TO *s.m.* 1) Tudo que se oferece aos sentidos ou à alma. 2) Coisa material; concreta. 3) Assunto, matéria. 4) Pretexto; propósito; fim. 5) *Gram.* Termo que completa a significação dos verbos transitivos podendo ser complemento (objeto) direto ou complemento (objeto) indireto.

O.BLA.ÇÃO *s.f. Rel.* Oferenda feita a Deus ou aos santos.

O.BLÍ.QUA *s.f. Geom.* Reta que forma com outra, ou com a superfície de um plano, ângulos adjacentes desiguais.

O.BLI.QUAR *v.i.* 1) Caminhar obliquamente. 2) *fig.* Proceder com malícia; tergiversar.

O.BLÍ.QUO *adj.* 1) Inclinado sobre um plano ou superfície. 2) Enviesado; que vai de lado, de soslaio. 3) Torto. 4) *Geom.* Diz-se do sólido que não é geométrico, ou seja, cujo eixo não é perpendicular à base.

O.BLI.TE.RA.ÇÃO *s.f.* 1) Ato de obliterar(-se). 2) Destruição, eliminação. 3) Esquecimento. 4) Fechamento, obstrução.

O.BLI.TE.RAR *v.t.d.* e *v.p.* 1) Desaparecer ou fazer desaparecer aos poucos; destruir(-se), apagar (-se). 2) Levar a ou ficar no esquecimento. 3) Fechar(-se), obstruir(-se).

O.BLON.GO *adj.* Mais comprido do que largo; alongado; oval.

OB.NU.BI.LAR *v.t.d.* e *v.p.* Obscurecer(-se); escurecer(-se); ofuscar(-se).

O.BO.É *s.m. Mús.* 1) Instrumento musical de sopro, feito de madeira, com palheta dupla e de timbre parecido ao do clarinete, mas ligeiramente nasal. 2) Registro de harmônio ou de órgão.

O.BRA *s.f.* 1) Efeito de uma ação ou trabalho. 2) Coisa ou construção feita ou produzida por um agente; ação, feito. 3) Trabalho manual. 4) Edifício ou casa em construção. 5) Conjunto das produções de um escritor ou artista. 6) Ações, atos humanos.

O.BRAR *v.t.d.* 1) Converter em obra; executar; produzir efeito. / *v.i.* 2) Executar trabalho; construir; praticar ação. 3) Atuar, agir. 4) Trabalhar. 5) *pop.* Defecar, evacuar.

O.BREI.RO *adj.* 1) Que trabalha. / *s.m.* 2) Aquele que trabalha, lida ou se ocupa em qualquer obra.

O.BRI.GA.ÇÃO *s.f.* 1) Imposição; dever, compromisso. 2) Ato de obrigar. 3) Ofício; favor; dívida.

O.BRI.GAR *v.t.d.* e *v.i.* 1) Impor dever a; forçar. 2) Ligar por contrato. 3) Sujeitar, expor. 4) Cativar, prender, mediante reconhecimento ou afeição. / *v.t.d.i.* 5) Impor obrigação, dever a alguém. / *v.p.* 6) Afiançar, responsabilizar-se; converter obrigação.

O.BRI.GA.TO.RI.E.DA.DE *s.f.* Qualidade do que é obrigatório.

O.BRI.GA.TÓ.RIO *adj.* 1) Que encerra obrigação. 2) Indispensável.

OBS.CE.NI.DA.DE *s.f.* 1) Qualidade do que é obsceno; indecência. 2) Aquilo que fere as regras do decoro.

OBS.CE.NO *adj.* 1) Que fere o pudor; imoral. 2) Diz-se de quem pronuncia ou escreve obscenidades. 3) Torpe; desonesto.

OBS.CU.RAN.TIS.MO *s.m.* 1) Estado de escuridão. 2) Estado de ignorância; ausência de conhecimento. 3) Doutrina oposicionista a todo progresso intelectual ou material.

OBS.CU.RE.CER *v.t.d., v.i.* e *v.p.* 1) Tornar(-se) obscuro; diminuir(-se) a claridade de; anuviar(-se). 2) Tornar(-se) pouco inteligível; confundir(-se). 3) *fig.* Entristecer(-se).

OBS.CU.RI.DA.DE *s.f.* 1) Estado de obscuro. 2) *fig.* Falta de clareza nas ideias; esquecimento. 3) Falta de luz. 4) *fig.* Condição humilde; vida retirada.

OBS.CU.RO *adj.* 1) Em que não há luz; sombrio. 2) Falta ou escassez de brilho; pouco claro. 3) *fig.* Pouco inteligível; confuso; difícil de entender. 4) Pouco conhecido; ignorado; vago. 5) Retirado.

OB.SE.QUI.AR (ze) *v.t.d.* 1) Fazer obséquio ou favores a. 2) Presentear; mimosear. 3) Tratar agradavelmente e com afabilidade.

OB.SÉ.QUIO (zé) *s.m.* 1) Ato ou efeito de obsequiar. 2) Favor, benefício, benevolência; graça.

OB.SER.VA.ÇÃO *s.f.* 1) Ato ou efeito de observar. 2) Nota, reflexão explicativa; reparo. 3) Censura leve; repreensão, admoestação.

OB.SER.VA.DOR (ô) *adj.* e *s.m.* 1) Que ou quem observa, examina. 2) Atento, minucioso.

OB.SER.VÂN.CIA *s.f.* Cumprimento de obrigação da regra religiosa ou monástica; execução; prática; uso.

OB.SER.VAR *v.t.d.* 1) Cumprir ou praticar o que é prescrito. 2) Estudar, examinar minuciosamente, olhar com atenção. 3) Notar, ver. 4) Chamar a atenção de alguém para fazer ver; advertir. 5) Seguir secretamente ações ou movimentos de; espiar. 6) Censurar de leve; repreender. / *v.p.* 7) Vigiar-se quanto as suas próprias ações ou palavras. 8) Estudar a sua própria natureza.

OB.SER.VA.TÓ.RIO *s.m.* 1) Mirante. 2) Edifício para observações astronômicas e meteorológicas.

OB.SES.SÃO *s.f.* 1) Persistência involuntária de uma ideia na mente; preocupação constante. 2) *fig.* Preocupação constante; ideia fixa; mania.

OB.SES.SI.VO *adj.* 1) Relativo a obsessão. / *adj.* e *s.m.* 2) Que ou quem tem obsessão.

OB.SES.SO *adj.* 1) Importunado, atormentado. / *s.m.* 2) Indivíduo atormentado por ideia fixa ou obsessão diabólica.

OB.SI.DI.A.NA *s.f. Geol.* Rocha vítrea dos vulcões, da qual se faziam instrumentos cortantes e espelhos.

OB.SO.LE.TO *adj.* Caído em desuso; antiquado.

obstáculo óctuplo

OBS.TÁ.CU.LO *s.m.* 1) Tudo que impede alguma coisa; embaraço, estorvo; barreira. 2) *Fís.* O que resiste ou serve de resistência a uma força.

OBS.TAN.TE *adj.2gên.* Que obsta ou impede.

OBS.TAR *v.t.d.* 1) Servir de obstáculo a; causar embaraço ou estorvo a. / *v.t.i.* 2) Opor-se. 3) Causar embaraço; estorvo.

OBS.TE.TRA *s.2gên.* e *adj.2gên.* Que ou quem é especialista em obstetrícia; parteiro; ginecologista.

OBS.TE.TRÍ.CIA *s.f.* Parte da medicina que se ocupa da gravidez e dos partos; tocologia.

OBS.TI.NA.ÇÃO *s.f.* Característica ou comportamento de quem se obstina; persistência, teimosia.

OBS.TI.NA.DO *adj.* 1) Firme, persistente, teimoso. 2) Inflexível; irredutível.

OBS.TI.NAR *v.t.d.* 1) Tornar obstinado. / *v.p.* 2) Insistir na teima ou no erro. 3) Defender determinada ideia; porfiar, teimar.

OBS.TRU.ÇÃO *s.f.* 1) Ato ou efeito de obstruir. 2) *Med.* Embaraço nos vasos ou canais de um corpo animado; entupimento. 3) *Polít.* Oposição propositada; obstrucionismo.

OBS.TRU.CI.O.NIS.MO *s.m. Polít.* Embaraço sistemático em que se criam obstáculos à maioria nos trabalhos parlamentares; obstrução.

OBS.TRU.IR *v.t.d.* 1) Causar obstrução; dificultar, entupir; perturbar. 2) Não deixar realizar; estorvar, impedir o movimento ou a passagem de. / *v.p.* 3) Ficar obstruído. 4) Fechar-se; tapar-se.

OB.TEN.ÇÃO *s.f.* Ato ou efeito de obter; aquisição.

OB.TER *v.t.d.* Alcançar, conseguir algo pedido ou desejado; adquirir, conquistar, granjear.

OB.TU.RA.ÇÃO *s.f.* 1) Ato ou efeito de obturar. 2) *Odont.* Preenchimento de cavidade dentária cariada.

OB.TU.RAR *v.t.d.* 1) Fechar por obturação. 2) Entupir, preencher, obstruir, tapar, fechar.

OB.TU.SÂN.GU.LO *adj. Geom.* Triângulo que possui um ângulo obtuso.

OB.TU.SO *adj.* 1) Que não é agudo nem bicudo; arredondado, rombo. 2) *fig.* Diz-se do indivíduo estúpido, rude; bronco. 3) *Geom.* Diz-se do ângulo que mede mais de 90 graus.

ÓB.VIO *adj.* 1) De fácil compreensão. 2) Claro, evidente, manifesto, patente.

O.CA *s.f.* Cabana indígena de forma circular.

O.CA.RI.NA *s.f.* Instrumento musical arredondado de sopro, geralmente feito de barro.

O.CA.SI.ÃO *s.f.* 1) Conjuntura de tempo, lugar e acidentes, próprios para realizar alguma coisa. 2) Circunstância, oportunidade. 3) Tempo disponível; tempo em que ocorre algo.

O.CA.SIO.NAL *adj.2gên.* Que acontece por acaso; casual.

O.CA.SIO.NAR *v.t.d.* e *v.t.d.i.* 1) Causar, provocar. / *v.t.d.i.* 2) Oferecer a oportunidade de; proporcionar. / *v.p.* 3) Acontecer, ocorrer.

O.CA.SO *s.m.* 1) O lado do horizonte em que o Sol se põe; oeste, poente. 2) *fig.* Decadência, fim.

OC.CI.PÍ.CIO *s.m. Anat.* Parte inferior e posterior da cabeça.

O.CE.Â.NI.CO *adj.* 1) Relativo a oceano. 2) Que vive no oceano.

O.CE.A.NO *s.m.* 1) Extensão de água salgada que rodeia os continentes e cobre a maior parte do globo terrestre; mar. 2) Cada uma das divisões dessa extensão da água: Atlântico, Índico e Pacífico. 3) *fig.* Grande quantidade; imensidade.

O.CE.A.NO.GRA.FI.A *s.f.* Ciência que trata dos oceanos, dos seres que os povoam e de tudo referente aos oceanos.

O.CI.DEN.TE *s.m.* 1) Parte do globo ou de uma região que fica situada para o lado onde o Sol se põe. 2) Lado do horizonte onde se vê o Sol se pondo; poente.

Ó.CIO *s.m.* Descanso, folga do trabalho; lazer, preguiça; repouso; ociosidade.

O.CI.O.SO (ô) *adj.* 1) Que está na ociosidade; que não trabalha; inútil. 2) Desnecessário; supérfluo.

O.CLU.SÃO *s.f.* 1) Ato ou efeito de fechar; fechamento. 2) *Med.* Bloqueio ou entupimento em um conduto do organismo; obstrução. 3) Escurecimento, apagamento. 4) *Astrol.* Ocultação momentânea de um astro. 5) *Odont.* Contato dos dentes superiores e inferiores quando a boca está fechada ou durante a mastigação.

O.CLU.SI.VO *adj.* Em que há oclusão.

O.CO (ô) *adj.* 1) Que não tem medula ou miolo; vão; vazio. 2) Escavado. 3) *fig.* Frívolo, fútil, insignificante. / *s.m.* 4) Lugar escavado.

O.COR.RÊN.CIA *s.f.* 1) Acontecimento, fato sucedido. 2) Encontro, ocasião; eventualidade.

O.COR.RER *v.t.i.* 1) Vir ao encontro de; aparecer, sobrevir. 2) Vir à memória ou ao pensamento. / *v.i.* 3) Vir ao encontro; vir a algum lugar. 4) Coincidir no mesmo dia.

O.CRE *s.m.* 1) Argila colorida por óxido de ferro, entre amarelo e vermelho, usada em pintura. / *adj.2gên.* 2) Que tem a cor do ocre.

OC.TA.E.DRO *s.m. Mat.* Poliedro de oito faces.

OC.TAN.GU.LAR *adj.2gên.* Octogonal.

OC.TO.GÉ.SI.MO *num.* 1) Que ocupa o último lugar numa série de 80. 2) Ordinal e fracionário que correspondem a 80.

OC.TO.GO.NAL *adj.2gên. Geom.* 1) Que possui oito ângulos e oito lados; octangular, octógono, oitavado. 2) Que tem por base um octógono.

OC.TÓ.GO.NO *s.m.* 1) *Geom.* Polígono de oito lados. 2) *Constr. Mil.* Construção octogonal. / *adj.* 3) Octogonal.

ÓC.TU.PLO *num.* 1) Que contém oito vezes uma certa quantidade. / *s.m.* 2) Quantidade oito vezes maior que outra.

357

ocular / oficial

O.CU.LAR *adj.2gên.* 1) Relativo a olho. / *s.f.* 2) *Ópt.* Em um instrumento óptico, lente através da qual se observa a imagem formada por uma objetiva.

O.CU.LIS.TA *s.2gên.* e *adj.2gên.* 1) Especialista em doenças oculares; oftalmologista. 2) Quem fabrica ou vende óculos.

Ó.CU.LO *s.m.* 1) Aparelho provido de lentes para auxiliar ou ampliar a vista. 2) *Arquit.* Abertura redonda na parede ou no teto, que dá passagem ao ar ou à luz. / *s.m. pl.* 3) Conjunto de duas lentes usadas diante dos olhos, montadas em armação própria, que compensam ou corrigem defeitos visuais.

O.CUL.TAR *v.t.d.* e *v.p.* 1) Não deixar(-se) ver; encobrir(-se), esconder(-se). / *v.t.d.* 2) Disfarçar, dissimular.

O.CUL.TIS.MO *s.m.* 1) Estudo dos fenômenos que parecem ser inexplicáveis pelas leis naturais. 2) Conjunto de artes e sistemas ocultos baseados em conhecimentos secretos; magia.

O.CUL.TO *adj.* Encoberto, escondido; desconhecido; invisível; enigmático, sobrenatural.

O.CU.PA.ÇÃO *s.f.* 1) Ato ou efeito de ocupar ou de se apoderar de qualquer coisa. 2) *Dir.* Posse. 3) Emprego, modo de vida, trabalho.

O.CU.PA.CIO.NAL *adj.2gên.* Referente a trabalho, a ocupação.

O.CU.PAR *v.t.d.* 1) Apoderar-se de; tomar posse de. 2) Estabelecer-se por ocupação militar em; invadir. 3) Cobrir o espaço de; encher. 4) Dar ocupação ou trabalho a; incumbir de. / *v.p.* 5) Trabalhar; dedicar-se a; aplicar a atenção ou os cuidados em alguma coisa.

O.DA.LIS.CA *s.f.* 1) Escrava do harém que servia as mulheres do sultão. 2) Cada uma das mulheres do harém do sultão.

O.DE *s.f.* Composição poética de estrofes simétricas que, entre os antigos gregos, era cantada.

O.DI.AR *v.t.d.* 1) Ter ódio a; detestar; abominar; sentir aversão ou profunda repugnância por. 2) Intrigar, inimizar. / *v.p.* 3) Ter raiva de si mesmo; detestar-se.

Ó.DIO *s.m.* Rancor; raiva; aversão profunda que se sente por alguém.

O.DI.O.SO (ô) *adj.* 1) Digno de ódio; desprezível. / *s.m.* 2) Aquilo que inspira e provoca ódio.

O.DIS.SEI.A (éi) *s.f.* 1) Viagem longa e cheia de aventuras extraordinárias. 2) Série de acontecimentos inesperados e extraordinários.

O.DON.TO.LO.GI.A *s.f.* Parte da medicina que se ocupa das afecções dentárias.

O.DOR (ô) *s.m.* 1) Aroma, fragrância, cheiro, perfume. 2) Impressão que as emanações voláteis dos corpos produzem no olfato.

O.DO.RAN.TE *adj.2gên.* Que tem ou exala odor; cheiroso, perfumado, odorífero.

O.DO.RÍ.FE.RO *adj.* Cheiroso, odorante.

O.DRE (ô) *s.m.* 1) Saco de pele, destinado ao transporte de líquidos. 2) *fig.* Indivíduo muito gordo. 3) *pop.* Beberrão.

O.ES.TE *s.m.* 1) Ponto cardeal situado do lado onde o Sol se põe, oposto ao leste. 2) Região situada a este lado. 3) Parte do horizonte onde o Sol se põe; poente; ocidente. 4) Vento que sopra do poente dessa direção. / *adj.2gên.* 5) Que se refere ao poente. 6) Que sopra do poente.

O.FE.GAR *v.i.* 1) Respirar com dificuldade ou fazendo ruído resultante de cansaço; arquejar; arfar. 2) Produzir ruído semelhante ao ofego. 3) Estar ansioso, anelante.

O.FE.GO (ê) *s.m.* 1) Respiração difícil, precipitada ou ruidosa. 2) Cansaço, exaustão.

O.FEN.DER *v.t.d.* e *v.p.* 1) Injuriar(-se); ferir(-se), lesar(-se), machucar(-se), magoar(-se). / *v.t.d.* 2) Ferir na dignidade, no amor-próprio. 3) Aborrecer, desagradar; ir contra as regras ou preceitos de. / *v.p.* 4) Considerar-se insultado; dar(-se) por ofendido.

O.FEN.SA *s.f.* 1) Ação de ofender. 2) Lesão, injúria, ultraje, por fato ou por palavras. 3) *Teol.* Pecado considerado como um insulto a Deus. 4) Menosprezo; transgressão de preceitos. 5) Mágoa ou ressentimento da pessoa ofendida.

O.FEN.SI.VA *s.f.* Ação ou situação de quem ataca; iniciativa no ataque.

O.FEN.SI.VO *adj.* 1) Que ofende física ou moralmente. 2) Que ataca, prejudicial, lesivo, danoso.

O.FEN.SOR (ô) *adj.* e *s.m.* Que ou aquele que ofende; ofendedor; agressor.

O.FE.RE.CE.DOR (ô) *adj.* e *s.m.* Que ou aquele que oferece.

O.FE.RE.CER *v.t.d.* 1) Apresentar, propor, expor, mostrar para que seja aceito. 2) Dar como oferta ou presente. 3) *Rel.* Apresentar como expiação. / *v.p.* 4) Propor-se a fazer alguma coisa; arriscar-se, expor-se.

O.FE.REN.DA *s.f.* 1) Aquilo que se oferece; presente. 2) Oferta feita a divindades.

O.FER.TA *s.f.* 1) Ação de oferecer(-se); oferecimento. 2) Retribuição de certos atos litúrgicos; oferenda; dádiva. 3) *Com.* Produto que se expõe a um preço menor que o normal, como atrativo à freguesia.

O.FER.TAR *v.t.d.* e *v.t.d.i.* 1) Fazer uma oferta, uma doação. / *v.p.* 2) Oferecer-se.

O.FER.TÓ.RIO *s.m.* 1) Parte da missa que o celebrante oferece o pão e o vinho a Deus. 2) Ato de angariar ofertas para festas de igrejas; oferenda.

O.FI.CI.AL *adj.2gên.* 1) Proposto por emanado de autoridade. 2) Revestido de todas as formalidades; conforme as ordens legais; solene. / *s.m.* 3) Pessoa que vive ou conhece bem um ofício. 4) *Mil.* Militar de posição superior à de subtenenoficializado · olho

te, no Exército; e à de suboficial, na Marinha e na Aeronáutica. 5) Empregado de graduação superior à de escriturário. 6) Empregado judicial ou administrativo, de categoria inferior, encarregado de fazer citações, intimações, etc.

O.FI.CI.A.LI.ZA.DO *adj.* 1) Tornado oficial. 2) Eleito consagrado pelo uso.

O.FI.CI.A.LI.ZAR *v.t.d.* Dar sanção ou caráter oficial a; tornar oficial.

O.FI.CI.NA *s.f.* 1) Lugar onde se exerce um ofício. 2) Lugar onde se consertam veículos ou quaisquer aparelhos. 3) Dependência de igreja, etc., destinada à refeição, à despensa ou à cozinha. 4) *fig.* Lugar onde se dão grandes transformações.

O.FÍ.CIO *s.m.* 1) Cargo, emprego, profissão. 2) Qualquer arte manual ou mecânica. 3) Dever; obrigação; encargo. 4) *Dir.* Correspondência formal entre autoridades, ou aos superiores. 5) Cartório. 6) Conjunto de orações e atos de cerimônias religiosas. / *s.m. pl.* 7) Diligência, intervenção benévola; obséquio ➡ofícios.

O.FÍ.DIO *adj.* 1) Semelhante a uma serpente. / *s.m.* 2) Serpente; cobra. 3) Subordem de répteis que compreende todas as serpentes.

OF.TAL.MI.A *s.f. Med.* Inflamação dos olhos, causada especialmente pelas conjuntivites graves.

OF.TÁL.MI.CO *adj.* 1) *Med.* Relativo à oftalmia ou aos olhos. / *s.m.* 2) Medicamento que pode ser aplicado contra a oftalmia. 3) O que sofre de oftalmia.

OF.TAL.MO.LO.GI.A *s.f. Med.* Ramo da medicina que se ocupa do estudo dos olhos e das suas doenças.

OF.TAL.MOS.CÓ.PIO *s.m. Med.* Instrumento utilizado para examinar o interior do olho.

O.FUS.CAR *v.t.d.* 1) Impedir de ver ou de ser visto; encobrir, obscurecer, ocultar. 2) *fig.* Fazer sombra a; empanar; toldar. / *v.p.* 3) Deslumbrar-se; desvalorizar-se, perder o valor. 4) Perder o brilho, obscurecer-se.

O.GRO *s.m.* Gigante lendário de aspecto assustador.

OH *interj.* Exprime espanto, alegria, etc.

OHM *s.m.* Unidade de resistência elétrica.

OI *interj.* Expressão usada para saudação ou resposta a um chamado.

OI.TA.VA *s.f.* 1) *Mús.* Intervalo que abrange oito notas musicais de uma escala de tons e semitons. 2) *Mús.* Sinal que indica que o trecho melódico deve ser executado uma oitava acima ou abaixo. 3) *Lit.* Estrofe composta de oito versos.

OI.TA.VO *num.* 1) Ordinal e fracionário correspondente a oito. 2) Que ocupa o último lugar numa série de oito. / *s.m.* 3) A oitava parte de um todo dividido em partes iguais.

OI.TEN.TA *s.m.* Número que corresponde a dez vezes oito.

OI.TO *num.* 1) Sete mais um. / *s.m.* 2) Algarismo representante desse número. 3) Aquilo que ocupa o último lugar numa série de oito.

OI.TO.CEN.TOS *num.* 1) Oito vezes 100. 2) Oito centenas.

O.JE.RI.ZA *s.f.* Má vontade contra alguém; antipatia; aversão.

O.LÁ *interj.* Serve para saudar, exprimir admiração ou espanto.

O.LA.RI.A *s.f.* Fábrica de louça de barro, telhas e tijolos.

O.LÉ *interj.* 1) Exprime afirmação. 2) Exclamação com que a torcida aplaude um bom lance no futebol, ou com que o público, nas touradas, saúda um movimento hábil do toureiro.

O.LE.A.DO *adj.* 1) Que tem óleo; azeitado. / *s.m.* 2) Pano impermeável, assim tornado por uma camada de verniz ou de outra substância análoga; encerado.

O.LEI.CUL.TU.RA *s.f.* 1) Fabrico, tratamento e conservação do azeite. 2) Olivicultura.

O.LEI.RO *s.m.* 1) Aquele que trabalha em olaria. 2) Nome de um pássaro também chamado joão-de-barro. / *adj.* 3) Ceramista.

Ó.LEO *s.m.* 1) Líquido gorduroso e comestível que se pode extrair dos frutos de vários vegetais. 2) *Quím.* Designação dada a substâncias gordurosas, líquidas à temperatura normal, de origem mineral, animal ou vegetal.

O.LE.O.DU.TO *s.m.* Sistema formado de grandes tubos e equipamentos de bombeamento, para conduzir petróleo e seus derivados a grande distâncias.

O.LE.O.SI.DA.DE *s.f.* Qualidade do que é oleoso.

O.LE.O.SO (ô) *adj.* 1) Relativo a óleo. 2) Coberto ou cheio de óleo; gorduroso.

OL.FA.TO *s.m.* 1) Um dos cinco sentidos que permite a percepção e identificação de odores. 2) Cheiro, faro (em especial, referindo-se a cães).

O.LHA.DA *s.f.* Ato de olhar rapidamente; espiada.

O.LHA.DE.LA *s.f.* Ato de olhar rapidamente e apenas uma vez; espiada.

O.LHAR *v.t.d.* 1) Fixar os olhos em; contemplar, observar. 2) Estar voltado para. / *v.t.d. e v.t.i.* 3) Cuidar de, tomar conta, proteger. / *v.p.* 4) Mirar-se, ver-se, observar-se; fitar-se mutuamente. / *v.t.i.* 5) Interessar-se por. 6) Voltar os olhos para, dirigir a vista. 7) Considerar, atentar. / *s.m.* 8) Ação de olhar; o olho.

O.LHEI.RA *s.f.* Mancha escura, lívida e pálida, na região dos olhos.

O.LHEI.RO *s.m.* 1) Indivíduo que vigia trabalhos. 2) Aquele que tem por cargo tomar nota do que vê; informador; observador. 3) Aberturas no centro dos formigueiros. 4) Nascente de água.

O.LHO (ô) *s.m.* 1) *Anat.* Órgão da visão. 2) Olhar, vista. 3) Cuidado, atenção, vigilância. 4) Botão, reolhudo / ópera

bento de plantas. 5) Aro de qualquer ferramenta, onde se encaixa o cabo.

O.LHU.DO *adj.* Que tem olhos grandes.

O.LI.GAR.QUI.A *s.f.* 1) Governo de um pequeno grupo de pessoas. 2) *fig.* Predomínio de uma facção ou grupo nos altos cargos e na direção dos negócios públicos.

O.LIM.PÍ.A.DA *s.f.* 1) Período de quatro anos, decorridos entre duas celebrações consecutivas dos jogos olímpicos, na Antiga Grécia. 2) Jogos esportivos, realizados de quatro em quatro anos, de todas as modalidades, por equipes de vários países, que ocorrem desde 1896.

O.LI.VA *s.f.* 1) Fruto da oliveira; azeitona. 2) *Bot.* Oliveira. 3) *Arquit.* Ornatos em forma de azeitona.

O.LI.VAL *s.m.* Terreno plantado de oliveiras; olivedo.

O.LI.VE.DO (ê) *s.m.* 1) Porção de olivais. 2) Olival.

O.LI.VEI.RA *s.f. Bot.* Árvore que serve de tipo às Oleáceas e que tem por fruto a azeitona.

O.LI.VI.CUL.TOR (ô) *s.m.* Aquele que se dedica à olivicultura; oleicultor.

OL.VI.DAR *v.t.d.* e *v.p.* Perder a memória; não (se) lembrar; esquecer(-se).

OM.BREI.RA *s.f.* 1) Parte do vestuário que corresponde aos ombros. 2) Cada uma das peças laterais das portas e janelas. 3) Entrada, porta.

OM.BRO *s.m.* 1) Região escapular que corresponde à junção das extremidades superiores do úmero e da escápula, onde o braço se articula com o tronco. 2) *fig.* Força; vigor. 3) Esforço, diligência.

O.ME.LE.TE *s.2gên.* Fritada de ovos batidos.

O.MIS.SÃO *s.f.* 1) Ato ou efeito de omitir(-se), de deixar de dizer ou fazer algo. 2) Falta de cuidado; negligência.

O.MI.TIR *v.t.d.* 1) Deixar de fazer; deixar de mencionar, esquecer. 2) Descuidar, negligenciar. / *v.p.* 3) Deixar de atuar ou manifestar-se.

ON.ÇA *s.f.* 1) Antiga medida de peso (brasileira), equivalente a 28,691 gramas; (inglesa) equivalente a 28,349 gramas. 2) *Zool.* Mamífero felídeo carnívoro de grande porte. 3) *fig.* Valentão; indivíduo muito forte, destemido. / *adj.2gên.* 4) Diz-se do indivíduo muito forte ou de uma pessoa muito feia.

ON.CO.LO.GI.A *s.f. Med.* Ramo da medicina que estuda e trata tumores.

ON.DA *s.f.* 1) Elevação que se forma na superfície da água do mar, lago ou rio e se desloca. 2) *fig.* Grande agitação; ímpeto, tropel.

ON.DE *adv.* 1) Em que lugar, no lugar em que. 2) Quando usado interrogativamente exprime: em que parte? Em que lugar?

ON.DE.AR *v.i.* 1) Fazer ou transmitir-se em ondas ou ondulações a água; ondular. 2) Mover-se em oscilações; tremular. 3) Tornar-se curvo; serpear. / *v.t.d.* 4) *fig.* Agitar como ondas; dar a aparência de ondas a, tornar ondeado.

ON.DU.LA.ÇÃO *s.f.* 1) Movimento das ondas ou parecido com o das ondas. 2) Ondas pouco agitadas. 3) Conjunto de elevações e depressões de uma superfície.

ON.DU.LA.DO *adj.* 1) Que tem ondas. 2) Disposto em ondas ou curvas; sinuoso. 3) Cuja superfície não é plana.

O.NE.RAR *v.t.d.*, *v.t.d.i.* e *v.p.* 1) Impor(-se) ou sujeitar(-se) a ônus, obrigação ou gastos mais pesados. / *v.t.d.* e *v.p.* 2) Endividar(-se). / *v.t.d.* 3) Causar opressão, dano ou prejuízo a.

Ô.NI.BUS *s.m.* Veículo motorizado para transporte de muitos passageiros, com itinerário preestabelecido.

O.NI.CO.FA.GI.A *s.f.* Hábito de roer as unhas.

O.NI.PO.TEN.TE *adj.2gên.* 1) Que pode tudo; todo-poderoso; que tem poder absoluto. / *s.m.* 2) Deus.

O.NI.PRE.SEN.TE *adj.2gên.* Que está presente em toda parte; ubíquo.

O.NÍ.RI.CO *adj.* Referente a sonhos.

O.NIS.CI.EN.TE *adj.2gên.* 1) Que sabe tudo. / *s.m.* 2) Deus.

O.NÍ.VO.RO *adj.* e *s.m.* Que ou o que come de tudo, que se nutre de alimentos de origem tanto vegetal quanto animal.

Ô.NIX (cs) *s.m.* 1) *Miner.* Pedra semipreciosa que corresponde a uma variedade de ágata, semitransparente, em que há diferentes cores em suas camadas dispostas paralelamente. 2) Mármore fino, com camadas de diferentes cores.

ON-LINE (on-láine) *adj.2gên. ingl. Inform.* 1) Diz-se do estado em que se encontra um equipamento que está conectado a um sistema computacional. / *adv.* 2) Em conexão com sistemas de processamento e/ou transmissão de informação.

O.NO.MÁS.TI.CA *s.f.* 1) Conjunto ou relação de nomes próprios. 2) *Linguíst.* Estudo linguístico dos nomes próprios.

O.NO.MA.TO.PEI.A *s.f. Gram.* Palavra cuja pronúncia imita o som da coisa significada.

ON.TEM *adv.* 1) No dia anterior ao de hoje. 2) Nos tempos passados.

Ô.NUS *s.m.* 1) Aquilo que pesa; carga. 2) Encargo pesado, responsabilidade. 3) Imposto pesado.

O.OS.FE.RA *s.f. Bot.* Gameta feminino dos vegetais.

O.PA.CI.DA.DE *s.f.* Qualidade de opaco; ausência de transparência.

O.PA.CO *adj.* 1) Que não possui transparência. 2) Escuro, sombrio. 3) *fig.* Fechado, cerrado.

OP.ÇÃO *s.f.* 1) Direito ou ato de optar. 2) Livre escolha. 3) Preferência. 4) Alternativa. 5) Documento escrito como caução ou promessa que se dá a alguém devido a uma transação.

OP.CIO.NAL *adj.2gên.* Sujeito a opção; optativo, facultativo.

Ó.PE.RA *s.f.* 1) *Mús.* Peça lírica dramática em que geralmente não há diálogo falado, acompanhada operação   oráculo

de orquestra, dança e canto. 2) Teatro onde se representam essas peças; teatro lírico.

O.PE.RA.ÇÃO *s.f.* 1) Ato ou efeito de operar. 2) Conjunto dos meios para a consecução de um resultado. 3) *Com.* Transação comercial. 4) *Mat.* Cálculo matemático. 5) *Mil.* Manobra ou combate militar. 6) *Med.* Tratamento médico por meio de cirurgia; intervenção cirúrgica.

O.PE.RA.DOR (ô) *adj.* e *s.m.* 1) Que ou aquele que opera. / *s.m.* 2) *Med.* Cirurgião. 3) Aquele que está encarregado da filmagem nos estúdios cinematográficos. 4) Aquele que está encarregado do som nas estações de rádio.

O.PE.RAR *v.t.d.* 1) Produzir, realizar, obrar, efetuar. 2) Fazer operação qualquer. / *v.t.d.* e *v.i.* 3) Fazer funcionar, acionar alguma coisa. / *v.i.* 4) Trabalhar. 5) Produzir algum efeito. 6) Entrar em atividade ou funcionamento.

O.PE.RA.RI.A.DO *s.m.* A classe operária.

O.PE.RÁ.RIO *s.m.* 1) Trabalhador em fábricas e indústrias que exerce trabalho manual ou mecânico. / *adj.* 2) Relativo a operário.

O.PE.RE.TA *s.f.* 1) Gênero teatral musicado de caráter leve e cômico. 2) Pequena peça ou ópera desse gênero.

O.PI.NAR *v.t.i.* 1) Emitir ou dar sua opinião; expor o que se pensa. / *v.t.d.* 2) Entender, julgar, dar opinião. / *v.i.* 3) Dar seu parecer.

O.PI.NI.ÃO *s.f.* 1) Maneira de opinar. 2) Modo pessoal de avaliar algo. 3) Pensamento crítico; conceito.

Ó.PIO *s.m.* 1) Suco extraído das cápsulas de diversos tipos de papoulas. 2) Aquilo que causa entorpecimento moral; que serve de narcótico.

O.PO.NEN.TE *adj.2gên.* e *s.2gên.* 1) Que ou aquele que se opõe; opositor. 2) *Anat.* Diz-se de um músculo da massa muscular da palma da mão.

O.POR *v.t.d.* 1) Contrapor; pôr diante de, como obstáculo. 2) Apresentar em oposição; contestar, questionar. / *v.p.* 3) Fazer oposição; impedir, afrontar, ser de opinião contrária. 4) Negar-se, recusar-se.

O.POR.TU.NI.DA.DE *s.f.* 1) Qualidade de oportuno. 2) Ocasião própria; momento favorável. 3) Conveniência.

O.POR.TU.NIS.MO *s.m. Polít.* Acomodação às circunstâncias, sacrificando princípios, aproveitando para benefícios próprios.

O.POR.TU.NIS.TA *adj.2gên.* 1) Referente ao oportunismo. 2) Que aproveita circunstâncias inesperadas. 3) Que é partidário do oportunismo. / *s.2gên.* 4) Pessoa oportunista; que se aproveita das oportunidades.

O.POR.TU.NO *adj.* 1) Que vem a momento próprio ou propósito. 2) Adequado, conveniente, favorável. 3) Feito propositalmente.

O.PO.SI.ÇÃO *s.f.* 1) Ação ou efeito de opor-se. 2) Dificuldade, impedimento, obstáculo. 3) Posição de coisas dispostas uma em frente a outra; coisas contrárias.

O.PO.SI.CI.O.NIS.MO *s.m.* 1) Sistema de fazer oposição a tudo. 2) Facção política que faz oposição ao governo.

O.PO.SI.TOR (ô) *adj.* 1) Que ou quem se opõe; oponente. / *s.m.* 2) Concorrente, candidato, contestador; oposicionista.

O.POS.TO (ô) *adj.* 1) Colocado em frente; contraposto. 2) Contrário, inverso; contraditório. / *s.m.* 3) Coisa oposta, contrária.

O.PRES.SÃO *s.f.* 1) Ato ou efeito de oprimir. 2) Estado de oprimido. 3) Abatimento de forças. 4) Tirania. 5) Vexame. 6) Sensação causada pela dificuldade de respirar; sufocação.

O.PRES.SI.VO *adj.* Que causa opressão ou é usado para oprimir; opressor.

O.PRES.SOR (ô) *adj.* e *s.m.* Que ou quem oprime, que sujeita à opressão; opressivo.

O.PRI.MIR *v.t.d.* 1) Causar opressão; exercer pressão sobre. 2) Sobrecarregar; impor; humilhar; onerar. 3) Afligir; atormentar. 4) Reduzir a nada; esmagar, extinguir. / *v.t.d.* e *v.i.* 5) Dominar violentamente, vexar com autoritarismo; tiranizar.

O.PRÓ.BRIO *s.m.* 1) Extrema humilhação. 2) Desonra pública; vergonha, vexame.

OP.TAR *v.t.i.* 1) Decidir-se por uma coisa entre duas ou mais. / *v.i.* 2) *Dir.* Exercer o direito de escolher. / *v.t.d.* 3) Decidir-se por, preferir, escolher.

OP.TA.TI.VO *adj.* Que se pode escolher ou não; opcional.

ÓP.TI.CA *s.f.* 1) *Fís.* Parte da física que estuda a luz e os fenômenos da visão. 2) Estabelecimento onde se fabricam ou vendem instrumentos ópticos, especialmente óculos; ótica.

ÓP.TI.CO *adj.* 1) Relativo à óptica. 2) Relativo ou pertencente a vista ou a olho. / *s.m.* 3) Que fabrica instrumentos ópticos. 4) Que se especializa em óptica; opticista.

O.PU.LÊN.CIA *s.f.* 1) Grande abundância de bens; grande riqueza. 2) Grandeza, magnificência. 3) Grande desenvolvimento de formas; corpulência.

O.PÚS.CU.LO *s.m.* Livro pequeno, de poucas páginas; folheto.

O.RA *adv.* 1) Agora, nesta ocasião, presentemente. / *conj.* 2) Coordenativa alternativa ➡ Ora chove, ora faz sol. / *interj.* 3) Exprime impaciência, aborrecimento, espanto.

O.RA.ÇÃO *s.f.* 1) *Gram.* Conjunto de palavras que formam ou enunciam um pensamento completo. 2) *Liturg.* Súplica religiosa dirigida a Deus ou aos santos; prece, reza.

O.RÁ.CU.LO *s.m.* 1) Resposta de um deus a quem o consultava. 2) A divindade consultada. 3) *fig.*

361

oradar

Palavra inspirada de grande influência e infalível. 4) Pessoa que dá conselhos muito consideráveis.

O.RA.DOR (ô) *s.m.* 1) Indivíduo que ora ou discursa mediante um público. 2) Aquele que tem o dom de expressar-se bem; que fala bem. 3) Indivíduo eloquente.

O.RAL *adj.2gên.* 1) Que se refere à boca; verbal, vocal. 2) Que é feito pela boca ou transmitido através da boca.

O.RAN.GO.TAN.GO *s.m.* 1) *Zool.* Macaco antropomorfo, de grande porte, de Sumatra e Bornéu. 2) *pop.* Pessoa feia e desengonçada.

O.RAR *v.i.* 1) Falar publicamente ou em tom oratório; discursar. / *v.t.i.* 2) Dirigir oração ou prece, rezar. / *v.t.d.* 3) Suplicar; pedir.

O.RA.TÓ.RIA *s.f.* 1) Arte de orar ou falar em público. 2) Eloquência.

O.RA.TÓ.RIO *adj.* 1) Relativo à oratória ou à oração. 2) Próprio de orador. / *s.m.* 3) Nicho ou armário com imagens de santos, em frente ao qual se ora. 4) Drama musical executado em concertos solenes, com cantores, orquestra, solos e mímicas. 5) Pequena capela doméstica.

OR.BE *s.m.* 1) Corpo esférico; globo. 2) Corpo celeste. 3) Campo de órbita de um corpo celeste.

ÓR.BI.TA *s.f.* 1) *Astrol.* Trajetória de um astro através do espaço, em seu movimento de translação. 2) *fig.* Esfera de ação. 3) *Anat.* Cavidade óssea, onde se aloja o olho. 4) Pele que contorna o olho das aves.

OR.ÇA.MEN.TO *s.m.* 1) Ato ou efeito de orçar. 2) Cálculo dos gastos necessários para realizar uma obra. 3) Cálculo da receita e despesa.

OR.ÇAR *v.t.d.* 1) Fazer o orçamento de; calcular, avaliar, estimar. / *v.t.i.* 2) Ser ou ter aproximadamente. 3) Chegar, atingir. / *v.i.* 4) *Náut.* Aproximar-se do vento, como em expressões ➡Ir à orça.

OR.DEI.RO *adj.* e *s.m.* Que ou aquele que preza a ordem; disciplinado; bem-comportado.

OR.DEM *s.f.* 1) Disposição ou colocação das coisas, cada uma em seu devido lugar. 2) Classe ou categoria em que se dividem as pessoas ou as obras, entre si. 3) Natureza, modo de ser. 4) Disposição dos meios legais para obtenção de certos fins. 5) Classe de honra instituída por um soberano ou autoridade suprema. 6) Sociedade religiosa. 7) *Hist. nat.* Reunião de famílias com características afins; subdivisão da classe.

OR.DE.NA.DO *s.m.* 1) Salário. / *adj.* 2) Em ordem, bem-arrumado.

OR.DE.NAR *v.t.d.* e *v.p.* 1) Dispor(-se) em ordem; organizar(-se). / *v.t.i.* e *v.i.* 2) Dar ordem, mandar que algo seja feito. / *v.t.d.* 3) Conferir ordens eclesiásticas a; conferir o sacramento a. / *v.p.* 4) Receber ordens sacras.

OR.DE.NHAR *v.t.d.* 1) Comprimir a teta de (um animal) para tirar o leite. / *v.i.* 2) Praticar a ordenha.

organograma

OR.DI.NAL *adj.2gên. Gram.* Numeral que indica ordem ou série, ou designa o lugar ou posição numa série numérica.

OR.DI.NÁ.RIA *s.f.* 1) Gasto diário, mensal ou anual. 2) Pensão alimentícia.

OR.DI.NÁ.RIO *adj.* 1) Conforme a ordem normal; comum. 2) De pouca ou má qualidade; de pouco valor; inferior. 3) De mau caráter. / *s.m.* 4) Aquilo que é costumeiro; habitual, frequente.

O.RÉ.GA.NO *s.m. Bot.* Planta labiada, usada como tempero de iguarias; orégão.

O.RE.LHA (ê) *s.f.* 1) *Anat.* Parte exterior do aparelho auditivo, em forma de concha, situada em cada um dos lados da cabeça. 2) *Arquit.* A hélice do capitel coríntio. 3) A parte fendida do martelo, própria para arrancar ou endireitar pregos. 4) Ponta das folhas de certos livros, que se dobra para dentro.

O.RE.LHÃO *s.m.* 1) Puxão de orelhas. 2) *Med.* Inflamação nas parótidas. 3) Parte do tear, nas fábricas de seda. 4) Cabina de telefone público cuja forma lembra, grosseiramente, o pavilhão do ouvido.

O.RE.LHU.DO *adj.* 1) *pop.* Que possui orelhas grandes. 2) *fig.* Estúpido, teimoso, birrento. / *s.m.* 3) *pop.* Burro; ignorante. 4) *Zool.* Morcego.

OR.FA.NA.TO *s.m.* 1) Asilo de órfãos. 2) Orfandade. 3) Abandono, desamparo; privação.

ÓR.FÃO *adj.* 1) Que perdeu os pais ou um deles, ou um protetor. 2) Privado. / *s.m.* 3) Aquele que ficou órfão.

OR.FE.ÃO *s.m.* 1) *Mús.* Escola de canto. 2) Conjunto de pessoas ou sociedade cujos membros se dedicam ao canto coral. 3) Pequeno instrumento de teclas e cordas.

OR.GÂ.NI.CO *adj.* 1) *Biol.* Relativo aos órgãos ou a organismo arraigado. 2) *Med.* Que ataca os órgãos. 3) Fundamental. 4) Diz-se do que serve de base a uma instituição.

OR.GA.NIS.MO *s.m.* 1) Corpo organizado, que possui existência autônoma; organização. 2) *Fisiol.* Disposição dos órgãos nos seres vivos. 3) Constituição, compleição.

OR.GA.NIS.TA *s.2gên.* Pessoa que toca órgão.

OR.GA.NI.ZA.ÇÃO *s.f.* 1) Ato ou efeito de organizar (-se). 2) Entidade de cunho social, político, administrativo, etc. 3) Associação de pessoas com um objetivo ou interesse em comum. 4) Ordenação das partes de um todo.

OR.GA.NI.ZA.DOR (ô) *adj.* e *s.m.* Que ou quem organiza.

OR.GA.NI.ZAR *v.t.d.* 1) Ordenar, preparar, dispor convenientemente. 2) Dispor para funcionar; estabelecer as bases de. / *v.p.* 3) Constituir-se, formar-se.

OR.GA.NO.GRA.MA *s.m.* Gráfico da disposição de qualquer organização ou serviço.

362

órgão | oscilação

ÓR.GÃO *s.m.* 1) Parte ou estrutura de um corpo organizado, adaptada a uma função específica. 2) *Mec.* Cada uma das partes de um mecanismo que exerce uma determinada função. 3) *Mús.* Instrumento provido de teclado.

OR.GAS.MO *s.m.* Grau máximo de excitação no gozo sexual, com satisfação do desejo venéreo.

OR.GI.A *s.f.* 1) Bacanal, festim licencioso. 2) Desordem, tumulto, anarquia, agitação. 3) Desperdício, excesso.

OR.GU.LHO *s.m.* 1) Elevado conceito que alguém faz de si próprio; altivez, brio, ufania. 2) Amor-próprio exagerado.

OR.GU.LHO.SO (ô) *adj.* 1) Que tem ou causa orgulho. 2) Que possui vaidade exagerada. 3) Arrogante. / *s.m.* 4) Que demonstra orgulho exagerado.

O.RI.EN.TA.ÇÃO *s.f.* 1) Ato ou arte de orientar (-se). 2) Direção, guia.

O.RI.EN.TA.DOR (ô) *adj.* e *s.m.* Que ou quem orienta, aconselha, direciona.

O.RI.EN.TAL *adj.2gên.* 1) Relativo ao ou próprio do Oriente. 2) Que está situado no Oriente. / *s.2gên.* 3) Habitante ou natural dos países do Oriente.

O.RI.EN.TA.LIS.MO *s.m.* Conhecimentos ou estudos dos costumes, línguas e civilização dos povos orientais.

O.RI.EN.TAR *v.t.d.* 1) Determinar a posição de um lugar através dos pontos cardeais; marcar por meio de orientação. 2) Indicar o rumo de; guiar; encaminhar. / *v.p.* 3) Reconhecer a situação do lugar em que se encontra para guiar-se e encontrar o caminho; dirigir-se. 4) Examinar cuidadosamente os diferentes aspectos de uma questão.

O.RI.EN.TE *s.m.* 1) Ponto do céu onde, aparentemente, o Sol nasce; leste, nascente. 2) *Geogr.* Países ou regiões que se situam do lado onde nasce o Sol. 3) Os povos habitantes destes países. 4) O lado direito de um mapa ou uma carta geográfica.

O.RI.FÍ.CIO *s.m.* 1) Entrada estreita. 2) Pequeno buraco. 3) *Biol.* Pequena abertura de um tubo ou cavidade.

ORIGAMI *s.m. jap.* Arte japonesa de dobrar papéis em forma de animais, objetos, etc.; dobradura.

O.RI.GEM *s.f.* 1) Começo, princípio; primeiro acontecimento determinante. 2) Nascimento, procedência; proveniência.

O.RI.GI.NAL *adj.2gên.* 1) Relativo à origem. 2) Que é feito sem modelo; não é copiado; não é reproduzido. 3) Que tem caráter próprio; não possui semelhantes. / *s.m.* 4) *Tip.* Texto manuscrito, datilografado ou impresso, destinado à composição. 5) Modelo escrito, padrão, que inspirou cópias ou imitações. / *adj.2gên.* e *s.2gên.* 6) Pessoa excêntrica.

O.RI.GI.NA.LI.DA.DE *s.f.* Qualidade do que é original, inusitado ou criativo.

O.RI.GI.NAR *v.t.d.* 1) Dar origem ou princípio; determinar; ser causa de. / *v.p.* 2) Ter origem; ser proveniente.

O.RI.GI.NÁ.RIO *adj.* Que tem origem em um determinado lugar; proveniente, oriundo.

O.RI.UN.DO *adj.* Proveniente, procedente, originário, natural.

OR.LA *s.f.* 1) Borda; barra; extremidade de saias ou vestidos. 2) Faixa, tira de extremidades. 3) Rebordo de uma cratera. 4) Margem, beira. 5) *Arquit.* Filete sob o ornato oval de um capitel.

OR.NA.MEN.TAR *v.t.d.* 1) Guarnecer de ou decorar com ornamentos; ornar. / *v.p.* 2) Adornar-se, enfeitar-se.

OR.NA.MEN.TO *s.m.* Enfeite, adorno.

OR.NAR *v.t.d.* 1) Enfeitar; decorar; guarnecer com ornatos; ornamentar. 2) Ser o ornato ou objeto de embelezamento; embelezar. / *v.p.* 3) Enfeitar-se, embelezar-se.

OR.NI.TOR.RIN.CO *s.m. Zool.* Mamífero ovíparo do Sul e Oeste da Austrália e da Tasmânia, dotado de focinho córneo, com 50 cm de comprimento.

OR.QUES.TRA *s.f.* 1) *Mús.* Grupo de músicos dirigido por um maestro, com vários instrumentos, que executa uma composição musical ou acompanha uma pessoa que canta. 2) Lugar destinado aos músicos. 3) Conjunto de sons em harmonia.

OR.QUES.TRAR *v.t.d.* 1) *Mús.* Compor ou adaptar uma música para ser executada por orquestra; instrumentar. / *v.p.* 2) Combinar(-se), harmonizar(-se).

OR.QUÍ.DEA *s.f.* 1) *Bot.* Designação genérica que se dá às flores e plantas da família das Orquidáceas. 2) A flor dessas plantas.

OR.TO.DON.TI.A *s.f.* Parte da odontologia que cuida da prevenção e correção dos defeitos e irregularidades dos dentes.

OR.TO.DO.XO (cs) *adj.* 1) Que está conforme com a doutrina religiosa definida. / *s.m.* 2) Indivíduo que professa a ortodoxia.

OR.TO.GO.NAL *adj.2gên. Geom.* Que forma ângulos retos.

OR.TO.GRA.FI.A *s.f.* 1) Escrita correta. 2) Parte da gramática que ensina a maneira correta de escrever as palavras. 3) *Arquit.* Representação geométrica de um edifício. 4) Maneira de escrever; grafia.

OR.TO.PE.DI.A *s.f. Med.* Arte de corrigir ou prevenir as deformidades do corpo.

OR.VA.LHO *s.m.* 1) Pequeninas gotas que se formam pela condensação do vapor de água ambiente, e se depõe à noite ou de madrugada. 2) Chuva miudinha.

OS.CI.LA.ÇÃO *s.f.* 1) Ato ou efeito de oscilar. 2) Movimento de vaivém; balanço do pêndulo. 3) *fig.* Estado de incerteza; perturbação, perplexidade e hesitação.

363

oscilar — outrem

OS.CI.LAR *v.i.* 1) Mover-se alternadamente em sentidos contrários. / *v.t.i.* 2) Fazer movimento de vaivém entre duas coisas ou posições. / *v.t.i.* e *v.i.* 3) Hesitar, vacilar. / *v.t.d.* 4) Mover de um lado para o outro; agitar.

OS.CU.LA.ÇÃO *s.f.* 1) Ato ou efeito de oscular. 2) *Geom.* Cruzamento de dois ramos de uma mesma curva; contato de duas curvas.

OS.CU.LAR *v.t.d.* 1) Dar ósculo em. 2) Tocar de leve; beijar.

ÓS.CU.LO *s.m.* 1) Beijo. 2) Beijo respeitoso de paz e amizade. 3) *Bot.* Pequena abertura de saída das esponjas.

OS.MO.SE *s.f. Fís.* Fenômeno caracterizado por dois líquidos de diferentes concentrações, separados por parede porosa, que se misturam quando a atravessam.

OS.SA.DA *s.f.* 1) Grande quantidade de ossos; ossaria. 2) Ossos de um cadáver; esqueleto. 3) *fig.* Destroços, restos.

OS.SA.TU.RA *s.f.* 1) Ossos de animal; esqueleto. 2) Carcaça, estrutura.

ÓS.SEO *adj.* Relativo a osso; da natureza do osso; constituído por osso.

OS.SI.FI.CAR *v.t.d.* e *v.p.* 1) Converter(-se) ou transformar em osso. 2) *fig.* Endurecer como osso.

OS.SO (ô) *s.m.* 1) *Anat.* Cada parte sólida e calcificada do esqueleto dos vertebrados. 2) *pop.* Parte difícil de um empreendimento; dificuldade. 3) *gír.* Namorada; amante.

OS.SU.Á.RIO *s.m.* Sepultura comum de muitos cadáveres; depósito de ossos; ossaria.

OS.TEN.SI.VO *adj.* 1) Que pode ser mostrado; ostensório. 2) Próprio para se ver ou ser visto. 3) Evidente, patente; aparente.

OS.TEN.TA.ÇÃO *s.f.* 1) Ato ou efeito de ostentar(-se). 2) Exibição vaidosa, vanglória; luxo, magnificência.

OS.TEN.TAR *v.p.* 1) Fazer ostentação; mostrar-se com desvanecimento; vangloriar(-se). / *v.t.d.* 2) Exibir com ostentação, mostrar com alarde e vanglória. 3) Deixar ver, revelar com orgulho; exibir.

OS.TE.O.LO.GI.A *s.f. Anat.* Tratado acerca dos ossos.

OS.TRA (ô) *s.f.* 1) *Zool.* Molusco que vive em conchas bivalves e produz pérolas. 2) *gír.* Pessoa que se apega a algo ou a alguém. 3) Assento preso à parede dos anfiteatros, nas casas de espetáculos.

OS.TREI.CUL.TU.RA *s.f.* Criação de ostras; cultura de ostras.

O.TAL.GI.A *s.f. Med.* Dor nos ouvidos.

O.TÁ.RIO *s.m. pop.* Indivíduo ingênuo, parvo, tolo, que pode ser facilmente enganado.

Ó.TI.CA *s.f.* Óptica.

O.TI.MIS.MO *s.m.* 1) Sistema natural ou adquirido, que permite julgar tudo o melhor possível. 2) Tendência para ver apenas o lado bom das coisas.

O.TI.MI.ZAR *v.t.d.* Tirar o melhor rendimento de.

Ó.TI.MO *adj.* 1) Muito bom; excelente; maravilhoso; o melhor possível. / *s.m.* 2) Aquilo que está da melhor forma possível.

O.TI.TE *s.f. Med.* Inflamação do ouvido.

O.TO.LO.GI.A *s.f.* Parte da medicina que se ocupa do ouvido e de suas doenças.

OU *conj.* 1) Indica alternativa ou exclusão. 2) Indica dúvida, incerteza.

OU.RI.ÇO *s.m.* 1) *Bot.* Invólucro externo espinhoso de alguns frutos. 2) *Zool.* Mamífero de corpo recoberto de espinhos rígidos e eriçados. 3) *gír.* Agitação intensa; excitação.

OU.RI.VES *s.2gên.* Aquele que fabrica ou vende artefatos de ouro.

OU.RI.VE.SA.RI.A *s.f.* 1) Loja ou oficina de ourives. 2) Arte de ourives.

OU.RO *s.m.* 1) *Quím.* Elemento metálico de símbolo Au, número atômico 79 e massa atômica 196,967. 2) Metal precioso de cor amarela e brilhante. 3) Qualquer artefato deste metal. 4) Riqueza, opulência. 5) Cor amarela e muito brilhante. 6) Naipe vermelho das cartas de jogar, cujos pontos formam um losango.

OU.RO-PRE.TA.NO *adj.* 1) Relativo a Ouro Preto. / *s.m.* 2) O natural ou habitante de Ouro Preto.

OU.SA.DI.A *s.f.* 1) Qualidade ou característica de quem é ousado; audácia. 2) *Por ext.* Imprudência, temeridade.

OU.SA.DO *adj.* Audaz, corajoso, atrevido.

OU.SAR *v.t.d.* 1) Atrever-se a; ter bastante ousadia ou audácia para. / *v.t.i.* e *v.i.* 2) Decidir-se a; tentar com audácia; ter a ousadia, a coragem.

OUTDOOR (autdór) *s.m. ingl.* Propaganda exposta livremente nas ruas ou às margens de vias públicas, em forma de painel, cartaz, letreiro, placa, etc., que se caracteriza por forte apelo visual e divulgação instantânea.

OU.TEI.RO *s.m.* 1) Pequeno monte; colina. 2) Festa que outrora se realizava no pátio dos conventos, e em que os poetas comentavam motes ditos pelas freiras.

OU.TO.NO *s.m.* 1) Estação do ano que antecede o inverno e vai de 22 de setembro a 21 de dezembro no Hemisfério Norte e de 21 de março a 20 de junho no Hemisfério Sul. 2) O tempo da colheita. 3) *fig.* Decadência, declínio.

OU.TOR.GAR *v.t.d.* 1) Aprovar. 2) Dar por direito. 3) Conceder. 4) *Dir.* Declarar por escritura pública. / *v.t.i.* 5) Consentir, concordar. 6) *Dir.* Intervir como parte interessada. / *v.t.d.i.* 7) Conceder.

OU.TREM *pron.* Outra(s) pessoa(s).

OU.TRO *pron.* 1) Diferente do que já foi especificado; que não é o mesmo, diverso. 2) Mais um; novo, segundo. 3) Imediato, seguinte. 4) Restante.

OU.TRO.RA *adv.* Em tempo passado; antigamente.

OU.TROS.SIM *adv.* Bem assim; deste modo, igualmente; também.

OU.VI.DO *s.m.* 1) *Anat.* Órgão e sentido que permite a percepção de sons. 2) Faculdade de ouvir; audição. 3) Orifício das antigas armas de fogo, pelo qual o fogo se comunica à pólvora. 4) Orifício nos instrumentos de palheta. 5) *Mús.* Abertura dos instrumentos de corda por meio do qual os sons são transmitidos à caixa de ressonância.

OU.VI.DOR *adj.* e *s.m.* 1) Que ou quem ouve; ouvinte. / *s.m.* 2) Juiz nomeado para funcionar junto de algum ministério ou tribunal.

OU.VI.DO.RI.A *s.f.* 1) O cargo de ouvidor. 2) Local onde o ouvidor exerce as suas funções.

OU.VIN.TE *adj.2gên.* e *s.2gên.* 1) Que ou aquele que ouve. 2) Pessoa que ouve um discurso, aula, preleção, etc. 3) Estudante que, autorizado, frequenta uma aula sem estar matriculado.

OU.VIR *v.t.d.* 1) Compreender; entender, perceber pelo sentido do ouvido. 2) Dar ouvidos às palavras de alguém; escutar; prestar atenção; atender. 3) Assistir a um discurso ou a uma conferência de. 4) Receber o depoimento de. / *v.i.* 5) Possuir o sentido da audição.

O.VA *s.f.* Ovário dos peixes.

O.VA.ÇÃO *s.f.* 1) Aclamação pública; honras entusiásticas feitas a alguém. 2) Conjunto dos ovos dos peixes.

O.VAL *adj.2gên.* 1) Que possui formato de ovo; ovoide. 2) *Geom.* Diz-se de toda curva fechada e alongada ou dos planos terminados por uma curva deste gênero.

O.VÁ.RIO *s.m. Anat.* 1) Órgão próprio das fêmeas de certas espécies de animais. 2) Local onde se formam os ovos ou se alojam os óvulos fecundados.

O.VE.LHA (ê) *s.f.* 1) Fêmea do carneiro. 2) *fig.* O cristão em relação ao seu pastor espiritual.

O.VE.LHUM *s.2gên.* Referente às ovelhas, carneiros e cordeiros.

O.VER.DO.SE (ó) *s.f.* Dose muito elevada de tóxicos consumida por alguém.

O.VER.LO.QUE *s.m.* Peça de máquina de costura que chuleia e corta a parte de tecido que excede, ao mesmo tempo.

O.VIL *s.m.* Curral de ovelhas, aprisco; oviário.

O.VI.NO *adj.* 1) Ovelhum. / *s.m.* 2) Gado ovelhum.

O.VI.NO.CUL.TU.RA *s.f.* Criação de ovelhas.

O.VÍ.PA.RO *adj.* 1) *Zool.* Que põe ovos; que se reproduz por meio de ovos. / *s.m.* 2) *Zool.* Animal ovíparo.

O.VO (ô) *s.m.* 1) *Hist. nat.* Corpo formado no ovário que contém a célula reprodutora feminina dos animais. 2) *Biol.* Elemento inicial de um novo ser organizado, originário do concurso dos dois sexos e em que deve desenvolver-se o feto; germe; origem; princípio. 3) *Ornit.* O ovo das aves. / *s.m. pl.* 4) Testículos ➡os ovos.

Ó.VU.LO *s.m.* 1) Pequeno ovo. 2) *Biol.* Célula sexual feminina. 3) *Bot.* Corpúsculo ovoide que contém a célula-ovo. 4) *Geom.* Curva resultante da união da metade de uma circunferência com uma semioval.

O.XI.DA.ÇÃO (cs) *s.f.* 1) *Quím.* Ato ou efeito de oxidar(-se). 2) Estado de oxidado. 3) Qualidade de um objeto metálico com a superfície enferrujada.

O.XI.DA.DO (cs) *adj.* 1) Que se oxidou. 2) Convertido em ou coberto de óxido; enferrujado.

O.XI.DAN.TE (cs) *adj.2gên.* 1) Diz-se do que tem a propriedade de oxidar. / *s.m.* 2) Substância que causa oxidação.

O.XI.DAR (cs) *v.t.d.* 1) *Quím.* Converter em óxido. 2) Combinar com oxigênio. 3) Provocar perda de elétrons a. / *v.p.* 4) *fig.* Enferrujar(-se).

O.XI.DA.SE (cs) *s.f. Quím.* Enzima catalisadora que fixa o oxigênio do ar em certas substâncias, desempenhando importante papel nos processos da oxidação e da redução.

Ó.XI.DO (cs) *s.m. Quím.* Composto químico, resultante da combinação de oxigênio com um metal ou metaloide.

O.XI.GE.NAR (cs) *v.t.d.* e *v.p.* 1) *Quím.* Combinar (-se) com o oxigênio; oxidar(-se). / *v.t.d.* 2) Tratar com oxigênio ou por meio dele. 3) *fig.* Revitalizar, fortalecer.

O.XI.GÊ.NIO (cs) *s.m. Quím.* Elemento não metálico, indispensável à vida, que se apresenta, geralmente, na forma de gás incolor e inodoro, de símbolo O, número atômico 8 e massa atômica 16.

O.XÍ.TO.NO (cs) *adj.* 1) *Gram.* Designação dada ao vocábulo que tem o acento tônico na última sílaba. / *s.m.* 2) Vocábulo oxítono.

O.XI.Ú.RO (cs) *s.m. Zool.* Gênero de vermes parasíticos, alongados e finos, de cauda comprida e esguia, que vivem no interior do intestino.

O.ZÔ.NIO *s.m. Quím.* Gás corrosivo, ligeiramente azulado, cuja molécula é constituída por três átomos de oxigênio, e possui propriedades semelhantes ao oxigênio, porém, mais energéticas e que se desenvolve sob a influência das descargas elétricas.

Pp

P (pê) *s.m.* 1) Décima sexta letra do alfabeto; consoante bilabial, oclusiva, surda. 2) *Quím.* Símbolo do fósforo.

PÁ *s.f.* 1) Instrumento de trabalho composto geralmente de uma chapa de madeira ou ferro, com rebordos laterais, embutido em um cabo, para usos diversos. 2) A parte extrema do remo. 3) Parte carnuda da perna das reses. / *interj.* 4) Termo onomatopeico que indica o som do choque entre corpos ou da queda de um corpo duro no chão.

PA.CA *s.f.* 1) *Zool.* Nome de um mamífero roedor de pelo escuro cuja carne é muito apreciada. / *adj.2gên.* 2) Diz-se do indivíduo tolo, ingênuo.

PA.CA.TO *adj.* e *s.m.* 1) Que ou aquele que é amigo da paz; pacífico. / *s.m.* 2) Indivíduo sossegado; tranquilo.

PA.CHOR.RA (ô) *s.f.* 1) Lentidão, paciência. 2) Indiferença temperamental; fleuma.

PA.CI.ÊN.CIA *s.f.* 1) Qualidade ou estado de paciente. 2) Perseverança pacata. 3) Resignação. 4) Nome de um entretenimento com cartas de baralho.

PA.CI.EN.TE *adj.2gên.* 1) Que tem paciência, calma; sereno. / *s.2gên.* 2) Pessoa doente, sob cuidados médicos.

PA.CI.FI.CAR *v.t.d.* 1) Restituir a paz; apaziguar, conciliar. 2) Sossegar, tranquilizar, serenar. / *v.p.* 3) Voltar à paz, tranquilizar-se.

PA.CÍ.FI.CO *adj.* 1) Amigo da paz; manso; pacato; sossegado. 2) Que é aceito sem diferença ou rixa; indiscutível. 3) *Geogr.* Relativo ou pertencente ao Oceano Pacífico.

PA.CI.FIS.MO *s.m.* Princípio dos que pugnam em favor da paz mundial e pelo desarmamento das nações.

PA.ÇO *s.m.* 1) Palácio real ou episcopal. 2) *fig.* A corte; os cortesãos. 3) Edifício suntuoso, nobre.

PA.ÇO.CA *s.f.* 1) Carne assada, desfiada e socada no pilão com farinha de mandioca ou de milho. 2) Amendoim torrado ou castanha-do-pará moídos e pilados com farinha e açúcar. 3) *fig.* Confusão, embrulho, mistura.

PA.CO.TE *s.m.* 1) Embrulho, pequeno fardo. 2) *Bras.* Conjunto de providências ou medidas econômicas, em forma de projetos, leis, decretos, ou contratos, expedidas de uma só vez. 3) *Com.* Série ou conjunto de programas vendidos em lotes para televisão ou rádio. 4) *Tur.* Roteiro de viagens, incluindo passagem, hotel, balneários, etc., para passageiros. 5) *gír.* Dinheiro de papel; paco.

PAC.TO *s.m.* 1) Acordo, trato, entendimento ou ajuste entre duas ou mais pessoas. 2) Convenção ou contrato.

PAC.TU.AL *adj.2gên.* Relativo a pacto.

PAC.TU.AR *v.t.d.* 1) Decidir em pacto; combinar. / *v.t.i.* 2) Fazer pacto, aliança. 3) Ser conivente; compactuar.

padaria | paixonite

PA.DA.RI.A *s.f.* 1) Estabelecimento ou casa onde se fabrica ou vende pão, bolachas, etc.; panificadora. 2) *pop.* As nádegas; bumbum.

PA.DE.CER *v.t.d.* 1) Aguentar, suportar, sofrer. 2) Ser torturado, afligido, martirizado por. 3) Admitir, consentir, permitir. / *v.t.i.* 4) Aturar dores físicas ou morais. / *v.i.* 5) Estar ou ser doente.

PA.DE.CI.MEN.TO *s.m.* 1) Ato ou efeito de padecer. 2) Aflição; agonia; dor. 3) Moléstia; enfermidade. 4) Angústia; sofrimento.

PA.DEI.RO *s.m.* Fabricante, vendedor ou entregador de pão.

PA.DI.O.LA *s.f.* Espécie de tabuleiro retangular de lona, com duas barras, usado para transporte de doentes; maca.

PA.DRÃO *s.m.* 1) Modelo; exemplo. 2) Marco; baliza. 3) Modelo oficial de pesos e medidas. 4) Desenho de estamparia. 5) Título autêntico. 6) Qualidade; nível.

PA.DRAS.TO *s.m.* Indivíduo que ocupa o lugar de pai em relação aos filhos que sua mulher trouxe de casamento anterior.

PA.DRE *s.m.* 1) Sacerdote; presbítero; reverendo. 2) Aquele que recebeu ordenação secular.

PA.DRE-NOS.SO *s.m.* Oração cristã que Cristo ensinou a seus discípulos; pai-nosso.

PA.DRI.NHO *s.m.* 1) Indivíduo que serve de testemunha de batismo, casamento ou duelo. 2) O que acompanha o doutorando na colação de grau; paraninfo. 3) Protetor, patrono.

PA.DRO.A.DO *s.m.* 1) Direito de confiar benefícios eclesiásticos. 2) Direito de protetor, alcançado por quem funda ou dota uma igreja.

PA.DRO.EI.RO *adj.* e *s.m.* Que ou quem defende, protege, guarda.

PA.DRO.NI.ZA.ÇÃO *s.f.* 1) Ação de padronizar. 2) Conjunto de modelos, normas ou medidas para uniformizar a produção de algo.

PA.DRO.NI.ZAR *v.t.d.* 1) Servir de padrão, de modelo a. 2) Estabelecer normas de serviço, de acordo com certo modelo ou método.

PA.E.TÊ *s.m.* Bordado com lantejoulas.

PA.GA.MEN.TO *s.m.* 1) Ato ou efeito de pagar (-se); paga, pago. 2) Aquilo que é dado em troca de um serviço; remuneração. 3) Prestação, cota.

PA.GA.NIS.MO *s.m.* 1) Sistema religioso no qual muitos deuses são adorados; politeísmo; idolatria. 2) Os pagãos.

PA.GÃO *adj.* e *s.m.* 1) Que ou quem não foi batizado. 2) Que ou quem segue uma religião politeísta.

PA.GAR *v.t.d.* 1) Satisfazer aquilo que se deve (uma dívida, um encargo). 2) Compensar. 3) Retribuir. 4) Indenizar. 5) Sofrer desforra em consequência de. / *v.t.i.* 6) Remunerar alguém do que lhe é devido. / *v.i.* 7) Desobrigar-se de compromissos. 8) Recompensar serviços. / *v.p.* 9) Indenizar-se.

PÁ.GI.NA *s.f.* 1) Cada uma das faces de uma folha de papel. 2) Assunto, passagem, trecho de uma obra. 3) Período ou fato notável numa biografia ou história.

PA.GI.NA.ÇÃO *s.f. Art. Gráf.* 1) Ação ou efeito de paginar. 2) Ordem numérica das páginas de uma publicação.

PA.GI.NAR *v.t.d.* 1) Organizar uma publicação em páginas, em sequência numérica. 2) Numerar por ordem as páginas de.

PA.GO.DE *s.m.* 1) Templo pagão entre alguns povos asiáticos. 2) *pop.* Divertimento, pândega. 3) *pop.* Debique, troça, zombaria. 4) *pop.* Baile. 5) *Mús.* Gênero de música; uma variedade de samba.

PA.GO.DEI.RO *s.m.* 1) Quem canta ou compõe pagode. 2) Quem gosta de pagode.

PAI *s.m.* 1) Gerador; genitor; homem colocado no primeiro grau da linha ascendente de parentesco. 2) Aquele que fundou uma instituição; fundador, instituidor, criador. 3) Benfeitor, protetor. 4) Causador, autor, cacique. 5) *pop.* Diz-se do dedo polegar ➙ pai de todos. 6) *gír.* Diz-se do dicionário ➙ pai dos burros.

PAI.NA (âi) *s.f.* Grupo de fibras sedosas que se assemelham às do algodão e envolvem as sementes de várias plantas.

PAI.NEI.RA *s.f. Bot.* Árvore da família das Bombacáceas estimada pela paina que produz.

PAI.NEL *s.m.* 1) Pintura; quadro. 2) *Arquit.* Almofada nas vergas de janelas e portas. 3) Quadro com instrumentos de controle em automóvel, avião, etc. 4) *fig.* Cena, espetáculo.

PAI.O *s.m.* 1) Carne de porco ensacada em tripa de intestino grosso; linguiça. / *adj.* e *s.m.* 2) *gír.* Indivíduo toleirão, excessivamente crédulo.

PAI.OL *s.m.* 1) Local onde se guardam pólvora e outras munições. 2) Local onde se guardam produtos agrícolas.

PAI.RAR *v.t.i.* e *v.i.* 1) Estar parado ou movendo-se lentamente no ar. 2) Estar para acontecer; ameaçar. / *v.t.i.* 3) Estar indeciso; hesitar.

PA.ÍS *s.m.* 1) Região, terra. 2) Pátria, nação. 3) Território habitado por um grande número de famílias que constituem determinada nação.

PAI.SA.GEM *s.f.* 1) Extensão de território que se abrange num lance de vista. 2) Desenho, pintura, quadro que representa um lugar campestre.

PAI.SA.GIS.TA *s.2gên.* 1) Aquele que pinta ou descreve paisagens. 2) Especialista em compor paisagens de jardim. / *adj.2gên.* 3) Que pinta ou descreve paisagens.

PAI.SA.NO *adj.* e *s.m.* 1) Que ou quem não é militar; civil. 2) Que ou quem é compatriota.

PAI.XÃO *s.f.* 1) Sentimento forte, capaz de perturbar o juízo e a conduta. 2) Afeto violento. 3) Amor ardente. 4) Gosto muito vivo, predileção acentuada por algo.

PAI.XO.NI.TE *s.f. pop.* Paixão amorosa súbita e passageira.

PA.JÉ *s.m.* Pessoa responsável pelos rituais mágicos indígenas de cura e vidência.

PA.JE.AR *v.t.d.* 1) Cuidar de (criança); vigiar. 2) Lisonjear, adular.

PA.JEM *s.m.* 1) Na Idade Média, jovem nobre que acompanhava um senhor ou uma dama para prestar-lhes serviços e se iniciar na carreira das armas. 2) Criado que acompanha alguém em viagem. 3) Menino que entra na igreja com os noivos na cerimônia de casamento.

PA.LA.CE.TE (ê) *s.m.* 1) Pequeno palácio. 2) Casa grande e luxuosa.

PA.LÁ.CIO *s.m.* 1) Residência luxuosa de rei, governante, etc. 2) Mansão suntuosa; castelo. 3) Prédio que abriga a sede de governo ou de serviço público.

PA.LA.DAR *s.m.* 1) Céu da boca; palato. 2) Sentido do gosto; gustação; sabor.

PA.LA.DI.NO *s.m.* 1) *Hist.* Cavaleiro errante da Idade Média. 2) *fig.* Indivíduo que defende, com coragem, um princípio ou uma ideia.

PA.LA.FI.TA *s.f.* 1) Conjunto de estacas que sustentam casas construídas sobre a água ou um terreno alagadiço. 2) Casa construída sobre essas estacas.

PA.LAN.QUE *s.m.* Tablado para participantes ou espectadores de eventos ao ar livre.

PA.LA.TO *s.m.* 1) Sentido do gosto; paladar. 2) *pop.* Céu da boca.

PA.LA.VRA *s.f.* 1) Som articulado com uma significação. 2) Vocábulo; termo. 3) Faculdade de expressar as ideias por meio da voz. 4) Afirmação, doutrina. 5) Discurso, oração.

PA.LA.VRÃO *s.m.* 1) Palavra ou expressão obscena, grosseira. 2) Palavra grande e difícil de pronunciar.

PA.LA.VRE.A.DO *s.m.* 1) Conjunto de palavras ou conversa com pouco nexo ou importância. 2) Lábia, ardil.

PAL.CO *s.m.* 1) Estrado, tablado. 2) Local, no teatro, em que os atores representam. 3) Cenário.

PA.LE.O.GRA.FI.A *s.f.* Arte de decifrar escritos antigos, principalmente os diplomas manuscritos da Idade Média.

PA.LE.Ó.GRA.FO *s.m.* 1) Pessoa especializada em paleografia. 2) Livro escolar que se usa para aprender a ler a letra manuscrita.

PA.LE.O.LÍ.TI.CO *adj.* 1) Que diz respeito ao primeiro período da Idade da Pedra. / *s.m.* 2) *Geol.* Período mais antigo da Idade da Pedra.

PA.LE.O.LO.GI.A *s.f.* Estudo das línguas antigas.

PA.LE.ON.TO.LO.GI.A *s.f.* Ciência que estuda as espécies animais e vegetais fósseis.

PA.LER.MA *adj.2gên.* 1) Designa aquele que é idiota, tolo. / *s.2gên.* 2) Diz-se daquele que é parvo, imbecil.

PA.LES.TI.NO *adj.* 1) Referente à Palestina (Ásia). / *s.m.* 2) Pessoa natural ou habitante da Palestina.

PA.LES.TRA *s.f.* 1) Conversa. 2) Conferência ou discussão sobre tema cultural.

PA.LES.TRAR ou **PA.LES.TRE.AR** *v.t.i.* e *v.i.* Conversar, estar de palestra, prosar, discorrer.

PA.LE.TA (ê) *s.f.* 1) Chapa, geralmente ovalada, com um orifício para se enfiar o polegar, sobre a qual os pintores dispõem e combinam as tintas. 2) Omoplata ou espádua do animal.

PA.LE.TÓ *s.m.* Casaco com bolsos externos e frente abotoada, cujo comprimento vai até a altura dos quadris.

PA.LHA *s.f.* 1) Haste seca das gramíneas, sem grãos. 2) Junco seco usado para tecer assentos de cadeira, etc. 3) Bagatela, insignificância. 4) Folha fina da palha de milho, na qual é enrolado o fumo do cigarro.

PA.LHA.ÇA.DA *s.f.* 1) Atitude ou dito de palhaço. 2) Conjunto de palhaços. 3) Acontecimento ridículo.

PA.LHA.ÇO *adj.* 1) Vestido ou feito de palha. / *s.m.* 2) Artista de circo que diverte o público com pilhérias e momices. 3) Pessoa que, por gestos ou palavras, é capaz de fazer os outros rirem. 4) *gír.* Pessoa fácil de ser enganada. 5) *pop.* Diz-se do indivíduo tolo, ingênuo.

PA.LHE.TA (ê) *s.f.* 1) *Mús.* Pequena lâmina que, em alguns instrumentos de sopro, produz as várias vibrações do som. 2) *Constr.* Cada uma das lâminas de madeira que formam as venezianas, favorecendo a ventilação.

PA.LHI.NHA *s.f.* 1) Pequena fração de palha. 2) Palha com a qual são forrados assentos e encostos de cadeiras.

PA.LHO.ÇA *s.f.* Casa coberta de palha.

PA.LI.AR *v.t.d.* 1) Disfarçar, dissimular, encobrir com falsa aparência. 2) Aliviar, atenuar. 3) Entreter, prolongar. / *v.i.* 4) Remediar provisoriamente.

PA.LI.A.TI.VO *adj.* 1) Usado para paliar. / *s.m.* 2) Medicamento que tem eficiência apenas momentânea. 3) Algo que somente atenua um mal ou ajuda uma crise.

PA.LI.DEZ *s.f.* Perda de cor da pele; aparência branca.

PÁ.LI.DO *adj.* 1) Indivíduo descorado, amarelado. 2) Luz desbotada, frouxa, tênue. 3) *fig.* Discurso ou sorriso sem animação, sem colorido.

PA.LÍN.DRO.MO *adj.* e *s.m.* Diz-se ou frase ou palavra que pode ser lida de trás para frente, sem alteração de sentido ➡ luz azul.

PA.LI.TAR *v.t.d.* e *v.i.* Limpar os dentes com palito.

PA.LI.TEI.RO *s.m.* 1) Utensílio onde se guardam palitos. 2) Fabricante ou vendedor de palitos.

PA.LI.TO *s.m.* 1) Hastezinha de madeira pontiaguda cuja função é limpar os dentes. 2) *fig.* Indivíduo muito magro.

PALM.MA *s.f.* 1) A face interna da mão. 2) *Bot.* Folha ou ramo da palmeira. 3) *Bot.* A palmeira. 4) *fig.* Triunfo, sucesso. / *s.f. pl.* 5) Aplausos; batidas das mãos ➡ palmas.

PAL.MA.DA *s.f.* Pancada com a palma da mão.

palmatória — pântano

PAL.MA.TÓ.RIA *s.f.* Instrumento de madeira com o qual se batia na palma da mão de uma pessoa como forma de castigo.

PAL.MEI.RA *s.f. Bot.* Nome comum a todas as plantas palmáceas: talo reto, alto, sem ramos e, na parte superior, grandes folhas.

PAL.MI.LHA *s.f.* Revestimento interior da sola do calçado sobre o qual se assenta o pé.

PAL.MI.TO *s.m.* 1) Folha ou ramo de palmeira. 2) Miolo comestível da parte terminal do caule das palmeiras. 3) *Bot.* Uma das espécies de palmeira.

PAL.MO *s.m.* 1) Extensão da ponta do polegar à ponta do mínimo, estando a mão bem aberta. 2) Antiga medida de comprimento de 22 centímetros.

PAL.PÁ.VEL *adj.2gên.* 1) Que se pode tocar; concreto. 2) *Por ext. fig.* Evidente, óbvio, claro.

PÁL.PE.BRA *s.f. Anat.* Membrana móvel que cobre externamente o olho.

PAL.PI.TA.ÇÃO *s.f.* 1) Ato de palpitar. 2) *Med.* Movimento desordenado em alguma parte do corpo. / *s.f. pl.* 3) Descompasso do coração que é percebido pela pessoa ➡ palpitações.

PAL.PI.TAR *v.i.* 1) Ter palpitações; sobressaltar-se. 2) Pulsar, latejar. 3) Agitar-se, ondular. / *v.t.i.* 4) Comover-se, sobressaltar-se. 5) Dar palpites. / *v.t.d.* 6) Sondar. 7) Pressentir, supor.

PAL.PI.TE *s.m.* 1) Pressentimento; intuição. 2) *gír.* Opinião de intrometido.

PAL.PI.TEI.RO *adj.* e *s.m. pop.* Que ou quem costuma dar palpites em tudo.

PAL.RAR *v.i.* 1) Articular sons incompreensíveis ou sem sentido. 2) Falar muito; tagarelar.

PA.LU.DE *s.m.* Terra inundada por águas paradas; pântano.

PA.MO.NHA *s.f.* 1) Papa de milho verde ralado, cozida e envolta na palha do próprio milho ou em folhas verdes de bananeira. / *s.2gên.* 2) Pessoa desajeitada, preguiçosa, inerte. 3) Bobo, toleirão.

PA.NA.CA *adj.2gên.* e *s.2gên. pop. pej.* Que ou quem é muito bobo ou ingênuo.

PAN.ÇA *s.f.* 1) Cavidade inicial do estômago dos ruminantes. 2) *pop.* Barriga grande.

PAN.CA.DA *s.f.* 1) Choque entre dois corpos. 2) Bordoada, agressão a tapas. 3) Baque, paulada. 4) Som do pêndulo de um relógio. 5) Pulsação. 6) *pop.* Mania. 7) Diz-se da chuva repentina, forte e passageira. / *adj.2gên.* 8) *pop.* Amalucado; abobalhado. 9) Grosseiro, bruto.

PAN.CA.DA.RI.A *s.f.* 1) Grande quantidade de pancadas. 2) Confusão em que há muitas pancadas.

PÂN.CREAS *s.m. Anat.* e *Fisiol.* Glândula abdominal que segrega o suco pancreático e funciona como glândula endócrina, formando insulina.

PAN.ÇU.DO *adj.* e *s.m.* 1) *pop.* Que ou quem possui pança volumosa; barrigudo. 2) *Por ext.* Que ou aquele que vive à custa de outrem; parasita.

PAN.DA *s.m.* 1) *Zool.* Nome vulgar de dois mamíferos carnívoros da família dos Procionídeos. / *s.f.*

2) Boia de cortiça na tralha superior dos aparelhos de arrastar.

PÂN.DE.GA *s.f.* 1) *pop.* Festa ruidosa, com comes e bebes. 2) Estroinice, extravagância, patuscada. 3) Vadiagem alegre e ruidosa ➡ Viver na pândega.

PÂN.DE.GO *adj.* e *s.m.* Que ou quem frequenta pândegas; brincalhão, festeiro, alegre.

PAN.DEI.RO *s.m.* Instrumento musical, espécie de tambor pequeno e raso, com uma só pele, rodeado de guizos e que é tangido com a mão.

PAN.DE.MI.A *s.f.* Epidemia que se estende a muitos países ou que atinge muitas pessoas em determinada área geográfica.

PAN.DE.MÔ.NIO *s.m.* 1) Grupo de pessoas que se combinam para fazer mal ou armar desordens. 2) Balbúrdia, tumulto. 3) Grande confusão.

PA.NE *s.f.* Parada momentânea do motor de um veículo devido a algum defeito.

PA.NE.LA *s.f.* 1) Vasilha para cozer alimentos. 2) O conteúdo dessa vasilha. 3) Panelinha. 4) Cavidade subterrânea nos formigueiros, na qual as formigas depositam as larvas. 5) Redemoinho, sorvedouro nos rios. 6) *gír.* Grande cárie dentária.

PA.NE.LA.DA *s.f.* 1) A porção de algo que uma panela pode conter. 2) Grande número de panelas. 3) Pancada com panela.

PA.NE.LI.NHA *s.f.* 1) Panela pequena. 2) *pej.* Grupo de pessoas que se unem para auxílio ou defesa mútua.

PA.NE.TO.NE *s.m. Cul.* Espécie de pão doce, de origem italiana, com frutas cristalizadas e geralmente consumido durante as festas natalinas.

PAN.FLE.TO (ê) *s.m.* Folheto ou pequeno livro.

PAN.GA.RÉ *adj.* e *s.2gên.* Aplica-se ao cavalo ou muar cujo pelo é vermelho-escuro ou algo amarelado.

PÂ.NI.CO *adj.* 1) Que assusta sem motivo. / *s.m.* 2) Susto ou pavor repentino, muitas vezes infundado; terror.

PA.NI.FI.CA.DOR (ô) *adj.* e *s.m.* Que ou o que faz pão.

PA.NI.FI.CA.DO.RA (ô) *s.f.* Padaria.

PA.NI.FI.CAR *v.t.d.* Transformar em pão.

PA.NO *s.m.* 1) Qualquer tecido. 2) Velas do navio. 3) Cada um dos pedaços de tecido cosidos uns aos outros para formar um todo. 4) *pop.* Manchas no rosto ou no corpo, produzidas por certos estados fisiológicos ou patológicos.

PA.NO.RA.MA *s.m.* 1) Grande pintura circular de paisagem, vista de um ponto central e do alto. 2) *Por ext.* Visão ampla, em todas as direções, de uma área extensa; paisagem. 3) *fig.* Apresentação abrangente sobre uma matéria ou assunto.

PAN.QUE.CA *s.f. Cul.* Disco fino de massa frita em frigideira ou chapa e servido com recheio salgado ou doce.

PAN.TA.NAL *s.m.* Pântano extenso.

PÂN.TA.NO *s.m.* Extensão de terra baixa e alagada, com águas paradas; brejo, aguaçal.

pantanoso / paradisíaco

PAN.TA.NO.SO (ô) *adj.* 1) Coberto de pântano. 2) Que se alaga com facilidade.

PAN.TU.FA *s.f.* 1) Chinelo acolchoado. 2) *fig.* Mulher gorda; pandorga. 3) Mulher com roupa muito larga ou malvestida.

PÃO *s.m.* 1) Alimento feito de farinha, principalmente de trigo, amassada e cozida ao forno. 2) O grão do trigo, do milho ou do centeio. 3) O sustento diário. 4) Meios de subsistência. 5) Alimento essencial, fundamental. 6) A hóstia. 7) *pop.* Pessoa muito bonita.

PÃO-DU.RO *adj.2gên.* e *s.2gên.* 1) *pop.* Que ou quem é excessivamente econômico; avarento, sovina. / *s.m.* 2) *pop.* Espátula usada para raspar a massa do utensílio em que foi preparada.

PA.PA *s.m.* 1) Chefe supremo da Igreja Católica. 2) *fig.* Pessoa de grande prestígio e cuja autoridade é indiscutível. / *s.f.* 3) Alimento de consistência pastosa.

PA.PÁ *s.m.* Na linguagem infantil, significa papai e, também, qualquer alimento.

PA.PA.GAI.O *s.m.* 1) *Zool.* Ave psitacídea trepadora, de bico gordo e curvo, famosa pela facilidade de imitar a voz humana. 2) *fig.* Pessoa que repete de memória o que ouve ou lê, sem entender. 3) Brinquedo de crianças que consiste numa armação leve feita de varetas e forrada com papel, e que se solta ao vento, por meio de um fio longo; pipa.

PA.PAI *s.m.* 1) Pai, papá. 2) Tratamento dado pelos filhos ao pai.

PA.PAI.A *s.f.* Mamão.

PA.PÃO *s.m.* Monstro imaginário que assusta as crianças; bicho-papão.

PA.PAR *v.t.d.* e *v.i.* 1) *pop.* Comer. / *v.t.d.* 2) *pop.* Ter êxito na busca de; conquistar.

PA.PA.RI.CAR *v.t.d.* 1) Tratar com zelo e cuidado excessivos; mimar, adular. / *v.t.d.* e *v.i.* 2) Comer pouco ou aos poucos.

PA.PE.AR *v.t.i.* e *v.i.* 1) Conversar informalmente; bater papo. / *v.i.* 2) Falar muito; tagarelar.

PA.PEL *s.m.* 1) Folha seca e fina, preparada com elementos fibrosos de origem vegetal. 2) Documento escrito ou impresso. 3) Parte desempenhada por um ator no espetáculo. 4) A personagem representada pelo ator. 5) Atribuições, funções. 6) Atos praticados; modo de proceder. 7) Tudo o que representa dinheiro sonante. / *s.m. pl.* 8) Nome genérico de passaportes e outros documentos referentes a pessoas ➡ os papéis.

PA.PE.LA.DA *s.f.* 1) Grande quantidade de papéis. 2) Conjunto de documentos.

PA.PE.LÃO *s.m.* 1) Papel forte e encorpado. 2) *pop.* Paspalhão, toleirão. 3) *pop.* Procedimento vergonhoso; fiasco.

PA.PE.LA.RI.A *s.f.* Estabelecimento em que se vendem papel e artigos de escritório.

PA.PE.LE.TA (ê) *s.f.* 1) Papel avulso. 2) Anúncio, cartaz. 3) Impresso colocado na cabeceira da cama dos enfermos, nos hospitais, com observação do médico e dos enfermeiros.

PA.PE.LO.TE *s.m.* 1) Pequeno pedaço de papel em que se enrola o cabelo para ondulá-lo. 2) Pequeno embrulho de alguma droga em pó.

PA.PI.RO *s.m.* 1) *Bot.* Planta ciperácea. 2) Folha para escrever, feita com papiro. 3) Manuscrito antigo, feito de papiro.

PA.PO *s.m.* 1) Bolsa no esôfago das aves para onde vão os alimentos engolidos. 2) *Por ext.* Tecido adiposo sob o queixo; papada. 3) *pop.* Estômago, barriga. 4) *pop.* Conversa.

PA.PU.DO *adj.* 1) De papo grande. / *adj.* e *s.m.* 2) *pop.* Que ou quem tem conversa agradável. 3) Que ou quem conta vantagens.

PA.QUE.RAR *v.t.d.* e *v.i.* 1) *pop.* Mostrar interesse amoroso (por alguém). 2) Observar com atenção; espreitar algo que se deseja.

PAR *adj.2gên.* 1) Igual, semelhante. 2) *Mat.* Divisível exatamente por dois. 3) Disposto de forma simétrica. / *s.m.* 4) *Mat.* Número par. 5) O conjunto de duas pessoas do mesmo sexo ou de sexo diferente. 6) O macho e a fêmea. 7) Na dança, as duas pessoas que dançam juntas. 8) Duas coisas semelhantes, que geralmente não servem uma sem a outra. 9) Membro da Câmara dos Lordes, na Inglaterra.

PA.RA *prep.* Designa direção, fim, destino, lugar, proporcionalidade, tempo, etc.

PA.RA.BE.NI.ZAR *v.t.d.* e *v.t.d.i.* Dar parabéns a; felicitar.

PA.RA.BÉNS *s.m. pl.* Congratulações, felicitações.

PA.RÁ.BO.LA *s.f.* 1) *Geom.* Curva plana, cujos pontos são equidistantes de um ponto fixo (foco) e de uma reta fixa (diretriz) ou curva resultante de uma seção feita num cone por um plano paralelo à geratriz. 2) Narração alegórica que contém alguma moral.

PA.RA.BÓ.LI.CO *adj.* 1) Relativo à parábola. 2) Em forma de parábola.

PA.RA-BRI.SA *s.m.* Vidro, à dianteira de um veículo, para proteger da chuva, pó ou vento.

PA.RA-CHO.QUE *s.m.* Qualquer dispositivo reforçado usado para amortecer choques, principalmente usado à frente e atrás dos veículos.

PA.RA.DA *s.f.* 1) Ato ou efeito de parar. 2) Local em que se para, especialmente os pontos de bonde, ônibus, trem, etc. 3) Demora, pausa. 4) Quantia apostada de cada vez no jogo. 5) Revista de tropas. 6) Na esgrima, ato de defesa de um golpe. 7) Aventura. 8) Empresa ou situação arriscada. 9) Ostentação. 10) Desfile.

PA.RA.DEI.RO *s.m.* Lugar onde alguma pessoa ou coisa está ou vai parar; destino.

PA.RA.DIG.MA *s.m.* 1) Modelo, protótipo. 2) *Gram.* Exemplo, padrão de conjugação ou declinação gramatical.

PA.RA.DI.SÍ.A.CO *adj.* 1) Relativo a ou próprio do paraíso. 2) Encantador, muito agradável.

PA.RA.DO *adj.* 1) Que não está em movimento. 2) Fito, fixo.

PA.RA.DO.XAL (cs) *adj.2gên.* Que contém paradoxo.

PA.RA.DO.XO (cs) *s.m.* 1) Opinião contrária à comum; contradição. 2) Contrassenso; disparate; absurdo.

PA.RA.EN.SE *adj.2gên.* 1) Que diz respeito ao estado do Pará. / *s.2gên.* 2) Aquele que é natural ou habitante desse estado.

PA.RA.FI.NA *s.f. Quím.* Material sólido usado na fabricação de velas e em impermeabilização, isolamento, etc.

PA.RÁ.FRA.SE *s.f.* Explicação ou interpretação de um texto com outras palavras.

PA.RA.FRA.SE.AR *v.t.d.* Fazer paráfrase de.

PA.RA.FU.SO *s.m.* 1) Peça cilíndrica, sulcada em espiral na face externa e que se destina a entrar noutra peça chamada porca. 2) Rosca; tarraxa. 3) Acrobacia aérea em que o avião descreve uma espiral em torno do seu eixo vertical de descida. 4) *Fam.* Cabeça que está sempre a imaginar.

PA.RA.GEM *s.f.* 1) Ato de parar. 2) Local em que se para. 3) Parte do mar próxima à terra e acessível à navegação.

PA.RÁ.GRA.FO *s.m.* 1) Pequena parte ou seção de discurso, capítulo, etc., que forma sentido completo e independente. 2) Alínea. 3) Sinal de pontuação (§) que separa seções distintas de leis, artigos, etc.

PA.RA.Í.SO *s.m.* 1) *Teol.* Éden; local onde, segundo a Bíblia, Deus pôs Adão e Eva depois de criados. 2) *fig.* Lugar muito aprazível. 3) *Teol.* Céu, bem-aventurança.

PA.RA-LA.MA *s.m.* Peça metálica que cobre a roda de veículos para deter o respingo de lama.

PA.RA.LE.LA *s.f.* 1) *Geom.* Linha ou superfície equidistante de outra em toda a extensão. / *s.f. pl.* 2) Aparelho para exercícios de ginástica formado por duas barras paralelas e horizontais ➡ as paralelas.

PA.RA.LE.LE.PÍ.PE.DO *s.m.* 1) *Geom.* Sólido de seis lados. 2) Pedras usadas em calçamento de ruas.

PA.RA.LE.LIS.MO *s.m.* 1) Característica do que é paralelo. 2) *fig.* Semelhança entre duas coisas ou ideias. 3) *Gram.* Sequência de frases que apresentam estruturas gramaticais idênticas.

PA.RA.LE.LO *adj.* 1) *Geom.* Designa linhas ou superfícies equidistantes em toda a sua extensão. 2) Equivalente, similar. / *s.m.* 3) *Cosm.* Cada um dos círculos menores da esfera terrestre, paralelos ao Equador. 4) Cotejo; confronto.

PA.RA.LI.SA.ÇÃO *s.f.* 1) Ato ou efeito de paralisar (-se). 2) Suspensão, interrupção de uma atividade.

PA.RA.LI.SAR *v.t.d.* 1) Tornar paralítico; imobilizar. 2) Entorpecer; adormecer. 3) Enfraquecer, entravar. / *v.i.* e *v.p.* 4) Parar; cessar; interromper-se.

PA.RA.LI.SI.A *s.f.* 1) *Med.* Redução ou cessação do(s) movimento(s) do(s) músculo(s), órgão(s) ou nervo(s). 2) Paralisia infantil; poliomielite. 3) Falta de atuação. 4) Entorpecimento; marasmo; enfraquecimento.

PA.RA.LÍ.TI.CO *adj.* e *s.m.* Que ou quem sofre de paralisia.

PA.RA.MÉ.DI.CO *adj.* e *s.m.* Diz-se de ou profissional que tem função auxiliar na área médica.

PA.RÂ.ME.TRO *s.m.* 1) Dado, número ou elemento fixado como padrão a partir do qual se analisa ou valora uma situação. 2) *Mat.* Variável em função da qual se expressam as coordenadas de uma curva ou superfície. 3) *Por ext.* Aquilo que serve como modelo; norma, padrão.

PA.RA.NIN.FO *s.m.* 1) Título dado à pessoa escolhida, normalmente numa colação de grau, para ser homenageado pelos formandos. 2) A pessoa escolhida para essa homenagem.

PA.RA.NOI.A (ói) *s.f. Psiq.* Distúrbio psíquico caracterizado por ideias fixas e delirantes de perseguição.

PA.RA.NOR.MAL *adj.2gên.* 1) Que não pode ser explicado cientificamente. / *s.2gên.* 2) Quem possui poderes paranormais.

PA.RA.PEI.TO *s.m. Constr.* 1) Parte inferior de uma janela, que serve para apoiar os braços. 2) Muro aproximadamente da altura do peito.

PA.RA.PEN.TE *s.m. Esp.* 1) Espécie de paraquedas com o qual se salta de um ponto elevado para descer planando. 2) Esporte praticado com esse tipo de paraquedas.

PA.RA.PLE.GI.A *s.f.* Paralisia da cintura para baixo.

PA.RA.QUE.DAS *s.m.* Aparelho ao qual uma pessoa ou carga se liga por meio de cordas e que serve para reduzir a velocidade durante a queda.

PA.RA.QUE.DIS.MO *s.m.* Técnica e prática do salto de paraquedas.

PA.RAR *v.i.* 1) Terminar; cessar; estacionar. / *v.t.d.* 2) Impedir de prosseguir; interromper.

PA.RA-RAI.OS *s.m. pl.* Aparelho pontiagudo e metálico colocado nos pontos mais elevados de edifícios para desviar os raios para dentro da terra.

PA.RA.SI.TA ou **PA.RA.SI.TO** *adj.2gên.* e *s.m.* 1) Que ou o que vive em outros corpos organizados, o hospedeiro, obtendo deles parte ou a totalidade dos seus nutrientes. / *adj.2gên.* e *s.2gên.* 2) *pej.* Que ou aquele que vive à custa alheia.

PA.RA.SI.TIS.MO *s.m.* 1) Condição ou qualidade de parasito. 2) Benefícios obtidos à custa de outrem.

PA.RA.SI.TO.LO.GI.A *s.f. Biol.* e *Med.* Estudo científico dos parasitos.

PA.RA.TI *s.m.* 1) Caninha; aguardente. 2) Nome da cachaça fabricada em Parati, Rio de Janeiro.

PAR.CEI.RO *adj.* 1) Par, parelho, semelhante. / *s.m.* 2) O que tem parceria. 3) Sócio. 4) Pessoa com quem se joga. 5) Camarada, companheiro.

PAR.CE.LA *s.f.* 1) Pequena parte de alguma coisa. 2) Fragmento, partícula. 3) Verba. 4) Prestação.

parcelado / parte

5) *Arit.* Cada um dos números ou quantidade que se soma na adição.

PAR.CE.LA.DO *adj.* 1) Dividido em parcelas ou prestações. 2) Diz-se dos exames preparatórios feitos separadamente, por disciplina.

PAR.CE.LAR *v.t.d.* Dividir uma compra, dívida, etc. em parcelas.

PAR.CE.RI.A *s.f.* 1) Grupo de pessoas reunidas por interesse comum. 2) Sociedade, companhia. 3) Associação comercial. 4) Dupla de compositores na música popular.

PAR.CI.AL *adj.2gên.* 1) Parte que pertence a um todo. 2) Que se realiza por partes. 3) Que, numa disputa judicial, esportiva, etc., é favorável a uma das partes. 4) Partidário. 5) Faccioso. 6) Injusto.

PAR.CI.A.LI.DA.DE *s.f.* 1) Qualidade do que é parcial. 2) Partido, facção.

PAR.CI.MÔ.NIA *s.f.* Ação ou hábito de fazer economia; moderação, sobriedade.

PAR.DO *adj.* 1) De cor entre branco e preto. 2) Marrom, castanho, quase escuro. / *s.m.* 3) Mulato, mestiço.

PA.RE.CER *v.lig.* 1) Ter semelhança com. 2) Ter certa aparência ➡ Ele parece feliz. / *v.p.* 3) Assemelhar-se. / *v.i.* 4) Ser verossímil; provável. / *s.m.* 5) Aparência, feição. 6) Opinião técnica de perito ➡ O parecer de um jurista sobre uma lei.

PA.RE.DÃO *s.m.* 1) Grande parede. 2) Muro alto e muito espesso; muralha.

PA.RE.DE (ê) *s.f.* 1) *Constr.* Obra geralmente de tijolo e argamassa que limita externamente os edifícios e forma as suas divisões internas. 2) Greve. 3) Vedação de qualquer espaço.

PA.RE.LHO (ê) *adj.* 1) Feito de partes iguais. 2) Parecido, semelhante ou igual.

PA.REN.TE *adj.* 1) Que faz parte da mesma família. 2) *fig.* Semelhante; parecido. / *s.m.* 3) Indivíduo que, referente a outros, pertence à mesma família.

PA.REN.TE.LA *s.f.* Conjunto de parentes.

PA.REN.TES.CO (ê) *s.m.* 1) Característica de parente. 2) Laço de consanguinidade ou afinidade que une várias pessoas. 3) *fig.* Semelhança; conexão.

PA.RÊN.TE.SE *s.m.* 1) Frase intercalada num período, porém, formando sentido distinto. 2) Cada um dos dois sinais de pontuação ( ) usados na escrita para delimitar o início e o fim de um texto inserido em um maior. 3) *Mat.* Símbolo usado para agrupar os membros de uma operação.

PÁ.REO *s.m.* 1) Corrida a cavalo entre vários competidores. 2) O prêmio dessa corrida. 3) Qualquer competição ou disputa.

PA.RI.E.TAL *s.m.* 1) *Anat.* e *Zool.* Aplica-se aos distintos órgãos anatômicos que se encontram relacionados com a parede de uma cavidade. 2) Osso par, chato, triangular, localizado de cada lado das paredes superiores laterais do crânio. / *adj.2gên.* 3) Referente a parede; parietário.

PA.RIR *v.t.d.* e *v.i.* Dar à luz, expelir do útero (falando-se de fêmea vivípara).

PA.RI.SI.EN.SE *adj.2gên.* 1) Referente a Paris, capital da França. / *s.2gên.* 2) Indivíduo natural ou habitante de Paris.

PAR.LA.MEN.TAR *v.t.i.* e *v.i.* 1) Negociar para chegar a um acordo. / *adj.2gên.* e *s.2gên.* 2) Membro do parlamento.

PAR.LA.MEN.TA.RIS.MO *s.m.* Sistema político em que o gabinete, constituído por ministros do Estado, é responsável perante as câmaras legislativas, que por meio dele governa a nação.

PAR.LA.MEN.TO *s.m.* 1) *Dir.* Câmara ou assembleia legislativa nos países constitucionais. 2) Congresso Nacional.

PAR.LA.PA.TÃO *adj.* e *s.m.* Que ou quem gosta de contar vantagens e mentiras.

PAR.ME.SÃO *adj.* 1) Referente a Parma, cidade e ducado italiano. 2) Aplica-se a um queijo fabricado com leite desnatado e açafrão. / *s.m.* 3) Pessoa natural ou habitante de Parma. 4) Queijo parmesão.

PÁ.RO.CO *s.m.* Sacerdote ocupado de uma paróquia; cura, vigário.

PA.RÓ.DIA *s.f.* 1) Imitação burlesca de uma obra literária. 2) *Por ext.* Imitação burlesca.

PA.RO.LA *s.f.* 1) Palavras ocas. 2) Eloquência; tagarelice.

PA.RÔ.NI.MO *adj.* 1) *Gram.* Diz-se das palavras cujos significados são diferentes, mas possuem sons semelhantes ➡ emigrante/imigrante. / *s.m.* 2) Palavra parônima.

PA.RÓ.QUIA *s.f.* Território sobre o qual se estende a jurisdição espiritual de um pároco.

PA.RÓ.TI.DA *s.f. Anat.* Cada uma das duas glândulas salivares situadas abaixo e por diante das orelhas.

PA.RO.TI.DI.TE *s.f. Med.* Inflamação das parótidas, popularmente conhecida como caxumba; orelhão.

PAR.QUE *s.m.* 1) Terreno mais ou menos extenso, arborizado, geralmente público. 2) Local onde são guardados munições de guerra, petrechos de artilharia, etc. 3) Conjunto de estabelecimentos ou instalações em que se desenvolve uma determinada atividade.

PAR.QUÍ.ME.TRO *s.m.* Pequeno poste com mecanismo para medir o tempo durante o qual um automóvel permanece estacionado junto a ele.

PAR.REI.RA *s.f. Bot.* Videira fixa por um conjunto de armações feitas de ripas; videira.

PAR.RI.CÍ.DIO *s.m.* Assassinato do próprio pai, mãe ou qualquer ascendente.

PAR.RU.DO *adj.* Forte, musculoso.

PAR.TE *s.f.* 1) Certa quantidade de um todo. 2) Divisão de uma obra. 3) Fração. 4) *Mús.* Aquilo que cada voz ou instrumento deve executar numa peça. 5) Papel em que se encontra escrito o que cabe a cada ator numa peça. 6) *Dir.* Litigante.

7) *Dir.* Cada uma das porções em que é dividida uma herança; quinhão. 8) Causa, partido. 9) Lugar. 10) Participação. / *s.f. pl.* 11) Órgãos genitais externos de ambos os sexos ➡ as partes. 12) Melindres.

PAR.TEI.RA *s.f.* Mulher, formada ou não, que assiste partos.

PAR.TE.NO.GÊ.NE.SE *s.f. Biol.* Método de reprodução dos seres vivos em que o ovo se desenvolve sem ter sido fecundado por um espermatozoide; reprodução unissexuada.

PAR.TI.ÇÃO *s.f.* Ato de partir, dividir.

PAR.TI.CI.PA.ÇÃO *s.f.* Ato ou efeito de participar, de fazer parte.

PAR.TI.CI.PAR *v.t.d.* 1) Comunicar, informar. / *v.t.i.* 2) Ter ou tomar parte em. 3) Compartilhar.

PAR.TI.CÍ.PIO *s.m. Gram.* Uma das formas nominais do verbo, que pode ter função adjetiva ➡ cantado, vendido, partido.

PAR.TÍ.CU.LA *s.f.* 1) Parte pequena. 2) *Liturg.* Hóstia pequena, dada aos comungantes. 3) *Gram.* Qualquer palavra invariável, especialmente as monossilábicas.

PAR.TI.CU.LAR *adj.2gên.* 1) Que pertence apenas a certas pessoas ou coisas; próprio, específico. 2) Especial, excepcional. 3) Privativo / *s.m.* 4) Aquilo que é particular.

PAR.TI.CU.LA.RI.DA.DE *s.f.* 1) Qualidade do que é particular. 2) Qualidade distintiva; característica, peculiaridade. 3) Detalhe, pormenor, minúcia.

PAR.TI.CU.LA.RI.ZAR *v.t.d.* 1) Referir minuciosamente; narrar com minúcias. 2) Fazer distinção ou menção especial de. 3) Individualizar. / *v.p.* 4) Individualizar-se; distinguir-se.

PAR.TI.DA *s.f.* 1) Ação de partir; saída. 2) *Com.* Quantidade maior ou menor de mercadorias recebidas ou expedidas. 3) Conjunto de pessoas amigas que se reúnem para se distraírem. 4) Competição esportiva entre duas pessoas ou dois grupos.

PAR.TI.DÁ.RIO *adj.* 1) Relativo a partido. / *s.m.* 2) Aquele que é membro de um partido. 3) Quem segue uma ideia; sectário.

PAR.TI.DA.RIS.MO *s.m.* Parcialidade política; faccionismo.

PAR.TI.DO *adj.* 1) Dividido em partes. 2) Quebrado. / *s.m.* 3) Conjunto de pessoas que se associam e têm as mesmas ideias e seguem o mesmo sistema ou doutrina política. 4) Proveito, vantagem.

PAR.TI.LHA *s.f.* 1) Repartição; divisão de bens, de lucros, de heranças, etc., em partes. 2) Apanágio, atributo, quinhão; dote.

PAR.TI.LHAR *v.t.d.* e *v.t.d.i.* 1) Dividir, repartir. / *v.t.d.*, *v.t.i.* e *v.t.d.i.* 2) Participar de; compartilhar.

PAR.TIR *v.t.d.* 1) Dividir em partes. 2) Fazer em pedaços, despedaçar, quebrar, fragmentar. / *v.i.* 3) Pôr-se a caminho, retirar-se, sair, seguir viagem. 4) Ir decididamente. / *v.t.d.i.* 5) Dividir; repartir. / *v.p.* 6) Quebrar-se, romper-se. 7) Ir-se embora. 8) *fig.* Afligir-se profundamente.

PAR.TI.TU.RA *s.f. Mús.* Conjunto escrito ou impresso que contém as partes vocais e instrumentais de uma peça musical sinfônica; escrito de uma peça sinfônica.

PAR.TO *s.m.* 1) Ação ou efeito de parir; parição. 2) Ato de dar à luz uma criança. 3) *Por ext.* Produto, invenção.

PÁS.COA *s.f.* 1) Festa solene, anual, dos judeus, na qual é comemorada a saída do seu povo do Egito. 2) Festa anual dos cristãos, comemorativa da ressurreição de Cristo.

PAS.MA.CEI.RA *s.f.* 1) Falta de animação; apatia, monotonia. 2) Contemplação sem um objetivo explícito.

PAS.MA.DO *adj.* Surpreso, espantado, assombrado, pasmo.

PAS.MAR *v.t.d.* 1) Causar pasmo ou admiração a; deslumbrar. / *v.t.i.* e *v.i.* 2) Ficar pasmado, estupefato. 3) Ficar inerte diante de. / *v.p.* 4) Admirar-se profundamente; sobressaltar-se.

PAS.MO *s.m.* 1) Assombro, espanto, grande admiração. / *adj.* 2) Assombrado, espantado.

PAS.PA.LHÃO *adj.* e *s.m.* 1) Tolo, pateta, bobo. 2) Que ou quem é inútil e sem iniciativa.

PAS.PA.LHO *adj.* e *s.m.* Paspalhão.

PAS.SA *s.f.* Fruta seca, principalmente a uva.

PAS.SA.DA *s.f.* 1) Passo. 2) Ida rápida a algum lugar. 3) Estada por pouco tempo. 4) Antiga medida de quatro palmos. / *s.f. pl.* 5) Diligências, esforços ➡ as passadas.

PAS.SA.DEI.RA *s.f.* 1) Alpondra. 2) Anel pelo qual passa a gravata ou fita ou cordão. 3) Espécie de tapete colocado nos corredores. 4) Diz-se da mulher que passa roupa a ferro.

PAS.SA.DO *adj.* 1) Que passou; decorrido; findo. 2) Velho. 3) Diz-se do fruto que começa a apodrecer. 4) *pop.* Diz-se quando a pessoa está com muita fome. / *s.m.* 5) O tempo passado. 6) O que foi feito ou dito anteriormente. 7) *Gram.* Tempo verbal que representa a ação já finda; pretérito.

PAS.SA.GEI.RO *adj.* 1) Que passa depressa, que dura pouco tempo; transitório. 2) Sem importância. / *s.m.* 3) O que vai de passagem em qualquer veículo de transporte; viajante.

PAS.SA.GEM *s.f.* 1) Ato ou efeito de passar(-se). 2) Local pelo qual se passa. 3) Preço pago por aquele que viaja como passageiro. 4) O bilhete que comprova o direito de viajar em qualquer veículo. 5) Trecho de autor ou obra citada. 6) Acontecimento, caso, episódio.

PAS.SA.POR.TE *s.m.* 1) Documento oficial que autoriza alguém a deixar o país e que serve como identidade para os que viajam. 2) *Fam.* Licença franca e ampla.

PAS.SAR *v.t.d.* 1) Atravessar; transpor. 2) Transmitir de mão para mão. 3) Expedir; lavrar. 4) Lançar (a bola). 5) Alisar roupa com ferro. / *v.i.* 6) Tranpassaredo

paterno

sitar. 7) Deslizar; desaparecer. 8) Morrer; deixar de existir. 9) Ser aprovado em exame. 10) Entrar, introduzir-se. 11) Exceder, ir além.

PAS.SA.RE.DO (ê) *s.m.* 1) Passarada. 2) Grande quantidade de pássaros.

PAS.SA.RE.LA *s.f.* 1) Espécie de palco, estreito e comprido, para desfiles de modelos ou candidatas a concursos de beleza. 2) Ponte estreita para trânsito de pedestres, em geral, em avenidas e estradas.

PAS.SA.RI.NHO *s.m.* 1) Pequeno pássaro. 2) *Bot.* Nome de uma árvore silvestre.

PÁS.SA.RO *s.m.* Ave da ordem dos Passeriformes.

PAS.SA.TEM.PO *s.m.* Entretenimento ou ocupação ligeira e agradável.

PAS.SE *s.m.* 1) Licença, permissão. 2) Bilhete de trânsito por vezes gratuito ou com abatimento, concedido por empresa de transporte coletivo. 3) *Esp.* Ato de o jogador (de futebol, de basquete, etc.) passar a bola ao companheiro que melhor está posicionado.

PAS.SE.AR *v.i.* 1) Mover-se devagar; andar a passo. 2) Percorrer certa extensão de caminho a pé, a cavalo, etc. / *v.t.d.* 3) Levar a passeio. 4) Percorrer em passeio. / *v.t.i.* 5) Dar passos; andar por distração. 6) Mover-se andando, vagarosamente.

PAS.SE.A.TA *s.f.* 1) Pequeno passeio. 2) Marcha coletiva para protestar ou reivindicar.

PAS.SEI.O *s.m.* 1) Ato ou efeito de passear. 2) Local onde se passeia. 3) Calçada.

PAS.SI.O.NAL *adj.2gên.* 1) Relativo à paixão. 2) Motivado pela paixão. / *s.m.* 3) Livro no qual estão contidas as partes dos quatro Evangelhos em que se narra a paixão de Cristo.

PAS.SIS.TA *adj.2gên.* 1) Que dança o frevo. / *s.2gên.* 2) Aquele que executa bem os passos no carnaval. 3) *Espir.* Pessoa que dá passes.

PAS.SÍ.VEL *adj.2gên.* 1) Sujeito a sensações de sofrimento, de alegria, etc. 2) Que deve sofrer, que fica sujeito a penas ou sanções.

PAS.SI.VI.DA.DE *s.f.* Estado ou qualidade de passivo.

PAS.SI.VO *adj.* 1) Que sofre ou recebe uma ação. 2) Sem iniciativa; indiferente. 3) *Gram.* Diz-se da voz do verbo em que o sujeito sofre ou recebe a ação. / *s.m.* 4) *Jur.* Conjunto de dívidas de uma pessoa jurídica ou física.

PAS.SO *s.m.* 1) Ação de avançar ou recuar um pé para andar. 2) Andamento, maneira de andar. 3) Espaço que vai de um a outro pé quando estão em marcha. 4) Cada uma das diferentes posições do pé na dança. 5) Andamento do cavalo, mais lento que o trote. 6) Ato, resolução. / *s.m. pl.* 7) Diligências, providências ➡ os passos.

PAS.TA *s.f.* 1) Quantidade de massa achatada. 2) Porção de metal fundido e ainda não trabalhado. 3) Espécie de carteira para acondicionar papéis, desenhos, etc. 4) Cargo de ministro de Estado; ministério.

PAS.TA.GEM *s.f.* 1) Local com vegetação própria para o gado pastar; pasto. 2) Essa vegetação.

PAS.TAR *v.t.d., v.t.i.* e *v.i.* 1) Comer erva ou vegetação rasteira. / *v.t.d.* 2) Nutrir-se no pasto. / *v.i.* 3) *fig.* Não prosperar, não ter sucesso.

PAS.TEL *s.m.* 1) Massa de farinha de trigo recheada, assada ou frita. 2) *Tip.* Caracteres misturados e confundidos. 3) Indivíduo excessivamente brando e indolente. 4) Método de desenhar ou pintar com lápis de cores especiais.

PAS.TE.LÃO *s.m.* 1) Pastel grande. 2) Empadão. 3) *pop.* Sujeito pamonha; moleirão.

PAS.TE.LA.RI.A *s.f.* Estabelecimento no qual são fabricados e vendidos pastéis.

PAS.TEU.RI.ZAR *v.t.d.* Esterilizar (laticínios e outros alimentos), submetendo-os a uma temperatura elevada e resfriando-os rapidamente em seguida.

PAS.TI.LHA *s.f.* 1) *Farm.* Pasta de açúcar em que entra uma essência ou um medicamento. 2) *Constr.* Pequeno ladrilho.

PAS.TO *s.m.* 1) Erva para alimentar o gado; pastagem. 2) Alimento, comida. 3) Regozijo, satisfação.

PAS.TOR (ô) *adj.* 1) Que pastoreia. / *s.m.* 2) Aquele que cuida de gado. 3) Sacerdote protestante. 4) Reprodutor equino; garanhão.

PAS.TO.RIL *adj.2gên.* 1) Referente a pastor ou à vida de pastor. 2) Característico de pastor. 3) *fig.* Campesino, rústico. / *s.m.* 4) *Bras.* Folguedo popular que consiste em pequenas representações dramáticas com danças e cantos, realizadas diante do presépio, na época natalina, no Nordeste.

PAS.TO.SO (ô) *adj.* 1) Que está em pasta, muito espesso. 2) Viscoso. 3) *fig.* Diz-se da voz arrastada e pouco clara.

PA.TA *s.f.* 1) Pé ou mão dos animais. 2) *pop.* Diz-se do indivíduo que tem pé grande. 3) *Náut.* Extremidade achatada dos braços da âncora. 4) Fêmea do pato.

PA.TA.DA *s.f.* 1) Golpe com a pata. 2) *fig.* Grosseria.

PA.TA.MAR *s.m.* 1) Espaço no topo ou entre dois lances de escada. 2) *fig.* Grau mais elevado; nível.

PA.TA.VI.NA *pron. indef.* Nada; coisa alguma.

PA.TÊ *s.m.* Massa de carne, peixe, etc., que geralmente se come fria.

PA.TEN.TE *adj.2gên.* 1) Aberto, acessível. 2) Claro, evidente. / *s.f.* 3) Carta oficial de concessão de um título, posto ou privilégio. 4) Diploma de um membro de confraria.

PA.TEN.TE.AR *v.t.d., v.t.d.i.* e *v.p.* 1) Tornar(-se) evidente; mostrar(-se). / *v.t.d.* 2) Registrar com patente.

PA.TER.NAL *adj.2gên.* 1) Próprio de pai. 2) *fig.* Que demonstra bondade e compreensão.

PA.TER.NI.DA.DE *s.f.* 1) Condição de pai. 2) Autoria intelectual de uma obra.

PA.TER.NO *adj.* 1) Que se refere ou pertence ao pai; paternal. 2) Terno e prestativo como um pai.

pateta

pavê

3) Relativo a casa em que nascemos ou à nossa pátria; paternal.

PA.TE.TA *adj.2gên.* e *s.2gên.* Diz-se da ou a pessoa tola, maluca.

PA.TÉ.TI.CO *adj.* e *s.m.* Que ou o que provoca grande compaixão e piedade.

PA.TI.FA.RI.A *s.f.* Ato ou comportamento de patife; cafajestagem.

PA.TI.FE *adj.* e *s.m.* Que ou quem não tem caráter; trapaceiro, canalha.

PA.TIM *s.m.* Calçado com lâmina vertical ou rodinhas na sola para deslizar sobre o gelo ou para rodar sobre cimento.

PA.TI.NA.ÇÃO *s.f.* 1) Ato ou efeito de patinar. 2) Modalidade esportiva em que se patina sobre rodas ou sobre o gelo.

PA.TI.NAR *v.i.* Andar deslizando sobre patins.

PA.TI.NE.TE *s.f.* Brinquedo constituído de uma tábua sobre duas rodas com guidom.

PÁ.TIO *s.m.* 1) Recinto térreo, descoberto, geralmente no interior de um edifício. 2) Vestíbulo; átrio. 3) Saguão espaçoso.

PA.TO *s.m.* 1) *Ornit.* Denominação comum às aves aquáticas palmípedes que pertencem à família dos Anatídeos. 2) *pop.* Parvo, tolo; que se deixa enganar facilmente. 3) Mau jogador de jogo de azar.

PA.TO.GE.NI.A *s.f. Med.* Estudo da origem das doenças.

PA.TO.LO.GI.A *s.f. Med.* Ciência que se dedica ao estudo da origem, dos sintomas e da natureza das doenças.

PA.TO.TA *s.f.* 1) Batota, ladroeira; negócio suspeito. 2) *gír.* Grupo, bando.

PA.TRÃO *s.m.* 1) Aquele que é chefe ou proprietário de um estabelecimento ou instituição. 2) *Esp.* Comandante de barco de regatas. 3) O dono da casa, em relação aos empregados. 4) Patrono, protetor. 5) *pop.* Pai.

PÁ.TRIA *s.f.* 1) País de origem; país ao qual se pertence como cidadão. 2) Terra natal.

PA.TRI.AR.CA *s.m.* 1) O chefe da família entre os antigos. 2) Título honorífico de certas dioceses importantes. 3) Chefe da igreja grega. 4) Nome dos primeiros fundadores de ordens religiosas. 5) Velho respeitável.

PA.TRI.AR.CA.DO *s.m.* 1) Autoridade ou jurisdição de patriarca. 2) Diocese governada por um patriarca.

PA.TRÍ.CIO *adj.* 1) Que ou quem nasceu na mesma pátria ou localidade. 2) Na Antiga Roma, classe dos nobres. / *s.m.* 3) Diz-se do indivíduo pertencente à classe dos nobres na antiguidade romana. 4) Conterrâneo.

PA.TRI.MÔ.NIO *s.m.* 1) Herança paterna. 2) Bens de família. 3) Quaisquer bens que pertencem a uma pessoa, instituição ou coletividade. 4) Patrimonial.

PÁ.TRIO *adj.* 1) Referente à pátria. 2) Que diz respeito aos pais. 3) *Gram.* Diz-se do adjetivo (gentili-

co) que indica a nacionalidade e a procedência de algo ou alguém ➡ brasileiro (do Brasil); africano (da África); mineiro (de Minas Gerais), etc.

PA.TRI.O.TA *s.2gên.* 1) Indivíduo que tem amor pela sua pátria e procura servi-la. 2) Compatriota, patrício.

PA.TRI.O.TIS.MO *s.m.* Qualidade de quem é patriota; amor à pátria.

PA.TRO.A (ô) *s.f.* 1) *pop.* Esposa. 2) Dona de casa. 3) Mulher que comanda certos estabelecimentos ou serviços.

PA.TRO.CI.NA.DOR (ô) *adj.* e *s.m.* Que ou quem patrocina.

PA.TRO.CI.NAR *v.t.d.* 1) Conceder proteção a; amparar. 2) Assumir os custos financeiros de um espetáculo, programa, show, etc. em troca de publicidade; financiar.

PA.TRO.CÍ.NIO *s.m.* 1) Auxílio, defesa, proteção. 2) Custeio de programa de rádio, televisão, etc.

PA.TRO.NO *s.m.* 1) O que defende uma causa, uma ideia, etc.; protetor. 2) *Por ext.* Indivíduo eleito por uma classe de profissionais, uma academia ou uma instituição para ser tutor de uma das suas cadeiras. 3) *Por ext.* Pessoa homenageada em cerimônias de formatura.

PA.TRU.LHA *s.f.* 1) Serviço de vigilância e proteção feito por soldados. 2) Grupo encarregado dessa vigilância.

PA.TRU.LHAR *v.t.d.* 1) Proteger ou vigiar com patrulha. 2) *fig.* Cobrar conduta, posição ideológica, moral ou de ação; fiscalizar. / *v.t.d.* e *v.i.* 3) Rondar em patrulha.

PAU *s.m.* 1) Pedaço de madeira. 2) Cajado, vara, bastão. 3) *Por ext.* Qualquer pedaço de substância sólida semelhante a um pau. 4) Mastro, haste. 5) Castigo físico, surra. 5) *pop.* Unidade monetária.

PAU.LA.DA *s.f.* 1) Golpe com pau. 2) *fig.* Abalo, decepção, desgosto, tristeza.

PAU.LA.TI.NO *adj.* Feito em etapas, pouco a pouco; vagaroso.

PAU.PÉR.RI.MO *adj.* Muito pobre.

PAU.SA *s.f.* 1) Cessar temporariamente uma ação. 2) Lentidão, vagar. 3) *Mús.* Sinal que indica a parada momentânea dos sons. 4) *Constr.* Intervalo das vigas de um madeiramento.

PAU.TA *s.f.* 1) Folha impressa com linhas paralelas e horizontais usada para escrever. 2) *Mús.* As cinco linhas paralelas onde se escrevem as notas e sinais; pentagrama. 3) Lista, relação. 4) Método. 5) Lista de assuntos a serem discutidos em uma reunião.

PAU.TAR *v.t.d.* 1) Riscar linhas horizontais paralelas em. 2) Pôr em pauta; relacionar. / *v.t.d.i.* e *v.p.* 3) Regular(-se), orientar(-se).

PA.VÃO *s.m. Ornit.* 1) Grande ave da família dos Fasianídeos que possui bela plumagem. 2) *fig.* Indivíduo muito vaidoso.

PA.VÊ *s.m.* Doce feito com chocolate, creme e bolachas.

375

pávido

pedido

PÁ.VI.DO *adj.* Medroso, apavorado.
PA.VI.LHÃO *s.m.* 1) Construção de caráter provisório para exposições. 2) *Constr.* Construção isolada que integra um conjunto de prédios. 3) Bandeira, estandarte.
PA.VI.MEN.TAR *v.t.d.* Cobrir (rua, calçada, estrada, etc.) com pavimento.
PA.VI.MEN.TO *s.m.* 1) Cobertura do chão com cimento, para trânsito de pedestres ou de veículos. 2) Cada andar de um edifício.
PA.VI.O *s.m.* 1) Mecha de vela, candeia ou lampião. 2) Torcida. 3) Rolo de cera que envolve uma torcida.
PA.VO.NE.AR *v.t.d.* e *v.p.* 1) Mostrar(-se) com vaidade e ostentação; exibir(-se). 2) Enfeitar(-se) com exagero. / *v.p.* 3) Gabar-se, vangloriar-se.
PA.VOR (ô) *s.m.* 1) Grande susto; terror. 2) Medo; aversão.
PA.VO.RO.SO (ô) *adj.* Que causa pavor.
PAZ *s.f.* 1) Condição de um país que não está em guerra; tranquilidade pública. 2) Repouso, silêncio, sossego. 3) Tranquilidade da alma. 4) União, concórdia.
PA.ZA.DA *s.f.* 1) Pá cheia. 2) Aquilo que pode ser contido numa pá. 3) Pancada com a pá.
PÉ *s.m.* 1) *Anat.* Parte que se articula com a extremidade inferior da perna e assenta no chão, permitindo a postura vertical e o andar; órgão de locomoção dos animais. 2) Pata. 3) Pedestal; base. 4) Medida inglesa de comprimento que se divide em 12 polegadas e equivale aproximadamente a 0,3048 m. 5) Parte da cama oposta à cabeceira. 6) *Náut.* A ponta da corda com a qual se vira a vela. 7) *Bot.* Cada exemplar de uma planta.
PE.ÃO *s.m.* 1) Aquele que anda a pé. 2) Soldado de infantaria. 3) Empregado de campo, nas fazendas. 4) *Por ext.* Plebeu. 5) Amansador de cavalos. 6) Condutor de tropa. 7) Trabalhador, servente de obra. 8) Cada uma das pequenas peças do xadrez colocadas na frente.
PE.ÇA *s.f.* 1) Parte de um todo. 2) Pedaço. 3) Pedra ou figura em jogos de tabuleiro. 4) Cada compartimento de uma casa. 5) Joia. 6) Boca-de-fogo; canhão. 7) Composição dramática para ser representada no teatro. 8) *Dir.* Documento que faz parte do processo. 9) *Mús.* Obra musical. 10) Engano, logro. 11) *fig.* Pessoa maliciosa, má. 12) Móvel.
PE.CA.DO *s.m.* 1) Transgressão de preceito ou regra. 2) Culpa, defeito, falta. 3) Pecador; pecaminoso.
PE.CA.MI.NO.SO (ô) *adj.* Relativo a pecado ou que envolve pecado.
PE.CAR *v.i.* 1) Cometer pecados; transgredir lei ou preceito religioso. / *v.t.i.* e *v.i.* 2) Cometer falta. 3) Ser defeituoso ou censurável.
PE.CHA *s.f.* Defeito moral; falha, imperfeição.
PE.CHIN.CHA *s.f.* 1) Algo muito barato. 2) Negócio vantajoso.

PE.CHIN.CHAR *v.t.d.*, *v.t.i.* e *v.i.* Pedir redução do preço de algo; barganhar.
PE.ÇO.NHA *s.f.* 1) Secreção venenosa de certos animais. 2) *fig.* Inclinação para o mal; malícia.
PE.ÇO.NHEN.TO *adj.* Que tem peçonha; venenoso.
PE.CU.Á.RIA *s.f.* Criação de gado; pecuário.
PE.CU.LA.TO *s.m. Dir.* Crime que consiste no roubo ou desvio de dinheiro público ou de coisa móvel apreciável, para proveito próprio ou alheio, por funcionário público que os administra.
PE.CU.LI.AR *adj.2gên.* Que é próprio de algo ou alguém; característico, específico.
PE.CU.LI.A.RI.DA.DE *s.f.* Característica distintiva; particularidade.
PE.DA.ÇO *s.m.* 1) Bocado, porção. 2) Naco. 3) Trecho, passagem. 4) Curto período. 5) *pop.* Diz-se de uma pessoa bonita e de corpo perfeito.
PE.DÁ.GIO *s.m.* 1) Tributo ou taxa que se deve pagar para ter o direito à passagem por uma estrada. 2) Posto fiscal, localizado nas estradas, encarregado de cobrar essa taxa.
PE.DA.GO.GI.A *s.f.* 1) Ciência que trata de teorias, métodos e técnicas de educação. 2) Profissão ou exercício do ensino.
PE.DA.GO.GO (ô) *s.m.* 1) Profissional formado em Pedagogia. 2) Professor.
PE.DAL *s.m.* 1) Peça de certas máquinas ou aparelhos na qual se assenta o pé para lhes imprimir movimento, ou travá-los. 2) Peça da bicicleta em que se assenta o pé. 3) Cada tecla que, na parte inferior dos órgãos, se move com o pé.
PE.DA.LAR *v.t.d.* e *v.i.* 1) Mover pedal (de bicicleta, de máquinas, etc.). / *v.i.* 2) *Por ext.* Andar de bicicleta.
PE.DA.LI.NHO *s.m.* Pequena embarcação movida a pedais usada para lazer.
PE.DAN.TE *adj.2gên.* e *s.2gên.* 1) Que ou quem exibe conhecimentos que não possui. 2) Que ou quem ostenta cultura e erudição.
PE.DE.RAS.TI.A *s.f.* 1) Prática de relações sexuais entre um homem e um rapaz mais jovem. 2) *Por ext.* Homossexualidade masculina.
PE.DER.NEI.RA *s.f.* Pedra que, em atrito com metal, produz faísca.
PE.DES.TAL *s.m.* 1) Peça que sustenta uma estátua, uma coluna, etc.; peanha. 2) *Arquit.* Base de uma coluna. 3) *fig.* Que eleva, que põe em evidência.
PE.DES.TRE *adj.2gên.* e *s.2gên.* 1) Que ou quem anda ou está a pé. 2) *fig.* Humilde.
PE.DI.A.TRI.A *s.f.* Parte da Medicina que se ocupa das doenças das crianças.
PE.DI.CU.RE *s.2gên.* Profissional que trata os pés. 2) Calista.
PE.DI.DO *adj.* 1) Que se pediu. / *s.m.* 2) Ação de pedir. 3) Aquilo que se pede. 4) Ordem de compra; encomenda. 5) Rogo, suplício.

pedigree | pelve

PEDIGREE (pedigri) *s.m. ingl.* Linhagem, árvore genealógica, principalmente de cachorros e cavalos.

PE.DIN.TE *adj.2gên.* e *s.2gên.* 1) Que ou quem pede ou mendiga. 2) Mendigo.

PE.DIR *v.t.d.* 1) Solicitar. 2) Requerer. 3) Estabelecer, exigir como preço. 4) Reclamar. 5) Querer. 6) Ter necessidade de; demandar. 7) Solicitar em casamento. / *v.i.* 8) Fazer pedidos ou súplicas; implorar, suplicar. 9) Orar, rogar a Deus.

PE.DRA *s.f.* 1) Mineral da natureza das rochas, duro e sólido. 2) Rocha, rochedo. 3) Qualquer fragmento de rocha. 4) *Med.* Concreção formada nos rins, na bexiga, etc.; cálculo. 5) Lápide de sepulcro. 6) Granizo. 7) Peça de jogo de tabuleiro. 8) Quadro-negro. 9) *fig.* Diz-se do indivíduo insensível.

PE.DRA.DA *s.f.* 1) Arremesso de pedra. 2) Pancada ou ferimento com pedra. 3) *fig.* Insulto, ofensa.

PE.DRE.GO.SO (ô) *adj.* Que tem muitas pedras.

PE.DRE.GU.LHO *s.m.* 1) Grande pedra; penedo. 2) Local em que há muitas pedras miúdas. 3) *Constr.* Pedras miúdas, seixos retirados do leito dos rios, empregados no preparo de concreto.

PE.DREI.RA *s.f.* Local ou rocha de onde são extraídas pedras.

PE.DREI.RO *s.m.* 1) Indivíduo que trabalha na construção de casas e edifícios, com alvenaria (tijolo e pedra). 2) *pop.* Ímpio, incrédulo.

PE.GA *s.f.* 1) Ato de pegar. 2) Ato de segurar com as mãos a rês nas touradas ou em serviço. 3) Recrutamento forçado. 4) Azo. 5) Ato de solidificar o cimento, gesso, estuque, etc. / *s.2gên.* 6) Discussão veemente. / *s.m.* 7) Desavença, pega-pega.

PE.GA.DA *s.f.* 1) Ação ou resultado de pegar. 2) Marca de pé ou pata.

PE.GA.JO.SO (ô) *adj.* Grudento, viscoso.

PE.GAR *v.t.d.* 1) Colar, unir. 2) Surpreender. 3) Apanhar, contrair. 4) Colar. 5) Seguir por determinada direção. / *v.t.i.* 6) Prender, segurar, tomar com a mão. / *v.p.* 7) Agarrar-se, fixar-se. 8) Ser importuno. 9) Brigar, implicar. / *v.i.* 10) Ficar aderente. 11) Criar raízes. 12) Generalizar-se.

PEI.TA.DA *s.f.* 1) Empurrão ou batida com peito. 2) Pancada no peito.

PEI.TO *s.m.* 1) Parte do tronco, do pescoço ao abdome, que contém os pulmões e o coração. 2) Parte anterior e externa do tronco. 3) Seio, mama. 4) Úbere. 5) Peitilho. 6) Os órgãos respiratórios. 7) Voz. 8) Alma, espírito. 9) *fig.* Ânimo, valor.

PEI.TO.RIL *s.m.* 1) Parapeito. 2) Pedra liminar que se salienta da boca dos fornos de cozer pão.

PEI.XA.RI.A *s.f.* Local em que se vende peixe.

PEI.XE *s.m. Ictiol.* Animal vertebrado, aquático, de respiração branquial e que se locomove por meio de barbatanas.

PEI.XEI.RA *s.f.* 1) Mulher que vende peixe. 2) Faca grande que se usa para limpar peixes. 3) Travessa na qual se serve peixe.

PE.JO.RA.TI.VO *adj.* 1) Aplica-se à palavra que se emprega em sentido torpe ou desagradável; depreciativo. 2) Diz-se de tal significação.

PE.LA.DA *s.f.* 1) *Med.* Doença da pele que ataca o couro cabeludo e faz com que caiam os pelos por zonas arredondadas. 2) *Esp.* Partida de futebol, sem importância, jogada em campo improvisado. 3) Partida mal jogada.

PE.LA.DO *adj.* 1) A que foi tirado o pelo ou a pele. 2) Sem pelo. 3) Calvo. 4) *Fam.* Finório. 5) *pop.* Pobre, sem dinheiro. 6) Nu, despido.

PE.LA.GEM *s.f.* O pelo dos animais; pelame.

PE.LAN.CA *s.f.* 1) Pele caída e mole. 2) Carne magra e engelhada.

PE.LAR *v.t.d.* 1) Tirar a pele, o pelo ou a casca de; descascar. 2) *fig.* Tirar os haveres de. / *v.p.* 3) Ficar sem pele. 4) *fig.* Gostar muito de ➡ A criança se pela por sorvete.

PE.LE *s.f.* 1) Membrana que reveste exteriormente o corpo do homem e o de muitos animais; couro. 2) Couro separado do corpo dos animais. 3) Envoltório de certos frutos e legumes; casca.

PE.LE.JAR *v.i.* 1) Batalhar, combater, lutar. 2) Estar em desacordo. 3) Insistir, teimar. / *v.t.i.* 4) Travar combate, moralmente.

PE.LI.CA *s.f.* Pele fina de animal usada na confecção de calçados, luvas, etc.

PE.LI.CA.NO *s.m.* 1) *Ornit.* Gênero de grandes aves aquáticas pelicanídeas. 2) *Ornit.* Ave desse gênero. 3) *Cir.* Instrumento antigo usado para extrair dentes.

PE.LÍ.CU.LA *s.f.* 1) Pele delgada e fina. 2) Epiderme. 3) Folha delgada de gelatina sensibilizada, usada em fotografia e cinematografia. 4) Filme cinematográfico.

PE.LO *s.m.* 1) Produção delgada à superfície da pele dos animais e em certas partes do corpo humano. 2) O conjunto dessa produção que cobre o corpo de um animal. 3) Lanugem dos frutos e das plantas.

PE.LO.TA *s.f.* 1) Pequena bola; bolota. 2) A bola de futebol. 3) *Cir.* Instrumento ou parte de instrumento para fazer compressão. 4) *Ornit.* Mistura de restos de animais mortos regurgitados por aves.

PE.LO.TÃO *s.m.* 1) Subdivisão de uma companhia de soldados. 2) Grupo de pessoas com a mesma atividade.

PE.LÚ.CIA *s.f.* Tecido de lã, seda, etc., aveludado e felpudo de um lado.

PE.LU.DO *adj.* 1) Que possui muito pelo; peloso. 2) Cheio de pelo. 3) *fig.* Desconfiado, tímido. 4) *gír.* De grande sorte. 5) Aplica-se ao animal que não é de boa raça.

PE.LU.GEM *s.f.* Conjunto de pelos.

PEL.VE ou **PÉL.VIS** *s.f. Anat.* Cavidade óssea que se forma pela união dos ossos ilíacos com o sacro e o cóccix; a bacia.

pena

PE.NA *s.f.* 1) Cada peça que protege o corpo das aves, constituído de um tubo, haste e barbas; pluma. 2) Tubo de pluma que antigamente era preparado para com ele se escrever. 3) O trabalho de escrita. 4) Autor, escritor. 5) Parte espalmada da bigorna. 6) Castigo, punição. 7) Dó, compaixão.

PE.NAL *adj.2gên.* 1) *Dir.* Referente a penas judiciais. 2) Que impõe penas.

PE.NA.LI.DA.DE *s.f.* 1) Conjunto ou código de penas que a lei impõe. 2) Pena, repreensão. 3) Punição de falta; castigo.

PÊ.NAL.TI *s.m. Fut.* Penalidade máxima devido à falta cometida por um jogador dentro da grande área de seu próprio time.

PE.NAR *v.t.d.* 1) Causar pena ou dor a; afligir. 2) Suportar, sofrer. 3) Fazer padecer ou sofrer; atormentar. 4) Punir; castigar. 5) Expiar, purgar. / *v.p.* 6) Angustiar-se, contristar-se. / *v.i.* 7) Sofrer pena, dor, agonia, amargura, martírio. 8) Ter pesares.

PEN.CA *s.f.* 1) Conjunto de flores ou frutos. 2) *fig.* Grande quantidade.

PEN.DÊN.CIA *s.f.* 1) Briga, confusão, desavença. 2) Questão; litígio. 3) *Dir.* Tempo durante o qual uma questão judicial fica pendente.

PEN.DEN.GA *s.f.* 1) Briga, rixa; pendência. 2) Contenda, questão.

PEN.DEN.TE *adj.2gên.* 1) Que pende; pendurado, pêndulo; aéreo. 2) Subordinado; submisso; condicionado. 3) Inclinado. 4) Que está por resolver. 5) Iminente. / *s.m.* 6) Pingente.

PÊN.DU.LO *s.m.* 1) Corpo pesado, suspenso de um ponto fixo que balança livremente num movimento de vaivém. 2) Disco metálico preso à extremidade de uma haste que oscila isocronamente e comunica e regula o movimento do mecanismo do relógio.

PEN.DU.RAR *v.t.d.* 1) Prender no alto; suspender; fixar. 2) Hipotecar. 3) *pop.* Empenhar, pôr no prego. 4) Não pagar uma conta. / *v.p.* 5) Estar suspenso, dependurado ou pendente.

PEN.DU.RI.CA.LHO *s.m.* Enfeite pendente de cordão ou pulseira; pingente, badulaque.

PE.NEI.RA *s.f.* 1) Utensílio, geralmente circular, com o fundo em trama de arame fino, taquara ou outro material por onde passa a parte mais fina de substâncias moídas retendo a mais grossa. 2) Joeira, crivo. 3) Tela metálica transversalmente colocada na chaminé da locomotiva para impedir a saída das faíscas. 4) Instrumento adequado para apanhar camarão. 5) *gír.* Diz-se do goleiro pouco hábil na defesa de suas redes.

PE.NE.TRA *adj.2gên.* e *s.2gên.* 1) *pop.* Que ou quem entra em festas e eventos sem convite. 2) Petulante, insolente.

PE.NE.TRAN.TE *adj.2gên.* 1) Que penetra; penetrador. 2) Pungente, agudo. 3) Profundo, intenso. 4) *fig.* Inteligente, perspicaz, sagaz.

pensionista

PE.NE.TRAR *v.t.d.* 1) Transpor, invadir. 2) Chegar ao íntimo de. 3) Passar através de. 4) Entender, perceber, descobrir, tomar conhecimento. / *v.t.i.* 5) Entrar, introduzir-se. 6) Ser admitido. / *v.p.* 7) Deixar-se possuir. 8) Compenetrar-se.

PE.NHAS.CO *s.m.* Penha grande e elevada, grande rochedo, rocha extensa.

PE.NHOR (ô) *s.m.* 1) *Jur.* Empenho de um bem como garantia de pagamento. 2) O bem que foi penhorado.

PE.NHO.RAR *v.t.d.* 1) Efetuar a penhora de. 2) Dar algo em penhor; empenhar.

PE.NI.CO *s.m. pop.* Vaso portátil para urinar e defecar; urinol.

PE.NÍN.SU.LA *s.f. Geogr.* Terra cercada de água por todos os lados, exceto um, por onde se liga a outra porção de terra.

PÊ.NIS *s.m. Anat.* Órgão sexual masculino.

PE.NI.TÊN.CIA *s.f.* 1) Arrependimento ou remorso por um pecado cometido. 2) Pena imposta por sacerdote para absolvição desse pecado. 3) Situação difícil. 4) *Rel.* Qualquer ato de sacrifício realizado para expiação de pecados.

PE.NI.TEN.CI.Á.RIA *s.f. Jur.* Local onde as pessoas condenadas a penas de privação de liberdade cumprem suas sentenças; presídio.

PE.NI.TEN.TE *adj.2gên.* e *s.2gên.* 1) Que ou quem se arrepende. 2) Que ou quem faz penitência ou confissão dos pecados.

PE.NO.SO (ô) *adj.* 1) Que provoca pena; doloroso. 2) Difícil, fatigante.

PEN.SA.DO *adj.* Diz-se do que foi meditado, refletido.

PEN.SA.DOR (ô) *adj.* e *s.m.* Que ou quem pensa, medita, reflete.

PEN.SA.MEN.TO *s.m.* 1) Ato ou capacidade de pensar. 2) Operação da inteligência. 3) Imaginação, ideia. 4) Alma, espírito. 5) A intenção de um autor.

PEN.SAN.TE *adj.2gên.* Que pensa; que se utiliza da razão.

PEN.SÃO *s.f.* 1) Renda anual ou mensal, paga durante um certo tempo. 2) Foro. 3) Quantia paga pela educação e sustento de um aluno no colégio. 4) Pequeno hotel, geralmente familiar. 5) Fornecimento regular de comida em domicílio. 6) Obrigação, ônus.

PEN.SAR *v.i.* 1) Formar pensamentos ou ideias. 2) Ser de tal ou qual parecer. 3) Raciocinar. / *v.t.i.* 4) Meditar, cogitar, refletir. 5) Estar preocupado. / *v.t.d.* 6) Julgar. 7) Pôr penso em; aplicar curativo. 8) Cuidar, tratar convenientemente. / *s.m.* 9) Pensamento, opinião. 10) Prudência, tino.

PÊN.SIL *adj.2gên.* Pendurado, suspenso.

PEN.SI.O.NA.TO *s.m.* 1) Internato. 2) Casa que recebe pensionistas.

PEN.SI.O.NIS.TA *adj.2gên.* 1) Que ou aquele que recebe pensão do Estado. / *s.2gên.* 2) Estudante penso | pereba

a quem o Estado paga pensão. 3) Pessoa que vive em pensão. 4) Indivíduo que paga pensão.

PEN.SO *s.m.* 1) Curativo; medicamentos aplicados sobre uma ferida. 2) Tratamento de crianças ou animais. 3) Ração para gado. / *adj.* 4) Pendido, inclinado ou de mau jeito.

PEN.TÁ.GO.NO *s.m.* 1) *Geom.* Polígono que possui cinco lados e cinco ângulos. 2) Nome que recebe o edifício do Ministério da Guerra, nos Estados Unidos.

PEN.TA.GRA.MA *s.m.* 1) *Mús.* Pauta com cinco linhas sobre as quais se escrevem as notações musicais. 2) *Geom.* Estrela de cinco pontas.

PEN.TE *s.m.* 1) Instrumento dentado usado para alisar ou prender os cabelos. 2) Utensílio para limpar bordados de ponto alto. 3) Instrumento usado pelos cardadores para preparar a lã.

PEN.TE.A.DEI.RA *s.f.* Móvel que consiste em uma mesa com espelho e gavetas.

PEN.TE.A.DO *adj.* 1) Que se penteou. / *s.m.* 2) Modo especial de arrumar os cabelos.

PEN.TE.AR *v.t.d.*, *v.i.* e *v.p.* Arrumar os cabelos com pente ou escova.

PEN.TE.LHO (ê) *s.m. fig. pop.* Pessoa desagradável, enfadonha, importuna, chata.

PE.NU.GEM *s.f.* 1) Primeira plumagem de uma ave. 2) Camada de pelos, penas ou cabelos que nascem primeiro. 3) Pelos muito finos, curtos e macios.

PE.NÚL.TI.MO *adj.* Que antecede imediatamente o último.

PE.NUM.BRA *s.f.* 1) Sombra incompleta; ponto de transição da luz para a sombra. 2) Meia-luz; lusco-fusco. 3) *Bel.-art.* Passagem de luz para a sombra. 4) *fig.* Insulamento, retraimento.

PE.NÚ.RIA *s.f.* 1) Extrema pobreza, miséria. 2) *Por ext.* Privação ou falta do que é essencial ou necessário.

PE.PI.TA *s.f.* Fragmento de metal, principalmente de ouro.

PE.QUE.NA *s.f. pop.* Moça; rapariga; namorada.

PE.QUE.NO *adj.* 1) De pouca extensão ou volume. 2) De baixa estatura. 3) Novo; criança. 4) De pouca importância ou valor. 5) Acanhado. / *s.m.* 6) Menino, rapaz, namorado.

PE.RA *s.f.* 1) Fruto da pereira. 2) Interruptor de corrente elétrica que possui formato da fruta de mesmo nome. 3) Porção de barba que se deixa crescer no queixo.

PE.RAL.TA *s.2gên.* 1) Pessoa afetada na maneira de ser e na maneira de vestir; casquilho, janota. / *adj.2gên.* e *s.2gên.* 2) Diz-se da ou a criança travessa, traquinas.

PE.RAM.BU.LAR *v.i.* Vaguear a pé; andar a esmo, vagar.

PE.RAN.TE *prep.* Na presença de; ante; diante de.

PER.CAL.ÇO *s.m.* 1) Obstáculo, transtorno. 2) Vantagem; ganho, lucro.

PER.CE.BER *v.t.d.* 1) Adquirir conhecimento de algo, por meio dos sentidos. 2) Abranger com inte-

ligência; compreender, entender; formar ideia de. 3) Enxergar. 4) Receber honorários, rendimentos.

PER.CEN.TA.GEM ou **POR.CEN.TA.GEM** *s.f.* 1) Relação entre um valor dado e a centena. 2) Proporção de um valor em relação a outro calculada sobre uma quantidade de 100 unidades. 3) Taxa de juros, de comissão, etc., sobre um capital de 100 unidades.

PER.CEP.ÇÃO *s.f.* 1) Ato, efeito ou faculdade de perceber. 2) Conhecimento por meio dos sentidos.

PER.CE.VE.JO (ê) *s.m.* 1) *Entom.* Inseto hemíptero, comum nas regiões temperadas e tropicais, sugador de sangue, que infesta habitações humanas onde faltam higiene e limpeza. 2) Pequena tacha de cabeça chata, em forma de disco.

PER.COR.RER *v.t.d.* 1) Correr por, visitando toda a extensão, em todos os sentidos. 2) Observar ligeiramente. 3) Explorar, investigar.

PER.CUR.SO *s.m.* 1) Ato ou efeito de percorrer. 2) Espaço a ser percorrido; roteiro.

PER.CUS.SÃO *s.f.* 1) Ato ou efeito de percutir. 2) Choque, embate de dois corpos.

PER.CUS.SOR (ô) *adj.* e *s.m.* 1) Que ou aquele que percute. / *s.m.* 2) Peça metálica das armas de fogo, em forma de agulha, que percute a espoleta do cartucho, para transmitir fogo à pólvora.

PER.DA (ê) *s.f.* 1) Ato ou efeito de perder. 2) Privação de algo que se possuía. 3) Desaparecimento, extravio. 4) Prejuízo. 5) Morte.

PER.DÃO *s.m.* 1) Remissão de pena ou culpa. 2) Indulgência. 3) Desculpa, indulto.

PER.DER *v.t.d.* 1) Ser privado de; ficar sem a posse ou domínio de. 2) Sofrer atenuação ou quebra de. 3) Ter mau êxito em; desperdiçar. 4) Esquecer-se; atrasar-se; não chegar a tempo para. 5) Deixar fugir. 6) Ficar separado pela morte de. 7) Conduzir à perdição; desgraçar. / *v.i.* 8) Deixar de usufruir certas vantagens. 9) Ser vencido no jogo. / *v.p.* 10) Sofrer prejuízos. 11) Tornar-se inútil. 12) Deixar-se dominar por uma paixão.

PER.DI.ÇÃO *s.f.* 1) Situação de fracasso, ruína, desgraça. 2) *pop.* Tentação irresistível. 3) Desvio das crenças religiosas.

PER.DI.DO *adj.* 1) Desaparecido, sumido. 2) Cujo estado é irremediável; desviado. 3) Extraviado, transviado. 4) Louco de amor. 5) Devasso, imoral. / *s.m.* 6) Que se perdeu ou está sumido.

PER.DO.AR *v.t.i.* 1) Conceder perdão a; absolver; desculpar. / *v.i.* 2) Conceder perdão; ser humanitário. / *v.p.* 3) Poupar-se. / *v.t.d.i.* 4) Livrar pessoa de punição ➡ O pai lhes perdoa, sempre, as desavenças cometidas.

PER.DU.RAR *v.i.* 1) Durar muito; manter-se. 2) Continuar a ser ou existir.

PE.RE.BA *s.f.* 1) Pequena ferida de aspecto ruim, de crosta dura e espessa. 2) Sarna; escabiose; apostema, bereba, pereva.

PE.RE.CER *v.i.* 1) Deixar de ser ou de existir; ter fim. 2) Morrer; falecer, finar-se.

PE.RE.CÍ.VEL *adj.2gên.* 1) Sujeito a perecer. 2) Que pode se estragar facilmente; que pode se extinguir.

PE.RE.GRI.NA.ÇÃO *s.f.* 1) Viagem a lugares santos. 2) *fig. pop.* Viagem longa e exaustiva.

PE.RE.GRI.NAR *v.t.d.* 1) Andar em peregrinação por. / *v.i.* e *v.t.i.* 2) Ir, em romaria, a lugares santos. / *v.i.* 3) Andar a esmo. 4) Viajar por terras distantes.

PE.REMP.TÓ.RIO *adj.* Categórico, decisivo, definitivo.

PE.RE.NE *adj.2gên.* 1) Que dura para sempre; eterno, perpétuo. 2) Que dura muitos anos; duradouro. 3) Sem interrupção, contínuo.

PER.FA.ZER *v.t.d.* 1) Concluir, terminar. 2) Preencher o número de.

PER.FEI.ÇÃO *s.f.* 1) Acabamento perfeito; realização completa. 2) Bondade ou excelência, no mais alto grau. 3) Primor, requinte. 4) Correção. 5) Pureza.

PER.FEI.TO *adj.* 1) Em que não há defeito; que possui apenas boas qualidades. 2) Completo, rematado, total. 3) *Gram.* Aplica-se ao tempo verbal referente a um ato ou estado já de todo passado ➡ Em outras épocas, dancei muito.

PÉR.FI.DO *adj.* 1) Que falta à fé jurada. 2) Desleal, infiel.

PER.FIL *s.m.* 1) Delineamento do rosto de uma pessoa, visto de lado. 2) Contorno de um objeto visto por um dos seus lados. 3) *Arquit.* Parte perpendicular de um edifício, para melhor se ver a disposição interior. 4) *Geol.* Corte que deixa ver a tendência e a natureza das camadas dos terrenos. 5) *Mil.* Ato de alinhar, de perfilar tropas.

PERFORMANCE (perfórmance) *s.f. ingl.* 1) Realização, feito. 2) Capacidade, eficiência, desempenho.

PER.FU.MAR *v.t.d.* 1) Espalhar perfume em ou sobre; impregnar de aroma. 2) Tornar aromático. / *v.p.* 3) Pôr perfume em si mesmo; perfumar-se.

PER.FU.MA.RI.A *s.f.* 1) Fábrica ou loja de perfumes. 2) Grande quantidade de perfumes. 3) Perfume.

PER.FU.ME *s.m.* 1) Cheiro agradável ao olfato, exalado por certos corpos, principalmente as flores; aroma. 2) *fig.* Doçura, suavidade.

PER.FU.RA.DO.RA (ô) ou **PER.FU.RA.TRIZ** *s.f. Mec.* Máquina com broca que serve para perfurar.

PER.FU.RAR *v.t.d.* 1) Fazer furo em. 2) Penetrar de fora a fora.

PER.GA.MI.NHO *s.m.* 1) Pele de carneiro, ovelha ou cordeiro, preparada com alume, para nela se escreverem coisas. 2) Códice escrito sobre esse material. 3) Diploma de curso superior ou manuscrito nesse material.

PER.GUN.TA *s.f.* 1) Palavra ou frase com a qual se interroga; interrogação. 2) Inquirição, quesito.

PER.GUN.TA.DOR (ô) *adj.* e *s.m.* 1) Que ou quem pergunta. 2) Curioso; indagador.

PER.GUN.TAR *v.t.d.* 1) *Ant.* Fazer perguntas a; interrogar. / *v.t.i.* e *v.t.d.i.* 2) Pedir uma informação; indagar. / *v.p.* 3) Interrogar-se, buscando eliminar dúvidas ou hesitações.

PE.RI.CÁR.DIO *s.m. Anat.* Membrana serosa que serve de invólucro ao coração.

PE.RÍ.CIA *s.f.* 1) Característica de perito. 2) Destreza, habilidade. 3) *Dir.* Exame de caráter técnico e especializado.

PE.RI.CU.LO.SI.DA.DE *s.f.* 1) Característica do que é perigoso. 2) *Jur.* Conjunto de circunstâncias e traços que indicam propensão de alguém para o mal.

PE.RI.FE.RI.A *s.f.* 1) *Geom.* Delineamento de uma figura curvilínea. 2) Circunferência. 3) Superfície de um sólido. 4) Numa cidade, os bairros mais afastados do centro urbano.

PE.RÍ.FRA.SE *s.f. Linguíst.* Série de palavras usadas no lugar de um termo específico.

PE.RI.GO *s.m.* 1) Momento que prenuncia um mal para alguém ou para alguma coisa. 2) Risco, inconveniente. 3) *pop.* Diz-se da mulher sedutora. 4) *pop.* Diz-se do homem conquistador.

PE.RI.GO.SO (ô) *adj.* 1) Em que há perigo; arriscado. 2) Que representa ou causa perigo.

PE.RÍ.ME.TRO *s.m.* 1) *Geom.* Soma dos lados de uma figura. 2) *Por ext.* Linha que delimita uma área ou região.

PE.RÍ.O.DO *s.m.* 1) Tempo decorrido entre dois fatos ou épocas; qualquer espaço de tempo. 2) Divisão cronológica; época; fase. 3) *Arit.* Parte de uma fração periódica que se reproduz indefinidamente e na mesma ordem. 4) *Gram.* Frase que se compõe de muitos membros, cuja reunião forma um sentido completo e independente. 5) *Mús.* Frase musical, cujos membros formam sentido completo.

PE.RI.PÉ.CIA *s.f.* 1) *Poét.* Acontecimento num poema, num drama, etc., que modifica a face das coisas. 2) Caso estranho e imprevisto que surpreende e comove.

PE.RIS.CÓ.PIO *s.m.* Instrumento óptico que possui uma face plana ou côncava e outra convexa, o qual permite ver por cima de um obstáculo, e é empregado principalmente nos submarinos.

PE.RI.TO *adj.* 1) Experiente, competente, sábio, doutor, prático. / *s.m.* 2) Aquele que é judicialmente nomeado para exame ou vistoria de caráter técnico ou científico. 3) Especialista em determinado assunto.

PER.JU.RAR *v.t.d.* 1) Abjurar; abnegar; renunciar. / *v.t.i.* 2) Jurar falso. / *v.i.* 3) Quebrar o juramento; faltar a promessas juradas.

PER.LON.GAR *v.t.d.* Ir ou estar ao longo de; demorar; costear.

PER.MA.NE.CER *v.lig.* 1) Continuar sendo ➡ As crianças permanecem felizes no parque. / *v.t.i.*

permanente · perspectiva

2) Persistir; prosseguir; demorar-se. / *v.i.* 3) Durar; continuar existindo.

PER.MA.NEN.TE *adj.2gên.* 1) Que se conserva; durável, continuado; que permanece. 2) Definitivo. / *s.2gên.* 3) Preparo especial e prolongado para o cabelo ondulado artificialmente. / *s.m.* 4) *pop.* Cartão ou senha que permite ingresso em casas de diversões, de espetáculos, em veículos coletivos, etc.

PER.ME.A.BI.LI.DA.DE *s.f.* Qualidade do que é permeável.

PER.ME.AR *v.t.d.* 1) Fazer passar pelo meio; entremear; atravessar. / *v.t.i.* 2) Estar de permeio; interpor-se. / *v.i.* 3) Sobrevir.

PER.ME.Á.VEL *adj.2gên.* *Fís.* Diz-se de corpos ou substâncias que deixam passar outras substâncias (líquidos, gases, etc.) através de seus poros.

PER.MIS.SÃO *s.f.* Autorização, consentimento.

PER.MI.TIR *v.t.d.* 1) Dar permissão ou licença para; consentir. 2) Autorizar. 3) Admitir, tolerar. 4) Tornar possível. 5) Dar lugar a. 6) Autorizar a fazer uso de. / *v.p.* 7) Tomar a liberdade de; decidir-se.

PER.MU.TA *s.f.* 1) Troca; substituição; permutação. 2) Câmbio. 3) Transposição.

PER.NA *s.f.* 1) *Anat.* Cada membro locomotor do homem e dos animais. 2) Parte dos membros inferiores, que vai do joelho ao pé. 3) Cada haste do compasso. 4) Ramificação.

PER.NA.DA *s.f.* 1) Passada larga. 2) Caminhada longa ou fatigante. 3) Ramificação; ramo de árvore. 4) *pop.* Coice, pontapé. 5) Pequeno braço de rio. 6) *Náut.* Peça saliente de madeira.

PER.NEI.RA *s.f.* 1) *Vet.* Moléstia que ataca as pernas do gado bovino. 2) Peças de couro do vestuário masculino que servem para abrigar as pernas entre o joelho e o pé. 3) Peças de couro usadas pelos vaqueiros.

PER.NIL *s.m.* 1) Perna magra. 2) Parte da pata traseira do porco e outros animais.

PER.NI.LON.GO *adj.* 1) De pernas longas. / *s.m.* 2) *Entom.* Denominação comum geralmente dada aos mosquitos sugadores de sangue.

PER.NOI.TAR *v.i.* 1) Ficar durante a noite; passar a noite; dormir em lugar alheio ou lugar onde se está de passagem. 2) Tomar pousada.

PÉ.RO.LA *s.f.* 1) Glóbulo branco, duro, brilhante, que é formado no interior das conchas de alguns moluscos bivalves. 2) *fig.* Pessoa bondosa ou de excelentes qualidades. 3) Gota límpida. 4) *fig.* Lágrima. 5) *fig.* Gota de orvalho. / *adj.2gên.* 6) Que possui a cor da pérola.

PE.RÓ.XI.DO (cs) *s.m.* *Quím.* Nome genérico dos óxidos que contêm mais oxigênio do que o óxido normal.

PER.PAS.SAR *v.t.d.* 1) Passar além de. 2) Deixar atrás ou de lado. 3) Postergar. / *v.i.* 4) Passar, seguir uma determinada direção. / *v.t.i.* 5) Passar junto ou ao longo de. / *v.t.d., v.t.i.* e *v.t.d.i.* 6) Roçar de leve.

PER.PE.TU.AR *v.t.d.* e *v.p.* 1) Tornar(-se) perpétuo; imortal. / *v.p.* 2) Durar para sempre; eternizar-se; perenizar-se. 3) Estender-se de geração a geração. 4) Suceder-se (uma geração, uma raça). / *v.t.d.* 5) Multiplicar; propagar. 6) Conservar.

PER.PÉ.TUO *adj.* 1) Inalterável. 2) De duração eterna. 3) Que não cessa nunca; contínuo. 4) Constante. 5) Vitalício.

PER.PLE.XI.DA.DE (cs) *s.f.* Estado de quem está perplexo; admiração, espanto.

PER.PLE.XO (cs) *adj.* 1) Pasmado. 2) Indeciso, hesitante. 3) Atônito, chocado, fascinado.

PER.REN.GUE *adj.2gên.* 1) *pop.* Abatido, adoentado, desanimado, fraco, frouxo. 2) Covarde, tímido. 3) Ruim, imprestável; capenga. 4) Intransigente, birrento. / *s.2gên.* 5) Pessoa ou animal perrengue. / *s.m.* 6) *pop.* Situação complicada, difícil de se resolver.

PER.SA *adj.2gên.* e *s.2gên.* 1) Da Pérsia (hoje Irã). 2) Habitante ou natural da Pérsia. / *s.m.* 3) A língua dos persas; persiano, pérsico, pérsio; iraniano.

PERS.CRU.TAR *v.t.d.* 1) Examinar minuciosamente; indagar, investigar, sondar. 2) Procurar devassar o futuro de. / *v.i.* 3) Investigar com escrúpulo.

PER.SE.GUI.ÇÃO *s.f.* 1) Ato ou efeito de perseguir; perseguição. 2) Tratamento injusto e mau dispensado a determinado grupo social.

PER.SE.GUIR *v.t.d.* 1) Seguir de perto; correr no encalço de. 2) Aborrecer, incomodar. 3) Atormentar. 4) Maltratar. 5) Castigar, punir. 6) Esforçar-se para alcançar um objetivo. / *v.p.* 7) Perseguir a si próprio.

PER.SE.VE.RAR *v.t.i.* 1) Conservar-se firme, constante. / *v.t.i.* e *v.i.* 2) Persistir; insistir. / *v.i.* 3) Continuar, durar; ter perseverança.

PER.SI.A.NA *s.f.* Cortina de lâminas delgadas e móveis que se põe nas janelas ou sacadas, para garantir o arejamento sem que entre sol, ou controlar a entrada da luz.

PER.SIS.TIR *v.t.i.* e *v.i.* 1) Insistir, perseverar, teimar. / *v.i.* 2) Continuar a existir, conservar-se. 3) Durar, perdurar. / *v.lig.* 4) Permanecer; continuar.

PER.SO.NA.GEM *s.2gên.* 1) Pessoa importante, notável. 2) Figura dramática. 3) Cada figurante de uma narração, poema ou acontecimento. 4) Cada um dos papéis desempenhados por ator ou atriz.

PER.SO.NA.LI.DA.DE *s.f.* 1) Qualidade daquilo que é pessoal. 2) Caráter exclusivo de uma pessoa; pessoalidade. 3) O que distingue uma pessoa de outra. 4) *Psicol.* Individualidade consciente; pessoa.

PER.SO.NI.FI.CA.ÇÃO *s.f.* *Ret.* Atribuição de características humanas a coisas ou animais.

PER.SO.NI.FI.CAR *v.t.d.* 1) Atribuir características de pessoas a. 2) Ser o modelo de; simbolizar. / *v.t.d.* e *v.t.d.i.* 3) Tornar vivo, concreto; representar.

PERS.PEC.TI.VA *s.f.* 1) Processo ou técnica de representação tridimensional sobre uma superfície plana. 2) A obra feita com essa técnica. 3) Ponto de vista. 4) Expectativa.

perspicácia

PERS.PI.CÁ.CIA *s.f.* 1) Qualidade de quem é perspicaz. 2) Capacidade de compreensão rápida; esperteza.

PERS.PI.CAZ *adj.2gên.* 1) *fig.* Que compreende o que se passa com rapidez e clareza; sagaz, inteligente. 2) Que tem observação atenta e rápida.

PER.SU.A.DIR *v.t.d.*, *v.t.d.i.* e *v.p.* 1) Levar(-se) a acreditar ou a aceitar; convencer(-se). 2) Levar (-se) a fazer algo; induzir(-se).

PER.SU.A.SÃO *s.f.* 1) Ato ou efeito de persuadir (-se). 2) Certeza fortemente estabelecida; convicção.

PER.TEN.CER *v.t.i.* 1) Ser propriedade de. 2) Fazer parte de. 3) Dizer respeito. 4) Ser próprio de. 5) Ser da competência ou obrigação de. 6) Ser devido ou merecido.

PER.TI.NEN.TE *adj.2gên.* 1) Que pertence, concerne. 2) Que vem a propósito.

PER.TO *adv.* 1) A pequena distância; junto, próximo. / *adj.2gên.* 2) Que está a pequena distância; vizinho. / *s.m. pl.* 3) Objetos próximos ➡ os pertos.

PER.TUR.BAR *v.t.d.* 1) Causar perturbação a. 2) Abalar o espírito. 3) Criar desordem em. 4) Atrapalhar, agitar, confundir, embaraçar. 5) Intimidar. / *v.p.* 6) Perder a serenidade de espírito, desassossegar.

PE.RU.CA *s.f.* Cabeleira postiça.

PER.VER.SÃO *s.f.* 1) Ato ou efeito de perverter(-se). 2) Corrupção, depravação. 3) Desvio da maneira normal de comportamento.

PER.VER.SO *adj.* 1) Que demonstra perversão. 2) De muito má índole; cruel; malvado.

PE.SA.DA *s.f.* 1) O que se pesa de cada vez. 2) Diz-se do que ou daquele que impõe respeito por ser poderoso ➡ da pesada.

PE.SA.DE.LO (ê) *s.m.* 1) Sonho ruim. 2) Letargo, marasmo. 3) *fig.* Pessoa importuna, coisa enfadonha.

PE.SA.DO *adj.* 1) De muito peso. 2) *Quím.* Diz-se do isótropo que tem ou é um átomo de massa maior do que o normal. 3) Lento. 4) *fig.* Difícil, trabalhoso. 5) *pop.* Difícil de digerir. 6) *pop.* Infeliz, sem sorte. 7) Grosseiro, ofensivo.

PÊ.SA.MES *s.m. pl.* Expressão de pesar pelo falecimento de alguém ou por algum infortúnio; condolências.

PE.SAR *s.m.* 1) Desgosto, tristeza. / *v.t.d.* 2) Determinar ou ter o peso de. 3) Causar arrependimento ou remorso. / *v.i.* 4) Ter certo peso. 5) Causar incômodo. / *v.t.i.* e *v.i.* 6) Exercer pressão, fazer peso. / *v.t.i.* 7) Sobrecarregar com o peso. 8) Ser de digestão difícil. / *v.p.* 9) Pôr-se na balança, para verificar seu próprio peso.

PES.CA *s.f.* 1) Ato ou arte de pescar; pescaria. 2) Aquilo que foi pescado. 3) Ato de tirar algo da água. 4) *fig.* Investigação, procura. 5) Arte e indústria de pescadores.

PES.CAR *v.t.d.* 1) Apanhar ou tentar apanhar (peixes, etc.) na água usando anzol ou outro instrumento. 2) Apanhar qualquer objeto da água.

pétala

/ *v.t.d.* e *v.t.i.* 3) *pop.* Ter compreensão de; entender. / *v.i.* 4) Praticar a pesca. 5) *pop.* Cochilar sentado.

PES.CA.RI.A *s.f.* 1) Ato de pescar; pesca. 2) Técnica para pescar. 3) Grande quantidade de peixe.

PES.CO.ÇO (ô) *s.m.* 1) Parte do corpo que une a cabeça ao tronco. 2) Garganta, colo. 3) Cachaço. 4) Gargalo.

PE.SO (ê) *s.m.* 1) *Fís.* Resultado da ação da força da gravidade sobre um corpo. 2) Produto da massa do corpo pela aceleração da gravidade. 3) Pressão exercida por um corpo sobre outro. 4) Pedaço de ferro ou outro metal aferido, usado como padrão nas balanças. 5) Grande pedra do lagar, ligada à viga pelo fuso. 6) *fig.* Carga, incômodo.

PES.QUEI.RO *s.m.* 1) Local em que se pesca. 2) Fio com presilha numa extremidade e anzol na outra. 3) Lugar onde os peixes se abrigam, comem ou vivem. / *adj.* 4) Próprio para pescar. 5) Que se refere à pesca.

PES.QUI.SA *s.f.* 1) Ato ou efeito de pesquisar. 2) Investigação, estudo ou indagação minuciosos com a finalidade de descobrir fatos relativos a um campo do conhecimento.

PES.QUI.SAR *v.t.d.* 1) Indagar, inquirir, investigar. 2) Informar-se acerca de. / *v.i.* 3) Fazer pesquisas.

PÊS.SE.GO *s.m.* Fruto do pessegueiro.

PES.SI.MIS.MO *s.m.* 1) Tendência que as pessoas têm de considerar tudo como um mal. 2) *Filos.* Doutrina segundo a qual o mal prevalece sobre o bem.

PÉS.SI.MO *adj.* 1) Muito mau; malíssimo. 2) *Gram. sup. abs.* Sintético de mau.

PES.SO.A (ô) *s.f.* 1) Criatura humana; homem, mulher. 2) Personagem. 3) Individualidade. 4) *Dir.* Toda entidade natural ou moral com capacidade para ser sujeito ativo ou passivo de direito, na ordem civil. 5) *Gram.* Pronome pessoal.

PES.SO.AL *adj.2gên.* 1) Referente à pessoa. 2) Próprio e particular de cada pessoa. 3) Individual. 4) *Gram.* Diz-se dos pronomes que representam as pessoas gramaticais. / *s.m.* 5) Grupo das pessoas que trabalham num serviço ou num estabelecimento.

PES.TA.NA *s.f.* 1) *Anat.* Cílio. 2) *Mús.* Em instrumento de cordas dedilhadas, posição dos dedos ou de uma peça sobre as cordas para modificar sua afinação.

PES.TA.NE.JAR *v.i.* Abrir e fechar os olhos rapidamente; piscar.

PES.TE *s.f.* 1) *Med.* Doença contagiosa, epidêmica, muitas vezes mortal; pestilência. 2) Aquilo que corrompe física e moralmente. 3) Coisa funesta. 4) Grande abundância de coisa danosa. / *s.2gên.* 5) *fig.* Pessoa má ou rabugenta.

PES.TI.LÊN.CIA *s.f.* 1) Doença contagiosa; peste. 2) *Por ext. fig.* Mau cheiro.

PÉ.TA.LA *s.f.* Cada uma das peças presas ao centro da flor.

PE.TE.LE.CO *s.m.* 1) Pancada com a ponta do dedo da mão. 2) *Por ext.* Golpe dado com pouca força.

PE.TI.ÇÃO *s.f.* 1) Ato de pedir. 2) Pedido por escrito feito a um juiz, um tribunal ou uma autoridade; requerimento.

PE.TIS.CO *s.m.* 1) Comida muito saborosa. 2) *Fam.* Indivíduo ridículo. 3) *pop.* Mulher viçosa.

PE.TRI.FI.CAR *v.t.d.* e *v.p.* 1) Transformar(-se) em pedra. 2) Tornar(-se) insensível. 3) *Por ext.* Tornar(-se) imóvel; paralisar(-se).

PE.TRO.LEI.RO *adj.* Referente a petróleo. / *s.m.* 2) Indivíduo que emprega petróleo como meio de destruição. 3) *fig.* Revolucionário, extremista. 4) Navio especial para transporte de petróleo.

PE.TRÓ.LEO *s.m.* Substância líquida mineral, mistura de hidrocarbonetos, que se encontra em rochas sedimentares, formando depósitos de grande extensão.

PE.TU.LAN.TE *adj.2gên.* 1) Ousado. 2) Desavergonhado, insolente. 3) Impetuoso, vivo.

PI.A *s.f.* 1) Pedra cavada para receber líquidos. 2) Bacia de louça ou de ferro esmaltado de forma retangular, geralmente com água encanada, para lavar utensílios de cozinha. 3) Carlinga; lavabo; lavatório.

PI.Á *s.m.* 1) Menino. 2) Indígena jovem. 3) Filho de caboclo.

PI.A.DA *s.f.* 1) Pio. 2) Anedota. 3) *pop.* Dito engraçado e picante.

PI.A.NIS.TA *s.2gên.* Aquele que sabe tocar piano.

PI.A.NO *s.m.* 1) *Mús.* Instrumento composto de uma grande caixa sonora, com um sistema especial de cordas e teclado. 2) *Mús.* Pianista de uma orquestra. / *adv.* 3) *Mús.* Sem muita vibração de som; suavemente. 4) *fig.* Pausadamente; devagar.

PI.ÃO *s.m.* Brinquedo em forma de pera, com uma ponta de ferro na parte afilada, jogado enrolando-lhe uma fieira e desenrolando-a rapidamente, para fazê-lo girar no chão.

PI.AR *v.i.* Dar pios.

PI.CA.DA *s.f.* 1) Mordida de inseto, cobra, etc. 2) Ferida ou machucado feito por objeto pontiagudo.

PI.CA.DEI.RO *s.m.* 1) Área central de um circo onde os artistas se apresentam. 2) Local onde se treinam cavalos ou se fazem exercícios de equitação.

PI.CAN.TE *adj.2gên.* 1) Diz-se de sabor que arde; apimentado. 2) *fig.* Malicioso, mordaz.

PI.CAR *v.t.d.* e *v.p.* 1) Ferir(-se), furar(-se) com objeto pontiagudo. / *v.t.d.* 2) Dar picada ou ferroada em. 3) Reduzir a pequenos pedaços.

PI.CA.RE.TA (ê) *s.f.* 1) Instrumento de ferro com duas pontas usado para escavar a terra, arrancar pedras, etc. / *adj.2gên.* e *s.2gên.* 2) *pop.* Vigarista, aproveitador.

PI.CHA.ÇÃO *s.f.* 1) Ato ou efeito de pichar. 2) Aplicação de piche. 3) Assinatura estilizada ou rabisco

feito em parede, estátua, etc. 4) *fig. pop.* Crítica áspera ou maldosa.

PI.CHAR *v.t.d.* 1) Aplicar piche em. 2) Rabiscar em muros, paredes, fachadas, etc. / *v.t.d.* e *v.i.* 3) *pop.* Falar mal de alguém ou de algo.

PI.CHE *s.m.* Substância negra e pegajosa obtida da destilação do alcatrão ou da terebintina.

PI.CLES *s.m. pl. Cul.* Legumes conservados em salmoura ou vinagre.

PI.CO *s.m.* 1) Pináculo agudo de um monte. 2) Ponta ou extremidade aguda; bico. 3) Espinho, ponta. 4) Acidez, pique. 5) O ponto mais alto. 6) *gír.* Dose de entorpecente injetável.

PI.CO.LÉ *s.m.* Sorvete solidificado preso em um palito.

PI.CO.TAR *v.t.d.* 1) Realizar picotes. 2) Inutilizar passagens ou ingressos, perfurando-os com o picotador.

PI.CO.TE *s.m.* 1) Ponto de rendaria, comum em rendas leves e finas. 2) Sequência de furos ou recortes, unidos, impressos ou não, de selos ou postais.

PI.CU.I.NHA *s.f.* 1) Dito picante, mordaz; piada. 2) Pirraça, teimosia. 3) Comportamento hostil; desconfiança, implicância.

PI.DÃO *adj.* e *s.m. pop.* Que ou quem vive pedindo tudo.

PI.E.DA.DE *s.f.* 1) Amor e respeito; devoção, religiosidade. 2) Compaixão, pena, dó.

PI.E.GAS *adj.2gên.* e *s.2gên.* 1) Que se embaraça com ninharias. 2) Que ou quem é excessivamente sentimental.

PI.ER.RÔ *s.m.* 1) Personagem sentimental e ingênua da antiga comédia italiana. 2) Indivíduo vestido ou fantasiado como esse personagem.

PI.FAR *v.i.* 1) Sofrer dano, quebrar. 2) Deixar de funcionar.

PI.FA.RO *s.m.* 1) Instrumento de sopro popular e pastoril, idêntico a uma flauta, porém menor. 2) Quem toca este instrumento.

PÍ.FIO *adj.* De pouco valor; ordinário.

PI.GAR.RE.AR *v.i.* 1) Tossir com pigarro. 2) Fazer ruído com a garganta para se livrar de pigarro ou para chamar a atenção de alguém.

PI.GAR.RO *s.m.* 1) Aderência de muco na garganta. 2) Som feito com a garganta para livrar-se desse muco ou para chamar a atenção.

PIG.MEN.TA.ÇÃO *s.f.* 1) Produção a acumulação de substâncias corantes em um organismo. 2) Coloração obtida a partir de pigmentos.

PIG.MEN.TO *s.m.* 1) Designação comum a várias substâncias coradas de natureza diversa, como a melanina e a clorofila, que proporcionam cor aos tecidos vegetais ou animais que as contêm. 2) Matéria corante, insolúvel em água, usada na fabricação de tintas.

PIG.MEU *adj.* e *s.m.* 1) Que(m) é de estatura pequena; anão. 2) Que(m) possui talento ou cultura insignificante. 3) Habitante da África Equatorial.

PI.JA.MA *s.m.* Vestuário próprio para dormir usado por ambos os sexos.

PI.LAN.TRA *adj.2gên.* e *s.2gên.* 1) *pop.* Pessoa de mau caráter, desonesta. 2) Pelintra. / *s.m.* 3) Malandro, reles, desprezível.

PI.LÃO *s.m.* 1) Peso usado para equilibrar a balança romana. 2) Maço de madeira calçado de ferro, empregado nos moinhos de pisar. 3) Pão de açúcar de figura cônica. 4) Grande almofariz feito de tronco de árvore, resistente, usado para descascar ou triturar cereais.

PI.LAR *s.m.* 1) *Constr.* Coluna sem ornamentos que serve de apoio a uma construção. / *v.t.d.* 2) Moer ou descascar no pilão.

PI.LAS.TRA *s.f. Arquit.* Pilar decorativo.

PI.LHA *s.f.* 1) Certa quantidade de objetos ordenados uns sobre os outros. 2) *Eletr.* Aparelho que transforma uma energia desenvolvida em uma reação química em energia elétrica. 3) *fig.* Diz-se da pessoa irritada, nervosa. 4) Pilhagem. 5) Jogo de cartas ou dados.

PI.LO.TAR *v.t.d.* Conduzir, dirigir ou guiar como piloto.

PI.LO.TO (ô) *s.m.* 1) Quem regula a direção de um navio ou de uma aeronave. 2) Capitão ou comandante de navios mercantes. 3) *fig.* Guia, diretor. 4) *Ictiol.* Peixe carangídeo, de pequeno porte, que costuma andar adiante dos tubarões.

PÍ.LU.LA *s.f. Farm.* 1) Medicamento sólido e pequeno para ser engolido inteiro; comprimido. 2) Pílula anticoncepcional.

PIM.PO.LHO (ô) *s.m.* 1) Broto da videira. 2) *fig.* Criança pequena, menino.

PI.NA.CO.TE.CA *s.f.* 1) Coleção de quadros. 2) Museu de pintura.

PIN.ÇA *s.f.* 1) Pequena tenaz. 2) Instrumento cirúrgico, semelhante a uma tesoura, que serve para segurar ou aproximar tecidos. 3) Parte ínfero-anterior do casco do cavalo. 4) Órgão apreensor do caranguejo ou siri.

PIN.CEL *s.m.* 1) Aparelho composto de um tufo de pelos, preso a um cabo, usado na aplicação de tintas, vernizes, etc. 2) Utensílio idêntico para ensaboar o rosto a fim de barbear-se ➡ pincel de barba. 3) Relativo ou pertencente à pintura.

PIN.DA.Í.BA *s.f.* 1) *Bot.* Árvore anonácea comum em lugares úmidos. 2) Corda elaborada de palha de coqueiro; embira. 3) *pop.* Falta de dinheiro, miséria.

PIN.GA *s.f.* 1) Bebida alcoólica, aguardente. 2) *pop.* Cachaça.

PIN.GA.DEI.RA *s.f.* 1) Prática de pingar. 2) Série de pingos. 3) Aquilo que pinga. 4) Recipiente onde se recolhe o líquido que escorre da carne, ao assar. 5) *pop.* Negócio de pouco ou fraco rendimento, mas frequente, contínuo. 6) Sucessiva despesa.

PIN.GAR *v.i.* 1) Cair ou escorrer pingos. 2) Deixar cair um líquido; gotejar. 3) Chover moderadamente; principiar a chover. / *v.t.d.* 4) Deitar ou verter aos pingos.

PIN.GEN.TE *s.m.* 1) Artefato que pende. 2) Brinco de orelha. 3) Berloque. 4) *pop.* Passageiro que vai no estribo de uma viatura.

PIN.GO *s.m.* 1) Gota. 2) Mínima porção. 3) Mucosidade nasal. 4) Pequena porção de solda usada para tapar orifícios de vasilhas rotas.

PIN.GUE.LA *s.f.* 1) Tronco ou viga que serve de ponte. 2) Gancho com que se armam ratoeiras. 3) Pauzinho com que se arma o laço para apanhar aves.

PIN.GUE-PON.GUE *s.m.* Modalidade de tênis de mesa.

PIN.GUIM *s.m.* 1) *Ornit.* Denominação de aves da ordem dos Esfenisciformes, que vivem em bandos nas regiões geladas do hemisfério austral. 2) *Bot.* Planta bromeliácea.

PI.NHA *s.f.* 1) O fruto do pinheiro ➡ fruta-do-conde. 2) Agrupamento das sementes do pinheiro. 3) Coisas ou pessoas muito unidas. 4) *Náut.* Nós na ponta dos cabos.

PI.NHÃO *s.m.* 1) Semente do pinheiro. 2) *Mec.* Roda dentada do diferencial de automóveis. / *adj.2gên.* 3) Nome designativo de cavalo ou burro de cor avermelhada como a do pinhão.

PI.NHEI.RO *s.m.* 1) *Bot.* Nome comum de diversas espécies de árvores, de madeira bastante útil, das quais a mais conhecida é pinheiro-brasileiro; pinho. / *adj.* 2) Aplica-se à rês que tem os chifres retos.

PI.NI.CAR *v.t.d.* 1) Ferir com o bico; picar. 2) Beliscar; cutucar; esporear. 3) *pop.* Fugir, safar-se.

PI.NO *s.m.* 1) O ponto mais alto do Sol; zênite. 2) Ponto culminante; auge. 3) Prego de pinho usado pelos sapateiros. 4) *Mec.* Haste metálica que articula ou fixa duas ou mais peças. 5) Eixo que une as asas da dobradiça.

PIN.TA *s.f.* 1) Pequena mancha na pele; sinal, sarda. 2) *pop.* Aparência, fisionomia de algo ou alguém.

PIN.TAR *v.t.d.* 1) Cobrir com tinta; colorir. 2) Executar ou representar através da pintura. 3) Descrever; figurar. 4) Descrever algo com fidelidade; retratar. / *v.i.* 5) Tomar cor; começar a colorir-se. 6) Exceder-se em diversões; pandegar; farrear. / *v.p.* 7) Aplicar tintas ou cremes no rosto. 8) Começar a ficar com os cabelos brancos.

PIN.TOR (ô) *s.m.* 1) Pessoa que pinta ou exerce a arte da pintura. 2) Escritor que representa com exatidão e colorido sua descrição.

PIN.TU.RA *s.f.* 1) Revestimento de uma superfície com tinta. 2) Arte e técnica de pintar. 3) A obra pintada. 4) Maquiagem.

PI.O *s.m.* 1) Prática de piar; piado. 2) Voz ou som produzido pelas aves. 3) Instrumento ou assobio. / *adj.* 4) Piedoso, devoto, religioso.

PI.O.LHO (ô) *s.m. Entom.* Aracnídeo parasita sugador de sangue de vertebrados, inclusive o pioneiro

homem; também encontrado nos cabelos de pessoas que não os mantêm limpos.

PI.O.NEI.RO *s.m.* 1) Quem abre ou descobre primeiro o caminho de uma região mal conhecida, desbravador. 2) Explorador de sertões. 3) *fig.* Precursor.

PI.OR *adj.2gên.* 1) Comparativo irregular de mau. / *adv.* 2) Comparativo irregular de mal; mais mal; de modo mais imperfeito. / *s.m.* 3) Que(m), sob determinado aspecto, é inferior a tudo, insensato ou errado.

PI.PO.CA *s.f.* 1) Grão de milho estourado com o calor. 2) *pop.* Qualquer pequena erupção na pele.

PI.PO.CAR *v.i.* 1) Soar como pipoca estourando. 2) *fig. pop.* Aparecer de repente; surgir.

PI.QUE *s.m.* 1) O ponto mais alto; pico. 2) Disposição, garra. 3) Brincadeira infantil em que uma criança deve pegar a outra antes que ela alcance um determinado ponto. 4) Esse ponto. 5) Corrida apressada.

PI.QUE.NI.QUE *s.m.* Passeio festivo com refeição realizada no campo, levando cada uma suas próprias provisões; convescote.

PI.RA *s.f.* 1) Fogueira em que se queimavam cadáveres. 2) Vaso em que arde um fogo simbólico.

PI.RÂ.MI.DE *s.f.* 1) *Geom.* Sólido geométrico que possui uma base poligonal e superfícies laterais triangulares que têm um ponto comum chamado vértice da pirâmide. 2) Grandes monumentos de base retangular e de quatro faces triangulares, terminados superiormente em ponta.

PI.RAR *v.i.* 1) Ficar maluco ou perturbado; enlouquecer, surtar. / *v.i.* e *v.p.* 2) *pop.* Fugir, escapar.

PI.RA.TA *s.2gên.* 1) Ladrão que pratica roubos em embarcações. / *adj.2gên.* 2) Copiado ilegalmente. 3) Que opera na clandestinidade.

PI.RES *s.m.* Pequeno prato sobre o qual se coloca a xícara.

PI.RI.LAM.PO *s.m. Entom.* Vaga-lume.

PI.RO.FO.BI.A *s.f.* Medo mórbido de fogo.

PI.RO.TEC.NI.A *s.f.* Técnica de usar fogos de artifício.

PIR.RA.ÇA *s.f.* Teimosia, birra, manha.

PIR.RA.LHO *s.m.* 1) Menino; criança, guri. 2) Pessoa de baixa estatura, anã.

PI.RU.E.TA (ê) *s.f.* 1) Giro sobre os pés. 2) Volta dada pelo cavalo sobre uma das patas. 3) Pulo, salto.

PI.RU.LI.TO *s.m.* 1) Espécie de caramelo cônico, solidificado na extremidade de um palito. 2) *fig.* Diz-se de indivíduo muito magro.

PI.SAR *v.t.d.* 1) Pôr o pé sobre ➡ Não pise a grama. 2) Tocar com os pés. 3) Amassar, esmagar, macerar, moer. 4) Entrar ou ter entrada em. 5) Calcar, esmagar, moer, em geral, com pilão. 6) Magoar com pancada; ofender. 7) Humilhar; melindrar. / *v.i.* 8) Pôr os pés no chão; andar, caminhar. 9) Acelerar (veículo). 10) Mover-se sobre o palco, ao representar.

pizzaria

PIS.CAR *v.t.d.* e *v.i.* 1) Abrir e fechar rapidamente os olhos. / *v.t.d.* 2) Dar sinal a, piscando os olhos.

PIS.CI.NA *s.f.* Tanque artificial para natação ou outros esportes aquáticos.

PI.SO *s.m.* 1) Maneira de pisar. 2) Local onde se pisa; chão. 3) Andar de um edifício; pavimento. 4) Revestimento do solo com material apropriado. 5) *Ant.* Taxa ou dote que as freiras pagavam ao entrar no convento. 6) Remuneração inferior paga aos servidores públicos ou empregados das indústrias privadas.

PI.SO.TE.AR *v.t.d.* 1) Calcar com os pés; espezinhar. 2) Oprimir, humilhar.

PIS.TA *s.f.* 1) Rasto deixado por alguém, em algum local ou terreno. 2) Pegada, vestígio. 3) Encalço, procura. 4) *Esp.* Terreno em que correm competidores. 5) Lugar onde se apresentam exercícios de equitação; picadeiro. 6) Parte do aeroporto onde os aviões pousam. 7) Na estrada, faixa em que se trafegam veículos. 8) Indicação; dica.

PIS.TÃO *s.m.* 1) Êmbolo. 2) *Mús.* Instrumento de sopro.

PIS.TO.LA *s.f.* 1) Arma de fogo curta e leve, portátil. 2) Canudo de fogo que dispara glóbulos luminosos. 3) Instrumento que pulveriza tinta ou verniz. 4) *pop.* Pênis.

PIS.TO.LÃO *s.m.* 1) Espécie de fogo de artifício. 2) Recomendação influente feita por pessoa importante; empenho.

PIS.TO.LEI.RO *s.m.* 1) Bandido ou capanga. 2) Matador profissional, assassino.

PI.TA.DA *s.f.* 1) Porção de uma substância qualquer reduzida a pó, especialmente rapé, sal, etc., que se põe entre o polegar e o indicador, para cheirar, ou para aplicar na comida. 2) Pequena porção.

PI.TAR *v.t.d.* e *v.i.* Cachimbar, fumar.

PI.TEI.RA *s.f.* 1) *Bot.* Agave, sisal. 2) Aguardente de figos. 3) Bebedeira. 4) Boquilha para cigarro ou charuto.

PI.TO.RES.CO (ê) *adj.* 1) Relativo a pintura. 2) Digno de ser pintado. 3) Notável por sua beleza ou originalidade.

PI.VE.TE *s.m.* 1) Bastãozinho de substância aromática que se queima para perfumar. 2) *gír.* Diz-se do menor de idade que rouba, larápio, ou que trabalha para ladrões; trombadinha; delinquente.

PI.VÔ *s.m.* 1) Haste metálica que fixa a coroa artificial à raiz de um dente; pino. 2) Dente artificial fixado com haste metálica à raiz. 3) Agente principal, base, sustentáculo. 4) *Esp.* Jogador de futebol responsável pelas jogadas armadas.

PI.XA.IM (a-im) *adj.2gên.* 1) Designativo de cabelo encarapinhado. / *s.m.* 2) Carapinha.

PIZZA (tsa) *s.f. it.* Comida de origem italiana feita com massa de farinha de trigo e assada no forno, muito consumida no Brasil.

PIZ.ZA.RI.A (tsa) *s.f.* Estabelecimento onde são preparadas e servidas pizzas.

placa | pleno

PLA.CA *s.f.* 1) Folha de metal, vidro, celuloide, cortiça, etc., pouco resistente. 2) Chapa metálica onde consta o registro do número de licença de um meio de transporte terrestre. 3) Suporte de um aparelho de iluminação, fixado em determinado local. 4) *Eletr.* Chapas do condensador ou acumulador elétrico.

PLA.CAR *s.m.* 1) Quadro ou tabuleta onde constam os pontos obtidos em uma competição esportiva. 2) Resultado do jogo. 3) Marcador, contagem. 4) Escore, apoio.

PLA.CEN.TA *s.f.* 1) *Anat.* Órgão mole e esponjoso que, durante a gestação, forma-se no interior do útero, sendo responsável pela comunicação nutritiva entre o organismo materno e o feto através do cordão umbilical. 2) *Bot.* Parte interna do ovário onde se prendem os óvulos.

PLÁ.CI.DO *adj.* 1) Sereno, tranquilo, sossegado, brando. 2) Pacífico, pacato, calmo.

PLA.GI.AR *v.t.d.* 1) Apresentar como de sua autoria trabalho ou obra alheio. 2) Imitar, copiar.

PLÁ.GIO *s.m.* 1) Apropriação de trabalho, ideia ou projeto alheio. 2) *Jur.* Cópia ou imitação de obra alheia apresentada como própria.

PLA.NAL.TO *s.m.* 1) Extensão ou planície localizada na superfície do terreno, sobre montes, elevada sobre o nível do mar. 2) Terreno plano e elevado.

PLA.NAR *v.i.* Voar em voo planado, sem uso de motor; voar em planador.

PLÂNC.TON *s.m. Biol.* Conjunto de diminutos seres vivos, vegetais e animais, que flutuam passivamente nas águas dos oceanos ou lagos.

PLA.NE.AR *v.t.d.* Planejar, fazer projetos.

PLA.NE.JAR *v.t.d.* 1) Fazer o plano, planta; projetar. 2) Traçar, elaborar projeto ou roteiro de. 3) Conjeturar, fazer o planejamento; elaborar um plano ou roteiro; planear. 4) Estabelecer um desígnio, esboçar.

PLA.NE.TA (ê) *s.m. Astr.* Astro desprovido de luz própria, que gira em torno do Sol e dele recebe luz e calor.

PLA.NÍ.CIE *s.f.* Grande extensão de terras planas; campina.

PLA.NIS.FÉ.RIO *s.m.* 1) Mapa que representa o globo celeste ou terrestre num plano retangular. 2) Representação de esfera num plano.

PLA.NO *adj.* 1) Superfície onde toda a reta une dois pontos e está inteiramente compreendida nessa superfície. 2) Onde não existem desigualdades de nível; raso, liso, plaino. 3) Diz-se da figura traçada em uma superfície plana. / *s.m.* 4) Superfície plana. 5) Mapa. 6) Projeto. 7) Diz-se daquilo que se planeja ➡ O plano está traçado.

PLAN.TA *s.f.* 1) Nome comum dado a qualquer vegetal. 2) *Arquit.* Desenho que representa a projeção horizontal de um prédio, casa, etc.

PLAN.TÃO *s.m.* 1) Serviço policial dividido, diariamente, entre os integrantes da companhia. 2) Serviço noturno em farmácias, hospitais. 3) Indivíduo destinado a tais serviços.

PLAN.TAR *v.t.d.* 1) Colocar a semente no solo. 2) Fincar na terra verticalmente. 3) Semear, cultivar. 4) Criar, estabelecer, fundar. 5) Introduzir no ânimo; incutir, insinuar. / *v.p.* 6) Colocar-se, estacionar; conservar-se num lugar.

PLÁS.TI.CA *s.f.* 1) Operação de plasmar. 2) *Cir.* Reconstituição artificial de uma parte deformada ou tida como não satisfatória do corpo humano. 3) Conformação do corpo humano.

PLÁS.TI.CO *adj.* 1) Relativo à plástica. 2) Que tem a capacidade de adquirir certas formas ou serve para formar. 3) Diz-se dos artistas que se dedicam às artes plásticas.

PLA.TA.FOR.MA *s.f.* 1) Superfície plana e horizontal de nível mais alto que a área ao seu redor. 2) Área na qual embarcam e desembarcam passageiros, carregam-se ou descarregam-se mercadorias e bagagens. 3) Rampa para lançamento de foguetes e projéteis. 4) Programa político, ideológico ou administrativo de um candidato a cargo eletivo.

PLA.TEI.A (éi) *s.f.* 1) Local onde ficam os espectadores no teatro, cinema, etc. 2) Conjunto dos espectadores de um espetáculo; público.

PLA.TÔ.NI.CO *adj.* 1) Relativo ao filósofo Platão ou à sua filosofia. / *adj.* e *s.m.* 2) *Por ext.* Alheio a interesses ou gozos materiais.

PLAU.SÍ.VEL *adj.2gên.* 1) Que merece aplauso ou aprovação; louvável. 2) Que pode ser aceito como verdadeiro; aceitável, razoável.

PLE.BE *s.f.* Classe baixa da sociedade; povo, massa, populacho, ralé.

PLE.BIS.CI.TO *s.m.* 1) Voto do povo por aceitação ou rejeição do que lhes foi imposto; referendo. 2) Lei estabelecida ou decretada pelo povo reunido em comícios, na Roma.

PLEI.TE.AR *v.t.d.* 1) Exigir em juízo; litigar. 2) Defender em pleito, sustentar em discussão ou argumentos. 3) Participar de concurso para obter; concorrer, disputar. / *v.t.i.* e *v.i.* 4) Ter pleito; discutir.

PLEI.TO *s.m.* 1) Questão judicial; litígio, demanda. 2) Eleição. 3) Discussão, disputa, concorrência.

PLE.NÁ.RIO *adj.* 1) Pleno, inteiro, completo. / *s.m.* 2) Tribunal ou assembleia em que tomam parte nos trabalhos todos os membros ou integrantes que possuem direito de deliberação. 3) O conjunto desses membros. 4) Tribunal do júri. 5) Indulgência plena, concedida pelo papa, para todas as penas temporais.

PLE.NI.PO.TÊN.CIA *s.f.* Pleno e absoluto poder.

PLE.NI.TU.DE *s.f.* Condição ou estado do que está pleno, completo ou inteiro.

PLE.NO *adj.* 1) Cheio, completo, inteiro. 2) Perfeito, total, absoluto. 3) Diz-se da sessão assistida por todos os membros de uma assembleia ou de um tribunal.

PLE.O.NAS.MO *s.m.* 1) *Gram.* Vício ou figura de linguagem que consiste na repetição, no falar ou no escrever, de ideias ou palavras com o mesmo sentido ➡ subir para cima; entrar para dentro; ver com os próprios olhos. 2) Redundância de termos, perissologia. 3) Superfluidade, inutilidade.

PLEU.RA *s.f. Anat.* Membranas serosas que envolvem o pulmão.

PLU.MA *s.f.* 1) Pena de ave destinada a adorno, penacho. 2) Pena de escrever. 3) Flâmula. 4) *Náut.* Cabos náuticos. 5) Algodão descaroçado.

PLU.RAL *adj.2gên.* 1) Que indica mais de uma pessoa, mais de um objeto. 2) *Gram.* Número gramatical que designa mais de um ser. / *s.m.* 3) Flexão nominal ou verbal que exprime a existência de mais de um ser ou ato praticado por mais de um ser. 4) A palavra que apresenta essa flexão.

PLU.TÃO *s.m.* 1) *Astr.* Corpo celeste que gira ao redor do Sol. 2) Na mitologia romana, o rei do mundo subterrâneo.

PLU.TÔ.NIO *s.m.* 1) *Quím.* Elemento metálico radiativo, semelhante ao urânio. Símbolo Pu, número atômico 94. / *adj.* 3) *Mit.* Relativo a Plutão.

PLU.VI.AL *adj.2gên.* 1) Atinente a ou proveniente da chuva. 2) *Liturg.* Capa que veste o sacerdote no momento da aspersão de água benta.

PNEU *s.m.* 1) Abreviação de pneumático. 2) *pop.* Excesso de gordura localizada, principalmente na cintura.

PNEU.MO.NI.A *s.f. Med.* Inflamação do parênquima pulmonar.

PÓ *s.m.* 1) Partículas muito finas de terra seca ou outra substância; poeira. 2) Substância formada por partículas tenuíssimas de um sólido moído ou triturado. 3) Polvilho. 4) *gír.* Cocaína, rapé. 5) *fig.* Coisa sem valor, resto. 6) Substância pulverizada. 7) Terra no sentido simbólico da origem do homem.

PO.BRE *adj.2gên.* 1) Desprovido do necessário. 2) Possui poucas posses ou dinheiro. 3) Alusivo à pobreza ou caracterizado por ela. 4) *fig.* Coitado; digno de pena.

PO.BRE.TÃO *s.m.* 1) Quem é muito pobre. 2) Quem mendiga sem necessidade.

PO.BRE.ZA (ê) *s.f.* 1) Condição ou estado de pobre. 2) Ausência de posses, falta de recursos; escassez. 3) Indigência, miséria, penúria. 4) A classe dos pobres.

PO.ÇA (ô ou ó) *s.f.* 1) Cova natural, não funda, com água. 2) Depressão natural de terreno, alagada por águas pluviais.

PO.ÇÃO *s.f.* Líquido medicamentoso para se beber.

PO.CHE.TE *s.f.* Pequena bolsa que se usa presa à cintura.

PO.CIL.GA *s.f.* 1) Curral de porcos; chiqueiro. 2) Casa imunda, espelunca.

PO.ÇO (ô) *s.m.* 1) Cavidade funda aberta no solo para exploração ou para acumular água; cisterna. 2) Perfuração que se faz no solo. 3) Aquilo que é profundo, abismo. 4) *Náut.* Parte de um navio parecido a um poço.

PO.DA *s.f.* 1) Prática ou efeito de podar. 2) Corte de ramos de plantas.

PO.DAR *v.t.d.* 1) Cortar os ramos ou os braços inúteis de árvores ou qualquer outra planta. 2) Cortar, desbastar. 3) *pop.* Ato de ultrapassagem de veículo. 4) *fig.* Cortar, desbastar.

PO.DER *v.t.d.* 1) Ter a possibilidade ou direito de. 2) Ter autoridade ou domínio. 3) Ter permissão ou autorização para. / *v.i.* 4) Existir a possibilidade; ser possível. / *s.m.* 5) Os três poderes que constituem a estrutura democrática de um Estado. 6) Procuração. 7) Império, soberania. 8) Posse, jurisdição, domínio, atribuição. 9) Governo de um Estado. 10) Forças militares. 11) Força física ou moral. 12) Eficácia, efeito, virtude. 13) Capacidade de agir ou de produzir um efeito.

PO.DE.RI.O *s.m.* 1) Poder absoluto. 2) Autoridade, domínio.

PO.DE.RO.SO (ô) *adj.* 1) Que exerce poder, domínio ou influência sobre alguém ou algo. 2) Que possui muitas riquezas. 3) Altamente colocado numa comunidade, empresa, etc. 4) Que tem efeito impressionante; intenso, marcante.

PÓ.DIO *s.m.* 1) *Esp.* Espécie de plataforma em que sobem os primeiros colocados em uma competição. 2) *Arquit.* Base quadrangular que se destina a suportar pilares.

PO.DRE (ô) *adj.2gên.* 1) Em decomposição; deteriorado. 2) *fig.* Contaminado, pervertido. / *s.m.* 3) Parte estragada, fétida. 4) *fig.* O lado fraco ou condenável. / *s.m. pl.* 5) Defeitos, vícios, máculas ➡ os podres.

PO.EI.RA *s.f.* 1) Terra seca, pó. 2) *Fam.* Jactância, presunção, vaidade. 3) *gír.* Nome dado a cinema de categoria inferior. / *adj.2gên.* 4) *pop.* Diz-se do indivíduo que é irascível, zangado, mau; valentão. / *s.m.* 5) *gír.* Referência dada a cinema ínfimo.

PO.E.MA *s.m.* 1) Obra escrita em verso. 2) Composição poética do gênero épico. 3) Que é digno de ser cantado em verso.

PO.EN.TE *adj.2gên.* 1) Que põe. 2) Sol quando está no ocaso. / *s.m.* 3) Pôr do sol; ocaso.

PO.E.SI.A *s.f.* 1) Arte de escrever em verso. 2) Caráter do que desperta o sentimento de belo; inspiração. 3) Composição poética pouco extensa. 4) Aquilo que há de belo e comovente nas pessoas ou coisas; graça; atrativo.

PO.E.TA *s.m.* 1) Quem tem inspiração poética. 2) Quem é dedicado à poesia. 3) Quem faz versos. 4) Quem tem caráter idealista. 5) Quem possui a imaginação inspirada. 6) *fig.* Indivíduo sonhador que vive fora da realidade.

PO.É.TI.CA *s.f.* 1) Arte de fazer versos. 2) Teoria da versificação e da poesia.

poético

PO.É.TI.CO *adj.* 1) Alusivo à poesia. 2) Próprio da poesia. 3) Que inspira. 4) Que deixa fora da realidade.

PO.E.TI.SA *s.f.* 1) Feminino de poeta. 2) Mulher que escreve poesia.

POIS *conj.* 1) Mas, contudo, todavia, porém. 2) Porque, visto que. 3) Logo, portanto. 4) Ora, à vista disso. 5) Ainda mais, além disso. 6) Então.

PO.LAR *adj.2gên.* 1) Alusivo ou localizado junto aos polos. 2) Que fica na direção de um polo.

PO.LE.GA.DA *s.f.* 1) Medida de comprimento que tem mais ou menos a medida da falange do polegar. 2) Medida de comprimento inglesa correspondente a 25,4 mm.

PO.LE.GAR *adj.2gên. e s.m.* 1) Dedo mais curto e grosso da mão. 2) Primeiro e mais grosso dedo do pé. / *s.m.* 3) O dedo polegar.

PO.LEI.RO *s.m.* 1) Vara que serve para os pássaros ou as aves pousarem. 2) Autoridade ou posição elevada.

PO.LÊ.MI.CA *s.f.* 1) Debate oral, escrito ou pela imprensa, discussão. 2) Controvérsia, questão.

PÓ.LEN *s.m. Bot.* Pó muito fino fecundante da flor.

PO.LEN.TA *s.f.* Prato culinário feito de fubá, água e sal, ou com manteiga e queijo.

PO.LI.A *s.f. Mec.* Roda de ferro ou de madeira, lisa ou sulcada em sua periferia, usada para receber ou transmitir movimentos.

PO.LÍ.CIA *s.f.* 1) Conjunto de leis ou regulamentos que visam à garantia da segurança pública. 2) Corporação governamental incumbida na aplicação dessas leis. 3) Nome comum a diversos departamentos incumbidos da segurança pública. / *s.2gên.* 4) Pessoa que pertence à corporação policial; policial.

PO.LI.CI.AL *adj.2gên.* 1) Relativo ou pertencente à polícia. 2) Que envolve ou trata de crimes. / *s.2gên.* 3) Profissional que trabalha na polícia.

PO.LI.DEZ (ê) *s.f.* 1) Qualidade do que é polido. 2) Atitude gentil; cortesia, gentileza.

PO.LI.GA.MI.A *s.f.* União conjugal de uma pessoa com várias outras ao mesmo tempo.

PO.LI.GLO.TA *adj.2gên. e s.2gên.* 1) Que ou quem sabe ou fala muitas línguas. / *adj.2gên.* 2) Que foi escrito em muitas línguas.

PO.LIR *v.t.d.* 1) Aprimorar ou melhorar o estilo; tornar mais perfeito. / *v.t.d. e v.p.* 2) Tornar(-se) brilhante; lustrar. 3) Tornar(-se) educado; civilizar(-se).

PO.LI.TE.ÍS.MO *s.m.* Crença religiosa que admite mais de um deus.

PO.LÍ.TI.CA *s.f.* 1) Arte ou ciência de governar. 2) Aplicação desta arte nos negócios internos e externos da nação. 3) Prática ou profissão de conduzir negócios políticos. 4) Princípios ou opiniões políticas.

PO.LO (ó) *s.m.* 1) *Geom.* Extremidades do eixo da esfera. 2) *Geogr.* Extremidades do eixo imaginário da Terra e as regiões polares que circundam essas extremidades. 3) Extremidades de qualquer eixo ou linha. 4) Extremidades opostas de um corpo ou órgão oval. 5) Falcão ou gavião de menos de 1 ano.

POL.PA (ô) *s.f.* 1) Carne sem ossos nem gorduras. 2) *Bot.* Substância carnuda e macia que reveste as sementes de alguns frutos. 3) Importância, valimento pessoal. 4) *Anat.* Polpa dentária.

POL.PU.DO *adj. fig.* Negócio muito lucrativo.

POL.TRÃO *adj. e s.m.* Que(m) não tem coragem; covarde, medroso.

POL.TRO.NA *s.f.* 1) Cadeira de braços estofada. 2) Cadeiras de plateia, nos cinemas, teatros e outras casas de diversão.

PO.LU.ÇÃO *s.f.* 1) Ação ou efeito de poluir; poluição. 2) *Med.* Emissão involuntária de esperma; ejaculação.

PO.LU.I.ÇÃO *s.f.* 1) Ato ou efeito de poluir. 2) Degradação do meio ambiente. 3) Situação de interferência de fatores sensoriais estranhos ao ambiente normal.

PO.LU.IR *v.t.d.* 1) Sujar, manchar. 2) Desacreditar, deslustrar, profanar. / *v.t.d. e v.p.* 3) Desonrar(-se), macular(-se), corromper(-se).

POL.VI.LHAR *v.t.d.* 1) Salpicar uma substância em pó. 2) Cobrir de pó.

POL.VO (ô) *s.m. Zool.* Moluscos cefalópodes dotados de oito tentáculos recobertos de ventosas.

PÓL.VO.RA *s.f.* 1) Explosivos, originariamente em forma de pó. 2) *Poét.* Mosquito miúdo, semelhante a um grão de pólvora.

PO.MA.DA *s.f.* 1) Preparado farmacêutico para uso externo, cuja mistura se faz de substâncias aromáticas ou medicinais e caracteriza-se por ser gordurosa. 2) *pop.* Mentira. 3) *pop.* Vaidade, presunção.

PO.MAR *s.m.* Terreno plantado com árvores frutíferas.

POM.BA *s.f.* 1) Fêmea do pombo. 2) *Ornit.* Ave da família dos Columbídeos. 3) Vasilha de cobre usada nos engenhos, para colocar o caldo limpo de cana. 4) *pop.* Vulva. / *interj.* 5) Denota espanto ou zanga ➡ Pomba! Que situação desagradável.

POM.BO 1) *Ornit.* Ave da família dos Columbídeos. 2) *Ornit.* Variedade de pombo, empregado para levar comunicações e correspondência. / *adj.* 3) Cavalo branco.

PO.MO *s.m.* 1) Fruto carnudo composto das paredes engrossadas do cálice. 2) *Poét.* O seio da mulher. 3) Pomo-de-Adão; gogó. 4) Diz-se daquilo ou daquele que suscita motivo para discórdia ➡ pomo da discórdia.

POM.PA *s.f.* 1) Exibição de magnificência; ostentação. 2) Grande luxo, bizarria.

POM.POM *s.m.* Bolinha ou tufo ornamental de fios de lã, seda, etc.

POM.PO.SO (ô) *adj.* 1) Que tem muita pompa, magnificência; grandioso. 2) A que se confere demasiada solenidade.

ponderar

poro

PON.DE.RAR *v.t.d.* 1) Examinar com atenção e minúcia; avaliar. / *v.t.d.* e *v.t.d.i.* 2) Apresentar argumentos em defesa de algo; alegar. / *v.t.i.* 3) Pensar bastante sobre algo; refletir.

PÔ.NEI *s.m.* Cavalo pequeno.

PON.TA *s.f.* 1) Extremidade aguçada e picante; bico. 2) Parte terminal e fina. 3) A extremidade de um objeto oposto à base ou ao pé; cimo, vértice. 4) A saliência de qualquer coisa. 5) Princípio ou fim de. 6) Ângulo, canto. 7) *pop.* Resto de cigarro ou charuto, bagana.

PON.TA.DA *s.f.* 1) Golpe com a ponta de um objeto. 2) *Med. pop.* Dor aguda e de curta duração.

PON.TA.PÉ *s.m.* 1) Golpe dado com o pé; chute. 2) *fig.* Ultraje, ofensa.

PON.TA.RI.A *s.f.* 1) Prática de apontar. 2) Ato de assestar na direção da linha de mira. 3) Habilidade em acertar o alvo. 4) *fig.* O próprio alvo.

PON.TE *s.f.* 1) Construção edificada com a finalidade de ligar dois pontos separados por curso d'água, braço de mar ou depressão de terreno. 2) *Náut.* Coberta ou sobrado do navio. 3) *Odont.* Grupo de dentes artificiais que, por uma placa, prendem-se a dois ou mais dentes naturais.

PON.TEI.RO *s.m.* 1) Nome comum às pequenas hastes que servem para indicar horas, direção, altitude, grau, etc. 2) Que está na ponta ou à frente. 3) Agulha de qualquer máquina usada com mostrador; indicador. 4) Haste usada para fazer apontamentos nos livros, nos quadros. 5) Instrumento utilizado para desbastar pedras.

PON.TI.A.GU.DO *adj.* Que tem ponta aguda; pontudo.

PON.TI.LHAR *v.t.d.* 1) Marcar ou desenhar com pontinhos; pontear. 2) Delinear ou esquematizar usando pontos.

PON.TO *s.m.* 1) Furo feito num tecido com agulha a fim de coser. 2) *Geom.* Elemento geométrico sem dimensões, somente com posição. 3) *Gram.* Sinal gráfico; ponto final. 4) Adesivo que se aplica sobre uma ferida para unir a pele e estancar o sangue. 5) Menor unidade tipográfica. 6) Renda feita com agulha. 7) Valor convencional atribuído às cartas do baralho.

PON.TU.A.ÇÃO *s.f.* 1) *Gram.* Ato ou efeito de pontuar. 2) O uso dos sinais ortográficos na escrita dando ênfase às partes do discurso.

PON.TU.AL *adj.2gên.* 1) Exato no cumprimento dos seus deveres ou compromissos. 2) Feito no prazo combinado. / *s.f.* 3) *Mat.* Fileira de pontos dispostos em uma linha reta.

PON.TU.DO *adj.* 1) Que possui ponta. 2) Cheio de pontas; crespo, eriçado. 3) *fig.* Enérgico; agressivo.

PO.PA (ô) *s.f.* 1) *Náut.* Parte traseira do navio. 2) *pop.* Nádega, assento.

PO.PAN.ÇA *s.f. pop.* Nádegas.

PO.PU.LA.ÇÃO *s.f.* 1) Número total dos indivíduos que habitam uma localidade, um território, o mundo. 2) Grande número de animais.

PO.PU.LAR *adj.2gên.* 1) Relativo ao povo, comum e usual entre o povo. 2) Democrático. 3) Que é feito e que agrada ao povo. / *s.m.* 4) Homem do povo, democrata. / *s.f.* 5) Nos estádios desportivos, as acomodações de menor preço.

PO.PU.LA.RI.DA.DE *s.f.* 1) Qualidade de popular. 2) Afeição geral.

PO.PU.LO.SO (ô) *adj.* Muito povoado, que possui população em abundância.

PÔ.QUER *s.m.* Jogo de cartas para duas ou mais pessoas, de origem norte-americana.

POR *prep.* Palavra que designa diversas relações, tais como: lugar, meio, causa, qualidade, modo, estado, preço, tempo, etc.

PÔR *v.t.d.* 1) Colocar em algum lugar. 2) Assentar ou firmar no solo. 3) Deitar, encostar, pousar, reclinar. 4) Atribuir nome ou apelido a. 5) Colocar (alguém) num emprego ou ofício. / *v.i.* 6) Deixar os ovos no ninho. 7) Propor. / *v.p.* 8) Colocar-se em certa posição. 9) Situar-se. 10) Dizer; exclamar.

PO.RÃO *s.m.* 1) Parte inferior do navio, destinada à carga e provisões. 2) Parte de uma habitação, entre o chão e o assoalho.

POR.CA *s.f.* 1) Fêmea do porco. 2) *pop.* Mulher suja, imunda, desleixada. 3) Peça de metal perfurada, com rosca interna, que se prende na extremidade de um parafuso para apertar ou fixar qualquer coisa.

POR.ÇÃO *s.f.* 1) Parte de um todo, fração, parcela, quantidade. 2) Bocado, dose.

POR.CA.RI.A *s.f.* 1) Prática ou condição do que é porco. 2) Imundície, lixo. 3) Obscenidade, palavrão. 4) *fig.* Aquilo que foi malfeito ou não tem valor, porcada.

POR.CE.LA.NA *s.f.* 1) Material cerâmico fino, duro, obtido pelo cozimento de argila pura até o ponto de vitrificação e é usado para louça, isoladores elétricos e utensílios químicos. 2) Louça ou objeto de arte resultante dessa substância.

POR.CO (ô) *s.m.* 1) *Zool.* Mamífero paquiderme, doméstico, não ruminante, suíno. 2) *fig.* Indivíduo sujo, imundo. 3) *pop.* O diabo. / *adj.* 4) Indecente, torpe. 5) Que pratica coisas sem apuro ou realiza trabalhos malfeitos.

PO.RÉM *conj.* 1) Oposição, restrição ou diferença e equivale a ➡ mas, contudo, todavia; apesar disso, não obstante. / *s.m.* 2) Obstáculo, embaraço.

POR.FI.AR *v.t.i.* e *v.i.* 1) Disputar com insistência, discutir com obstinação. / *v.t.i.* 2) Competir, rivalizar, questionar.

POR.ME.NOR *s.m.* Minúcia, particularidade, detalhe.

POR.NO.GRA.FI.A *s.f.* 1) Prática ou literatura obscena. 2) Quantidade de pinturas obscenas. 3) Características obscenas de uma publicação. 4) Imoralidade, devassidão.

PO.RO *s.m.* 1) *Anat.* Orifícios pequenos e numerosos existentes no derma. 2) *Bot.* Cada um dos pequenos orifícios de que estão crivados os vegetais.

389

pororoca / possuir

PO.RO.RO.CA *s.f.* Fenômeno que ocorre nos rios quando uma grande onda se forma na foz e sobe rio acima provocando um ruído estrondoso. Este fenômeno ocorre geralmente no Amazonas.

POR.QUE *conj.* 1) Anuncia a causa de modo direto e positivo ➡ visto que; em razão de. 2) Usado em frase interrogativa, deve ser escrito de forma separada, e sua função é adverbial ➡ Por que você faltou?

POR.RA.DA *s.f. pop.* 1) Pancada, cacetada, bordoada. 2) Grande quantidade.

POR.RE *s.m. pop.* 1) Estado de bebedeira. 2) *Por ext.* Aquilo que é enfadonho, tedioso, desagradável.

POR.TA *s.f.* 1) Abertura na parede desde o piso até uma altura adequada que permite a entrada e a saída. 2) Objeto de madeira ou outro material usado para fechar e abrir essa abertura. 3) Peça empregada em certos móveis, veículos, etc. 4) Entrada, meio de acesso, admissão, recurso.

POR.TA-A.VI.ÕES *s.m. Náut.* Navio de guerra com uma plataforma adequada para pouso e decolagem de aviões.

POR.TA.DOR (ô) *adj.* 1) Que(m) leva, conduz ou traz consigo ou em si. / *s.m.* 2) Carregador. 3) Quem transporta para qualquer destino carta ou encomenda em nome de outrem. 4) Possuidor de título ou documentos.

POR.TA-JOI.AS *s.m.* Caixinha, ou pequeno vaso, onde se guardam joias.

POR.TAL *s.m.* Entrada principal de um edifício, geralmente ornamentada.

POR.TA-MA.LAS *s.m.* Bagageiro; parte do veículo destinado para carregar bagagens.

POR.TA-NÍ.QUEIS *s.m.* Pequena bolsa destinada para colocar dinheiro em moedas, e se carrega no bolso.

POR.TAN.TO *conj.* Exprime ideia conclusiva ➡ em vista disso, logo, por conseguinte, por isso.

POR.TÃO *s.m.* 1) Porta de grande porte. 2) Porta de rua. 3) Barranco alto, na região do rio São Francisco.

POR.TAR *v.t.d.* 1) Levar consigo, conduzir. / *v.p.* 2) Comportar-se, proceder, tratar.

POR.TA.RI.A *s.f.* 1) Local na entrada de um edifício, prédio, etc., onde se encontra o porteiro. 2) Documento que oficializa uma decisão administrativa.

POR.TÁ.TIL *adj.2gên.* Que pode ser transportado com facilidade.

POR.TE *s.m.* 1) Ato ou efeito de portar, levar. 2) Tamanho, dimensão, estatura. 3) Postura, presença, aspecto de alguém. 4) Importância, consideração.

POR.TO (ô) *s.m.* 1) *Náut.* Lugar próximo à terra onde as embarcações atracam para embarque e desembarque de passageiros e carga. 2) *Por ext.* Cidade que possui um porto. 3) *fig.* Local onde alguém pode descansar; refúgio.

POR.TU.GUÊS *adj.* 1) De Portugal. / *s.m.* 2) Natural ou habitante de Portugal. 3) *Linguíst.* Língua

oficial de Portugal, Brasil, Angola, Cabo Verde, Guiné-Bissau, Moçambique, São Tomé e Príncipe e Timor Leste.

POR.VEN.TU.RA *adv.* Talvez; por acaso.

PO.SAR *v.i.* 1) Posicionar-se de certa maneira para se deixar fotografar ou pintar; fazer pose. / *v.t.i* e *v.i.* 2) Servir de modelo.

PO.SE (ô) *s.f.* 1) Posição ou atitude estudada. 2) Ato ou efeito de posar. 3) *Fot.* Tempo de exposição superior a 1/20 de segundo. 4) Fotografia tirada com o modelo parado.

POS.FÁ.CIO *s.m.* Texto explicativo colocado no fim de um livro.

PO.SI.ÇÃO *s.f.* 1) Local onde se encontra uma pessoa ou coisa. 2) Disposição, colocação, categoria. 3) Situação econômica, moral, social, etc. 4) Modo, jeito, maneira, atitude, postura.

PO.SI.TI.VIS.MO *s.m.* 1) *Filos.* Sistema que fundamenta o conhecimento nos fatos e na experiência, afastando a metafísica e o sobrenatural. 2) Maneira de encarar a vida pelo seu lado prático e útil.

PO.SI.TI.VO *adj.* 1) Que exprime uma afirmação ou confirmação; que diz sim. 2) *Útil*, construtivo. 3) Que revela otimismo, confiança.

PO.SO.LO.GI.A *s.f.* Indicação da dose adequada em que um medicamento deve ser administrado.

POS.SE *s.f.* 1) Estado do que é possuído por alguém. 2) Estado de quem desfruta de algo que tem em seu poder. / *s.f. pl.* 3) Meios de vida; haveres. 4) Alcance, capacidade, aptidão ➡ as posses.

POS.SEI.RO *s.m.* 1) *Dir.* Que(m) se encontra na posse ilegal de certa área de terras particulares, ou devolutas, como proprietário / *adj.* e *s.m.* 2) Que ou quem está na posse legal de imóveis.

POS.SES.SÃO *s.f.* 1) Ato ou efeito de possuir ou de ser possuído. 2) País sem independência que se encontra sob a autoridade e proteção de um Estado soberano. 3) Estado de quem está possesso; dominado.

POS.SES.SI.VO *adj.* e *s.m.* 1) Que indica ou exprime posse. 2) Diz-se daquele que exprime exagerado sentimento de posse. 3) *Gram.* Pronome que indica posse ou pertinência ➡ meu/minha; teu/tua; seu/sua, etc.

POS.SES.SO *adj.* e *s.m.* 1) Possuído por demônio; endemoninhado. 2) *fig.* Diz-se do indivíduo muito fora de si; irritado.

POS.SI.BI.LI.TAR *v.t.d.* e *v.t.d.i.* Tornar possível; proporcionar, propiciar, viabilizar.

POS.SÍ.VEL *adj.2gên.* 1) Aquilo que pode ser, existir, acontecer, praticar. 2) Todo o empenho ou esforço. 3) Diz-se do que pode ser realizado. / *s.m.* 4) Aquilo que é possível; empenho.

POS.SU.IR *v.t.d.* 1) Obter a posse, propriedade, ter em seu poder. 2) Desempenhar, exercer, gozar. 3) Conter, encerrar, dominar, ocupar. 4) Ser dotado naturalmente de. 5) Desfrutar o amor de, ter cópula carnal com.

posta • povoar

POS.TA *s.f.* 1) Pedaço ou fatia de carne, peixe, toucinho, etc. 2) Veículo de serviço público; correio. 3) *Fam.* Emprego rendoso, sinecura. 4) Indivíduo moleirão, preguiçoso. 5) Menção colocada sobre um objeto de correspondência como garantia. 6) Antigo posto para troca dos cavalos das diligências.

POS.TAL *adj.2gên.* 1) Que diz respeito ao correio. / *s.m.* 2) Cartão-postal. 3) Certo tamanho de um postal ou fotografia.

POS.TAR *v.t.d.* e *v.p.* 1) Colocar(-se) em posto; dispor(-se). / *v.t.d.* 2) Colocar no correio.

POS.TE *s.m.* 1) Coluna de madeira, ferro, concreto, firmada verticalmente no solo. 2) Palanque de cerca. 3) Espécie de coluna em que se prendiam criminosos, expondo-os à vergonha pública.

PÔS.TER *s.m.* Cartaz impresso usado para fins decorativos.

POS.TER.GAR *v.t.d.* 1) Deixar para trás, em atraso. 2) Pospor, transgredir, desprezar, excluir. 3) Passar por alto; omitir, ocultar, transgredir.

POS.TE.RI.DA.DE *s.f.* 1) Pessoas procedidas de um ancestral comum; descendência. 2) Gerações ou tempos futuros. 3) Celebridade futura.

POS.TE.RI.OR (ô) *adj.* 1) Que vem ou está depois; ulterior. 2) Situado ou que fica atrás. / *s.m.* 3) *pop.* As nádegas, o assento.

POS.TI.ÇO *adj.* 1) O que foi acrescentado no que já estava concluído. 2) Próprio para colocar ou retirar. 3) Colocado artificialmente, que não é natural. 4) Afetado, fingido.

POS.TO (ô) *adj.* 1) O que se pôs ou foi colocado. 2) Apresentado, disposto. 3) Plantado. 4) Desaparecido no ocaso (o Sol). / *s.m.* 5) O que algo ou alguém ocupa com permanência. 6) Lugar destinado a uma força militar, a sentinela.

POS.TU.LA.DO *s.m.* 1) Princípio ou fato formulado e reconhecido sem haver demonstração. 2) *Rel.* Tempo de exercícios e provações que antecede o noviciado nas comunidades religiosas.

PÓS.TU.MO *adj.* Que acontece ou é publicado após a morte de alguém.

POS.TU.RA *s.f.* 1) Colocação, disposição, posição. 2) Atitude, porte. 3) Aspecto físico; estatura. 4) *Dir.* Toda deliberação, de caráter obrigatório.

PO.TÁS.SIO *s.m. Quím.* Elemento metálico monovalente, símbolo K, número atômico 19, massa atômica 39,102.

PO.TÁ.VEL *adj.2gên.* Tudo o que é próprio para beber.

PO.TE *s.m.* 1) Grande vaso de barro ou cerâmica, talha. 2) Cântaro. 3) Recipiente de louça para doces. 4) *pop.* Quem é gordo e baixo.

PO.TÊN.CIA *s.f.* 1) Propriedade daquilo que é potente; poderoso, eficaz. 2) Robustez, vigor, força. 3) *Filos.* Aptidão ou capacidade de realizar-se, força ativa. 4) Nação soberana. 5) Personagem importante de grande autoridade.

PO.TEN.CI.AL *adj.2gên.* 1) Que se refere a potência. 2) Virtual. / *s.m.* 3) Força total dos meios disponíveis. 4) *Eletr.* Nível elétrico de um condutor.

PO.TEN.TA.DO *s.m.* 1) Soberano poderoso. 2) *Por ext.* Pessoa muito influente ou poderosa. 3) Que possui o domínio.

PO.TEN.TE *adj.2gên.* 1) Que tem poder; poderoso. 2) Que tem potência; forte, vigoroso.

PO.TES.TA.DE *s.f.* 1) Poder, potência, força. 2) *Por ext.* A divindade, o poder supremo, de acordo com a religião. 3) Divina Potestade ➡ Deus. 4) Os anjos da sexta hierarquia.

PO.TRAN.CA *s.f.* Égua com menos de 2 anos.

PO.TRO (ô) *s.m.* 1) Cavalo novo, aos 3 anos; poldro. 2) Instrumento de tortura, uma espécie de cavalo de madeira.

POU.CO *pron.* 1) Em pequena quantidade ou intensidade. / *adv.* 2) Escasso, insuficiente, limitado ➡ Tenho pouco alimento para estes dias. / *s.m.* 3) Que tem pouca importância ou valor ➡ O pouco que tenho, basta.

POU.PAN.ÇA *s.f.* 1) Economia, parcimônia. 2) *Fam.* Economia abusada; sovinice. 3) *pop.* Bumbum, traseiro.

POU.PAR *v.t.d.* 1) Gastar com moderação, economizar. 2) Não sacrificar ou castigar; tratar com indulgência. 3) Evitar, eximir. / *v.t.d.* e *v.p.* 4) Esquivar(-se), economizar as próprias forças.

POU.SA.DA *s.f.* 1) Prática ou efeito de pousar. 2) Estalagem, hospedaria, albergue. 3) Domicílio, morada, residência. 4) Choupana, cabana.

POU.SAR *v.t.d.* 1) Pôr, assentar. 2) Dirigir o olhar para; baixar sobre. 3) Tocar de leve. 4) Hospedar-se em algum local para passar a noite; pernoitar. / *v.i.* 5) Tocar a terra (o avião). 6) Recolher-se em pousada. 7) Pernoitar; morar; habitar. / *v.p.* 8) Acolher-se, tomar lugar, morar; pernoitar.

POU.SO *s.m.* 1) Lugar onde se pousa, onde se está habituado a ficar. 2) Lugar para pernoitar, pousada. 3) Rancho, morada. 4) *Av.* Aterragem, pista para aterrissagem.

PO.VA.RÉU *s.m.* 1) Multidão. 2) Ralé, povão.

PO.VO (ô) *s.m.* 1) Grande grupo de pessoas que constituem uma nação. 2) Habitantes de um local. 3) Pequena povoação; lugarejo. 4) Multidão de gente. 5) A parte mais pobre e numerosa de um local. / *s.m. pl.* 6) As nações ➡ os povos.

PO.VO.A.ÇÃO *s.f.* 1) Prática ou efeito de povoar; povoamento. 2) Habitantes de. 3) Lugar povoado. 4) Aldeia, lugarejo.

PO.VO.A.DO *s.m.* 1) Lugar com poucas habitações; vilarejo, aldeia. / *adj.* 2) Que se povoou; habitado.

PO.VO.AR *v.t.d.* 1) Constituir povoação, colonizar. 2) Prover de habitantes, habitar. 3) Disseminar animais ou vegetais. 4) Encher, enriquecer. / *v.t.d.* e *v.p.* 5) Encher(-se) de coisas espirituais.

391

praça / precioso

PRA.ÇA *s.f.* 1) Lugar público e espaçoso. 2) Área mercantil. 3) Estabelecimentos comerciais e bancários. 4) Hasta pública; arrematação, leilão. 5) Alistamento militar. 6) *pop.* Diz-se do militar sem graduação. 7) Parte de navio próprio para guardar cargas. 8) Fortaleza, cidade, lugar habitado. 9) Alarde, ostentação. / *s.m.* 10) *pop.* Soldado de polícia.

PRA.DO *s.m.* 1) Terreno coberto de plantas para pastagem. 2) Campo revestido com relvas. 3) Hipódromo.

PRA.GA *s.f.* 1) Expressão usada para desejar mal a alguém, imprecação, maldição. 2) Calamidade, desgraça, flagelo. 3) Coisas nocivas ou desagradáveis. 4) *fig.* Pessoa importuna; de má índole. 5) Designação dada aos males que atacam os animais e as plantas. 6) Erva daninha.

PRAG.MÁ.TI.CO *adj.* Realista, objetivo, prático.

PRA.GUE.JAR *v.t.i.* e *v.i.* 1) Dizer ou desejar pragas ou imprecações. / *v.t.i.* 2) Difamar, amaldiçoar. / *v.t.d.* 3) Destruir, infestar. 4) Vociferar contra.

PRA.GUI.CI.DA *adj.2gên.* e *s.m. Agr.* Produto químico de ação polivalente no combate às pragas, pesticida.

PRAI.A *s.f.* 1) Faixa de terra, geralmente de areia, que limita com o mar. 2) Litoral, beira-mar.

PRAN.CHA *s.f.* 1) Tábua grossa e larga. 2) Tábua que constitui passagem de um barco para outro ou para terra. 3) *Maçon.* Circular que uma loja envia a outras. 4) *Art. Gráf.* Estampa impressa. 5) *pop.* Pé grande; lancha. 6) Vagão ferroviário de bordas baixas. 7) Trampolim rígido.

PRAN.CHE.TA (ê) *s.f.* 1) Prancha de pequeno porte. 2) *Topogr.* Instrumento topográfico para levantamento de plantas. 3) Mesa apropriada para desenhar, emplastro. 4) Pequena prancha usada como suporte de papel para escrever.

PRAN.TO *s.m.* 1) Choro, lamentação, lástima. 2) Antiga poesia elegíaca em que se lamentava a morte de alguém.

PRA.TA *s.f.* 1) *Quím.* Metal precioso, de cor branca, muito maleável, capaz de polimento em alto grau, sendo considerado condutor de energia de uma substância. Símbolo Ag, número atômico 47, massa atômica 107,88. 2) *Por ext.* Moeda, objeto ou baixela feito com esse metal.

PRA.TA.RI.A *s.f.* 1) Porção de pratos. 2) Conjunto de utensílios e objetos de prata.

PRA.TE.LEI.RA *s.f.* 1) Estante para colocar pratos ou outros objetos. 2) Cada uma das tábuas divisórias horizontais dentro de um armário ou estantes. 3) Tábua fixada horizontalmente para colocar objetos.

PRÁ.TI.CA *s.f.* 1) Operação ou efeito de praticar. 2) Experiência adquirida da repetição dos atos. 3) Maneira de agir; costume, hábito. 4) Realização de um dever. 5) Sermão ou discurso feito pelo sacerdote de curta duração; exortação. 6) Colocar em uso ou aplicar a teoria.

PRA.TI.CAR *v.t.d.* 1) Realizar, levar a consequência ou a efeito. 2) Obrar, perfazer, exercer. 3) Colocar em prática, pregar. 4) Ensinar. 5) Manusear. / *v.t.i.* 6) Falar, conviver. 7) Procurar adquirir prática. / *v.i.* 8) Adquirir prática; treinar; repetir várias vezes.

PRÁ.TI.CO *adj.* 1) Que diz respeito à prática ou ação. 2) Experiente, perito, funcional. 3) Que encara tudo pelo lado positivo, otimista. / *s.m.* 4) Indivíduo experimentado. 5) *pop.* O que exerce profissão liberal sem obter diploma. 6) Conhecimentos adquiridos na prática.

PRA.TO *s.m.* 1) Peça de louça, redonda e rasa, em que se come ou serve a comida. 2) Iguarias que constituem uma refeição. 3) Conchas da balança.

PRA.XE *s.f.* 1) O que se pratica por hábito; uso estabelecido, costume. 2) Pragmática; etiqueta, formalidade.

PRA.ZER *v.t.i.* 1) Agradar, aprazer. 2) Causar prazer ou satisfação. / *s.m.* 3) Alegria, júbilo. 4) Gozo, satisfação, sensação agradável. 5) Boa vontade; agrado; afeição. 6) Distração, divertimento.

PRA.ZO *s.m.* 1) Espaço de tempo, dentro do qual deve ser realizado algo. 2) *Dir.* Período dentro do qual se ordena ou se proíbe a prática de um ato jurídico. 3) Intervalo.

PRE.Á *s.2gên. Zool.* Espécies de pequenos roedores da família dos Cavídeos, semelhantes à cobaia.

PRE.ÂM.BU.LO *s.m.* 1) Relatório que precede uma lei ou decreto. 2) Texto ou fala que introduz ou anuncia o assunto principal; exórdio. 3) Prefácio.

PRE.CÁ.RIO *adj.* 1) Insuficiente, escasso. 2) Incerto, instável. 3) Pouco resistente; frágil, debilitado. 4) Que não está em boas condições de operação e não atende seus objetivos; ruim.

PRE.CAU.ÇÃO *s.f.* Cautela; prevenção, prudência, cuidado.

PRE.CE *s.f.* 1) Oração, reza. 2) Pedido instante; súplica.

PRE.CE.DEN.TE *adj.2gên.* 1) Que precede; antecedente. / *s.m.* 2) Procedimentos anteriores semelhantes em relação aos fatos ou circunstâncias. 3) Concessões feitas anteriormente.

PRE.CE.DER *v.t.d.* 1) Estar, vir ou ir adiante de. 2) Existir ou ocorrer antes; viver numa época anterior a. 3) Pagar antes de. 4) Chegar antes de. / *v.t.i.* 5) Adiantar-se, antepor-se, fazer seguir.

PRE.CEI.TO *s.m.* 1) Ordem ou mandamento; prescrição. 2) Regra; norma. 3) Ensinamento, doutrina.

PRE.CEP.TOR (ô) *s.m.* Quem estabelece preceitos; proporciona educação; mentor, mestre; educador.

PRE.CI.O.SO (ô) *adj.* 1) Que possui preço ou valor grandioso. 2) De importante utilidade, valiosíssimo. 3) Afetado, presumido, presunçoso.

PRE.CI.PÍ.CIO *s.m.* 1) Lugar íngreme; despenhadeiro, abismo. 2) *fig.* Perigo, perdição, ruína, desgraça.

PRE.CI.PI.TA.ÇÃO *s.f.* 1) Prática ou efeito de precipitar(-se). 2) Pressa irrefletida. 3) *Quím.* Desenvolvimento de um precipitado.

PRE.CI.PI.TA.DO *adj.* 1) Que não reflete; apressado, imprudente. / *s.m.* 2) Quem age sem refletir. 3) *Quím.* Substância insolúvel obtida em consequência de uma reação química em meio líquido.

PRE.CI.PI.TAN.TE *adj.2gên.* 1) Que precipita. / *s.m.* 2) *Quím.* Reagente químico com que se obtém um precipitado.

PRE.CI.PI.TAR *v.t.d.* e *v.p.* 1) Atirar(-se) ao precipício, lançar(-se). 2) Tornar mais rápido; acelerar. 3) *Meteor.* Fazer condensar-se e cair como chuva ou neve. 4) Pronunciar com rapidez. / *v.i.* 5) *Quím.* e *Fís.* Fazer separar-se como precipitado. / *v.p.* 6) Cair ou agir sem pensar. 7) Proceder com precipitação, impensadamente.

PRE.CI.SÃO *s.f.* 1) Falta ou carência de algo necessário ➡ Há precisão de mantimentos naquele restaurante. 2) Urgência, necessidade. 3) Rigor sóbrio de linguagem. 4) Estado nítido, exato, perfeito. 5) Justeza, regularidade material. 6) Pontualidade no cumprimento de um dever ou na execução de alguma coisa.

PRE.CI.SAR *v.t.d.* 1) Ter ou sentir precisão ou necessidade de. 2) Calcular com exatidão e perfeição. / *v.i.* 3) Ser necessitado ou pobre. / *v.t.i.* 4) Carecer; ter necessidade. / *v.p.* 5) Mostrar-se preciso; definitivo.

PRE.CI.SO *adj.* 1) Necessário, indispensável. 2) Certo, exato, perfeito. 3) Certeiro, terminante. 4) Resumido, breve.

PRE.ÇO (ê) *s.m.* 1) Valor de mercadorias ou trabalhos; custo em dinheiro. 2) Avaliação em valor semelhante a dinheiro. 3) Castigo, punição, recompensa, prêmio. 4) Consideração, importância, merecimento.

PRE.CO.CE *adj.2gên.* 1) Prematuro, antecipado. 2) Adiantado no desenvolvimento físico ou mental.

PRE.CON.CE.BI.DO *adj.* 1) Concebido com antecipação. 2) Planejado levianamente, sem fundamento lógico e sério; premeditado.

PRE.CON.CEI.TO *s.m.* 1) Conceito ou opinião formulados antes de conhecer bem. 2) *Por ext.* Superstição, crendice; prejuízo. 3) Juízo antecipado.

PRE.CUR.SOR (ô) *adj.* 1) Que anuncia acontecimentos futuros. 2) Que vai adiante ou vem antes. / *s.m.* 3) Pessoa ou sucesso que é precursor.

PRE.DA.DOR (ô) *adj.* e *s.m.* Ser que destrói outro com violência, mata, devasta.

PRE.DES.TI.NA.DO *adj.* 1) Destinado de antemão; fadado. 2) Que foi eleito por Deus. / *s.m.* 3) A quem Deus predestinou à bem-aventurança; escolhido por Deus desde a eternidade para realizar grandes coisas.

PRE.DE.TER.MI.NAR *v.t.d.* Determinar com antecedência.

PRE.DI.CA.DO *s.m.* 1) Caráter, atributo. 2) Prenda, virtude. 3) *Gram.* O que foi atribuído ao sujeito.

PRE.DI.CAR *v.t.d.* 1) Proferir sermões; pregar. 2) Aconselhar.

PRE.DI.CA.TI.VO *adj.* e *s.m. Gram.* Nome ou característica atribuídos ao objeto ou ao sujeito.

PRE.DI.LE.ÇÃO *s.f.* 1) Sentimento de amizade ou gosto preferente por algo ou alguém. 2) Afeição extremosa, preferência.

PRE.DI.LE.TO *adj.* e *s.m.* Preferido, favorito.

PRÉ.DIO *s.m.* 1) Propriedade imóvel, rural ou urbana. 2) Construção apropriada para fins destinados e segundo as regras arquitetônicas. 3) Casa, edifício.

PRE.DIS.POR *v.t.d.* e *v.p.* Dispor(-se) com antecipação.

PRE.DIS.PO.SI.ÇÃO *s.f.* 1) Tendência natural; inclinação. 2) *Med.* Propensão do organismo para contrair ou desenvolver uma doença.

PRE.DI.ZER *v.t.d.* Dizer ou anunciar antecipadamente acontecimentos futuros; profetizar, prognosticar, vaticinar.

PRE.DO.MI.NAR *v.t.i.* 1) Exercer predomínio ou ascendência, sobressair. 2) Ter superior poder; prevalecer. / *v.t.d.* 3) Dominar; senhorear, sobrepujar. 4) Exceder em qualidade, quantidade e intensidade. / *v.i.* 5) Predominar; ser a grande maioria.

PRE.DO.MÍ.NIO *s.m.* 1) Principal e total domínio. 2) Preponderância, superioridade, supremacia, hegemonia.

PRÉ-E.LEI.TO.RAL *adj.2gên.* Tudo o que acontece antes da eleição.

PRE.EN.CHER *v.t.d.* 1) Encher completamente; atestar, ocupar, completar. 2) Desempenhar ou executar bem a função ou cargo ocupado. 3) Satisfazer plenamente.

PRE.FÁ.CIO *s.m.* Comentário ou apresentação que antecede e integra um livro; preâmbulo, prólogo, prelúdio, preliminar.

PRE.FEI.TO *s.m.* 1) Chefe de prefeitura, no Império Romano. 2) Pessoa escolhida pelo povo para administrar um município.

PRE.FEI.TU.RA *s.f.* 1) Divisão administrativa. 2) Cargo de prefeito. 3) Estabelecimento onde são desempenhados os serviços da administração municipal.

PRE.FE.RÊN.CIA *s.f.* 1) Prática ou efeito de preferir; predileção. 2) Atenção, distinção ou manifestação de agrado. 3) *Dir.* Direito de escolha, sendo o mesmo preço, prioridade.

PRE.FE.RI.DO *adj.* 1) A tudo que se deu preferência, prioridade. 2) Escolhido, eleito, predileto.

PRE.FE.RIR *v.t.d.i.* 1) Ter predileção por ➡ Eu prefiro melancia à banana. 2) Dar prioridade a; determinar-se por. 3) Optar em querer antes; escolher. / *v.t.d.* 4) Ter preferência, querer ou gostar mais. **393**

prefixado   prensa

PRE.FI.XA.DO (cs) *adj.* O que foi fixado ou determinado antes; prefixo.

PRE.FI.XO (cs) *adj.* 1) Prefixado; fixado antecipadamente. / *s.m.* 2) *Gram.* Elemento morfológico anexado antes de um radical ou tema para modificar ou formar nova palavra. 3) Sinal sonoro de breve duração responsável pelas atividades desempenhadas nos meios de comunicação.

PRE.GA *s.f.* 1) Dobra feita em tecidos ou peças de vestuário. 2) Ruga, carquilha. 3) Depressão de terreno. 4) *Anat.* Cada uma das rugas da pele ao nível das articulações. 5) *pop.* Rugas do ânus.

PRE.GA.ÇÃO *s.f.* 1) Prática de pregar. 2) *pop.* Fadiga; cansaço. 3) Prédica, sermão. 4) *Fam.* Censura, repreensão. 5) Discurso irritante.

PRE.GA.DOR (ô) *adj.* e *s.m.* 1) Que segura como prego, pontos ou cola. 2) Aquilo que abotoa, que prega. / *adj.* 3) Que faz pregações. / *s.m.* 4) Quem faz pregações ou sermões. 5) Orador sagrado. 6) *Fam.* Que ralha, irrita ou repreende.

PRE.GÃO *s.m.* 1) Operação de apregoar. 2) Divulgação, proclamação. 3) Maneira de proclamar ofertas e propostas de negócios na bolsa de valores.

PRE.GAR *v.t.d.* 1) Firmar ou fixar com prego. 2) Segurar, unir. 3) Introduzir à força; cravar. 4) Fazer propaganda de, proclamando, evangelizando. 5) Anunciar, divulgar. 6) Fitar. / *v.p.* 7) Ficar por muito tempo no mesmo lugar. / *v.i.* 8) Propagar o cristianismo. 9) Evangelizar; pronunciar sermões. / *v.t.i.* 10) Ensinar a religião. 11) Ralhar; vociferar.

PRE.GO *s.m.* 1) Haste metálica delgada, com cabeça e ponta, usada para fixar objetos, cravar em madeira. 2) Alfinete usado para ornar o chapéu de senhora. 3) *pop.* Casa de penhores. 4) *pop.* Bebedeira.

PRE.GUI.ÇA *s.f.* 1) Pouca disposição; aversão ao trabalho; desocupação. 2) Demora, lentidão; indolência, moleza; negligência. 3) Corda que dirige o peso dos guindastes.

PRE.GUI.ÇO.SA *s.f.* 1) Espreguiçadeira. 2) *Zool.* Diz-se da abelha inofensiva e pequena que permite a retirada do mel impunemente.

PRÉ-HIS.TÓ.RIA *s.f.* Período cronológico que se estende desde o surgimento do homem até o surgimento da escrita.

PRE.JU.DI.CAR *v.t.d.* 1) Provocar dano ou prejuízo; lesar. 2) Desvalorizar. 3) Anular, deixar sem efeito. 4) Ser danoso, destrutivo. / *v.p.* 5) Sofrer prejuízo, avaria.

PRE.JU.DI.CI.AL *adj.2gên.* 1) Que causa prejuízo. 2) Que causa dano; nocivo.

PRE.JU.Í.ZO *s.m.* 1) Prática ou efeito de prejudicar; dano. 2) Preconceito. 3) Dano, perda.

PRE.JUL.GAR *v.t.d.* 1) Julgar antecipadamente. 2) Avaliar previamente.

PRE.LE.ÇÃO *s.f.* 1) Prática de prelecionar; lição. 2) Discurso ou conferência didática. 3) Aula ou lição dada em forma de discurso.

PRE.LE.CI.O.NAR *v.i.* 1) Fazer preleções; discursar. / *v.t.d.* 2) Lecionar, dar lições acerca de. / *v.t.i.* 3) Discorrer, raciocinar.

PRE.LI.MI.NAR *adj.2gên.* 1) Aquilo que antecede; prévio. / *s.m.* 2) O que precede o assunto ou objeto principal. 3) Introdução; prefácio; prólogo. / *s.f.* 4) *Esp.* Jogo ou treino que antecede a disputa principal. 5) *Dir.* Condição prévia. / *s.f. pl.* 6) Atos ou negociações prévios ➡ as preliminares.

PRE.LÚ.DIO *s.m.* 1) Operação ou exercício prévio; iniciação. 2) Introdução, prefácio, início. 3) O que anuncia; prenúncio. 4) *Mús.* Introdução instrumental ou orquestral de uma obra musical. 5) *Mús.* Ensaio da voz ou de um instrumento antes de cantar ou tocar.

PRE.MA.TU.RO *adj.* 1) Que chega antes do tempo normal ou previsto. 2) Precoce. / *s.m.* 3) Feto nascido antes do tempo normal de gestação.

PRE.ME.DI.TAR *v.t.d.* Meditar, planejar, resolver com antecipação ou reflexão.

PRE.MI.A.DO *adj.* 1) Que obteve vários prêmios. 2) Rifa ou bilhete de loteria que foi sorteado. / *s.m.* 3) Quem foi contemplado com um prêmio.

PRÊ.MIO *s.m.* 1) Galardão, recompensa. 2) Distinção conferida, mérito. 3) Juros, lucro. 4) Dinheiro ou objeto atribuído aos ganhadores.

PRE.MIS.SA *s.f. Filos.* Cada uma das duas primeiras proposições de um silogismo, que servem de base à conclusão ➡ premissa maior e premissa menor.

PRE.MO.NI.ÇÃO *s.f.* 1) Pensamento ou sonho que anuncia o futuro. 2) Circunstância ou fato que serve como aviso. 3) Alerta antecipado, pressentimento.

PRE.MU.NIR *v.p.* 1) Munir-se antecipadamente; equipar(-se). / *v.t.d.* 2) Evitar; prevenir; precaver; acautelar.

PRÉ-NA.TAL *adj.2gên.* Período que antecede o nascimento da criança.

PREN.DA *s.f.* 1) Objeto oferecido como brinde; presente. 2) Predicado, aptidão, habilidade; dádiva. 3) *Fam.* Pessoa ruim, egoísta.

PREN.DA.DO *adj.* Que possui prendas ou qualidades apreciáveis.

PREN.DER *v.t.d.* 1) Atar, ligar, amarrar, firmar, fixar, segurar. 2) Apanhar, capturar, atrair. 3) Privar a liberdade, impedir, embaraçar. / *v.p.* 4) Ficar preso ou seguro. 5) Embaraçar-se; comprometer-se. 6) *pop.* Contrair matrimônio. / *v.t.i.* 7) Emperrar, pegar. 8) Criar raízes; arraigar-se.

PRE.NHE *adj.2gên.* 1) A fêmea no período da gestação; grávida. 2) *fig.* Cheio, repleto.

PRE.NO.ME *s.m.* Nome particular que precede o da família; nome de batismo.

PREN.SA *s.f.* 1) Aparelho ou máquina constituído de duas peças fundamentais, para comprimir, achatar ou espremer qualquer objeto ou substância colocada entre elas. 2) *Tip.* Máquina de impressão; prelo. 3) *Fot.* Caixilho de impressão.

prensar

presilha

PREN.SAR *v.t.d.* 1) Apertar muito, comprimir na prensa. 2) Achatar, esmagar, espremer.

PRE.NUN.CI.AR *v.t.d.* 1) Anunciar, com antecedência; preanunciar. 2) Prognosticar, vaticinar. 3) Profetizar. 4) Ser precursor de.

PRE.NÚN.CIO *s.m.* Anúncio de caso futuro; prognóstico.

PRE.O.CU.PA.ÇÃO *s.f.* 1) Ato de preocupar ou de se preocupar. 2) Ideia fixa de um assunto cujo resultado é duvidoso. 3) Inquietação resultante dessa ideia. 4) Opinião antecipada. 5) Preconceito.

PRE.O.CU.PAR *v.t.d.* 1) Causar preocupação a. 2) Tornar apreensivo. 3) Impressionar, inquietar. / *v.p.* 4) Ter preocupação; impressionar-se, inquietar-se.

PRE.O.PI.NAR *v.i.* 1) Dar opinião antes de outrem. 2) Expor sua sugestão, em discurso, antes de outrem.

PRE.OR.DE.NAR *v.t.d.* 1) Ordenar antecipadamente. 2) Predestinar.

PRE.PA.RA.ÇÃO *s.f.* 1) Ação, efeito ou maneira de preparar(-se); preparo. 2) Produto de operações farmacêuticas, culinárias ou químicas.

PRE.PA.RA.DOR (ô) *adj.* e *s.m.* 1) Que ou aquele que prepara. 2) Indivíduo encarregado de dar assistência a professor de escola secundária ou superior, que tem a seu cargo cuidar de um laboratório e preparar ou dispor o material necessário para lições práticas.

PRE.PA.RAR *v.p.* 1) Aprontar-se, dispor-se antecipadamente; aparelhar-se. 2) Arranjar-se, ataviar-se; enfeitar-se. / *v.t.d.* 3) Educar, cultivar, habilitar, capacitar. 4) Predispor; organizar. 5) Armar, dispor para determinados fins. 6) Estudar, meditar, memorizar.

PRE.PA.RO *s.m.* 1) Preparação; aparelhamento; organização. 2) Apresto. 3) Quantia depositada para pagamento das custas de um processo que entra em nova fase. 4) Cultura intelectual; conhecimento.

PRE.POR *v.t.d.* 1) Pôr adiante; colocar antes; antepor. 2) Preferir. 3) Escolher, nomear alguém para determinado cargo, designar.

PRE.PO.SI.ÇÃO *s.f.* 1) Ato de prepor. 2) *Gram.* Palavra invariável que liga duas outras, estabelecendo a relação existente entre elas.

PRE.POS.TO (ô) *adj.* 1) Posto antes; preferido. / *s.m.* 2) Pessoa que dirige um serviço, um negócio, por delegação de pessoa competente.

PRE.PO.TEN.TE *adj.2gên.* 1) Muito poderoso ou influente. 2) Que abusa do poder ou da autoridade que possui; despótico, opressor.

PRE.PÚ.CIO *s.m. Anat.* Dobra de pele que cobre a glande.

PRE.SA (ê) *s.f.* 1) Ato de apresar ou apreender. 2) Conjunto de objetos tomados ao inimigo. 3) Coisa usurpada ou apreendida com violência. 4) Aquilo que o animal carniceiro se apodera

para comer. 5) Garra de ave de rapina. 6) Dente canino de animais.

PRES.CIN.DIR *v.t.i.* 1) Separar mentalmente; abstrair. 2) Dispensar, passar sem; renunciar, não precisar.

PRES.CRE.VER *v.t.d.* 1) Ordenar, regular com antecipação e nitidez. 2) Determinar, estabelecer, preceituar, indicar, receitar, marcar, limitar. / *v.i.* 3) *Dir.* Cair em desuso, perder a validade (um direito) por ter vencido o prazo, caducar.

PRES.CRI.ÇÃO *s.f.* 1) Prática ou efeito de prescrever. 2) Ordem expressa, indicação, disposição, preceito. 3) *Dir.* Extinção de direito ou obrigação por não cumprimento exigido.

PRE.SEN.ÇA *s.f.* 1) Fato de estar presente. 2) Existência, estado ou comparecimento. 3) Existência de algo em algum lugar. 4) Aspecto da fisionomia, aparência. 5) Estilo, porte, caráter. 6) Juízo, opinião, parecer, voto.

PRE.SEN.CI.AR *v.t.d.* 1) Estar presente, assistir. 2) Conferir pela observação, verificar.

PRE.SEN.TE *adj.2gên.* 1) Tudo o que ocorre no momento atual. 2) Que assiste em pessoa. 3) *Gram.* Tempo que exprime ação atual. / *s.m.* 4) O tempo presente; o tempo atual. 5) *Gram.* Tempo que, nos modos verbais, exprime a ideia do momento. 6) Brinde, dádiva, lembrança.

PRE.SEN.TE.AR *v.t.d.* Dar presente; brindar, mimosear, obsequiar, agradar.

PRE.SE.PA.DA *s.f.* 1) Vista ridícula. 2) Palhaçada, fanfarronada.

PRE.SÉ.PIO *s.m.* 1) Local para abrigar o gado; curral, estábulo. 2) A manjedoura onde Cristo foi colocado ao nascer.

PRE.SER.VAR *v.t.d.* e *v.p.* Colocar(-se) ao abrigo de algum mal ou perigo; defender(-se).

PRE.SER.VA.TI.VO *adj.* 1) Adequado para preservar. / *s.m.* 2) Que preserva. 3) Camisa de vênus, camisinha.

PRE.SI.DÊN.CIA *s.f.* 1) Prática de presidir. 2) Cargo, função ou dignidade de presidente; o presidente. 3) Duração de um cargo de presidente. 4) O poder executivo dos países presidencialistas. 5) Lugar de honra.

PRE.SI.DEN.CI.A.LIS.MO *s.m.* 1) Sistema de governo em que o ministério depende do Presidente da República. 2) Sistema presidencial; regime presidencial.

PRE.SI.DEN.TE *adj.2gên.* 1) Que preside. / *s.2gên.* 2) Título oficial do chefe de um estado republicano. 3) Quem preside. 4) Quem dirige os trabalhos de uma agremiação.

PRE.SÍ.DIO *s.m.* 1) Operação de defender uma praça, guarnição. 2) Praça de guerra. 3) Prisão militar, cadeia. 4) Pena de prisão cumprida em praça de guerra.

PRE.SI.LHA *s.f.* Cordão ou tira de um material flexível com uma fivela ou botão, para apertar ou prender.

PRE.SO (ê) *adj.* 1) Amarrado, atado, ligado, encarcerado, privar da liberdade. 2) *pop.* Casado. 3) *Gram.* Forma irregular do particípio ➡ preso. / *s.m.* 4) Aprisionado; carcerário.

PRES.SA *s.f.* 1) Rapidez, velocidade. 2) Necessidade de se apressar, urgência. 3) Azáfama. 4) Precipitação, irreflexão, impaciência, aflição, aperto.

PRES.SÁ.GIO *s.m.* 1) Fato ou sinal que adivinha o futuro. 2) Indício de um acontecimento futuro, pressentimento.

PRES.SÃO *s.f.* 1) Prática ou efeito de comprimir, de apertar. 2) Coação, tensão, força, violência.

PRES.SEN.TI.MEN.TO *s.m.* 1) Prática ou consequência de pressentir. 2) Sentimento antecipado; previsão, palpite. 3) Sentimento vago e intuitivo.

PRES.SEN.TIR *v.t.d.* 1) Sentir algo com antecedência, antes que aconteça. 2) Ter suspeitas de; desconfiar.

PRES.SIO.NAR *v.t.d.* 1) Fazer pressão sobre; apertar. / *v.t.d.*, *v.t.d.i.* e *v.i.* 2) Forçar alguém a fazer algo; coagir.

PRES.SU.POR *v.t.d.* 1) Supor antecipadamente; conjeturar. 2) Palpitar; dar a entender, subentender ou explicitar.

PRES.TA.ÇÃO *s.f.* 1) Ato ou consequência de prestar. 2) Contribuição obrigatória; cota, pagamento a prazos sucessivos. 3) Quantia paga no prazo. / *s.m.* 4) *pop.* Vendedor ambulante de mercadorias pelo sistema de prestação.

PRES.TAR *v.i.* 1) Ser útil; ter préstimos. 2) Ter boa índole; prestar. 3) Diz-se de algo de boa qualidade. / *v.p.* 4) Adequado ou próprio para. 5) Estar pronto e disposto. 6) Acomodar-se. / *v.t.d.* 7) Dar ou fazer com presteza e cuidado. 8) Apresentar, fornecer, ministrar, consagrar, dedicar.

PRES.TA.TI.VO *adj.* Que está pronto para servir; serviçal.

PRES.TES *adj.2gên.* 1) Disposto, pronto, preparado. 2) Que se encontra no ponto de acontecer; próximo. / *adv.* 3) Depressa, prontamente, agora.

PRES.TI.GI.AR *v.t.d.* 1) Dar prestígio ou tornar prestigioso. / *v.p.* 2) Ganhar prestígio. 3) Apoiar-se com seu valor ou influência.

PRES.TÍ.GIO *s.m.* 1) Ilusão dos sentidos. 2) Atração, fascinação. 3) Grande influência perante a sociedade ou a maioria; importância social. 4) Consideração, respeito, crédito, reputação.

PRÉS.TI.MO *s.m.* 1) Ato ou efeito de ajudar; auxílio, serviço. 2) Utilidade, proveito, serventia.

PRE.SU.MIR *v.t.d.* 1) Conjeturar, entender, julgar. 2) Imaginar, supor, pressupor, suspeitar. / *v.t.i.* e *v.i.* 3) Ter presunção ou vaidade, vangloriar-se, ser pretensioso. / *v.p.* 4) Julgar-se; supor-se.

PRE.SUN.ÇO.SO (ô) *adj.* e *s.m.* Que ou quem se supõe melhor, superior, mais bonito que os outros.

PRE.SUN.TO *s.m.* 1) Pernil. 2) *gír.* Cadáver, defunto.

PRE.TE.JAR *v.i.* 1) Ficar ou tornar-se preto; escurecer. 2) *pop.* Tornar-se difícil.

PRE.TEN.DEN.TE *adj.2gên.* 1) Que pretende algo. / *s.2gên.* 2) Quem pretende algo ou aspira a alguma coisa. 3) Quem se julga a algo por direito. 4) Candidato(a) ao casamento. 5) Aquele que aspira à mão de alguma mulher.

PRE.TEN.DER *v.t.d.* 1) Desejar, querer; aspirar a. 2) Tencionar; reclamar como um direito; requerer; solicitar. / *v.i.* 3) Diligenciar, intentar, pretextar. / *v.p.* 4) Julgar-se; ter-se em conta; considerar-se. / *v.t.i.* 5) Cogitar. 6) Tratar.

PRE.TEN.DI.DA *s.f.* 1) Noiva prometida. 2) Mulher cortejada por um pretendente.

PRE.TEN.DI.DO *adj.* 1) Aquilo que se pretende ou pretendeu. 2) Desejado, reclamado, exigido, solicitado.

PRE.TEN.SÃO *s.f.* 1) Prática ou efeito de pretender. 2) Direito, aspiração, desejo.

PRE.TE.RIR *v.t.d.* 1) Ir além de; ultrapassar. 2) Deixar de parte; não dar importância. 3) Omitir.

PRE.TÉ.RI.TO *adj.* 1) Que passou; passado. / *s.m.* 2) *Gram.* Tempo verbal que exprime passado ou que aconteceu anteriormente.

PRE.TEX.TO (ês) *s.m.* Razão dada como desculpa.

PRE.TO (ê) *adj.* 1) Cor mais escura ou negra. / *s.m.* 2) A cor negra.

PRE.TOR (ô) *s.m.* 1) *Ant.* Magistrado de alçada inferior à de juiz de direito. 2) Magistrado da Roma Antiga.

PRE.VA.LE.CER *v.t.i.* e *v.i.* 1) Predominar, preponderar, sobressair. / *v.i.* 2) Vencer em juízo, ter mais valor. / *v.p.* 3) Tirar partido; aproveitar-se.

PRE.VA.RI.CAR *v.i.* 1) Faltar, por interesse ou má-fé, com as suas obrigações. 2) Cometer injustiças ou prejuízos. 3) Proceder mal; transgredir a moral ou os costumes. 4) Quebrar a fidelidade conjugal; adulterar. / *v.t.i.* 5) Faltar àquilo que lhe é devido.

PRE.VEN.ÇÃO *s.f.* 1) Ato ou efeito de prevenir(-se). 2) Conjunto de medidas que visam evitar algo; precaução, cautela. 3) Ideia preconcebida; preconceito.

PRE.VE.NIR *v.t.d.* 1) Dispor antes; preparar, antecipar. 2) Dizer ou fazer com antecipação. 3) Avisar antecipadamente; impedir que aconteça algo; evitar. 4) Acautelar-se contra. / *v.p.* 5) Precaver-se, preparar-se.

PRE.VER *v.t.d.* 1) Conhecer antes; antever. 2) Conjeturar, supor. 3) Profetizar, prognosticar. 4) Fazer suposições, calcular. / *v.i.* 5) Fazer conjeturas; calcular.

PRE.VI.DÊN.CIA *s.f.* 1) Prática ou qualidade de previdente. 2) Conhecimento certo que Deus tem do futuro. 3) Conjunto de previdências públicas que consistem em proteger e amparar o trabalhador e o funcionário na velhice e nas enfermidades.

PRÉ.VIO *adj.* 1) Dito ou feito antes, antecipado. 2) Anterior, preliminar.

previsão / privada

PRE.VI.SÃO *s.f.* 1) Ato ou efeito de prever. 2) Presságio. 3) Antecipação de algo que ainda não aconteceu; conjectura.

PRE.VI.SÍ.VEL *adj.2gên.* Que se pode prever.

PRE.VIS.TO *adj.* 1) Calculado ou avaliado antecipadamente. 2) Pressentido, notado com antecedência.

PRE.ZA.DO *adj.* Querido, estimado.

PRE.ZAR *v.t.d.* 1) Estimar, simpatizar. 2) Ter em grande consideração, respeitar. / *v.p.* 3) Ser pundonoroso, ter dignidade. 4) Gloriar-se, jactar-se. 5) Desejar, amar.

PRI.MA *s.f.* 1) Feminino de primo. 2) *Mús.* A primeira e mais delgada corda de certos instrumentos.

PRI.MA-DO.NA *s.f.* Cantora principal de uma ópera.

PRI.MAR *v.t.i.* 1) Ser o primeiro; possuir primazia. 2) Mostrar-se notável, superior. 3) Demonstrar habilidade, ter a preferência.

PRI.MÁ.RIO *adj.* 1) Primeiro; procedente. 2) Fundamental, principal. 3) Acanhado, estreito, limitado. 4) *Dir.* Diz-se daquele que cometeu crime ou contravenção pela primeira vez. / *adj.* e *s.m.* 5) Diz-de ou do ensino do primeiro grau e de seus agentes.

PRI.MA.TA *s.m.* 1) *Zool.* Espécime dos Primatas. / *adj.2gên.* 2) Referente aos primatas. / *s.m. pl.* 3) Ordem de mamíferos que derivam provavelmente de ancestral comum ➠ os primatas.

PRI.MA.VE.RA *s.f.* 1) Estação do ano caracterizada pela renovação da vegetação (de 21 de março a 20 de junho no Hemisfério Norte; de 22 de setembro a 21 de dezembro no Hemisfério Sul). 2) *Poét.* Idade de uma pessoa. 3) *fig.* Juventude.

PRI.MA.ZI.A *s.f.* 1) Dignidade de primaz. 2) Superioridade. 3) Primeiro lugar; prioridade. 4) *Por ext.* Competência. 5) *Por ext.* Rivalidade.

PRI.MEI.RO *num.* 1) Ordinal que corresponde a um. / *adj.* 2) Tudo o que precede os outros. 3) Que é o mais importante, notável. 4) Que é o melhor. 5) Essencial, fundamental, principal. / *s.m.* 6) O que está em primeiro lugar, seja no espaço ou no tempo. / *adv.* 7) Antes, princípio; antigamente, primitivamente; primeiramente.

PRI.MÍ.CIAS *s.f. pl.* 1) Os primeiros frutos colhidos, primeiras produções. 2) Primeiros sentimentos ou gozos. 3) Começos, prelúdios.

PRI.MI.TI.VIS.MO *s.m.* 1) Estado de primitivo. 2) Procedimento primitivo. 3) Doutrina da bondade primitiva da natureza humana do estado primitivo. 4) *Bel.-art.* Imitação do estilo ou de artistas primitivos. 5) Estilo de arte de povos primitivos.

PRI.MI.TI.VO *adj.* 1) Que foi o primeiro. 2) Rude, embrionário. 3) Povos em estado natural; homem das cavernas. 4) Alusivo aos primeiros tempos. 5) *Gram.* Palavra que serve de radical e da qual muitas são derivadas. 6) *Gram.* Tempos verbais que compõem outros.

PRI.MO *adj.* 1) Primeiro. 2) Excelente. 3) *Mat.* Número que só é divisível por si e pela unidade.

4) Obra que é excelente ou a primeira no seu gênero. / *s.m.* 5) Parentesco entre os filhos de irmão ou irmã. 6) Designação de qualquer parente que não possui outra denominação específica.

PRI.MO.GÊ.NI.TO *adj.* e *s.m.* Que(m) nasceu antes dos outros; o filho mais velho.

PRI.MOR (ô) *s.m.* 1) Estado superior; excelência. 2) Delicadeza, beleza, encanto. 3) Perfeição, esmero.

PRI.MOR.DI.AL *adj.2gên.* 1) Relativo a primórdio. 2) Que surgiu no início; primeiro, primitivo. 3) Que é importante; essencial, imprescindível.

PRI.MÓR.DIO *s.m.* 1) O que se organiza primeiro. 2) Origem, princípio. 3) Começo; fonte.

PRIN.CI.PA.DO *s.m.* 1) Dignidade de príncipe ou princesa. 2) Território ou Estado governado por eles. 3) *Teol.* Um dos nove coros dos anjos ➠ os principados.

PRIN.CI.PAL *adj.2gên.* 1) Primeiro, mais importante em um grupo. 2) Fundamental, essencial. 3) *Mús.* Parte cantante de uma sinfonia. 4) *Gram.* Diz-se da oração a qual outras estão subordinadas. / *s.m.* 5) O magnata; o chefe; o superior. 6) O capital de uma dívida.

PRÍN.CI.PE *s.m.* 1) Membro ou filho de uma família real. 2) O filho primogênito do soberano. 3) Chefe que reina em um principado. 4) Título de nobreza. 5) O primeiro ou o mais notável. 6) Esposo de uma soberana reinante.

PRIN.CI.PI.AN.TE *adj.2gên.* 1) Que principia. / *adj.2gên.* e *s.2gên.* 2) Iniciante, novato, inexperiente.

PRIN.CÍ.PIO *s.m.* 1) Momento em que algo tem origem; começo. 2) Razão, base, introdução. 3) Momento em que se realiza algo pela primeira vez.

PRI.O.RI.DA.DE *s.f.* 1) Condição daquilo que está em primeiro lugar. 2) Direito legal de passar à frente dos outros; primazia, preferência.

PRI.SÃO *s.f.* 1) Prática ou efeito de prender; captura. 2) Cadeia, pena de detenção. 3) Laço, vínculo. 4) Aquilo que tira ou restringe a liberdade de cada pessoa. 5) Embaraço, obstáculo. 6) Coisa que atrai ou desvia de qualquer influência. 7) Dificuldade em desonerar o ventre; constipação intestinal ➠ prisão de ventre.

PRI.SIO.NEI.RO *adj.* e *s.m.* Que ou quem perdeu a liberdade; preso, cativo.

PRIS.MA *s.m.* 1) *Geom.* Poliedro limitado por paralelogramos. 2) *Fís.* Sólido prismático de seção triangular, de vidro ou de cristal, que serve para decompor os raios luminosos. 3) Modo de ver ou considerar; ponto de vista.

PRI.VA.ÇÃO *s.f.* 1) Ato ou efeito de privar. 2) Falta, supressão.

PRI.VA.CI.DA.DE *s.f.* Vida privada, íntima; afastamento, isolamento.

PRI.VA.DA *s.f.* Vaso sanitário; latrina.

397

PRI.VA.DO *adj.* 1) Não público; particular. 2) Desprovido, falto. / *s.m.* 3) Confidente; favorito; áulico.

PRI.VAR *v.t.d.* 1) Desapossar, despojar. / *v.t.d.* e *v.p.* 2) Impedir(-se) de possuir ou gozar de um bem, abster-se de. / *v.t.i.* 3) Ter convivência ou valimento. / *v.t.i.* e *v.i.* 4) Conviver intimamente; ser íntimo.

PRI.VA.TI.VO *adj.* 1) Exclusivo de uma pessoa ou um grupo; privado. 2) Que contém ou leva à privação.

PRI.VI.LE.GI.A.DO *adj.* 1) Que goza de privilégio, de vantagem. 2) Que possui elevado nível de vida. 3) Superior ao comum.

PRI.VI.LE.GI.AR *v.t.d.* e *v.p.* 1) Conceder ou usufruir de privilégio, benefício; favorecer(-se). / *v.t.d.* 2) Tratar melhor; distinguir, preferir.

PRI.VI.LÉ.GIO *s.m.* 1) Regalia, vantagem ou benefício concedido para uma pessoa ou um grupo. 2) Dom natural; talento. 3) Oportunidade; felicidade, sorte.

PRO.BA.BI.LI.DA.DE *s.f.* 1) Possibilidade, chance. 2) Número provável correspondente a alguma coisa.

PRO.BLE.MA *s.m.* 1) Questão para ser resolvida por processos científicos ou morais. 2) Questão difícil, delicada, suscetível de várias soluções.

PRO.BLE.MÁ.TI.CA *s.f.* 1) Total dos problemas. 2) Arte ou ciência de colocar os problemas.

PRO.CE.DÊN.CIA *s.f.* 1) Ato ou efeito de proceder. 2) Lugar de onde algo ou alguém provém; origem, proveniência.

PRO.CE.DER *v.t.i.* 1) Derivar-se, originar-se. 2) Provir; descender. 3) Instaurar processo. / *v.i.* 4) Ter seguimento; prosseguir. 5) Dirigir os atos; portar-se, comportar-se. 6) *Dir.* Ser lógico na prova. 7) Pôr em prática; agir.

PRO.CES.SA.DOR (ô) *adj.* 1) Que processa. / *s.m.* 2) Quem processa. 3) *Inform.* Unidade que interpreta e executa instruções num computador.

PRO.CES.SAR *v.t.d.* 1) Tentar processo contra; intentar ação judicial, fazer responder em juízo. 2) Verificar, conferir documento para validá-lo; submeter a processamentos, a resultados.

PRO.CES.SO *s.m.* 1) Prática de proceder ou de andar. 2) Maneira; técnica. 3) *Dir.* Ação, demanda, autos. 4) Papéis que dizem respeito a um negócio. 5) Fenômenos que apresentam certa unidade. 6) Demanda; ação.

PRO.CIS.SÃO *s.f.* 1) *Rel.* Marcha solene de cunho religioso. 2) *Por ext.* Grupo de coisas ou pessoas deslocando-se em coluna.

PRO.CLA.MAR *v.t.d.* 1) Aclamar ou declarar pública e oficialmente com solenidade. / *v.p.* 2) Tomar publicamente o título de; arvorar-se em. 3) Fazer-se aclamar.

PRÓ.CLI.SE *s.f. Gram.* Colocação do pronome oblíquo átono antes do verbo.

PRO.CRAS.TI.NAR *v.t.d.* e *v.i.* Deixar para depois ou para outro dia; adiar, postergar.

PRO.CRI.AR *v.t.d.* e *v.i.* 1) Dar existência, origem; gerar. / *v.t.d.* 2) Promover a germinação ou o nascimento. / *v.i.* 3) Brotar; abrolhar. 4) Multiplicar-se. 5) Germinar; lançar rebentos.

PRO.CU.RA *s.f.* 1) Operação de procurar. 2) Busca; pesquisa. 3) *Econ. polít.* Produções ou serviços comerciais ou industriais. 4) Venda, saída.

PRO.CU.RA.ÇÃO *s.f.* 1) Incumbência ou direito dado a alguém para cuidar de negócios alheios. 2) *Dir.* Documento legal que confirma essa incumbência.

PRO.CU.RA.DO.RI.A *s.f.* 1) Cargo ou ofício de procurador. 2) Valor pago ao procurador ou defensor.

PRO.CU.RAR *v.t.d.* 1) Fazer diligência; buscar. 2) Esforçar-se, diligenciar, analisar, examinar, investigar. 3) Pretender, solicitar, requerer, tentar. 4) Dirigir-se a alguém para tratar de algum assunto. / *v.i.* 5) Advogar causa; exercer as funções de procurador.

PRO.DÍ.GIO *s.m.* 1) Fenômeno extraordinário ou inexplicável; milagre. 2) Quem possui talento extraordinário.

PRÓ.DI.GO *adj.* 1) Que gasta em excesso; dissipador; esbanjador. / *s.m.* 2) Sujeito pródigo.

PRO.DU.ÇÃO *s.f.* 1) Prática ou efeito de produzir; fabricação, extração; geração. 2) Coisa produzida, realização.

PRO.DU.TI.VO *adj.* 1) Aquilo que produz; fértil. 2) Rendoso, proveitoso, benéfico.

PRO.DU.TO *s.m.* 1) Tudo o que é produzido. 2) Resultado da produção ou trabalho físico ou intelectual. 3) *Mat.* Resultado da multiplicação. 4) *Fisiol.* Substância que resulta de uma elaboração. 5) *Quím.* Resultado de uma reação.

PRO.DU.ZIR *v.t.d.* 1) Existir; gerar; fornecer, dar. 2) Fabricar, manufaturar, compor, imaginar. 3) Ter como consequência; causar, motivar. / *v.p.* 4) Ser causado, ser originado. 5) Acontecer, realizar-se.

PRO.E.MI.NEN.TE *adj.2gên.* 1) Que se torna alto, superior. 2) Que sobressai, ressalta; saliente.

PRO.E.ZA (ê) *s.f.* 1) Operação de valor; façanha. 2) Prática pouco vulgar; escândalo digno de censura.

PRO.FA.NAR *v.t.d.* 1) Tratar com irreverência ou desprezo. 2) Aviltar impropriamente. 3) Macular, manchar, desonrar, injuriar, ofender.

PRO.FA.NO *adj.* 1) Não sagrado ou devotado, não consagrado. 2) Contrário ao respeito devido à religião. 3) Não iniciado em ideias ou conhecimentos. / *s.m.* 4) Pessoa ou coisa profana.

PRO.FE.CI.A *s.f.* 1) Predição do futuro. 2) Presságio, conjetura.

PRO.FE.RIR *v.t.d.* 1) Pronunciar, dizer. 2) Ler, decretar.

PRO.FES.SAR *v.t.d.* 1) Reconhecer ou confessar em público. 2) Ter a convicção, colocar em prática.

professor / prometer

3) Exercer uma profissão; dedicar-se; ser devoto ou adepto. / *v.i.* 4) Proferir votos, ligando-se a uma doutrina ou religião. 5) Confessar; prometer publicamente.

PRO.FES.SOR (ô) *s.m.* 1) Homem que professa ou ensina; mestre. 2) Que(m) professa em público as verdades religiosas.

PRO.FE.TA *s.m.* 1) Quem anunciava e interpretava a vontade e os propósitos divinos e predizia o futuro por inspiração divina. 2) Título dado a Maomé.

PRO.FI.CI.ÊN.CIA *s.f.* 1) Competência, capacidade. 2) Domínio em determinada área ou campo.

PRO.FI.CI.EN.TE *adj.2gên.* Competente e eficiente no que faz.

PRO.FI.LA.XI.A (cs) *s.f.* 1) Parte da medicina que cuida das medidas preventivas contra as enfermidades. 2) Emprego dos métodos para evitar doenças.

PRO.FIS.SÃO *s.f.* 1) Prática ou efeito de professar. 2) Solenidade por meio da qual o noviço ou noviça se consagra à vida religiosa. 3) Declaração ou confissão pública. 4) Ocupação, emprego; ofício; condição social. 5) Pessoas que exercem a mesma ocupação especializada.

PRO.FIS.SIO.NA.LIS.MO *s.m.* Procedimento característico dos bons profissionais.

PRO.FUN.DI.DA.DE *s.f.* 1) Condição do que é profundo. 2) Extensão considerada desde a superfície até o fundo. 3) Grandeza extraordinária. 4) Caráter do que é de difícil compreensão.

PRO.FUN.DO *adj.* 1) Aquilo que se estende para baixo, muito fundo. 2) Que penetra muito. 3) Investigador, observador. / *s.m.* 4) Aquilo que é profundo; profundeza. 5) *fig.* O inferno.

PRO.GE.NI.TOR (ô) *s.m.* 1) Quem gera antes do pai; avô, ascendente. 2) Pai.

PRO.GES.TE.RO.NA *s.f.* *Quím.* Hormônio sexual feminino que regula o crescimento do útero.

PROG.NÓS.TI.CO *s.m.* 1) Teoria sobre o que deve acontecer. 2) *Med.* Parecer do médico. 3) Agouro, presságio.

PRO.GRA.MA *s.m.* 1) Delineamento ou explanação da ordem a ser seguida; comemoração ou festa pública, competição esportiva. 2) Plano detalhado sobre as matérias a ensinar. 3) Prospecto; esboço.

PRO.GRA.MA.DOR (ô) *s.m.* 1) Quem programa. 2) *Inform.* Quem cria, projeta, escreve e testa programas de computador.

PRO.GRE.DIR *v.t.i.* e *v.i.* 1) Ir em progresso; caminhar; prosseguir, avançar, desenvolver. / *v.i.* 2) Ir aumentando; prosperar; desenvolver-se.

PRO.GRES.SÃO *s.f.* 1) Progresso. 2) Continuação, sucessão ininterrupta. 3) *Mat.* Sucessão de quantidade onde existe uma variação dos termos consecutivos segundo uma razão constante.

PRO.GRES.SO *s.m.* 1) Prática ou efeito de progredir; progressão. 2) Marcha ou movimento para diante. 3) Curso, seguimento. 4) Adiantamento cultural gradativo da humanidade. 5) Melhoramento gradual das condições de vida de uma nação ou comunidade. 6) Crescimento, aumento, desenvolvimento. 7) Vantagem, êxito.

PRO.I.BIR *v.t.d.* 1) Não permitir, ordenar a não realização. 2) Tornar defeso; vedar, interdizer a representação, a publicação ou a venda. / *v.p.* 3) Ser proibido.

PRO.JE.ÇÃO *s.f.* 1) Prática ou efeito de projetar (-se). 2) Arremesso, lanço, saliência, proeminência. 3) *Geom.* Figura que se obtém incidindo sobre planos perpendiculares. 4) Método representativo da curvatura da Terra sobre um plano. 5) *fig.* Importância, destaque.

PRO.JE.TAR *v.t.d.* 1) Atirar para longe; arremessar. 2) Fazer a projeção de; planejar. 3) *Geom.* Figurar ou representar através de projeções. 4) Formar o projeto, idear, planejar. / *v.p.* 5) Arremessar-se, atirar-se. 6) Incidir, prolongar-se.

PRO.JÉ.TIL *adj.2gên.* 1) Aquilo que se pode arremessar. / *s.m.* 2) Corpo projetado ao espaço. 3) Objeto mortífero ou destruidor arremessado por arma de fogo; bala.

PRO.JE.TO *s.m.* 1) Plano para concretização de um ato. 2) Desígnio, intenção. 3) Redação provisória de qualquer medida. 4) *Constr.* Plano geral de edificação.

PRO.JE.TOR (ô) *s.m.* Aparelho destinado a irradiar ao longe ondas luminosas, sonoras ou caloríficas.

PROL *s.m.* Proveito, vantagem, lucro ➤ em prol de; em defesa de.

PRO.LA.ÇÃO *s.f.* 1) Prática ou efeito de proferir ou pronunciar. 2) *Mús.* Prolongação do som. 3) Adiantamento, delonga, demora.

PRO.LE *s.f.* 1) Conjunto de filhos. 2) Descendência.

PRO.LE.TA.RI.A.DO *s.m.* 1) Classe dos trabalhadores livres. 2) A classe dos indivíduos que dependem do seu trabalho para sobreviver; classe operária.

PRO.LI.FE.RAR *v.i.* Ter prole ou geração; multiplicar-se, reproduzir-se; crescer em número.

PRO.LI.XO (cs) *adj.* 1) Que usa palavras em excesso ao falar ou escrever. 2) Muito longo e entediante.

PRÓ.LO.GO *s.m.* 1) Introdução, preâmbulo ou prefácio de uma obra literária. 2) No teatro, discurso, feito em versos, dirigido ao auditório pelo ator, no começo do espetáculo.

PRO.LON.GAR *v.t.d.* 1) Tornar mais longo, durar mais tempo, estender além, aumentar a duração, prorrogar. / *v.p.* 2) Continuar-se, alongar-se, demorar-se.

PRO.MES.SA *s.f.* 1) Prática ou efeito de prometer. 2) Coisa prometida, compromisso, juramento. 3) Oferta, dádiva, voto.

PRO.ME.TER *v.t.d.* e *v.i.* 1) Comprometer-se verbalmente ou por escrito. / *v.i.* 2) Fazer promessas. 3) Garantir, certificar, dar esperança. 4) Dar sinais

399

prometida

de boa ou má produção. / *v.t.d.* 5) Pronunciar, pressagiar. 6) Obrigar-se a.

PRO.ME.TI.DA *s.f.* Noiva.

PRO.ME.TI.DO *adj.* 1) Que se fez promessa. / *s.m.* 2) O que está prometido. 3) Noivo.

PRO.MÍS.CUO *adj.* 1) Misturado confusamente, indistinto, desordenado. 2) Em que há degradação moral.

PRO.MIS.SOR (ô) *adj.* e *s.m.* 1) Promitente. 2) Repleto ou cheio de promessa. 3) Esperançoso, próspero, feliz.

PRO.MIS.SÓ.RIA *s.f.* Título ou documento no qual se reconhece uma dívida com data de vencimento; nota promissória.

PRO.MO.ÇÃO *s.f.* 1) Prática ou efeito de promover. 2) Elevação à graduação ou cargo superior. 3) Requerimento do promotor. 4) Campanha de propaganda publicitária.

PRO.MO.TOR (ô) *adj.* 1) Aquilo que promove, fomenta ou determina; promovedor. / *s.m.* 2) Quem promove ou determina; promovedor. 3) Funcionário público que promove o andamento das causas judiciais.

PRO.MO.VER *v.t.d.* 1) Impulsionar; favorecer o progresso; trabalhar a favor de. 2) Ser a causa ou motivo de; originar. 3) Solicitar; requerer, propor. / *v.t.d.* e *v.p.* 4) Elevar(-se), realizar(-se), levar a efeito.

PRO.MUL.GAR *v.t.d.* 1) Realizar a promulgação de. 2) Ordenar a publicação de uma lei. 3) Anunciar ou tornar público.

PRO.NO.ME *s.m.* *Gram.* Palavra que substitui um substantivo ➡ *Ela* é bonita; ou o acompanha para tornar claro o seu significado ➡ *Minha* mãe é bonita.

PRO.NO.MI.NAL *adj.2gên.* 1) *Gram.* Que diz respeito ao pronome. 2) *Gram.* Verbo acompanhado de um pronome.

PRON.TI.DÃO *s.f.* 1) Condição do que é pronto. 2) Presteza, desembaraço, rapidez, agilidade. 3) Facilidade para compreender ou executar uma tarefa.

PRON.TO *adj.* 1) Imediato, instantâneo. 2) Ágil; rápido, repentino, ligeiro. 3) Preparado para agir, ativo, expedito. 4) Acabado, concluído, terminado. 5) *Mil.* Desimpedido. 6) *pop.* Diz-se do indivíduo sem dinheiro; muito pobre. / *adv.* 7) Em breve, logo. / *interj.* 8) Palavra de resposta a uma chamada nominal, para indicar que se está presente ➡ *pronto!*

PRON.TU.Á.RIO *s.m.* 1) Livro com indicações úteis. 2) Lugar onde estão guardados objetos necessários a qualquer momento. 3) Os antecedentes de alguém. 4) Ficha (médica, policial, etc.) com esses antecedentes.

PRO.NÚN.CIA *s.f.* 1) Prática ou maneira de pronunciar, falar. 2) *Dir.* Despacho do juiz indicando alguém como autor ou cúmplice de um crime.

propriedade

PRO.NUN.CI.AR *v.t.d.* 1) Articular, proferir, recitar ou publicar ordenadamente. / *v.p.* 2) Emitir a sua opinião, manifestar seu pensamento ou sentimento. 3) Insurgir-se, levantar-se.

PRO.PA.GA.ÇÃO *s.f.* 1) Prática ou efeito de propagar(-se). 2) Desenvolvimento, proliferação, divulgação.

PRO.PA.GAN.DA *s.f.* 1) Dispersão de ideias, informações e conhecimentos. 2) Sociedade que vulgariza certas doutrinas. 3) Publicidade.

PRO.PA.GAR *v.t.d.* 1) Fazer multiplicar-se, reproduzir-se. 2) Difundir, espalhar. 3) Pôr em voga; publicar. / *v.p.* 4) Difundir-se, generalizar-se, alastrar-se. 5) Atravessar o espaço; transmitir-se. / *v.i.* e *v.p.* 6) Melhorar, pulular.

PRO.PE.LIR *v.t.d.* 1) Fazer ir para a frente; empurrar, impulsionar. 2) Projetar, lançar. 3) *fig.* Fazer progredir; fazer avançar.

PRO.PEN.SÃO *s.f.* 1) Prática ou efeito de propender. 2) Tendência, vocação, dom.

PRO.PEN.SO *adj.* 1) Que tem tendência para. 2) Que tem intenção ou desejo de; predisposto, inclinado.

PRO.PI.CI.AR *v.t.d.* e *v.t.d.i.* Oferecer as condições para a realização de; possibilitar, proporcionar.

PRO.PÍ.CIO *adj.* 1) Aquilo que protege ou auxilia. 2) Favorável, apropriado, oportuno.

PRO.PI.NA *s.f.* 1) Gratificação dada a alguém por serviços prestados; gorjeta. 2) *pop.* Quantia paga a certas pessoas por certos serviços. 3) Valor pago a alguém para induzi-lo a praticar ato ilícito; suborno.

PRO.POR *v.t.d.* 1) Apresentar, expor, relatar, sugerir. 2) Fazer o propósito de; prometer. / *v.p.* 3) Ter em vista; ter intenção. 4) Destinar-se, dispor-se.

PRO.POR.ÇÃO *s.f.* 1) *Filos.* Conveniência das partes com o todo. 2) Relação das partes de um todo entre si; comparação. 3) Dimensão, extensão, intensidade. 4) *Quím.* Relação de quantidades. 5) *Mat.* Igualdade entre duas ou mais razões. 6) Dimensões, intensidade de ação, importância.

PRO.POR.CI.O.NAL *adj.2gên.* 1) Relativo a proporção. 2) Que está na mesma proporção de intensidade, grandeza, etc. que outras coisas.

PRO.POR.CI.O.NAR *v.t.d.* 1) Tornar proporcional; acomodar, adaptar. 2) Dar, oferecer. / *v.p.* 3) Acomodar-se, harmonizar-se. 4) Apresentar-se, oferecer-se.

PRO.PO.SI.ÇÃO *s.f.* 1) Prática ou efeito de propor. 2) Expressão de pensamentos por meio de palavras; oração.

PRO.PÓ.SI.TO *s.m.* 1) O que se pretende fazer ou conseguir. 2) Intento, projeto. 3) Bom senso, juízo, prudência.

PRO.POS.TA *s.f.* 1) Ato ou consequência de propor. 2) Aquilo que se propõe. 3) Oferta, promessa.

PRO.PRI.E.DA.DE *s.f.* 1) O que é próprio. 2) Atributo especial; caráter. 3) Bom emprego das palavras na expressão. 4) O direito de usar e dispor

400

proprietário · protozoário

PRO.PRI.E.TÁ.RIO *adj.* e *s.m.* 1) Que ou quem possui algo. 2) Que ou quem detém a posse legal de um bem, imóvel, etc.

PRÓ.PRIO *adj.* 1) Que pertence somente a. 2) Peculiar, natural, característico, oportuno. 3) Idêntico, exato, privado. 4) *Gram.* Diz-se do que não tem sentido figurado. 5) *Gram.* Nome ou substantivo designativo de. / *s.m.* 6) Mensageiro expresso.

PRO.PUL.SÃO *s.f.* 1) Ato ou efeito de propelir, de impulsionar. 2) Meio de fazer algo se mover para a frente. 3) *fig.* Estímulo, incentivo.

PROR.RO.GAR *v.t.d.* 1) Alongar, prolongar. 2) Durar além do prazo estabelecido. 3) Continuar em exercício.

PRO.SA *s.f.* 1) Expressão natural da linguagem, sem rimas e sem metrificação. 2) Conversa informal. / *adj.2gên.* e *s.2gên.* 3) Que ou quem é convencido, cheio de si.

PRO.SA.DOR (ô) *s.m.* 1) Quem escreve em prosa. 2) Escritor de boa prosa.

PRO.SAR *v.i.* 1) Escrever em prosa. 2) *pop.* Conversar, prosear, bater papo.

PRO.SE.AR *v.i.* 1) Conversar, falar muito. 2) Bater papo; tagarelar. 3) Falar fiado. 4) Namorar; jactar-se. 5) O mesmo que prosar.

PRO.SÓ.DIA *s.f.* 1) *Gram.* Pronúncia correta das palavras. 2) Parte da gramática que estuda a pronúncia das palavras; ortoépia.

PRO.SO.PO.PEI.A *s.f.* 1) *Gram.* Figura de linguagem por meio da qual se dá vida a seres inanimados; personificação. 2) *fig.* Discurso pretensioso e ativo.

PROS.PEC.TO *s.m.* 1) Aspecto, vista. 2) Plano, traçado. 3) Programa, descrição de uma obra, de um estabelecimento, de um negócio.

PROS.PE.RAR *v.i.* 1) Tornar-se próspero. 2) Ser feliz; ter fortuna. / *v.t.d.* 3) Tornar próspero; melhorar; avançar; crescer. / *v.t.i.* 4) Correr bem; ser favorável. / *v.p.* 5) Tornar-se próspero.

PROS.SE.GUIR *v.t.d.* 1) Seguir; levar por diante, continuar, persistir; fazer seguir. / *v.i.* 2) Ir por diante. / *v.t.i.* 3) Continuar falando, agindo, procedendo; dizer em seguida.

PRÓS.TA.TA *s.f. Anat.* e *Zool.* Glândula do sexo masculino, situada no colo inferior da bexiga.

PROS.TÍ.BU.LO *s.m.* 1) Local de prostituição. 2) Bordel, lupanar, boate.

PROS.TI.TU.I.ÇÃO *s.f.* 1) Prática ou efeito de prostituir(-se). 2) A vida das prostitutas. 3) As prostitutas. 4) *Dir.* Comércio do amor sexual por hábito ou profissão.

PROS.TRAR *v.t.d.* 1) Fazer cair; lançar por terra. 2) Abater, subjugar, humilhar. 3) Enfraquecer; extenuar. / *v.p.* 4) Lançar-se de bruços, prosternar-se. 5) Abaixar-se, curvar-se.

PRO.TA.GO.NIS.TA *s.2gên.* 1) Personagem principal. 2) Que ocupa o primeiro lugar. 3) Líder de uma causa, movimento ou reivindicação.

PRO.TE.ÇÃO *s.f.* 1) Prática ou efeito de proteger (-se). 2) Abrigo, socorro. 3) Cuidado com a fortuna ou interesses de alguém. 4) Amparo; resguardo. 5) *Econ. polít.* Auxílio, favor, privilégio. 6) Quem protege.

PRO.TE.CI.O.NIS.MO *s.m. Econ. polít.* Sistema de proteção à indústria ou ao comércio nacional, concedendo a eles alguns privilégios.

PRO.TE.GER *v.t.d.* 1) Dar proteção ou abrigo, socorrer. 2) Preservar; defender, garantir. 3) Ajudar, favorecer, apoiar. 4) Amparar; resguardar.

PRO.TE.Í.NA *s.f.* 1) *Quím.* Cada uma das substâncias de elevada massa molecular. 2) Elementos essenciais de todas as células dos seres vivos.

PRO.TE.LAR *v.t.d.* Deixar para depois; adiar.

PRÓ.TE.SE *s.f.* 1) *Gram.* Acréscimo de letra ou sílaba, no início de uma palavra, sem alterar o sentido ➡ alevantar no lugar de levantar. 2) *Cir.* Substituição de um órgão ou parte dele por uma peça artificial.

PRO.TES.TAN.TE *adj.2gên.* 1) Que ou quem protesta. 2) Que diz respeito ao protestantismo. 3) Adepto do protestantismo. / *s.2gên.* 4) Quem protesta. 5) Partidário das Reformas Religiosas.

PRO.TES.TAN.TIS.MO *s.m.* 1) Religião dos protestantes. 2) Os protestantes. 3) Luteranismo.

PRO.TES.TAR *v.t.d.* 1) Afirmar decididamente; prometer solenemente. 2) Jurar, testemunhar. 3) Fazer o protesto por falta de. 4) Declarar publicamente. / *v.t.i.* e *v.i.* 5) Reclamar, levantar-se contra algo ilegal ou inaceitável.

PRO.TES.TO *s.m.* 1) Propósito ou resolução inabalável. 2) *Dir.* Ato no qual se responsabiliza todas as despesas e prejuízos a quem deva pagar a nota promissória e não o fez no vencimento.

PRO.TE.TOR (ô) *adj.* e *s.m.* 1) Que ou quem protege ou defende. / *s.m.* 2) Quem ajuda financeiramente; patrocinador. 3) Patrono, padroeiro.

PRO.TO.CO.LO *s.m.* 1) Registro dos atos públicos. 2) Registro das audiências, nos tribunais. 3) Registro de uma conferência ou deliberação diplomática. 4) Formulário que controla os atos públicos. 5) Convenção entre duas nações. 6) Cerimonial, formalidade, solenidade. 7) Livro em que se registra documentos expedidos. 8) *fig.* Formalidade; etiqueta.

PRÓ.TON *s.m. Fís.* e *Quím.* Partícula elementar que constitui os núcleos dos átomos, sendo portadores de carga positiva.

PRO.TO.PLAS.MA *s.m. Biol.* Substância ou mistura em que se manifesta a vida em todas as suas características.

PRO.TÓ.TI.PO *s.m.* Primeiro tipo; exemplar; modelo.

PRO.TO.ZO.Á.RIO *s.m.* 1) *Zool.* Espécime dos Protozoários. / *s.m. pl.* 2) *Zool.* Animais formados por uma só célula ➡ ameba.

401

PRO.TU.BE.RÂN.CIA *s.f.* 1) Eminência, saliência. 2) Matéria gasosa, rosada ou avermelhada, que emerge da superfície do Sol. 3) *Anat.* Certas substâncias existentes da superfície nos ossos do crânio.

PRO.VA *s.f.* 1) *Filos.* Que estabelece uma verdade por verificação ou demonstração. 2) Testemunho, experiência, provação. 3) Indício, mostra, sinal. 4) Exame ou cada uma das partes dele. 5) Prática de provar, experimentar. 6) Documento justificativo.

PRO.VA.ÇÃO *s.f.* 1) Prática ou efeito de provar. 2) Aperto, trabalhos. 3) Situação angustiante.

PRO.VA.DOR (ô) *s.m.* 1) Profissional que degusta cafés, vinhos, etc. para determinar sua qualidade e sabor. 2) Cabine onde se provam roupas em lojas. / *adj.* 3) Encarregado de provar.

PRO.VAR *v.t.d.* 1) Demonstrar com provas. 2) Dar testemunho; evidenciar. 3) Submeter a prova. 4) Conhecer por experiência própria, experimentar. 5) Comer ou beber para verificação. 6) Comer ou beber pequena quantidade para experimentar o sabor. 7) Sofrer, suportar, passar. 8) Experimentar, vestindo ou calçando.

PRO.VÁ.VEL *adj.2gên.* 1) Que é possível de acontecer. 2) Que pode ser comprovado.

PRO.VE.DOR (ô) *s.m.* 1) Tudo aquilo que provê. 2) Chefe de um estabelecimento. 3) *Inform.* Instituição que tem computador conectado a uma grande rede (internet) e que oferece acesso a esta rede para outros computadores ➡ provedor de acesso.

PRO.VE.DO.RI.A *s.f.* Cargo, ofício ou jurisdição de provedor.

PRO.VEI.TO *s.m.* 1) Lucro; interesse. 2) Vantagem; utilidade; benefício.

PRO.VEI.TO.SO (ô) *adj.* Que traz proveito; útil.

PRO.VEN.ÇAL *adj.2gên.* 1) Que diz respeito a Provença (França). / *s.2gên.* 2) Habitante ou natural da Provença. / *s.m.* 3) Língua ou dialeto da Provença.

PRO.VE.NI.EN.TE *adj.2gên.* Que provém; oriundo, procedente.

PRO.VEN.TO *s.m.* 1) Ganho, proveito, rendimento. 2) Honorários, ordenado.

PRO.VER *v.t.d.* 1) Tomar providências a respeito de; dispor. 2) Abastecer, fornecer. 3) Dotar, ornar, enfeitar. 4) Nomear para exercer um cargo ou emprego. / *v.p.* 5) Abastecer-se, munir-se. / *v.t.i.* 6) Acudir, remediar, ordenar.

PRO.VÉR.BIO *s.m.* 1) Máxima breve e popular que se tornou vulgar; ditado. 2) Pequena comédia que tem por enredo o desenvolvimento de um provérbio.

PRO.VE.TA (ê) *s.f.* 1) Pequena redoma para conter gases. 2) Tubo graduado para medição de líquidos, tubo de ensaio.

PRO.VI.DÊN.CIA *s.f.* 1) *Teol.* Prática de Deus de conservar e governar o mundo, dirigindo todos os seres. 2) O próprio Deus. 3) Acontecimento feliz.

4) Quem ajuda, guarda ou protege. 5) Disposição antecipada de meios para conseguir um fim, evitar um mal ou remediar uma necessidade.

PRO.VI.DEN.CI.AR *v.t.d.* Obter, conseguir, arranjar.

PRO.VI.DO *adj.* 1) Que tem abundância do necessário. 2) Cheio, repleto.

PRO.VÍN.CIA *s.f.* 1) Divisão territorial ao tempo do Império. 2) Conventos e conventuais de uma ordem monástica dentro do mesmo país. 3) Parte, divisão. 4) Todo território de um país, exceto a capital.

PRO.VIR *v.t.i.* 1) Vir de algum lugar. 2) Derivar, resultar, ocorrer.

PRO.VI.SÃO *s.f.* 1) Ato ou efeito de fornecer. 2) Prover de coisas necessárias ou proveitosas. 3) Abundância, exuberância de coisas destinadas ao uso futuro.

PRO.VI.SÓ.RIO *adj.* Transitório, passageiro, temporário.

PRO.VO.CA.ÇÃO *s.f.* 1) Ato de provocar. 2) Desafio, ofensa, insulto.

PRO.VO.CAR *v.t.d.* 1) Estimular, incitar. 2) Chamar a combate, a duelo; desafiar. 3) Azucrinar, excitar, apostar.

PRÓ.XI.MO (ss) *adj.* 1) Que está a pequena distância; vizinho. 2) Que está perto (usa-se quanto a lugar, tempo). 3) Diz-se da pessoa que tem relação de parentesco com outra. 4) Que está prestes a acontecer; sem demora, imediato, seguinte. / *adv.* 5) Perto; na vizinhança. / *s.m.* 6) Cada pessoa; o semelhante.

PRU.DÊN.CIA *s.f.* 1) Virtude que nos leva a conhecer e praticar de forma comedida. 2) Cautela, precaução. 3) Atenção, moderação.

PRU.DEN.TE *adj.2gên.* 1) Que tem prudência. 2) Que age com prudência. 3) Discreto. 4) Comedido, moderado. 5) Previdente, cauteloso. 6) Circunspecto, seguro. 7) Conhecedor, sensato, sábio.

PRU.RI.DO *s.m.* 1) Irritação na pele; coceira, comichão. 2) *fig.* Pudor, escrúpulo.

PSEU.DO- *adj.* e *pref. Gram.* Elemento, prefixo, que entra na composição de outras palavras com a significação de falso ➡ pseudônimo.

PSEU.DÔ.NI.MO *adj.* 1) Que assina suas obras com um nome suposto. / *s.m.* 2) Nome falso ou suposto. 3) Obra escrita ou publicada sob nome suposto.

PSI.CA.NÁ.LI.SE *s.f.* 1) Análise da mente. 2) *Psicol.* Método de tratamento para a cura de desordens mentais e nervosas, criado pelo Sigmund Freud, neurologista austríaco.

PSI.CO.LO.GI.A *s.f.* 1) Ciência que trata da mente e de fenômenos e atividades mentais, partido da observação dos fatos psíquicos. 2) Ciência das manifestações e do comportamento animal e humano em suas relações com o meio físico e social.

PSI.CO.NEU.RO.SE *s.f.* 1) *Med.* Transtorno funcional psicossomático que causa alterações orgânicas e desequilíbrios psíquicos. 2) Neurose.

PSI.CO.PA.TO.LO.GI.A *s.f. Med.* Ciência que estuda as doenças mentais.

PSI.CO.SE *s.f.* 1) *Med.* Designação genérica das doenças mentais; psicopatia. 2) *fig.* Ideia fixa; obsessão.

PSI.COS.SO.MÁ.TI.CO *adj.* Que se refere às manifestações somáticas ou orgânicas de genealogias psíquicas.

PSI.QUE *s.f.* A alma; o espírito; a mente; psiquismo.

PSI.QUI.A.TRI.A *s.f.* Elemento da Medicina que trata das doenças mentais ou psicoses.

PSI.QUIS.MO *s.m.* 1) *Med.* Tudo o que se refere às características psicológicas de um indivíduo; espiritualismo. 2) Sistema filosófico que considera a alma como um fluido muito especial.

PTE.RI.DÓ.FI.TO *adj.* e *s.m. Bot.* Plantas vasculares, sem flores, que apresentam esporângios nas folhas ➡ avencas, samambaias.

PTI.A.LI.NA *s.f. Quím.* Enzima existente na saliva que transforma o amido em maltose depois de fazê-lo passar pela forma de dextrina.

PU.BER.DA.DE *s.f.* Idade em que os seres humanos adquirem maturidade sexual e estão aptos para procriar.

PÚ.BIS *s.m.* 1) *Anat.* Osso anterior da pelve; no homem consiste em dois ramos que divergem posteriormente. 2) Eminência triangular na extremidade inferior do abdome, que se cobre de pelos ao começar a puberdade.

PU.BLI.CA.ÇÃO *s.f.* 1) Prática ou efeito de publicar. 2) Obra publicada, livro, folheto. 3) Trabalho literário, científico ou artístico, publicado pela imprensa.

PU.BLI.CAR *v.t.d.* 1) Levar ao conhecimento do público; tornar público. 2) Imprimir para divulgação; editar.

PU.BLI.CI.DA.DE *s.f.* 1) Caráter do que é público. 2) Propaganda por anúncios, entrevistas, cartazes, etc. para influenciar o comércio. 3) Arte de exercer uma ação psicológica sobre o público com fins comerciais; propaganda. 4) Divulgação de fatos e informações.

PÚ.BLI.CO *adj.* 1) Que se refere a um ou ao povo. 2) Que serve para uso totalitário. 3) Comum, notório. 4) Coerente ao governo do país e suas relações com o povo. / *s.m.* 5) O povo em geral. 6) Assistência, auditório. 7) Número mais ou menos considerável de pessoas reunidas.

PU.DI.CO *adj.* 1) Que tem pudor; recatado, casto. 2) Tímido, acanhado, envergonhado.

PU.DIM *s.m. Cul.* Designação de massas de consistência cremosa, doce ou salgada, assada em forno ou em banho-maria.

PU.DOR (ô) *s.m.* 1) Sentimento de vergonha ou timidez, produzido por atos ou coisas que firam a honra. 2) Pejo, vergonha. 3) Recato, seriedade.

PU.E.RÍ.CIA *s.f.* 1) Idade pueril. 2) Período da vida humana entre a infância e a adolescência.

PU.FE *s.m.* 1) Classe de chumaço usado na confecção de vestuários. 2) Espécie de banqueta de toucador. 3) Grande almofada usada como assento. 4) Anúncio desavergonhado.

PU.GI.LIS.TA *s.2gên.* Quem luta, conforme as regras do pugilismo; boxeador.

PUG.NAR *v.t.d.* 1) Tomar parte em luta. 2) Punir. / *v.t.i.* e *v.i.* 3) Combater, lutar, disputar. 4) Discutir acaloradamente. 5) Esforçar-se em combate; travar a disputa. / *v.i.* 6) Chocar-se, embater-se, discutir com argumentos. / *v.t.i.* 7) Lutar moralmente por; defender, sustentar.

PU.LAR *v.i.* 1) Dar pulos; saltar; crescer; desenvolver-se. / *v.t.d.* 2) Transpor de um pulo. / *v.t.i.* e *v.i.* 3) Aumentar rapidamente, evoluir. 4) Omitir, saltar em série ou escalão.

PUL.GA *s.f.* Pequeno inseto áptero; parasita que se nutre sugando sangue do homem e de outros mamíferos.

PU.LHA *s.f.* 1) Gracejo, partida. 2) Mentira. / *adj.2gên.* e *s.2gên.* 3) *pop.* Indivíduo sem dignidade, patife.

PUL.MÃO *s.m.* 1) *Anat.* Órgãos respiratórios contidos no tórax. 2) Voz forte e boa considerando a intensidade.

PU.LO *s.m.* 1) Prática de pular; salto. 2) Violenta pulsação; agitação. 3) Rápido progresso. 4) Ida rápida a um lugar.

PU.LÔ.VER *s.m.* Colete de malha de lã, usado pelos homens sob o paletó.

PÚL.PI.TO *s.m.* 1) Tribuna nos templos religiosos onde é feita a pregação. 2) *fig.* Oratória sacra. 3) Armação onde se penduram os pavios para fabricar velas.

PUL.SA.ÇÃO *s.f.* 1) Prática ou efeito de pulsar. 2) *Med.* Movimento de contração e dilatação do coração e das artérias. 3) Latejo do coração e do pulso.

PUL.SAR *v.t.d.* 1) Impelir, impulsionar, tocar, ferir. 2) Repercutir soando. 3) Pôr em movimento ritmado. / *v.i.* 4) Latejar, palpitar. 5) Anelar, arquejar. / *s.m.* 6) Fonte celeste de ondas de rádio, caracterizadas por intervalos curtos entre os pulsos e por uniformidade da taxa de repetição dos pulsos.

PUL.SEI.RA *s.f.* Adorno para os pulsos; bracelete.

PUL.SO *s.m.* 1) Batimento arterial percebido pelo dedo ou registrado por aparelho apropriado, geralmente na região inferior do antebraço, junto à mão, sendo perceptível ao tato. 2) *Por ext.* Essa região do antebraço. 3) *fig.* Autoridade, firmeza.

PUL.VE.RI.ZAR *v.t.d.* e *v.p.* 1) Reduzir(-se) a pó. / *v.t.d.i.* 2) Espalhar uma substância em pó sobre; salpicar, polvilhar. 3) *Por ext.* Borrifar com gotículas de um líquido, especialmente inseticida.

PU.MA *s.m. Zool.* Mamífero felídeo, de grande porte, encontrado nas Américas.

punhada

puxa-saco

PU.NHA.DA *s.f.* Pancada com o punho; murro, soco.
PU.NHA.DO *s.m.* 1) Porção cabível em mão fechada; mancheia. 2) Quantidade reduzida ou pequena porção.
PU.NHAL *s.m.* 1) Arma branca perfurante e curta. 2) *fig.* Tudo o que ofende profundamente.
PU.NHA.LA.DA *s.f.* 1) Golpe com punhal. 2) *fig.* Golpe moralmente profundo.
PU.NHO *s.m.* 1) A mão fechada. 2) Cabo de instrumentos. 3) A região do pulso que circunda a mão. 4) Pequena corda ou cabo em forma de oito.
PU.NI.ÇÃO *s.f.* Prática ou efeito de punir; pena, castigo.
PU.NIR *v.t.d.* 1) Aplicar punição a; castigar. 2) Servir de castigo a. / *v.p.* 3) Impor castigo ou pena a si próprio.
PU.PA *s.f. Entom.* Estado intermediário, nos insetos, entre a larva e a imago.
PU.PI.LA *s.f.* 1) *Anat.* Abertura central da íris que dá passagem aos raios luminosos; menina do olho. 2) Órfã que está sob tutela. 3) *fig.* Protegida.
PU.PI.LO *s.m.* 1) Órfão sob tutela; menor. 2) *fig.* Protegido, educando.
PU.RÊ *s.m. Cul.* Alimento, em especial batatas, preparado em forma de pasta.
PU.RE.ZA (ê) *s.f.* 1) Condição do que é puro. 2) Limpidez. 3) Inocência. 4) Castidade, virgindade. 5) Genuinidade. 6) Vernaculidade da linguagem.
PUR.GA.ÇÃO *s.f.* 1) Prática ou efeito de purgar(-se); purificação. 2) Evacuação provocada por purgante. 3) *pop.* Corrimento, gonorreia.
PUR.GAN.TE *adj.2gên.* 1) Que faz purgar; purgativo. / *s.m.* 2) *Farm.* Medicamento ou substância que faz limpar os intestinos. 3) *pop.* Coisa ou pessoa enfadonha, tediosa, enjoada; maçante.
PUR.GAR *v.t.d.* 1) Purificar, eliminando impurezas estranhas. 2) Administrar uma purga. 3) Livrar do que é prejudicial, tornar puro. 4) Apagar por penitência ou purificação; expiar. / *v.p.* 5) Tomar um purgante. 6) Livrar-se de culpas; redimir-se. / *v.i.* 7) Expelir secreção, especialmente pus.
PUR.GA.TÓ.RIO *adj.* 1) Purgativo. / *s.m.* 2) *Teol.* Lugar ou estado em que as almas dos justos se purificam completamente até chegar ao estado final. 3) Lugar de sofrimento.
PU.RI.FI.CAR *v.t.d.* 1) Tornar puro, purgar. 2) Limpar de mácula. / *v.p.* 3) Tornar-se puro; santificar-se.
PU.RIS.MO *s.m.* 1) Pronúncia afetada ou de apuro exagerado na linguagem. 2) Observação rigorosa e excessiva acerca da pureza da linguagem; vernaculismo.

PU.RI.TA.NIS.MO *s.m.* 1) Seita protestante que tem princípios morais puros e rígidos. 2) Caráter de quem alardeia grande rigidez de princípios.
PU.RO *adj.* 1) Aquilo que não tem mistura ou impurezas. 2) Sem alteração; genuíno. 3) Límpido, transparente. 4) Inocente, virginal. 5) Casto, virtuoso. 6) Incontestável, verdadeiro. 7) Castiço (linguagem, estilo). 8) Suave, mavioso, tranquilo. 9) Exato, fiel.
PÚR.PU.RA *s.f.* 1) Corante vermelho-escuro que se extrai da cochinilha. 2) A dignidade cardinalícia. 3) *Med.* Afecção caracterizada pelo surgimento de manchas vermelhas na espessura da pele. 4) *Zool.* Gênero de moluscos gastrópodes marinhos. / *adj.2gên.* 5) Que tem a cor da púrpura.
PUR.PU.RI.NA *s.f.* 1) Corante extraído da raiz da ruiva. 2) Pó metálico usado na tipografia de ouro e prata.
PU.RU.LEN.TO *adj.* 1) Cheio de pus. 2) Que expele pus. 3) *fig.* Sórdido, podre.
PU.RU.RU.CA *s.f.* 1) Variedade de coco tenro. 2) Coco um pouco duro. / *adj.2gên.* 3) Duro, quebradiço. 4) Couro de porco, quando frito e bem seco.
PUS *s.m. Med.* Líquido patológico, produzido por uma inflamação, seguida de amolecimento e liquefação tecidual.
PÚS.TU.LA *s.f.* 1) Ferida com pus. 2) *fig.* Corrupção. 3) *fig.* Pessoa infame, de mau caráter.
PU.TRE.FA.ÇÃO *s.f.* 1) Decomposição das matérias orgânicas. 2) Estado do que está putrefato; podridão. 3) Corrupção.
PU.XA.DA *s.f.* 1) Prática ou efeito de puxar. 2) Carta que um parceiro joga, ao principiar o jogo. 3) Operação de levantar a rede nas pescarias. 4) Forçada e longa viagem. 5) Construção que prolonga o corpo central da casa; puxado.
PU.XA.DO *adj.* 1) Elegante na maneira de vestir. 2) Apurado, concentrado. 3) *Fam.* Elevado no preço; caro. 4) Exaustivo, cansativo.
PU.XA.DOR (ô) *s.m.* Peça usada para abrir gavetas, portinholas, etc.
PU.XAR *v.t.d.* 1) Atrair com força, exercer tração. 2) Lançar mão de, tirar, afastar, arrastar. 3) Tirar com esforço; arrancar, esticar. 4) Arrepelar. 5) Sorver. 6) Provocar, suscitar. 7) Encaminhar, promover. 8) Começar, presidir a. 9) Servir-se à mesa de. 10) Excitar ou promover o apetite. 11) Jogar de mão uma carta. 12) Transportar. / *v.t.i.* 13) Promover o adiantamento de alguém. 14) Obrigar a fazer ou produzir mais. 15) Fazer valer; pugnar. 16) Fazer instâncias; exigir, obrigar. 17) Herdar qualidades de, sair semelhante.
PU.XA-SA.CO *s.2gên. gír.* Indivíduo bajulador, vil, adulador.

Q (quê) *s.m.* 1) Décima sétima letra do alfabeto português. 2) Fonema oclusivo, velar, surdo.
QUA.DRA *s.f.* 1) Compartimento ou lugar quadrado. 2) O lado de um quadrado. 3) Área definida de terreno para alguns jogos. 4) Medida de extensão, equivalente a 60 braças (132 m). 5) Distância entre uma esquina e outra do mesmo lado da rua. 6) *fig.* Ocasião; época; tempo; fase.
QUA.DRA.DO *adj.* 1) *Geom.* Diz-se da figura que tem os quatro lados iguais e os ângulos retos. 2) *gír.* Diz-se do indivíduo que tem ideias ultrapassadas, preso aos padrões tradicionais ➡ indivíduo quadrado. / *s.m.* 3) Quadrilátero de lados iguais e ângulos retos. 4) Segunda potência de um número. 5) Diz-se do produto de um número multiplicado por si mesmo.
QUA.DRAN.TE *s.m.* 1) Mostrador do relógio de sol. 2) Quarta parte da rosa dos ventos. 3) Quarta parte da circunferência, ou do círculo trigonométrico, arco de 90°. 4) Cada um dos quatro diedros retos formados pelos planos de projeção ortogonal.
QUA.DRAR *v.t.d.* 1) Dar forma quadrada a. 2) *Mat.* Elevar um número à segunda potência. / *v.t.i.* 3) Adaptar-se; condizer. 4) Ser coerente; calhar; agradar. / *v.i.* 5) Convir; agradar.
QUA.DRI.CU.LAR *v.t.d.* 1) Dividir em pequenos quadrados. / *adj.2gên.* 2) Quadriculado.

QUA.DRÍ.CU.LO *s.m.* Quadrado pequeno; quadradinho.
QUA.DRI.Ê.NIO *s.m.* Tempo de quatro anos; quatriênio.
QUA.DRI.GÊ.MEO *adj.* 1) Diz-se de quatro seres nascidos do mesmo parto. 2) *Anat.* Diz-se dos tubérculos do mesencéfalo, que são em número de quatro. / *s.m.* 3) Cada um dos quatro irmãos gêmeos.
QUA.DRIL *s.m.* Parte do corpo humano entre a cintura e a articulação superior da coxa; anca.
QUA.DRI.LÁ.TE.RO *s.m. Geom.* Polígono de quatro lados.
QUA.DRI.LHA *s.f.* 1) Dança junina executada por pares. 2) Grupo de quatro ou mais cavaleiros, no jogo de cavalhadas. 3) Bando de ladrões.
QUA.DRI.NHOS *s.m. pl.* História que se conta em quadrinhos desenhados ou fotografados.
QUA.DRO *s.m.* 1) Moldura ou painel quadrilátero. 2) Panorama; cena; pintura. 3) Peça quadrada. 4) Quadro-negro. 5) *Apic.* Guarnição de madeira que protege os favos. 6) Conjunto de funcionários de uma repartição ou de uma empresa. 7) Armação de bicicleta ou motocicleta.
QUA.DRO-NE.GRO *s.m.* Quadro usado para escrever com giz; lousa.

quadrúpede

QUA.DRÚ.PE.DE *adj.2gên.* e *s.2gên.* 1) Que ou aquele que tem quatro pés. 2) *fig.* Pessoa ignorante, estúpida, tola.

QUA.DRU.PLI.CAR *v.t.d.* 1) Multiplicar por quatro. / *v.i.* e *v.p.* 2) Tornar(-se) quatro vezes maior; aumentar quatro vezes.

QUÁ.DRU.PLO *s.m.* e *num.* Múltiplo que vale quatro vezes mais.

QUAL *pron.* 1) Designa natureza ou qualidade. 2) Pronome relativo ou interrogativo: que. / *conj.* 3) Como (tal qual). / *interj.* 4) Designa espanto, dúvida ou negação.

QUA.LI.DA.DE *s.f.* 1) Particularidade de uma coisa, atributo. 2) Modo de ser, índole. 3) Espécie, tipo. 4) Caráter, temperamento.

QUA.LI.FI.CA.DO *adj.* 1) Que indica qualidade. 2) Que atende certos requisitos. 3) Que está em posição elevada; nobre.

QUA.LI.FI.CAR *v.t.d.* 1) Designar a qualidade de; avaliar, considerar; apreciar. 2) Atribuir qualidade a; indicar as qualidades de. 3) Atribuir um título a; enobrecer. / *v.p.* 4) Classificar(-se).

QUA.LI.TA.TI.VO *adj.* 1) Relativo a qualidade. 2) Que qualifica.

QUAL.QUER *pron. indef.* 1) Pessoa não especificada. 2) Nenhum.

QUAN.DO *adv.* 1) Em que época, em que momento. / *conj.* 2) Posto que, ainda que, no momento em que, ao passo que, acaso.

QUAN.TI.A *s.f.* 1) Soma; importância. 2) Quantidade; total.

QUAN.TI.DA.DE *s.f.* 1) Qualidade daquilo que pode ser numerado ou medido. 2) Grandeza expressa em números. 3) Grande número; multidão.

QUAN.TI.FI.CAR *v.t.d.* 1) Indicar a quantidade ou valor de. 2) Calcular com precisão.

QUAN.TI.TA.TI.VO *adj.* 1) Relativo a quantidade. / *s.m.* 2) Quantidade determinada.

QUAN.TO *adv.* 1) Que intensidade; quão grande. 2) Com que intensidade; como. / *pron. rel.* 2) Aquele que; cada um que.

QUÃO *adv.* Quanto; como.

QUA.REN.TA *num.* 1) Quatro dezenas de unidades. / *s.m.* 2) Algarismos que representam o número 40. 3) Aquele ou aquilo que ocupa o último lugar numa série de 40.

QUA.REN.TÃO *adj.* e *s.m. pop.* Que ou aquele que já tem 40 anos ou mais.

QUA.REN.TE.NA *s.f.* 1) Período de 40 dias. 2) Número de 40 pessoas ou coisas. 3) Período de 40 dias de detenção ou isolamento, imposto a navios, pessoas ou animais procedentes de portos onde há doenças contagiosas. 4) *fig.* Reserva.

QUA.RES.MA *s.f.* 1) *Liturg.* Período de 40 dias, compreendido entre a quarta-feira de Cinzas e o domingo de Páscoa. 2) Denominação de certas plantas que florescem nessa época. 3) *Bot.* Espécie de coqueiro. 4) O fruto desse coqueiro.

QUAR.TA *s.f.* 1) Uma das quatro partes em que se pode dividir a unidade. 2) A quarta parte do alqueire ou do arrátel. 3) Redução de quarta-feira. 4) *Mús.* Intervalo de quatro notas.

QUAR.TA-FEI.RA *s.f.* Quarto dia da semana com início no domingo.

QUAR.TEI.RÃO *s.m.* 1) Série de casas fechadas por quatro ruas na divisão urbana; quadra. 2) Quarta parte de um cento. 3) Viga que parte de cada um dos quatro cantos do teto.

QUAR.TEL *s.m.* 1) *Mil.* Edifício destinado ao alojamento de tropas. 2) Quarta parte de um todo.

QUAR.TE.TO (ê) *s.m.* 1) Estrofe de quatro versos; quadra. 2) *Mús.* Peça musical executada por quatro instrumentos ou quatro vozes. 3) Agrupamento de quatro pessoas.

QUAR.TO *num.* 1) Ordinal e fracionário correspondente a quatro. / *s.m.* 2) Cada uma das quatro partes iguais em que pode ser dividido um inteiro. 3) Pessoa ou objeto que ocupa o lugar número quatro numa série. 4) Peça de uma casa própria para dormir. 5) Quadril.

QUART.ZO *s.m. Miner.* Cristal de rocha; variedade de sílica transparente e dura.

QUA.SE *adv.* 1) Perto, próximo. 2) A pouca distância. 3) Por pouco.

QUA.TER.NÁ.RIO *adj.* 1) De quatro unidades ou elementos. 2) Que tem quatro lados ou faces. 3) *Geol.* Diz-se da era geológica atual. 4) *Mús.* Diz-se do compasso de quatro tempos.

QUA.TI *s.m. Zool.* Mamífero de focinho longo e cauda preta com anéis.

QUA.TOR.ZE ou **CA.TOR.ZE** (ô) *num.* 1) Uma dezena e quatro unidades. 2) Cardinal dos conjuntos equivalentes a uma dezena de membros mais quatro membros.

QUA.TRI.LHÃO ou **QUA.TRI.LI.ÃO** *num.* 1) Mil trilhões. 2) *Mat.* A décima quinta potência de dez.

QUA.TRO *num.* Cardinal dos conjuntos equivalentes a quatro membros.

QUA.TRO.CEN.TOS *num.* Cardinal dos conjuntos equivalentes a quatro centenas de membros; quatro vezes 100.

QUA.TRO.LHO (ó) *adj. pop.* Que tem as sobrancelhas brancas.

QUE *adv.* 1) Quão; de que modo. / *pron. rel.* 2) O qual, a qual, os quais, as quais; o que, aquilo que. / *prep.* 3) De. / *conj.* 4) Introduz oração subordinada. 5) Introduz oração com função de sujeito, predicativo de outra oração, complemento.

QUE.BRA *s.f.* 1) Ato ou efeito de quebrar. 2) Queda; quebradura. 3) Rachadura, fratura, fragmentação.

quebra-cabeça

4) Interrupção, anulação. 5) Diminuição, falta, perda. 6) Falência.

QUE.BRA-CA.BE.ÇA *s.m.* 1) *pop.* Aquilo que preocupa e exige meditação profunda. 2) Problema difícil; enigma, questão complicada. 3) Brinquedo ou artefato gráfico ou mecânico que serve de passatempo e demanda raciocínio e habilidades. 4) Jogo de paciência que consiste em juntar diferentes peças que estão dispersas ou baralhadas para formar um todo, em geral uma figura.

QUE.BRA-COS.TE.LA *s.m. pop.* Diz-se do abraço intenso, muito apertado.

QUE.BRA.DA *s.f.* 1) Ladeira, declive. 2) Depressão do terreno. 3) Encosta, curva, desvio. 4) Recife por onde o mar entra, dando acesso a embarcações. 5) *pop.* Região ou bairro mal urbanizado e afastado do centro.

QUE.BRA.DEI.RA *s.f.* 1) Cansaço. 2) Moleza.

QUE.BRA.DI.ÇO *adj.* Que se rompe facilmente; frágil.

QUE.BRA.DO *adj.* 1) Que se quebrou; separado em pedaços, fragmentado, partido. 2) Abatido; oprimido. 3) Interrompido, rompido. 4) Infringido. 5) *fig. Com.* Falido. 6) Cansado. 7) Que sofre de hérnia.

QUE.BRA-GA.LHO *s.m. pop.* Pessoa, coisa ou recurso usado para resolver diversos problemas.

QUE.BRA-MO.LAS *s.m. pop.* Alteração do nível em ruas ou estradas para diminuir a velocidade dos veículos.

QUE.BRA-NO.ZES *s.m.* 1) Alicate para partir nozes, que possui a resistência entre a força e o ponto de apoio. 2) Pássaros corvídeos que se alimentam de nozes.

QUE.BRAN.TA.DO *adj.* 1) Abatido, aniquilado, humilhado. 2) Prejudicado, lesado. 3) Atingido por contratempo.

QUE.BRAN.TAR *v.t.d.* 1) Amansar, domar. 2) Pisar, machucar. 3) Infringir, desobedecer, violar. / *v.p.* 4) Perder o ânimo; decair, enfraquecer-se. / *v.i.* 5) Servir de lenitivo.

QUE.BRAN.TO *s.m.* 1) Abatimento, depressão, prostração, fraqueza. 2) Suposta influência exterior, prejudicial, do feitiço. 3) *pop.* Mau-olhado.

QUE.BRA-QUE.BRA *s.m.* Arruaça com depredações; conflito, destruição.

QUE.BRA-QUEI.XO *s.m.* 1) Charuto grande e ordinário. 2) Bebida demasiadamente gelada. 3) Puxa-puxa.

QUE.BRAR *v.t.d.* e *v.p.* 1) Separar(-se) em partes, reduzir(-se) a pedaços, fragmentar(-se). / *v.i.* e *v.p.* 2) Partir-se, romper-se, explodir. / *v.t.d.* 3) Fraturar. / *v.i.* 4) Abrir falência; falir. 5) Faltar no peso ou na medida. / *v.t.i.* 6) Embater; dar com ímpeto.

quentura

QUE.DA *s.f.* 1) Ação ou efeito de cair; tombo. 2) *fig.* Deposição do poder. 3) Salto de água. 4) Inclinação; declive; tendência. 5) Pecado, culpa.

QUEI.JA.DA *s.f. Cul.* Doce de queijo; pastel preparado com ovos, queijo, leite e açúcar.

QUEI.JA.DI.NHA *s.f.* Doce feito de coco, queijo e ovos.

QUEI.JEI.RA *s.f.* 1) Casa onde se fabricam queijos; queijaria. 2) Vendedora de queijos. 3) Recipiente para guardar queijo.

QUEI.JO *s.m.* Substância alimentícia produzida com leite, sal e coalho, muito nutritiva e durável.

QUEI.MA *s.f.* 1) Ação ou efeito de queimar; queimação. 2) Cremação, combustão. 3) Queimada de vegetação. 4) Resultado da geada sobre as plantas. 5) *pop.* Venda comercial de estoque a preço baixo; liquidação.

QUEI.MA.ÇÃO *s.f.* 1) Queima. 2) *pop.* Ardor; azia no estômago.

QUEI.MA.DA *s.f.* 1) Destruição pelo fogo. 2) Queima de mato ou pastagens para plantio. 3) Parte da floresta ou campo que se incendeia por casualidade ou propositadamente. 4) Terra calcinada para adubo.

QUEI.MA.DO *adj.* 1) Que se queimou; incendiado, carbonizado. 2) Bronzeado pelos raios solares; tostado. 3) Que sofreu a ação da geada. / *s.m.* 4) Vítima de queimaduras.

QUEI.MA.DU.RA *s.f.* Lesão em consequência da ação do fogo ou do calor.

QUEI.MAR *v.t.d.* 1) Destruir por meio de fogo; reduzir a cinzas; abrasar, carbonizar. 2) Incendiar; pôr fogo. 3) Passar do ponto de cozimento. / *v.i.* 4) Produzir demasiado calor; arder. / *v.p.* 5) Sofrer queimaduras. 6) Tostar-se; pegar fogo.

QUEI.XA *s.f.* 1) Ação ou efeito de se queixar. 2) Reclamação. 3) Denúncia a uma autoridade. 4) Aborrecimento, emburramento. 5) Causa de ressentimento.

QUEI.XAR-SE *v.p.* 1) Lamentar-se; lastimar-se. 2) Mostrar-se ofendido. 3) Expor os seus sofrimentos ou motivos de desgosto.

QUEI.XO *s.m.* Parte inferior do rosto, abaixo dos lábios.

QUEM *pron. rel.* 1) Aquele(s) que, a(s) pessoa(s) que, o(s) que. 2) O(a) qual, os(as) quais. / *pron. indef.* 3) Alguém que, qualquer pessoa que. 4) Um... outro, este... aquele.

QUEN.TÃO *s.m.* Bebida servida quente e feita com cachaça, gengibre e açúcar.

QUEN.TE *adj.2gên.* 1) Em que há calor. 2) De elevada temperatura. 3) Abrasado, estimulante. 4) Ardente, cálido, fogoso.

QUEN.TU.RA *s.f.* 1) Estado do que é quente; calor. 2) *pop.* Febre.

407

quepe · quina

QUE.PE *s.m.* Tipo de boné usado por militares.

QUE.RE.LA *s.f.* 1) Queixa levada a juízo. 2) Discussão, debate. 3) Pendência. 4) Processo, batalha, ação.

QUE.RE.LAR *v.t.i.* 1) Queixar-se de alguém em juízo ou perante os tribunais; disputar. / *v.p.* 2) Queixar-se, lamentar-se.

QUE.RÊN.CIA *s.f.* 1) Local de nascimento ou residência de uma pessoa; pago. 2) Lugar onde vive o gado.

QUE.RER *v.t.d.* 1) Sentir vontade de; ter desejo de ➡ Eu quero um doce bem doce. 2) Aspirar, ambicionar. 3) Diligenciar, pretender. / *v.t.i.* 4) Ter afeição; gostar de; estimar; amar ➡ A mãe quer bem aos filhos. / *v.i.* 5) Mostrar decisão.

QUE.RI.DO *adj.* e *s.m.* Que(m) é amado ou muito estimado.

QUER.MES.SE *s.f.* 1) Festa com barracas para vender objetos com fins de caridade. 2) Comemoração da inauguração de uma igreja.

QUE.RO.SE.NE *s.m.* 1) Combustível extraído do petróleo usado para iluminação e para motores de explosão. 2) Diamante de cor azul-leitosa.

QUE.RU.BIM *s.m.* 1) *Teol.* Anjo da primeira hierarquia. 2) Pintura ou escultura de uma cabeça de criança com asas, representando anjo. 3) *fig.* Criança muito bonita.

QUE.SI.TO *s.m.* 1) Pressuposto. 2) Requisito. 3) Pergunta, interrogação. 4) Questão proposta a alguém e sobre a qual se pede opinião ou juízo.

QUES.TÃO *s.f.* 1) Pergunta, ideia, tese. 2) Assunto, objeto de discussão.

QUES.TI.O.NAR *v.t.d.* e *v.i.* 1) Discutir; altercar; fazer ou levantar questão sobre. / *v.t.d.* 2) Contestar em juízo.

QUES.TIO.NÁ.RIO (qu ou qü) *s.m.* Lista de perguntas ou questões.

QUI.A.BO *s.m. Bot.* Fruto do quiabeiro, verde e peludo, comestível, cuja forma é piramidal.

QUI.ÁL.TE.RA *s.f. Mús.* Figura que consiste na entrada de três notas de igual valor, executadas no mesmo tempo em que o seriam duas da mesma figura.

QUI.BE *s.m.* Prato de origem árabe feito com carne moída, trigo integral, hortelã e condimentos.

QUI.ÇÁ *adv.* Quem sabe, talvez, porventura.

QUI.CAR *v.t.d.* 1) Saltar ou fazer saltar, pular. / *v.i.* 2) *fig. pop.* Ficar zangado, furioso, irritado.

QUÍ.CHUA *adj.2gên.* e *s.2gên.* 1) Indígenas do Peru ou habitantes das regiões andinas. / *adj.2gên.* e *s.m.* 2) *Linguíst.* Idioma dos indígenas quíchuas ainda falado no Peru.

QUI.E.TAR *v.t.d.* e *v.p.* 1) Tranquilizar; aquietar (-se). / *v.i.* e *v.p.* 2) Ficar quieto; aquietar(-se); acalmar(-se).

QUI.E.TAR.RÃO *adj. Fam.* 1) Calado. 2) Muito quieto.

QUI.E.TO *adj.* 1) Imóvel; que não se mexe. 2) Calmo, tranquilo, sereno. 3) Silencioso.

QUI.E.TU.DE *s.f.* 1) Sossego, paz. 2) Tranquilidade, calmaria. 3) Silêncio.

QUI.LA.TE *s.m.* 1) Pureza ou perfeição do ouro e das pedras preciosas. 2) Peso igual a 200 miligramas. 3) *fig.* Excelência, superioridade, mérito.

QUI.LO *s.m.* 1) *Fisiol.* Líquido a que ficam reduzidos os alimentos, nos intestinos, na última fase da digestão. 2) Forma abreviada de quilograma ➡ kg.

QUI.LO.GRA.MA *s.m.* Unidade de massa equivalente a mil gramas. Símbolo: kg (sem ponto).

QUI.LO.HERTZ *s.m. Fís.* Unidade de medida de frequência igual a 1.000 hertz. Símbolo: kHz.

QUI.LO.LI.TRO *s.m.* Unidade de medida de capacidade equivalente a 1.000 litros. Símbolo: kl.

QUI.LOM.BO *s.m.* No período colonial, comunidade formada por fugitivos e indígenas, representando uma forma de resistência e combate à escravidão.

QUI.LO.ME.TRA.GEM *s.f.* Ato ou efeito de quilometrar; distância em quilômetros.

QUI.LÔ.ME.TRO *s.m.* Unidade de medida de comprimento equivalente a 1.000 metros. Símbolo: km.

QUI.LO.VOLT *s.m.* Unidade de força eletromotriz equivalente a 1.000 volts. Símbolo: kV.

QUI.LO.WATT (uót) *s.m. Eletr.* Unidade de medida de potência ativa em circuitos de corrente alternada equivalente a 1.000 watts. Símbolo: kW.

QUI.ME.RA *s.f.* 1) Monstro da mitologia grega, com cabeça de leão, corpo de cabra e cauda de dragão. 2) Produto da imaginação; fantasia. 3) Utopia; absurdo.

QUÍ.MI.CA *s.f.* Ciência que estuda as propriedades das substâncias, as composições, as reações a transformações de acordo com as leis que regulam essas ações.

QUI.MI.O.TE.RA.PI.A *s.f.* Tratamento por agentes químicos em organismos patogênicos ou órgãos doentes.

QUI.MO *s.m. Fisiol.* Produto proveniente dos alimentos, em parte digerido, que passa do estômago para o intestino delgado.

QUI.MO.NO *s.m.* 1) Roupão usado no Japão por pessoas de ambos os sexos. 2) Túnica larga e comprida que se fecha transpassada e limitada por uma faixa.

QUI.NA *s.f.* 1) Esquina, aresta. 2) Série horizontal de cinco números nos cartões de alguns tipos de jogos. 3) Cinco pontos, marcados, em jogos de baralho, dados, dominó, etc. 4) *Bot.* Plantas sul-americanas medicinais cuja casca tem propriedades febrífugas ou antitérmicas.

408

quindim | quotizar

QUIN.DIM *s.m.* 1) Doce feito de gema de ovo e coco. 2) *Bot.* Planta leguminosa do Brasil. 3) Graça, encanto. 4) Dengue; meiguice.

QUI.NHÃO *s.m.* 1) Parte que cabe ou deveria caber a uma pessoa. 2) *fig.* Destino, sorte.

QUIN.QUA.GÉ.SI.MO (zi) *s.m.* 1) A quinquagésima parte de um todo. / *num.* 2) Ordinal correspondente a 50.

QUIN.QUÊ.NIO *s.m.* Tempo de cinco anos; meia década; lustro.

QUIN.QUI.LHA.RI.A *s.f.* 1) Brinquedos de criança. 2) Miudezas, objetos de enfeite. 3) Bagatela. 4) Joias de fantasias.

QUIN.TA-FEI.RA *s.f.* Quinto dia da semana com início no domingo.

QUIN.TAL *s.m.* Terreno pequeno, nos fundos ou ao lado de uma residência, com jardim ou horta.

QUIN.TE.TO (ê) *s.m. Mús.* Conjunto de cinco instrumentos ou de cinco vozes.

QUIN.TI.LHA *s.f. Metrif.* Estância ou estrofe de cinco versos, habitualmente em redondilha maior; quinteto.

QUIN.TO *num.* 1) Ordinal e fracionário correspondente a cinco. 2) Em quinto lugar. / *s.m.* 3) A quinta parte.

QUIN.TU.PLI.CAR *v.t.d.* 1) Multiplicar por cinco. 2) Tornar cinco vezes maior ou mais numeroso. / *v.p.* 3) Tornar-se cinco vezes maior; aumentar cinco vezes.

QUIN.ZE.NA *s.f.* 1) Período de 15 dias. 2) Remuneração do trabalho realizado durante 15 dias. 3) Conjunto de 15 pessoas, objetos, unidades de igual natureza.

QUIN.ZE.NAL *adj.2gên.* 1) Referente a um período de 15 dias. 2) Que se executa ou se produz quinzenalmente. 3) Publicação de jornal, revista feita de 15 em 15 dias.

QUI.OS.QUE *s.m.* Pequeno pavilhão construído em jardins, calçadas ou praças, com o objetivo de recreio ou habitualmente vender jornais, revistas, bebidas, cigarros, etc.

QUI.PRO.QUÓ (qüi) *s.m.* 1) *Por ext.* Tomar uma coisa por outra; equívoco, mal-entendido. 2) Grande confusão gerada por um engano.

QUI.RO.MAN.CI.A *s.f.* Arte de adivinhar supostamente o futuro das pessoas pelo exame das linhas da mão.

QUI.TA.ÇÃO *s.f.* 1) Ato ou efeito de quitar(-se). 2) Ação pela qual alguém se livra do que deve. 3) Declaração, escrita pelo credor, afirmando ter recebido do devedor determinada quantia referente a seu crédito; recibo.

QUI.TAN.DA *s.f.* 1) Estabelecimento comercial (mercado) ou lugar onde se compram e se ven-

dem frutas, hortaliças, aves, ovos, etc. 2) Loja de negócios. 3) *pop.* Lojinha ambulante.

QUI.TAN.DEI.RO *s.m.* Dono ou pessoa que trabalha em uma quitanda.

QUI.TAR *v.t.d.* 1) Tornar quite; saldar obrigações de dívidas. 2) Desobrigar, poupar. 3) Impedir; tolher; evitar; vedar. / *v.p.* 4) Desquitar-se de; divorciar-se de; livrar-se. / *v.t.i.* 5) Ser dispensado (de fazer alguma coisa). 6) Não ter necessidade (de praticar certo ato).

QUI.TE *adj.2gên.* 1) Livre de obrigação ou de dívida; quitado. 2) Desembaraçado, livre. 3) Separado; divorciado. / *s.m.* 4) *Taur.* Ação de enganar a atenção do touro na arena.

QUI.TI.NA *s.f. Quím.* Substância orgânica de origem animal e consistência córnea nitrogenada, existente no tegumento dos insetos.

QUI.TI.NE.TE *s.f.* Pequeno apartamento com sala, quarto e cozinha em uma só peça.

QUI.TU.TE *s.m.* 1) Iguaria delicada e apetitosa. 2) *fig.* Carinhos; afagos.

QUI.XO.TE *s.m.* 1) Aquele que age como Dom Quixote. 2) Que se mete em questões que não lhe dizem respeito e, por isso, se sai mal. 3) Indivíduo romântico, sonhador.

QUI.XO.TES.CO (ê) *adj.* 1) Referente a Dom Quixote (protagonista do famoso livro de Cervantes). 2) Que envolve quixotada. 3) Que diz respeito a aventuras semelhantes às narradas por Cervantes, no Dom Quixote. 4) Com heroísmo, mas ridículo, impossível. 5) Romântico; sonhador.

QUI.XO.TIS.MO *s.m.* 1) Cavalheirismo exagerado e ridículo. 2) Atitudes próprias de Quixote, personagem da obra *Dom Quixote de la Mancha*, de Cervantes.

QUI.ZI.LA, QUI.ZÍ.LIA ou **QUI.JI.LA** *s.f.* 1) Antipatia, inimizade, zanga. 2) Aborrecimento, impaciência. 3) Rixa.

QUO.CI.EN.TE ou **CO.CI.EN.TE** *s.m.* 1) *Arit.* Número que indica quantas vezes o divisor está contido no dividendo. 2) *Mat.* Resultado de uma divisão.

QUÓ.RUM (ó) *s.m. sem lat.* Número mínimo, indispensável, de pessoas presentes a uma assembleia, para dar início ao funcionamento legal ou votação.

QUO.TA ou **CO.TA** *s.f.* 1) Fração de um condomínio ou fundo de investimento. 2) Parte do capital de uma sociedade por cotas de responsabilidade limitada. 3) Quinhão. 4) Tributo; cota.

QUO.TI.DI.A.NO ou **CO.TI.DI.A.NO** *adj.* 1) Referente ao dia a dia. / *s.m.* 2) Aquilo que sucede e se pratica todos os dias.

QUO.TI.ZAR *v.t.d.* 1) Distribuir por quota ou cota. 2) Fixar o preço de. / *v.p.* 3) Contribuir com quota ou cota.

Q

Rr

R (erre) *s.m.* Décima oitava letra do alfabeto.

RÃ *s.f. Zool.* Nome comum a vários anfíbios anuros, especialmente os da família dos Ranídeos, alguns dos quais são comestíveis.

RA.BA.DA *s.f.* 1) *Cul.* Prato feito ao molho, com a carne do rabo do boi ou da vaca. 2) Trança de cabelo com fitas. 3) Rabadela; rabicho.

RA.BA.NA.DA *s.f.* 1) Fatia de pão embebida em leite, ovos e açúcar que se frita. 2) Golpe com o rabo. 3) Rajada de vento.

RA.BA.NE.TE (ê) *s.m.* 1) *Bot.* Variedade de rábano, de raiz curta, carnosa e suculenta. 2) *Por ext.* A raiz, comestível, do rabanete.

RA.BE.CA *s.f.* 1) *Mús.* Denominação antiga do violino. 2) Vara longa, que serve de apoio ao braço, para arrastar a bola no jogo de bilhar. 3) *pop.* Almofada de palha. 4) *Ictiol.* Peixe de água doce.

RA.BE.CÃO *s.m.* 1) *Mús. pop.* Contrabaixo. 2) Veículo em que se transportam cadáveres.

RA.BEI.RA *s.f.* 1) Parte de trás de algo; traseira. 2) *pop.* O último ou os últimos lugares, posições ou colocações. 3) Cauda de vestido.

RA.BI *s.m.* Rabino.

RA.BI.CHO *s.m.* 1) Correia de couro que vai da sela à cauda da cavalgadura. 2) Pequena trança de cabelo pendente da nuca. 3) Relacionamento amoroso; namoro.

RÁ.BI.CO *adj.* Referente à raiva ou à hidrofobia.

RA.BI.CÓ *adj.2gên.* Que só tem o toco do rabo ou não o tem.

RA.BI.NO *s.m.* 1) Doutor da lei judaica. 2) Ministro do culto judaico; rabi.

RA.BIS.CAR *v.t.d.* 1) Traçar ou encher de rabiscos. / *v.i.* 2) Escrever, desenhar ou pintar coisas sem valor.

RA.BIS.CO *s.m.* Risco tortuoso feito com pena ou lápis; garatuja.

RA.BO *s.m.* 1) Prolongamento da extremidade inferior da coluna vertebral em muitos animais; cauda. 2) Cabo de certos instrumentos. 3) Tufo de penas que nasce da sambiquira das aves. 4) *pop.* As nádegas, o assento, o traseiro.

RA.BU.GEM *s.f.* 1) Espécie de sarna que ataca cães e homens. 2) *fig.* Rabugice.

RA.BU.GEN.TO *adj.* 1) Que tem rabugem. 2) Impertinente, mal-humorado.

RA.BU.GI.CE *s.f.* Qualidade de quem é rabugento.

RÁ.BU.LA *s.2gên.* 1) *pej.* Advogado que usa de ardis e artifícios para conseguir vantagens. 2) Quem advoga sem ser formado em Direito.

RA.ÇA *s.f.* 1) Conjunto dos ascendentes e descendentes de uma família ou de um povo. 2) Conjunto de indivíduos que conservam caracteres semelhantes, provenientes de um tronco comum.

RA.ÇÃO *s.f.* Porção de alimento necessária para o consumo diário ou para cada refeição de uma pessoa ou de um animal.

RA.CHA *s.f.* 1) Abertura, fenda, trinca. 2) Lasca ou fragmento que se separa pela fratura, estilhaço. 3) Rachadura, greta. / s.m. 4) Perseguição ou corrida de automóveis. 5) Separação radical, cisão.

RA.CHA.DU.RA *s.f.* 1) Ação de rachar. 2) Racha.

RA.CHAR *v.t.d.* 1) Abrir fendas em; abrir ao meio. 2) Gretar, dividir. 3) Repartir proporcionalmente. 4) *Esp.* e *gír.* Empatar. / *v.i.* e *v.p.* 5) Fragmentar-se; lascar-se.

RA.CI.AL *adj.2gên.* Relativo a raça.

RA.CI.O.CI.NAR *v.i.* 1) Fazer raciocínios; fazer uso da razão. 2) Calcular. / *v.t.i.* 3) Apresentar ou deduzir razões; ponderar, avaliar; pensar, refletir.

RA.CI.O.CÍ.NIO *s.m.* 1) Ação de pensar, de refletir. 2) Juízo. 3) Sucessão de assuntos. 4) Operação intelectual discursiva, pela qual, da afirmação de uma ou mais de uma proposição, chega-se a determinada conclusão.

RA.CI.O.NAL *adj.2gên.* 1) Referente à razão. 2) Dotado da capacidade de raciocinar. 3) Conforme a razão. 4) Diz-se do número que pode ser expresso pelo quociente de outros dois. / *s.m.* 5) O ser pensante; o homem.

RA.CI.O.NA.LIS.MO *s.m. Filos.* Doutrina segundo a qual todo o conhecimento e explicação da realidade se deve à razão e ao raciocínio.

RA.CI.O.NA.LI.ZAR *v.t.d.* 1) Tornar mais racional, reflexivo. 2) Tornar mais eficiente, por meio de raciocínio, organização e método. 3) Tentar entender ou explicar algo de maneira racional, coerente e lógica.

RA.CI.O.NA.MEN.TO *s.m.* 1) Ato ou efeito de racionar. 2) Restrição da quantidade de gêneros que cada pessoa ou família pode consumir.

RA.CI.O.NAR *v.t.d.* 1) Dividir em rações; distribuir rações de. 2) Controlar o consumo.

RA.CIS.MO *s.m.* 1) Teoria que defende a pretensa superioridade de certas etnias. 2) Qualidade, sentimento ou ato de quem é racista.

RA.CIS.TA *adj.2gên.* 1) Relativo a racismo. / *s.2gên.* 2) Pessoa adepta do racismo.

RA.DAR *s.m. Fís.* Equipamento de ondas eletromagnéticas que permite detectar com exatidão onde se acham objetos distantes (avião, navio, etc.), pelo som e/ou imagem.

RA.DI.A.ÇÃO *s.f.* 1) Ação ou efeito de radiar. 2) *Fís.* Forma de propagação ou emissão de energia. 3) Transmissão de energia através do espaço, em linha reta, à velocidade de até 300.000 km/s, como o som, a luz, etc.

RA.DI.A.DOR (ô) *s.m.* Aparelho para aquecer ambientes ou para refrigerar motores.

RA.DI.AL *adj.2gên.* 1) Que emite raios. 2) *Anat.* Relativo ao rádio (osso do antebraço). / *s.f.* 3) Avenida que, partindo do centro urbano, atinge a periferia.

RA.DI.A.LIS.TA *s.2gên.* Profissional que trabalha em emissora de rádio.

RA.DI.A.NO *s.m. Mat.* Unidade de ângulo equivalente a um arco de circunferência que, retificado, é igual ao comprimento do raio.

RA.DI.AN.TE *adj.2gên.* 1) Brilhante, cintilante, fulgurante. 2) *fig.* Muito feliz, alegre. 3) *Fís.* Que emite ou se propaga através de raios.

RA.DI.AR *v.i.* 1) Emitir raios de luz; fulgurar, cintilar, resplandecer. / *v.t.d.* 2) Circundar de raios refulgentes; aureolar. 3) Fazer brilhar; irradiar.

RA.DI.A.TI.VI.DA.DE *s.f.* Radioatividade.

RA.DI.A.TI.VO *adj.* Radioativo.

RA.DI.CAL *adj.2gên.* 1) Referente à raiz. 2) Principal, básico. 3) Que prega o radicalismo ou age com radicalismo, ou que revela inflexibilidade. 4) Completo. / *s.m.* 5) *Gram.* A parte invariável de uma palavra. 6) *Mat.* Sinal usado sobre uma expressão algébrica ou um número de que se deve extrair alguma raiz. 7) Adepto do radicalismo.

RA.DI.CA.LIS.MO *s.m.* 1) *Sociol.* Doutrina favorável a mudanças culturais e sociais profundas e básicas na estrutura organizacional do Estado. 2) Comportamento ou opinião inflexível; extremismo.

RA.DI.CA.LI.ZAR *v.t.d., v.i.* e *v.p.* Tornar(-se) radical, drástico, inflexível.

RA.DI.CAN.DO *s.m. Mat.* Número ou expressão algébrica sob o radical.

RA.DI.CAR *v.t.d.* 1) Aprofundar, enraizar, gerar. / *v.p.* 2) Arraigar-se, apoiar-se, enraizar-se. 3) Confirmar-se, consolidar-se. 4) Fixar residência.

RÁ.DIO *s.m.* 1) *Quím.* Elemento metálico branco, brilhante, alcalinoterroso, intensamente radioativo. Símbolo Ra, número atômico 88, massa atômica 226,05. 2) *Anat.* Osso do antebraço. 3) Aparelho receptor de ondas hertzianas, para captar sinais radiofônicos das estações de radiodifusão. / *s.f.* 4) Empresa de radiodifusão; radioemissora.

RA.DIO.A.MA.DOR (ô) *adj.* e *s.m.* Relativo a ou aquele que possui ou opera uma estação particular de radiotelefonia.

RA.DIO.A.TI.VI.DA.DE *s.f. Fís.* 1) Propriedade de certos corpos de emitir radiações. 2) Fenômeno pelo qual certos corpos emitem raios invisíveis que podem impressionar as chapas fotográficas, excitar a condutibilidade elétrica aos gases, etc.; radiatividade.

RA.DIO.A.TI.VO *adj. Fís.* Que possui ou emite radioatividade.

RA.DIO.FO.NI.A *s.f.* Sistema de emissão e transmissão de sons por meio de ondas de rádio.

RA.DIO.GRA.FAR *v.t.d.* Fazer a radiografia de.

RA.DIO.GRA.FI.A *s.f. Med.* 1) Processo de obtenção de uma imagem de parte do corpo por meio de raios X. 2) A imagem obtida por esse processo.

RA.DIO.JOR.NA.LIS.MO *s.m.* Forma de jornalismo transmitida pelo rádio.

RA.DIO.LA *s.f.* Aparelho que possui rádio e vitrola.

radiologia

RA.DIO.LO.GI.A *s.f.* Ramo da medicina que estuda e usa radiações para fins diagnósticos e terapêuticos.
RA.DIO.NO.VE.LA *s.f.* Novela transmitida pelo rádio.
RÁ.DIO-O.PA.CO ou **RA.DI.O.PA.CO** *adj.* Impermeável aos raios X ou a outras formas de radiação.
RA.DIO.PA.TRU.LHA *s.f.* 1) Sistema de policiamento no qual há comunicação por rádio entre viaturas e uma estação. 2) Veículo policial que possui esse sistema de comunicação.
RÁ.DIO-RE.LÓ.GIO *s.m.* Aparelho que possui rádio e relógio.
RA.GU *s.m. Cul.* Ensopado de carne com legumes e molho.
RAI.A *s.f.* 1) Risca, linha, baliza. 2) Fronteira; limite de terreno ou terra. 3) Pista de corridas de cavalos. 4) *Zool.* Arraia, peixe marinho ou de água doce.
RAI.AR *v.i.* 1) Emitir raios luminosos; brilhar. 2) Aparecer, mostrar-se. 3) Surgir no horizonte; luzir. / *v.t.i.* e *v.i.* 4) Fulgurar, flamejar, fulgir. / *v.t.d.* 5) Traçar riscas ou raias em; abalizar. 6) Irradiar. / *v.t.i.* 7) Tocar as raias ou limites; aproximar-se.
RAI.I.NHA *s.f.* 1) Mulher soberana de um reino. 2) Esposa ou viúva do rei. 3) *fig.* A principal entre outras. 4) Variedade de maçã e pera. 5) Peça do jogo de xadrez. 6) Abelha-mestra.
RAI.O *s.m.* 1) A luz que emana dum foco luminoso e segue uma trajetória reta em determinada direção. 2) Faísca elétrica entre uma nuvem e a Terra. 3) Luz intensa e viva; claridade. 4) Faísca elétrica; centelha. 5) *Geom.* Distância do centro do círculo para qualquer ponto da circunferência. 6) *fig.* Tudo o que destrói ou causa ruína. 7) Vestígio, sinal.
RAI.VA *s.f.* 1) Doença infecciosa provocada por um vírus oculto, especialmente dos cães, podendo transmitir-se por mordedura a outros animais e ao homem; hidrofobia. 2) Comichão que as crianças sentem nas gengivas no período da dentição. 3) Ira, cólera. 4) Birra, antipatia; ódio.
RAI.VAR *v.t.i.* e *v.i.* 1) Cobrir-se de raiva; embravecer-se, enraivecer-se; estar ou ficar furioso. / *v.i.* 2) Agitar-se violentamente.
RAI.VO.SO (ô) *adj.* 1) Que sofre de raiva; hidrófobo. 2) Dominado por ira; irritado, furioso.
RA.IZ *s.f.* 1) Parte inferior dos vegetais por onde eles se fixam no solo e tiram a nutrição. 2) Parte inferior do dente que se encrava no alvéolo. 3) Parte oculta de qualquer acontecimento. 4) Prolongamento profundo de certos tumores. 5) Origem, princípio, procedência. 6) *Gram.* Palavra primitiva de que derivam outras. 7) *Mat.* Valor da incógnita das equações matemáticas.
RA.JÁ *s.m.* Príncipe indiano.
RA.JA.DA *s.f.* 1) Golpe de vento. 2) Vento intenso. 3) Sequência de tiros de metralhadora.

RA.JA.DO *adj.* 1) Raiado, listrado. 2) Diz-se dos animais malhados que têm manchas escuras.
RA.LA.DOR (ô) *adj.* 1) Que rala. / *s.m.* 2) Utensílio doméstico provido de uma série de furos com os bordos salientes e cortantes, para reduzir a migalhas certos alimentos.
RA.LAR *v.t.d.* 1) Reduzir a migalhas ou a pó através do ralador. 2) Moer ou triturar. / *v.t.d.* e *v.p.* 3) Aborrecer(-se), torturar(-se).
RA.LÉ *s.f.* 1) Camada inferior da sociedade; relé, plebe, escória social, gentalha, gentinha. 2) Populacho, poviléu, vulgo, zé-povinho. 3) Animal que pode ser presa das aves de rapina.
RA.LHAR *v.t.i.* e *v.i.* 1) Repreender, censurar. / *v.t.i.* 2) Admoestar, advertir, criticar.
RA.LI *s.m.* Competição automobilística com percurso longo e muitos obstáculos para testar a habilidade dos pilotos e a resistência das máquinas.
RA.LO *s.m.* 1) Ralador. 2) Fundo de peneira. 3) Folha de metal cheia de furos para deixar passar a água retendo os detritos. / *adj.* 4) Pouco espesso.
RA.MA *s.f.* 1) Ramos e folhagens de vegetais; ramada, ramagem. 2) Caixilho em que se estendem tecidos fabricados para secar.
RA.MA.GEM *s.f.* 1) Rama. 2) Desenho de folhas, ramos e folhagens.
RA.MAL *s.m.* 1) Ramificação de uma estrada ou caminho. 2) Ramificação interna de uma rede telefônica. 3) Conjunto de fios torcidos e trançados de que se fazem as cordas.
RA.MA.LHE.TE (ê) *s.m.* 1) Pequeno ramo. 2) Buquê de flores naturais ou artificiais.
RA.MEI.RA *s.f.* Prostituta, meretriz.
RA.MI.FI.CA.ÇÃO *s.f.* 1) Ato ou efeito de ramificar(-se). 2) Bifurcação, ramal. 3) Propagação; difusão.
RA.MI.FI.CAR *v.t.d.* e *v.p.* 1) Gerar ou subdividir-se em ramos ou raízes. 2) Subdividir(-se). / *v.p.* 3) *fig.* Espalhar-se, propagar-se, alastrar-se.
RA.MO *s.m.* 1) Divisão ou subdivisão de um caule; galho. 2) Molho de flores ou folhagens. 3) Família procedente de um tronco. 4) Atividade específica em qualquer trabalho ou profissão.
RAM.PA *s.f.* 1) Plano inclinado considerado no sentido da subida; aclive. 2) Ladeira; declive.
RAN.CHA.RI.A *s.f.* 1) Agrupamento de ranchos; arranchamento. 2) Povoado pobre.
RAN.CHEI.RA *s.f.* 1) Dança de origem argentina. 2) A música dessa dança.
RAN.CHO *s.m.* 1) Caravana de pessoas, reunidas para uma jornada ou passeio. 2) Lote de gente. 3) Construção para guardar rações e utensílios domésticos no sítio. 4) Refeição de marinheiros, soldados ou presos.
RAN.ÇO *s.m.* 1) Gosto ruim em comida, mau sabor; deterioração da comida. 2) Bafio, mofo, bolor. 3) Velharia.

RAN.COR (ô) *s.m.* 1) Aborrecimento, ódio. 2) Ressentimento profundo.

RAN.CO.RO.SO (ô) *adj.* Quem sente ou guarda rancor.

RAN.ÇO.SO (ô) *adj.* Que tem ranço, que apresenta sabor azedo e cheiro desagradável.

RAN.GE.DEI.RA *s.f.* Parte de couro ou de cortiça que o sapateiro coloca entre a palmilha e a sola do calçado, para fazê-lo ranger ao andar.

RAN.GER *v.i.* 1) Produzir um som áspero e intenso; chiar. / *v.t.d.* 2) Atritar os dentes uns contra os outros.

RAN.GI.DO *s.m.* Ruído produzido por coisa que range.

RAN.GO *s.m. pop.* Comida, refeição.

RA.NHE.TA (ê) *adj.2gên.* e *s.2gên.* Diz-se de pessoa mal-humorada, ranzinza, rabugenta.

RA.NHO *s.m. pop.* Muco, catarro.

RA.NHU.RA *s.f.* 1) Entalhe em peça de madeira ou metal onde se encaixa o ressalto de outra peça. 2) Pequeno sulco ou risco em superfície plana.

RA.NI.CUL.TOR (ô) *adj.* e *s.m.* Criador de rãs.

RA.NI.CUL.TU.RA *s.f.* Criação de rãs.

RAN.ZIN.ZA *adj.2gên.* 1) *pop.* Birrento, rabugento, teimoso. 2) Mal-humorado, impertinente. / *s.2gên.* 3) Pessoa ranzinza.

RAP (rép) *s.m. ingl. Mús.* Gênero musical popular que consiste em declamação rápida da letra com melodia em ritmo bem marcado.

RA.PA *s.m.* 1) Jogo que consiste numa espécie de pião com quatro faces iguais, tendo em cada uma das faces a inicial de uma palavra. 2) Raspa. 3) *Fam.* Guloso, glutão. 4) Resíduos de alimento no fundo da panela.

RA.PA.DU.RA *s.f.* 1) Rapadela. 2) Ato de rapar. 3) Açúcar mascavo solidificado em pequenos quadrados. 4) Doce com açúcar e amendoim.

RA.PA.GÃO (ã) *s.m.* 1) Rapaz possante; marmanjo. 2) Forma aumentativa de rapaz.

RA.PAR *v.t.d.* 1) Cortar rente. 2) Desgastar, ralar. 3) Despojar, sonegar, rapinar. / *v.t.d.* e *v.p.* 4) Cortar à navalha o pelo de, escanhoar(-se); barbear(-se).

RA.PA.RI.GA *s.f.* 1) Mulher muito nova. 2) Mulher no período entre a infância e a adolescência. 3) Meretriz.

RA.PAZ *s.m.* Adolescente, garoto, moço, jovem.

RA.PA.ZI.A.DA *s.f.* Turma de rapazes.

RA.PA.ZO.LA *s.m.* 1) Rapaz já crescido. 2) Homem que age como rapaz.

RA.PÉ *s.m.* Pó de tabaco.

RA.PEL *s.m.* Descida de um paredão ou desfiladeiro com a ajuda de cabo ou cordas presas ao corpo.

RA.PI.DEZ (ê) *s.f.* Qualidade de rápido; ligeireza.

RÁ.PI.DO *adj.* 1) Que se move velozmente. 2) De curta permanência; breve. 3) Instantâneo, imediato. 4) Transitório; efêmero. / *adv.* 5) Com rapidez, rapidamente. / *s.m.* 6) Declive no leito de um rio, corredeira.

RA.PI.NA *s.f.* Roubo praticado com violência; pilhagem, extorsão.

RA.PI.NAR *v.t.d.* 1) Roubar, apanhar, abater com violência. / *v.i.* 2) Cometer extorsão, chantagem.

RA.PO.SA (ô) *s.f.* 1) *Zool.* Nome comum de vários mamíferos, da família dos Canídeos, predadores de aves. 2) *fig.* Pessoa artificiosa, astuta, estrategista.

RAP.SÓ.DIA *s.f.* 1) Trecho de poemas épicos recitados pelo rapsodo. 2) *Mús.* Composição musical de forma livre com temas populares e tradicionais de um povo ou região.

RAP.SO.DO (ó ou ô) *s.m.* 1) Na Grécia antiga, pessoa que recitava poesias épicas. 2) Poeta.

RAP.TAR *v.t.d.* 1) Cometer rapto contra. / *v.t.d.* e *v.t.d.i.* 2) Apossar-se de algo; roubar.

RAP.TO *s.m.* 1) Ato ou efeito de arrebatar. 2) *Dir.* Crime que consiste em arrebatar uma pessoa por violência ou sedução. 3) Extorsão, furto, peculato, ladroeira. 4) *fig.* Exaltação do espírito; êxtase.

RAP.TOR (ô) *adj.* e *s.m.* Que ou quem rapta.

RA.QUE *s.f.* 1) *Anat.* Coluna vertebral, espinha dorsal. 2) *Bot.* Eixo central da espiga, de uma inflorescência ou de uma folha composta. 3) *Ornit.* Eixo maciço da pena das aves. 4) Pequeno móvel adaptado para acomodar aparelhos eletrônicos e outros objetos.

RA.QUE.TA *s.f.* Raquete.

RA.QUE.TA.DA *s.f.* Golpe dado com raquete.

RA.QUE.TE *s.f.* Espécie de pá oval própria para jogar o pingue-pongue ou o tênis; raqueta.

RA.QUÍ.TI.CO *adj.* e *s.m.* 1) Que ou quem sofre de raquitismo. / *adj.* 2) *pop.* Pouco desenvolvido; franzino.

RA.QUI.TIS.MO *s.m.* Doença da infância causada por carência de vitamina D.

RA.RE.AR *v.t.d.* e *v.i.* 1) Tornar(-se) raro ou pouco denso. 2) Reduzir a pequeno número; escassear. / *v.i.* 3) Apresentar falhas.

RA.RE.FA.ZER *v.t.d.* 1) Tornar menos denso; rarear; dilatar. / *v.p.* 2) Tornar-se menos denso ou menos espesso; dilatar-se. 3) Dissipar-se, diluir-se, sublimar-se. 4) Tornar-se menos compacto; expandir-se.

RA.RE.FEI.TO *adj.* Que se rarefez; com baixa densidade.

RA.RI.DA.DE *s.f.* 1) Qualidade de raro. 2) Coisa difícil de se encontrar, rara, valiosa.

RA.RO *adj.* 1) Pouco comum. 2) Que poucas vezes se encontra. 3) Particular, extraordinário. 4) Pouco abundante; pouco numeroso. 5) Pouco espesso; ralo. / *adv.* 6) Raramente, dificilmente.

RA.SAN.TE *adj.2gên.* 1) Diz-se de voo que faz uma trajetória no ar muito próxima ao chão. / *s.m.* 2) Voo rasante.

RA.SAR *v.t.d.* 1) Medir com a rasa. 2) Nivelar; igualar. 3) Tornar raso; encher até as bordas. / *v.p.* 4) Encher-se, derramar.

RAS.CU.NHAR *v.t.d.* 1) Fazer o rascunho de; esboçar. / *v.i.* 2) *fig.* Riscar.

RAS.CU.NHO *s.m.* 1) Minuta de qualquer escrito para posteriores correções. 2) Esboço.

RAS.GA.DO *adj.* 1) Esfarrapado, rompido. 2) Estilhaçado, escancarado. 3) Espaçoso, vasto, dilatado. 4) Atribulado, agoniado, dilacerado. 5) Franco; desembaraçado. / *s.m.* 6) No Brasil, diz-se do toque de viola, violão ou guitarra em que se arrastam as unhas pelas cordas.

RAS.GÃO *s.m.* 1) Abertura que as águas dos rios fazem em serras ou montanhas. 2) Abertura em tecidos; rasgamento, rasgadura, rasgo.

RAS.GAR *v.t.d.* 1) Fazer rasgão ou rasgões em; abrir, cortar. 2) Rescindir, anular. 3) Lancear, ferir, picar. 4) Abrir, lavrar, escavacar. / *v.p.* 5) Dividir-se em fragmentos ou pedaços; fender-se, partir-se. 6) Desarmonizar-se, desassociar-se, apartar-se. 7) Afligir-se, atormentar-se. / *v.i.* 8) Despontar; assomar.

RAS.GO *s.m.* 1) Rasgado, rasgadura. 2) Arranhão. 3) *fig.* Ação nobre ou heroica. 4) *fig.* Impulso, ímpeto, arroubo.

RA.SO *adj.* 1) De superfície plana, liso. 2) Cortado rente. 3) Pouco acima do nível do solo, rasteiro. 4) Planície sem arborização. 5) De pouca profundidade. 6) Sem graduação (soldado). 7) Diz-se de qualquer recipiente cheio, ou ocupado por líquido até as bordas. 8) Diz-se do ângulo que mede 180°. / *s.m.* 9) Campo, planície, superfície.

RAS.PA *s.f.* O que se tira raspando-se um objeto; apara, rasura.

RAS.PA.DEI.RA *s.f.* Instrumento para raspar o pelo das cavalgaduras; pente de ferro.

RAS.PÃO *s.m.* Ferimento superficial causado por atrito; arranhão.

RAS.PAR *v.t.d.* 1) Tirar partes na superfície de um corpo com instrumento adequado ou unha. 2) Arranhar, roçar. 3) Apagar; destruir. 4) Alisar, pentear (o animal) com a raspadeira. / *v.p.* 5) *pop.* Esquivar, afastar-se, fugir. / *v.t.i.* 6) Atritar, friccionar, esfregar.

RAS.TEI.RA *s.f.* 1) Golpe de capoeira com o pé. 2) *fig.* Ardil, chicana, astúcia; falsidade. 3) *fig.* Ato traiçoeiro; perfídia.

RAS.TEI.RO *adj.* 1) Que se arrasta ou se estende pelo chão; rastejante. 2) *fig.* Baixo, humilde. 3) Abominável, vil.

RAS.TE.JAR *v.t.d.* 1) Seguir pelo rasto; rastear, rastrear. 2) Indagar, averiguar. / *v.i.* 3) Arrastar-se (o réptil) sobre o ventre pelo chão. 4) Estender-se pelo chão (a planta). 5) *fig.* Humilhar-se; rebaixar-se.

RAS.TE.LO (ê) *s.m.* 1) Espécie de pente com que se tira a estopa do linho. 2) Ancinho; gadanho

com que se limpa terreno. 3) Instrumento agrícola com dentes de madeira ou de ferro, para aplainar a terra lavrada preparando-a para o plantio; restelo.

RAS.TI.LHO *s.m.* 1) Fio coberto de pólvora para comunicar fogo a uma carga explosiva. 2) *fig.* O que serve de pretexto para o desencadeamento de um tumulto.

RAS.TO *s.m.* 1) Vestígio da passagem de alguém ou de algum animal. 2) Resquício, indício; rastro.

RAS.TRE.A.MEN.TO *s.m.* Ato ou efeito de rastrear; rastreio.

RAS.TRE.AR *v.t.d.* e *v.i.* 1) Seguir os rastros de alguém. 2) *Astronáut.* Fazer o rastreamento de. 3) Localizar após seguir o rastro. / *v.t.d.* 4) Limpar a terra com o rastrilho.

RAS.TREI.O *s.m.* Ato ou efeito de rastrear.

RAS.TRO *s.m.* 1) Marca deixada por pessoa ou animal em seu caminho; pegada, vestígio. 2) *fig.* Indício, pista.

RA.SU.RA *s.f.* 1) Letras ou palavras riscadas num papel ou documento, de modo que se impossibilite sua leitura, ou para alterar-lhe o texto. 2) Traço passado sobre aquilo que se escreveu. 3) Fragmentos de substâncias medicinais.

RA.SU.RAR *v.t.d.* Fazer rasura em um documento ou texto escrito para tornar as informações ilegíveis ou para alterá-las.

RA.TA.ZA.NA *s.f.* 1) Fêmea do rato; rata grande. 2) Grande roedor que vive em pântanos, galerias de esgotos, etc. / *s.2gên.* 3) *pop.* Indivíduo ridículo ou divertido. 4) *pop.* Ladrão ou ladra.

RA.TE.AR *v.t.d.* 1) Repartir proporcionalmente. / *v.i.* 2) *Mec.* Falhar (um motor) por desgaste do platinado.

RA.TEI.O *s.m.* Divisão proporcional.

RA.TI.FI.CA.ÇÃO *s.f.* Ato ou efeito de ratificar.

RA.TI.FI.CAR *v.t.d.* 1) Tornar autêntica a aprovação de; legitimar. 2) Evidenciar, sancionar, confirmar, concretizar. / *v.p.* 3) Confirmar o que já havia dito.

RA.TO *s.m.* 1) *Zool.* Designação dos mamíferos roedores da família dos Murídeos. 2) *fig.* Larápio; gatuno; ladrão. / *adj.2gên.* 3) Excêntrico; ridículo.

RA.TO.EI.RA *s.f.* 1) Armadilha para pegar ratos. 2) Artifício, arapuca. 3) *Folc.* Dança de roda regional, de moças e rapazes, do estado de Santa Catarina.

RA.VI.Ó.LI *s.m. Cul.* Espécie de pequeno pastel ou macarrão, com recheio de carne moída, requeijão fresco, espinafre, etc.

RA.ZÃO *s.f.* 1) Faculdade própria do homem para conhecer, refletir, julgar, distinguir, raciocinar, etc. 2) O entendimento ou inteligência humana. 3) Raciocínio, pensamento; opinião, análise, juízo. 4) Motivo, causa, pretexto. 5) Argumento, justificação, prova. 6) *Mat.* A relação existente entre grandezas da mesma espécie. 7) Proporção, comparação. 8) Percentagem, taxa de juros. / *s.m.* 9) *Com.* Livro de Contabilidade.

RA.ZO.AR *v.i.* 1) Raciocinar. / *v.t.d.* 2) Advogar, proteger; defender. / *v.t.i.* 3) Falar; discorrer.

RA.ZO.Á.VEL *adj.2gên.* 1) Conforme à razão; racionável. 2) Ajuizado, moderado. 3) Admissível, satisfatório. 4) Imparcial, verdadeiro.

RÉ *s.f.* 1) Feminino de réu; mulher criminosa. 2) A marcha que faz o veículo recuar ➡ marcha a ré. / *s.m.* 3) *Mús.* Segunda nota da escala musical.

RE.A.BAS.TE.CER *v.t.d.* e *v.p.* Tornar a abastecer (-se).

RE.A.BER.TU.RA *s.f.* Ato ou efeito de reabrir(-se).

RE.A.BI.LI.TA.ÇÃO *s.f.* Recuperação de capacidade física, moral ou intelectual; recapacitação.

RE.A.BI.LI.TAR *v.t.d.* 1) Restituir a dignidade a uma pessoa. 2) Regenerar, recuperar. / *v.p.* 3) Readquirir estima ou crédito; regenerar-se.

RE.A.BRIR *v.t.d.*, *v.i.* e *v.p.* Abrir(-se) de novo.

RE.AB.SOR.VER *v.t.d.* Absorver ou sugar novamente.

RE.A.ÇÃO *s.f.* 1) Ato ou efeito de reagir. 2) Resposta. 3) Resistência. 4) *Fís.* Ação reflexa ou oposta a outra que atua sobre determinado corpo. 5) *Fisiol.* Ação orgânica resultante do emprego de um estimulante. 6) *Psicol.* Resposta a um estímulo qualquer. 7) *Quím.* Fenômeno produzido pelo contato entre duas substâncias químicas, o qual dá origem a novas substâncias.

RE.A.CEN.DER *v.t.d.* 1) Acender novamente; reativar. 2) Recomeçar; reestimular; vivificar. / *v.p.* 3) Animar-se.

RE.A.CI.O.NÁ.RIO *adj.* e *s.m.* 1) Que ou aquele que defende princípios ultraconservadores. / *adj.* 2) Que é contrário à liberdade individual e coletiva; retrógrado.

RE.AD.MIS.SÃO *s.f.* 1) Ato ou efeito de readmitir. 2) Reingresso ao emprego de funcionário dispensado.

RE.AD.QUI.RIR *v.t.d.* Adquirir novamente; recuperar.

RE.A.FIR.MAR *v.t.d.* Afirmar outra vez.

RE.A.GEN.TE *adj.2gên.* e *s.m.* *Quím.* Diz-se de ou substância que provoca reação química ou que serve para determinar a presença de um elemento em determinada composição.

RE.A.GIR *v.t.i.* e *v.i.* 1) Exercer reação; opor ação contrária a outra. / *v.i.* 2) Opor-se; lutar, resistir. 3) *Quím.* Servir de reagente.

RE.A.GRA.VAR *v.t.d.* Agravar novamente; acentuar.

RE.A.GRU.PAR *v.t.d.* e *v.p.* 1) Reunir(-se) novamente em grupo. 2) Reorganizar(-se) em novos grupos.

RE.A.JUS.TAR *v.t.d.* e *v.p.* Ajustar(-se) novamente.

RE.AL *adj.2gên.* 1) Que existe de fato; correto. 2) Referente ao rei, à realeza; régio. / *s.m.* 3) Unidade monetária do Brasil. 4) Aquilo que é real.

RE.AL.ÇAR *v.t.d.* 1) Pôr em lugar alto; pôr em destaque. 2) Fazer fulgir; fazer destacar. 3) *Pint.* Intensificar (as cores). 4) Dar mais brilho, mais valor a. / *v.p.* 5) Elevar-se.

RE.A.LE.GRAR *v.t.d.* 1) Alegrar novamente. 2) Recuperar alegria.

RE.A.LE.JO (ê) *s.m.* 1) *Mús.* Espécie de órgão portátil que funciona por meio de manivela. 2) *pop.* Piano desafinado. 3) *pop.* Pessoa que fala muito.

RE.A.LE.ZA (ê) *s.f.* 1) Dignidade de rei; poder do rei. 2) Esplendor, ostentação, grandeza.

RE.A.LI.DA.DE *s.f.* 1) Característica de real. 2) O que de fato existe.

RE.A.LIS.MO *s.m.* 1) Estado ou qualidade de real. 2) Clarividência. 3) Qualidade de encarar e enfrentar a realidade. 4) *Lit.* Movimento literário que busca narrar os fatos com mais objetividade, mais próximo ao real, em oposição ao Romantismo. 5) Sistema político em que o chefe de Estado é rei; monarquismo.

RE.A.LIS.TA *adj.2gên.* 1) Relativo a ou próprio do realismo. / *adj.2gên.* e *s.2gên.* 2) Que ou quem tem uma visão objetiva da realidade; pragmático. 3) Que ou o que reproduz ou tenta reproduzir a realidade.

RE.A.LI.ZAR *v.t.d.* 1) Tornar real, concretizar. 2) Pôr em ação ou em prática; executar, efetivar. / *v.p.* 3) Dar-se, passar-se, acontecer.

RE.A.NI.MAR *v.t.d.* 1) Dar novo ânimo a, tornar a animar. 2) Restabelecer as forças de; tonificar. 3) Vivificar, revigorar, revitalizar. / *v.i.* e *v.p.* 4) Readquirir animação.

RE.A.PREN.DER *v.t.d.* Aprender novamente.

RE.A.PRE.SEN.TAR *v.t.d.* Apresentar de novo.

RE.A.PRO.VEI.TAR *v.t.d.* Aproveitar de novo; reutilizar.

RE.A.PRO.XI.MAR (ss) *v.t.d.* e *v.p.* Tornar a aproximar(-se).

RE.AS.CEN.DER *v.t.d.* 1) Fazer subir de novo; tornar a erguer. / *v.i.* 2) Ascender novamente.

RE.AS.SU.MIR *v.t.d.* Tornar a assumir, tomar novamente posse de.

RE.A.TAR *v.t.d.* 1) Atar ou amarrar de novo. 2) Dar continuidade a; recomeçar, retomar.

RE.A.TI.VAR *v.t.d.* e *v.p.* Ativar novamente.

RE.A.TI.VO *adj.* e *s.m.* Que ou aquilo que reage; reagente.

RE.A.TOR (ó) *adj.* 1) Que reage. / *s.m.* 2) Motor propulsor de reação no qual a energia térmica de combustão é transformada em energia cinética por expansão.

RE.A.VA.LI.AR *v.t.d.* Fazer nova avaliação de; reconsiderar.

RE.A.VER *v.t.d.* Tornar a haver; recuperar, reconquistar.

RE.A.VI.VAR *v.t.d.* 1) Tornar a avivar; reacender. 2) Trazer de novo à memória; recordar, relembrar. 3) *fig.* Dar novo ânimo; estimular.

RE.BAI.XAR *v.t.d.* 1) Baixar mais. 2) Fazer diminuir o valor ou o preço. 3) Aviltar, humilhar. 4) Desonrar, difamar. / *v.i.* 5) Diminuir na altura, abater-se. / *v.p.* 6) Sofrer diminuição na altura. 7) Aviltar-se, humilhar-se.

RE.BA.NHO *s.m.* 1) Grupo de ovelhas, cabras; gado. 2) Conjunto de animais guardados por um pastor. 3) Conjunto de fiéis de uma religião, em relação ao seu orientador espiritual.

RE.BAR.BA *s.f.* 1) Saliência. 2) Dobra carnuda na parte inferior do rosto, própria de pessoas muito gordas. 3) Encaixe das pedras preciosas em anéis e brincos. 4) Aresta. 5) *Tip.* Espaço entre duas linhas regulares.

RE.BA.TER *v.t.d.* 1) Tornar a bater; bater novamente. 2) Repulsar, repelir. 3) *Fut.* Atrair ou desviar (a bola) a esmo, sem direção. 4) Domar, refrear, abafar. 5) Contrapor, responder. 6) Arrasar, aniquilar. 7) Censurar, repreender. 8) Adiantar ou receber com desconto. / *v.i.* 9) Agiotar; especular.

RE.BE.LAR *v.t.d.* e *v.t.d.i.* 1) Incitar à rebeldia contra algo ou alguém. / *v.t.i.* e *v.p.* 2) Expressar desacordo; opor(-se).

RE.BEL.DE *adj.2gên.* 1) Que se revolta ou se insurge contra o governo ou contra a autoridade legitimamente constituída; revoltoso, insurreto. 2) Desobediente, indisciplinado, teimoso. 3) Violento, aguerrido, indomável, emperrado. 4) Infrutífero, escabroso.

RE.BEL.DI.A *s.f.* 1) Ato de rebelar-se. 2) Qualidade de rebelde. 3) Oposição, resistência.

RE.BE.LI.ÃO *s.f.* 1) Ato ou efeito de rebelar(-se). 2) Oposição a autoridade. 3) Revolução, revolta.

RE.BEN.QUE *s.m.* Pequeno chicote de couro.

RE.BEN.TAR *v.i.* 1) Explodir, arrebentar. 2) Estrondear. 3) Quebrar-se. 4) Brotar, germinar. / *v.t.i.* e *v.i.* 5) Lançar gemas ou brotos; desabrochar. / *v.t.d.* 6) Fazer estourar com grande ruído; abrir à força.

RE.BEN.TO *s.m.* 1) *Bot.* Gomo dos vegetais; broto. 2) Fruto; produto. 3) *fig.* Filho, descendente.

RE.BI.TE *s.m.* 1) Tipo de prego para unir duas ou mais peças. 2) Dobra na ponta de um prego que o impede de sair do lugar.

RE.BO.BI.NAR *v.t.d.* Enrolar novamente na bobina.

RE.BO.CAR *v.t.d.* 1) Cobrir de reboco. 2) Levar a reboque; reboquear.

RE.BO.CO (ô) *s.m.* 1) Concreto de cal, cimento e areia para revestir paredes. 2) Conteúdo com que se reveste a superfície interna de um vaso para vedá-lo.

RE.BO.JO (ô) *s.m.* 1) Redemoinho do vento quando muda repentinamente de direção. 2) Remoinho de água, no mar ou nos rios, formado pelo embate das correntezas com a massa das águas paradas.

RE.BO.LA.DO *s.m.* Movimento dos quadris; saracoteado, saracoteio.

RE.BO.LAR *v.t.d.* 1) Fazer movimentar como uma bola. 2) *fig.* Enfrentar dificuldades. / *v.i.* e *v.p.* 3) Agitar-se em torno de um centro; rolar sobre si próprio. 4) Bambolear-se, mexer os quadris; sacudir.

RE.BO.LI.ÇO *adj.* 1) Que rebola. 2) Que tem forma de rebolo.

RE.BO.QUE *s.m.* 1) Ato ou efeito de rebocar. 2) Ato de levar alguém subordinado a si. 3) Veículo próprio para rebocar outro; guincho. 4) Tração exercida por um veículo.

RE.BOR.DO (ô) *s.m.* Borda voltada para fora ou revirada.

RE.BO.TE *s.m.* 1) O que retorna. 2) Réplica; resposta. 3) Salto de um corpo elástico depois de chocar-se com outro. 4) *Esp.* No basquetebol, a bola que bate na tabela e volta. 5) *Esp.* No futebol, bola rebatida pelo goleiro ou por outro jogador de defesa, e que sobra para o atacante finalizar. 6) Rabote.

RE.BU *s.m. pop.* Confusão, desordem, agitação.

RE.BU.LI.ÇO *s.m.* 1) Grande barulho; desordem, motim. 2) Agitação. 3) Alvoroço; confusão.

RE.BUS.CA.DO *adj.* 1) Que foi buscado outra vez. 2) Apurado com esmero excessivo; requintado.

RE.BUS.CAR *v.t.d.* 1) Buscar de novo; procurar minuciosamente; vasculhar. 2) Apurar muito (um texto ou uma fala); requintar.

RE.CA.DO *s.m.* 1) Aviso, mensagem, notícia , comunicação, geralmente verbal. 2) Satisfação ou cumprimento de encargo ➡ dar conta do recado. 3) Censura, repreensão.

RE.CA.Í.DA *s.f.* 1) Ato ou efeito de recair; recaimento. 2) Reincidência de uma doença ou moléstia antes de o doente ter sido completamente curado.

RE.CAL.CA.DO *adj.* 1) Que sofre de recalque. 2) Repisado; reprimido; refreado. 3) Ensimesmado, retido. / *s.m.* 4) Indivíduo que sofre de recalque.

RE.CAL.CI.TRAR *v.i.* 1) Resistir obstinadamente; não ceder; desobedecer. 2) Revoltar-se. / *v.t.d.* 3) Rebater, replicar, responder. / *v.t.i.* 4) Replicar de modo descortês; desobedecer.

RE.CAL.QUE *s.m.* 1) Recalcamento. 2) *Constr.* Rebaixamento de camadas do solo ou de lençóis de água nas fundações dos edifícios. 3) Rebaixamento da parede ou da terra, após a construção da obra. 4) Complexo psicológico. 5) Repressão.

RE.CAM.BI.AR *v.t.d.* 1) Fazer voltar ao ponto de partida; restituir, reenviar. 2) Devolver um título de crédito não pago.

RE.CAN.TO *s.m.* 1) Canto isolado e oculto. 2) Lugar agradável ou aconchegante.

RE.CA.PI.TU.LAR *v.t.d.* 1) Repetir sumariamente; abreviar, sintetizar. 2) Relembrar.

recapturar | recibo

RE.CAP.TU.RAR *v.t.d.* Apanhar ou capturar novamente.

RE.CAR.GA *s.f.* Rebote; réplica; novo ataque.

RE.CAR.RE.GAR *v.t.d.* e *v.p.* Carregar(-se) novamente.

RE.CA.SAR *v.t.d.* e *v.i.* Casar(-se) novamente.

RE.CA.TA.DO *adj.* 1) Que tem decência; sóbrio, casto. 2) Prudente, ajuizado. 3) Modesto.

RE.CA.TAR *v.t.d.* 1) Guardar com dignidade; resguardar. 2) Ter em segredo; encobrir. / *v.p.* 3) Portar-se com decência.

RE.CA.TO *s.m.* 1) Característica do que é decente; pudor, honestidade. 2) Resguardo, cautela.

RE.CAU.CHU.TAR *v.t.d.* 1) Recompor pneumáticos de automóveis desgastados pelo uso. 2) *fig.* Restaurar; reconstituir. / *v.p.* 3) Submeter-se a cirurgia plástica. 4) Apresentar-se como novo.

RE.CE.AR *v.t.d., v.t.i.* e *v.p.* 1) Ter medo ou receio de; temer, preocupar(-se). / *v.t.d.* 2) Achar, pensar, acreditar.

RE.CE.BE.DOR (ô) *adj.* 1) Que ou aquele que recebe. / *s.m.* 2) Funcionário encarregado da arrecadação de impostos, taxas, contribuições, etc.

RE.CE.BER *v.t.d.* 1) Aceitar em pagamento. 2) Acolher. 3) Coletar. 4) Obter homenagens, honras, etc. / *v.i.* 5) Dar recepções ou sessões solenes; acolher visitas. / *v.p.* 6) Casar-se.

RE.CEI.O *s.m.* 1) Dúvida ou perturbação, acompanhada de temor. 2) Aflição, medo, nervosismo.

RE.CEI.TA *s.f.* 1) Importância recebida ou arrecadada; renda. 2) Conjunto dos lucros de um Estado, uma sociedade, um indivíduo. 3) Fórmula de prescrição médica. 4) Fórmula de qualquer produto industrial ou de preparado culinário. 5) *fig.* Instruções, recomendações; conselhos.

RE.CEI.TAR *v.t.d., v.t.d.i.* e *v.i.* 1) Prescrever uma receita médica. / *v.t.d.* e *v.t.d.i.* 2) Recomendar; aconselhar.

RE.CEI.TU.Á.RIO *s.m.* 1) Formulário usado por médicos para receitar medicamentos. 2) Conjunto de receitas prescritas pelo médico durante um tratamento.

RE.CÉM *adv.* 1) Recentemente; ainda agora. 2) Elemento que se junta a uma forma do particípio para conferir a ideia de recentemente.

RE.CÉM-CA.SA.DO *adj.* e *s.m.* Diz-se da pessoa que é casada há pouco tempo.

RE.CÉM-NAS.CI.DO *adj.* e *s.m.* Diz-se da criança que nasceu há poucas horas ou poucos dias.

RE.CEN.DER *v.t.d.* 1) Lançar cheiro intenso e agradável; exalar. / *v.i.* 2) Ter cheiro forte e agradável. / *v.t.i.* 3) Revelar-se por aroma ou odor muito ativo. 4) Cheirar agradavelmente.

RE.CEN.SÃO *s.f.* 1) Levantamento; recenseamento. 2) Classificação; fichário. 3) Relação; catálogo. 4) Análise crítica de uma obra literária ou de um texto. 5) Comparação que se faz do texto de uma edição com o de edição anterior.

RE.CEN.SE.A.MEN.TO *s.m.* 1) Declaração ou registro de pessoas ou animais; recensão. 2) Cadastro; censo.

RE.CEN.SE.AR *v.t.d.* 1) Constar no recenseamento. 2) Relacionar, enumerar. 3) Analisar a exatidão ou defeito de; ponderar, considerar.

RE.CEN.TE *adj.2gên.* 1) Que ocorreu há pouco tempo. 2) Que tem pouco tempo de vida.

RE.CE.O.SO (ô) *adj.* Que sente receio.

RE.CEP.ÇÃO *s.f.* 1) Ato ou efeito de receber. 2) Festa, solenidade onde se recebem pessoas convidadas. 3) Cerimônia na qual alguém é admitido numa congregação ou empossado num cargo. 4) Acolhimento.

RE.CEP.CIO.NIS.TA *s.2gên.* Profissional encarregado de receber pessoas e dar informações em hotéis, hospitais, escritórios, etc.

RE.CEP.TÁ.CU.LO *s.m.* 1) Lugar onde se recebe e guarda alguma coisa; recipiente. 2) Acolhimento, refúgio; jazigo. 3) Lugar onde se reúnem coisas provenientes de diversas origens. 4) *Bot.* Parte superior de um pedúnculo das plantas, no qual se agrupam flores.

RE.CEP.TA.DOR (ô) *adj.* e *s.m.* Que ou quem adquire, guarda ou oculta produtos de crime.

RE.CEP.TAR *v.t.d.* Apanhar, guardar, ocultar objetos furtados por outrem.

RE.CEP.TI.VO *adj.* 1) Aberto a novas ideias, estímulos ou impressões. 2) Afável, compreensivo.

RE.CEP.TOR (ô) *adj.* 1) Que ou aquilo que recebe; recebedor. / *s.m.* 2) Aparelho que recebe sinais de rádio, elétricos, luminosos, etc. 3) Qualquer aparelho que tem como objetivo receber ação ou impressão.

RE.CES.SÃO *s.f.* 1) Ato ou efeito de retroceder, de se apartar; recuo. 2) Período de queda nas atividades econômicas com elevação dos índices de desemprego.

RE.CES.SI.VO *adj.* 1) Relativo à recessão. 2) *Genét.* Diz-se do caráter presente no híbrido, que não se manifesta, pois está oculto pelo dominante, podendo manifestar-se em gerações futuras. 3) *fig.* Concentrado, dissimulado, latente.

RE.CES.SO *s.m.* Suspensão temporária das atividades do legislativo e do judiciário; retiro.

RE.CHA.ÇAR *v.t.d.* 1) Contestar, rebater. 2) Replicar, responder, refutar. 3) Opor resistência.

RE.CHE.AR *v.t.d.* 1) Encher de recheio. 2) Encher com preparado culinário. 3) Intercalar abundantemente. / *v.p.* 4) Enriquecer-se.

RE.CHEI.O *s.m.* 1) O que preenche; conteúdo. 2) *Cul.* Alimento que vai dentro ou no meio de outro. 3) *Mús.* O conjunto das vozes, na harmonia. 4) *fig.* Economia, pecúlio.

RE.CHON.CHU.DO *adj.* Gorducho.

RE.CI.BO *s.m.* Documento que, assinado, comprova o recebimento de alguma coisa; comprovante.

reciclagem

RE.CI.CLA.GEM *s.f.* 1) Atualização de conhecimentos, visando à melhoria do desempenho profissional. 2) Reaproveitamento de material usado.

RE.CI.FE *s.m.* 1) Penha ou grupo de rochedos nas proximidades da costa do mar e à flor da água. 2) *fig.* Obstáculo; estorvo.

RE.CIN.TO *s.m.* 1) Espaço discreto. 2) Espaço compreendido entre certos limites. 3) Santuário. 4) Ambiente, lugar.

RE.CI.PI.EN.TE *adj.2gên.* 1) Que ou aquilo que recebe. / *s.m.* 2) Vasilha; receptáculo. 3) Vaso próprio para receber os produtos de uma operação química. 4) Campânula da máquina pneumática.

RE.CI.PRO.CI.DA.DE *s.f.* Condição do que é recíproco; correspondência mútua.

RE.CÍ.PRO.CO *adj.* 1) Que se realiza permuta ou troca entre duas pessoas, dois grupos, dois objetos, etc.; mútuo. 2) *Gram.* Diz-se do verbo na voz reflexiva. / *s.m.* 3) *Mat.* O inverso de um número.

RÉ.CI.TA *s.f.* 1) Espetáculo de declamação. 2) Concerto musical. 3) Representação teatral.

RE.CI.TA.DO *adj.* 1) Lido ou repetido em voz alta; declamado. / *s.m.* 2) Diz-se do que é recitativo; trecho recitado.

RE.CI.TAL *s.m.* 1) *Mús.* Concerto de um solista. 2) Série de declamações dada por uma só pessoa. 3) Apresentação dos alunos de um mestre de música.

RE.CI.TAR *v.t.d.* 1) Ler, falar ou cantar em voz alta e clara. 2) Proferir, mencionar ou narrar declamando. / *v.i.* 3) Orar, na igreja, em voz alta e acentuada.

RE.CLA.MA.ÇÃO *s.f.* 1) Ato ou efeito de reclamar. 2) *Jur.* Reivindicação de um direito; queixa, protesto.

RE.CLA.MAR *v.t.i.* e *v.i.* 1) Exigir, reivindicar (direitos). 2) Opor-se por meio de palavras ou por escrito. / *v.t.d.* 3) Solicitar, implorar. 4) Atrair (uma ave) com o reclamo de outra. / *v.i.* 5) Lastimar-se, bradar, protestar; queixar-se.

RE.CLA.ME *s.m.* Publicidade comercial; propaganda.

RE.CLI.NAR *v.t.d.* 1) Desviar da posição vertical; inclinar. / *v.t.d.* e *v.p.* 2) Apoiar(-se), abaixar(-se); recostar(-se). / *v.p.* 3) Deitar-se, tranquilizar, repousar.

RE.CLU.SÃO *s.f.* 1) Ato ou efeito de encerrar(-se). 2) Encerramento, cárcere. 3) Prisão; masmorra. 4) Cadeia, presídio.

RE.CO.BRAR *v.t.d.* 1) Retomar, receber novamente, readquirir, recuperar. / *v.p.* 2) Reanimar-se, recuperar-se; restabelecer-se. 3) Livrar-se do que o aflige.

RE.CO.BRIR *v.t.d.* e *v.p.* Cobrir(-se) novamente.

RE.CO.LHER *v.t.d.* 1) Fazer a colheita de. 2) Abrigar, guardar. 3) Reunir, acumular. 4) Contrair, apreender. 5) Tirar da circulação. 6) Coligir, juntar.

reconfortar

7) Arrecadar, angariar. 8) Fazer a cobrança de, receber. / *v.p.* 9) Retirar-se de algum lugar. 10) Abrigar-se, refugiar-se. 11) Deitar-se.

RE.CO.LHI.DA *s.f.* 1) Recolhimento. 2) Retirada. 3) Vida reservada. 4) Mulher que vive em convento sem ter feito votos.

RE.CO.LHI.MEN.TO *s.m.* 1) Ato ou efeito de recolher(-se); recolhida. 2) Isolamento. 3) Lugar onde se recolhe alguém ou alguma coisa. 4) Prudência, dignidade. 5) Abrigo, asilo, resguardo. 6) Retiro espiritual. 7) Meditação, reflexão. 8) Vida concentrada. 9) Encerramento em prisão pública.

RE.CO.LO.CAR *v.t.d.*, *v.t.d.i.* e *v.p.* Colocar de novo.

RE.CO.ME.ÇAR *v.t.d.* Continuar algo que estava parado; começar novamente; retomar, reiniciar.

RE.CO.ME.ÇO (ê) *s.m.* Novo começo.

RE.CO.MEN.DA.ÇÃO *s.f.* 1) Ato ou efeito de recomendar(-se). 2) Qualidade de recomendável. 3) Advertência, conselho. 4) Sugestão, lembrete. 5) Apresentação, carta de empenho.

RE.CO.MEN.DAR *v.t.d.* 1) Aconselhar, lembrar. 2) Indicar com boas informações. 3) Proporcionar, remeter ou comunicar saudações. / *v.p.* 4) Tornar-se recomendável.

RE.COM.PEN.SA *s.f.* 1) Ato ou efeito de recompensar(-se). 2) Prêmio, galardão.

RE.COM.PEN.SAR *v.t.d.* 1) Dar recompensa a; premiar. 2) Retribuir; compensar; gratificar. / *v.p.* 3) Indenizar-se, pagar-se.

RE.COM.POR *v.t.d.* e *v.p.* 1) Devolver ou recuperar formato anterior; restaurar. 2) Reorganizar(-se), reestruturar(-se). 3) Ficar em harmonia; reconciliar(-se).

RE.CON.CI.LI.A.ÇÃO *s.f.* 1) Ato ou efeito de reconciliar(-se). 2) Restabelecimento de relações de acordo, de amizade, de paz, entre pessoas que estavam em discórdia. 3) Reconsagração de uma igreja que fora interditada.

RE.CON.CI.LI.AR *v.t.d.* 1) Restabelecer a amizade. 2) Absolver na confissão. / *v.p.* 3) Fazer as pazes. 4) Confessar-se de faltas leves. 5) Colocar-se em paz com a própria consciência.

RE.CON.DI.CI.O.NAR *v.t.d.* 1) Recuperar a boa condição de uma coisa; reformar. 2) Recompor; retificar; refazer.

RE.CÔN.DI.TO *adj.* 1) Lugar oculto; recanto; retiro. 2) Âmago, íntimo; lugar de descanso.

RE.CON.DU.ZIR *v.t.d.* 1) Remeter de volta ao lugar de onde veio; devolver, reenviar. 2) Levar de novo; recolocar. 3) Fazer voltar ao mesmo cargo; eleger novamente.

RE.CON.FOR.TAN.TE *adj.2gên.* e *s.m.* Que ou o que reconforta.

RE.CON.FOR.TAR *v.t.d.* e *v.p.* 1) Recuperar o vigor, a energia; revigorar(-se). / *v.t.d.* 2) Ganhar ou dar novo conforto; consolar.

RE.CON.GRA.ÇAR *v.t.d.*, *v.t.d.i.* e *v.p.* Reconciliar; harmonizar novamente.

RE.CO.NHE.CER *v.t.d.* 1) Conhecer novamente. 2) Identificar, distinguir, marcar, assinalar. 3) Aceitar como legítimo ou correto. 4) Ficar convencido de; estar certo ou consciente de. 5) Autenticar, endossar; assinar. 6) Mostrar-se agradecido. / *v.p.* 7) Declarar-se, confessar-se.

RE.CON.QUIS.TAR *v.t.d.* 1) Conquistar novamente, readquirir por conquista. 2) Concretizar, recuperar, reaver.

RE.CON.SI.DE.RAR *v.t.d.* 1) Considerar ou avaliar novamente. / *v.i.* 2) Pensar melhor, mudar a resolução anterior.

RE.CONS.TI.TU.IR *v.t.d.* 1) Constituir novamente; retocar, restaurar. 2) Restabelecer, recuperar.

RE.CONS.TRU.IR *v.t.d.* 1) Construir novamente. 2) Reedificar; reformar, reorganizar, reestruturar. / *v.i.* 3) Fazer reconstruções.

RE.CON.TAR *v.t.d.* 1) Tornar a contar; calcular novamente. / *v.p.* 2) Contar-se, incluir-se.

RE.CO.PI.LAR *v.t.d.* 1) Abreviar, sintetizar, resumir. 2) Compendiar, juntar trechos de vários autores.

RE.COR.DA.ÇÃO *s.f.* 1) Ação ou efeito de recordar. 2) Lembrança, memória. 3) Objeto que evoca uma lembrança.

RE.COR.DAR *v.t.d.* 1) Trazer à memória; fazer vir à memória. 2) Rememorar, recapitular. / *v.t.i.* e *v.p.* 3) Lembrar(-se).

RE.COR.DE *s.m.* 1) *Esp.* Primeiro lugar numa classificação ou torneio. 2) Ponto máximo. 3) Proeza fantástica.

RE.COR.DIS.TA *adj.2gên.* e *s.2gên.* Que ou quem estabelece ou supera um recorde.

RE.COR.RÊN.CIA *s.f.* 1) Aquilo que é recorrente; repetição, retorno. 2) *Med.* Reaparecimento dos sintomas de uma doença; recaída.

RE.COR.RER *v.t.d.* 1) Percorrer novamente. 2) Chamar; evocar. 3) Pedir auxílio, proteção, justiça. 4) Averiguar, pesquisar, investigar. / *v.t.i.* 5) Interpor recurso judicial ou administrativo; apelar.

RE.COR.TAR *v.t.d.* 1) Cortar, acompanhando modelos para formar figuras. 2) Intercalar, intervalar. 3) Separar de um todo, cortando.

RE.COR.TE *s.m.* 1) Ato ou efeito de recortar(-se). 2) Publicações de jornais ou revistas, recortados para se guardar; recortado. 3) *fig.* Ímpeto; rasgo.

RE.COS.TAR *v.t.d.* 1) Encostar, inclinar, reclinar. / *v.p.* 2) Pôr-se em posição de descanso; apoiar-se; encostar-se.

RE.COS.TO (ô) *s.m.* Parte de um assento própria para alguém se recostar; almofada; travesseiro.

RE.CRE.A.ÇÃO *s.f.* 1) Ato ou efeito de recrear (-se). 2) Recreio.

RE.CRE.AR *v.t.d.* 1) Distrair, entreter, divertir, alegrar. / *v.p.* 2) Sentir prazer ou satisfação; descansar; folgar. 3) Brincar, deleitar-se, divertir-se.

RE.CRE.A.TI.VO *adj.* Que diverte; para o lazer, a recreação.

RE.CREI.O *s.m.* 1) Diversão, folguedo, entretenimento. 2) Brincadeira, passatempo. 3) Lugar onde se recreia. 4) Coisas que recreiam. 5) Recreação. 6) Intervalo entre as aulas na escola para as crianças brincarem e tomarem o lanche.

RE.CRI.A *s.f.* 1) Recriação. 2) Nova existência.

RE.CRI.AR *v.t.d.* 1) Criar de novo. 2) Constituir de novo; restabelecer, restaurar.

RE.CRI.MI.NAR *v.t.d.* 1) Repreender, admoestar. 2) Censurar. 3) Inculpar, acusar.

RE.CRU.TA *s.m.* 1) Soldado novato nos exercícios militares. / *s.f.* 2) A instrução do serviço militar que é dada aos recrutas. 3) Comitiva de peões que reúnem o gado de uma fazenda. 4) Porção de gado arrebanhado. / *s.2gên.* 5) Indivíduo inexperiente, em começo de carreira.

RE.CRU.TAR *v.t.d.* 1) Arregimentar, alistar, arrolar (jovens) para o serviço militar. 2) Atrair, engajar adeptos para uma associação. 3) Arrebanhar, juntar. / *v.p.* 4) Associar-se, unir-se a.

RE.CU.AR *v.i.* 1) Andar para trás, andar de costas. 2) Perder, desistir. 3) Contrariar; atrasar-se. 4) Hesitar. 5) Desistir de um objetivo. / *v.t.d.* 6) Desistir, renunciar em relação ao que já foi dito. / *v.t.d.* 7) Lançar para trás. 8) Fazer retroceder.

RE.CU.O *s.m.* 1) Ato ou efeito de recuar. 2) Afastamento da fachada de uma construção em relação ao alinhamento das outras construções vizinhas.

RE.CU.PE.RAR *v.t.d.* 1) Readquirir; recobrar; reconquistar; reaver. / *v.p.* 2) Restabelecer-se, restaurar-se; reabilitar-se. 3) Indenizar-se, ressarcir-se.

RE.CUR.SO *s.m.* 1) Ato ou efeito de recorrer. 2) Subsídio, assistência, socorro. 3) Meio, expediente, saída.

RE.CUR.VO *adj.* 1) Torcido, dobrado. 2) Oblíquo; inclinado; atravessado. 3) Recurvado.

RE.CU.SA *s.f.* 1) Ato ou efeito de recusar. 2) Resposta negativa.

RE.CU.SAR *v.t.d.* 1) Não aceitar, não admitir; abdicar. 2) Não querer; escusar-se. / *v.p.* 3) Não corresponder. 4) Negar-se.

RE.DA.ÇÃO *s.f.* 1) Ato ou efeito de redigir. 2) Expressão por escrito. 3) Local de trabalho dos redatores. 4) Conjunto de redatores.

RE.DAR.GUIR *v.t.d.* 1) Replicar, argumentando. 2) Incriminar, repreender. / *v.t.i.* 3) Responder, rebater, contrapor, revidar.

RE.DA.TOR (ô) *s.m.* 1) Indivíduo que redige. 2) Indivíduo que escreve habitualmente para uma publicação periódica.

RE.DE (ê) *s.f.* 1) Peça de tecido para dormir. 2) Tecido com que as mulheres envolvem o cabelo. 3) Conjunto de cabos telefônicos ou elétricos de uma localidade. 4) Conjunto de estradas. 5) Aparelho de pesca de malhas que deixa passar a água e retém os peixes. 6) Cilada.

RÉ.DEA *s.f.* 1) Instrumento para conduzir os cavalos. 2) *fig.* Governo; poder. 3) Freio, segurança.

RE.DE.MO.I.NHO (o-i) *s.m.* 1) Movimento giratório em espiral; rodamoinho. 2) Turbilhão de água que se forma no mar ou em rio.

RE.DEN.ÇÃO *s.f.* 1) Ato ou efeito de remir. 2) *Teol.* Salvação; libertação dos pecados, pagamento. 3) *Teol.* O resgate da humanidade por obra de Jesus Cristo.

RE.DEN.TOR *adj.* e *s.m.* 1) Que ou o que redime ou salva. / *s.m.* 2) *Rel.* No cristianismo, Jesus Cristo.

RE.DI.GIR *v.t.d.* 1) Escrever, compor. / *v.i.* 2) Exprimir, sintaticamente, por escrito.

RE.DI.MEN.SIO.NAR *v.t.d.* Dimensionar novamente.

RE.DI.MIR *v.t.d.*, *v.t.d.i.* e *v.p.* 1) Livrar(-se), libertar(-se), remir(-se). / *v.t.d.* 2) Reparar um pecado, falta, etc.; expiar, pagar. 3) Livrar da condenação eterna; salvar.

RE.DIS.TRI.BU.IR *v.t.d.* Distribuir de novo.

RE.DI.ZER *v.t.d.* 1) Dizer novamente. 2) Repetir o que o outro disse. 3) Recontar.

RE.DO.BRAR *v.t.d.* 1) Dobrar novamente. 2) Reduplicar; quadruplicar. 3) Aumentar muito; repetir. 4) Fazer soar novamente o sino.

RE.DO.MA *s.f.* Campânula, cilindro de vidro transparente, para resguardar objetos do pó.

RE.DON.DE.ZA (ê) *s.f.* 1) Relativo a redondo. 2) Qualquer região da esfera terrestre. 3) Circunvizinhanças, arrabaldes, arredores.

RE.DON.DI.LHA *s.f.* Composição poética de cinco (redondilha menor) ou de sete sílabas (redondilha maior).

RE.DON.DO *adj.* 1) Circular. 2) Esférico. 3) Cilíndrico. 4) Curvo. 5) Completo. 6) *fig.* Gordo; roliço.

RE.DOR *s.m.* 1) Arrabalde, arredor. 2) Circuito, contorno, cerca; perímetro. 3) Roda, anel.

RE.DU.ÇÃO *s.f.* 1) Ato ou efeito de reduzir(-se); diminuição. 2) Resumo. 3) Abatimento, desconto. 4) Cópia reduzida. 5) Ato de reprimir. 6) *Gram.* Abreviação. 7) *Arit.* Transformação de uma quantidade em outra, equivalente.

RE.DUN.DÂN.CIA *s.f.* 1) Característica do que é redundante, repetitivo. 2) Insistência nas mesmas ideias. 3) *Gram.* Repetição de palavras ou frases para expressar a mesma ideia; tautologia, pleonasmo.

RE.DUN.DAN.TE *adj.2gên.* Repetitivo, excessivo, supérfluo.

RE.DUN.DAR *v.i.* 1) Sobejar, sobrar, superabundar. 2) Ser mais do que necessário; ser excessivo. 3) Expandir. / *v.t.i.* 4) Nascer, acontecer, resultar.

RE.DU.PLI.CAR *v.t.d.* 1) Duplicar novamente. 2) Aumentar, repetir. / *v.i.* 3) Redobrar.

RE.DU.TÍ.VEL *adj.2gên.* 1) Que se pode reduzir; reduzível. 2) *Mat.* Diz-se da fração ordinária cujos termos têm divisor comum, podendo-se transformar em outra fração de termos menores.

RE.DU.TO *s.m.* 1) Ambiente no interior de uma fortaleza para lhe aumentar a resistência. 2) Proteção, refúgio, defesa.

RE.DU.TOR (ô) *adj.* e *s.m.* 1) Que ou o que reduz. 2) *Quím.* Diz-se de ou substância que tem a propriedade de desoxidar.

RE.DU.ZI.DA *s.f.* 1) *Mat.* Fração irredutível, menor possível, cujos termos são números primos. 2) *Mec.* Engrenagem especial de alguns automóveis, que diminui a velocidade, mas aumenta a força de tração. 3) *Gram.* Oração subordinada, constituída por uma forma nominal do verbo: infinitivo, gerúndio ou particípio.

RE.DU.ZIR *v.t.d.* 1) Diminuir, tornar menor. 2) Abrandar, atenuar, encolher. 3) Restringir, abreviar, resumir. 4) Apertar, estreitar, limitar. 5) Tornar mais concentrado por meio da ebulição. 6) *Mat.* Simplificar uma fração. 7) *Quím.* Separar em partes os componentes; desagregar. / *v.t.d.i.* 8) Constranger, forçar. / *v.p.* 9) Limitar-se; resumir-se; transformar-se.

RE.E.DI.ÇÃO *s.f.* 1) Ato de reeditar. 2) Nova edição, publicação.

RE.E.DI.FI.CAR *v.t.d.* 1) Edificar pela segunda vez, reconstruir. 2) Reformar, consertar, restaurar.

RE.E.DU.CAR *v.t.d.* 1) Educar novamente. 2) Melhorar a educação de.

RE.E.LE.GER *v.t.d.* 1) Eleger outra vez. / *v.p.* 2) Tornar a eleger-se.

RE.EM.BAR.CAR *v.t.d.* e *v.i.* Embarcar novamente.

RE.EM.BOL.SAR *v.t.d.* 1) Tornar a embolsar, reaver, readquirir. 2) Indenizar; recompensar, ressarcir. / *v.p.* 3) Estar ou ficar novamente de posse (do que se emprestou).

RE.E.MEN.DAR *v.t.d.* Emendar outra vez.

RE.EN.CAR.NA.ÇÃO *s.f.* 1) Ato ou efeito de reencarnar(-se). 2) Crença no retorno de uma alma à vida em outro corpo. 3) *Rel.* No cristianismo, ressurreição dos corpos no dia do Juízo Final.

RE.EN.CAR.NAR *v.t.i.*, *v.i.* e *v.p.* 1) Tornar a encarnar. 2) Viver de novo (o espírito), em outro corpo.

RE.EN.CON.TRAR *v.t.d.* e *v.p.* Encontrar(-se) novamente.

RE.EN.TRÂN.CIA *s.f.* Ângulo ou curva ou movimento para dentro.

RE.EN.VI.AR *v.t.d.* 1) Enviar novamente. 2) Retornar, recambiar; restituir.

RE.ER.GUER *v.t.d.* e *v.p.* Tornar a erguer(-se).

RE.ES.CRE.VER *v.t.d.* Escrever outra vez.

RE.ES.TRU.TU.RA.ÇÃO *s.f.* 1) Ato ou efeito de reestruturar. 2) Remanejamento, redistribuição.

RE.E.XA.MI.NAR *v.t.d.* e *v.p.* Examinar(-se) outra vez.

RE.EX.PE.DIR *v.t.d.* Expedir outra vez o que recebeu.

RE.EX.POR.TAR *v.t.d.* Exportar novamente.

refazer | refratário

RE.FA.ZER *v.t.d.* 1) Fazer novamente. 2) Constituir ou formar outra vez; reparar, reorganizar. 3) Retificar, emendar. 4) Restaurar, reedificar. 5) Indenizar, recompensar. 6) Reforçar, revigorar. / *v.p.* 7) Recuperar-se, restabelecer-se.

RE.FEI.ÇÃO *s.f.* 1) Ato de refazer as forças; de alimentar-se; ato de comer. 2) Quantia de alimentos que se toma de cada vez a certas horas do dia.

RE.FEI.TO *adj.* 1) Retificado, emendado, reparado. 2) Restabelecido, restaurado.

RE.FEI.TÓ.RIO *s.m.* Sala própria para servir refeições em estabelecimentos comunitários.

RE.FÉM *s.2gên.* 1) Pessoa que alguém leva para garantia de uma promessa ou tratado. 2) Pessoa sequestrada.

RE.FE.RÊN.CIA *s.f.* 1) Ato ou efeito de referir; narração ou relação de algo. 2) Relação de coisas entre si. 3) Citação, sugestão, insinuação.

RE.FE.RIR *v.t.d.* 1) Citar, exibir, narrar, mencionar. 2) Comparar. / *v.p.* 3) Aludir, ter referência ou relação com. 4) Reportar-se. 5) Dizer respeito a.

RE.FIL *s.m.* Produto para repor, recarregar ou reabastecer certos objetos.

RE.FI.NA.ÇÃO *s.f.* 1) Ato ou efeito de refinar(-se); aprimoramento. 2) Refinamento; refinaria. 3) Local onde se refina. 4) *fig.* Sutileza.

RE.FI.NA.DO *adj.* 1) Que passou por processo de refinação. 2) Requintado, aprimorado, sofisticado.

RE.FI.NAR *v.t.d.* 1) Tornar mais fino; apurar. 2) Separar de matéria estranha; purificar. 3) Fabricar produtos derivados de petróleo pela destilação do petróleo bruto. 4) Tornar mais delicado; aperfeiçoar. 5) Tornar sutil; aprimorar, requintar. / *v.t.i.* e *v.p.* 6) Aperfeiçoar-se, requintar-se. 7) Aprimorar-se.

RE.FI.NA.RI.A *s.f.* Usina onde são refinados certos produtos; refinação.

RE.FLE.TIR *v.p.* 1) Reproduzir-se, imaginar-se, retratar-se. / *v.t.d.* 2) Mostrar, descobrir. 3) Repetir, repercutir. 4) *Fís.* Fazer retroceder conforme a lei da reflexão (os raios luminosos, caloríficos ou sonoros); retratar; espelhar. / *v.t.i.* 5) Repercutir, transmitir. 6) Incidir; fazer eco. / *v.t.i.* e *v.i.* 7) Pensar com maturidade; meditar, raciocinar. 8) Mudar de direção, voltando.

RE.FLE.TOR (ô) *adj.* 1) Que reflete. / *s.m.* 2) Dispositivo de iluminação que reflete luz.

RE.FLE.XÃO (cs) *s.f.* 1) Ato ou efeito de refletir. 2) Meditação. 3) Bom senso, inteligência. 4) Ponderação, observação. 5) Retorno da luz ou do som. 6) Consideração atenta.

RE.FLE.XI.VO (cs) *adj.* 1) Que reflete. 2) Voltado para si mesmo; pensativo, introvertido. 3) *Gram.* Diz-se de verbos cujo sujeito e objeto se referem ao mesmo ser.

RE.FLE.XO (cs) *adj.* 1) Que se faz por meio da reflexão; refletido. 2) Que se volta sobre si mesmo. 3) Que age de forma indireta. 4) Diz-se de uma reação involuntária a um estímulo exterior. / *s.m.* 5) Controle indireto. 6) Reflexão da luz, do calor, do som. 7) Reação, réplica. 8) *Psicol.* Reação inconsciente em consequência de uma excitação interna ou externa.

RE.FLO.RES.CER *v.i.* 1) Florescer novamente; reflorir. 2) Reviver, rejuvenescer, reanimar-se. 3) Encher-se de flores. / *v.t.d.* 4) Fazer reflorescer. 5) Reanimar, revigorar.

RE.FLO.RES.TAR *v.t.d.* Plantar árvores em local onde foi derrubada floresta virgem.

RE.FLU.IR *v.i.* 1) Fluir para trás; correr o líquido ao lugar de origem. / *v.t.i.* 2) Retroceder ao ponto de partida, regressar.

RE.FLU.XO (cs) *s.m.* 1) Ato ou efeito de refluir. 2) Reação. 3) Movimento da maré baixa.

RE.FO.GA.DO *s.m.* 1) Molho preparado com cebola e outros temperos. / *adj.* 2) Diz-se do alimento passado em azeite.

RE.FO.GAR *v.t.d.* 1) Passar temperos e condimentos em gordura quente. 2) Cozinhar com refogado; guisar.

RE.FOR.ÇAR *v.t.d.* 1) Deixar mais forte, mais sólido. / *v.p.* 2) Tornar-se mais forte, mais consistente. 3) Apoiar-se em; encostar-se; fortalecer.

RE.FOR.ÇO (ô) *s.m.* 1) Ato ou efeito de reforçar. 2) Auxílio; suporte. 3) Peça que se junta a outra para reforçá-la. 4) Tropas auxiliares.

RE.FOR.MA *s.f.* 1) Ato ou efeito de reformar; reformação. 2) Forma nova. 3) Transformação. 4) Movimento religioso do começo do século XVI, quando surgiu o Protestantismo, encabeçado por Lutero, que era contra a venda de indulgências da Igreja Católica. 5) Restauração; modificação. 6) Aposentadoria de militar.

RE.FOR.MAR *v.t.d.* 1) Formar de novo; refazer. 2) Reconstruir; reorganizar, atualizar. 3) Purificar dos erros ou defeitos; retificar, moralizar. / *v.p.* 4) Corrigir-se, obter reforma. 5) Refazer-se; prover-se.

RE.FOR.MA.TÓ.RIO *adj.* 1) Que ou aquilo que reforma. / *s.m.* 2) Estabelecimento destinado a recuperar menores delinquentes. 3) Conjunto de leis e preceitos para reeducação de indivíduos transviados.

RE.FOR.MU.LAR *v.t.d.* Formular novamente.

RE.FRA.ÇÃO *s.f.* 1) Ato ou efeito de refratar(-se). 2) *Fís.* Desvio de direção que sofrem os raios luminosos, caloríficos ou sonoros, ao passar de um meio para outro.

RE.FRÃO *s.m.* 1) Ditado, axioma, rifão. 2) Estribilho; adágio.

RE.FRA.TÁ.RIO *adj.* e *s.m.* 1) Que ou o que é resistente ao calor. / *adj.* 2) Imune a alguma doença. 3) Contrário; rebelde. 4) Que resiste a certas influências.

421

RE.FRE.AR *v.t.d.* 1) Reprimir, dominar, derrotar. 2) Conter (o cavalo) com freio. / *v.p.* 3) Conter (-se), moderar(-se).

RE.FRES.CAN.TE *adj.2gên.* Que refresca.

RE.FRES.CAR *v.t.d.* 1) Tornar mais fresco, refrigerar. 2) Reanimar; restaurar. 3) Dar novas forças; suavizar. / *v.i.* 4) Tornar-se mais fresco; reduzir a temperatura. / *v.p.* 5) Enfraquecer o calor do corpo. 6) Tomar novas forças. 7) Acalmar-se; aquietar-se.

RE.FRES.CO (ê) *s.m.* 1) Aquilo que refresca; refrigerante. 2) Conforto, refrigério. 3) *fig.* Auxílio, reforço, suprimento.

RE.FRI.GE.RA.DOR (ô) *adj.* 1) Que ou aquilo que refrigera; refrigerante. / *s.m.* 2) Geladeira; frigorífico.

RE.FRI.GE.RAN.TE *adj.2gên.* 1) Que ou aquilo que refrigera; refrigerador, refrigerativo. / *s.m.* 2) Bebida para refrigerar; refresco.

RE.FRI.GE.RAR *v.t.d.* e *v.p.* 1) Tornar frio; congelar. 2) Aliviar, consolar, confortar. 3) Refrescar(-se). 4) Sentir-se aliviado, reconfortado.

RE.FRI.GÉ.RIO *s.m.* 1) Ato ou efeito de refrigerar. 2) Conforto, bem-estar. 3) Lenitivo, alívio.

RE.FU.GAR *v.t.d.* 1) Abandonar; não aceitar; pôr de parte. 2) Apartar; selecionar o bom do impestável. / *v.i.* 3) Recusar-se, refugir.

RE.FU.GI.A.DO *adj.* e *s.m.* Que ou quem se refugiou.

RE.FU.GI.AR *v.p.* 1) Procurar abrigo; recolher-se em lugar seguro; esconder-se. 2) Proteger-se, defender-se. / *v.i.* 3) Fugir novamente. 4) Recuar, retroceder. / *v.t.i.* 5) Procurar escapar, eximir-se. / *v.t.d.* 6) Evitar, desviar-se de.

RE.FÚ.GIO *s.m.* 1) Lugar seguro; abrigo, asilo. 2) Guarida, amparo.

RE.FU.GO *s.m.* 1) Aquilo que foi refugado ou rejeitado; rebotalho, resto. 2) Ato de refugar. 3) Resíduos; detritos; cisco.

RE.FUL.GIR *v.i.* 1) Brilhar muito; luzir, resplandecer. 2) *fig.* Distinguir-se, sobressair-se.

RE.FU.TAR *v.t.d.* 1) Afirmar o contrário de; desmentir, negar. 2) Não aceitar; rejeitar, recusar. 3) Pôr em dúvida; contestar, contradizer.

RE.GA.DOR (ô) *adj.* 1) Que ou aquele que rega. / *s.m.* 2) Vaso para regar plantas que distribui a água por um tubo crivado.

RE.GA.LAR *v.t.d.* 1) Originar regalo a; deliciar, encantar. 2) Oferecer elegantemente; brindar, doar. / *v.p.* 3) Sentir encanto; congratular-se.

RE.GA.LI.A *s.f.* 1) Direito competente de rei. 2) Permissão especial; mordomia; privilégio.

RE.GA.LO *s.m.* 1) Prazer, contentamento. 2) Vida tranquila; mimo; presentes. 3) Agasalho de peles, para proteger as mãos do frio. 4) Rede puxada a braços.

RE.GA.NHAR *v.t.d.* Tornar a ganhar; recuperar, reconquistar.

RE.GAR *v.t.d.* 1) Molhar, aguar. 2) Umedecer as plantas através de irrigação; irrigar. 3) Inundar; banhar. 4) *Fam.* Acompanhar (os alimentos) com bebidas.

RE.GA.TA *s.f.* 1) *Esp.* Competição de barcos. 2) Camisa decotada e sem mangas.

RE.GA.TAR *v.t.d.* 1) Comprar e vender a varejo. / *v.i.* 2) Fazer regatas.

RE.GA.TE.AR *v.t.d.* 1) Discutir sobre preço para obter por menos; pechinchar. 2) Menosprezar, achatar, rebaixar. 3) Conceder com escassez. / *v.i.* 4) Pedir abatimento. 5) Discutir de forma teimosa e grosseira.

RE.GE.LA.DO *adj.* 1) Transformado em gelo, congelado. 2) Muito frio.

RE.GE.LO (ê) *s.m.* 1) Ato ou efeito de regelar; congelamento. 2) *fig.* Frieza do coração; indiferença.

RE.GÊN.CIA *s.f.* 1) Ato ou efeito de reger. 2) Administração; direção. 3) Cargo e funções de regente. 4) *Gram.* Relação entre as palavras de uma oração ou entre as orações de um período.

RE.GE.NE.RAR *v.t.d.* e *v.p.* 1) Tornar a gerar(-se); repetir(-se); reproduzir(-se). 2) Multiplicar(-se), reabilitar(-se).

RE.GEN.TE *adj.2gên.* 1) Que rege, dirige ou governa; regedor. / *s.2gên.* 2) Diretor de uma orquestra; maestro. 3) Professor; mestre; diretor; administrador. 4) Aquele que rege uma nação provisoriamente.

RE.GER *v.t.d.* 1) Gerir, administrar. 2) Reinar; governar. 3) Ministrar o ensino, encaminhar. 4) *Mús.* Conduzir uma partitura ou orquestra sinfônica. 5) *Gram.* Subordinar uma palavra a outra. 6) *Gram.* Determinar a flexão de. / *v.p.* 7) Governar-se; dirigir-se.

REGGAE (réguei) *s.m. ingl. Mús.* Gênero musical popular jamaicano.

RE.GI.ÃO *s.f.* 1) Grande extensão de superfície terrestre. 2) Extensão de território que se distingue dos demais devido às características geral. 3) Terra; país. 4) *Anat.* Cada uma das partes convencionais em que se considera dividido o corpo humano.

RE.GI.CÍ.DIO *s.m.* Assassinato de um rei ou rainha.

RE.GI.ME *s.m.* 1) Maneira de reger. 2) Gerência; direção; regimento; regulamento. 3) Dieta.

RE.GI.MEN.TO *s.m.* 1) Ato ou efeito de reger. 2) *Mil.* Corpo de tropas. 3) Conjunto de normas de uma instituição; regulamento, estatuto.

RE.GIO.NAL *adj.2gên.* 1) Relativo a ou próprio de uma região. / *s.m.* 2) Conjunto musical que toca música típica de uma região.

RE.GI.O.NA.LIS.MO *s.m.* 1) Cultivo de usos e costumes de uma região. 2) Movimento literário de escritores regionalistas. 3) Expressão social e política no sentido de defesa dos interesses de registradora | rejubilar

uma região. 4) Expressões linguísticas próprias de uma região.

RE.GIS.TRA.DO.RA (ô) *s.f.* Máquina que serve para registrar as importâncias recebidas ou pagas em casas comerciais; caixa.

RE.GIS.TRAR *v.t.d.* 1) Inscrever; lançar (documento) por escrito em livro próprio. 2) Mencionar; assinalar. 3) Escrever; historiar. 4) Guardar na memória. 5) Publicar. 6) Anotar com regularidade o consumo de água, de energia, de gás, etc. 7) Fazer o seguro de carta ou qualquer outro documento para que não se desvie.

RE.GIS.TRO *s.m.* 1) Ato ou efeito de registrar. 2) Certidão de nascimento. 3) Ficha para certa finalidade; prontuário. 4) Cópia textual de um documento, em repartição pública competente, em livro próprio, para lhe garantir autenticidade. 5) Repartição pública encarregada de registrar. 6) Documento que comprova uma remessa postal. 7) Aparelho que regula a passagem de gás ou de água.

RE.GO.ZI.JAR *v.t.d.* 1) Causar regozijo; causar satisfação, alegria, gozo, prazer. / *v.p.* 2) Congratular-se, contentar-se.

RE.GO.ZI.JO *s.m.* Demonstração de alegria, prazer; grande satisfação.

RE.GRA *s.f.* 1) Preceito, código, método. 2) Exemplo, modelo, padrão. 3) Aquilo que a lei determina. 4) Boa ordem, prudência.

RE.GRE.DIR *v.i.* 1) Regressar, retornar, recuar. 2) Retroceder (doença).

RE.GRES.SÃO *s.f.* Ato ou efeito de regredir; retrocesso.

RE.GRES.SAR *v.t.i* e *v.i.* 1) Voltar ao ponto ou lugar de partida; retroceder. / *v.t.d.i.* 2) Fazer voltar; mandar de volta.

RÉ.GUA *s.f.* Instrumento para medir ou traçar linhas retas.

RE.GU.LA.DOR (ô) *adj.* e *s.m.* 1) Que ou aquilo que regula. / *s.m.* 2) Aparelho que permite manter constante um componente do funcionamento de um sistema.

RE.GU.LA.MEN.TAR *v.t.d.* 1) Submeter a regulamento. / *adj.2gên.* 2) Relativo a regulamento. 3) Que está de acordo com o regulamento.

RE.GU.LA.MEN.TO *s.m.* 1) Ato ou efeito de regular. 2) Regras, determinações; código. 3) Conjunto de regras que dirigem a vida de uma instituição; estatuto.

RE.GU.LAR *adj.2gên.* 1) Relativo a regra. 2) Legal. 3) Equilibrado, harmônico, proporcionado. 4) Sensato, preciso. 5) Cumpridor dos deveres. 6) Nem bom nem mau. 7) *Gram.* Diz-se do verbo que segue o paradigma de conjugação. / *s.m.* 8) Aquilo que é regular; legítimo. / *v.t.d.* 9) Sujeitar a regras; conduzir, regrar. 10) Encaminhar conforme a lei. 11) Regulamentar, ajustar. / *v.i.* 12) Servir de regra. / *v.p.* 13) Guiar-se; orientar-se.

RE.GU.LA.RI.ZAR *v.t.d.* 1) Tornar regular, normalizar, corrigir. / *v.p.* 2) Normalizar-se.

RE.GUR.GI.TAR *v.t.d.* e *v.i.* 1) Expelir o excesso de; vomitar. / *v.t.i.* e *v.i.* 2) Estar cheio de; transbordar.

REI *s.m.* 1) Chefe de um reino; soberano de uma monarquia; monarca. 2) Marido da rainha. 3) A peça principal do jogo de xadrez. 4) Uma das figuras das cartas do baralho.

RE.I.DRA.TAR (e-i) *v.t.d.* e *v.p.* Hidratar(-se) de novo.

RE.IM.PRI.MIR *v.t.d.* 1) Imprimir outra vez. 2) Fazer nova impressão de uma obra ou qualquer outra coisa sem alteração.

REI.NA.ÇÃO *s.f.* 1) *pop.* Arte, travessura de criança, safadeza. 2) Brincadeira, pândega, gozação.

REI.NA.DO *s.m.* 1) Governo de um rei, reino. 2) Tempo em que governa um rei ou uma rainha. 3) Império, superioridade.

REI.NAR *v.t.i.* 1) Administrar na condição de rei ou rainha. 2) Ter grande glória ou autoridade; imperar, prevalecer. / *v.i.* 3) Vigorar. 4) Sobressair-se; tornar-se notável. 5) Fazer troça, reinação. / *v.t.d.* 6) Traçar, maquinar; planejar.

RE.IN.CI.DIR *v.t.i.* e *v.i.* Tornar a incidir; recair; cometer novamente a mesma falta.

RE.IN.GRES.SAR *v.t.i.* Ingressar novamente.

RE.I.NI.CI.AR *v.t.d.* Iniciar de novo, recomeçar.

REI.NO *s.m.* 1) Estado cujo soberano é um rei ou uma rainha; reinado. 2) Império; governo. 3) *Hist. nat.* Cada uma das três grandes divisões da natureza: mineral, vegetal e animal.

RE.INS.CRE.VER *v.t.d.* e *v.p.* Inscrever(-se) novamente.

RE.INS.TA.LAR *v.t.d.* e *v.p.* Instalar(-se) outra vez.

RE.INS.TI.TU.IR *v.t.d.* Instituir novamente.

RE.IN.TE.GRAR *v.t.d.* 1) Integrar outra vez; reempossar. / *v.t.d.* e *v.p.* 2) Reconduzir; estabelecer-se de novo. / *v.p.* 3) Voltar a fazer parte. / *v.t.d.i.* 4) Restabelecer alguém na função de que lhe foi privado.

RE.IN.VES.TIR *v.t.d.* Investir novamente.

RE.I.TE.RAR *v.t.d.* e *v.t.d.i.* Dizer ou fazer de novo; repetir com insistência.

REI.TOR (ô) *s.m.* 1) Aquele que rege ou dirige. 2) Dirigente de uma universidade. 3) Superior de convento dos religiosos masculinos.

REI.TO.RI.A *s.f.* 1) Cargo de reitor. 2) Local de trabalho do reitor.

REI.VIN.DI.CAR *v.t.d.* 1) Requerer; reclamar o que lhe é de direito. 2) Exigir direitos; protestar. 3) Lutar para recuperar ou reaver algo.

RE.JEI.TAR *v.t.d.* 1) Lançar fora; derrubar. 2) Expulsar, vomitar. 3) Largar, deixar; recusar, abandonar. 4) Desprezar.

RE.JU.BI.LAR *v.t.d.* 1) Encher de júbilo; alegrar. / *v.i.* e *v.p.* 2) Contentar-se muito, ter grande júbilo; regozijar.

R

423

RE.JUN.TA.MEN.TO *s.m.* 1) Ato ou efeito de rejuntar. 2) Filete de argamassa com que se juntam tijolos ou ladrilhos nas paredes.

RE.JUN.TAR *v.t.d.* Unir os tijolos ou pedras em paredes usando o rejuntamento.

RE.JU.VE.NES.CER *v.t.d.* 1) Tornar jovem; remoçar. / *v.p.* 2) Parecer mais jovem; remoçar.

RE.LA.ÇÃO *s.f.* 1) Ato de relatar; relato. 2) História, descrição. 3) Lista, rol. 4) Semelhança. 5) Vinculação, alusão. 6) Interdependência. 7) Conexão entre duas grandezas, dois fatos. 8) Relacionamento; ligação. 9) Analogia.

RE.LA.CI.O.NAR *v.t.d.* 1) Fazer a relação de, catalogar, colocar em lista. 2) Relatar, exibir, apresentar, mencionar. 3) Comparar, estabelecer ligação. / *v.p.* 4) Fazer relações, travar conhecimento.

RE.LÂM.PA.GO *s.m.* 1) Raio de luz produzido pela descarga atmosférica. 2) Luz intensa que fascina; resplendor. 3) Luz intensa e rápida que precede ou acompanha um trovão.

RE.LAM.PE.JAR ou **RE.LAM.PE.AR** *v.i.* 1) Produzir-se um ou mais relâmpagos. 2) Brilhar intensamente e de repente; fulgurar, reluzir.

RE.LAN.ÇAR *v.t.d.* 1) Relancear. 2) Lançar de novo, especialmente obra impressa.

RE.LAN.CE *s.m.* 1) Ato ou efeito de relancear; lance. 2) Olhar de esguelha; lance de vista.

RE.LAP.SO *adj.* e *s.m.* 1) Que reincide no erro. 2) Entranhado, arreigado, obstinado, teimoso. 3) Diz-se daquele que falta às suas obrigações; não cumpridor dos deveres.

RE.LAR *v.t.i.* 1) *pop.* Tocar de leve; tangenciar. / *v.i.* 2) Jogar o ás sobre o sete de trunfo, no jogo da bisca, ganhando a partida.

RE.LA.TAR *v.t.d.* Fazer o relato de; narrar, exibir, contar, mencionar.

RE.LA.TI.VO *adj.* 1) Que serve para exprimir relação; respeitante, atinente, referente. 2) Condicional. 3) Variável, casual, acidental. 4) *Gram.* Diz-se do pronome que se relaciona a um termo antecedente, substituindo-o.

RE.LA.TO *s.m.* 1) Ato ou efeito de relatar. 2) Exposição oral ou escrita de um fato; narração, descrição.

RE.LA.TOR (ô) *s.m.* 1) Indivíduo que relata. 2) Indivíduo que redige um relatório. 3) Narrador.

RE.LA.TÓ.RIO *s.m.* 1) Exibição, relação, escrita ou oral. 2) Exposição minuciosa de fatos, atividades, etc.

RE.LA.XA.DO *adj.* 1) Bambo, distendido, arrastado, lasso. 2) Distraído; negligente, desmazelado. 3) Devasso, depravado, sem-vergonha. 4) *pop.* Desleixado no vestir; relapso.

RE.LA.XAR *v.t.d.* 1) Afrouxar, enfraquecer, diminuir a força ou a tensão de. / *v.i.* 2) Repousar, aliviar; descansar. 3) Tornar-se negligente; agir sem capricho. / *v.p.* 4) Conformar-se, ceder. 5) Tornar-se desregrado ou vicioso; desmoralizar-se, desencaminhar-se. 6) Tornar-se negligente.

RE.LE.GAR *v.t.d.* 1) Afastar de um lugar para outro; eliminar, expatriar, deportar. 2) Esquecer. 3) Desprezar; abandonar. 4) Pôr em segundo plano.

RE.LEI.TU.RA *s.f.* 1) Nova leitura. 2) *Por ext.* Nova interpretação.

RE.LEM.BRAR *v.t.d.* Lembrar novamente, trazer outra vez à memória; recordar.

RE.LEN.TO *s.m.* Umidade atmosférica da noite; orvalho, sereno.

RE.LER *v.t.d.* Ler novamente; ler outras vezes.

RE.LES *adj.2gên.* 1) Vulgar, ignóbil, desprezível. 2) Medíocre, insignificante.

RE.LE.VAN.TE *adj.2gên.* 1) Que releva. 2) Proeminente, saliente, acentuado. 3) Importante; notável.

RE.LE.VAR *v.t.d.* 1) Tornar relevante, fazer sobressair. 2) Desculpar, perdoar, justificar. 3) Deixar passar, tolerar. / *v.p.* 4) Tornar-se saliente; distinguir-se, destacar-se.

RE.LE.VO (ê) *s.m.* 1) Saliência, canto. 2) Relevância; importância. 3) Elevação, destaque, ênfase. 4) Trabalho arquitetônico ou que se destaca. 5) *Geogr.* As diferenças de nível da superfície terrestre.

RE.LI.CÁ.RIO *s.m.* 1) Local para guardar relíquias. 2) Algo precioso, de grande valor. 3) Bolsinha ou medalha com alguma relíquia que alguns devotos trazem ao pescoço.

RE.LI.GAR *v.t.d.* Ligar de novo; vincular bem.

RE.LI.GI.ÃO *s.f.* 1) Sentimento que liga uma pessoa (criatura) a Deus (Criador). 2) Ordem ou congregação religiosa. 3) Reverência às coisas sagradas; fé, devoção, piedade. 4) *Filos.* Reconhecimento prático de nossa dependência de Deus.

RE.LI.GI.O.SO (ô) *adj.* 1) Relativo a religião. 2) Observador dos preceitos religiosos; devoto. / *s.m.* 3) Aquele que segue uma religião. 4) Aquele que pertence a uma ordem religiosa.

RE.LIN.CHAR *v.i.* Emitir relinchos (o cavalo, o burro, etc.), rinchar.

RE.LIN.CHO *s.m.* A voz do cavalo.

RE.LÍ.QUIA *s.f.* 1) Algo precioso, raro ou antigo. 2) O que restou do corpo dos santos. 3) Objeto de apego.

RE.LÓ.GIO *s.m.* 1) Instrumento de medição e indicação do tempo; cronômetro. 2) Instrumento que marca as horas, os minutos, etc.

RE.LO.JO.A.RI.A *s.f.* 1) Arte de relojoeiro. 2) Oficina onde se fabricam ou consertam relógios. 3) Loja onde se vendem relógios.

RE.LU.TÂN.CIA *s.f.* 1) Ato ou efeito de relutar. 2) Relativo a relutante. 3) Resistência, aversão. 4) Contrariedade; repugnância.

RE.LU.TAR *v.t.i.* e *v.i.* Lutar de novo, contrapor força, resistir, afrontar.

RE.LU.ZIR *v.i.* Luzir muito, cintilar, fulgurar, resplandecer.

relva · remoto

REL.VA *s.f.* 1) Erva rasteira e fina, como as gramíneas, que se desenvolve pelos campos. 2) Capim, relvado.

RE.MA.NE.JAR *v.t.d.* 1) Tornar a manejar, redistribuir. 2) Mudar de lugar várias coisas, transferir.

RE.MA.NES.CEN.TE *adj.* e *s.m.* Que ou aquilo que remanesce, que sobra, resto.

RE.MAR *v.i.* 1) Mover os remos para dar impulso a uma embarcação a fim de deslizar na água. / *v.t.i.* 2) Nadar; lutar. / *v.i.* 3) Adejar, voar.

RE.MAR.CAR *v.t.d.* 1) Marcar novamente. 2) Dar novo valor a; alterar o preço de.

RE.MAS.CAR *v.t.d.* 1) Mascar outra vez; mastigar bastante. 2) Remoer, reconsiderar.

RE.MAS.TI.GAR *v.t.d.* 1) Tornar a mastigar. 2) Mastigar bem, demoradamente. 3) Ruminar.

RE.MA.TAR *v.t.d.* 1) Dar remate a; finalizar, completar, terminar. 2) Coroar, encimar, cerrar. / *v.t.i.* e *v.p.* 3) Acabar-se, findar-se.

RE.MA.TE *s.m.* 1) Ato ou efeito de rematar; conclusão, acabamento, consumação. 2) A culminância, o ponto mais elevado, o final. 3) Ornato que enfeita certas obras.

RE.ME.DAR *v.t.d.* Imitar grotescamente; arremedar.

RE.ME.DI.AR *v.t.d.* 1) Dar remédio a; curar com remédio. 2) Prover ou socorrer do que for preciso para atenuar dor física ou moral. 3) Prevenir, atenuar. 4) Corrigir, reparar, retificar. / *v.t.d.* e *v.p.* 5) Prover(-se) do mais necessário.

RE.MÉ.DIO *s.m.* 1) Aquilo que serve para refrear ou atenuar um mal físico ou moral. 2) Medicamento que serve para curar uma doença. 3) Expediente, meio, saída, solução. 4) Assistência, suprimento. 5) Correção.

RE.ME.DIR *v.t.d.* Medir outra vez.

RE.ME.LA *s.f.* Secreção amarelada ou esbranquiçada que, em geral, aglomera-se nos pontos lacrimais ou nos bordos das pálpebras.

RE.ME.LE.XO (ê) *s.m.* Requebro, saracoteio; movimento dos quadris.

RE.ME.MO.RAR *v.t.d.* e *v.i.* Trazer de novo à memória; relembrar, recordar.

RE.MEN.DAR *v.t.d.* 1) Restaurar com remendos. 2) Corrigir, retificar, ajustar.

RE.MEN.DO *s.m.* 1) Conserto. 2) Pedaço de tecido com que se conserta uma parte do vestuário. 3) Peça de couro, metal, etc., com que se repara um objeto. 4) Enxerto. 5) *pop.* Algo dito para corrigir ou amenizar um engano cometido anteriormente.

RE.MER.GU.LHAR *v.t.d.i.*, *v.i.* e *v.p.* Mergulhar outra vez; introduzir(-se) novamente embaixo da água.

RE.MES.SA *s.f.* 1) Ação ou efeito de remeter. 2) Aquilo que foi remetido. 3) Ação de remessar, atirar. 4) Envio.

RE.ME.TEN.TE *adj.2gên.* e *s.2gên.* Que ou quem envia uma carta, encomenda, etc.

RE.ME.TER *v.t.d.* 1) Despachar, expedir, enviar. 2) Confiar, indicar. 3) Entregar, expor. / *v.p.* 4) Referir-se, reportar-se.

RE.ME.XER *v.t.d.* 1) Mexer outra vez. 2) Balançar, movimentar. / *v.i.* e *v.p.* 3) Rebolar-se, agitar-se.

RE.MI.NIS.CÊN.CIA *s.f.* 1) Recordação; memória. 2) Aquilo que se conserva na memória. 3) Lembrança vaga.

RE.MIR *v.t.d.* 1) Resgatar, libertar. 2) *Teol.* Livrar das penas do inferno; expiar. 3) Adquirir de novo, readquirir. 4) Libertar(-se) da escravidão, pagando resgate; alforriar. / *v.p.* 5) Reabilitar-se, resgatar-se, redimir-se. 6) Livrar-se de um mal.

RE.MIS.SÃO *s.f.* 1) Ato ou efeito de remitir(-se). 2) Compaixão, piedade. 3) Expiação, absolvição. 4) Indulgência, perdão. 5) Salvação, purificação. 6) Ação de remeter; remessa. 7) *Med.* Alívio temporário dos sintomas de uma doença. 8) *Dir.* Perdão, liberação graciosa de uma dívida. 9) Enfraquecimento.

RE.MI.TIR *v.t.d.* 1) Dar perdão de; perdoar. 2) Considerar uma dívida como paga ou resolvida. 3) Restabelecer, retribuir; quitar. 4) Enfraquecer, diminuir. / *v.i.* e *v.p.* 5) Tornar-se menos intenso. 6) Afrouxar-se.

RE.MO *s.m.* 1) Instrumento de madeira com uma extremidade espalmada utilizada na água para locomover as pequenas embarcações. 2) O esporte de remar.

RE.MO.ÇÃO *s.f.* 1) Ato ou efeito de remover. 2) *Med.* Retirada cirúrgica de um elemento estranho ao organismo.

RE.MO.ÇAR *v.t.d.*, *v.i.* e *v.p.* Adquirir aparência de moço; rejuvenescer(-se).

RE.MO.DE.LAR *v.t.d.* 1) Modelar novamente; aperfeiçoar. 2) Refazer, reformar, recompor.

RE.MO.ER *v.t.d.* 1) Moer novamente. 2) Tornar a triturar; ruminar. 3) Repisar, recapitular, repensar. / *v.p.* 4) Afligir-se. 5) Encher-se de raiva.

RE.MO.I.NHO *s.m.* 1) Ato ou efeito de remoinhar. 2) Movimento rápido e espiralado, causado pelo encontro de ondas ou ventos opostos; redemoinho.

RE.MON.TAR *v.t.d.* 1) Fazer remonta de (gado cavalar ou muar para o exército). 2) Elevar, encimar. 3) Consertar, recompor. 4) Mobiliar. 5) Volver ou recuar muito (relacionado a tempo passado). / *v.p.* 6) Referir-se ou reportar-se a tempos passados.

RE.MOR.DER *v.t.d.* 1) Morder novamente. 2) Amargurar, torturar. 3) Parafusar, ruminar, roer, mascar. / *v.i.* 4) Morder muito; esmordaçar. / *v.p.* 5) Exaltar-se, enfurecer-se.

RE.MOR.SO *s.m.* 1) Sentimento de angústia, por ato mal cometido. 2) Dor de consciência; contrição; arrependimento. 3) Sentimento profundo de culpa.

RE.MO.TO *adj.* 1) Antigo, de outrora. 2) Afastado no espaço ou no tempo. 3) Distante, longínquo.

RE.MO.VER *v.t.d.* 1) Mover de novo. 2) Remexer; transferir. 3) Separar de si.

RE.MU.NE.RA.ÇÃO *s.f.* 1) Ato ou efeito de remunerar. 2) Salário; honorários. 3) Retribuição por serviços prestados; ordenado. 4) Prêmio, recompensa, gratificação.

RE.MU.NE.RAR *v.t.d.* 1) Pagar salário, honorário, etc. por trabalho realizado. 2) Gratificar, geralmente com dinheiro; recompensar, retribuir.

RE.NA *s.f. Zool.* Espécie de veado de grande porte que habita as regiões frias do Hemisfério Norte.

RE.NAL *adj.2gên.* Relativo aos rins.

RE.NAS.CEN.ÇA *s.f.* 1) Ato ou efeito de renascer; renascimento. 2) Vida nova. 3) Movimento literário, científico e artístico dos séculos XV e XVI que teve como característica principal a imitação da antiguidade clássica grega e latina. / *adj.2gên.* 4) Da época da Renascença.

RE.NAS.CER *v.i.* 1) Nascer novamente. 2) Adquirir nova vida; renovar-se, seja na realidade ou na aparência. 3) Adquirir novo impulso. 4) *fig.* Escapar a um grande perigo de vida.

REN.DA *s.f.* 1) Rendimento, receita, produto. 2) Aluguel, lucro, remuneração. 3) Obra de malha feita com fios (linha, seda, algodão, etc.), que serve para ornar peças de vestuário, roupas de cama, etc.

REN.DA.DO *adj.* 1) Feito ou enfeitado com renda. / *s.m.* 2) O conjunto das rendas de uma peça.

REN.DA.RI.A *s.f.* 1) Arte, indústria ou comércio de rendas. 2) Grande quantidade de rendas.

REN.DEI.RA *s.f.* 1) Mulher que faz ou vende rendas. 2) Ave picídea de voz bastante variada.

REN.DER *v.t.d.* 1) Dar renda ou lucro. 2) Consagrar; contribuir, tributar. 3) Substituir. 4) Obrigar a reconhecer a derrota ou a desistir do confronto. / *v.t.d.i.* 5) Mostrar a alguém reconhecimento de méritos ➡ Rendo a todos minha admiração. / *v.p.* 6) Dar-se por vencido. 7) Ceder, entregar-se. / *v.i.* 8) Ser produtivo. 9) Dar lucro ou rendimento. 10) Ser acometido por hérnia.

REN.DI.DO *adj.* 1) Vencido, dominado. 2) Submisso, fendido. 3) *pop.* Que tem hérnia.

REN.DI.MEN.TO *s.m.* 1) Ato ou efeito de render; dar como lucro. 2) Proveito, receita, renda. 3) Produtividade. 4) Resultados do trabalho de uma empresa.

RE.NE.GAR *v.t.d.* 1) Desmentir, contradizer. 2) Perder a fé em, descrer. 3) Repudiar. 4) Menosprezar. 5) Abominar.

RE.NO.MA.DO *adj.* 1) Que goza de renome ou prestígio, renomeado. 2) Reconhecido, ilustre, nobre.

RE.NO.ME *s.m.* 1) Bom nome, notoriedade, popularidade. 2) Sucesso, crédito.

RE.NO.ME.AR *v.t.d.* 1) Dar novo nome a. 2) Dar fama, celebridade a. / *v.t.d.* e *v.t.d.i.* 3) Nomear alguém novamente (para função, cargo, etc.).

RE.NO.VAR *v.t.d.* 1) Tornar novo; modificar para melhor. 2) Consertar, restaurar. 3) Corrigir, reparar. / *v.p.* 4) Rejuvenescer-se, revigorar-se. 5) Aparecer de novo.

RE.NO.VO (ô) *s.m.* 1) Broto, no início do desenvolvimento, de uma planta cortada ou podada; rebento. 2) *fig.* Descendência.

REN.TA.BI.LI.DA.DE *s.f. Econ. polít.* 1) Relação entre os lucros obtidos e o capital investido numa empresa mercantil. 2) Competência para produzir rendimentos ou ganhos. 3) Produto de aplicação de capital.

REN.TE *adj.2gên.* 1) Muito curto. 2) Imediato, adjacente. / *adv.* 3) Pela raiz ou pelo pé; cerce, rés. 4) Diz-se do que está a pouquíssima distância.

RE.NÚN.CIA *s.f.* Ato ou efeito de renunciar, de desistir de algo; abdicação.

RE.NUN.CI.AR *v.t.d.* e *v.t.i.* 1) Deixar voluntariamente a posse; abandonar, demitir-se. 2) Recusar, não querer. 3) Renegar, abjurar de. / *v.i.* 4) Desistir de. 5) Resignar (cargo ou função).

RE.OR.DE.NAR *v.t.d.* 1) Ordenar novamente, reorganizar. 2) *Liturg.* Conferir de novo as ordens a um sacerdote.

RE.OR.GA.NI.ZAR *v.t.d.* 1) Organizar de novo. 2) Aprimorar, reparar, reordenar.

RE.OS.TA.TO *s.m. Eletr.* Resistência variável que permite regular para mais ou para menos a corrente elétrica.

RE.PA.RA.DEI.RA *s.f.* 1) Mulher que repara em tudo. / *adj.* 2) Bisbilhoteira, enxerida, curiosa, indiscreta.

RE.PA.RAR *v.t.d.* 1) Consertar, recompor. 2) Restabelecer, reconstituir; fortificar. 3) Corrigir, remediar. / *v.t.i.* 4) Fixar a atenção em; notar, observar ➡ Repare nas atitudes dela.

RE.PA.RO *s.m.* 1) Conserto, restauração, reforma. 2) Censura ou crítica leve; advertência.

RE.PAR.TI.ÇÃO *s.f.* 1) Ato ou efeito de repartir. 2) Bifurcação, partilha, porção. 3) Estabelecimento ou seção de uma secretaria. 4) Escritório.

RE.PAR.TIR *v.t.d.* 1) Fazer em partes, distribuir. 2) Alastrar, difundir. 3) *Arit.* Dividir. / *v.p.* 4) Dividir-se, ramificar-se, bifurcar-se.

RE.PAS.SAR *v.t.d.* 1) Passar outra vez. 2) Estudar de novo, ler ou reexaminar, recordar. 3) Fazer a última colheita de. 4) Percorrer com os dedos (leitura). 5) Amansar cavalgaduras. / *v.i.* 6) Tornar a passar. / *v.i.* e *v.p.* 7) Embeber(-se); ensopar(-se); encharcar(-se). / *v.t.i.* 8) Tornar a passar.

RE.PAS.SE *s.m.* 1) Ato ou efeito de repassar. 2) Ato de repassar cavalgaduras, repasso. 3) Catação dos frutos caídos de um cafezal. 4) Última colheita ou catação do algodão.

RE.PAS.TAR *v.t.d.* 1) Pastar outra vez; pastorear ou apascentar novamente. 2) Nutrir ou alimentar bem. / *v.i.* 3) Comer abundantemente.

RE.PA.TRI.AR *v.t.d.* 1) Trazer de novo à pátria. / *v.p.* 2) Regressar à pátria.

RE.PE.LEN.TE *s.m.* 1) Substância ou produto usado para espantar insetos. / *adj.2gên.* 2) Que causa nojo; asqueroso.

RE.PE.LIR *v.t.d.* 1) Fazer retroceder; rebater. 2) Apartar, espantar, fazer arredar. 3) Não admitir, evitar, rejeitar. / *v.p.* 4) Evitar-se. 5) Ser oposto, incompatível.

RE.PEN.SAR *v.t.d.* e *v.i.* 1) Pensar novamente, reconsiderar. 2) Pensar maduramente.

RE.PEN.TE *s.m.* 1) Dito ou ato brusco e espontâneo. 2) Qualquer improviso, de súbito, repentinamente. 3) Versos improvisados que são cantados ou recitados.

RE.PEN.TI.NO *adj.* Súbito; imprevisto, impensado.

RE.PEN.TIS.TA *adj.2gên.* e *s.2gên.* Que ou quem compõe ou executa repentes.

RE.PER.CUS.SÃO *s.f.* 1) Reflexão, reverberação. 2) *fig.* Prestígio, fama.

RE.PER.CU.TIR *v.t.d.* 1) Reproduzir (um som); fazer ecoar. 2) Refletir som e luz. / *v.i.* e *v.p.* 3) Ressoar, ecoar, refletir(-se), repetir (som e luz). 4) Fazer sentir, de forma indireta, sua ação e influência.

RE.PER.GUN.TA *s.f.* 1) Ação de perguntar novamente, indagar outra vez. 2) *Jur.* Nova indagação da testemunha pelo advogado da parte contrária.

RE.PER.TÓ.RIO *s.m.* 1) Coleção, conjunto, reunião. 2) Coleção de obras dramáticas ou musicais. 3) Código de assuntos sistematicamente colocados.

RE.PE.TEN.TE *adj.2gên.* 1) Que ou o que repete. / *adj.2gên.* e *s.2gên.* 2) Diz-se de ou aluno que repete o ano letivo.

RE.PE.TI.ÇÃO *s.f.* 1) Ato ou efeito de repetir. 2) Lição suplementar que abrange matéria já estudada. 3) Restituição.

RE.PE.TIR *v.t.d.* 1) Dizer ou fazer outra vez. 2) Cursar novamente uma série escolar ou uma disciplina. 3) Refletir, repercutir. / *v.i.* 4) Acontecer de novo. / *v.t.d.i.* 5) Dizer novamente ➡ O professor repetiu a explicação aos interessados.

RE.PE.TI.TI.VO *adj.* 1) Que repete. 2) Em que há muita repetição.

RE.PI.CAR *v.t.d.* 1) Picar novamente, repenicar. 2) Pulsar várias vezes (sino). 3) Transplantar (mudas de uma sementeira).

RE.PI.QUE *s.m.* 1) Repicagem. 2) Toque festivo dos sinos. 3) Choque de duas bolas, no bilhar. 4) Alarido.

RE.PLAN.TAR *v.t.d.* Plantar novamente.

REPLAY (ripléi) *s.m. ingl.* 1) Repetição. 2) Repetição de imagens durante uma transmissão ao vivo.

RE.PLE.TO *adj.* 1) Totalmente cheio; abarrotado. 2) Superlotado; abastado.

RÉ.PLI.CA *s.f.* 1) Ação ou efeito de replicar; resposta. 2) O que se replica; contradição, oposição. 3) Exemplar de uma obra de arte que não é o original; cópia. 4) Acusação complementar no júri.

RE.PLI.CAR *v.t.i.* e *v.i.* 1) Responder às críticas de; contrariar, protestar, rebater. / *v.t.d.* e *v.i.* 2) Retrucar; responder, quando se deve obedecer calado. 3) Contestar, refutar.

RE.PO.LHO (ô) *s.m.* 1) *Bot.* Espécie de couve, uma planta hortense, cujo formato é semelhante a uma bola. 2) *pop.* Pessoa baixa e gorda.

RE.POR *v.t.d.* 1) Pôr novamente, recolocar. / *v.t.d.* e *v.p.* 2) Devolver, reconstituir-se.

RE.POR.TA.GEM *s.f.* 1) Ato de adquirir informações para os periódicos. 2) Notícia sobre algum assunto para ser publicado ou divulgado pelos meios de comunicação. 3) O conjunto dos repórteres.

RE.POR.TAR *v.t.d.i.* 1) Retroceder no tempo; voltar para trás. 2) Dar como causa; atribuir. / *v.p.* 3) Fazer menção a; aludir, referir-se.

RE.PÓR.TER *s.2gên.* Informador ou noticiarista dos meios de comunicação.

RE.PO.SI.ÇÃO *s.f.* 1) Restituição, recolocação. 2) Substituição ou troca de algo gasto ou defeituoso por outro novo.

RE.POU.SAR *v.t.d.* 1) Descansar, tranquilizar, sossegar (falando do corpo). 2) Proporcionar alívio; serenar. / *v.i.* 3) Dormir. 4) Descansar ou estar em repouso. 5) Estar ou ficar em posição de repouso, evitando qualquer tipo de desgaste, geralmente, o físico.

RE.PO.VO.AR *v.t.d.* e *v.p.* Povoar(-se) novamente.

RE.PRE.EN.DER *v.t.d.* e *v.t.d.i.* Criticar ou advertir severamente; admoestar, censurar.

RE.PRE.EN.SÃO *s.f.* Crítica severa; censura.

RE.PRE.SA (ê) *s.f.* 1) Represamento. 2) Construção que tem por fim reter um curso de água; dique. 3) Açude, barragem, reservatório.

RE.PRE.SÁ.LIA *s.f.* Vingança, despique, desforra, retaliação.

RE.PRE.SEN.TA.ÇÃO *s.f.* 1) Ato ou efeito de representar(-se). 2) Exibição teatral; coisa que se representa. 3) Delegação de poderes.

RE.PRE.SEN.TAN.TE *adj.2gên.* e *s.2gên.* 1) Que ou quem representa ou age em nome de outra pessoa, de uma empresa, etc. / *adj.2gên.* 2) Que representa uma classe ou uma categoria; modelo.

RE.PRE.SEN.TAR *v.t.d.* 1) Imaginar; aparentar, figurar. 2) Reproduzir a imagem de, retratar, simbolizar. 3) Ser ministro ou embaixador de. 4) Ser mandatário ou procurador de. 5) Desempenhar um papel. / *v.p.* 6) Apresentar-se. 7) Desempenhar funções de ator.

RE.PRES.SÃO *s.f.* 1) Ato ou efeito de reprimir (-se). 2) Proibição, sufocação. 3) Série de medidas, tomadas pelo governo, contra abusos ou delitos.

RE.PRES.SOR (ô) *adj.* e *s.m.* Que ou o que reprime.

RE.PRI.MIR *v.t.d.* 1) Proibir, impedir, refrear, não permitir que aconteça. 2) Penitenciar. / *v.p.* 3) Controlar ou moderar as próprias ações. 4) Oprimir-se, dominar-se.

427

reprisar · reservar

RE.PRI.SAR *v.t.d.* 1) Apresentar novamente. 2) Repetir.

RE.PRI.SE *s.f.* Reapresentação de filme, peça teatral, espetáculo, etc.

RÉ.PRO.BO *adj.* e *s.m.* Que ou quem foi banido da sociedade; malvado, perverso, infame.

RE.PRO.DU.ÇÃO *s.f.* 1) Ato ou efeito de reproduzir(-se). 2) Proliferação, propagação. 3) Cópia, imagem, retrato.

RE.PRO.DU.ZIR *v.t.d.* 1) Produzir novamente; proliferar. 2) Copiar, imitar. / *v.p.* 3) Perpetuar-se pela geração. 4) Multiplicar-se, repetir-se.

RE.PRO.VA.ÇÃO *s.f.* 1) Ato ou efeito de reprovar. 2) Admoestação, condenação. 3) Reprimenda. 4) Desprezo, falta de apreço.

RE.PRO.VAR *v.t.d.* 1) Não aprovar, desaprovar, recusar. 2) Censurar, votar contra. 3) Inabilitar, incapacitar. 4) *Rel.* Condenar às penas eternas. 5) Provar de novo (alimento).

RÉP.TIL *adj.2gên.* 1) Que se arrasta. 2) *fig.* Pessoa desprezível, de maus instintos. / *s.m.* 3) Animal vertebrado com corpo revestido de escamas, que rasteja ou que parece rastejar por ter os pés muito curtos.

RE.PÚ.BLI.CA *s.f.* 1) A organização política de um Estado com vistas a servir à coisa pública, ao interesse comum. 2) Forma de governo em que o governante é escolhido pelo povo. 3) Conjunto de estudantes que vivem em comum numa casa.

RE.PU.BLI.CAR *v.t.d.* Publicar novamente, reeditar.

RE.PU.DI.AR *v.t.d.* 1) Rejeitar legalmente, abandonar. 2) Repelir, enxotar. 3) Deixar ao desamparo. 4) Divorciar-se de (a esposa).

RE.PÚ.DIO *s.m.* Ato ou efeito de repudiar; rejeição, desaprovação.

RE.PUG.NÂN.CIA *s.f.* 1) Sentimento de aversão, repúdio, animosidade; asco. 2) Forte relutância em proceder de certa maneira.

RE.PUG.NAR *v.t.d.* 1) Desgostar; recusar, rejeitar. 2) Não admitir; não adotar. / *v.t.i.* 3) Não assentir; lutar contra. 4) Opor-se. / *v.i.* e *v.t.i.* 5) Causar antipatia, aborrecimento, nojo, repulsa.

RE.PUL.SA *s.f.* 1) Sentimento de aversão, de repúdio. 2) Oposição, objeção.

RE.PUL.SAR *v.t.d.* 1) Afastar, apartar. 2) Repelir, eliminar. 3) Recusar, contrariar.

RE.PUL.SI.VO *adj.* Que causa repulsa; repugnante.

RE.PU.TA.ÇÃO *s.f.* 1) Ato ou efeito de reputar(-se). 2) Fama, celebridade.

RE.PU.XAR *v.t.d.* 1) Puxar para trás. / *v.t.d.* e *v.p.* 2) Puxar(-se) com força. 3) Esticar, levar com força.

RE.PU.XO *s.m.* 1) Ato ou efeito de repuxar; repuxão. 2) Ato de recuar. 3) Tubo por onde a água se eleva saindo verticalmente. 4) Jato de um líquido. 5) Obra de suporte. 6) *gír.* Incumbência enfadonha.

RE.QUE.BRAR *v.t.d.* e *v.p.* 1) Balançar(-se), mover(-se) com desânimo; saracotear(-se). / *v.t.d.* 2) Cortejar, adorar. 3) Falar ou dirigir entre requebros. 4) Mover os quadris ao andar, rebolar-se.

RE.QUEI.JÃO *s.m.* Espécie de queijo ou nata misturado com leite fresco, coagulado com a ação do calor.

RE.QUEI.MAR *v.t.d.* 1) Queimar muito. 2) Tostar, crestar, chamuscar ao calor do fogo ou do sol. / *v.i.* 3) Ter sabor acre ou picante. / *v.p.* 4) Ressentir-se.

RE.QUEN.TAR *v.t.d.* Aquentar ou aquecer novamente.

RE.QUE.RER *v.t.d.* 1) Pedir por meio de requerimento. 2) Pedir em juízo. 3) Exigir, demandar. / *v.t.d.i.* 4) Pedir, rogar, exigir, solicitar à autoridade superior o que a lei concede ou autoriza.

RE.QUE.RI.MEN.TO *s.m.* 1) Ato ou efeito de requerer. 2) Petição, por escrito, de acordo com formas legais; ofício.

RE.QUES.TAR *v.t.d.* 1) Conquistar. 2) Pedir com insistência; exigir. 3) Procurar o amor de, cortejar, namorar.

RÉ.QUI.EM *s.m.* 1) Repouso. 2) *Liturg.* Ofício que se faz pelos mortos. 3) Música em memória do morto, iniciando sempre com a palavra réquiem que, em latim, quer dizer repouso.

RE.QUIN.TAR *v.t.d.* 1) Levar ao mais alto grau de correção, apurar, melhorar ao máximo. / *v.t.i.*, *v.i.* e *v.p.* 2) Levar ao extraordinário, exagerar-se, aprimorar-se.

RE.QUIN.TE *s.m.* 1) Ato ou efeito de requintar (-se). 2) Esmero, primor, capricho, refinamento. 3) Perfeição meticulosa e não raro exagerada.

RE.QUI.SI.ÇÃO *s.f.* Ato ou efeito de requisitar.

RE.QUI.SI.TAR *v.t.d.* Exigir legalmente; requerer, reclamar, solicitar.

RE.QUI.SI.TO *s.m.* Condição; exigência legal.

RÊS *s.f.* Qualquer animal quadrúpede usado na alimentação humana.

RES.CAL.DAR *v.t.d.* 1) Aquecer novamente. 2) Esquentar com excesso.

RES.CIN.DIR *v.t.d.* Anular, invalidar, revogar, dissolver.

RES.CI.SÃO *s.f.* 1) Ato de rescindir. 2) Anulação de um contrato. 3) Corte, invalidação, rompimento, extinção.

RE.SE.NHA *s.f.* 1) Ato ou efeito de resenhar. 2) Apresentação pormenorizada dos fatos. 3) Descrição minuciosa. 4) Enumeração. 5) Escrito que fornece ideia geral e sumária de uma obra.

RE.SER.VA *s.f.* 1) Ato ou efeito de reservar(-se). 2) Depósito, economia, poupança. 3) *Mil.* Situação dos soldados que, tendo já servido pelo tempo determinado na lei, ficam, no entanto, sujeitos a voltar ao serviço, em caso de necessidade. 4) Ressalva, exceção. 5) Disfarce. 6) Indivíduo substituto, suplente.

RE.SER.VAR *v.t.d.* 1) Designar. 2) Pôr de reserva; arquivar, guardar. 3) Proteger, economizar. / *v.p.* 4) Ficar de observação; guardar-se.

reservatório | respingar

RE.SER.VA.TÓ.RIO *s.m.* 1) Local próprio para guardar objetos, geralmente em grande quantidade. 2) Depósito de água ou outros líquidos.

RE.SER.VIS.TA *s.2gên. Mil.* Indivíduo chamado a servir o Exército, estando na situação de reserva.

RES.FO.LE.GAR *v.i.* 1) Tomar fôlego, respirar, ter descanso. 2) Respirar com esforço e ruído.

RES.FRI.A.DEI.RA *s.f.* 1) Lugar onde se resfria o açúcar, nos engenhos. 2) Vaso grande de barro, onde se põe a água para esfriar.

RES.FRI.A.DO *adj.* 1) Que tem resfriado ou resfriamento. 2) Diz-se daquilo que foi submetido a um grande frio artificial. / *s.m.* 3) Infecção das vias aéreas superiores, causada por vírus, caracterizada por coriza e tosse, sem ocorrência de febre.

RES.FRI.AR *v.t.d.* 1) Esfriar outra vez. 2) Tornar mais frio. 3) Submeter a um frio artificial. 4) Abaixar a temperatura de. / *v.i.* e *v.p.* 5) Contrair um resfriado; gripar. 6) Tornar-se frio. 7) *fig.* Perder o entusiasmo; desesperançar-se; desalentar-se.

RES.GA.TAR *v.t.d.* 1) Libertar do cativeiro, sequestro, mediante compensação financeira ou de outro valor. 2) Livrar de situação perigosa. 3) Recuperar algo mediante pagamento.

RES.GA.TE *s.m.* 1) Ação ou efeito de resgatar (-se). 2) Preço do resgate. 3) Pagamento, quitação. 4) Alforria. 5) Libertação.

RES.GUAR.DAR *v.t.d.* 1) Guardar com cuidado. 2) Pôr a salvo, abrigar, proteger. 3) Acobertar, garantir. 4) Vigiar, guardar com cautela. / *v.p.* 5) Precaver-se, proteger-se, acautelar-se.

RE.SI.DÊN.CIA *s.f.* 1) Morada habitual em lugar determinado, domicílio. 2) Período em que o médico, recém-formado, deve trabalhar em hospital para especializar-se.

RE.SI.DEN.TE *adj.2gên.* e *s.2gên.* 1) Que ou quem reside em determinado local; morador. / *s.m.* 2) Médico que faz residência médica.

RE.SI.DIR *v.t.i.* 1) Morar, habitar. 2) Ter domicílio, residência ou sede em. 3) Ser, estar, existir. 4) Permanecer, viver, consistir. / *v.i.* 5) Viver em algum lugar por tempo prolongado, morar.

RE.SI.DU.AL *adj.2gên.* Relativo a ou próprio de resíduo.

RE.SÍ.DUO *s.m.* 1) Aquilo que resta de qualquer substância. 2) Resto, sobra inaproveitável. 3) Parte insolúvel depois da filtração. 4) Cinzas. 5) Fezes, dejetos. 6) Restos de uma operação química. 7) *Quím.* Radical. / *adj.* 8) Diz-se daquilo que resta.

RE.SIG.NA.ÇÃO *s.f.* 1) Submissão à vontade de alguém ou ao destino; conformação, aceitação. 2) Demissão voluntária de um cargo.

RE.SIG.NAR *v.t.d.* 1) Demitir-se, renunciar a. 2) Exonerar-se de um cargo em favor de outrem. / *v.p.* 3) Ter resignação, conformar-se, aceitar situação difícil.

RE.SI.LI.ÊN.CIA *s.f.* 1) *Fís.* Propriedade de alguns corpos de retornar à forma original após uma deformação. 2) *fig.* Capacidade de se adaptar às mudanças.

RE.SI.NA *s.f.* 1) Substância de cicatrização, inflamável, segregada pelos vegetais, para sua defesa. 2) Substância análoga (almíscar, âmbar, etc.) de origem animal.

RE.SIS.TÊN.CIA *s.f.* 1) Ato ou efeito de resistir. 2) Defesa, força, ânimo. 3) Oposição, barreira. 4) *Eletr.* Dificuldade dos elétrons de se movimentarem no interior de um condutor. 5) Oposição a uma força. 6) Capacidade de sobreviver a algo e recuperar-se de desgaste de doença, cansaço, etc.

RE.SIS.TIR *v.t.i.* 1) Não ceder, defender-se, opor-se. 2) Lutar contra. 3) Não ser dominado por impulso, influência, ideia, etc. 4) Padecer, tolerar. / *v.t.i.* e *v.i.* 5) Conservar-se, permanecer, sobreviver. 6) Conservar-se firme e inabalável.

RES.MA (ê) *s.f.* Pacote de papel contendo 500 folhas.

RES.MUN.GAR *v.i.* 1) Falar baixo e de mau humor; murmurar. / *v.t.d.* 2) Pronunciar de modo confuso e entre dentes, com mau humor.

RE.SO.LU.ÇÃO *s.f.* 1) Ato ou efeito de resolver (-se). 2) Solução de um problema. 3) Decisão, determinação. 4) Decreto. 5) *Inform.* Medida da nitidez de uma imagem em arquivo ou produzida por impressora, monitor.

RE.SO.LU.TO *adj.* 1) Que foi desfeito. 2) Que é firme em suas atitudes e opiniões; determinado, decidido.

RE.SOL.VER *v.t.d.* 1) Rescindir; decompor. 2) Desagregar, desligar, separar. 3) Esclarecer, solucionar. / *v.p.* 4) Mostrar-se disposto ou pronto; decidir-se. 5) Converter-se; reduzir-se. / *v.i.* 6) Desaparecer; extinguir-se. 7) Assumir a decisão.

RES.PAL.DAR *v.t.d.* 1) Tornar plano; alisar. / *v.t.d.* e *v.p.* 2) Dar ou receber respaldo, apoio.

RES.PAL.DO *s.m.* 1) Ato ou efeito de respaldar. 2) Encosto de cadeira. 3) Banqueta de altar. 4) Apoio político ou moral. 5) Calo no lombo do cavalo, causada pelo roçar da sela.

RES.PEC.TI.VO *adj.* 1) Referente a cada um em particular ou em separado. 2) Relativo, concernente. 3) Devido, correspondente, próprio.

RES.PEI.TAR *v.t.d.* 1) Tratar com respeito, obedecer. 2) Ter em consideração, honrar. 3) Cumprir, considerar, acompanhar. 4) Atender, suportar. 5) Recear, temer. / *v.t.i.* 6) Dizer respeito; referir-se. / *v.p.* 7) Tornar-se digno de respeito; dar-se ao respeito.

RES.PEI.TO *s.m.* 1) Ato ou efeito de respeitar. 2) Obediência, sujeição. 3) Consideração, estima, apreço. 4) Acatamento. 5) Receio, temor.

RES.PIN.GAR *v.i.* 1) Lançar (o líquido) borrifos ou pingos. 2) Borrifar, regar, molhar. 3) Soltar faíscas, **429**

respingo

crepitar. 4) Recalcitrar. / *v.p.* 5) Molhar-se ou sujar-se com borrifos ou pingos.

RES.PIN.GO *s.m.* Ato ou efeito de respingar(-se); borrifo.

RES.PI.RA.ÇÃO *s.f.* 1) Movimento dos pulmões para inspiração e expiração do ar; fôlego. 2) *Fisiol.* Função pela qual as células absorvem oxigênio e liberam gás carbônico. 3) O ar que sai pela boca durante a expiração; hálito, bafo.

RES.PI.RAR *v.i.* 1) *Fisiol.* Absorver e expelir, alternadamente, o ar por meio do movimento dos pulmões. 2) Ter vida, viver. 3) Folgar. 4) Sentir-se aliviado após intensa preocupação. / *v.t.d.* 5) Absorver e expelir o ar. 6) Exalar, ter cheiro de, cheirar a.

RES.PI.RO *s.m.* 1) Ação de inspirar e expirar o ar; respiração. 2) *fig.* Descanso, folga, trégua.

RES.PLAN.DE.CER *v.i.* 1) Brilhar de forma significativa, luzir muito, rutilar, exibir claridade intensa. 2) Sobressair, notabilizar-se. / *v.t.d.* 3) Refletir o resplendor ou brilho de.

RES.PLEN.DOR (ô) *s.m.* 1) Resplandecência. 2) Brilho intenso, luz. 3) Glória, prestígio. 4) *fig.* Honra, celebridade.

RES.PON.DÃO *adj.* e *s.m.* Que ou aquele que costuma responder grosseiramente; rezingão.

RES.PON.DER *v.t.d.* 1) Dizer ou escrever em resposta, replicando. / *v.t.i.* e *v.i.* 2) Apresentar argumentos contra, apresentar réplica. / *v.t.i.* 4) Pôr em contraposição, defrontar. 5) Ficar por fiador de alguém, responsabilizar-se por. 6) Retribuir.

RES.PON.SA.BI.LI.DA.DE *s.f.* 1) Qualidade ou condição de quem é responsável. 2) Obrigação ou capacidade de responder pelos atos próprios ou de outrem.

RES.PON.SA.BI.LI.ZAR *v.t.d.* 1) Atribuir responsabilidade a. / *v.t.d.* e *v.p.* 2) Tornar(-se) responsável pelos seus atos ou pelos de outrem.

RES.PON.SÁ.VEL *adj.2gên.* 1) Que responde por atos próprios ou de outrem. 2) Que tem de prestar contas dos seus atos públicos. 3) Que tem de cumprir certas obrigações. / *s.2gên.* 4) Pessoa responsável.

RES.POS.TA *s.f.* 1) Ato ou efeito de responder. 2) Explicação, solução. 3) Contestação, réplica. 4) O que se diz ou escreve para responder a uma interrogação. 5) Reação a um estímulo exterior.

RES.QUÍ.CIO *s.m.* 1) Resto de um material; resíduo, fragmento. 2) Vestígio, traço, sinal.

RES.SA.BI.AR *v.i.* e *v.p.* 1) Tomar ressaibo. 2) Magoar-se; incomodar-se. 3) Mostrar-se (o animal) desconfiado, receoso.

RES.SA.CA *s.f.* 1) Movimento das ondas do mar agitado contra o litoral. 2) Fluxo e refluxo das ondas. 3) Enfado, cansaço, fadiga, tédio. 4) Mal-estar no dia seguinte ao de uma bebedeira ou de uma noite passada em claro.

restaurante

RES.SAL.TAR *v.i.* 1) Dar muitos saltos; destacar-se. / *v.t.d.* 2) Dar relevo a; tornar saliente.

RES.SAL.VA *s.f.* 1) Nota em que se corrige um erro que passou no texto. 2) Lembrete, observação. 3) Cláusula, ajuste. 4) Declaração de dispensa do serviço militar, reserva.

RES.SAR.CIR *v.t.d.* 1) Compensar, indenizar, refazer. / *v.p.* 2) Indenizar-se, pagar-se, recuperar o que era seu.

RES.SE.CAR *v.t.d.* 1) Secar de novo. / *v.p.* 2) Ressequir-se. 3) Tornar-se excessivamente seco.

RES.SEN.TIR *v.t.d.* 1) Sentir profundamente, magoar-se com. / *v.p.* 2) Mostrar-se ressentido; entristecer-se, melindrar-se, amuar-se, indignar-se.

RES.SE.QUIR *v.t.d.* 1) Tornar muito seco, ressecar. / *v.p.* 2) Tonar-se muito seco, ressecar-se.

RES.SO.AR *v.t.d.* 1) Repetir o som de; soar de novo; ressonar. / *v.i.* 2) Ecoar, retumbar, repercutir.

RES.SOL.DAR *v.t.d.* Soldar outra vez.

RES.SO.NÂN.CIA *s.f.* 1) Repercussão de sons, eco. 2) *Fís.* Característica de aumentar a duração ou amplitude do som. 3) *Fís.* Propriedade que os corpos apresentam de transmitir ondas sonoras.

RES.SO.NAR *v.t.d.* e *v.i.* 1) Emitir som forte; fazer soar; ressoar. / *v.i.* 2) Respirar com regularidade durante o sono. 3) Respirar com ruído durante o sono; roncar.

RES.SO.NO *s.m.* 1) Ação de ressonar ou ressoar. 2) Sono profundo e/ou demorado.

RES.SO.PRAR *v.t.d.* Soprar outra vez.

RES.SUR.GIR *v.t.i.* e *v.i.* 1) Regressar à vida, ressuscitar, reviver. 2) Revelar-se de novo, reaparecer, renascer.

RES.SUR.REI.ÇÃO *s.f.* 1) Ato ou efeito de ressurgir, ressuscitar. 2) Vida nova; renovação. 3) Festa de Páscoa em que os cristãos celebram a ressurreição do Senhor Jesus Cristo.

RES.SUS.CI.TAR *v.t.d.* 1) Chamar outra vez à vida, fazer reviver. 2) Fazer ressurgir, restabelecer. / *v.i.* 3) Ressurgir, restabelecer-se de grave doença.

RES.TA.BE.LE.CER *v.t.d.* 1) Estabelecer-se outra vez, restaurar, recompor. / *v.p.* 2) Readquirir, recuperar-se.

RES.TAN.TE *adj.2gên.* 1) Que resta, que sobra. / *s.m.* 2) Aquilo que resta; resto.

RES.TAR *v.t.i.* e *v.i.* 1) Existir como resto. 2) Faltar para completar um todo. / *v.i.* 3) Continuar, subsistir a uma tempestade; sobrar. 4) Sobreviver, remanescer.

RES.TAU.RA.ÇÃO *s.f.* 1) Ato ou efeito de restaurar (-se). 2) Conserto ou recuperação de coisa quebrada, danificada, ruída ou desgastada; reparo. 3) Retorno a um estado ou condição anterior; restabelecimento.

RES.TAU.RAN.TE *adj.2gên.* 1) Que restaura, restaurador, restaurativo. / *s.m.* 2) Estabelecimento onde se preparam e servem refeições ao público, mediante pagamento.

restaurar | **retícula**

RES.TAU.RAR *v.t.d.* 1) Restabelecer, restituir. 2) Recompor; consertar; reparar. 3) Revigorar, reintegrar. / *v.p.* 4) Restabelecer-se; recuperar-se.
RÉS.TIA *s.f.* 1) Feixe de luz. 2) Feixe de alhos ou cebolas. 3) Corda de junco entrançado.
RES.TI.LO *s.m.* 1) Ato de restilar, restilação. 2) Destilado, restos da destilação de álcool. 3) Aguardente, cachaça, de primeira qualidade. 4) Caninha, uísque, licor.
RES.TIN.GA *s.f.* 1) Terreno de litoral, arenoso e salino, onde vegetam plantas herbáceas. 2) Terra e vegetação que emerge do rio nas inundações. 3) Faixa de mato que beira qualquer rio. 4) Banco de areia ou de rocha no alto-mar; recife.
RES.TI.TU.I.ÇÃO (u-i) *s.f.* 1) Ato ou efeito de restituir. 2) Devolução de algo a quem pertence.
RES.TI.TU.IR *v.t.d.* 1) Devolver o que se possuía indevidamente. 2) Instituir de novo, restabelecer. 3) Restaurar; reconstituir. / *v.p.* 4) Recuperar o que foi perdido. 5) Indenizar-se, prover-se. 6) Reintegrar-se, reempossar-se.
RES.TO *s.m.* 1) Sobra; remanescente, saldo. 2) Parte não usada ou não aproveitada; restante. 3) *Arit.* Resultado de uma subtração. 4) *Arit.* Excesso do dividendo sobre o produto do quociente pelo divisor. 5) Resíduo, detrito.
RES.TRI.ÇÃO *s.f.* 1) Ato ou efeito de restringir (-se). 2) Imposição de limite, condição. 3) *Jur.* Ressalva, reserva.
RES.TRIN.GIR *v.t.d.* 1) Estreitar, apertar. / *v.p.* 2) Limitar-se, reduzir-se. 3) Refrear-se, moderar-se. / *v.t.d.i.* 4) Aplicar ou associar exclusivamente a ➡ Restringi a promoção a poucos clientes.
RES.TRI.TI.VA *adj.* 1) *Gram.* Atributo dado a um tipo de oração adjetiva ➡ O livro que li nas férias é interessante. / 2) *Gram.* Proposição incidente que restringe o sentido de outra proposição ou palavra; limitativa.
RES.TRI.TO *adj.* 1) Reduzido; limitado, apertado. 2) Pequeno.
RE.SUL.TA.DO *s.m.* 1) Ato ou efeito de resultar. 2) Produto; consequência, finalidade. 3) Rendimento, fruto, lucro. 4) Conclusão; solução.
RE.SUL.TAN.TE *adj.2gên.* 1) Que resulta. / *s.f.* 2) *Mec.* Força capaz de substituir a ação conjunta de outras forças aplicadas a um ponto determinado num corpo.
RE.SUL.TAR *v.t.i.* 1) Ser decorrência ou finalidade ➡ O namoro resultou do interesse de ambos. 2) Derivar, surgir, decorrer. 3) Reverter, tornar-se.
RE.SU.MIR *v.t.d.* 1) Sintetizar, reunir. 2) Fazer o resumo de; abreviar, epilogar. 3) Limitar, restringir. 4) Condensar, concentrar. / *v.p.* 5) Limitar-se, reduzir-se ➡ Na apresentação para os colegas, a aluna resumiu-se em poucas linhas.
RE.SU.MO *s.m.* 1) Ato ou efeito de resumir (-se). 2) Sumário, sinopse. 3) Abreviação, síntese. 4) Compêndio, epílogo.

RES.VA.LAR *v.t.i.* e *v.i.* 1) Cair por um declive; rolar, escorregar, deslizar. / *v.t.i.* 2) Tocar de leve; roçar. 3) Ser levado a cometer um erro, falta, etc.
RE.TA *s.f. Geom.* Linha que traça a menor distância entre dois pontos; linha reta.
RE.TA.GUAR.DA *s.f.* 1) *Mil.* Última fila ou último esquadrão de um corpo do exército. 2) A parte posterior de qualquer lugar.
RE.TAL *adj.2gên. Anat.* Relativo ao reto (intestino).
RE.TA.LHAR *v.t.d.* 1) Cortar em retalhos, recortar. 2) Repartir, fracionar. / *v.p.* 3) Golpear-se, ferir-se.
RE.TA.LHO *s.m.* 1) Resto de uma peça de tecido. 2) Recorte. 3) Parte de um todo; fração.
RE.TA.LI.A.ÇÃO *s.f. Por ext.* Revide a uma agressão ou a uma ofensa recebida; represália.
RE.TA.LI.AR *v.t.d.* 1) Responder às ofensas, revidar com dano igual ao recebido. 2) Desafrontar, vingar.
RE.TÂN.GU.LO *adj.* 1) Que tem ângulos retos. / *s.m.* 2) Figura geométrica ou quadrilátero com todos os ângulos retos. 3) Triângulo que tem um ângulo reto. 4) Trapézio que tem dois ângulos retos.
RE.TAR.DA.DO *adj.* 1) Que se retardou, retrasado. 2) Adiado, demorado. / *s.m.* 3) Indivíduo que tem deficiência mental ou o seu desenvolvimento mental está atrasado em relação à sua idade.
RE.TAR.DA.MEN.TO *s.m.* 1) Atraso, retardação. 2) Deficiência psíquica; demora generalizada das reações físicas e emocionais.
RE.TAR.DAR *v.i.* e *v.p.* 1) Chegar tarde, atrasar-se. 2) Andar devagar, ser vagaroso, demorar-se. / *v.t.d.* 3) Adiar, atrasar. 4) Tornar tardio.
RE.TAR.DA.TÁ.RIO *adj.* e *s.m.* Que ou quem está atrasado.
RE.TEM.PE.RAR *v.t.d.* 1) Temperar novamente. 2) Apurar, aprimorar. 3) Fortificar; dar novo vigor. 4) Reconquistar a esperança.
RE.TEN.ÇÃO *s.f.* 1) Ato ou efeito de reter. 2) Delonga, reserva, atraso, posse, detenção. 3) *Dir.* Cárcere privado; detenção. 4) Acumulação de substâncias nas cavidades do organismo, de onde devem ser expelidas ➡ retenção da bexiga.
RE.TER *v.t.d.* 1) Manter indevidamente na sua posse. 2) Guardar. 3) Segurar bem, ter ou manter firme, amparar. 4) Represar. 5) Manter em prisão, ter em cárcere privado. 6) Impedir de sair, deter. 7) Conservar na memória. / *v.p.* 8) Conter-se, reprimir-se, não avançar.
RE.TI.CÊN.CIA *s.f.* 1) Omissão intencional daquilo que se devia ou podia dizer. 2) Pensamento deixado pendente ou incompleto. / *s.f. pl.* 3) *Gram.* Sinal de pontuação (três pontos sucessivos: ...).
RE.TI.CEN.TE *adj.2gên.* 1) Relativo à reticência. / *adj.2gên.* e *s.2gên.* 2) Que ou quem é indeciso, hesitante, desconfiado. 3) Que ou quem age com reserva.
RE.TÍ.CU.LA *s.f. Tip.* Rede formada por um grande número de retas finíssimas traçadas sobre super-

R

431

retidão

fícies usadas em aparelhos ópticos ou em processo de reprodução de imagens.

RE.TI.DÃO *s.f.* 1) Qualidade de reto. 2) Sinceridade. 3) Honra, integridade de caráter. 4) Justiça, legitimidade. 5) Dignidade.

RE.TÍ.FI.CA *s.f. pop.* Oficina de retificação de motores automobilísticos.

RE.TI.FI.CAR *v.t.d.* 1) Dispor em linha reta, alinhar. 2) *Quím.* Purificar, destilando novamente o líquido. 3) *Mec.* Recondicionar peças ou motores no esmeril ou na retificadora. / *v.p.* 4) Ajustar-se, emendar-se.

RE.TI.LÍ.NEO *adj.* 1) Que segue uma linha reta. 2) Formado de linhas retas. 3) Correto, reto, direito; rigoroso.

RE.TI.NA *s.f. Anat.* Membrana ocular interna que recebe a impressão luminosa, possibilitando a visão.

RE.TI.NIR *v.i.* 1) Tinir por muito tempo. 2) Ressoar; zunir som agudo e prolongado. / *v.t.d.* 3) Fazer retumbar ou repercutir.

RE.TI.RA.DA *s.f.* 1) Ato ou efeito de retirar(-se); retiro. 2) *Mil.* Marcha de tropas afastando-se do inimigo. 3) Fuga; debandada. 4) Refúgio, retiro. 5) Manada de gado que, na ocasião de grandes secas, muda para lugares melhores. 6) Saque por meio de cheque ou cartão eletrônico.

RE.TI.RAN.TE *adj.2gên.* 1) Que se retira. / *s.2gên.* 2) Pessoa que se retira ou emigra fugindo, principalmente, da seca do Nordeste.

RE.TI.RAR *v.t.d.* 1) Afastar, apartar, tirar. 2) Fazer sair de onde estava. 3) Receber, recolher, sacar, arranjar. / *v.i.* e *v.p.* 4) Marchar em retirada, ir-se embora. 5) Sair, ausentar-se, afastar-se, recolher-se, fugir. / *v.t.d.i.* 6) Ter ou tirar proveito.

RE.TI.RO *s.m.* 1) Ato de retirar, retirada. 2) Lugar remoto e afastado da civilização. 3) Lugar para descanso, remanso. 4) Retiro espiritual: ambiente apropriado para meditação e oração.

RE.TO *adj.* 1) Que não apresenta curvatura nem flexões. 2) Que segue sempre a mesma direção. 3) Vertical, a prumo. 4) Justo, certo. 5) Incorruptível, imparcial. / *s.m.* 6) *Anat.* Porção terminal do intestino que se estende até o canal do ânus.

RE.TO.CAR *v.t.d.* Dar retoques em; corrigir, ajeitar, aperfeiçoar.

RE.TO.MAR *v.t.d.* 1) Voltar a ter; recuperar, reaver. 2) Seguir de novo. 3) Dar continuidade; recomeçar.

RE.TO.QUE *s.m.* 1) Ato ou efeito de retocar. 2) Correção de imperfeições ou de qualquer alteração em uma obra; aperfeiçoamento.

RE.TOR.CER *v.t.d.* 1) Tornar a torcer. / *v.t.d.* e *v.p.* 2) Torcer(-se) muito; contorcer(-se).

RE.TÓ.RI.CA *s.f.* 1) Arte de usar a linguagem com desenvoltura e eloquência, com bom uso da argumentação. 2) *Por ext. Ret.* Conjunto de regras dessa arte; oratória.

retroativo

RE.TOR.NAR *v.t.i* e *v.i.* 1) Voltar ao ponto de partida, revolver, regressar. / *v.t.d.i* 2) Fazer voltar, devolver.

RE.TOR.NO (ô) *s.m.* 1) Ato ou efeito de retornar. 2) Regresso, retrocesso, volta. 3) Restituição. 4) Nas rodovias, desvio para retornar. 5) Dádiva em compensação.

RE.TRA.IR *v.t.d.* 1) Puxar a si, contrair. 2) Fazer retrogradar, fazer voltar atrás. 3) Não manifestar, reprimir. / *v.p.* 4) Recuar, retirar-se. 5) Tornar-se reservado. 6) Afastar-se, isolar-se, encolher-se.

RE.TRAN.CA *s.f.* 1) Correia que segura a sela à cauda dos animais. 2) Vara que se põe atrás das portas; tranca. 3) Redução de gastos, economia. 4) *Fut.* Tática por meio da qual se mantém os jogadores na defesa, atacando raramente.

RE.TRANS.MIS.SOR (ô) *adj.* e *s.m.* Diz-se do ou o aparelho de telecomunicações que retransmite automaticamente os sinais recebidos.

RE.TRANS.MIS.SO.RA (ô) *s.f.* Estação que recebe e retransmite ondas radioelétricas.

RE.TRANS.MI.TIR *v.t.d.* 1) Transmitir novamente. 2) Tornar a transmitir sinais de rádio ou televisão.

RE.TRA.SA.DO *adj.* 1) Diz-se de data imediatamente anterior, passado. 2) Que se retrasou.

RE.TRA.TAR *v.t.d.* 1) Fazer o retrato ou fotografia de, fotografar. 2) Tratar novamente um assunto. / *v.t.d.* e *v.p.* 3) Reproduzir imagens; espelhar-se, refletir-se. 4) Reconhecer o erro, voltar atrás, retificar.

RE.TRÁ.TIL *adj.2gên.* Que pode se retrair.

RE.TRA.TO *s.m.* 1) Representação fiel de alguém ou alguma coisa, pela pintura, pelo desenho ou pela fotografia. 2) Descrição perfeita. 3) Imagem, figura, fotografia.

RE.TRI.BU.I.ÇÃO *s.f.* 1) Ato ou efeito de retribuir. 2) Pagamento por trabalhos ou serviços prestados; salário. 3) Agradecimento por favor ou serviço recebido; reconhecimento.

RE.TRI.BU.IR *v.t.d.* 1) Dar retribuição a, galardoar, recompensar. 2) Premiar, gratificar. 3) Pagar, corresponder. / *v.t.d.i.* 4) Dar a alguém o mesmo tratamento recebido ➡ A professora retribuiu aos alunos o carinho recebido.

RE.TRIN.CAR *v.t.d.* 1) Trincar novamente. / *v.i.* 2) Dar interpretação maliciosa. 3) Murmurar.

RE.TRO (é) *adv.* 1) Atrás, para trás. / *interj.* 2) Para trás! / *s.m.* 3) A segunda página de uma folha (oposta à frente).

RE.TRÔ *adj.2gên.* e *s.m.* 1) Que ou o que retoma ou imita um estilo do passado. 2) Que ou o que adota estilo, comportamento ou atitude próprios do passado.

RE.TRO.A.GIR *v.i.* 1) Ter efeito sobre o passado, recuar. 2) Modificar o que está feito.

RE.TRO.A.TI.VO *adj.* 1) Relativo a ou próprio do passado. 2) Que retroage; atinge fatos anteriores à sua ocorrência.

RE.TRO.CE.DER *v.i.* 1) Voltar para trás, retornar. 2) Decair, regredir. 3) Desviar-se, ir-se embora. / *v.t.d.* 4) Fazer retrocessão de ➥ Foi necessário retroceder as explicações.

RE.TRO.CES.SO *s.m.* 1) Volta ao local de onde se saiu; recuo; retorno. 2) Retorno no tempo; volta ao passado. 3) Retorno a um estado considerado ultrapassado ou pior.

RE.TRÓ.GRA.DO *adj.* e *s.m.* Que ou aquele que é contrário ao progresso.

RE.TROS.PEC.TI.VA *s.f.* Exposição, apresentação que reúne obras ou fatos passados numa sequência cronológica.

RE.TROS.PEC.TO *s.m.* Observação ou análise de fatos passados; retrospecção.

RE.TRO.VER.SÃO *s.f.* 1) *Gram.* Retradução para a língua original de um trecho que dela se havia traduzido. 2) *Med.* Inclinação de um órgão para trás, retroflexão.

RE.TRO.VI.SOR (ô) *adj.* e *s.m.* Diz-se de ou o pequeno espelho que, colocado nos veículos, permite a quem dirige visibilidade traseira.

RE.TRU.CAR *v.t.d.* 1) Contestar, redarguir, rebater. 2) Responder com argumentos, replicar, objetar.

RE.TUM.BAN.TE *adj.2gên.* 1) Que retumba; que provoca grande ressonância. 2) *fig.* De grande repercussão; extraordinário.

RE.TUM.BAR *v.i.* 1) Fazer estrondo, estrondear. 2) Ecoar, ressoar, ribombar. / *v.t.d.* 3) Repetir com estrondo o som de, repercutir.

RÉU *adj.* 1) Criminoso, culpado. / *s.m.* 2) Aquele contra quem se intentou uma ação cível ou criminal, o acusado, o criminoso. 3) Indivíduo responsável por algum crime.

REU.MA.TIS.MO *s.m. Med.* Afecção dolorosa nos músculos, articulações e nos tendões, sem febre ou inflamações.

RE.U.NI.ÃO *s.f.* 1) Ação ou efeito de reunir(-se). 2) Agrupamento, agregação, fusão. 3) Coleção, coletânea, conjunto. 4) Encontro de pessoas que se agrupam para algum fim.

RE.U.NIR *v.t.d.* 1) Unir novamente. 2) Aconchegar, ligar. 3) Promover reunião. 4) Anexar, vincular. / *v.t.i.* e *v.p.* 5) Ajuntar-se, unir-se, agrupar-se. / *v.p.* 6) Concorrer, cooperar.

RE.VA.CI.NAR *v.t.d.* e *v.p.* Vacinar(-se) novamente.

RE.VA.LI.DAR *v.t.d.* Tornar a validar.

RE.VAN.CHE *s.f.* 1) *Esp.* Novo jogo, partida, vez ou prova que uma equipe ou atleta recobra qualquer posição perdida. 2) Vingança, desforra, despique, represália.

RE.VE.LA.ÇÃO *s.f.* 1) Ato ou efeito de revelar(-se). 2) Inspiração divina. 3) Manifestação, testemunho, prova. 4) Descoberta magnífica. 5) Operação de submeter a banhos especiais filmes fotográficos, para visualizar as imagens.

RE.VE.LAR *v.t.d.* 1) Tirar o véu a, desvelar. 2) Afirmar, apontar. 3) Fazer reconhecer, provar. 4) *Fot.* Fazer aparecer, no negativo, a imagem. / *v.p.* 5) Dar-se a conhecer, patentear-se. 6) Fazer-se conhecer pela revelação ou inspiração divina.

RE.VEN.DER *v.t.d.* 1) Vender novamente. 2) Vender o que se tinha comprado.

RE.VER *v.t.d.* 1) Ver novamente. 2) Examinar atenciosamente. 3) Fazer a revisão judicial de. / *v.p.* 4) Espelhar-se, mirar-se.

RE.VER.BE.RAR *v.i.* 1) Brilhar, fulgir, resplandecer. / *v.t.d.* 2) Refletir luz e calor.

RE.VER.DE.JAR *v.i.* Manifestar-se muito verde, verdejar muito.

RE.VE.RÊN.CIA *s.f.* 1) Respeito às coisas sagradas. 2) Veneração, acatamento, adoração, culto. 3) Consideração, importância. 4) Inclinação.

RE.VE.REN.CI.AR *v.t.d.* 1) Prestar culto a; adorar, venerar. 2) Tratar com reverência; respeitar, considerar. / *v.t.d.* e *v.i.* 3) Fazer reverência; saudar, cumprimentar com respeito.

RE.VE.REN.DO *adj.* e *s.m.* Que ou aquele que merece reverência; pastor, padre, sacerdote.

RE.VE.RI.FI.CAR *v.t.d.* Verificar novamente; conferir, comparar.

RE.VER.SÃO *s.f.* 1) Ato ou efeito de reverter. 2) Volta, regresso. 3) Restituição, devolução. 4) Retorno do funcionário ao serviço público civil ou militar.

RE.VER.SÍ.VEL *adj.2gên.* 1) Que se pode reverter, voltar atrás. 2) Cujo efeito e causa podem inverter-se. 3) Que pode ser usado pelo lado direito ou pelo avesso. 4) Que pode mudar de aspecto ou função, para uma utilização diferente da habitual.

RE.VER.SO *adj.* 1) Que se opõe à face principal, avesso. 2) O que é contrário à parte que se observa. 3) *fig.* Que tem má índole, revirado. / *s.m.* 4) Lado oposto ao principal.

RE.VER.TER *v.t.i.* 1) Regressar, voltar ao ponto de partida. 2) Retroceder. 3) Converter-se, redundar.

RE.VÉS *s.m.* 1) Lado oposto; reverso. 2) Aspecto ruim de alguma coisa. 3) Acontecimento desfavorável; reviravolta, infortúnio.

RE.VES.SA *s.f.* 1) Corrente de água que corre em direção contrária à do rio. 2) Corrente marítima que volta em sentido contrário. 3) Interseção de duas vertentes do telhado, formando ângulo reentrante.

RE.VES.TI.MEN.TO *s.m.* 1) Ato ou efeito de revestir(-se). 2) Proteção, cobertura. 3) Capa, envoltório. 4) Argamassa ou outro material que serve para revestir paredes.

RE.VES.TIR *v.t.d.* 1) Vestir novamente ou colocar uma roupa sobre outra. 2) Envolver, cobrir, encapar. 3) Guarnecer. / *v.p.* 4) Enfeitar-se, paramentar-se.

RE.VE.ZA.MEN.TO *s.m.* Ato ou efeito de revezar; substituição alternada de pessoas ou coisas; troca, alternância.

revezar / rigidez

RE.VE.ZAR *v.t.d.* Substituir alternadamente, trocar de posição.
RE.VI.DAR *v.t.d.* 1) Dar em resposta a, replicar. / *v.t.i.* 2) Pagar ofensa com outra maior.
RE.VI.GO.RAR *v.t.d.* 1) Dar novo vigor a. / *v.i.* e *v.p.* 2) Fortalecer-se, reanimar-se, robustecer-se.
RE.VI.RAR *v.t.d.* 1) Virar novamente, voltar ao avesso. 2) Remexer, desordenar. / *v.p.* 3) Virar-se novamente.
RE.VI.RA.VOL.TA *s.f.* 1) Ato ou efeito de revirar. 2) Mudança brusca. 3) Giro sobre si mesmo, pirueta, cambalhota, viravolta.
RE.VI.SÃO *s.f.* 1) Ato ou efeito de rever ou revisar. 2) Verificação. 3) Exame detalhado. 4) Correção; análise. 5) Laudo.
RE.VI.SAR *v.t.d.* 1) Estudar atentamente e mais de uma vez; recapitular, rever. 2) Fazer a inspeção de. 3) Examinar com atenção, procurando possíveis erros; rever, corrigir, emendar. 4) *fig.* Repensar, reexaminar, reconsiderar.
RE.VI.SOR (ô) *adj.* e *s.m.* 1) Que ou quem revisa. / *s.m.* 2) Profissional que faz trabalho de revisão de originais ou de provas tipográficas.
RE.VIS.TA *s.f.* 1) Ação ou efeito de revistar. 2) Nova vistoria; exame minucioso. 3) Inspeção de tropas em formatura. 4) Peça teatral na qual se fazem críticas a fatos atuais. 5) Publicação periódica.
RE.VIS.TAR *v.t.d.* 1) Fazer inspeção em. 2) Procurar algo em; vistoriar, vasculhar.
RE.VI.VER *v.i.* 1) Tornar a viver, voltar à vida, ressuscitar. 2) Renascer, renovar-se. 3) Aparecer novamente, ressurgir. / *v.t.d.* 4) Trazer à lembrança, rememorar.
RE.VI.VI.FI.CAR *v.t.d.* e *v.p.* 1) Tornar a vivificar; reanimar(-se). / *v.t.d.* 2) *Teol.* Dar nova vida espiritual ou alento a.
RE.VO.A.DA *s.f.* 1) Ato ou efeito de revoar. 2) Bando de aves que revoam. 3) *fig.* Multidão; bando. 4) Oportunidade, ensejo. 5) Conjunto de aviões em voo de exibição.
RE.VO.GAR *v.t.d.* Declarar ou tornar sem efeito, desfazer, extinguir.
RE.VOL.TA *s.f.* 1) Ato ou efeito de revoltar(-se). 2) Indisciplina, insubmissão, confusão, conflito. 3) Rebelião contra a autoridade estabelecida. 4) Indignação geral. 5) Alvoroço, tumulto, perturbação.
RE.VOL.TAR *v.t.d.* 1) Estimular a revolta; agitar, perturbar moralmente. / *v.p.* 2) Levantar-se contra a autoridade ou contra o seu superior, revolucionar-se.
RE.VOL.TO (ô) *adj.* 1) Curvo para baixo, inclinado, voltado. 2) Revoltado, irado. 3) Emaranhado, cacheado. 4) Excitado, violento, tempestuoso.
RE.VO.LU.ÇÃO *s.f.* 1) Ato ou efeito de revolver (-se) ou revolucionar(-se), revolvimento. 2) Revolta, rebelião armada.

RE.VO.LU.CI.O.NÁ.RIO *adj.* 1) Referente à revolução. / *s.m.* 2) Aquele que provoca revoluções. 3) Aquele que propaga ideias novas e contrárias às dominantes.
RE.VOL.VER *v.t.d.* e *v.p.* 1) Mexer(-se) muito, em várias direções; revirar(-se), remexer(-se). / *v.t.d.*, *v.t.i.* e *v.p.* 2) Movimentar(-se), deslocando(-se) de lugar; mover(-se). / *v.t.d.* 3) Cavar (a terra), misturando(-a). 4) Examinar com atenção; investigar, revirar.
RE.VÓL.VER *s.m.* Arma de fogo portátil de cano curto.
RE.ZA *s.f.* 1) Ação ou efeito de rezar. 2) Oração ou série de orações, recitadas em casa, na igreja ou outro lugar em que se esteja. 3) *pop.* Benzedura.
RE.ZAR *v.t.d.*, *v.t.d.i.*, *v.t.i.* e *v.i.* 1) Fazer uma oração ou prece; orar. / *v.t.d.* 2) Celebrar (a missa). 3) Fazer benzeduras em; benzer. / *v.t.i.* 4) Discorrer sobre; tratar.
RI.A.CHO *s.m.* Rio pequeno, ribeiro, regato, arroio.
RI.BA *s.f.* Margem elevada do rio, ribeira, ribanceira.
RI.BAL.TA *s.f.* 1) Série de luzes à frente do palco. 2) *Por ext.* O palco.
RI.BAN.CEI.RA *s.f.* 1) Margem elevada de um rio. 2) Rocha alta à margem de um rio. 3) Barranco.
RI.BEI.RA *s.f.* 1) Lugar junto do rio. 2) Massa de água que corre entre margens próximas. 3) Pequeno rio, ribeiro. 4) Zona rural, compreendendo certo número de fazendas.
RI.BEI.RÃO *s.m.* 1) Ribeiro bastante largo. 2) Curso de água menor que um rio. 3) Terreno apropriado para nele se lavrarem minas de diamantes.
RI.BEI.RI.NHO *adj.* e *s.m.* Que se localiza ou vive às margens de rio ou ribeira.
RI.BEI.RO *s.m.* Rio pequeno, arroio, córrego.
RI.CA.ÇO *s.m.* Indivíduo muito rico.
RI.CO *adj.* 1) Que possui muitos bens ou haveres. 2) Fecundo, produtivo. 3) Abastado, milionário.
RI.CO.CHE.TE.AR *v.t.i.* e *v.i.* Desviar ao bater em uma superfície dura.
RI.CO.TA *s.f.* Queijo que se obtém coalhando leite fervido.
RI.DI.CU.LA.RI.ZAR *v.t.d.* e *v.p.* 1) Tornar(-se) ridículo. / *v.t.d.* 2) Expor ao ridículo; zombar, caçoar.
RI.DÍ.CU.LO *adj.* e *s.m.* 1) Que ou aquele que é digno de riso, de gozação. 2) Coisa ou indivíduo de pouco valor, insignificante.
RI.FA *s.f.* Sorteio feito por meio de bilhetes numerados ou pela loteria em que os prêmios, geralmente, são objetos.
RI.FLE *s.m.* Arma de fogo com repetição de tiros, fuzil.
RI.GI.DEZ (ê) *s.f.* 1) Qualidade ou condição do que não é flexível. 2) *fig.* Severidade de princípios, opiniões e comportamento; austeridade.

434

rígido   robótica

RÍ.GI.DO *adj.* 1) Pouco flexível. 2) Austero, ríspido, severo. 3) Hirto, teso.

RI.GOR (ô) *s.m.* 1) Demasiada tensão, inflexibilidade, rigidez. 2) Aspereza, dureza, ou severidade no gênio ou no trato. 3) Precisão, exatidão.

RI.GO.RO.SO (ô) *adj.* 1) Sem flexibilidade; rígido. 2) Muito severo; intransigente. 3) Exato, minucioso, preciso. 4) Muito intenso.

RI.JO *adj.* 1) Que não é flexível, resistente. 2) Duro, teso. 3) Severo, áspero. 4) Robusto, que não verga. / *adv.* 5) Rijamente.

RIM *s.m. Anat.* Cada uma das duas vísceras glandulares que segregam a urina, situadas uma à direita e outra à esquerda da coluna vertebral, na região lombar.

RI.MA *s.f.* 1) Correspondência de sons no final de dois ou mais versos. 2) Igualdade de som na terminação de duas ou mais palavras. / *s.f. pl.* 3) *pop.* Versos.

RI.MAR *v.t.d.* 1) Escrever em versos rimados. 2) Fazer versos com as últimas sílabas iguais. / *v.i.* 3) Versejar, formar rimas entre si. / *v.t.i.* 4) Formar rima. 5) Estar em harmonia, concordar.

RI.MÁ.RIO *s.m.* Coleção ou livro de rimas.

RIN.CÃO *s.m.* 1) Lugar retirado, refúgio, recanto. 2) Lugarejo natal, pago, querência. 3) Qualquer espaço da campanha gaúcha onde haja arroio, capões ou algum mato.

RIN.GUE *s.m.* Tablado elevado, cercado de cordas, onde se travam lutas de boxe, jiu-jítsu, luta livre e outras.

RI.NHA *s.f.* 1) Briga de galos, disputa. 2) Local onde se realizam brigas de galos.

RI.NI.TE *s.f. Med.* Inflamação da mucosa nasal.

RI.NO.CE.RON.TE *s.m. Zool.* Mamífero quadrúpede, de pele espessa e dura, com uma ou duas saliências córneas sobre o focinho.

RI.O *s.m.* 1) Grande quantidade de água que deságua noutro rio, no mar ou em um lago. 2) Grande quantidade de líquido ou de qualquer coisa.

RI.PA *s.f.* Pedaço de madeira comprido e estreito.

RI.PAR *v.t.d.* 1) Fechar ou gradear com ripas (os caibros dos telhados). 2) Pregar ou guarnecer com ripas. 3) Fabricar ripas. 4) Espancar, bater. 5) Criticar.

RI.QUE.ZA (ê) *s.f.* 1) Qualidade de rico. 2) Abundância de bens, opulência. 3) Abastança, fartura, fortuna.

RIR *v.i.* 1) Contrair os músculos faciais em consequência de uma impressão cômica. 2) Ter um ar agradável, risonho; sorrir. 3) Estar alegre, gracejar. 4) Demonstrar alegria por meio de expressões faciais. / *v.t.i.* 5) Fazer de algo ou alguém motivo de riso, diversão, menosprezo.

RI.SA.DA *s.f.* 1) Riso sonoro, gargalhada. 2) Riso simultâneo de muitas pessoas.

RIS.CA *s.f.* 1) Ação ou efeito de riscar, riscadura, risco. 2) Listra, traço. 3) Separação reta do cabelo, linha.

RIS.CAR *v.t.d.* 1) Fazer riscos ou traços em. 2) Determinar, traçar, marcar. 3) Eliminar, excluir, suprimir. / *v.p.* 4) Excluir-se a si próprio, exonerar-se.

RIS.CO *s.m.* 1) Traço feito a lápis, pena, pincel, etc., risca. 2) Delineamento, delineação. 3) Possibilidade de perigo iminente.

RI.SO *s.m.* 1) Ato ou efeito de rir, risada. 2) Júbilo, contentamento. 3) Troça, gozação. 4) Coisa ridícula.

RI.SO.NHO *adj.* 1) Que está sempre rindo ou sorrindo; sorridente. 2) Alegre, feliz, satisfeito.

RI.SO.TO (ô) *s.m. Cul.* Prato da cozinha italiana com arroz, manteiga e queijo parmesão ralado, ao qual se adiciona algum ingrediente básico, como frango ou camarão.

RÍS.PI.DO *adj.* 1) Áspero, severo. 2) Rude, grosseiro.

RIT.MAR *v.t.d.* Dar ritmo a, cadenciar, compassar.

RÍT.MI.CO *adj.* 1) Relativo a ou próprio de ritmo. 2) Que possui ritmo.

RIT.MO *s.m.* 1) Movimentos ou ruídos que ocorrem, no tempo, com intervalos regulares. 2) *Mús.* Som que se repete sempre no mesmo tempo, compasso. 3) *Mús.* Regularidade no andamento de uma execução musical. 4) *Fisiol.* Proporção ou relação de intensidade entre as pulsações arteriais.

RI.TO *s.m.* 1) Conjunto de cerimônias e regras religiosas, ritual. 2) Culto, doutrina, princípios, religião. 3) Sistema dos procedimentos das organizações maçônicas.

RI.TU.AL *adj.2gên.* 1) Relativo a rito. / *s.m.* 2) Conjunto e prática dos ritos de uma religião ou seita. 3) Culto religioso; cerimônia. 4) *Por ext.* Conjunto de regras a se seguir; cerimonial, etiqueta.

RI.VAL *adj.2gên.* 1) Diz-se de pessoa ou coisa que uma é rival de outra. / *s.2gên.* 2) Pessoa que rivaliza desejando as mesmas vantagens que outrem, concorrente. 3) Diz-se daquele que compete em pretensões amorosas.

RI.VA.LI.DA.DE *s.f.* 1) Qualidade ou condição de rival. 2) Concorrência, disputa, competição. 3) Desentendimento, hostilidade entre; oposição, conflito.

RI.XA *s.f.* 1) Contenda, confusão, desacordo, desarmonia. 2) Briga, conflito, revolta.

RO.BE *s.m.* Roupão, penhoar.

RO.BÔ *s.m.* 1) Aparelho automático que imita os movimentos humanos, podendo executar diferentes tarefas. 2) *fig.* Indivíduo que obedece mecanicamente, fantoche.

RO.BÓ.TI.CA *s.f.* Ciência e técnica de concepção, construção e utilização de robôs.

435

robusto ····· **rolador**

RO.BUS.TO *adj.* 1) De constituição resistente; reforçado, forte. 2) Consistente, abundante. 3) Poderoso, enérgico. 4) Arrojado, vigoroso.

RO.CA *s.f.* 1) Instrumento onde se enrola o fio têxtil que se quer fiar. 2) Rocha, rochedo, penhasco. 3) *Náut.* Peça com que se reforça um mastro fendido.

RO.ÇA *s.f.* 1) Roçado. 2) Solo preparado para o plantio de sementes; lavoura. 3) O campo, zona rural.

RO.CAM.BO.LE *s.m.* *Cul.* Bolo ou pão de ló enrolado sobre si mesmo, tendo como recheio fina camada de doce em pasta.

RO.ÇAR *v.t.d.* 1) Cortar rente o mato com foice. 2) Desgastar por meio de atrito. 3) Raspar, coçar, tocar de leve.

RO.CEI.RO *adj.* 1) Diz-se do animal que pasta nas roças. 2) Rústico. / *s.m.* 3) Indivíduo que roça ou cultiva roças. 4) Aquele que vive na roça, caipira.

RO.CHA *s.f.* 1) Grande pedra, rochedo, penhasco. 2) *Geol.* Agregado natural, formado de um ou mais minerais, que constitui parte essencial da crosta terrestre. 3) Coisa firme, inabalável.

RO.CHE.DO (ê) *s.m.* 1) Penhasco. 2) Rocha escarpada à beira do mar. 3) *Anat.* A parte mais dura do osso temporal.

ROCK (róc) *s.m.* *ingl.* Música popular de origem norte-americana com ritmo rápido e marcado por instrumentos amplificados eletronicamente; roque.

RO.CO.CÓ *adj.2gên.* 1) Que é de mau gosto. 2) Diz-se do que está excessivamente enfeitado; fora de uso. / *s.m.* 3) Estilo arquitetônico do século XVIII, derivado do barroco, com muitos ornatos, abuso de curvas, mas sem estética.

RO.DA *s.f.* 1) *Mec.* Peça circular, de madeira ou metal, simples para se mover em torno de um eixo. 2) Círculo. 3) Figura circular, disco. 4) Brincadeira infantil, em que crianças, em círculo, de mãos dadas, giram na mesma direção ao compasso de cantigas características. 5) Agrupamento de pessoas. 6) Volta, giro.

RO.DA.DA *s.f.* 1) Giro completo de uma roda. 2) Queda, falência. 3) Cada uma das vezes que o garçom serve bebidas às pessoas em uma mesa de bar. 4) Conjunto dos jogos de um campeonato ou torneio, fase.

RO.DA.PÉ *s.m.* 1) Artigo na parte inferior de um jornal. 2) Margem inferior da página de um livro onde podem constar notas explicativas do referido texto.

RO.DAR *v.t.d.* 1) Fazer andar a roda. 2) Fazer girar em volta; rodear. 3) Percorrer determinada distância (o veículo). 4) Cinematografar, filmar. / *v.i.* 5) Correr ou percorrer em volta, circular. 6) Mover sobre rodas. 7) *pop.* Ser infeliz em um intento. 8) *pop.* Ser despedido de emprego. 9) Cair rolando. 10) *pop.* Fracassar. / *v.t.i.* 11) Dirigir-se de carro.

RO.DE.AR *v.t.d.* 1) Andar em volta de, percorrer em giro. 2) Circundar, cercar. 3) Tergiversar, ladear.

RO.DEI.O *s.m.* 1) Ato ou efeito de rodear(-se). 2) Competição esportiva de montaria de touros ou cavalos chucros. 3) Exibição pública de peões. 4) Giro em redor de alguma coisa. 5) Subterfúgio, desculpa evasiva. 6) Meios que se aplicam para alcançar disfarçadamente as coisas.

RO.DE.LA *s.f.* 1) Pequena roda. 2) Fatia redonda de certos alimentos. 3) Escudo redondo. 4) Rótula (osso).

RO.DI.LHA *s.f.* 1) Esfregão para fazer limpeza nas cozinhas. 2) Pano enrolado como rosca que se põe na cabeça por baixo da carga para assentá-la. 3) *fig.* Pessoa detestável.

RO.DÍ.ZIO *s.m.* 1) Peça de moinho movida a água, que faz girar a mó. 2) Pequena roda metálica nos pés dos móveis para deslocá-los com facilidade. 3) Revezamento em trabalhos ou funções. 4) Sistema de certos restaurantes no qual são servidos diversos pratos. 5) Acordo para frustrar uma lei ou um regulamento. 6) Cambalacho. 7) Proibição de circular automóveis, em São Paulo, em certos dias da semana e horários, conforme final da placa.

RO.DO (ô) *s.m.* 1) Utensílio de madeira, com forro de borracha, que facilita a remoção da água de lavagem do piso. 2) Utensílio de madeira que serve para ajuntar os cereais nos terreiros ou sal nas marinhas.

RO.DO.PI.AR *v.i.* Dar muitas voltas sobre si mesmo, girar como pião.

RO.DO.VI.A *s.f.* Estrada de rodagem, estrada para veículos, autoestrada.

RO.DO.VI.Á.RIA *s.f.* Estação de embarque e desembarque de passageiros de ônibus.

RO.E.DOR *adj.* 1) Que rói. / *s.m.* 2) *Zool.* Ordem de mamíferos à qual pertencem os ratos, as lebres, os esquilos, etc., que não possuem dentes caninos, mas incisivos próprios para roer.

RO.ER *v.t.d.* 1) Cortar e triturar com os dentes. 2) Consumir, desgastar, corroer. 3) Corromper, ulcerar. 4) Causar grande dor moral a. 5) Devorar aos poucquinhos e de maneira contínua.

RO.GAR *v.t.d.* e *v.t.d.i.* 1) Pedir com instância, suplicar, implorar. / *v.t.i.* 2) Fazer súplicas.

RO.GO (ô) *s.m.* 1) Ato ou efeito de rogar. 2) Súplica, oração, prece.

RO.JÃO *s.m.* 1) Foguete que sobe veloz. 2) Estouro característico do foguete. 3) Marcha mais ou menos forçada. 4) Modo de agir. 5) Trabalho exaustivo, contínuo.

ROL *s.m.* Arrolamento, lista, relação, enumeração.

RO.LA.DOR (ô) *s.m.* Peça de mecanismo de tração elétrica, rolamento.

RO.LA.MEN.TO *s.m.* 1) Ato ou efeito de rolar, rolagem. 2) *Mec.* Conjunto de aros metálicos superpostos, em cujo interior estão esferas ou cilindros de aço, para facilitar o movimento de outra peça, ordinariamente um eixo giratório, oferecendo o mínimo de reação por atrito; rolimã.

RO.LAR *v.t.d.* 1) Cortar em rolos. / *v.i.* 2) Deslocar-se (um objeto), girando sobre si mesmo. 3) Andar sobre rodas ou rolamentos. 4) Encarneirar-se; encapelar-se (o mar).

ROL.DA.NA *s.f.* Disco circular girante, fixo num eixo e sulcado em sua periferia, sobre o qual passa um cabo, uma corda ou corrente; polia.

RO.LE.TA (ê) *s.f.* 1) Jogo de azar que consiste numa roda girante com casas numeradas de 1 a 36 e em que o número premiado é indicado pela parada de uma bolinha numa dessas casas. 2) *Fam.* Boato falso; notícia sem fundamento.

RO.LE.TE (ê) *s.m.* 1) Pequeno rolo. 2) Rodela de cana descascada, de nó a nó, para se chupar. 3) Instrumento que os chapeleiros usam para endireitar o fundo dos chapéus.

RO.LHA (ô) *s.f.* 1) Peça cilíndrica, de cortiça ou de outra substância, para tapar a boca ou gargalo de certos frascos. 2) Repressão. 3) Censura à imprensa. 4) Imposição de silêncio. 5) *pop.* Pessoa tratante.

RO.LI.ÇO *adj.* 1) Que tem forma cilíndrica. 2) Que tem formas arredondadas; redondo, gorducho.

RO.LO (ô) *s.m.* 1) Qualquer objeto de forma cilíndrica. 2) Qualquer cilindro maciço, que gira em torno de um eixo. 3) Remoinho. 4) Cabelos enrolados. 5) Vagalhão. 6) *pop.* Tumulto em que se envolvem muitas pessoas, conflito, desordem.

RO.MÃ *s.f.* Fruto de romãzeira.

RO.MAN.CE *s.m.* 1) *Linguíst.* Línguas românicas ou neolatinas. 2) *Lit.* Narração ficcional em prosa, de aventuras imaginárias, mais complexa que o conto e a novela. 3) Imaginação fantástica do espírito; fantasia. 4) *pop.* Aventura amorosa.

RO.MAN.CE.AR *v.t.d.* e *v.i.* 1) Narrar em forma de romance. / *v.i.* 2) *Por ext.* Contar ou inventar fatos e histórias; fantasiar.

RO.MAN.CIS.TA *adj.2gên.* e *s.2gên.* Que ou quem escreve romances.

RO.MÂ.NI.CO *adj.* 1) Relativo a Roma, principalmente à Roma Antiga e ao Império Romano. / *adj.* e *s.m.* 2) *Linguíst.* Diz-se das línguas derivadas do latim. 3) Relativo a ou próprio dessas línguas.

RO.MA.NO *adj.* 1) De Roma. 2) Diz-se da Igreja Católica. 3) Diz-se dos algarismos criados pelos romanos. / *s.m.* 4) Habitante ou natural da Roma contemporânea ou da Roma Antiga.

RO.MÂN.TI.CO *adj.* 1) Relativo a romance. 2) Diz-se do indivíduo dado ao romantismo. 3) Imaginário, fictício; poético. 4) Diz-se dos escritores e artistas que, no começo do século XIX, afastaram-se das regras clássicas, denotando predominância da sensibilidade e da imaginação sobre a razão.

RO.MAN.TIS.MO *s.m.* Gênero literário do início do século XIX, com predomínio da imaginação e do sentimentalismo sobre a razão.

RO.MAN.TI.ZAR *v.t.d.* e *v.i.* 1) Contar em forma de romance; romancear. / *v.i.* 2) Dar caráter romântico a; fantasiar. / *v.i.* e *v.p.* 3) Assumir ares românticos.

RO.MA.RI.A *s.f.* 1) Peregrinação religiosa. 2) Reunião de pessoas que se dirigem a um determinado lugar. 3) Multidão.

ROM.BO *s.m.* 1) Arrombamento, furo, abertura. 2) *pop.* Estrago, desfalque. / *adj.* 3) Que não é agudo ou aguçado.

ROM.BO.E.DRO *s.m.* *Geom.* Sólido cujas seis faces são losangos iguais.

RO.MEI.RO *s.m.* Quem participa de romaria; peregrino.

RO.ME.NO *adj.* 1) Referente à Romênia (Europa). / *s.m.* 2) Natural ou habitante da Romênia. 3) Língua neolatina, oficial na Romênia.

ROM.PER *v.t.d.* e *v.p.* 1) Despedaçar(-se), destroçar(-se), estilhaçar(-se). / *v.t.d.* 2) Sulcar a terra; arar, lavrar. 3) Abrir à força, arrombar. 4) Cortar, obstruir. / *v.i.* 5) Aparecer, mostrar-se; nascer. 6) Desfazer ligação de amizade ou amorosa. / *v.t.i.* 7) Manifestar (sentimento) de forma súbita; iniciar movimento de modo repentino. 8) Romper algum tipo de relacionamento ou acordo com outra pessoa.

ROM.PI.MEN.TO *s.m.* 1) Ato ou efeito de romper (-se). 2) *Por ext.* Interrupção de algo; suspensão. 3) *fig.* Quebra ou corte de relações entre pessoas ou países.

RON.CAR *v.i.* 1) Causar som áspero e forte durante o sono; estrondear. 2) Respirar com rumor; ressonar. / *v.t.d.* 3) Dizer com arrogância.

RON.CO *s.m.* 1) Ruído de quem ronca. 2) Ruído de motor. 3) Estrondo, fragor. 4) A voz de certos animais. 5) O grunhir dos porcos, grunhido. 6) O rom-rom do gato. 7) Regougo, som roufenho. 8) *pop.* Gabolice, fanfarronice; ronca.

RON.DA *s.f.* 1) Ato de rondar. 2) Patrulha. 3) Exame ou inspeção acerca da boa ordem em vias ou locais públicos. 4) *Mil.* Grupo de soldados ou pessoas que percorrem diferentes postos de uma praça de guerra ou acampamento, velando pela manutenção da ordem e observando se guardas e sentinelas cumprem o seu dever.

RON.DAR *v.i.* 1) Praticar ronda a. / *v.t.d.* 2) Andar ou passear à volta de. 3) Fiscalizar, examinar, inspecionar, vigiar.

RON.RO.NAR *v.i.* Fazer ruído com a garganta (o gato).

RO.QUE *s.m.* Forma aportuguesada de *rock*.

roqueiro

RO.QUEI.RO *adj.* 1) Relativo a roca. 2) Relativo a rocha ou que tem a constituição desta. / *s.m.* 3) Aquele que faz roca. 4) Instrumentista, cantor e/ou compositor de *rock*.

RO.SA *s.f.* 1) *Bot.* Flor da roseira. 2) *Bot.* Gênero típico da família das Rosáceas, constituído de arbustos eretos, espinhosos e com flores nas cores vermelha, amarela, branca, rósea, entre outras. 3) *Poét.* Mulher formosa. 4) *Mús.* Boca circular e ornamentada no tampo dos instrumentos de cordas. 5) Parte rosada das faces. / *s.m.* 6) Cor vermelho-clara, cor-de-rosa.

RO.SÁ.CEA *s.f.* 1) Ornamento arquitetônico em forma de rosa. 2) Vitral de cores de igreja, quase sempre circular, geralmente rendilhado e magnífico. 3) *Bot.* Espécime das Rosáceas, família de ervas, árvores ou arbustos floríferos.

ROS.BI.FE *s.m.* Pedaço de carne bovina, de primeira, malpassada; é servida fria e, geralmente, em fatias.

ROS.CA (ô) *s.f.* 1) A parte espiralada da porca e do parafuso para ajuste. 2) Espiral de objetos semelhantes ao parafuso, como verrumas, saca-rolhas, etc. 3) Bolo, pão ou biscoito, com a massa torcida ou em forma de argola. 4) *pop.* Bebedeira. / *s.2gên.* 5) Pessoa manhosa, velhaca.

RO.SEI.RA *s.f. Bot.* Arbusto ornamental rosáceo, espinhoso, que produz rosas.

RO.SE.TA (ê) *s.f.* 1) Pequena rosa. 2) *Bras.* Grama rasteira e espinhosa. 3) Rodinha dentada da espora dos cavaleiros. 4) Distintivo em forma de rosa. 5) Mancha vermelha no corpo ou nas faces.

ROS.NAR *v.t.d.* 1) Pronunciar em voz baixa, por entre dentes; resmungar. 2) Admoestar alguém; falar mal, em segredo. / *v.i.* 3) Emitir (cão, lobo, etc.) um som surdo indicativo de raiva.

ROS.QUE.AR *v.t.d.* 1) Fazer rosca em. 2) Apertar com rosca; parafusar.

ROS.TO (ô) *s.m.* 1) Parte anterior da cabeça; face, semblante. 2) Parte dianteira; fronte. 3) Aparência, fisionomia, aspecto. 4) Página do livro em que está o título da obra e o nome do autor.

RO.TA *s.f.* 1) Direção, caminho, rumo. 2) Caminho marítimo ou aéreo. 3) Tribunal pontifício, formado por 12 juízes eclesiásticos.

RO.TA.ÇÃO *s.f.* 1) Movimento giratório. 2) Movimento que a Terra executa em torno de seu próprio eixo. 3) Sucessão alternada de pessoas ou fatos, ciclo.

RO.TA.CIS.MO *s.m.* 1) *Gram.* Repetição viciosa da consoante *r* em lugar de outra letra. 2) Emprego abusivo da letra r.

RO.TA.TI.VA *s.f.* Máquina impressora composta de dois cilindros que são pressionados um contra o outro enquanto giram.

RO.TA.TI.VO *adj.* 1) Que faz rodar. 2) Que se sucede por turnos, por revezamento. 3) Que transmite rotação.

rouquidão

RO.TA.TÓ.RIO *adj.* 1) Relativo a rotação. 2) Que gira ou roda.

RO.TEI.RIS.TA *adj.2gên.* e *s.2gên.* Que ou quem escreve roteiros para cinema, televisão, etc.

RO.TEI.RO *s.m.* 1) Descrição escrita dos pontos que é preciso conhecer para se fazer uma viagem. 2) Relação dos principais tópicos que devem ser abordados em um trabalho em escrito, em uma discussão, etc. 3) Guia minucioso da filmagem de uma história. 4) *fig.* Regulamento.

RO.TI.NA *s.f.* 1) Prática constante. 2) Norma; praxe. 3) Caminho habitualmente trilhado e sabido. 4) Hábito, costume. 5) Monotonia.

RO.TI.NEI.RO *adj.* 1) Relativo a rotina. 2) Que acontece habitualmente; usual, costumeiro.

RO.TO (ô) *adj.* 1) Que se rompeu. 2) Esburacado, rasgado. / *s.m.* 3) Aquele que veste roupa esfarrapada, maltrapilho.

RO.TU.LAR *v.t.d.* 1) Pôr rótulo ou etiqueta em; etiquetar. 2) Qualificar; tachar. 3) Servir de rótulo a.

RÓ.TU.LO *s.m.* 1) Legenda, logotipo, marca, inscrição. 2) Pequeno impresso que se coloca em frascos e embalagens com o nome do produto e outras indicações.

ROU.BA.LHEI.RA *s.f.* 1) Roubo abundante e escandaloso. 2) Roubo de bens que pertencem ao Estado. 3) *pop.* Preço exagerado.

ROU.BAR *v.t.d.*, *v.t.d.i.*, *v.t.i.* e *v.i.* 1) Tirar para si ou para outrem (coisa alheia móvel), com violência. / *v.t.d.* 2) Raptar; sequestrar. 3) Apoderar-se fraudulentamente de. / *v.i.* 4) Praticar roubo.

ROU.BO *s.m.* 1) Apropriação indevida de algo que pertence a outra pessoa. 2) Aquilo que foi roubado. 3) Favorecimento indevido de um competidor em prejuízo do adversário. 4) *Por ext.* Preço exorbitante.

ROU.CO *adj.* 1) Que tem rouquidão. 2) Que tem som áspero ou grave e baixo. 3) Afônico.

ROUND (ráund) *s.m. ingl. Esp.* Cada um dos tempos (assaltos) de uma luta de boxe.

ROU.PA *s.f.* 1) Designação geral das peças do vestuário. 2) Vestuário, traje.

ROU.PA.GEM *s.f.* 1) Conjunto de roupas; rouparia, vestes. 2) Aparências; exterioridade. 3) *fig.* Coisa vistosa, frívola ou insignificante.

ROU.PÃO *s.m.* Veste longa e confortável de uso doméstico, robe, chambre.

ROU.PA.RI.A *s.f.* 1) Grande quantidade de roupa. 2) Lugar onde se guardam ou vendem roupas.

ROU.PEI.RO *s.m.* 1) Indivíduo encarregado de rouparia. 2) O que faz roupa. 3) Casca de uva branca. 4) *Bras.* Móvel para se guardarem roupas, semelhante à cômoda.

ROU.QUI.DÃO *s.f.* 1) Embaraço no órgão da voz resultando em dificuldade na pronúncia. 2) Alteração da voz que lhe faz mudar o timbre, a tonalidade, a altura, tornando-a áspera e pouco nítida.

ROU.XI.NOL *s.m.* 1) *Zool.* Pássaro europeu e asiático de canto melodioso. 2) *fig.* Pessoa que tem boa voz, que canta muito bem.

RO.XO (ô) *adj.* 1) De cor entre rubro e violáceo; da cor da violeta. 2) *pop.* Colossal, exagerado, vivo. 3) *pop.* Apreensivo, ambicioso, sequioso. / *s.m.* 4) A cor roxa.

RU.A *s.f.* 1) Caminho público ladeado de casas, muros ou árvores, numa povoação. 2) O espaço compreendido entre as fileiras de qualquer plantação. 3) Qualquer lugar exterior à casa de residência. 4) Via pública para circulação urbana. 5) *fig.* Classe inferior da sociedade. / *interj.* 6) Exprime despedida violenta e grosseira.

RU.BÉ.O.LA *s.f.* Doença viral caracterizada por pequenas erupções avermelhadas na pele e febre.

RU.BI *s.m.* Pedra preciosa, transparente, de cor vermelha.

RU.BOR (ô) *s.m.* 1) Qualidade do que é rubro, vermelho. 2) Vermelhidão no rosto causada por vergonha, fadiga, etc.

RU.BO.RI.ZAR *v.t.d.* e *v.p.* 1) Tornar(-se) rubro ou vermelho. / *v.t.d.*, *v.i.* e *v.p.* 2) Ficar com a face vermelha, corada; envergonhar(-se).

RU.BRI.CA *s.f.* 1) Assinatura abreviada ou em cifra. 2) Sinal, firma, autenticação. 3) Título ou entrada que indica, de forma geral, o assunto de um conjunto de determinados elementos e, antigamente, era impresso na cor vermelha. 4) *Liturg.* Nota ou explicação nos missais, geralmente em vermelho. 5) Advertência, lembrete, observação.

RU.BRO *adj.* 1) Vermelho vivo, cor de sangue. 2) Encarnado. 3) Corado, afogueado. / *s.m.* 4) A cor rubra.

RU.DE *adj.2gên.* 1) Agreste, não civilizado. 2) Grosseiro; penoso, árduo. 3) Não cultivado, inculto. 4) Estúpido, descortês. 5) De caráter duro, rigoroso. 6) Complicado para cultivo moral ou intelectual.

RU.DI.MEN.TAR *adj.2gên.* 1) Básico, elementar. 2) Pouco desenvolvido ou aperfeiçoado; incompleto.

RU.DI.MEN.TO *s.m.* 1) Elemento inicial. 2) Base; esboço, projeto. 3) As primeiras noções. 4) Conhecimento generalizado.

RU.EI.RO *adj.* 1) Referente à rua. 2) Diz-se daquele que gosta de andar pelas ruas; arruador. / *s.m.* 3) Indivíduo rueiro.

RU.E.LA *s.f.* 1) Pequena rua; viela. 2) Arruela.

RU.FAR *v.t.d.* e *v.i.* 1) Produzir rufos em tambor. / *v.t.d.* 2) Fazer pregas em.

RU.FO *s.m.* 1) Toque rápido, ritmado e trêmulo de tambor. 2) Espécie de lima com serrilha. 3) Enfeite ou guarnição franzido; pregado.

RU.GA *s.f.* 1) Prega ou dobra na pele, sulco, carquilha, gelha. 2) Prega ou dobra em roupa, vinco. 3) Dobra em qualquer superfície.

RU.GE *s.m.* Cosmético em pó ou pasta usado para colorir as faces.

RU.GI.DO *s.m.* 1) Som emitido pelos grandes felinos selvagens; urro. 2) *fig.* Som cavernoso semelhante ao urro dos felinos.

RU.GIR *v.i.* 1) Soltar a voz (o leão); bramir, urrar. 2) Causar som áspero e agudo. 3) Ressoar, rumorejar. / *v.t.d.* 4) Roçar pelo chão, produzindo ruído. 5) Bradar ou proferir com furor.

RU.GO.SO (ô) *adj.* Que tem rugas, engelhado, áspero.

RU.Í.DO *s.m.* 1) Qualquer estrondo, rumor, fragor. 2) Barulho produzido pela queda de um corpo. 3) *fig.* Escândalo, repercussão, boato. 4) Pompa, aparato.

RUI.DO.SO (u-i...ô) *adj.* 1) Que causa ou produz ruído; barulhento. 2) Em que há ruído.

RU.IM (u-ím) *adj.2gên.* 1) Mau, perverso, inútil. 2) Imoral. 3) Corrupto, deteriorado. 4) Prejudicial, nocivo. 5) De má qualidade. 6) Defeituoso, estragado.

RU.Í.NA *s.f.* 1) Ato ou efeito de ruir. 2) Desmoronamento, destruição. 3) Resto de edifício desmoronado. 4) Destroços, aniquilamento. 5) Prejuízo, perda de bens materiais ou morais.

RU.IR *v.i.* 1) Cair com fragor e veemência, desmoronar-se. 2) Desabar, precipitar-se.

RUI.VO *s.m.* 1) Indivíduo de cabelo ruivo. / *adj.* 2) Louro-avermelhado. 3) Amarelo-avermelhado.

RUM *s.m.* Aguardente proveniente da fermentação e destilação do melaço da cana-de-açúcar.

RU.MAR *v.t.i.* e *v.t.d.i.* 1) Colocar a embarcação no rumo desejado. 2) Dirigir(-se). / *v.t.i.* 3) Encaminhar-se.

RU.MI.NAN.TE *adj.2gên.* 1) Que rumina. / *s.m.* 2) *Zool.* Espécime dos Ruminantes, animais mamíferos herbívoros, quadrúpedes (boi, camelo, etc.), cujo estômago é dividido em quatro partes (pança, barrete, folhoso e coagulador), às vezes em três, voltando o alimento à boca para ser novamente mastigado.

RU.MI.NAR *v.t.d.* 1) Mastigar novamente, remoer os alimentos que voltam do estômago à boca. 2) *fig.* Pensar muito a respeito de algum assunto, refletir. / *v.i.* 3) Remoer os alimentos.

RU.MO *s.m.* 1) Cada uma das 32 direções indicadas pela rosa dos ventos. 2) Caminho. 3) Roteiro, rota. 4) Orientação, direção.

RU.MOR (ô) *s.m.* 1) Ruído surdo, barulho. 2) Sussurro, cochicho. 3) Murmúrio de vozes. 4) Alarido, algazarra.

RU.PES.TRE *adj.2gên.* 1) Que cresce sobre os rochedos. 2) Gravado ou construído em rochas. 3) Diz-se da arte registrada nas cavernas.

RUP.TU.RA *s.f.* 1) Ato ou efeito de romper(-se); rompimento. 2) Queda violenta. 3) Corte; interrupção. 4) Violação de contrato. 5) Fratura.

RU.RAL *adj.2gên.* 1) Referente ao campo ou à vida agrícola; campestre. 2) Camponês, rústico, agreste. 3) Roceiro.

RU.RA.LIS.MO *s.m.* 1) Doutrina ou ação ruralista. 2) Encanto pela vida e ideias rurais. 3) Predomínio das atividades do campo. 4) Emprego de cenas rurais em obras de arte.

RUS.GA *s.f.* 1) Desavença, desentendimento entre pessoas. 2) Briga, burburinho.

RUSH (râch) *s.m. ingl.* 1) Tráfego intenso, engarrafamento. 2) Aglomeração de veículos em grande escala.

RUS.SO *adj.* 1) Relativo à Rússia. / *s.m.* 2) Habitante, natural ou idioma da Rússia.

RÚS.TI.CO *adj.* 1) Referente ao campo, campestre. 2) Grosseiro, ignorante, bruto ➥ indivíduo rústico. 3) Diz-se do indivíduo descortês, incivil. 4) Sem acabamento, tosco ➥ estilo rústico. / *s.m.* 5) Camponês, indivíduo que vive no campo.

S s

S (esse) *s.m.* 1) Décima nona letra do alfabeto português; consoante linguodental, fricativa, surda, sibilante e, quando intervocálica, tem som de *z*. 2) Símbolo de segundo, unidade de tempo. 3) Na rosa dos ventos, abreviatura de sul. 4) *Quím.* Símbolo de enxofre.

SA.BÁ *s.m.* 1) Descanso dos judeus consagrado a Jeová no sábado. 2) Segundo crença popular, reunião secreta de feiticeiros e bruxas.

SÁ.BA.DO *s.m.* Sétimo dia da semana, a qual tem início no domingo.

SA.BÃO *s.m.* 1) Substância detergente usada para lavar roupa, utensílios, superfícies, etc. 2) Pedaço dessa substância solidificada. 3) *Quím.* Sal metálico de ácido derivado da gordura. 4) Terra escorregadia, lisa.

SA.BÁ.TI.CO *adj.* 1) Relativo a sábado. 2) Relativo a sabá. 3) Diz-se de período que apresenta interrupção de alguma atividade regular.

SA.BA.TI.NA *s.f.* 1) Recapitulação de matéria escolar por meio de questões orais. 2) *fig.* Matéria a discutir; debate.

SA.BA.TI.NAR *v.t.d.* Submeter alguém à sabatina.

SA.BE.DOR (ô) *adj.* e *s.m.* 1) Que ou quem sabe alguma coisa; ciente. 2) Que ou quem tem profundo conhecimento de algo; sábio.

SA.BE.DO.RI.A *s.f.* 1) Alto grau de conhecimentos; erudição, saber. 2) Pessoa sábia. 3) Juízo, bom senso. 4) *pop.* Sabido, esperto, astuto.

SA.BER *v.t.i.* 1) Estar informado de, ter conhecimento de, ser capaz de. 2) Possuir amplos conhecimentos. / *v.t.d.* 3) Compreender ou perceber um fato, um acontecimento. 4) Ser versado em. 5) Ter conhecimento prático de alguma coisa ou possuir habilidade nela. 6) Compreender, saber explicar. 7) Ter a certeza ou a convicção de. / *s.m.* 8) Soma de conhecimentos; ciência, erudição. 9) Experiência, prática da vida.

SA.BE-TU.DO *s.2gên. pop.* e *pej.* Quem alardeia sabedoria; sabichão.

SA.BI.Á *s.2gên.* Nome comum dado a aves canoras com penas marrons, cinza ou pretas.

SA.BI.CHÃO *adj.* e *s.m. fam.* e *iron.* Indivíduo que sabe muito ou que alardeia sabedoria.

SA.BI.DO *adj.* 1) Que se sabe; conhecido, público. / *adj.* e *s.m.* 2) Sabedor, conhecedor. 3) *fig.* Que ou quem é sensato, prudente, astuto. 4) *fig.* Trapaceiro, velhaco, esperto.

SÁ.BIO *adj.* 1) Diz-se de quem sabe muito, que tem profundo conhecimento, erudito. 2) Que fala ou age de acordo com a razão e a moral. 3) Judicioso, prudente. / *s.m.* 4) Homem prudente, informado. 5) Filósofo, pensador.

SA.BO.A.RI.A *s.f.* 1) Fábrica ou depósito de sabão. 2) Estabelecimento onde se vende sabão.

SA.BO.NE.TE (ê) *s.m.* Sabão fino e aromatizado.

SA.BO.NE.TEI.RA *s.f.* Objeto que serve para colocar sabonete em uso.

SA.BOR (ô) *s.m.* 1) Impressão que certas substâncias exercem sobre o sentido do gosto. 2) Qualidade ou propriedade distintiva que as substâncias exercem sobre o paladar. 3) O que constitui o prazer de alguma coisa. 4) *fig.* Natureza, caráter, teor.

SA.BO.RE.AR *v.t.d.* e *v.i.* 1) Comer ou beber lentamente, com gosto. / *v.t.d.* 2) Dar sabor ou gosto a; tornar saboroso. 3) Causar prazer a. / *v.p.* 4) Deliciar-se.

SA.BO.RO.SO (ô) *adj.* 1) Que agrada ao paladar; gostoso, delicioso. 2) *fig.* Que é agradável; que dá prazer.

SA.BO.TA.DOR (ô) *adj.* e *s.m.* Que ou quem pratica sabotagem.

SA.BO.TA.GEM *s.f.* 1) Ato ou efeito de sabotar. 2) Destruição ou danificação proposital. 3) Interferência sigilosa na produção ou nos negócios de uma empresa.

SA.BO.TAR *v.t.d.* 1) Danificar ou destruir algo de modo intencional e criminoso; estragar. 2) Prejudicar de forma oculta e traiçoeira; arruinar, atrapalhar.

SA.BRE *s.m.* 1) Arma branca, reta ou curva, com a parte cortante situada apenas de um lado. 2) Espada curta.

SA.BU.GO *s.m.* 1) Medula do caule de certas árvores, como a do sabugueiro. 2) Parte dura da cauda de certos animais. 3) Parte interior e pouco dura dos chifres. 4) Parte do dedo em que se encrava a unha. 5) Espiga de milho sem os grãos.

SA.BU.JI.CE *s.f.* Submissão, servilismo.

SA.BU.JO *s.m.* 1) Raça de cão de caça de grande porte. / *adj.* e *s.m.* 2) *fig.* Que ou quem bajula.

SA.CA *s.f.* 1) Grande saco. 2) Bolsa de compras. 3) Saco muito largo e comprido, usado como medida para certos produtos; equivale a 60 kg. 4) Ato de sacar; sacadela, puxão. 5) Onda que avança para a praia.

SA.CA.DA *s.f.* 1) Balcão de janela ou porta, que sobressai do alinhamento da parede. 2) Ato ou efeito de sacar; sacadela. 3) O que pode caber dentro de um saco. 4) *gír.* Diz-se quando alguém ou alguma atitude foi observada, percebida num determinado instante, de forma especial ➡ A sacada dela foi surpreendente.

SA.CA.DO *s.m.* 1) *Dir.* e *Com.* Indivíduo contra quem se sacou uma letra de câmbio ou título equivalente. 2) Na Amazônia, alagamento provocado pelos rios que represam o excedente das suas cheias. / *adj.* 3) Diz-se do que se sacou; retirado, extraído.

SA.CA.NA *adj.2gên.* e *s.2gên.* 1) *pej.* Que ou quem tem mau caráter, engana, tira vantagem dos outros; canalha. 2) *pop.* Brincalhão, gozador.

SA.CA.NA.GEM *s.f.* 1) Ato, dito ou comportamento de sacana. 2) Imoralidade, falsidade, safadeza. 3) Patifaria.

SA.CA.NE.AR *v.i.* 1) *pop.* Comportar-se como sacana. / *v.t.d.* 2) Causar aborrecimento a; incomodar, irritar.

SA.CAR *v.t.d.* 1) Tirar para fora, à força e repentinamente; arrancar. 2) Fazer sair. 3) Conseguir, obter com esforço. 4) Auferir, lucrar, tirar. 5) Emitir letra de câmbio, passar uma ordem de pagamento. / *v.t.i.* e *v.i.* 6) Fazer saques; puxar por. / *v.i.* 7) *gír.* Perceber, compreender, entender. / *v.p.* 8) Sair-se.

SA.CA.RI.A *s.f.* 1) Grande quantidade de sacos; depósito de sacos. 2) Indústria de sacos.

SA.ÇA.RI.CAR *v.i. pop.* 1) Dançar, agitar-se muito. 2) Divertir-se muito.

SA.CA.RÍ.DEO *adj.* 1) Que se assemelha ao açúcar. / *s.m.* 2) Denominação genérica dos açúcares ou combinações de açúcares. 3) Carboidrato.

SA.CA.RI.NA *s.f.* Substância muito doce, mas sem valor nutritivo, usada como substituto de açúcar no tratamento da diabete e da obesidade.

SA.CA-RO.LHAS (ô) *s.m. pl.* Instrumento para tirar as rolhas das garrafas.

SA.CA.RO.SE *s.f.* Substância orgânica abundante no reino vegetal; o açúcar comum, de cana ou beterraba.

SA.CER.DÓ.CIO *s.m.* 1) Cargo, dignidade ou funções de sacerdote. 2) A carreira eclesiástica. 3) Apostolado; poder sacerdotal. 4) Senhor nobre de qualquer classe de indivíduos; profissão honrosa. 5) Missão tomada muito a sério, como uma coisa sagrada.

SA.CER.DO.TE *s.m.* 1) Pessoa que ministra os sacramentos de uma igreja; padre, eclesiástico. 2) *fig.* Quem se dedica a uma causa ou missão nobre.

SA.CHÊ *s.m.* 1) Pequeno saco com substâncias aromáticas utilizado para perfumar. 2) Pequeno saco, geralmente de plástico, utilizado como embalagem de algo.

SA.CHO *s.m. Agr.* Pequena enxada usada para afofar a terra.

SA.CI *s.m. Folc.* De acordo com a crença popular, garoto negro de uma perna só e travesso, que fuma cachimbo e usa um gorro vermelho; saci-pererê.

SA.CI.AR *v.t.d.* e *v.p.* 1) Matar a fome ou a sede; satisfazer(-se), fartar(-se). 2) *fig.* Aplacar o desejo; ficar satisfeito.

SA.CI.E.DA.DE *s.f.* Estado de quem está saciado, satisfeito.

SA.CO *s.m.* 1) Recipiente feito de plástico, papel, pano, etc., aberto apenas na parte de cima, usado para embrulhar ou transportar coisas; sacola. 2) O conteúdo desse recipiente. 3) *pop.* Aborrecimento, chatice. 4) Paciência.

SA.CO.LA *s.f.* Saco com alças usado para transportar compras e outros objetos.

SA.CO.LEI.RO *s.m. pop.* 1) Pequeno comerciante que compra mercadorias populares, geralmente no atacado, para revender. / *adj.* 2) Relativo a esse comerciante.

SA.CO.LE.JAR *v.t.d., v.i.* e *v.p.* Agitar(-se) muito; sacudir(-se); balançar(-se).

SA.CRA.LI.ZAR *v.t.d.* e *v.p.* Tornar(-se) sagrado; sacramentar.

SA.CRA.MEN.TAR *v.t.d.* 1) Ministrar os sacramentos a. 2) Tornar sagrado; consagrar, sacralizar. 3) *pop.* Preencher e legalizar os requisitos de.

SA.CRA.MEN.TO *s.m. Rel.* 1) Rito sagrado instituído por Jesus Cristo para confirmar ou conceder a graça a um fiel. 2) A hóstia consagrada.

SA.CRÁ.RIO *s.m.* 1) Lugar onde são guardados objetos sagrados. 2) *fig.* Lugar íntimo onde se abrigam os sentimentos mais profundos do coração. 3) *fig.* Lugar onde se tem completa privacidade.

SA.CRI.FI.CAR *v.t.d., v.t.d.i., v.t.i.* e *v.i.* 1) Oferecer(-se) em sacrifício; imolar. / *v.t.d.i.* e *v.p.* 2) Dedicar(-se) totalmente a; devotar(-se), consagrar(-se). / *v.t.d., v.t.d.i.* e *v.p.* 3) Renunciar voluntariamente; abdicar, desistir. / *v.t.d.* 4) Causar danos a; prejudicar, abater, matar.

SA.CRI.FÍ.CIO *s.m.* 1) Ato ou efeito de sacrificar (-se). 2) Oferenda ritual a uma divindade; imolação. 3) Renúncia ou privação voluntária. 4) *fig.* Sofrimento, custo. 5) Suplício, martírio.

SA.CRI.LÉ.GIO *s.m.* 1) Pecado grave contra a religião ou contra o que é sagrado. 2) Profanação de lugares, objetos e pessoas sagradas. 3) *Por ext.* Ato digno de reprovação; desrespeito, ultraje.

SA.CRÍ.LE.GO *adj.* 1) Em que há sacrilégio. / *adj.* e *s.m.* 2) Que ou quem comete sacrilégio.

SA.CRI.PAN.TA *adj.2gên.* e *s.2gên.* Que ou quem é desprezível; velhaco, patife.

SA.CRIS.TÃO *s.m.* 1) Empregado que cuida da sacristia. 2) Quem auxilia o padre durante a missa e os ofícios divinos.

SA.CRIS.TI.A *s.f.* Local da igreja onde são guardados os paramentos e outros objetos de culto.

SA.CRO *adj.* e *s.m.* 1) *Anat.* Relativo a ou osso sacro. / *adj.* 2) Sagrado, santo, divino. 3) *fig.* Digno de respeito.

SA.CROS.SAN.TO *adj.* 1) Santo e sagrado. 2) Que não pode ser violado.

SA.CU.DIR *v.t.d.* e *v.p.* 1) Agitar(-se) repetidamente e com força; sacolejar. / *v.t.d.* 2) Mover de um lado para o outro; balançar. 3) Agitar para limpar; bater.

SÁ.DI.CO *adj.* 1) Relativo a sadismo. / *adj.* e *s.m.* 2) Que ou quem pratica o sadismo. 3) *Por ext.* Que ou quem sente prazer com o sofrimento alheio.

SA.DI.O *adj.* 1) Favorável à saúde. 2) Que goza de boa saúde.

SA.DIS.MO *s.m.* 1) Perversão sexual de quem procura aumentar a intensidade do prazer venéreo, produzindo sofrimento em outrem. 2) Prazer no sofrimento alheio.

SA.DO.MA.SO.QUIS.MO *s.m.* Perversão sexual caracterizada pela prática de sadismo e de masoquismo.

SA.FA.DE.ZA (ê) *s.f. pop.* 1) Ato ou dito próprio de pessoa safada. 2) Ação ou dito imoral ou pornográfico. 3) Travessura, traquinagem.

SA.FA.DO *adj.* 1) Que ou aquele que é cínico, salafrário. 2) *pop.* Descarado, pornográfico, imoral. 3) *gír.* Encolerizado, indignado. 4) *Fam.* Traquinas, travesso. 5) Que se safou; que se livrou de alguma situação embaraçosa.

SA.FA.NÃO *s.m.* 1) Ato de safar. 2) Bofetada, tapa. 3) Sacudidela. 4) Empurrão.

SA.FAR *v.t.d.* 1) Fazer sair; extrair. 2) Furtar, tirar, roubar. / *v.t.d.i.* 3) Livrar, salvar ➡ A mãe safou os filhos das artimanhas dos desocupados. 4) Pôr a navegar (navio encalhado). / *v.p.* 5) Escapar, esgueirar-se, fugir. 6) Deteriorar-se.

SA.FÁ.RI *s.m.* 1) Expedição ou excursão de caça, comum nas selvas africanas. 2) *Por ext.* Parque de animais selvagens.

SA.FE.NA *s.f. Anat.* Cada uma de duas veias situadas na face interna da coxa e da perna.

SA.FI.RA *s.f.* 1) *Miner.* Pedra preciosa de cor azul, variedade de coríndon. 2) A cor azul dessa pedra.

SA.FIS.MO *s.m.* 1) Homossexualidade feminina; 2) Lesbianidade; 3) Atributo de quem é esperto, safo.

SA.FRA *s.f.* 1) Produção agrícola do ano, colheita, boa promessa de frutos. 2) Época do ano em que se costuma vender gado gordo; produtos da indústria pastoril: lã, charque, etc. 3) Espécie de bigorna de uma só ponta.

SA.GA *s.f.* 1) Lenda medieval escandinava acerca de figuras ou eventos notáveis. 2) Canção baseada nessa lenda. 3) Entre os antigos romanos, bruxa.

SA.GA.CI.DA.DE *s.f.* 1) Aptidão para compreender ou aprender por simples sinais ou indícios; agudeza, perspicácia. 2) Malícia, manha, astúcia.

SA.GAZ *adj.2gên.* 1) Que possui agudeza de espírito; perspicaz. 2) Criterioso, sensato; fino; desembaraçado, esperto; sutil.

SA.GRA.DO *adj.* 1) Relativo a Deus, a uma divindade, a uma religião ou a um culto; divino sacro, santo. 2) Que recebeu a consagração. 3) Respeitável, venerável. 4) Que não se deve infringir; inviolável. 5) Que não se pode deixar de cumprir.

SA.GRAR *v.t.d., v.t.d.i.* e *v.p.* 1) Dedicar(-se), consagrar(-se) a Deus ou a seu serviço. / *v.t.d.i.* e *v.p.* 2) Dedicar(-se) a algo; devotar(-se). / *v.t.d.* 3) Investir numa dignidade por meio de cerimônia.

SA.GU *s.m.* 1) Nome comum a diversas palmeiras de cujo caule se extrai fécula comestível. 2) *Por ext.* A fécula extraída dessas plantas.

SA.GUÃO *s.m. Arquit.* Sala de entrada de um edifício.

SA.GUI (gü) *s.m.* Nome comum a pequenos macacos.

SAI.A *s.f.* 1) Veste feminina, justa na cintura e que se estende sobre as pernas. 2) Conjunto dos ramos inferiores do cafeeiro. 3) A cauda das reses.

SAI.BRO *s.m.* Mistura de areia grossa com pedra, utilizada como argamassa.

SA.Í.DA *s.f.* 1) Ato ou efeito de sair; saimento. 2) Extração; exportação, venda. 3) Lugar por onde se sai. 4) *fig.* Meio de sair; recurso.

SA.I.DEI.RA *s.f. pop.* 1) A última dose de bebida alcoólica que se toma em um lugar. 2) A última dança de um baile.

SA.Í.DO *adj.* 1) Que está fora; apartado, ausente; saliente. 2) *pop.* Intrometido, enxerido, metediço. 3) *pop.* Que gosta de aparecer em público para ser visto.

SA.I.MEN.TO *s.m.* 1) Saída. 2) Acompanhamento fúnebre; funeral. 3) Descaramento, assanhamento; pouca-vergonha; atrevimento.

SAI.O.TE *s.m.* Saia curta de tecido forte que as mulheres usam por baixo de outra(s) saia(s).

SA.IR *v.i.* 1) Passar de dentro para fora; ir do interior para o exterior. 2) Afastar-se, partir, ausentar-se. 3) Recuperar a liberdade; livrar-se ➡ O preso já saiu da cadeia. 4) Aparecer, surgir ➡ O sol já saiu do esconderijo. 5) Divulgar, publicar. / *v.t.i.* 6) Deixar de fazer parte, abandonar, demitir-se. 7) Ir ao encontro de, investir. 8) Escapar-se; livrar-se ➡ Ele saiu das garras da namorada. / *v.t.d.i.* 9) Crescer, aparecendo à vista ➡ Já lhe saíram dois dentinhos.

SAL *s.m.* 1) Tempero de cozinha que se apresenta como uma substância dura e friável, de cor branca; em seu estado natural, é encontrado diluído na água do mar. 2) *Quím.* Composto que resulta da ação de um ácido com uma base pela substituição total ou parcial do hidrogênio por ácidos metálicos ou um radical eletropositivo. 3) Cloreto de sódio, cristalino, branco, usado na alimentação. 4) *fig.* Bom gosto, graça, malícia espirituosa, finura de espírito, vivacidade.

SA.LA *s.f.* 1) Compartimento principal em uma residência, destinado à recepção de visitas. 2) Qualquer compartimento, mais ou menos amplo, de um edifício. 3) Nos edifícios públicos, compartimento destinado a funções especiais.

SA.LA.DA *s.f.* 1) Um ou vários tipos de hortaliças que, depois de preparados e condimentados com sal, azeite, vinagre ou limão, são comidos crus. 2) Iguaria preparada com molhos diversos, que não se leva ao fogo. 3) *fig.* Estado daquilo que está moído, pisado, sovado. 4) *fig.* Confusão, mixórdia.

SA.LA.DEI.RA *s.f.* Travessa ou prato grande e fundo no qual se leva a salada à mesa.

SA.LA.FRÁ.RIO *s.m. pop.* Pessoa desonesta, desleal, canalha.

SA.LA.MA.LE.QUE *s.m.* 1) Saudação utilizada entre os muçulmanos. 2) *fig. pop.* Cumprimento exagerado.

SA.LA.MAN.DRA *s.f.* Anfíbio de corpo alongado, membros curtos e cauda longa, parecido com um lagarto.

SA.LA.ME *s.m.* Espécie de paio, temperado e seco ao ar ou no fumeiro, preparado para se comer cru.

SA.LA.MI.NHO *s.m.* Espécie de salame, porém mais fino e curto.

SA.LÃO *s.m.* 1) Sala grande própria para recepções de bailes e concertos. 2) Galeria para exposição de obras de arte. 3) Reunião de pessoas da sociedade. 4) Loja de barbeiro ou cabeleireiro. 5) Terreno arenoso ou barrento. 6) Fundo de lago ou mar arenoso e cheio de limo. 7) Terreno impermeável por uma camada pedregosa.

SA.LA.RI.A.DO *adj. e s.m.* 1) Assalariado; estado ou condição de quem trabalha mediante o recebimento de salário. 2) Trabalho remunerado; regime de salário.

SA.LÁ.RIO *s.m.* 1) Remuneração de um trabalho, paga por honorários; ordenado. 2) Retribuição de serviço.

SAL.DAR *v.t.d.* Pagar o saldo de; ajustar contas.

SAL.DO *adj.* 1) Liquidado, saldado, quitado. / *s.m.* 2) Diferença entre o débito e o crédito, em transações comerciais. 3) Conta que restabelece o equilíbrio entre a receita e a despesa. 4) Ajuste de contas. 5) Resto de sortimento de certa mercadoria vendida por preço inferior ao que lhe tinha sido atribuído.

SA.LEI.RO *adj.* 1) Relativo a sal. 2) Diz-se do gado acostumado a comer sal. / *s.m.* 3) Recipiente em que se deposita o sal, usado na mesa ou na cozinha. 4) Aquele que fabrica ou vende sal.

SA.LE.TA (ê) *s.f.* Pequena sala.

SAL.GA *s.f.* 1) Ato de salgar. 2) Local onde se faz a salga nas charqueadas.

SAL.GA.DO *adj.* 1) Que contém sal. 2) Que tem sal demais. 3) *fig.* Engraçado, picante. 4) *pop.* Diz-se do preço alto; caro. / *s.m.* 5) Iguarias miúdas que servem de aperitivo; salgadinho. 6) Diz-se de terreno que, devido à proximidade do mar, é considerado estéril.

SAL.GAR *v.t.d.* 1) Impregnar de sal. 2) Temperar com sal. 3) *pop.* Fazer feitiço para alguém, espalhando sal à porta. 4) *fig.* Tornar uma situação engraçada, picante. / *v.p.* 5) Impregnar-se de sal.

SA.LI.CUL.TU.RA *s.f.* Produção do sal em salinas.

SA.LI.ÊN.CIA *s.f.* 1) Qualidade do que é saliente. 2) Ressalto, proeminência na superfície de certos objetos ou na pele. 3) Qualidade de pessoa evidente.

salientar | salva

SA.LI.EN.TAR *v.t.d.* e *v.p.* 1) Tornar(-se) saliente, bem visível; destacar(-se). 2) Distinguir(-se), evidenciar(-se).

SA.LI.EN.TE *adj.2gên.* 1) Que está em posição mais elevada que os outros; protuberante. 2) *fig.* Que se destaca; evidente, notável, notório. 3) *fig.* Importante, fundamental. 4) Atrevido, assanhado.

SA.LI.NA *s.f.* 1) Terreno plano ou tanque raso onde se faz entrar água do mar para retirar sal, por meio de evaporação. 2) Estabelecimento onde se produz sal para comercializar. 3) Mina de sal-gema. 4) Monte de sal.

SA.LI.NI.DA.DE *s.f.* Teor de sal em determinado meio.

SA.LI.NO *adj.* 1) Que contém sal ou é de sua natureza. 2) Nascido à beira-mar. 3) Diz-se do cavalo ou da rês de pelo entremeado de pintas brancas, pretas ou vermelhas.

SA.LI.TRE *s.m.* 1) Designação vulgar do nitrato ou azotato de potássio ou nitro. 2) Nome dado ao nitrato de cal que se apresenta em forma de florescências salinas, nas paredes umedecidas. 3) Nome dado ao nitrato de sódio procedente das jazidas naturais do Chile e do Peru, empregado como adubo.

SA.LI.VA *s.f. Fisiol.* Fluido digestivo transparente e insípido que, segregado pelas glândulas salivares, atua no amaciamento e umedecimento dos alimentos; cuspo.

SA.LI.VAR *v.i.* 1) Segregar saliva. / *v.t.d.* 2) Umedecer com saliva. 3) Expelir à maneira de saliva, cuspir. / *adj.2gên.* 4) Relativo à saliva; salival.

SAL.MÃO *s.m. Ictiol.* Grande peixe da família dos Salmonídeos de carne rosada e saborosa, peculiar às desembocaduras dos rios europeus. 2) A cor clara, pardacenta e rosada, da parte interna do salmão. / *adj.2gên.* 3) Que tem essa cor.

SAL.MIS.TA *s.2gên.* 1) Compositor de salmos. / *s.m.* 2) O rei Davi, autor da maioria dos salmos bíblicos.

SAL.MO *s.m.* 1) Cada um dos cânticos bíblicos atribuídos a Davi, que estão reunidos no livro dos Salmos. 2) Cântico de louvor a Deus.

SAL.MO.NE.LA *s.f.* Bactéria em forma de bastonete que causa diversas doenças no ser humano.

SAL.MOU.RA *s.f.* Água muito salgada usada na conservação de alimentos.

SA.LO.BRO ou **SA.LO.BRE** (ô) *adj.* 1) Que possui certo sabor de sal. 2) Diz-se de água que possui sais ou substâncias que produzem gosto desagradável.

SAL.PI.CÃO *s.m. Cul.* Espécie de salada geralmente feita com frango desfiado, batata palha e maionese.

SAL.PI.CAR *v.t.d.* e *v.t.d.i.* 1) Temperar alimento borrifando sal ou substância salgada. 2) Manchar com pingos. / *v.t.d.* e *v.p.* 3) Espalhar uma substância em pó ou líquida sobre; polvilhar.

SAL.SA *s.f.* 1) *Bot.* Planta hortense da família das Umbelíferas, muito usada em temperos culinários. 2) *Cul.* Molho picante de origem mexicana. 3) *Mús.* Música que mistura ritmo cubano com elementos de jazz, soul e rock.

SAL.SEI.RO *s.m.* 1) Chuva rápida; bátega de água. 2) *gír.* Barulho, confusão, briga, desordem.

SAL.SI.CHA *s.f.* 1) Espécie de linguiça delgada e curta, na qual a carne de vaca, misturada com a de porco, vêm cozidas. 2) Cão bassê.

SAL.TA.DO *adj.* 1) Que está acima de um nível ou para fora de um plano; saliente. 2) Diz-se de olhos esbugalhados.

SAL.TAR *v.i.* 1) Dar saltos. 2) Despregar-se, desprender. 3) Palpitar descompassadamente. 4) Descer de onde está; apear-se. / *v.t.i.* 5) Passar de um ponto para outro, dando saltos. 6) Mudar subitamente de direção. 7) Assaltar para roubar. / *v.t.d.* 8) Galgar dando saltos; transpor algum obstáculo. 9) *fig.* Omitir palavra do que se está lendo.

SAL.TE.A.DOR (ô) *adj.* e *s.m.* Que ou quem pratica assalto; assaltante.

SAL.TE.AR *v.t.d.* 1) Acometer ou atacar de repente; assaltar. 2) Roubar, saquear. 3) Apanhar de improviso; surpreender. / *v.i.* 4) Tornar-se salteador; viver da rapina. / *v.p.* 5) Sobressaltar-se; assustar-se.

SAL.TÉ.RIO *s.m. Mús.* Antigo instrumento de cordas, triangular ou trapezoidal, semelhante à cítara, tocado para acompanhar o canto dos salmos.

SAL.TIM.BAN.CO *s.m.* 1) Artistas itinerantes que se exibem em circos, praças públicas, feiras, etc. 2) Pelotiqueiro ou charlatão de feira; acrobata. 3) *fig.* Indivíduo de opiniões versáteis, que não é digno de confiança, nem consideração.

SAL.TI.TAN.TE *adj.2gên.* 1) Que dá pequenos saltos. 2) *fig.* Irrequieto.

SAL.TI.TAR *v.i.* 1) Dar saltos pequenos e contínuos. 2) Ser muito inconstante em suas opiniões. / *v.t.i.* 3) Mudar repentinamente de assunto. 4) *fig.* Divagar de um assunto para outro.

SAL.TO *s.m.* 1) Ato ou efeito de saltar. 2) Movimento de elevação do solo provocado por impulso dos pés. 3) Reflexo de algo após bater em obstáculo. 4) Cachoeira, queda-d'água. 5) Mudança brusca de posição ou de situação. 6) Parte posterior do sapato que eleva o pé.

SA.LU.BRE *adj.2gên.* 1) Que é bom para a saúde; sadio, saudável. 2) Que se pode curar com facilidade.

SA.LU.TAR *adj.2gên.* 1) Bom para a saúde. 2) *fig.* Que visa a melhorar, corrigir erros; construtivo.

SAL.VA *s.f.* 1) Cumprimento oficial mediante uma descarga de artilharia; saudação. 2) Descarga de artilharia em honra de alguém, por motivo de regozijo ou em exercício de combate. 3) Ressalva, subterfúgio; ovação. 4) Espécie de bandeja, redonda e pequena.

445

salvação

SAL.VA.ÇÃO *s.f.* 1) Ato ou efeito de salvar(-se). 2) O que ou quem salva. 3) Redenção, remissão, libertação. 4) *Teol.* Felicidade eterna após a morte.
SAL.VA.DOR (ô) *adj.* e *s.m.* 1) Que ou quem salva. 2) Que ou quem protege e ampara. / *s.m.* 3) Título dado a Jesus Cristo.
SAL.VA.GUAR.DA *s.f.* 1) Medida de proteção adotada por autoridade ou instituição. 2) O que serve de garantia, de defesa, de amparo. 3) *fig.* Privilégio ou vantagem concedidos a pessoas de determinada classe ou grupo. 4) Defesa, preservação, segurança.
SAL.VAR *v.t.d.i.* 1) Pôr a salvo; livrar de qualquer espécie de perigo; preservar de dano, destruição ou perda ➡ Salvei fulano das intrigas alheias. / *v.t.d.* 2) Evitar a derrota. 3) Dar saudação a; saudar, cumprimentar. 4) *Teol.* Trazer ao seio da Igreja; livrar das penas do inferno. / *v.i.* 5) Dar salva de artilharia. / *v.p.* 6) Livrar-se; pôr-se a salvo de algum perigo.
SAL.VA-VI.DAS *adj.2gên.* e *s.2gên.* 1) Diz-se de ou aparelho próprio para salvar náufragos ou evitar afogamentos ➡ colete salva-vidas. 2) Profissionais em prontidão para salvar banhistas de piscina ou praia.
SAL.VE *interj.* Expressa saudação ou cumprimento.
SAL.VO *adj.* 1) Fora de perigo ou risco; livre de doença, morte ou desgraça. 2) Intacto, ileso. 3) Animador, salutar. 4) Resguardado. 5) Que obteve a bem-aventurança eterna. 6) Remido, perdoado. 7) Excetuado, omitido. / *prep.* 8) Exceto, afora, à exceção de.
SAL.VO-CON.DU.TO *s.m.* Licença concedida, por escrito, a alguém para que possa transitar livremente; salvaguarda.
SA.MAM.BAI.A *s.f. Bot.* Designação dada às plantas ornamentais da família das Polipodiáceas amplamente cultivadas em jardins e estufas.
SA.MA.RI.TA.NO *adj.* e *s.m.* 1) Que ou quem é de Samaria. 2) *fig.* Que ou quem é bom, caridoso.
SAM.BA *s.m.* 1) Dança popular brasileira, de origem africana, cantada e saracoteada, de compasso binário e acompanhamento obrigatoriamente sincopado. 2) Música própria para essa dança e sua respectiva letra. 3) Baile agitado. 4) Conflito.
SAM.BAR *v.i.* 1) Dançar o samba. 2) Estar muito folgado. 3) *pop.* Gorar; dar errado.
SAM.BIS.TA *adj.2gên.* e *s.2gên.* 1) Que ou quem samba bem. 2) Que ou quem compõe sambas. 3) Integrante ou frequentador de escolas de samba.
SAM.BÓ.DRO.MO *s.m.* Local usado para apresentações e desfiles carnavalescos.
SA.MU.RAI *s.m.* Guerreiro do Japão feudal que servia a um nobre.
SA.NAR *v.t.d.* 1) Curar, tornar são. 2) Atalhar, desfazer, reparar.

SA.NA.TÓ.RIO *s.m.* Casa de saúde destinada a receber e curar doentes convalescentes.
SAN.ÇÃO *s.f.* 1) Aprovação, pelo chefe do poder executivo, de uma lei votada pelo poder legislativo. 2) Aprovação ou confirmação de uma lei. 3) Vantagem ou penalidade decorrente do cumprimento ou da violação de uma lei. 4) Medida de repressão imposta por órgãos ou autoridade.
SAN.CI.O.NAR *v.t.d.* 1) *Jur.* Dar sanção a. 2) Ter como aceitável; aprovar, admitir.
SAN.DÁ.LIA *s.f.* Calçado formado por sola com tiras que a prendem ao pé.
SAN.DEU *adj.* e *s.m. pej.* Que ou quem fala ou faz sandices; tolo.
SAN.DI.CE *s.f.* 1) Ato ou dito que demonstra ignorância ou falta de inteligência; asneira, disparate, tolice. 2) Loucura, contrassenso.
SAN.DU.Í.CHE *s.m.* Conjunto de duas fatias de pão entre as quais se colocam fatias de fiambre, carne, presunto, queijo, salame, etc.
SA.NE.A.MEN.TO *s.m.* 1) Ato de tornar um lugar limpo, sadio, habitável. 2) Série de medidas que visam oferecer condições adequadas de vida para a população ou preservar o meio ambiente.
SA.NE.AR *v.t.d.* 1) Aplicar medidas de saneamento. 2) Tornar são, higiênico; respirável ou habitável. 3) Tornar próprio para a cultura. 4) Remediar, reparar. 5) Abafar, desfazer, pôr fim a. 6) Restituir ao estado normal.
SAN.FO.NA *s.f. pop.* e *Mús.* Instrumento musical com dois teclados laterais e mecanismo semelhante ao do acordeão.
SAN.FO.NEI.RO *s.m. Mús.* Quem toca sanfona.
SAN.GRA.MEN.TO *s.m.* 1) Ato ou efeito de sangrar. 2) *Med.* Perda de sangue.
SAN.GRAR *v.t.d.* 1) Aplicar sangria a. 2) Tirar sangue, abrindo uma veia. 3) Ferir ou matar com derramamento de sangue. 4) Fazer extinguir-se o sangue de um animal abatido. 5) Atormentar, dilacerar, ferir; debilitar; enfraquecer. 6) Tirar seiva a. 7) *Tip.* Cortar fora parte da impressão ao aparar. 8) Fazer escorrer o metal fundido ou a escória de. / *v.t.i.* e *v.i.* 9) Verter sangue.
SAN.GREN.TO *adj.* 1) De onde sai sangue. 2) Cheio de sangue; ensanguentado. 3) *fig.* Que se caracteriza por derramamento de sangue; cruel, feroz, sanguinário.
SAN.GRI.A *s.f.* 1) Ato ou efeito de sangrar; sangradura. 2) Sangue derramado por qualquer lesão. 3) Ato de escorrer o metal fundido ou a escória de um alto-forno. 4) *pop.* Extorsão de dinheiro ou de valores por meio de fraude. 5) Refresco preparado à base de vinho, água e açúcar.
SAN.GUE *s.m.* 1) *Biol.* Líquido espesso, vermelho, composto de plasma e glóbulos vermelhos e brancos, que enche as veias e as artérias e circula através do sistema vascular principal dos animais

sangue-frio / **sapo**

vertebrados; destina-se a levar matéria nutritiva e oxigênio a todos os setores do organismo. 2) *fig.* Vida ou existência humana. 3) Raça, geração, pátria. 4) Descendência, família, prole. 5) Seiva. 6) Mênstruo. 7) *Teol.* Natureza.

SAN.GUE-FRI.O *s.m.* Controle diante de situações difíceis; impassibilidade.

SAN.GUES.SU.GA *s.f.* 1) Animal invertebrado que possui ventosas usadas para sugar o sangue de vertebrados. / *s.2gên.* 2) *pej.* Pessoa que explora os outros, oportunista.

SAN.GUI.NÁ.RIO (gu ou gü) *adj.* 1) Relativo a sangue. 2) *Por ext.* Cruel, feroz, desumano. / *adj. e s.m.* 3) Sedento de sangue.

SAN.GUÍ.NEO *adj.* 1) Relativo ao sangue. 2) Da cor do sangue. 3) Rico em sangue. 4) Que tem ou parece ter aumento da massa sanguínea.

SAN.GUI.NO.LEN.TO (gu ou gü) *adj.* 1) Relativo a sangue. 2) Em que há grande derramamento de sangue. 3) Que está cheio de sangue. 4) Que se satisfaz em ver ou derramar sangue; sanguinário.

SA.NHA *s.f.* 1) Desejo de vingança; fúria, rancor, ira. 2) Desejo compulsivo.

SA.NI.DA.DE *s.f.* 1) Qualidade de quem tem saúde. 2) Condição de equilíbrio físico e mental. 3) Conjunto de condições que propiciam o bem-estar e a saúde.

SA.NI.TÁ.RIO *adj.* 1) Que diz respeito à saúde ou à higiene. 2) Referente a ou próprio de banheiro. / *s.m.* 3) Banheiro.

SÂNS.CRI.TO *adj. e s.m.* Diz-se de ou língua indo-europeia antiga da Índia.

SAN.TI.DA.DE *s.f.* Condição ou qualidade de santo.

SAN.TI.FI.CAR *v.t.d.* 1) Canonizar. 2) Celebrar de acordo com os princípios da religião. 3) Contribuir para a santificação de. 4) Reverenciar, adorar, glorificar. / *v.p.* 5) Tornar(-se) santo. 6) Salvar-se.

SAN.TI.NHO *s.m.* 1) Pequena imagem religiosa. 2) *pop.* Pequeno impresso de propaganda eleitoral, com retrato e número de um candidato.

SAN.TÍS.SI.MO *adj.* 1) Muito santo. 2) Tratamento dado ao papa. / *s.m.* 3) A hóstia consagrada.

SAN.TO *adj.* 1) Canonizado pela Igreja. 2) De uso sagrado. 3) Dedicado, consagrado a Deus. 4) De acordo com a moral religiosa. 5) *pop.* Benéfico, útil. 6) Diz-se dos dias da semana que precedem o domingo de Páscoa e a própria semana. / *s.m.* 7) *Teol.* Denominação atribuída pela Igreja Católica ao fiel que praticou durante a vida todas as virtudes cristãs. 8) Imagem de um indivíduo canonizado.

SAN.TU.Á.RIO *s.m.* 1) Local ou templo sagrado. 2) Parte de um templo na qual se realiza a missa. 3) Área reservada para preservação de determinadas espécies, onde a interferência humana é proibida; reserva ecológica.

SÃO *adj.* 1) Que goza de perfeita saúde, sadio. 2) Completamente curado. 3) Que não está podre ou estragado. 4) Reto, justo. 5) Puro; sem defeitos. 6) Ileso, salvo. 7) Justo, razoável. 8) Inteiro, intacto. 9) Forma apocopada de santo, usada antes de nomes começados com consoante ➡ São Pedro, São Paulo, São Sebastião.

SA.PA.TA *s.f.* 1) Sapato largo, raso e grosseiro. 2) *Constr.* Parte do alicerce em que se constroem as paredes. 3) Peça de madeira dos veículos de tração animal que funciona como freio; tamanca.

SA.PA.TÃO *s.m.* 1) Sapato grande. 2) Apelido dado aos portugueses na época da Independência.

SA.PA.TA.RI.A *s.f.* 1) Cargo de sapateiro. 2) Estabelecimento onde se vendem ou consertam sapatos.

SA.PA.TE.A.DO *s.m.* Dança popular em que se faz ruído rítmico com os saltos e as pontas do calçado no chão.

SA.PA.TE.AR *v.i.* 1) Bater no chão com o salto do sapato, executar sapateado. 2) *fig.* Irritar-se ➡ sapatear de raiva. / *v.t.d.* 3) Executar uma dança fazendo ruído rítmico com os saltos do calçado no chão.

SA.PA.TEI.RA *s.f.* 1) Móvel ou utensílio usado para guardar sapatos. 2) *Bot.* Nome dado a algumas plantas tropicais.

SA.PA.TEI.RO *s.m.* Pessoa que produz, restaura ou vende sapatos.

SA.PA.TI.LHA *s.f.* 1) Calçado usado por bailarinos. 2) Peça feita para recalcar os chapéus, dando consistência ao pelo.

SA.PA.TO *s.m.* 1) Calçado que abriga e protege o pé. 2) Nome comum a várias espécies de orquídeas cujas flores possuem formato de um sapatinho.

SA.PE.CA *s.f.* 1) Ação de sapecar. 2) Queimar rapidamente. 3) Pequena moeda de cobre chinesa. / *adj.2gên. e s.2gên.* 4) Pessoa namoradeira. 5) Pessoa muito levada.

SA.PE.CAR *v.t.d.* 1) Tostar, queimar levemente uma superfície; bronzear. 2) Bater, tocar de leve. 3) Atirar, disparar.

SA.PI.ÊN.CIA *s.f.* Sabedoria, erudição.

SA.PI.EN.TE *adj.2gên. e s.2gên.* 1) Que ou quem é sábio, culto. 2) Que ou quem conhece as coisas divinas.

SA.PI.NHO *s.m.* 1) Inflamação da mucosa bucal, especialmente nas crianças em fase de amamentação, causada por fungo, apresentando aftas ou placas brancas cremosas. 2) Saliência carnosa na língua dos cavalos.

SA.PO *s.m.* 1) *Zool.* Nome comum a vários anfíbios da ordem dos Anuros, que se reproduzem na água e apresentam hábitos terrestres, procurando a água na época da reprodução. 2) *pop.* Indivíduo que assiste a um jogo sem tomar participação. 3) *gír.* Diz-se da pessoa que comparece saponáceo · satisfatório

a algum lugar sem ser solicitada e fica ouvindo conversas alheias por trás das portas. 4) *pop.* Fiscal disfarçado.

SA.PO.NÁ.CEO *adj.* 1) Que tem as propriedades do sabão. / *s.m.* 2) Substância que pode ser usada como sabão.

SA.QUE *s.m.* 1) Ato ou efeito de sacar. 2) Emissão de ordem de pagamento. 3) *Esp.* No tênis, voleibol e outros jogos, ação de pôr a bola em movimento. 4) *pop.* Tentativa de enganar ou mentir. 5) Ato ou efeito de saquear; saqueio.

SA.QUÊ *s.m.* Aguardente de arroz fermentado, de origem japonesa, geralmente servida quente nas refeições.

SA.QUE.AR *v.t.d.* 1) Despojar com violência, pilhar, tirar. 2) Apoderar-se ilicitamente, roubar.

SA.RA.BAN.DA *s.f.* 1) Antiga dança popular de origem espanhola. 2) Tumulto, agitação. 3) Descompostura, repreensão.

SA.RA.BA.TA.NA *s.f.* Zarabatana.

SA.RA.CO.TE.AR *v.t.d., v.i. e v.p.* 1) Mover(-se) ou agitar(-se) com movimentos rápidos e fortes; rebolar, gingar. / *v.i.* 2) Andar de um lugar para outro; zanzar.

SA.RA.DO *adj.* 1) Que sarou. 2) *gír.* Esperto, sabido. 3) *gír.* Corajoso, valente. 4) Comilão, guloso. 5) *gír.* Diz-se do indivíduo com corpo musculoso.

SA.RAI.VA *s.f.* 1) Chuva de pedra; granizo. 2) Saraivada.

SA.RAM.PO *s.m.* Doença viral, aguda, contagiosa, caracterizada por pontos rubros na pele.

SA.RA.PA.TEL *s.m.* 1) *Cul.* Comida preparada com sangue, fígado, rim, bofe e coração de porco ou carneiro, com caldo. 2) *pop.* Balbúrdia, confusão.

SA.RAR *v.t.d.* 1) Curar. 2) Restituir a saúde a. 3) Purificar, sanear. / *v.i.* 4) Ficar curado. 5) Recobrar a saúde. / *v.t.i.* 6) Curar-se, recuperar-se.

SA.RA.RÁ *adj.2gên.* e *s.2gên.* 1) Albino. 2) Mulato sararÁ. / *adj.2gên.* 3) *Por ext.* Aplica-se à cor do ou ao cabelo alourado ou arruivado. 4) *Por ext.* Diz-se do mestiço de cabelo arruivado. 5) Falador. / *s.2gên.* 6) *Zool.* Pequeno crustáceo de água salobra.

SA.RAU *s.m.* 1) Reunião festiva, em casa particular, clube ou teatro. 2) Concerto musical, à noite. 3) Reunião de pessoas amantes das letras para recitação e audição de trabalhos em prosa ou verso; serão.

SAR.ÇA *s.f.* 1) *Bot.* Silva. 2) Matagal, moita.

SAR.CAS.MO *s.m.* Ironia, zombaria.

SAR.CÁS.TI.CO *adj.* Que expressa sarcasmo; irônico, mordaz.

SAR.CÓ.FA.GO *adj.* 1) Que devora ou corrói as carnes. / *s.m.* 2) *Por ext.* Túmulo, tumba, sepultura. 3) Parte de um monumento fúnebre, que representa o ataúde. 4) Túmulo de pedra calcária no qual os antigos colocavam seus cadáveres e acreditavam que esta pedra tinha a propriedade de consumir a carne.

SAR.DA *s.f.* 1) Pequenas manchas acastanhadas que aparecem em grande quantidade na pele de pessoas claras. 2) *Ictiol.* Peixe ósseo perciforme da família dos Escombrídeos.

SAR.GEN.TO *s.m.* 1) *Mil.* Posto hierárquico acima de cabo e abaixo de subtenente. 2) Ferramenta de carpinteiro usada para prender peças ao banco.

SAR.JA *s.f.* Tecido entrelaçado, de lã, seda ou algodão.

SAR.JE.TA (ê) *s.f.* Vala, principalmente nos lados de ruas, para o escoamento de águas pluviais.

SAR.NA *s.f.* 1) Doença contagiosa da pele que causa intensa coceira; escabiose. / *s.2gên. pop.* 2) Pessoa impertinente, que vive grudada nos outros.

SAR.RA.CE.NO *s.m.* 1) *Hist.* Termo utilizado pelos cristãos para se referirem a muçulmanos no período das Cruzadas; árabe; mouro. / *adj.* 2) Relativo a sarraceno.

SAR.RA.FO *s.m.* 1) Tira comprida e estreita de madeira. 2) Sobras de madeira depois de cortadas.

SAR.RO *s.m.* 1) Borra de vinho ou outro líquido que fica depositada no fundo das vasilhas. 2) Saburra. 3) Camada amarelada que se incrusta sobre os dentes, geralmente por falta de limpeza. 4) Resíduo de nicotina que se deposita no tubo dos cachimbos e piteiras. 5) *pop.* Diz-se de pessoa ou coisa muito divertida.

SA.TÃ *s.m.* Satanás, diabo.

SA.TA.NÁS *s.m.* 1) O chefe dos anjos rebeldes contra Deus, segundo a Bíblia. 2) Demônio, diabo. 3) *pop.* Indivíduo perverso.

SA.TÃ.NI.CO *adj.* 1) Relativo a Satanás. 2) Diabólico, terrível.

SA.TA.NIS.MO *s.m.* 1) Característica de satânico. 2) Culto prestado a Satanás.

SA.TÉ.LI.TE *s.m.* 1) *Astr.* Astro que gira em torno de um planeta; lua. 2) *Astr.* Planeta secundário. 3) Entidade política ou econômica, independente, dentro da esfera de influência de uma potência maior.

SÁ.TI.RA *s.f.* 1) Composição literária que ironiza outros textos, pessoas, costumes, etc. com objetivo de crítica. 2) Ironia, zombaria.

SA.TI.RI.ZAR *v.t.d.* 1) Zombar, censurar, ridicularizar, criticar. / *v.i.* 2) Escrever sátiras.

SÁ.TI.RO *s.m.* 1) Na mitologia grega, semideus que vivia em florestas, representado por um ser com chifres curtos, patas de bode e uma pequena cauda. 2) *fig.* Homem libertino, devasso.

SA.TIS.FA.ÇÃO *s.f.* 1) Ato ou efeito de satisfazer (-se); contentamento. 2) Prazer, alegria. 3) Pagamento. 4) Cumprimento, desempenho. 5) Reparação de uma ofensa. 6) Explicação, justificação. 7) Desagravo.

SA.TIS.FA.TÓ.RIO *adj.* 1) Que causa satisfação. 2) Aceitável, razoável.

satisfazer · seco

SA.TIS.FA.ZER *v.t.d.* 1) Proporcionar satisfação a. 2) Obedecer a. 3) Agradar, contentar. 4) Solver as obrigações com. 5) Pagar, saldar, liquidar. / *v.i.* 6) Corresponder ao que se deseja.

SA.TIS.FEI.TO *adj.* 1) Que se satisfez. 2) Contente, alegre. 3) Atendido, obedecido. 4) Farto.

SA.TU.RAR *v.t.d.* 1) Embeber, carregar totalmente de. 2) Saciar, satisfazer ao máximo. 3) Levar à saturação. 4) *Quím.* Ocupar todas as valências de um átomo. / *v.t.d.i.* 5) Encher. / *v.p.* 6) Aborrecer-se. 7) Carregar-se totalmente de.

SAU.DA.ÇÃO (au ou a-u) *s.f.* 1) Ato ou efeito de saudar. 2) Gesto ou palavra de cumprimento.

SAU.DA.DE *s.f.* 1) Lembrança nostálgica e suave de pessoas ou de coisas passadas. 2) Nostalgia, tristeza.

SAU.DAR *v.t.d.* 1) Dar as boas-vindas a; cortejar, cumprimentar. 2) Aclamar, honrar. 3) Alegrar-se com o aparecimento de. / *v.p.* 4) Dirigir-se recíprocas saudações.

SAU.DÁ.VEL (au ou a-u) *adj.2gên.* 1) Que é bom para a saúde. 2) Que tem saúde; vigoroso, sadio. 3) Que proporciona bem-estar.

SA.Ú.DE *s.f.* 1) Estado do indivíduo cujas funções orgânicas, físicas e mentais, encontram-se em estado normal. 2) Vigor, força. 3) Brinde ou saudação que se faz à saúde de alguém.

SAU.DO.SIS.MO *s.m.* 1) Inclinação ao passado. 2) Gosto do passado.

SAU.DO.SO (ô) *adj.* Que sente, inspira ou expressa saudades.

SAU.NA *s.f.* 1) Banho de origem finlandesa em que a pessoa fica exposta a vapores de água. 2) Equipamento que favorece esse banho.

SA.Ú.VA *s.f. Entom.* Nome comum a diversas espécies de formigas tropicais que vivem em colônias subterrâneas e cultivam um fungo, em folhas, que constitui seu alimento.

SA.VA.NA *s.f.* Planície de regiões secas ou extensa pradaria tropical ou subtropical, com esparsas árvores.

SA.VEI.RO *s.m.* 1) Barco estreito e comprido, usado para a travessia dos grandes rios. 2) Marinheiro desse barco.

SA.XÃO (cs) *s.m.* 1) Indivíduo de antigo povo germânico. 2) Quem habita ou é natural do moderno Estado da Saxônia, na Alemanha. 3) *Por ext.* Natural ou habitante da Inglaterra. / *adj.* 4) Relativo a essas pessoas ou lugares.

SA.XO.FO.NE (cs) *s.m. Mús.* Instrumento musical de sopro feito de metal.

SA.ZÃO *s.f.* 1) Cada estação do ano. 2) Período de colheita. 3) *fig.* Ocasião favorável, propícia; oportunidade.

SA.ZO.NAR *v.t.d., v.i.* e *v.p.* 1) Tornar(-se) maduro. / *v.p.* 2) Tornar-se melhor; aprimorar-se. / *v.t.d.* 3) Temperar, condimentar.

SCRIPT (scrípt) *s.m. ingl.* Roteiro, texto.

SE *pron. pess.* 1) Oblíquo, átono, reflexivo de 3ª pessoa ➥ Como ele se acha em boa situação, decidiu casar. 2) Apassivador ➥ Consertam-se geladeiras. / *conj.* 3) Condicional: exprime condição, hipótese; caso ➥ Se ele quiser, viajaremos mais cedo. 4) Integrante: exprime dúvida e vem após um verbo ➥ Não sei se você sabe, mas viajaremos mais cedo.

SE.A.RA *s.f.* 1) Campo de cereais; trigal. 2) Terra semeada; campo cultivado. 3) *fig.* Conjunto numeroso; partido. 4) Safra; colheita.

SE.BÁ.CEO *adj.* 1) Da natureza do sebo; sebento, seboso. 2) Que contém ou segrega sebo. 3) Gorduroso.

SE.BE *s.f.* Cerca feita de plantas e arbustos.

SE.BO (ê) *s.m.* 1) Gordura da cavidade abdominal de certos animais. 2) Produto da secreção de glândulas sebáceas. 3) Local em que são vendidos livros e discos usados.

SE.BOR.REI.A (éi) *s.f.* Secreção excessiva de gordura na pele.

SE.BO.SO (ô) *adj.* 1) Que contém ou produz sebo; engordurado. 2) *pop.* Que ou quem é convencido, pretensioso. / *adj.* e *s.m.* 3) Pessoa que é suja, porcalhona.

SE.CA (ê) *s.f.* 1) Ato de pôr a secar; enxugo. 2) *pop.* Maçada, importunação; contrariedade. 3) Cerimônia, luxo. 4) Má sorte, azar. 5) Conversa, prosa. 6) Falta de chuvas; estiagem. 7) No Nordeste, nome que se dá ao inverno seco, longo e rigoroso. / *s.2gên.* 8) *pop.* Indivíduo maçador, importuno.

SE.CA.DOR (ô) *adj.* 1) Que seca; secante. 2) Que seca ou importuna; maçante, maçador. / *s.m.* 3) Forno, aparelho ou máquina em que ou com que se faz secagem por meio de calor, ventilação forçada, ação centrífuga, etc. 4) Azarento. 5) Secadouro.

SE.CAN.TE *adj.2gên.* 1) Que seca; que torna enxuto; secador. / *s.m.* 2) Substância usada pelos pintores e impressores para acelerar a secagem das tintas. / *s.f.* 3) *Geom.* Linha ou superfície que corta outra; reta que corta a circunferência em dois pontos.

SE.ÇÃO ou **SEC.ÇÃO** *s.f.* 1) Ato ou efeito de secionar(-se). 2) Local em que algo está cortado. 3) Cada parte em que um todo foi separado; segmento; divisão; porção de um todo.

SE.CAR *v.t.d.* 1) Tornar enxuto; tirar o excesso de água por meio de drenagem. 2) Fazer ressequir, desidratar para conservação; murchar.

SE.CO (ê) *adj.* 1) Sem umidade; enxuto. 2) Aplica-se aos alimentos a que se extraiu a umidade para conservá-los. 3) Ressecado, sem seiva. 4) Descarnado, magro. 5) Designação dada ao tempo ou quadra em que não chove. 6) Som áspero, duro. 7) Nome dado ao vinho forte e quase sem açúcar. 8) *fig.* Frio, insensível, indiferente, rude. 9) Árido, **449**

secreção

infecundo. 10) Aplica-se ao riso fingido, sardôni-co. 11) *pop.* Ansioso, desejoso. / *s.m.* 12) Baixio de areia, deixado a descoberto pela vazante. / *s.m pl.* 13) Gêneros alimentícios sólidos em oposição aos gêneros líquidos.

SE.CRE.ÇÃO *s.f.* 1) *Fisiol.* Função das glândulas de produzirem substâncias que são necessárias ao funcionamento do organismo ou de expulsarem as que são nocivas a ele. 2) *Bot.* Processo análogo nos vegetais. 3) *Biol.* O produto segregado.

SE.CRE.TAR *v.t.d.* Produzir uma secreção; segregar.

SE.CRE.TA.RI.A *s.f.* 1) Departamento no qual é feito o expediente de uma empresa ou organiza-ção pública. 2) Grupo de repartições públicas que tratam de um setor da administração nos estados.

SE.CRE.TÁ.RIA *s.f.* 1) Mulher que desempenha o secretariado. 2) Mesa em que se escreve e se guardam papéis ou documentos importantes.

SE.CRE.TA.RI.A.DO *s.m.* 1) Função ou cargo de secretário. 2) Conjunto dos secretários de Estado. 3) Curso para formar secretários.

SE.CRE.TÁ.RIO *s.m.* 1) Quem faz serviços de corres-pondência, arquivamento, digitação, etc. para uma pessoa, escritório ou instituição. 2) Pessoa que exer-ce funções de secretário de Estado; ministro.

SE.CRE.TO *adj.* 1) Mantido em segredo; oculto. 2) Diz-se do que não foi ou não pode ser revelado, sigiloso. 3) Escondido. 4) Retirado, solitário. 5) Que se oculta na alma; íntimo, recôndito. 6) Que está dis-simulado. 7) Aplica-se à sessão a cujos debates não é permitido que o público assista.

SE.CU.LAR *adj.2gên.* 1) Que se refere a século. 2) Feito de século a século. 3) Que existe há sécu-los; muito antigo. 4) Designação dada ao clero, ou padre, que não pertence a ordem ou congregação religiosa. 5) Que diz respeito ou pertence ao Esta-do; civil, mundano.

SÉ.CU.LO *s.m.* 1) Período ou espaço de 100 anos; centúria. 2) Espaço de tempo sem determinação ou muito longo. 3) Época. 4) A época presente. 5) O mundo, a vida secular por oposição à vida religiosa.

SE.CUN.DÁ.RIO *adj.* 1) Que está em segun-do lugar ou ordem. 2) De menor importância. 3) Acessório, inferior. 4) Sem valor; insignificante. 5) Aplicava-se ao ensino ou instrução de grau in-termediário (atual Ensino Médio) entre o primário e o superior (atual Ensino Fundamental I e II e En-sino Superior).

SE.CU.RA *s.f.* 1) Qualidade ou estado de seco. 2) Falta de água; seca. 3) Sede. 4) *fig.* Aspereza no trato; frieza.

SE.DA (ê) *s.f.* 1) Fibra filamentosa, fina e brilhan-te, produzida pelo bicho-da-seda. 2) Tecido feito dessa fibra. 3) *Bot.* Pelo rijo dos invólucros florais das gramíneas. 4) *fig.* Pessoa melindrosa, amável. 5) Diz-se de qualquer coisa macia.

SE.DAR *v.t.d.* 1) Acalmar, tranquilizar. 2) Ministrar um sedativo a. 3) *Med.* Moderar a excessividade de (um órgão, uma função). 4) Tirar a dor.

SE.DA.TI.VO *adj.* e *s.m.* Diz-se de ou medicamen-to que acalma; calmante.

SE.DE (é) *s.f.* 1) Base, apoio, suporte. 2) Lugar onde se encontra o principal estabelecimento de um governo, um tribunal, uma administração, uma diocese, uma paróquia ou uma empresa comercial.

SE.DE (ê) *s.f.* 1) Sensação da necessidade de be-ber. 2) Desejo ardente. 3) Cobiça, avidez; ânsia, impaciência.

SE.DEN.TÁ.RIO *adj.* e *s.m.* 1) *Por ext.* Que ou quem se movimenta ou se exercita pouco; para-do. 2) Que ou quem tem habitação fixa.

SE.DEN.TO *adj.* 1) Que está com sede. 2) *fig.* Que deseja ardentemente; ávido.

SE.DI.AR *v.t.d.* Servir de sede a; acolher, abrigar, hospedar.

SE.DI.MEN.TA.ÇÃO *s.f.* 1) Formação de sedimen-tos. 2) *Geol.* Processo de formação das rochas sedimentares ou estratificadas pela deposição de substâncias minerais.

SE.DI.MEN.TO *s.m.* 1) Depósito que se forma no fundo de um recipiente que contém um líquido em que há substâncias em dissolução; borra. 2) *Geol.* Camada que as águas deixaram depositada ao retirarem-se.

SE.DO.SO (ô) *adj.* 1) Que tem o aspecto de seda. 2) Macio, agradável ao tato.

SE.DU.ÇÃO *s.f.* 1) Conjunto de qualidades e carac-terísticas que despertam simpatia, desejo, atração, etc.; fascínio. 2) Capacidade de persuasão.

SE.DU.TOR *adj.* e *s.m.* Que ou quem seduz.

SE.DU.ZIR *v.t.d.* 1) Induzir alguém artificiosamen-te para fazer alguma coisa. 2) Exercer influência sobre; desencaminhar. 3) Atrair, encantar, fasci-nar, causar admiração. 4) Desonrar ou deflorar mulher jovem. 5) Subornar.

SEG.MEN.TAR *v.t.d.* 1) Dividir em segmentos; fra-cionar. / *adj.2gên.* 2) Relativo a segmento. 3) Cons-tituído por segmentos.

SEG.MEN.TO *s.m.* 1) Parte de um todo. 2) *Mat.* Por-ção determinada de um objeto ou de um conjunto.

SE.GRE.DAR *v.t.d., v.t.d.i.* e *v.i.* Contar um segre-do ou algo em voz baixa; confidenciar.

SE.GRE.DO (ê) *s.m.* 1) Aquilo que não se pode divulgar. 2) Fato ou circunstância que deve ser mantida oculta. 3) Confidência.

SE.GRE.GAR *v.t.d.* e *v.p.* 1) Afastar(-se), pôr(-se) de lado, apartar(-se), isolar(-se). / *v.t.d.* 2) *Fisiol.* Produzir segregação, emitir, expelir; secretar.

SE.GUI.DO *adj.* 1) Sem intervalo, imediato. 2) Acompanhado. 3) Que se imita; usado. / *adv.* 4) *pop.* Continuamente, seguidamente.

SE.GUIN.TE *adj.2gên.* 1) Que segue ou que se segue; que se dita depois; seguido, imediato, pró-ximo. / *s.m.* 2) O que segue.

seguir · semana

SE.GUIR *v.t.d.* 1) Ir atrás de; acompanhar; perseguir. 2) Acompanhar ocultamente; espiar. 3) Andar em, percorrer. 4) Ir ao longo de. 5) Escutar com atenção, compreendendo. 6) Executar, cumprir regulamentos ou instruções. 7) Aderir a, tomar o partido de.

SE.GUN.DA *s.f.* 1) *Mús.* Intervalo entre duas notas que se seguem imediatamente, na escala. 2) A segunda marcha de velocidade dos veículos automóveis. 3) Segundo dia da semana, iniciada no domingo; segunda-feira.

SE.GUN.DO *num.* 1) O ordinal correspondente a dois. / *adj.* 2) Que vem imediatamente depois do primeiro. 3) O outro. 4) Inferior. 5) Secundário. 6) Semelhante. 7) Rival. / *s.m.* 8) O número dois na série natural. 9) Pessoa ou coisa que ocupa o segundo lugar. / *prep.* 10) De acordo com, conforme.

SE.GU.RA.DO *adj. Jur.* 1) Que tem seguro. 2) Que foi colocado no seguro. / *s.m.* 3) *Jur.* Quem contrata um seguro.

SE.GU.RA.DO.RA *(ô) s.f.* Companhia de seguro.

SE.GU.RAN.ÇA *s.f.* 1) Ato ou efeito de segurar. 2) Estado, qualidade ou condição do que está seguro. 3) Certeza, confiança, firmeza, afirmação. 4) Caução, penhor, garantia. 5) Indivíduo encarregado de manter a segurança pessoal de alguém, de um prédio ou de uma empresa.

SE.GU.RAR *v.t.d.* 1) Tornar seguro; agarrar, prender; suster para que não caia; equilibrar. 2) Não deixar fugir; conter. 3) Assegurar, garantir. / *v.p.* 4) Garantir-se; apoiar-se. 5) Fazer contrato de seguro da própria vida.

SE.GU.RO *adj.* 1) Livre ou longe de perigo. 2) Longe de qualquer risco; garantido, protegido. 3) Prudente, sensato, cauteloso. 4) Firme, fundamentado. 5) Estável, fixo, rijo. 6) Em que se pode depositar confiança; que oferece garantias. 7) Certo, indubitável. 8) Que não pode fugir nem escapar; preso. 9) *pop.* Avarento, econômico. 10) Diz-se do tempo bom, sem riscos de chuva.

SEI.O *s.m.* 1) Curvatura, sinuosidade, ondulação, volta. 2) Parte do corpo humano onde estão as mamas. 3) Cada uma das partes que protegem as glândulas mamárias da mulher. 4) *Náut.* Bojo que faz a vela enfunada.

SE.IS *num.* 1) Cinco mais um. / *s.m.* 2) Algarismo que representa esse número.

SEI.TA *s.f.* 1) Doutrina ou sistema que se afasta da crença ou opinião geral. 2) Comunidade fechada, de cunho radical. 3) Facção, partido.

SEI.VA *s.f.* 1) *Bot.* Solução nutritiva que as raízes absorvem da terra e que circula por toda a planta, através de seu sistema vascular, alimentando-a. 2) Fluido ou elemento vital. 3) Vitalidade, vigor, alento.

SEI.XO *s.m. Geol.* Pedaço de rocha arredondado; cascalho.

SE.JA *(ê) conj.* 1) Usa-se como alternativa e equivale a *ou*. / *interj.* 2) Denota anuência, consentimento e equivale a: De acordo! Faça-se! Vá!

SE.LA *s.f.* Arreio acolchoado que se põe sobre o dorso da cavalgadura, sobre o qual monta o cavaleiro.

SE.LAR *v.t.d.* 1) *Por ext.* Colocar selo, carimbo ou estampilha em. 2) Fechar bem; cerrar, vedar. 3) *fig.* Tornar efetivo; validar. 4) Pôr a sela em.

SE.LE.ÇÃO *s.f.* 1) Ato ou efeito de selecionar. 2) Escolha criteriosa.

SE.LE.CI.O.NAR *v.t.d.* Escolher um ou alguns entre vários.

SE.LE.NI.TA *adj.2gên.* 1) Relativo à Lua. / *s.2gên.* 2) Suposto habitante da Lua.

SE.LE.TA *s.f.* 1) Conjunto de textos literários; antologia. 2) *Agr.* Uma variedade de laranja e de pera.

SE.LE.TI.VO *adj.* 1) Relativo a seleção. 2) Que é específico, restrito. 3) Que é severo; exigente.

SE.LE.TO *adj.* 1) Escolhido, selecionado, restrito. 2) *Por ext.* Que é especial; distinto, excelente.

SELF-SERVICE *(sélf-sêrvis) s.m. ingl.* 1) Sistema de estabelecimentos em que o cliente se serve ou efetua o serviço sozinho; autosserviço. 2) Estabelecimento que adota esse sistema.

SE.LIM *s.m.* 1) Sela pequena para montarias. 2) Assento de veículos, como bicicleta ou velocípede.

SE.LO *(ê) s.m.* 1) Cunho metálico sobre o qual estão gravadas as armas, divisa ou assinatura ou a marca simbólica de um Estado que, aplicado sobre documentos, os autentica. 2) Carimbo, sinete, estampilha. 3) Pequeno retângulo de papel impresso, adesivo, usado para franquear; selo postal.

SEL.VA *s.f.* 1) Vasta floresta natural; mata. 2) *fig.* Ambiente social em que há predomínio de rivalidades. 3) *fig.* Grande porção de coisas emaranhadas.

SEL.VA.GEM *adj.2gên.* 1) Relativo a ou próprio da selva; silvestre. 2) Sem cultura, bárbaro; sem domesticação; bravo. 3) Grosseiro, rude, rústico. 4) Bruto, ignorante. 5) Que se isola do convívio humano. 6) *Bot.* Que nasce sem cuidado especial; silvestre. / *s.2gên.* 7) Habitante das selvas; silvícola. 8) Diz-se daquele que vive fora da sociedade civilizada.

SEL.VA.GE.RI.A *s.f.* 1) Qualidade de selvagem. 2) *fig.* Ato cruel, feroz.

SEL.VÁ.TI.CO *adj.* Selvagem.

SEM *prep.* Exprime ausência, exclusão, falta, privação, exceção, condição.

SE.MÁ.FO.RO *s.m.* 1) Poste de sinalização com faróis coloridos, nas estradas de ferro, rodovias e ruas. 2) Telégrafo óptico, estabelecido nas costas marítimas, para assinalar os navios e estabelecer comunicação com eles. 3) Farol.

SE.MA.NA *s.f.* 1) Período de sete dias consecutivos a começar no domingo e terminar no sábado.

2) Espaço de sete dias quaisquer, consecutivos. **3)** Os dias da semana. **4)** Trabalho com uma semana de duração para concluí-lo. **5)** Remuneração por esse trabalho.

SE.MA.NAL *adj.2gên.* **1)** Relativo a semana. **2)** Que acontece, se repete ou é publicado uma vez a cada semana.

SE.MA.NÁ.RIO *s.m.* Publicação semanal.

SE.MAN.COL *s.m.* Capacidade de perceber quando se está sendo inconveniente ou inoportuno.

SE.MÂN.TI.CA *s.f. Linguíst.* Estudo do significado das palavras.

SEM.BLAN.TE *s.m.* **1)** Face, rosto. **2)** Aparência, fisionomia, aspecto.

SE.ME.A.DOR (ô) *adj.* e *s.m.* **1)** Que ou o que semeia. **2)** *fig.* Que ou quem difunde ideias, doutrinas, etc. / *s.m.* **3)** Máquina usada para semear.

SE.ME.A.DU.RA *s.f.* **1)** Ato ou efeito de semear; semeação. **2)** Porção de grãos suficientes para se semear um terreno.

SE.ME.AR *v.t.d.* **1)** Lançar a semente em campo preparado para fazê-la germinar; praticar semeadura. **2)** Espalhar sementes sobre. **3)** Alastrar, juncar. **4)** Divulgar, espalhar, publicar. **5)** Derramar; entremear. **6)** Causar, produzir; ocasionar.

SE.ME.LHAN.ÇA *s.f.* **1)** Qualidade de semelhante. **2)** Relação apresentada entre coisas ou pessoas parecidas.

SE.ME.LHAN.TE *adj.2gên.* **1)** Análogo, parecido, conforme, similar. **2)** Tal como. / *s.m.* **3)** Pessoa ou coisa que se assemelha a outra em certo aspecto. **4)** O próximo.

SÊ.MEN *s.m.* **1)** Esperma. **2)** Semente.

SE.MEN.TE *s.f.* **1)** *Bot.* Óvulo fecundado e desenvolvido. **2)** Grão que se lança por terra para germinar. **3)** Esperma, sêmen. **4)** Princípio gerador; origem. **5)** Coisa que, com o tempo, produzirá certos efeitos; germe.

SE.MEN.TEI.RA *s.f.* **1)** Porção de sementes lançadas por terra para germinarem. **2)** Terreno onde são semeadas essas sementes; viveiro de plantas. **3)** Época que se semeia. **4)** *fig.* Difusão, propaganda de doutrinas ou ideias.

SE.MES.TRAL *adj.2gên.* **1)** Referente a semestre. **2)** Que dura seis meses. **3)** Que acontece de seis em seis meses.

SE.MES.TRE *adj.2gên.* **1)** Semestral. / *s.m.* **2)** Período de seis meses consecutivos; meio ano.

SEM-FIM *s.m.* **1)** Infinito; que não tem número; indefinido; que não se conclui. **2)** Número ou quantidade indeterminada. **3)** Espaço indefinido. **4)** Ave cuculídea, de canto monótono e incomodativo, também conhecida por saci.

SE.MI.A.NAL.FA.BE.TO *adj.* e *s.m.* **1)** Que ou quem foi parcialmente alfabetizado. **2)** *pej.* Que ou quem demonstra pouco conhecimento sobre determinado assunto.

SE.MI.Á.RI.DO *adj.* **1)** *Geogr.* Não inteiramente árido. / *s.m.* **2)** *Geogr.* Região vizinha às regiões áridas.

SE.MI.BRE.VE *s.f. Mús.* Figura musical que equivale à metade da breve ou duas mínimas.

SE.MI.CÍR.CU.LO *adj.2gên.* **1)** Semicircular. / *s.m.* **2)** Metade do círculo. **3)** Instrumento geométrico dividido em graus, próprio para traçar ângulos; transferidor.

SE.MI.COL.CHEI.A *s.f. Mús.* Nota do valor de metade da colcheia (1/4 de tempo).

SE.MI.DE.US *s.m.* **1)** *Mit.* Herói filho de um ser divino e de um mortal. **2)** *fig.* Ser humano que apresenta qualidades extraordinárias.

SE.MI.FI.NAL *adj. Esp.* Diz-se da prova que antecede imediatamente à final.

SE.MI.FU.SA *s.f. Mús.* Figura musical cujo valor é metade da fusa (1/16 de tempo).

SE.MI-IN.TER.NA.TO *s.m.* Estabelecimento de ensino em que os alunos passam o dia inteiro.

SE.MI-IN.TER.NO *s.m.* Diz-se de ou aluno que permanece quase o dia inteiro na escola.

SE.MI.MOR.TO (ô) *adj.* **1)** Quase morto. **2)** *fig.* Extenuado, exausto.

SE.MI.NÁ.RIO *s.m.* **1)** Instituição que forma padres. **2)** Congresso científico ou cultural; conferência, simpósio. **3)** Grupo de estudos no qual os estudantes pesquisam e debatem diferentes temas.

SE.MI.NA.RIS.TA *adj.2gên.* **1)** Relativo a ou próprio de seminário. / *adj.2gên.* e *s.2gên.* **2)** *Rel.* Que ou quem é aluno de seminário.

SE.MI.NO.VO (ô) *adj.* e *s.m.* Diz-se de ou produto usado, mas que se mantém bem conservado.

SE.MI.NU *adj.* **1)** Parcialmente vestido. **2)** Maltrapilho, esfarrapado.

SE.MI.O.LO.GI.A *s.f.* **1)** *Linguíst.* Ciência que estuda os signos e os sistemas de significação; semiótica. **2)** *Med.* Estudo dos sintomas e sinais das doenças; semiótica.

SE.MI.Ó.TI.CA *s.f.* Semiologia.

SE.MI.TA *adj.2gên.* e *s.2gên.* Relativo ao grupo étnico e linguístico que compreende os hebreus, fenícios, assírios, aramaicos e árabes.

SEM.PI.TER.NO *adj.* **1)** Que dura para sempre; eterno, perene. **2)** Muito velho, antigo.

SEM.PRE *adv.* **1)** O tempo todo; eternamente. **2)** Geralmente, habitualmente. **3)** Continuamente, constantemente. **4)** De qualquer maneira.

SE.NA.DO *s.m.* **1)** Câmara alta, nos países em que há duas assembleias legislativas. **2)** Prédio destinado às reuniões dessa câmara. **3)** O conjunto de senadores.

SE.NA.DOR (ô) *s.m. Polít.* Pessoa eleita para exercer funções legislativas no Senado.

SE.NÃO *conj.* 1) Aliás, de outra maneira, de outro modo. / *prep.* 2) À exceção de, exceto. / *s.m.* 3) Defeito, pequena falta, mácula.

SE.NHA *s.f.* 1) Palavra, gesto, sinal combinado entre duas ou mais pessoas para qualquer fim; aceno. 2) Bilhete que garante a seu portador entrada livre numa agremiação ou espetáculo. 3) Código de acesso a informações e serviços de computador.

SE.NHOR (ô) *s.m.* 1) Tratamento cortês dado a qualquer homem. 2) Soberano, chefe. 3) Proprietário, possuidor, dono. 4) Deus; Jesus Cristo.

SE.NHO.RA *s.f.* 1) Tratamento cortês que se dá às mulheres casadas. 2) Mulher que possui autoridade sobre certas pessoas ou coisas. 3) Dona ou mulher que tem domínio sobre algo; proprietária, possuidora.

SE.NHO.RE.AR *v.t.d.* 1) Assenhorear-se, tomar posse de, conquistar. 2) Dominar como senhor. 3) Ter império ou influência moral sobre. / *v.t.i.* 4) Ter domínio sobre. / *v.p.* 5) Apoderar-se, empossar-se.

SE.NHO.RI.A *s.f.* 1) Qualidade de senhor ou senhora. 2) Autoridade, direito ou poder sobre aquilo de que é possuidor. 3) Proprietária da casa que está alugada.

SE.NHO.RI.TA *s.f.* 1) Diminutivo de senhora. 2) Mulher de pequena estatura. 3) Tratamento cortês que se dá às moças solteiras; menina-moça; donzela.

SE.NIL *adj.2gên.* 1) Relativo a ou próprio de velhice ou velhos. 2) Decrépito.

SE.NI.LI.DA.DE *s.f.* 1) Estado ou condição de senil; velhice. 2) Debilidade física e mental ligada à idade ou a uma alteração prematura dos tecidos.

SÊ.NI.OR *adj.2gên.* 1) O mais velho. / *s.m.* 2) Atleta que já obteve primeiros prêmios. 3) Esportista de categoria superior à de júnior.

SEN.SA.ÇÃO *s.f. Psicol.* Impressão ou condição mental ou emocional provocada pela modificação de um sentido, por objetos exteriores, e transmitida ao cérebro pelos nervos; emoção.

SEN.SA.CI.O.NAL *adj.2gên.* 1) Relativo à sensação. 2) Que produz grande sensação.

SEN.SA.CI.O.NA.LIS.MO *s.m.* Maneira de divulgar notícias, em tom espalhafatoso, dando-as como acontecimentos espetaculares, de modo a causar grande emoção.

SEN.SA.TO *adj.* Que possui bom senso; ajuizado, discreto, prudente.

SEN.SI.BI.LI.DA.DE *s.f.* 1) Capacidade que um organismo vivo possui de experimentar sensações de todos os tipos, através da percepção de impressões recebidas. 2) Disposição para ofender-se ou magoar-se; suscetibilidade. 3) *Mec.* Capacidade, de aparelhos ou instrumentos, de reagir à mínima ação ou variação de influências físicas externas.

SEN.SI.BI.LI.ZAR *v.t.d.* 1) Tornar sensível; abrandar o coração de; adoçar, comover, enternecer. 2) *Fot.* Tornar sensível à ação da luz.

SEN.SI.TI.VA *s.f. Bot.* Planta da família das leguminosas Mimosáceas cujas folhas se retraem quando tocadas, também conhecida por dormideira.

SEN.SI.TI.VO *adj.* 1) Referente aos sentidos. 2) Próprio para fazer sentir. 3) Que recebe ou transmite impressões dos sentidos; sensorial. 4) *fig.* Que se melindra facilmente.

SEN.SÍ.VEL *adj.2gên.* 1) Que possui sensibilidade. 2) Que é capaz de receber facilmente as sensações externas.

SEN.SO *s.m.* 1) Faculdade de julgar; ato de raciocinar; entendimento. 2) Siso, juízo, tino, circunspecção, prudência. 3) Juízo aplicado a coisas corriqueiras da vida.

SEN.SOR (ô) *adj. e s.m.* Diz-se de ou dispositivo que reage a estímulos físicos e transmite um impulso correspondente.

SEN.SO.RI.AL *adj.2gên.* Referente a sensações ou sentidos.

SEN.SÓ.RIO *adj.* 1) Relativo a sensibilidade ou à sensação. / *s.m.* 2) Região do cérebro que seleciona e combina todas as sensações.

SEN.SU.AL *adj.2gên.* 1) Relativo aos sentidos, principalmente aos prazeres sexuais. 2) Que revela ou indica sensualidade. 3) Lascivo, lúbrico, libidinoso, voluptuoso.

SEN.SU.A.LI.DA.DE *s.f.* 1) Qualidade daquilo que é sensual. 2) Lubricidade, volúpia. 3) Tendência para os prazeres materiais.

SEN.SU.A.LIS.MO *s.m. Filos.* Doutrina ética que atribui toda a formação de ideias aos sentidos, admitindo que a satisfação dos apetites carnais é o maior bem do homem e que, portanto, toda atividade gira ao redor dos desejos sensuais.

SEN.SU.A.LI.ZAR *v.t.d. e v.p.* Tornar(-se) sensual.

SEN.TAR *v.t.d.* 1) Pôr sobre um assento; assentar. / *v.p.* 2) Tomar assento; estabelecer-se, fixar-se.

SEN.TEN.ÇA *s.f.* 1) Expressão que contém um princípio moral ou uma opinião judiciosa; provérbio, máxima. 2) Decisão final proferida por juiz, tribunal ou árbitro.

SEN.TEN.CI.AR *v.t.d.* 1) Julgar por sentença; decidir. 2) Condenar por meio de sentença. / *v.t.i. e v.i.* 3) Pronunciar sentença ou exprimir parecer.

SEN.TI.DO *adj.* 1) Sensível, suscetível. 2) Que revela pesar, tristeza, lamento. / *s.m.* 3) Cada uma das formas que o homem e os animais possuem de receber sensações. 4) Faculdade de sentir. 5) Modo de ser compreendido. 6) Interpretação dada a uma palavra ou frase; significação. 7) Lado, direção. 8) Posição regulamentar tomada pelos militares em certas ocasiões.

SEN.TI.MEN.TAL *adj.2gên.* 1) Referente ao sentimento. 2) Que demonstra ou possui sentimen-

sentimentalismo

to. 3) Que é dominado pelos bons sentimentos; impressionável; compassivo. 4) Que tem ou afeta sensibilidade romanesca.

SEN.TI.MEN.TA.LIS.MO *s.m.* 1) Expressão constante ou exagerada de emoções ou sentimentos. 2) Tendência a colocar os sentimentos acima da razão.

SEN.TI.MEN.TO *s.m.* 1) Ato ou efeito de sentir. 2) Aptidão para sentir. 3) Sensação psíquica. 4) Disposição para ser facilmente comovido ou impressionado.

SEN.TI.NE.LA *s.2gên.* 1) *Mil.* Soldado armado que fica de vigia em um posto. 2) Pessoa que vigia ou vela por alguma coisa. / *s.f.* 3) Coisa elevada em lugar ermo.

SEN.TIR *v.t.d.* 1) Perceber por meio de um dos sentidos. 2) Ter afeto por. 3) Ser sensível a. 4) Estar convencido de, ter consciência de. 5) Conhecer, notar por certos indícios. 6) Supor com certos fundamentos. 7) Pressentir. 8) Certificar-se de; compreender. 9) Saber, traduzir por meio da arte; apreciar.

SEN.ZA.LA *s.f.* Local que abrigava os escravizados nas antigas fazendas.

SE.PA.RA.ÇÃO *s.f.* 1) Ato ou efeito de separar (-se). 2) Aquilo que separa ou veda. 3) Afastamento. 4) Rompimento de união conjugal.

SE.PA.RAR *v.t.d.* 1) Desligar, desunir. 2) *Dir.* Permitir a separação judicial. 3) Interromper, fazer cessar. 4) Obstar à união, lançar a discórdia. 5) Isolar os compostos de uma mistura; extrair. / *v.p.* 6) Apartar-se, desligar-se, desunir-se; isolar-se, dividir-se. 7) Distanciar-se. 8) Cessar de viver conjuntamente. 9) *Dir.* Divorciar-se.

SE.PA.RA.TIS.MO *s.m.* Tendência de um território a separar-se do Estado de que faz parte para tornar-se independente.

SE.PUL.CRAL *adj.2gên.* 1) Relativo a sepulcro. 2) Relativo a morte. 3) *fig.* Sombrio, triste, sinistro. 4) Que ressoa grave; rouco, cavernoso.

SE.PUL.CRO *s.m.* 1) Sepultura, túmulo, tumba. 2) Lugar onde morre muita gente. 3) Aquilo que cobre ou esconde como um túmulo. 4) Lugar triste e sombrio.

SE.PUL.TAR *v.t.d.* 1) Aterrar, soterrar. 2) Enclausurar, prender. 3) Afundar, submergir, meter. 4) Pôr fim a. 5) Enterrar-se, inumar-se. / *v.p.* 6) Recolher-se, retrair-se.

SE.PUL.TU.RA *s.f.* 1) Lugar onde se sepultam os mortos; cova, jazigo, sepulcro, túmulo. 2) Falecimento, morte. 3) Lugar onde a mortalidade é grande.

SE.QUE.LA *s.f.* 1) *pop.* Ato de seguir. 2) Efeito, resultado, consequência. 3) *Med.* Qualquer lesão que permanece após certas doenças ou ferimentos. 4) Bando, súcia. 5) Série de coisas. 6) Conjunto de sequazes.

sereno

SE.QUÊN.CIA *s.f.* 1) Ato ou efeito de seguir. 2) Sucessão, continuação, série. 3) Ordem, ligação. 4) Parte de um escrito começado em outro livro. 5) Série de cinco cartas de valores contínuos, no jogo de pôquer, de um mesmo naipe.

SE.QUEN.CI.AL (qü) *adj.2gên.* Em que há sequência.

SE.QUER *adv.* Ao menos, pelo menos.

SE.QUES.TRAR *v.t.d.* 1) Pôr em sequestro; depositar alguma coisa em mãos de terceira pessoa, arrestar, penhorar. 2) Reter ilegalmente; raptar. 3) Tomar violentamente ou às ocultas; apoderar-se de. 4) Desviar da rota de forma violenta. 5) Isolar; pôr à parte.

SE.QUES.TRO *s.m.* 1) *Dir.* Apreensão de algo sobre o qual versa o litígio, até que se decida quem possui o direito sobre ela, por ordem judicial ou por convenção. 2) Crime que consiste em reter alguém, privando-o de sua liberdade. 3) *Dir.* A coisa sequestrada. 4) *Cir.* A parte de osso necrosado que se separa da porção não mortificada.

SE.QUI.DÃO *s.f.* Secura; frieza.

SE.QUI.LHO *s.m. Cul.* Tipo de biscoito seco e quebradiço.

SÉ.QUI.TO (qu ou qü) *s.m.* Grupo de pessoas que acompanham alguém; comitiva.

SER *v.lig.* 1) Ter atributos ou modos ou possuir as características ou qualidades indicadas ➡ Eu sou feliz. 2) Ter a natureza de. 3) Ficar, tornar-se. 4) Causar, produzir. 5) Consistir em. 6) Ter o cargo, o título, a categoria, a função. / *v.i.* 7) Existir, estar. / *s.m.* 8) Tudo que existe ou imaginamos existir como substância. 9) O homem, o indivíduo.

SE.RA.FIM *s.m.* 1) *Por ext.* Anjo, querubim. 2) *fig.* Pessoa de extraordinária beleza.

SE.RÃO *s.m.* 1) Ocupação ou trabalho noturno. 2) Duração ou retribuição desse trabalho. 3) Reunião ou passatempo familiar à noite. 4) Sarau.

SE.REI.A *s.f.* 1) *Mit.* Ser fabuloso, mulher formosa da cintura para cima e, da cintura para baixo, peixe, que com a doçura de seu canto, atraía os navegantes para os escolhos, onde naufragavam e morriam. 2) *Por ext.* Mulher sensual e sedutora.

SE.RE.LE.PE *adj.2gên.* e *s.2gên.* 1) Que ou quem é esperto, vivo. 2) Que ou quem é gracioso, atraente.

SE.RE.NAR *v.t.d., v.i.* e *v.p.* 1) Tornar(-se) sereno, calmo; tranquilizar(-se). / *v.t.d.* e *v.i.* 2) Tornar (-se) menos intenso; abrandar. / *v.i.* 3) Chuviscar, orvalhar.

SE.RE.NA.TA *s.f. Mús.* Composição musical melodiosa e simples executada à noite, ao ar livre, geralmente em homenagem à mulher amada.

SE.RE.NO *adj.* 1) Calmo, tranquilo, sossegado. 2) Que denota paz e tranquilidade de espírito. 3) Limpo de nuvens; claro. / *s.m.* 4) Orvalho, relento. 5) *pop.* O ar livre à noite.

454

SE.RES.TA *s.f. Mús.* Serenata.

SE.RI.A.DO *adj.* 1) Que se realiza ou é disposto em série. / *adj.* e *s.m.* 2) Diz-se de ou filme ou programa que é exibido em partes.

SÉ.RI.E *s.f.* 1) Continuação sucessiva e ordenada de objetos relacionados a uma mesma lei; sequência, sucessão. 2) Quantidade considerável. 3) Classe; ano escolar.

SE.RI.E.DA.DE *s.f.* 1) Qualidade de sério. 2) Compostura; gravidade de porte. 3) Caráter íntegro; retidão.

SE.RI.FA *s.f.* Traço que remata a haste de certas letras.

SE.RI.GRA.FI.A *s.f.* 1) Processo de impressão para pequenas tiragens. 2) Imagem obtida por esse processo.

SE.RIN.GA *s.f.* 1) *Med.* Aparelho que consiste em um recipiente cilíndrico, de vidro ou metal, provido de um êmbolo e uma agulha oca, apropriado para injetar ou tirar líquidos. 2) *pop.* Pessoa importuna. 3) Seiva extraída da seringueira, ainda não coagulada.

SE.RIN.GUEI.RA *s.f. Bot.* Designação dada às árvores do gênero Hévea, produtoras de látex, do qual se prepara a borracha; árvore-da-borracha.

SE.RIN.GUEI.RO *s.m.* Indivíduo que prepara a borracha com o látex que extrai da seringueira; seringalista.

SÉ.RIO *adj.* 1) De compostura ou maneiras graves. 2) Que não é leviano ou frívolo. 3) Digno, honesto, correto, honrado. 4) Leal, franco, sincero. 5) Moderado, severo. 6) Perigoso, preocupante, grave. 7) Metódico. / *s.m.* 8) Gravidade, seriedade, importância. 9) Gênero grave.

SER.MÃO *s.m.* 1) Discurso religioso que contém as verdades e repreensões cristãs, pregado ao público; prática, prédica. 2) Conselho ou advertência com o fim de moralizar. 3) Censura enfadonha, repreensão por algum erro cometido.

SER.PEN.TÁ.RIO *s.m.* 1) *Ornit.* Ave africana de rapina, de pernas longas e bico adunco, que se alimenta especialmente de serpentes. 2) Lugar onde se criam cobras para estudos e para extrair o veneno.

SER.PEN.TE *s.f.* 1) *Zool.* Nome de qualquer réptil da subordem dos Ofídios; cobra. 2) *pop.* Mulher feia. 3) *fig.* Pessoa má e traiçoeira. 4) *fig.* Coisa nociva. 5) *fig.* Indivíduo perigoso.

SER.PEN.TE.AR *v.i.* 1) Rastejar, movendo-se sinuosamente, como uma serpente; serpear. 2) *Por ext.* Ter ou apresentar curso sinuoso.

SER.PEN.TI.NA *s.f.* 1) Castiçal de três ramos em cujas extremidades se fixam velas, usado nos ofícios do Sábado de Aleluia. 2) Castiçal de várias luzes. 3) Castiçal com dois ou mais braços tortuosos. 4) *Bot.* Serpentária. 5) Cano ou tubo espiralado para vários fins. 6) Conduto espiralado do alambique. 7) Fita enrolada de papel colorido sobre si mesma que, quando atirada, desenrola-se. 8) *Miner.* Mineral fibroso ou rocha, constituído principalmente em silicato hidratado de magnésio.

SER.RA *s.f.* 1) Ferramenta com lâmina de aço dentada e cortante. 2) Monte. 3) Cadeia de montanhas; cordilheira. / *s.m.* 4) *Ictiol.* Designação de alguns peixes marinhos.

SER.RA.DOR (ô) *adj.* e *s.m.* 1) Que ou aquele que serra. / *s.m.* 2) *Entom.* Besouro que corta pequenos galhos com sua mandíbula; serra-pau.

SER.RA.GEM *s.f.* Pó ou partículas finas que saem da madeira quando esta é serrada; serradura.

SER.RA.LHEI.RO *s.m.* Indivíduo que constrói ou repara peças de ferro.

SER.RA.NI.A *s.f.* 1) Conjunto ou cordilheira de serras. 2) Terreno composto por montanhas.

SER.RAR *v.t.d.* 1) Cortar ou dividir com serra ou serrote. 2) *gír.* Conseguir de graça; filar. 3) Misturar, trançar as cartas de baralho. / *v.i.* 4) Emitir sons como o do serrote. 5) Trabalhar com serra ou serrote.

SER.RA.RI.A *s.f.* 1) Estabelecimento aparelhado para cortar madeiras. 2) Armação de madeira em que se apoia a madeira que se quer serrar.

SER.RI.LHA *s.f.* 1) Ornato em forma de dentes de serra. 2) Denteado na periferia de certas moedas. 3) Peça metálica dos arreios, arqueada e denteada. 4) Borda denteada de qualquer objeto.

SER.RI.LHAR *v.t.d.* Fazer serrilhas em.

SER.RO.TE *s.m.* 1) Lâmina de aço dentada, como a da serra, porém com apenas um cabo, por onde se segura. 2) Pequeno monte que também recebe o nome de serrota. 3) *pop.* Aquele que consegue de graça.

SER.TA.NE.JO (ê) *adj.* 1) Relativo a sertão. 2) *Por ext.* Rústico, rude. / *adj.* e *s.m.* 3) Que ou quem vive no sertão.

SER.TÃO *s.m.* 1) Lugar interior, longe de povoações. 2) Região do interior do Brasil, mais seca do que a caatinga. 3) Floresta afastada da costa.

SER.VEN.TE *s.2gên.* 1) Empregado que faz serviços de limpeza e de arrumação de um ambiente. 2) Trabalhador ou operário que auxilia o oficial ou mestre de obras.

SER.VEN.TI.A *s.f.* 1) Qualidade do que serve; utilidade. 2) Servidão, escravidão.

SER.VI.ÇAL *adj.2gên.* 1) Relativo a servos e criados. 2) Que faz ou presta serviços. / *s.2gên.* 3) Empregado doméstico.

SER.VI.ÇO *s.m.* 1) Ato ou efeito de servir. 2) Emprego ou ocupação de quem é servente, criado ou doméstico. 3) Estado de quem é assalariado.

SER.VI.DÃO *s.f.* 1) Condição de servo ou escravizado; escravidão. 2) Sujeição, dependência.

SER.VI.DOR (ô) *adj.* e *s.m.* 1) Que serve; servente. 2) Empregado, funcionário. 3) Funcionário públi-

servir / **siberiano**

co. 4) *Inform.* Computador que fornece dados e serviços para usuários de uma rede.

SER.VIR *v.t.d.* 1) Estar a serviço de; prestar utilidade a. 2) Estar às ordens de; atender. 3) Cuidar de. 4) Prestar serviço militar; ser militar. 5) Dar, fornecer, ministrar, oferecer. / *v.i.* 6) Ser servo ou criado.

SER.VO *adj.* 1) Diz-se de quem não possui seus direitos; que não pertence a si mesmo. 2) Que presta serviços de criado; serviçal. / *s.m.* 3) Escravizado; criado, servente.

SES.SÃO *s.f.* 1) Espaço de tempo durante o qual se reúne uma corporação; reunião, assembleia. 2) Cada reapresentação de um espetáculo, nos teatros e cinemas. 3) Reunião de pessoas para tratar de assunto de interesse comum.

SES.TA *s.f.* A hora em que se dorme ou a dormida depois do almoço.

SE.TA *s.f.* 1) Flecha. 2) Ponteiro de relógio. 3) Sinal em forma de flecha, que indica certa direção.

SE.TE *num.* 1) Seis mais um. / *s.m.* 2) Algarismo representativo do número sete.

SE.TEI.RA *s.f.* 1) Pequena abertura nas muralhas dos castelos ou antigas fortificações, por onde se lançavam setas contra os inimigos. 2) *Constr.* Fresta nas paredes de uma construção, para ventilar e dar luz.

SE.TEM.BRO *s.m.* Nono mês do ano.

SE.TEN.TA *num.* Equivalente a sete dezenas.

SE.TEN.TRI.O.NAL *adj.2gên.* 1) Relativo ao ou situado no norte; boreal. / *s.2gên.* 2) Natural ou habitante do norte.

SÉ.TI.MA *s.f. Mús.* Intervalo dissonante, numa série de sete graus conjuntos da escala.

SÉ.TI.MO *num.* 1) Ordinal e fracionário equivalente a sete. / *s.m.* 2) A sétima parte de um todo.

SE.TIN.GEN.TÉ.SI.MO *num.* 1) Ordinal e fracionário equivalente a 700. / *s.m.* 2) A setingentésima parte de um todo.

SE.TOR ou **SEC.TOR** (ô) *s.m.* 1) *Geom.* Porção de superfície plana, separada por duas retas que se cortam; área. 2) *Geom.* Parte de círculo compreendida entre dois raios e o arco. 3) Parte de um recinto fortificado que está sob o comando de um oficial.

SEU *pron. poss.* 1) Pertencente ou próprio a ele(s) ou ela(s); dele(s), dela(s); do senhor, da senhora, de você, etc. 2) O que pertence à pessoa com quem se fala. 3) Que lhe convém ou lhe serve. 4) Cerca de, mais ou menos. / *s.m.* 5) Bens ou coisas próprias de cada um. 6) *pop.* Abreviação de senhor.

SE.VAR *v.t.d.* Ralar a mandioca, reduzindo-a a farinha.

SE.VE.RI.DA.DE *s.f.* 1) Qualidade ou condição do que é severo. 2) Inflexibilidade; rigor. 3) Diz-se de clima que causa desconforto ou sofrimento físico.

SE.VE.RO *adj.* 1) Rígido, rigoroso; impetuoso, áspero, austero, sóbrio. 2) Inflexível; intolerante. 3) Pontual, exato. 4) Simples e elegante.

SE.VI.LHA.NO *adj.* 1) Relativo a ou próprio de Sevilha (Espanha). / *s.m.* 2) Habitante ou natural de Sevilha.

SE.XA.GE.NÁ.RIO (cs) *adj.* e *s.m.* Que ou aquele que tem 60 anos de idade.

SE.XA.GÉ.SI.MO (cs) *num.* 1) Ordinal e fracionário correspondente a 60. / *s.m.* 2) A sexagésima parte de um todo.

SE.XO (cs) *s.m.* 1) *Zool.* Conjunto de características que permite identificar um ser vivo como macho ou fêmea. 2) Conjunto de pessoas que têm o mesmo sexo. 3) Os órgãos genitais externos. 4) Instinto sexual; volúpia; sexualidade.

SE.XO.LO.GI.A (cs) *s.f.* Ciência que trata dos aspectos médicos e psicofisiológicos do sexo e das relações sexuais.

SEX.TAN.TE (ês) *s.m.* 1) *Geom.* A sexta parte de uma circunferência equivalente a um arco de 60°. 2) Instrumento astronômico com forma de quadrante usado para medir ângulos ou altitudes de corpos celestes.

SEX.TE.TO (ê) *s.m.* 1) *Mús.* Composição ou trecho musical para seis vozes ou seis instrumentos. 2) Conjunto dos músicos que executam essa composição.

SEX.TO (ê) *num.* 1) Denominação do ordinal e fracionário correspondente a seis. / *s.m.* 2) A sexta parte.

SÊX.TU.PLO (ê) *num.* 1) Que é seis vezes maior. / *s.m.* 2) Quantidade seis vezes maior do que outra.

SE.XU.A.DO (cs) *adj.* 1) Que tem sexo. 2) *Biol.* Diz-se de ser vivo que possui células sexuais diferenciadas para sua reprodução.

SE.XU.AL (cs) *adj.2gên.* 1) Relativo a sexo. 2) Que tem órgãos sexuais.

SE.XU.A.LI.DA.DE (cs) *s.f.* 1) Qualidade de sexual. 2) Sexo. 3) O conjunto das modificações sexuais.

SHORT (chórt) *s.m. ingl.* Espécie de calção esportivo usado por homens e mulheres.

SHOW (chôu) *s.m. ingl.* Espetáculo artístico formado de apresentações variadas, usado em programas de teatro, rádio e televisão.

SI *s.m.* 1) *Mús.* Sétima nota da escala musical. 2) Sinal simbólico dessa nota. / *pron.* 3) Forma do pronome pessoal de 3ª pessoa, quando precedido de preposição e se refere ao sujeito da oração ➡ Depois da homenagem, ele ficou cheio de si.

SI.A.MÊS *adj.* 1) Relativo ao Sião; atual Tailândia. 2) Indivíduos gêmeos que nascem unidos por uma parte do corpo: irmãos siameses. 3) Certa raça de gatos, facilmente domesticáveis. / *s.m.* 4) O natural ou habitante de Sião.

SI.BE.RI.A.NO *adj.* 1) Referente à Sibéria (Rússia). / *s.m.* 2) Habitante ou originário da Sibéria.

sibilar | símbolo

SI.BI.LAR *v.i.* 1) Produzir som agudo e prolongado, assoprando; assobiar. 2) Assobiar imitando o som das cobras e serpentes.

SI.CI.LI.A.NO *adj.* 1) Referente à Sicília (Itália). / *s.m.* 2) Habitante ou natural da Sicília.

SI.DE.RAL *adj.2gên.* Relativo aos astros ou ao céu; celeste.

SI.DE.RUR.GI.A *s.f.* Metalurgia ou produção industrial do ferro e do aço.

SI.DRA *s.f.* Vinho proveniente do suco fermentado de maçãs.

SÍ.FI.LIS *s.f.* Doença infecciosa causada por bactéria e transmitida por contato sexual.

SI.GI.LO *s.m.* 1) Segredo absoluto; mistério, selo. 2) Discrição, confidência.

SI.GLA *s.f.* 1) Espécie de abreviatura formada de iniciais ou primeiras sílabas de uma expressão; acrônimo ➡ USP (Universidade de São Paulo). 2) Letra inicial usada como abreviatura em manuscritos, medalhas e monumentos antigos. 3) Monograma. 4) *Anat.* Sinal cabalístico, rubrica.

SIG.MA *s.m.* A décima oitava letra do alfabeto grego, que corresponde ao *s* do alfabeto da língua portuguesa.

SIG.NA.TÁ.RIO *adj.* e *s.m.* Que assina ou subscreve um documento, autor ou responsável pelo manuscrito.

SIG.NI.FI.CA.ÇÃO *s.f.* 1) Sentido das palavras ou frases, sinonímia. 2) O que algo denota ou significa. 3) *Gram.* Sentido em que um termo é empregado; acepção, significado.

SIG.NI.FI.CA.DO *s.m.* 1) Equivalente de uma palavra, significação, sinônimo. 2) Valor, influência, alcance.

SIG.NI.FI.CAR *v.t.d.* 1) Querer dizer; ter a significação ou o sentido de. 2) Dar a entender, exprimir. 3) Manifestar-se como; ser; traduzir-se por. 4) Comunicar, fazer saber.

SIG.NI.FI.CA.TI.VO *adj.* 1) Que possui um significado especial; revelador. 2) Considerável, grande, expressivo.

SIG.NO *s.m.* 1) Sinal, símbolo, marca. 2) Cada uma das 12 divisões do Zodíaco e cada uma das constelações correspondentes a essas divisões.

SÍ.LA.BA *s.f. Gram.* Som ou grupo de sons pronunciados em uma só emissão de voz.

SI.LA.BA.ÇÃO *s.f.* 1) Ato ou efeito de silabar. 2) Sistema de aprendizado em que se começa a ler através do conhecimento das sílabas.

SI.LA.BAR *v.t.d.* e *v.i.* 1) Ler ou pronunciar palavras separando as sílabas. / *v.t.d.* 2) Escrever separando as sílabas.

SI.LÁ.BI.CO *adj.* Relativo a sílaba.

SI.LEN.CI.A.DOR (ô) *adj.* e *s.m.* 1) Que ou o que silencia. 2) Diz-se de ou dispositivo que se prende ao cano de arma de fogo para abafar o som do tiro.

SI.LEN.CI.AR *v.t.d.* 1) Impor silêncio a. / *v.i.* 2) Guardar silêncio; calar. / *v.t.i.* 3) Deixar de mencionar; guardar silêncio; omitir.

SI.LÊN.CIO *s.m.* 1) Ausência de ruídos. 2) Estado de quem se abstém de falar; mudez. 3) Taciturnidade. 4) Interrupção de ruídos. 5) Sossego, descanso. 6) Interrupção de correspondência epistolar. 7) Mistério, segredo. / *interj.* 8) Serve para fazer calar ou mandar cessar o barulho ➡ Silêncio!

SI.LEN.CI.O.SO (ô) *adj.* 1) Em que não há barulhos ou ruídos; quieto. 2) Que não faz ruído. 3) Diz-se de quem fala pouco.

SI.LHU.E.TA (ê) *s.f.* 1) Contorno geral de uma figura. 2) Desenho que representa o perfil de uma pessoa, de acordo com as linhas projetadas por sua sombra.

SI.LI.CO.NE *s.m. Quím.* Composto sintético usado na fabricação de produtos industriais e na cosmética, dermatologia, cirurgia plástica, etc.

SI.LO.GIS.MO *s.m. Lóg.* Raciocínio que consiste em três proposições na seguinte ordem: a premissa maior, a premissa menor e a conclusão. A conclusão se infere da maior por intermédio da menor ➡ Todo homem é mortal. Pedro é homem. Logo, Pedro é mortal.

SIL.VA *s.f.* 1) Designação dada a numerosos arbustos espinhosos da família das Rosáceas, de frutos comestíveis. 2) *Ant.* Selva. 3) *Metrif.* Composição poética formada por versos de dez e de seis sílabas. 4) Ornato da gola ou das bainhas das fardas. 5) Cilício de arame. 6) Mancha das ventas do cavalo.

SIL.VES.TRE *adj.2gên.* 1) Diz-se das plantas que se desenvolvem sem necessidade de cultivo. 2) Que não dá frutos; bravio, agreste.

SIL.VI.CUL.TU.RA *s.f.* 1) Cultura de árvores florestais. 2) Ciência que trata do estudo e do desenvolvimento de árvores florestais.

SIL.VO *s.m.* Assobio.

SIM *adv.* 1) Exprime afirmação, acordo, consentimento. / *s.m.* 2) Ato de assentir ou consentir, exprimido pela palavra sim.

SIM.BI.O.SE *s.f. Biol.* Associação de dois ou mais seres vivos em que há benefícios mútuos.

SIM.BÓ.LI.CO *adj.* 1) Relativo a símbolo. 2) Que tem o caráter de símbolo; alegórico. 3) Relativo aos formulários da fé.

SIM.BO.LIS.MO *s.m.* 1) Expressão por meio da prática ou do emprego de símbolos; interpretação por meio de símbolos. 2) *Lit.* e *Bel-art.* Escola poética, literária ou pictórica, caracterizada pelo emprego de expressões vagas e imprecisas.

SIM.BO.LI.ZAR *v.t.d.* 1) Representar ou significar por meio de símbolos. 2) Servir de símbolo a; ser símbolo de. / *v.i.* 3) Exprimir simbolicamente.

SÍM.BO.LO *s.m.* 1) Imagem, figura ou objeto material que serve para representar qualquer coisa simbologia

imaterial. 2) Figura ou sinal que indica a oficina monetária, nas moedas antigas. 3) Divisa, emblema, figura, marca, sinal representativo.

SIM.BO.LO.GI.A *s.f.* Estudo ou interpretação de símbolos.

SI.ME.TRI.A *s.f.* 1) Harmonia entre as proporções de algo ou de alguém; equilíbrio. 2) Correlação entre as partes dispostas em cada lado de uma linha divisória, um centro ou eixo. 3) *Por ext.* Semelhança entre duas metades.

SI.MI.LAR *adj.2gên.* 1) Que é da mesma natureza; homogêneo. / *s.m.* 2) Objeto similar.

SÍ.MI.LE *adj.2gên.* 1) Que é semelhante; análogo. / *s.m.* 2) Qualidade de semelhante. 3) Comparação entre coisas semelhantes.

SI.MI.LI.TU.DE *s.f.* Semelhança, analogia.

SÍ.MIO *adj.* 1) Referente aos símios. / *s.m.* 2) Macaco.

SIM.PA.TI.A *s.f.* 1) Afinidade ou correspondência entre dois ou mais corpos. 2) Atração instintiva entre duas pessoas, pelas propensões que as caracterizam.

SIM.PA.TI.ZAN.TE *adj.2gên.* e *s.2gên.* 1) Que ou quem simpatiza. 2) Que ou pessoa que adota as ideias de um partido sem fazer parte dele.

SIM.PA.TI.ZAR *v.t.i.* 1) Sentir simpatia, afeição ou tendência por. 2) Aprovar, gostar.

SIM.PLES *adj.2gên.* 1) Sem composição ou complicação. 2) Único; exclusivo. 3) Sem mistura; mero, singelo. 4) Sem enfeites, sem ornatos. 5) Que não é dobrado. 6) Que é fácil de entender ou usar; evidente; natural. 7) Que não é requintado. 8) Que vive sem luxo; deselegante, modesto, humilde. 9) Sem esforço; espontâneo, natural.

SIM.PLI.CI.DA.DE *s.f.* 1) Estado, qualidade ou natureza do que é simples. 2) Ausência de complicação. 3) Naturalidade, espontaneidade. 4) Sinceridade, ingenuidade, desambição, singeleza, franqueza, modéstia.

SIM.PLI.FI.CAR *v.t.d.* Tornar simples ou mais simples; tornar elementar; tornar mais fácil. 2) Reduzir uma fração a termos menores ou mais precisos.

SIM.PLÓ.RIO *adj.* e *s.m.* Diz-se do ou o indivíduo ingênuo, crédulo, tolo, simples.

SIM.PÓ.SIO *s.m.* Reunião técnica e científica para debate de determinados assuntos ligados a um tema fundamental.

SI.MU.LA.ÇÃO *s.f.* 1) Ato ou efeito de simular; dissimulação. 2) Fingimento, disfarce, falsidade. 3) Experiência, ensaio ou demonstração realizada com a utilização de atores.

SI.MU.LA.CRO *s.m.* 1) Representação artificial da realidade; imitação. 2) Cópia malfeita ou grosseira.

SI.MU.LA.DO *adj.* 1) Falso, fingido, falsificado. 2) Que imita uma coisa verdadeira ou real. / *s.m.* 3) Teste ou prova que simula um vestibular ou concurso.

sincretismo

SI.MU.LAR *v.t.d.* 1) Representar semelhantemente. 2) Arremedar, imitar. 3) Disfarçar, dissimular. / *v.t.d.* e *v.p.* 4) Aparentar(-se), fingir(-se).

SI.MUL.TÂ.NEO *adj.* 1) Que se dá, que se realiza ou acontece ao mesmo tempo de outra coisa. 2) Concomitante, coincidente.

SI.NA *s.f.* Destino, fado, sorte.

SI.NA.GO.GA *s.f.* 1) Assembleia de fiéis da religião judaica. 2) Templo dos judeus. 3) *pop.* Casa onde não há entendimento. 4) *gír.* Cabeça.

SI.NAL *s.m.* 1) Tudo que serve para lembrar, conhecer, reconhecer, relembrar, adivinhar ou prever alguma coisa. 2) Indício, marca, vestígio. 3) Mancha na pele; cicatriz. 4) Manifestação exterior do que se pensa ou do que se quer; aceno, gesto. 5) Etiqueta, letreiro, rótulo. 6) Ferrete. 7) Assinatura. 8) Firma do tabelião. 9) Dinheiro ou qualquer valor que um dos contratantes dá ao outro por segurança do contrato feito. 10) Prenúncio, presságio. 11) Marca, feita por corte na orelha direita de cada animal, que distingue o gado de cada fazenda. 12) Meio de transmitir ordens ou notícias, por manifestação óptica ou acústica de aparelhos de sinalização. 13) Ponto de parada de coletivos. / *s.m. pl.* 14) Dobre de sinos por finado. 15) Feições do corpo de uma pessoa.

SI.NA.LEI.RA *s.f.* Semáforo.

SI.NA.LEI.RO *adj.* e *s.m.* 1) Que ou o que dá sinais. 2) Diz-se do ou funcionário responsável pela sinalização em pista de pouso, linha de trem, etc. / *s.m.* 3) Semáforo.

SI.NA.LI.ZA.ÇÃO *s.f.* 1) Conjunto de sinais usados como meio de comunicação. 2) Conjunto de sinais que orientam a circulação de pessoas, manobras ou o trânsito.

SI.NA.LI.ZAR *v.t.d.* 1) Pôr sinalização em. 2) Comunicar por meio de sinais. 3) *fig.* Dar mostra de; indicar.

SIN.CE.RI.DA.DE *s.f.* 1) Qualidade ou estado de sincero; franqueza. 2) Ato ou dito franco, verdadeiro; honestidade.

SIN.CE.RO *adj.* 1) Que é autêntico, verdadeiro. 2) Que é dito ou feito sem fingimento. 3) Que expressa o que pensa ou sente sem enganar ou disfarçar; franco, honesto. 4) Em quem se pode confiar; verdadeiro, leal.

SÍN.CO.PE *s.f.* 1) *Linguíst.* Supressão de um ou mais fonemas dentro de uma palavra. 2) *Med.* Perda repentina da consciência devido à má irrigação sanguínea no cérebro; desmaio. 3) *Mús.* Padrão rítmico em que se reproduz um som na parte fraca do tempo ou compasso, que é prolongado pela parte forte seguinte.

SIN.CRE.TIS.MO *s.m.* 1) *Rel.* Fusão de diferentes cultos ou doutrinas com reinterpretação de seus elementos. 2) *Por ext.* Fusão de diferentes elementos culturais.

SIN.CRE.TI.ZAR *v.t.d.* e *v.t.d.i.* Reunir, combinar, conciliar, integrar diferentes elementos, ideias, etc.

SIN.CRO.NI.A *s.f.* Qualidade ou estado do que ocorre ao mesmo tempo; simultaneidade.

SIN.CRO.NIS.MO *s.m.* Característica de dois ou mais fenômenos que acontecem ao mesmo tempo.

SIN.CRO.NI.ZAR *v.t.d.* 1) Colocar em sincronia. 2) Estabelecer relação entre coisas que aconteceram ao mesmo tempo. 3) Fazer o som de um filme, programa, etc. coincidir com a imagem.

SIN.DI.CA.LIS.MO *s.m.* 1) *Sociol.* Movimento que recomenda a organização das classes profissionais em sindicatos, para interesses comuns. 2) Ação reivindicatória dos sindicatos. 3) Conjunto de sindicatos.

SIN.DI.CA.LI.ZAR *v.t.d.* 1) Tornar sindical. 2) Reunir em sindicato. / *v.p.* 3) Tornar a pertencer a um sindicato.

SIN.DI.CÂN.CIA *s.f.* Inquérito, inspeção.

SIN.DI.CAR *v.t.d.* 1) Fazer sindicância. 2) Inquirir por ordem superior, indagar. / *v.i.* 3) Fazer averiguações, investigar.

SIN.DI.CA.TO *s.m.* 1) Instituição fundada para defesa dos interesses profissionais de seus aderentes. 2) *pej.* Especulação financeira de um grupo poderoso.

SÍN.DI.CO *s.m.* 1) Antigo procurador de uma comunidade, universidade, etc. 2) Advogado de corporação administrativa. 3) O encarregado de uma sindicância; sindicante. 4) Indivíduo eleito para defender os interesses de uma associação, classe. 5) Administrador encarregado das operações de uma falência, representante do falido e dos credores.

SÍN.DRO.ME *s.f. Med.* Conjunto de sinais e sintomas que coletivamente caracterizam determinada doença.

SI.NE.CU.RA *s.f.* Emprego ou cargo bem remunerado que exige pouco trabalho.

SI.NER.GI.A *s.f.* 1) Ação ou esforço realizado em conjunto visando a um objetivo em comum; cooperação. 2) *Med.* Ação simultânea de dois ou mais órgãos, sistemas ou elementos anatômicos ou biológicos para a realização de uma função orgânica.

SIN.FO.NI.A *s.f.* 1) *Mús.* Uniformidade de várias vozes ou instrumentos, harmonia, melodia. 2) *Mús.* Concerto de vários instrumentos. 3) A música executada por um concerto. 4) *Mús.* Conjunto de sinfonistas. 5) *Mús.* Intervalo de oitava musical.

SIN.FÔ.NI.CO *adj.* 1) Relativo à sinfonia. 2) Que foi composto para orquestra. 3) Que é instrumental.

SIN.GE.LO *adj.* 1) Simples, inocente. 2) Desprovido de enfeites ou ornatos, sem rodeios. 3) Ingênuo, leal, franco. 4) Não corrompido, inofensivo.

SIN.GU.LAR *adj.2gên.* 1) Relativo a um só; individual, único. 2) Que tem valor por si próprio. 3) Que não tem igual nem semelhante; inédito, notável, original, admirável. 4) Especial, particular, privilegiado. 5) *Gram.* Diz-se do número que indica uma só pessoa, um só animal ou uma só coisa. / *s.m.* 6) O número singular dos verbos e dos nomes.

SIN.GU.LA.RI.DA.DE *s.f.* Qualidade do que é singular, incomum, extraordinário, original.

SI.NIS.TRO *adj.* 1) Esquerdo. 2) De mau sintoma; funesto. 3) Que infunde temor, hesitação. 4) De má índole; mau. / *s.m.* 5) Desastre, perda, fatalidade. 6) Dano ou prejuízo material.

SI.NO *s.m.* Instrumento, geralmente de bronze, em forma de cone oco, que produz sons ao ser percutido por uma peça interior, denominada badalo, ou por um martelo exterior.

SI.NO.NÍ.MI.A *s.f.* 1) *Linguíst.* Equivalência entre os significados de duas ou mais palavras. 2) Teoria ou estudo de sinônimos.

SI.NÔ.NI.MO *adj.* 1) Diz-se da palavra que possui quase ou o mesmo sentido de outra. / *s.m.* 2) Palavra sinônima.

SI.NOP.SE *s.f.* 1) Obra ou tratado que apresenta sinteticamente o conjunto de uma ciência. 2) Uma breve descrição de uma obra; resumo, síntese, conciso. 3) Visão de conjunto.

SIN.TAG.MA *s.m. Linguíst.* Unidade sintática composta de um núcleo e de termos associados a ele, formando uma locução.

SIN.TA.XE (ss) *s.f.* 1) *Gram.* Parte da gramática que trata da disposição das palavras na proposição, a relação entre várias frases e a construção de um discurso. 2) *Gram.* Estrutura frasal.

SÍN.TE.SE *s.f.* 1) Método que reúne os elementos simples para formar o complexo. 2) Generalização, união de pequenos fatos em um todo que os resuma. 3) Resumo. 4) *Gram.* União de duas palavras primitivamente separadas. 5) *Lóg.* Método de explicação a partir dos conhecimentos simples aos mais complexos. 6) *Quím.* Método de preparo através da união de elementos simples para formação dos compostos.

SIN.TÉ.TI.CO *adj.* 1) Que não se detém em detalhes; conciso, resumido. 2) Que foi produzido artificialmente.

SIN.TE.TI.ZAR *v.t.d.* 1) Tornar sintético; abreviar, condensar. 2) Reunir em si. 3) Compendiar, resumir.

SIN.TO.MA *s.m.* 1) *Med.* Fenômeno semiológico que revela uma lesão ou perturbação funcional de um órgão. 2) *fig.* Indício, aparência. 3) *fig.* Presságio, indicação.

SIN.TO.MÁ.TI.CO *adj.* 1) Relativo a sintoma. 2) Que indica alguma doença ou distúrbio.

SIN.TO.MA.TO.LO.GI.A *s.f.* 1) Parte da Medicina que trata dos sintomas causados pelas doenças. 2) Conjunto dos sintomas.

sintonia

soar

SIN.TO.NI.A *s.f.* 1) *Eletr.* Qualidade de seleção dos receptores nos quais as frequências emitidas, diferentemente das recebidas, causa uma péssima recepção. 2) Igualdade de frequência entre dois sistemas de vibração. 3) *fig.* Acordo mútuo, ajuste, simpatia, adaptação.

SIN.TO.NI.ZA.ÇÃO *s.f.* Ato ou efeito de sintonizar.

SIN.TO.NI.ZAR *v.t.d.* 1) *Radiotécn.* Ajustar (um aparelho receptor) ao comprimento da onda proveniente do local emissor. / *v.i.* 2) *fig.* Harmonizar-se, coincidir, entrosar-se.

SI.NU.CA *s.f.* 1) Espécie de bilhar com várias bolas coloridas. 2) *pop.* Impasse, dificuldade, problema de difícil solução.

SI.NU.O.SO *adj.* 1) Que segue ou descreve uma curva mais ou menos irregular; ondulante, tortuoso, flexuoso. 2) Diz-se do indivíduo que não é franco, que expressa seus pensamentos por meios indiretos; tortuoso.

SI.NU.SI.TE *s.f. Med.* Inflamação dos seios nasais, em decorrência do aculo de catarro.

SI.O.NIS.MO *s.m.* 1) Movimento que resultou, em 1948, na criação e fundação de um Estado israelita autônomo na Palestina. 2) Estudos relativos a Jerusalém enquanto patrimônio histórico.

SI.RE.NA ou **SI.RE.NE** *s.f.* Aparelho de som estridente que serve, nas locomotivas, navios, ambulâncias, carros de bombeiros, etc., para avisar a sua aproximação, fazendo alerta ou pedindo passagem; sirene, sereia.

SI.RI *s.m. Zool.* Designada dada às espécies de crustáceos decápodes braquiúros.

SI.RI.GAI.TA *s.f.* 1) Mulher espevitada, que gosta de namoricos. 2) Mulher presunçosa, inquieta, ladina. 3) Moça desembaraçada; assanhada.

SÍ.RIO *adj.* 1) Relativo à Síria (Ásia). / *s.m.* 2) Habitante ou natural da Síria.

SI.RO.CO (ô) *s.m.* Vento quente que sopra do norte da África sobre o Mar Mediterrâneo.

SÍS.MI.CO *adj.* 1) Relativo a sismos ou terremotos. 2) Causado por ou sujeito a terremotos.

SIS.MO *s.m. Geofís.* Tremor de terra, abalo, terremoto.

SIS.MO.GRA.FI.A *s.f. Geofís.* 1) Registro dos abalos sísmicos. 2) Utilização do sismógrafo.

SIS.MÓ.GRA.FO *s.m. Geofís.* Instrumento que registra os terremotos; sismômetro.

SIS.MO.LO.GI.A *s.f. Geofís.* Ciência que estuda e trata dos tremores de terra.

SI.SO *s.m.* 1) Bom senso; prudência; circunspeção, juízo. 2) O terceiro dente molar.

SIS.TE.MA *s.m.* 1) Conjunto de elementos, dispostos entre si de modo a formar um corpo de doutrina. 2) Conjunto de partes que se interagem para atingir um objetivo. 3) Método. 4) Plano. 5) *Anat.* Conjunto de órgãos compostos pelos mesmos tecidos e que cooperam para realização

de funções comuns. 6) *Filos.* Unidade das diferentes formas do conhecimento sobre uma mesma ideia. 7) *Geol.* Subdivisão correspondente a um período geológico. 8) *Polít.* Forma pela qual um país é governado.

SIS.TE.MÁ.TI.CA *s.f.* 1) *Biol.* Ciência que se ocupa das classificações dos seres vivos; taxonomia. 2) Sistematização.

SIS.TE.MÁ.TI.CO *adj.* 1) Relativo a ou conforme um sistema. 2) Metódico, ordenado. 3) Que observa um sistema.

SIS.TE.MA.TI.ZAR *v.t.d.* 1) Organizar em sistema. / *v.t.d.* e *v.p.* 2) Tornar(-se) sistemático, metódico, ordenado.

SI.SU.DO *adj.* 1) Que ou aquele que tem siso; ajuizado, prudente, sensato. 2) Sério, grave. / *s.m.* 3) Indivíduo sisudo.

SI.TI.AR *v.t.d.* 1) Pôr sítio; cercar, rodear de tropas. 2) *Por ext.* Assediar.

SÍ.TIO *s.m.* 1) Chão, lugar ou espaço ocupado. 2) Chão descoberto. 3) Qualquer lugar; localidade. 4) Estabelecimento agrícola de pequeno porte; chácara; fazendola. 5) Lugar assinalado por fato notável. 6) Ato ou efeito de sitiar.

SI.TU.A.ÇÃO *s.f.* 1) Ato ou efeito de situar-se; posição. 2) Forma como um objeto foi posto. 3) Disposição das diversas partes de um todo. 4) Estado moral de alguém. 5) Posição financeira. 6) Fase governamental. 7) *Lit.* Momento de drama ou narração que provoca notável sucesso. 8) Vicissitude, ocorrência.

SI.TU.A.DO *adj.* Sito; estabelecido.

SI.TU.AR *v.t.d.* 1) Colocar, pôr, estabelecer. 2) Construir, edificar. 3) Designar determinado lugar a.

SLIDE (slaide) *s.m. ingl.* Pequena foto transparente, montada em moldura e destinada à projeção fixa.

SLOGAN (slôgan) *s.m. ingl.* Frase concisa, de fácil percepção e memorização que resume as qualidades de um produto.

SMOKING (esmôquin) *s.m. ingl.* Traje masculino que consiste num paletó com abas de seda e uma gravata-borboleta, para ser usado, principalmente, em cerimônias sociais realizadas à noite.

SÔ *s.m. pop.* Senhor.

SÓ *adj.2gên.* 1) Desacompanhado; sozinho. 2) Único. 3) Solitário, sem companhia. 4) Desajudado. / *adv.* 5) Apenas, somente, unicamente.

SO.A.LHAR *v.t.d.* Revestir com soalho; assoalhar.

SO.A.LHO *s.m.* Revestimento de madeira ou outro material apropriado; assoalho.

SO.AR *v.i.* 1) Emitir ou produzir som. 2) Emitir voz, exprimir-se pela voz. 3) Ser anunciado ou indicado por um som. 4) Dar ou bater as horas. 5) Constar, correr, divulgar-se. / *v.t.d.* 6) Tocar em; tanger. 7) Manifestar por sons ou ruídos. 8) Cantar, celebrar, exaltar. / *v.t.i.* 9) Agradar, convir.

SOB *prep.* Debaixo ou por baixo de.

SO.BA.CO *s.m. pop.* Axila; sovaco.

SO.BE.JAR *v.t.i.* e *v.i.* 1) Exceder os limites; ser demasiado, sobrar. / *v.p.* 2) Suprir-se abundantemente; ter de sobejo.

SO.BE.JO (ê) *adj.* 1) Que sobeja; demasiado, excessivo. 2) Considerável, extraordinário, grande, abundante. / *s.m.* 3) Sobra, resto. / *adv.* 4) Sobejamente; de sobejo; de sobra.

SO.BE.RA.NI.A *s.f.* 1) Qualidade de soberano. 2) Independência; autoridade suprema; poder supremo. 3) Excelência, primazia. 4) Direitos de um Estado autônomo, que não depende de qualquer outro. 5) Altivez.

SO.BE.RA.NO *adj.* 1) Que exerce poder supremo. 2) Que governa com absoluta autoridade. 3) Dominador, poderoso. 4) Diz-se de Deus com sua suprema autoridade. 5) Excelso, magnífico, notável. / *s.m.* 6) Chefe que exerce o poder de ou Estado monárquico. 7) O que tem grande influência ou poder.

SO.BER.BA (ê) *s.f.* 1) Altura de coisa que possui superioridade sobre outra. 2) Elevação; orgulho demasiado; altivez, arrogância, presunção.

SO.BER.BO (ê) *adj.* 1) Que é mais alto ou mais elevado que outro. 2) Que é superior a outro. 3) Presunçoso, vaidoso; arrogante, orgulhoso, altivo, elevado. 4) Grandioso, magnífico. / *s.m.* 5) Indivíduo soberbo.

SO.BRA *s.f.* 1) Ato ou efeito de sobrar. 2) Aquilo que sobrou; restos.

SO.BRA.DO *adj.* 1) Que sobrou; demasiado; farto. / *s.m.* 2) Andar superior ao andar térreo de um edifício. 3) Edifício com dois ou mais andares.

SO.BRAN.CE.LHA (ê) *s.f.* Conjunto de pelos acima dos olhos; sobreolho, sobrolho, supercílio.

SO.BRAR *v.t.i.* 1) Haver demais, a mais; exceder. 2) Restar, bastar. / *v.i.* 3) Ficar mais do que o necessário; restar, sobejar. 4) Ser esquecido ou relegado.

SO.BRE (ô) *prep.* 1) Na parte superior de, por cima de, para cima de, em cima de. 2) Próximo de. 3) Atrás, além de. 4) Acima de. 5) Em consequência de; a respeito de.

SO.BRE.A.VI.SO *s.m.* Precaução, cautela, prevenção; alerta.

SO.BRE.CA.PA *s.f.* Cobertura de papel que protege a capa de um livro.

SO.BRE.CAR.GA *s.f.* 1) Carga excessiva. 2) Aquilo que se adiciona à carga. 3) Espécie de cilha com que se aperta a carga no animal. 4) Qualquer impressão sobre um selo postal, que altere seu valor. 5) Excesso de trabalho ou atividades.

SO.BRE.CAR.RE.GAR *v.t.d.* 1) Carregar demais. 2) Aumentar em demasia. 3) Aumentar encargos a; oprimir. 4) Imprimir sobrecarga em selos.

SO.BRE.CO.MUM *adj. Gram.* Diz-se do substantivo que tem um só gênero, mas que pode designar os dois sexos ➡ a testemunha.

SO.BRE-HU.MA.NO *adj.* Superior às faculdades físicas do homem; extraordinário, sublime.

SO.BRE.JA.CEN.TE *adj.2gên.* Que está por cima.

SO.BRE.LE.VAR *v.t.d.* 1) Exceder em altura; suplantar. 2) Ser ou tornar mais alto; ressaltar. 3) Passar por cima, elevar. 4) Vencer. 5) Sofrer, suportar. / *v.p.* 6) Erguer-se bem alto. 7) Destacar-se, sobressair. 8) Sublimar. / *v.t.i.* 9) Levar vantagem, dominar. 10) Distinguir-se de outros, predominar.

SO.BRE.LO.JA *s.f.* Pavimento entre a loja e o primeiro andar.

SO.BRE.LO.TAR *v.t.d.* Exceder a lotação de; superlotar.

SO.BRE.MA.NEI.RA *adv.* Altamente, excessivamente, demasiadamente, muito, sem conta; sobremodo.

SO.BRE.ME.SA (ê) *s.f.* Doce, fruta ou outra iguaria delicada e leve, que se come depois da refeição.

SO.BRE.MO.DO *adv.* Sobremaneira.

SO.BRE.NA.TU.RAL *adj.* 1) Superior ao natural; que excede as leis ou as forças da natureza; fora do comum. 2) Extraordinário, sobre-humano. 3) Que não tem explicação senão pela fé. / *s.m.* 4) Aquilo que é superior às forças da natureza. 5) Aquilo que é extraordinário.

SO.BRE.NO.ME *s.m.* Nome que vem depois do primeiro de batismo; nome de família.

SO.BRE.POR *v.t.d.i.* e *v.p.* 1) Pôr(-se) em cima ou por cima de. / *v.t.d.i.* 2) *fig.* Predominar sobre; sobressair. 3) Juntar por acréscimo; acrescentar. 4) Dar mais importância a; priorizar, antepor.

SO.BRE.PU.JAR *v.t.d.* 1) Exceder em altura; ultrapassar. 2) Vencer, dominar, superar. 3) Estar por cima de; cobrir. 4) Ter primazia sobre; suplantar. / *v.t.i.* 5) Ganhar destaque; sobressair.

SO.BRES.CRE.VER *v.t.d.* 1) Escrever sobre ou acima de. 2) Pôr sobrescrito em; endereçar.

SO.BRES.CRI.TO *s.m.* 1) Nome e endereço do destinatário escritos em uma correspondência. / *adj.* e *s.m.* 2) Diz-se de ou caractere menor e grafado ou impresso acima dos demais num texto.

SO.BRES.SA.IR *v.t.i.* e *v.i.* 1) Ser, estar ou tornar-se saliente. / *v.t.i.*, *v.i.* e *v.p.* 2) Chamar a atenção; ganhar destaque; distinguir-se, aparecer.

SO.BRES.SA.LEN.TE *adj.2gên.* e *s.m.* Diz-se de ou peça reservada para substituir outra gasta ou quebrada.

SO.BRES.SAL.TO *s.m.* 1) Reação brusca causada por forte emoção ou fato inesperado. 2) Susto inesperado; espanto.

SO.BRE.TA.XA *s.f.* Taxa adicional cobrada junto com a taxa normal.

SO.BRE.TU.DO *s.m.* 1) Espécie de casacão comprido usado para proteger do frio. / *adv.* 2) Principalmente, especialmente.

SO.BRE.VIR *v.i.* 1) Vir ou ocorrer depois. 2) Acontecer ou chegar de surpresa. / *v.t.i.* 3) Acontecer; ocorrer depois de uma coisa.

sobreviver

sogra

SO.BRE.VI.VER *v.t.i.* e *v.i.* 1) Continuar a viver depois de outras pessoas ou coisas. 2) Resistir, escapar.

SO.BRE.VO.AR *v.t.d.* Voar por cima de.

SO.BRI.E.DA.DE *s.f.* 1) Qualidade, estado ou condição de sóbrio. 2) Condição de quem não consumiu bebida alcoólica. 3) Condição de quem é discreto.

SO.BRI.NHO *s.m.* 1) Filho de irmão ou irmã, ou de cunhado ou cunhada. 2) *Náut.* Cada uma das velas trapezoides.

SÓ.BRIO *adj.* 1) Moderado, no comer e no beber. 2) Modesto, simples, prudente, calmo.

SO.CA.DO *adj.* 1) Que levou socos, soqueado. 2) Amassado, pisado. 3) Gordo e baixo; muito apertado. 4) Escondido, metido. / *s.m.* 5) Sela usada pelos domadores.

SO.CAR *v.t.d.* 1) Soquear, esmurrar. 2) Calcar com o soquete. 3) Pisar no pilão. 4) Espalmar com os punhos fechados a massa do pão. / *v.p.* 5) *fig.* Ocultar (-se), esconder(-se). 6) Esmurrar-se. / *v.i.* 7) Sacudir, andar a trote, brotar, renascer (a cana-de-açúcar).

SO.CI.AL *adj.2gên.* 1) Relativo à sociedade, à comunidade ou aos cidadãos. 2) Que pertence a ou vive em sociedade. 3) De boa convivência; sociável. 4) Diz-se de áreas em que não podem circular cargas, empregados, entregadores, etc. 5) Diz-se de traje formal. / *s.m.* 6) O que pertence a todos; público, coletivo. 7) O que diz respeito ao bem-estar das massas, principalmente as menos favorecidas.

SO.CI.A.LIS.MO *s.m. Sociol.* Sistema filosófico, político e econômico que defende a coletivização dos meios de produção e a organização de uma sociedade sem classes.

SO.CI.A.LI.ZAR *v.t.d.* 1) *Polít.* Tornar coletivo os meios de produção. 2) Colocar sob o regime socialista. / *v.p.* 3) Tornar-se social.

SO.CI.Á.VEL *adj.2gên.* 1) Que convive bem socialmente; amistoso, comunicativo. 2) Propenso a viver em sociedade.

SO.CI.E.DA.DE *s.f.* 1) Junção de pessoas ou animais que vivem de acordo com a lei a eles imposta. 2) Ambiente social no qual a pessoa se acha integrada. 3) Associação de pessoas com um objetivo comum de vida. 4) Grupo de indivíduos que vivem de acordo com as normas de um instituto ou ordem religiosa, frequência habitual de pessoas, convivência. 5) Agremiação, associação, parceria.

SÓ.CIO *adj.* 1) Associado, membro. / *s.m.* 2) Integrante de uma sociedade. 3) Aquele que se une a alguém para explorar um negócio ou conseguir um fim. 4) Companheiro, cúmplice.

SO.CIO.E.CO.NÔ.MI.CO *adj.* 1) Que envolve ao mesmo tempo fatores sociais e econômicos. 2) Relativo à renda e à posição social consideradas como um só fator.

SO.CI.O.LO.GI.A *s.f.* Estudo do desenvolvimento social, político, da estrutura da sociedade em geral e de cada um em particular.

SO.CO (ô) *s.m.* 1) Golpe com a mão fechada; murro. 2) Entalho que um pião faz em outro. 3) *pop.* Bofetão, bofetada.

SO.COR.RER *v.t.d.* 1) Auxiliar, amparar, agasalhar. 2) Remediar. 3) Prover do necessário para a realização de algo, dar esmola. / *v.p.* 4) Pedir socorro, auxílio; valer-se da proteção de. 5) Recorrer a algum auxílio ou remédio, ajudar.

SO.COR.RO (ô) *s.m.* 1) Ação ou efeito de socorrer. 2) Apoio, auxílio; abrigo, remédio. 3) Atendimento a quem está em perigo de vida ou com dificuldades de sustento. 4) Guincho.

SO.DA *s.f.* 1) *Quím.* Composto químico de cor branca, facilmente solúvel em água. 2) Água carregada de gás carbônico, usada em refrigerantes e bebidas alcoólicas. 3) *Quím.* Hidróxido de sódio; soda cáustica.

SÓ.DIO *s.m. Quím.* Elemento químico do grupo de metais alcalinos, com baixo ponto de fusão e alta condutividade térmica e elétrica. Símbolo Na, número atômico 11, massa atômica 22,997.

SO.DO.MI.A *s.f.* 1) Cópula anal entre pessoas heterossexuais. 2) Cópula anal entre pessoas do mesmo sexo; pederastia.

SO.FÁ *s.m.* Móvel em geral de estofado, com encosto e braços onde podem sentar-se várias pessoas.

SO.FIS.MA *s.m.* 1) *Lóg.* Raciocínio astuto, enganador. 2) *pop.* Fraude, logro.

SO.FIS.TI.CA.ÇÃO *s.f.* 1) Ato ou efeito de sofisticar(-se). 2) Qualidade de sofisticado.

SO.FIS.TI.CA.DO *adj.* 1) Falsificado, alterado. 2) Que não é original; artificial. 3) Que perdeu a naturalidade, requintado. 4) Aprimorado, aperfeiçoado. 5) Diz-se de aparelho ou equipamento de alta tecnologia.

SÔ.FRE.GO *adj.* 1) Que come ou bebe com pressa ou avidez; esganado. 2) *Por ext.* Que deseja ou realiza alguma coisa com avidez; ansioso.

SO.FRE.GUI.DÃO *s.f.* 1) Voracidade, gulodice. 2) Impaciência, ansiedade.

SO.FRER *v.t.d.* 1) Aguentar, aturar, tolerar; suportar coisa ruim. 2) Admitir, consentir, aceitar. / *v.i.* 3) Sentir dores físicas ou morais. / *v.t.i.* 4) Padecer.

SO.FRI.MEN.TO *s.m.* 1) Dor física causada por ferimento ou doença; padecimento. 2) Dor moral; angústia, aflição, amargura. 3) Desgraça, miséria, desventura, infortúnio.

SOFTWARE (sóftuer) *s.m. ingl. Inform.* Conjunto de todos os recursos lógicos e mesmo de instalação e de organização, com os quais se explora uma máquina, equipamento ou sistema, mas que não diz respeito à parte física dos mesmos; programas de computador.

SO.GRA *s.f.* Mãe do cônjuge em relação ao outro; a mãe da mulher, em relação ao genro, ou a mãe do marido em relação à nora.

SO.GRO (ô) *s.m.* Pai do cônjuge em relação ao outro.

SO.JA *s.f.* Planta originária da China e do Japão que possui sementes ricas em proteína usadas na fabricação de óleo, farinha, leite, etc.

SOL *s.m.* 1) O astro principal e central do nosso sistema planetário. 2) Estrela. 3) A luz e o calor transmitidos pelo Sol. 4) *Mús.* Quinta nota da escala musical. 5) *Poét.* O dia.

SO.LA *s.f.* 1) Couro curtido de boi, para calçados e outros objetos. 2) Parte do calçado que assenta no chão. 3) *fig.* Bife muito duro, de difícil degustação.

SO.LAR *adj.2gên.* 1) Relativo ao Sol. 2) Referente a sola. / *s.m.* 3) Morada de família nobre. / *v.t.d.* 4) Pôr solas em (calçados). / *v.i.* 5) *Mús.* Tocar um solo. 6) Ganhar no jogo do solo.

SO.LA.VAN.CO *s.m.* Balanço brusco; tranco.

SOL.DA *s.f.* Substância metálica, fundível, usada para conectar peças também metálicas.

SOL.DA.DO *s.m.* 1) Indivíduo alistado ou inscrito nas fileiras do Exército. 2) Militante, partidário, correligionário. / *adj.* 3) Que foi unido com solda.

SOL.DA.DU.RA *s.f.* 1) Ato ou efeito de soldar; solda; soldagem. 2) *Vet.* Tumor subcutâneo nas costelas das cavalgaduras.

SOL.DAR *v.t.d.* 1) Aplicar a solda a; acoplar, juntar com solda. 2) Ligar, prender. / *v.p.* 3) Ajustar-se, coligar-se.

SOL.DO (ô) *s.m.* 1) *Mil.* Vencimento dos militares. 2) Recompensa, pagamento, remuneração.

SO.LEI.RA *s.f.* 1) Peça de madeira, ou outro material, que fica na parte inferior do vão da porta, rente ao piso; umbral. 2) A correia em que, nas esporas, passa por baixo do calçado.

SO.LE.NE *adj.2gên.* 1) Celebrado com pompa e formalidades em cerimônias públicas. 2) Que introduz respeito, reverência. 3) Destaque, seriedade.

SO.LE.NI.DA.DE *s.f.* 1) Qualidade de solene. 2) Festividade, comemoração. 3) Certos atos acompanhados de formalidades impostas pela lei. 4) *Fam.* Arrogância, orgulho.

SO.LE.TRAR *v.t.d.* 1) Ler a pronúncia de cada letra em separado e, logo após, juntá-las em sílabas. 2) Ler mal, decifrar. 3) Falar, contar, narrar. / *v.t.d.* e *v.i.* 4) Ler pelo método da soletração. 5) Ler devagar e pausadamente.

SOL.FE.JAR *v.t.d.* e *v.i. Mús.* 1) Ler ou cantar os nomes das notas de uma composição musical. 2) Ler ou entoar um trecho musical recitando o nome das notas e modulando a voz.

SO.LI.CI.TA.ÇÃO *s.f.* 1) Ato ou efeito de solicitar. 2) Pedido insistente.

SO.LI.CI.TAR *v.t.d.* 1) Atrair, estimular, insistir. 2) Chamar, pedir por meio de um gesto. 3) Convidar, provocar. / *v.p.* 4) Afligir-se, preocupar-se, tornar-se inquieto. / *v.i.* 5) Pedir em juízo como solicitador.

SO.LÍ.CI.TO *adj.* 1) Que apresenta solicitude. 2) Apreensivo, delicado, inquieto. 3) Voluntário.

SO.LI.DÃO *s.f.* 1) Condição, estado de quem está só; isolamento, sem comunicação. 2) Lugar afastado, deserto, retiro. 3) Insulamento.

SO.LI.DA.RI.E.DA.DE *s.f.* 1) Qualidade de solidário. 2) De modo solidário. 3) Influência mútua entre duas pessoas ou coisas independentes; dependência recíproca. 4) Sentimento moral pelo qual as pessoas se ajudam mutuamente.

SO.LI.DÁ.RIO *adj.* 1) Que tem interesse ou dependência mútua. 2) Que torna cada um de vários devedores obrigado ao pagamento total da dívida. 3) Que dá a cada um de vários credores o direito de receber a quantia total da dívida.

SO.LI.DA.RI.ZAR *v.t.d., v.t.d.i.* e *v.p.* 1) Tornar(-se) solidário. / *v.p.* 2) Demonstrar solidariedade.

SO.LI.DEZ (ê) *s.f.* Qualidade ou característica do que é sólido; firmeza, resistência.

SO.LI.DI.FI.CAR *v.t.d.* 1) Passar do estado líquido ao sólido. 2) Estabilizar, congelar. / *v.p.* 3) Tornar-se sólido, resistente; firmar-se.

SÓ.LI.DO *adj.* 1) Que tem forma própria; que possui consistência. 2) Que é maciço, cheio. 3) Resistente, durável. / *s.m.* 4) Qualquer corpo sólido.

SO.LIS.TA *adj.2gên.* e *s.2gên.* Que ou quem executa um solo musical.

SO.LI.TÁ.RIA *s.f.* 1) *Zool.* Designação dada a certos vermes que parasitam o intestino de vertebrados, também conhecidos como tênias. 2) Colar ou gargantilha que tem elos semelhantes aos anéis da tênia. 3) Cela de penitenciária onde se isola o sentenciado perigoso ou rebelde.

SO.LI.TÁ.RIO *adj.* 1) Só; que se desvia da convivência. 2) Que vive a ermo; que vive em solidão. 3) Abandonado. / *s.m.* 4) Aquele que vive só. 5) Joia na qual foi encravada apenas uma pedra preciosa. 6) Vaso estreito e alto para se pôr flores sobre a mesa.

SO.LO *s.m.* 1) Porção superficial de terra; chão, pavimento. 2) Terra considerada própria para cultivo, nas suas qualidades produtivas. 3) *Mús.* Trecho musical, tocado ou cantado, para ser executado por uma só pessoa.

SOLS.TÍ.CIO *s.m. Astr.* Período em que o Sol, tendo-se afastado ao máximo da linha do Equador, parece estacionar durante alguns dias, antes de voltar a aproximar-se novamente.

SOL.TA (ô) *s.f.* 1) Ato ou efeito de soltar. 2) Peia de cavalgaduras. 3) Pasto onde o gado recupera as forças. 4) Mantimento do gado na engorda.

SOL.TAR *v.t.d.* e *v.p.* 1) Desatar(-se), desprender (-se), largar(-se). / *v.t.d.* 2) Dar a liberdade. 3) Dar passagem ao conteúdo de; abrir. 4) Arremessar, atirar. 5) Deixar cair, deixar escapar. 6) Afrouxar, desapertar, tornar lasso. 7) Dizer, proferir. 8) Exalar. / *v.p.* 9) Desligar-se. 10) Pôr-se em liberdade.

solteira / sonhador

SOL.TEI.RA *adj.* e *s.f.* 1) Diz-se da ou mulher que ainda não se casou. 2) Diz-se da fêmea que ainda não procriou.

SOL.TEI.RÃO *adj.* e *s.m.* Diz-se do homem, que tem meia idade ou mais, e ainda não se casou.

SOL.TEI.RO *adj.* e *s.m.* Que ou quem não se casou.

SOL.TO (ô) *adj.* 1) Que não está aderente a parte alguma; desatado, desprendido. 2) Posto em liberdade. 3) Licencioso. 4) Largo; folgado. 5) Entrecortado, interrompido. 6) Só, abandonado. 7) Diz-se do verso não rimado.

SOL.TU.RA *s.f.* 1) Ato ou efeito de soltar. 2) Desenvoltura, libertinagem, licenciosidade; solução, esclarecimento. 3) *pop.* Diarreia, disenteria. 4) Liberdade concedida ao presidiário ou àquele que estava encarcerado.

SO.LU.BI.LI.DA.DE *s.f.* 1) Qualidade de solúvel. 2) Tendência que possuem certas substâncias de serem absorvidas por certos líquidos sem perder suas propriedades.

SO.LU.ÇÃO *s.f.* 1) Ato ou efeito de solver; solvência. 2) Resolução de qualquer problema; decisão, conclusão. 3) Explicação. 4) Desfecho; fim.

SO.LU.ÇAR *v.i.* 1) Soltar soluço(s). 2) Chorar muito, emitindo soluços. / *v.t.d.* e *v.i.* 3) Exprimir entre soluços.

SO.LU.CI.O.NAR *v.t.d.* Encontrar ou apresentar a solução para; resolver.

SO.LU.ÇO *s.m.* 1) *Fisiol.* Contração involuntária dos músculos do diafragma, que emite certo ruído ao sair a pequena porção de ar que entrou no peito. 2) Choro entrecortado de soluços.

SO.LU.TO *adj.* 1) Solto, dissolvido. / *s.m.* 2) *Quím.* Substância dissolvida; solução.

SO.LÚ.VEL *adj.2gên.* Que se pode solver, dissolver ou resolver.

SOL.VEN.TE *adj.2gên.* e *s.2gên.* 1) Que pode solver ou solve. 2) Que paga ou pode quitar suas dívidas. 3) Substância que pode dissolver; dissolvente.

SOL.VER *v.t.d.* 1) Solucionar, resolver. 2) Dissolver. 3) Pagar. 4) Aplanar, nivelar.

SOM *s.m.* 1) Tudo o que soa ou impressiona o sentido da audição. 2) Timbre. 3) Ruído. 4) *Gram.* Emissão de voz. 5) A música, o ritmo. 6) *Fís.* Ondas mecânicas que se propagam no ar, produzidas pela vibração de um corpo, e que causam sensação ao sistema auditivo.

SO.MA *s.f.* 1) *Mat.* Operação de adição ou seu resultado. 2) Adição, totalidade. 3) Grande porção; quantia, abundância. 4) Certa quantidade de dinheiro.

SO.MAR *v.t.d.* 1) Realizar a operação de adição; fazer a soma de; adicionar. 2) Ser equivalente a; importar em. 3) Reunir em certa quantidade. 4) Resumir, sintetizar. / *v.p.* 5) Juntar-se, reunir-se, aderir-se. / *v.i.* 6) Fazer soma.

SOM.BRA *s.f.* 1) Espaço privado de luz ou tornado mais claro pela interferência de um corpo opaco.

2) Escuridão, obscuridade, noite, mistério. 3) Reprodução do contorno de uma figura que se interpõe entre a superfície e o foco de luz.

SOM.BRE.AR *v.t.d.* e *v.p.* 1) Cobrir(-se) de sombra. / *v.t.d.* 2) Fazer ficar mais escuro; escurecer. / *v.t.d.* e *v.i.* 3) Fazer sombreado em.

SOM.BREI.RO *adj.* 1) Que faz sombra. / *s.m.* 2) Chapéu de aba muito larga.

SOM.BRI.NHA *s.f.* Guarda-chuva usado por mulheres.

SOM.BRI.O *adj.* 1) Cheio de sombras; sombroso. 2) Que produz sombra. 3) Melancólico, medonho. 4) Carregado, severo, ríspido. 5) Despótico. 6) Nebuloso. / *s.m.* 7) Diz-se do lugar que não está exposto ao sol.

SO.MEN.TE *adv.* Unicamente, exclusivamente, apenas, só.

SO.NAM.BU.LIS.MO *s.m. Med.* Distúrbio que leva a pessoa a se levantar durante o sono, andar, falar, etc., sem que ela tenha consciência ou se lembre disso no dia seguinte.

SO.NÂM.BU.LO *adj.* 1) Diz-se da ou pessoa que anda, fala ou se movimenta durante o sono; noctâmbulo. 2) *fig.* Que não tem nexo; incoerente.

SO.NA.TA *s.f. Mús.* Peça musical instrumental, geralmente dividida em três tempos, divergindo suas partes em caráter e andamento.

SON.DA *s.f.* 1) Ato ou efeito de sondar. 2) Espécie de prumo ou corda com lastro que serve para determinar a profundidade das águas ou explorar o fundo. 3) Meio de investigação; indagação, pesquisa. 4) *Cir.* Instrumento que se introduz em alguma cavidade do organismo para reconhecer o estado de certos órgãos ou para extrair ou injetar alguma substância ou líquido; cateter. 5) Aparelho de perfuração que consiste numa espécie de broca que serve para reconhecer a natureza do subsolo.

SON.DAR *v.t.d.* 1) Examinar com sonda; fazer sondagem. 2) Pesquisar, investigar, avaliar. / *v.t.d.* e *v.p.* 3) Analisar(-se). / *v.i.* 4) Espionar; observar discretamente, às ocultas; inquirir com cautela.

SO.NE.CA *s.f.* 1) Sonolência. 2) Sono curto.

SO.NE.GAR *v.t.d.* 1) Omitir, deixando de descrever ou mencionar casos em que a lei exige a descrição ou menção; ocultar. 2) Burlar a lei, não pagando ou não contribuindo com o devido. 3) *pop.* Furtar, surrupiar objeto alheio; tirar às ocultas. 4) Ocultar. / *v.p.* 5) Esquivar-se do cumprimento de uma ordem; negar-se.

SO.NEI.RA *s.f. pop.* Disposição para dormir; desejo de dormir; sonolência.

SO.NE.TO (ê) *s.m. Poét.* Composição poética com 14 versos decassílabos, distribuídos em dois quartetos e dois tercetos.

SO.NHA.DOR (ô) *adj.* e *s.m.* 1) Que ou quem sonha. 2) Que ou quem fantasia, devaneia; imaginativo. 3) Que ou quem anseia por algo; desejoso.

SO.NHAR *v.i.* 1) Ter sonhos. 2) Delirar. 3) Devanear, fantasiar, idealizando coisas irrealizáveis. / *v.t.d.* 4) Imaginar ou ver em sonhos. / *v.t.i.* 5) Pensar constantemente em alguém ou algo.

SO.NHO *s.m.* 1) Conjunto de imagens e de fenômenos psíquicos que se apresentam à mente durante o sono. 2) Coisa ou pessoa com quem se sonha. 3) Devaneio, fantasia, ilusão, utopia. 4) *Cul.* Doce leve e fofo feito à base de farinha, leite e ovos, frito em gordura e passado em açúcar ou calda.

SÔ.NI.CO *adj.* Relativo ao som ou à sua velocidade.

SO.NÍ.FE.RO *adj.* e *s.m.* Que ou aquilo que provoca sono.

SO.NO *s.m.* 1) *Biol.* Interrupção normal e periódica dos sentidos, causada pela fadiga. 2) Vontade ou necessidade de dormir. 3) Estado de quem dorme. 4) Cessação de ação; inércia, letargia.

SO.NO.LÊN.CIA *s.f.* 1) Sono imperfeito ou incompleto. 2) Disposição para dormir; soneca. 3) Desejo de dormir. 4) Modorra, letargia, entorpecimento. 5) Apatia, preguiça, inércia.

SO.NO.LEN.TO *adj.* 1) Relativo a sonolência. 2) Que sente sonolência ou sono. 3) Que causa sonolência ou sono.

SO.NO.PLAS.TI.A *s.f.* 1) Conjunto dos efeitos sonoros de um filme, peça, programa, etc. 2) Atividade e técnica de criar e usar esses efeitos.

SO.NO.RI.ZA.ÇÃO *s.f.* 1) Ato ou efeito de sonorizar. 2) Instalação de amplificadores e alto-falantes, numa fonte sonora, para aumentar a potência do som. 3) *Cin.* Gravação do fundo musical em filme cinematográfico.

SO.NO.RO *adj.* 1) Que produz sons. 2) Que emite som agradável ao ouvido; melodioso. 3) Que aumenta a intensidade do som.

SO.NO.TE.RA.PI.A *s.f. Med.* Tratamento de certas doenças nervosas e mentais pela provocação de um sono prolongado.

SON.SO *adj.* e *s.m.* Que ou quem é dissimulado; fingido.

SO.PA (ô) *s.f.* 1) Caldo alimentício de carnes, massas, legumes e outras substâncias. 2) Coisa muito malhada. 3) *gír.* Coisa fácil de ser feita ou de se obter. 4) Cascalho consolidado em rocha na mineração.

SO.PA.PO *s.m.* Tapa, soco, bofetão, tabefe.

SO.PÉ *s.m.* Parte inferior de uma encosta de montanha ou muro, mais próxima do chão; base, falda.

SO.PRA.NO *s.m.* 1) *Mús.* A voz mais aguda: de mulher ou homem. / *adj.2gên.* e *s.2gên.* 2) *Mús.* Diz-de ou cantor ou cantora que tem essa voz.

SO.PRAR *v.t.d.* e *v.i.* 1) Expelir o ar dos pulmões pela boca em certa direção. / *v.t.d.* 2) Fazer algo se mover por meio de sopro. 3) Apagar com sopro. 4) Encher de ar por meio de sopro; inflar. / *v.t.d.i.* 5) *fig.* Falar em voz baixa; sussurrar, cochichar.

SO.PRO (ô) *s.m.* 1) Ato ou efeito de soprar; assopro. 2) Vento produzido ao se impelir o ar pela boca. 3) Bafo, hálito, bafejo. 4) Inspiração. 5) Agitação do ar; brisa, aragem. 6) Estímulo, insinuação. 7) Som produzido em decorrência da respiração.

SO.QUE.TE (ê) *s.m.* 1) Peça com que se soca a pólvora num canhão ou a terra num aterro ou construção, etc. 2) *Mec.* Ferramenta apropriada para apertar ou desapertar parafusos em lugares profundos. 3) Suporte no qual a lâmpada é fixa e, por intermédio dele, comunica-se com o fio da rede elétrica.

SO.QUE.TE (é) *s.f.* Meia de cano curto.

SÓR.DI.DO *adj.* 1) Que indica sordidez. 2) Imundo, baixo, vil. 3) Indecente, vergonhoso, infame. 4) Avarento, mesquinho.

SO.RO (ô) *s.m.* 1) A parte do sangue que permanece clara após a coagulação. 2) *Med.* Soro sanguíneo de animal imunizado, empregado com fins terapêuticos. 3) *Med.* Solução de substância orgânica ou mineral usada para hidratar ou alimentar os enfermos.

SOR.RA.TEI.RO *adj.* 1) Que age escondido, de forma astuta. 2) Que esconde seus verdadeiros sentimentos ou intenções; dissimulado.

SOR.RI.DEN.TE *adj.2gên.* 1) Que sorri. 2) Que expressa alegria. 3) *fig.* Que indica algo bom; esperançoso.

SOR.RIR *v.i.* e *v.p.* 1) Rir com leve contração dos músculos faciais, achar graça. 2) Alegrar-se, mostrar-se contente. / *v.t.i.* 3) Lançar sorriso a. 4) *fig.* Mostrar-se prometedor; favorável a ➡ A sorte lhe sorriu. 5) Ser objeto de desejo; seduzir.

SOR.RI.SO *s.m.* Manifestação de sentimentos que se faz sorrindo, ato de sorrir.

SOR.TE *s.f.* 1) Acaso, risco. 2) Destino, fado. 3) Parte a que lhe coube pela divisão dos lucros. 4) Situação financeira de alguém. 5) Referente a dinheiro, fortuna, lucro. 6) *fig.* Desgraça. 7) Lote de tecidos.

SOR.TE.A.DO *adj.* 1) Selecionado pelo método do sorteio. 2) Pessoa a quem incidiu o prêmio sorteado. / *v.t.d.* 3) Cidadão cujo nome foi sorteado.

SOR.TE.AR *v.t.d.* 1) Submeter a sorteio. 2) Repartir através do sorteio. 3) Alternar, mudar.

SOR.TEI.O *s.m.* 1) Escolha de algo ou alguém, geralmente por meio de um número ou nome, feita por acaso, de forma aleatória. 2) Entrega de prêmios cujos ganhadores são escolhidos ao acaso.

SOR.TI.DO *adj.* 1) Que tem muita mercadoria; abastecido. 2) De vários tipos, variado.

SOR.TI.LÉ.GIO *s.m.* Malefício de feiticeiro; bruxaria, feitiço, mágica.

SOR.TI.MEN.TO *s.m.* 1) Ato ou efeito de sortir (-se). 2) Estoque de produtos, mercadorias, etc.; provisão, reserva. 3) Conjunto de coisas diversas; variedade.

SOR.TIR *v.t.d.* e *v.p.* 1) Munir(-se) do necessário, prover(-se). / *v.t.d.* 2) Variar, alternar, misturar.

SO.RUM.BÁ.TI.CO *adj.* e *s.m.* Que ou quem é triste, sombrio, macambúzio.

SOR.VE.DOU.RO *s.m.* 1) Redemoinho formado no rio ou mar. 2) Cavidade natural de que não se vê o fundo; abismo, precipício.

SOR.VER *v.t.d.* 1) Beber lentamente degustando o líquido. 2) Absorver, sugar, tragar. 3) Inspirar o aroma da bebida, apreciar. 4) *fig.* Sofrer silenciosamente. / *v.p.* 5) Afundar-se, sumir-se.

SOR.VE.TE (ê) *s.m.* Alimento doce e gelado, feito de sabores variados.

SOR.VE.TEI.RO *adj.* e *s.m.* Que ou quem faz ou vende sorvete.

SOR.VE.TE.RI.A *s.f.* Local onde se fazem ou vendem sorvetes.

SOR.VO (ô) *s.m.* 1) Ato ou efeito de sorver. 2) Gole, trago.

SÓ.SIA *s.2gên.* Pessoa muito parecida fisicamente com outra, podendo até ser confundida; menecma.

SOS.LAI.O *s.m.* Esguelha, lado, viés.

SOS.SE.GAR *v.t.d.* 1) Ficar em sossego; serenar, tornar quieto. / *v.i.* e *v.p.* 2) Ter sossego; acomodar-se. 3) Tornar-se moderado, pacato. 4) Acalmar-se.

SOS.SE.GO (ê) *s.m.* Ato ou efeito de sossegar; tranquilidade, placidez, calma, quietude.

SÓ.TÃO *s.m.* Compartimento que fica entre o telhado e o teto; prédio que serve, geralmente, de depósito.

SO.TA.QUE *s.m.* 1) Remoque, picuinha. 2) Pronúncia própria de um indivíduo ou região.

SO.TER.RAR *v.t.d.* e *v.p.* 1) Cobrir(-se) de terra; meter(-se) por baixo da terra; enterrar(-se). / *v.t.d.* 2) Aluir, abalar, solapar.

SO.TUR.NO *adj.* 1) Escuro, sombrio. 2) Triste, melancólico. 2) Assustador, lúgubre. / *s.m.* 4) Escuridão.

SO.VA *s.f.* 1) Ação ou efeito de sovar. 2) Surra, coça, tunda. 3) *pop.* Uso diário ou muito frequente.

SO.VA.CO *s.m.* Axila.

SO.VA.DO *adj.* 1) Abatido, fatigado. 2) Amassado, socado, pisado. 3) Esfalfado de pancadas; espancado. 4) Diz-se do pão de massa fina, muito amassada.

SO.VAR *v.t.d.* 1) Bater a massa; amassar. 2) Pisar, esmagar, moer. 3) Espancar, surrar. 4) Usar frequentemente. 5) *fig.* Oprimir. 6) Amaciar, flexibilizar.

SO.VI.É.TI.CO *adj.* e *s.m.* Natural ou habitante da antiga União Soviética.

SO.VI.NA *s.2gên.* e *adj.2gên.* 1) Indivíduo mesquinho; avaro. / *s.f.* 2) Torno de madeira.

SO.ZI.NHO *adj.* 1) Só, abandonado, largado, desamparado. 2) Que é só; único.

SPRAY (sprei) *s.m. ingl.* 1) Recipiente fechado com uma bomba de pressão que projeta um jato de minúsculas gotas de líquido; aerossol. 2) *Por ext.* Esse jato.

STATUS *s.m. lat.* 1) Posição ocupada por uma pessoa em uma sociedade ou em uma profissão. 2) *Por ext.* Prestígio social; renome.

STRIPTEASE (striptise) *s.m. ingl.* Ato de se despir de forma lenta e sensual, geralmente ao som de música.

SU.A *pron. poss.* Feminino de seu.

SU.A.DO *adj.* 1) Molhado de suor; transpirado. 2) *fig.* Que se obteve às custas de muito trabalho. 3) *fig.* Que se adquiriu com dificuldade.

SU.ÃO *adj.* e *s.m.* 1) Do sul. 2) Diz-se do vento quente do sul ou sueste.

SU.AR *v.i.* 1) Eliminar o suor pelos poros; transpirar. 2) Verter umidade. 3) *fig.* Trabalhar muito; afadigar-se. / *v.t.d.* 4) Gotejar, destilar, manar. 5) Expelir como suor. 6) Trabalhar esforçadamente; afadigar-se.

SU.ÁS.TI.CA *s.f.* 1) Símbolo em forma de cruz com as pontas recurvas. 2) Essa cruz, com as pontas voltadas para a direita, usada como símbolo do nazismo.

SU.A.VE *adj.2gên.* 1) Que tem suavidade. 2) Agradável, aprazível, afetuoso, brando, meigo, terno. 3) Que encanta pelo som melodioso; harmonioso. 4) Que se faz sem esforço; pouco custoso.

SU.A.VI.ZAR *v.t.d.* e *v.p.* 1) Tornar(-se) suave. 2) Mitigar(-se), amenizar(-se), abrandar(-se).

SU.BAL.TER.NO *adj.* e *s.m.* Que ou quem está sob as ordens de outro; que ocupa posição subordinada.

SU.BA.QUÁ.TI.CO *adj.* Que está ou vive debaixo da água.

SUB.CONS.CI.EN.TE *adj.2gên.* 1) Que existe na mente, mas não de forma consciente. / *s.m.* 2) Conjunto dos fatos e experiências armazenadas na mente durante a vida do indivíduo e que não estão acessíveis ao nível da consciência; inconsciente.

SUB.CU.TÂ.NEO *adj. Anat.* Que é aplicado ou se situa sob a pele.

SUB.DE.SEN.VOL.VI.DO *adj.* e *s.m.* Pouco desenvolvido; atrasado.

SUB.DI.VI.DIR *v.t.d.*, *v.t.d.i.* e *v.p.* 1) Dividir(-se) de novo. 2) Separar(-se) em várias partes; fragmentar(-se).

SU.BEN.TEN.DER *v.t.d.* 1) Entender o que não está claramente declarado, citado ou esclarecido. 2) Deduzir ou admitir mentalmente.

SU.BES.PÉ.CIE *s.f.* Divisão de espécie.

SU.BES.TI.MAR *v.t.d.* Não dar o devido valor a; não ter em grande conta, desdenhar.

SU.BI.DA *s.f.* 1) Ato ou efeito de subir, ascensão. 2) Elevação, ladeira, ao subir; aclive, encosta. 3) Acréscimo, aumento, elevação.

SU.BIN.TEN.DEN.TE *s.2gên.* O imediato do intendente ou seu substituto.

SU.BIR *v.i.* 1) Ir de baixo para cima; elevar-se. 2) Chegar a um nível mais elevado. 3) Crescer em súbito

altura. / *v.t.i.* 4) Ascender; atingir. 5) Estender-se para cima. / *v.t.d.* 6) Percorrer, andando para cima. 7) Fazer que suba; promover. / *v.p.* 8) Transportar-se a lugar mais elevado.

SÚ.BI.TO *adj.* 1) Que aparece ou se dá de modo repentino, sem ser previsto; inesperado. / *s.m.* 2) Acontecimento que se dá dessa forma.

SUB.JA.CEN.TE *adj.2gên.* 1) Que jaz ou está por baixo. 2) Diz-se do que existe, porém não se manifesta.

SUB.JE.TI.VIS.MO *s.m. Filos.* 1) Convergência para reduzir tudo à existência do sujeito, pois não existe outra realidade. 2) Sistema filosófico que admite apenas a realidade subjetiva.

SUB.JE.TI.VO *adj.* 1) Relativo ao ou existente no sujeito. 2) Relativo à ideia de cada um. 3) Que se passa exclusivamente na mente humana, em oposição ao mundo físico. / *s.m.* 4) Aquilo que é subjetivo.

SUB.JU.GAR *v.t.d.* 1) Submeter pela força; jungir, vencer, dominar. 2) Domesticar. 3) Causar forte influência sobre. / *v.p.* 4) Dominar-se, conter-se; sujeitar-se.

SU.BLI.MAR *v.t.d.* 1) Tornar sublime; altear, exaltar. 2) Elevar ao mais perfeito possível. 3) *Fís.* Passar ou fazer passar diretamente do estado sólido ao gasoso; vaporizar, volatizar. / *v.p.* 4) Tornar-se sublime; enaltecer-se, engrandecer-se, exaltar-se. 5) Predominar, destacar-se.

SU.BLI.ME *adj.2gên.* 1) Grandeza, perfeição, elevação e nobreza de pensamento e expressividade. 2) Que atingiu grande perfeição moral ou material. 3) Majestoso, grandioso, encantador, esplêndido. / *s.m.* 4) Aquilo que é sublime. 5) O que há de mais grandioso nos sentimentos.

SUB.LI.MI.NAR (sub-li) *adj.2gên.* Diz-se de estímulo indireto que não é percebido claramente pelos sentidos, mas atua no subconsciente.

SU.BLI.NHAR *v.t.d.* 1) Passar um traço sob. 2) Acentuar bem, destacar. 3) Destacar, traçando uma sublinha; realçar, salientar.

SUB.MA.RI.NO *adj.* 1) Que está imerso nas águas do mar. / *s.m.* 2) Navio que opera submerso.

SUB.MER.GIR *v.t.d.* 1) Mergulhar; cobrir de água; inundar. 2) Fazer desaparecer nas águas; afundar. 3) Absorver, abismar. 4) Abafar, envolver. / *v.i.* e *v.p.* 5) Cobrir-se de água; ir ao fundo.

SUB.ME.TER *v.t.d.* 1) Tornar condicionado; subordinar. 2) Dominar, coagir, subjugar, abater. 3) Dominar fisicamente; subjugar. / *v.t.d.i.* 4) Obedecer às ordens de outrem; ficar sob o domínio de outrem ➡ Eu o submeti às novas regras. 5) Apresentar para apreciação. 6) Ser objeto de análise ou prova. / *v.p.* 7) Entregar-se, render-se.

SUB.MIS.SÃO *s.f.* 1) Ato ou efeito de submeter (-se); obediência, subordinação, sujeição. 2) Acomodar-se a um estado de dependência. 3) Estado de humilhação servil; subserviência, modéstia.

subsidiária

SUB.MIS.SO *adj.* 1) Que se submeteu. 2) Que serve sem contestar ou reclamar; subserviente, obediente. 3) Que demonstra ou envolve submissão.

SUB.MUN.DO *s.m.* 1) Esfera social considerada inferior. 2) O mundo do crime organizado, da delinquência; ambiente das pessoas que fazem parte do crime.

SUB.NU.TRI.ÇÃO *s.f.* Falta de nutrição ou nutrição deficiente.

SUB.NU.TRI.DO *adj.* e *s.m.* Que ou quem não ingeriu alimentos ou nutrientes suficientes; desnutrido.

SU.BOR.DI.NA.ÇÃO *s.f.* 1) Ato ou efeito de subordinar. 2) Dependência das pessoas numa relação de hierarquia. 3) Condição de submissão e obediência aos superiores, à lei, etc. 4) *Gram.* Posição de dependência de um termo a outro em relação complementar.

SU.BOR.DI.NA.DO *adj.* 1) Dependente de outrem; que recebe ordens de superiores. 2) Que, em acoplamento com outra coisa, ocupa lugar inferior. 3) *Gram.* Diz-se da palavra, frase ou oração cujo sentido depende de outra. / *s.m.* 4) Indivíduo que recebe ordens e deve obediência a outrem; subalterno.

SU.BOR.DI.NAR *v.t.d.* 1) Colocar sob a dependência de. 2) Ser submisso de; submeter. 3) *Gram.* Unir com conjunção subordinativa. / *v.p.* 4) Render-se, limitar-se.

SU.BOR.NAR *v.t.d.* Induzir enganosamente alguém a praticar ações ilegais em troca de qualquer recompensa; peitar, comprar.

SU.BOR.NO (ô) *s.m.* 1) Ação de subornar; subornação. 2) Indução a práticas criminosas.

SUB.PRO.DU.TO *s.m.* Produto feito de matéria-prima usada em outro produto.

SUB.RE.GI.ÃO *s.f.* Subdivisão de uma região.

SUBS.CRE.VER *v.t.d.* 1) Escrever por baixo de; assinar. 2) Participar de uma subscrição. 3) Aprovar; consentir. / *v.t.i.* 4) Contribuir com alguma cota. / *v.p.* 5) Assinar-se.

SUBS.CRI.ÇÃO *s.f.* 1) Ato ou efeito de subscrever(-se). 2) Assinatura ao fim de um documento. 3) Compromisso assumido por escrito para contribuir financeiramente; adesão a.

SUBS.CRI.TO *adj.* 1) Que foi aprovado por meio de assinatura. 2) Que foi obtido por meio de subscrição. / *adj.* e *s.m.* 3) Que ou o que foi assinado. 4) Diz-se de ou caractere menor e grafado ou impresso abaixo dos demais num texto.

SUB.SE.QUÊN.CIA *s.f.* 1) Caráter de subsequente. 2) Prolongamento, seguimento.

SUB.SE.QUEN.TE *adj.2gên.* Junto, próximo, seguinte.

SUB.SI.DI.AR (si) *v.t.d.* 1) Dar subsídio a; financiar, bancar. 2) Ajudar com subsídio para; auxiliar nos gastos de; contribuir, ajudar, custear.

SUB.SI.DI.Á.RIA (si) *s.f.* Empresa submetida ao controle de outra, a qual detém parte ou totalidade de suas ações.

subsídio

SUB.SÍ.DIO (si) *s.m.* 1) Benefício dado a uma empresa. 2) Auxílio fornecido a alguém. 3) Quantia que um Estado dá a uma potência aliada em virtude de tratados. 4) Recurso, socorro. 5) Honorário recebido pelos senadores, deputados e vereadores, elemento auxiliar.

SUB.SIS.TÊN.CIA (sis) *s.f.* 1) Quantia com que as pessoas se mantêm; existência individual. 2) Permanência, continuação, conservação. 3) O que é necessário ao sustento próprio.

SUB.SIS.TIR (sis) *v.i.* 1) Existir, viver, persistir. / *v.t.i.* 2) Vigorar; permanecer; existir ainda. / *v.t.i. e v.i.* 3) Fornecer o necessário para viver.

SUB.SO.LO *s.m.* 1) Camada de solo inferior à superfície terrestre. 2) Construção subterrânea.

SUBS.TÂN.CIA *s.f.* 1) Composição que subsiste por si. 2) A matéria que forma corpos. 3) A parte saborosa dos alimentos. 4) O essencial, o fundamental. 5) Força, eficácia.

SUBS.TAN.TI.VO *adj.* 1) Palavra que por si só indica a substância. / *s.m.* 2) Palavra flexiva com que se nomeia, em geral, pessoas, coisas, animais, ações, qualidades ou estados.

SUBS.TI.TU.I.ÇÃO *s.f.* 1) Ato ou efeito de substituir(-se); troca, permuta. 2) *Esp.* Troca de um jogador por outro durante uma partida.

SUBS.TI.TU.IR *v.t.d.* 1) Fazer em lugar de; converter, trocar. 2) Colocar no lugar de. 3) Executar a tarefa de outra pessoa.

SUBS.TI.TU.TI.VO *adj.* 1) Que ocupa o lugar de. / *s.m.* 2) Substituição; correção. 3) *Dir.* Projeto de lei apresentado à Câmara Legislativa que tem por objetivo modificar o outro de mesmo conteúdo, atualizando seus dados.

SUBS.TRA.TO *s.m.* 1) *Filos.* A constituição principal de um ser. 2) *Geol.* Camada de rocha ou terra sob a superfície; subsolo.

SUB.TE.NEN.TE *s.m. Mil.* Cargo que corresponde ao suboficial das hierarquias da Marinha e da Aeronáutica.

SUB.TER.FÚ.GIO *s.m.* Pretexto ou manobra para fugir de algo difícil; pretexto, evasiva.

SUB.TER.RÂ.NEO *adj.* 1) Aquilo que sucede ou se situa por baixo da superfície. 2) Que acontece às ocultas para ser obtido um resultado. / *s.m.* 3) Túnel, galeria ou espaço aberto inferior à superfície terrestre.

SUB.TÍ.TU.LO *s.m.* Título seguinte ao primeiro, título complementar.

SUB.TRA.ÇÃO *s.f.* 1) Ato de subtrair. 2) Desvio fraudulento, furto. 3) *Arit.* Operação de retirada; diminuição.

SU.BU.MA.NO *adj.* Que vive em características desumanas.

SU.BÚR.BIO *s.m.* Região situada fora dos limites, aos arredores de uma cidade, mas que pertence à sua jurisdição.

súdito

SUB.VEN.ÇÃO *s.f.* Auxílio financeiro concedido pelos poderes públicos, subsídio.

SUB.VER.SÃO *s.f.* 1) Ato ou efeito de subverter (-se). 2) Ato de indisciplina contra as leis; revolta, motim, revolução.

SUB.VER.TER *v.t.d.* 1) Virar de baixo para cima; revolver. 2) Fazer naufragar; afundar. 3) Revolucionar. / *v.p.* 4) Destruir-se, arruinar-se. 5) Perverter-se, desvirtuar-se. 6) Desaparecer.

SU.CA.TA *s.f.* 1) Ferro ou objetos de metal considerados imprestáveis, os quais são refundidos e entregues de volta ao comércio. 2) Qualquer peça metálica, velha e imprestável. 3) Qualquer objeto que pode ser reaproveitado. 4) Depósito de ferro velho.

SUC.ÇÃO *s.f.* Ato ou efeito de sugar; sugação.

SU.CE.DER *v.t.i.* 1) Ocorrer ou realizar-se depois; seguir-se. 2) Tomar posse do que pertencia ao seu antecessor. 3) Produzir efeito, apresentar bom resultado. 4) Substituir outrem. / *v.i.* 5) Acontecer, passar-se. 6) Acontecer de modo sucessivo.

SU.CES.SÃO *s.f.* 1) Ato ou efeito de suceder. 2) Sequência ininterrupta de fatos ou coisas. 3) Seguimento, perpetuação. 4) Descendência.

SU.CES.SO *s.m.* 1) Aquilo que sucede; fato, acontecimento. 2) Conclusão. 3) Resultado favorável, êxito.

SU.CES.SOR (ô) *adj. e s.m.* 1) Que ou aquele que sucede a outrem. 2) Herdeiro. 3) Aquele que tem os mesmos predicados ou atributos que teve outrem.

SU.CIN.TO *adj.* Que não é fastidioso; breve, abreviado, de poucas palavras, sintetizado, resumido.

SU.CO *s.m.* 1) Líquido substancioso dos tecidos animais e vegetais; seiva, sumo. 2) *Anat.* Líquido segregado por alguns órgãos. 3) Essência, polpa. 4) Coisa excelente.

SU.CRA.LO.SE *s.f. Quím.* Substância edulcorante usada como adoçante e em produtos de baixa caloria.

SU.CU.LEN.TO *adj.* 1) Que tem abundância de suco; gordo. 2) Que tem polpa; substancial, nutritivo.

SU.CUM.BIR *v.t.i.* 1) Cair vencido; humilhar-se, abater-se. 2) Dobrar-se, vergar. 3) Deixar ser vencido; ceder. / *v.i.* 4) Morrer, perecer. 5) Ser abolido, extinguir; cessar de existir.

SU.CU.RI *s.f.* Serpente boídea, de enormes dimensões, não peçonhenta que habita as matas que margeiam os grandes rios; boiuna; anaconda.

SU.DÁ.RIO *s.m.* 1) Pano que antigamente se usava para limpar o suor. 2) Mortalha. 3) Lençol no qual se enrolou o corpo morto de Cristo.

SU.DES.TE *adj.2gên.* 1) Sueste. / *s.m.* 2) Ponto colateral entre sul e leste.

SÚ.DI.TO *adj.* Que ou aquele que está submetido à vontade de outrem; vassalo, submisso.

SU.DO.ES.TE *adj.2gên.* 1) Concernente ao sudoeste. / *s.m.* 2) Ponto colateral entre o sul e o oeste. 3) Vento que sopra dessa direção.

SU.DO.RE.SE *s.f. Fisiol.* Produção de suor; transpiração.

SU.DO.RÍ.FE.RO *adj.* e *s.m.* Que ou o que faz suar.

SU.DO.RÍ.PA.RO *adj.* 1) Relativo a suor. 2) Que produz suor.

SU.ES.TE *adj.2gên.* 1) Relativo ou situado a sueste; sudeste. / *s.m.* 2) Ponto colateral entre sul e leste. 3) Vento que sopra dessa direção.

SU.É.TER *s.m.* Blusa fechada, de lã ou malha.

SU.FI.CI.ÊN.CIA *s.f.* 1) Condição do que é suficiente. 2) Habilidade, qualificação.

SU.FI.CI.EN.TE *adj.2gên.* 1) Que é satisfatório; que não sobra. 2) Capaz, apto. 3) Que ocupa lugar entre o bom e o sofrível. / *s.m.* 4) Nota de classificação escolar entre o medíocre e o bom.

SU.FI.XO (cs) *s.m. Gram.* Partícula que se junta às palavras primitivas, depois do radical, para formar derivadas.

SU.FLÊ *s.m. Cul.* Prato recheado, coberto com claras ao ponto de neve, cozido ao forno.

SU.FO.CA.DOR (ô) *adj.* e *s.m.* 1) Que ou aquele que sufoca; sufocante. 2) *Metal.* Recipiente de ferro, no qual se deposita o carvão, depois de tirado dos carbonizadores, para que não se inflame.

SU.FO.CAR *v.t.d.* 1) Causar sufocação a; asfixiar. 2) Bloquear ou dificultar a respiração de. 3) Matar por asfixia. 4) Impedir a manifestação; prender; reprimir, debelar. 5) Comover. / *v.p.* 6) Respirar com dificuldade. 7) Reprimir-se.

SU.FRÁ.GIO *s.m.* 1) Voto, votação. 2) Apoio, adesão, admissão. 3) Obra pia, orações ou súplicas pelas almas dos mortos.

SU.GAR *v.t.d.* 1) Chupar, sorver; absorver. 2) Extrair, arrancar. 3) Subtrair dolosamente; extorquir, tirar.

SU.GE.RIR *v.t.d.* 1) Fazer uma ideia aflorar à mente; enunciar, expor, propor. 2) Dar a entender, por meios indiretos; insinuar, inspirar. 3) Ocasionar.

SU.GES.TÃO *s.f.* 1) Ato ou efeito de sugerir. 2) Aquilo que é sugerido. 3) Inspiração, instigação. 4) Proposta, alvitre, parecer. 5) *Psicol.* Ideia ou vontade em alguém, provocada por estímulo externo ou interno.

SU.GES.TIO.NAR *v.t.d., v.t.d.i.* e *v.p.* Convencer (-se) por meio de sugestão; influenciar(-se), persuadir(-se); manipular(-se).

SU.GES.TI.VO *adj.* 1) Que contém sugestão ou conselho. 2) Que insinua. 3) Que evoca, inspira.

SU.I.CI.DA *adj.2gên.* 1) Relativo a suicídio. 2) Que envolve dano; perigoso. / *adj.2gên.* e *s.2gên.* 3) Que ou quem cometeu suicídio ou pensa em fazê-lo.

SU.I.CI.DAR-SE *v.p.* 1) Dar a morte a si mesmo, matar-se. 2) *fig.* Arruinar-se por culpa de si mesmo.

SU.I.CÍ.DIO *s.m.* 1) Ato ou efeito de suicidar-se. 2) *fig.* Ruína ou dano provocado pela própria pessoa.

SU.Í.ÇO *adj.* 1) Que diz respeito à Suíça (Europa). / *s.m.* 2) Pessoa natural ou habitante da Suíça.

SU.Í.NO *adj.* 1) Referente ao porco. / *s.m.* 2) O próprio porco.

SU.I.NO.CUL.TU.RA *s.f.* Criação de porcos.

SU.Í.TE *s.f.* 1) *Mús.* Composição instrumental dos séculos XVII e XVIII, de construção binária. 2) Aposentos completos em um hotel. 3) Quarto de dormir com banheiro anexo e exclusivo.

SU.JAR *v.t.d.* e *v.p.* 1) Tornar(-se) sujo; manchar (-se); tornar(-se) impuro. 2) Pôr manchas em; macular. 3) Praticar atos infamantes; desmoralizar-se. 4) Evacuar involuntariamente; defecar.

SU.JEI.RA *s.f.* 1) Imundície, sujidade. 2) Maneira incorreta de proceder.

SU.JEI.TAR *v.t.d.* 1) Dominar, subjugar, tornar sujeito. 2) Sofrear. 3) Subordinar, constranger. 4) Tornar estável; imobilizar. / *v.p.* 5) Render-se à lei. 6) Conformar-se com a sorte.

SU.JEI.TO *adj.* 1) Que está ou permanece por baixo. 2) Dominado, escravizado. 3) Adstrito, constrangido. 4) Que não tem vontade própria; domado. 5) Exposto a qualquer coisa, pela sua natureza ou situação. / *s.m.* 6) *Gram.* e *Lóg.* O ser da oração ao qual se atribui um predicado. 7) *Filos.* O ser que conhece. 8) Homem, indivíduo, pessoa.

SU.JO *adj.* 1) Que não está limpo. 2) Imundo, sórdido. 3) Indecente, indecoroso. 4) Em que não se pode confiar; desonesto; desmoralizado. 5) Que perdeu o crédito junto a alguém.

SUL *s.m.* 1) Ponto cardeal oposto ao norte. *Abrev.:* S. 2) Vento que sopra do sul. 3) O polo austral. 4) Região situada ao sul. 5) Parte do Brasil que compreende os estados do Paraná, Santa Catarina e Rio Grande do Sul.

SUL-A.ME.RI.CA.NO *adj.* 1) Que diz respeito à América do Sul ou aos seus habitantes. / *s.m.* 2) Indivíduo natural ou habitante da América do Sul.

SUL.CO *s.m.* 1) Marca estreita; fissura, ranhura. 2) Traço profundo na pele; ruga.

SUL.FA.TO *s.m. Quím.* Nome genérico dos sais e ésteres do ácido sulfúrico.

SUL.FE.TO (ê) *s.m. Quím.* Composto binário que resulta da combinação de enxofre divalente com um outro elemento; sulfureto.

SUL.FI.TO *s.m. Quím.* Sal ou éster do ácido sulfuroso.

SUL.FU.RAR *v.t.d.* Combinar ou preparar com enxofre.

SUL.FÚ.RI.CO *adj.* 1) Que pertence ou diz respeito ao enxofre. 2) Designativo de um ácido proveniente da combinação do enxofre com o oxigênio, H_2SO_4.

SU.LI.NO *adj.* 1) Que pertence ou se refere ao sul de uma região. 2) Nascido no sul de uma região ou país. / *s.m.* 3) Aquele que é natural do sul de uma região ou país; sulista.

SUL.TÃO *s.m.* 1) Antigo título do imperador dos turcos. 2) Título dado a alguns príncipes maometanos e tártaros. 3) Senhor poderoso. 4) Homem que possui várias amantes.

SU.MA *s.f.* 1) Essência de uma obra, epítome, resumo. 2) Em suma: enfim, em resumo.

SU.MA.RÉ *s.m.* Orquídea terrestre de flor amarela.

SU.MÁ.RIO *adj.* 1) Resumido, breve. 2) Feito sem formalidades; simples. / *s.m.* 3) Resumo, recapitulação. 4) Índice de matéria ou livro.

SU.MI.ÇO *s.m. pop.* Desaparecimento, extravio, fuga.

SU.MI.DO *adj.* 1) Que é visto com dificuldade; oculto. 2) Que parece escondido. 3) Quase imperceptível, distante. 4) Que mal se ouve; longínquo, fraco.

SU.MI.DOU.RO *s.m.* 1) Abertura pela qual um líquido se escoa. 2) Local onde somem muitas coisas. 3) Coisas em que se desperdiça muito dinheiro; sorvedouro. 4) Boca de esgotos nas sarjetas.

SU.MIR *v.i.* 1) Desaparecer, esconder, fugir. / *v.t.d.* 2) Fazer desaparecer. 3) Ocultar, esconder. / *v.p.* 4) Entranhar-se em. 5) Submergir-se. 6) Esconder-se. 7) Introduzir-se. 8) Encovar-se, internar-se.

SU.MO *s.m.* 1) Caldo extraído de matéria vegetal ou animal por pressão ou sucção; suco. 2) O ápice, o cume. / *adj.* 3) Que detém o maior poder; supremo. 4) Muito grande. 5) Extraordinário, excelente.

SU.MÔ *s.m. Esp.* Espécie de luta japonesa praticada corpo a corpo por adversários grandes e corpulentos.

SUN.GA *s.f.* 1) Traje de tecido elástico utilizado para banhar em piscina, mar, etc. 2) Calção de banho justo e pequeno.

SUN.TU.O.SO *(ô) adj.* 1) Que custou muito dinheiro. 2) Luxuoso, magnificente, pomposo.

SU.OR *s.m.* 1) Humor aquoso que se separa do corpo através dos poros. 2) Ato de suar. 3) *fig.* Trabalho penoso. 4) Resultado de grandes fadigas.

SU.PE.RA.BUN.DAR *v.i.* 1) Existir em abundância; sobejar. / *v.t.i.* 2) Exceder; ter em grande quantidade; transbordar.

SU.PE.RA.ÇÃO *s.f.* Ato ou efeito de superar(-se).

SU.PE.RAR *v.t.d.* 1) Ser vitorioso sobre; vencer. 2) Ir além de; ultrapassar. 3) Ser ou tornar-se superior; exceder, sobrepujar.

SU.PE.RÁ.VIT *s.m. Econ.* Diferença positiva entre uma receita e uma despesa.

SU.PER.CÍ.LIO *s.m.* Sobrancelha.

SU.PE.RES.TI.MAR *v.t.d.* Atribuir um valor, preço, qualidade ou importância maior do que o devido ou o razoável; supervalorizar.

SU.PER.FI.CI.AL *adj.2gên.* 1) Relativo à superfície. 2) Pouco profundo. 3) Pouco sólido. 4) *fig.* Leviano.

SU.PER.FÍ.CIE *s.f.* 1) Extensão considerada apenas por seu comprimento e largura. 2) A parte palpável dos corpos. 3) Tona, plano, face, semblante.

SU.PER.FI.NO *adj.* 1) Muito fino. 2) De qualidade superior.

SU.PÉR.FLUO *adj.* e *s.m.* Que ou aquilo que é dispensável, desnecessário; inútil.

SU.PER-HE.RÓI *s.m.* 1) Personagem fictício que possui poderes sobre-humanos e que combate o mal. 2) *Por ext.* Indivíduo que, por seus atos e coragem, parece um super-herói.

SU.PER-HO.MEM *s.m.* 1) Homem que se considera superior às possibilidades humanas. 2) Homem de faculdades extraordinárias.

SU.PE.RIN.TEN.DEN.TE *adj.2gên.* e *s.2gên.* Que ou quem dirige, chefia ou supervisiona uma empresa, instituição, obra, etc.

SU.PE.RIN.TEN.DER *v.t.d.* Chefiar; inspecionar, supervisionar.

SU.PE.RI.OR *(ô) adj.2gên.* 1) Que está mais elevado; que está acima. 2) Que é de categoria elevada.

SU.PE.RI.O.RI.DA.DE *s.f.* 1) Condição ou posição superior; vantagem. 2) Arrogância, vaidade.

SU.PER.MER.CA.DO *s.m.* Estabelecimento comercial em que as mercadorias estão à exposição dos fregueses, que se servem e pagam ao saírem.

SU.PER.PO.PU.LA.ÇÃO *s.f.* 1) Excesso de população; superpovoamento. 2) Excesso de indivíduos de determinada espécie.

SU.PERS.TI.ÇÃO *s.f.* 1) Crença sem base na razão e que induz ao conhecimento de falsos deveres, ao receio de coisas fantásticas e à confiança em coisas ineficazes. 2) Crendice.

SU.PER.VI.SÃO *s.f.* Ato ou efeito de supervisar; direção ou inspeção em nível superior.

SU.PER.VI.SAR *v.t.d.* Supervisionar.

SU.PER.VI.SIO.NAR *v.t.d.* Fazer a supervisão de; dirigir ou orientar inspecionando.

SU.PIM.PA *adj.2gên. pop.* Ótimo, excelente.

SU.PLAN.TAR *v.t.d.* 1) Meter por baixo dos pés; calcar, pisar. 2) Levar vantagem; vencer. 3) Ter superioridade; exceder, dominar.

SU.PLE.MEN.TO *s.m.* 1) O que serve para suprir alguma falta. 2) Aquilo que complementa. 3) Parte que se adiciona; complemento.

SU.PLEN.TE *adj.2gên.* e *s.2gên.* Que ou aquele que supre; substituto.

SU.PLE.TI.VO *adj.* 1) Que serve de suplemento. / *s.m.* 2) Curso para pessoas que não concluíram o ensino regular fundamental ou médio.

SÚ.PLI.CA *s.f.* 1) Pedido humilde e intenso. 2) Oração, rogo.

SU.PLI.CAR *v.t.d.* 1) Orar ou pedir com humildade e instância; implorar, rogar. 2) Fazer súplicas. 3) Pedir com humildade.

suplício | suspensão

SU.PLÍ.CIO *s.m.* 1) Sofrimento físico ou mental provocado por alguém; tortura, crueldade. 2) Castigo físico; punição. 3) *Por ext.* Sofrimento longo e intenso; aflição.

SU.POR *v.t.d.* 1) Admitir por hipótese. 2) Cogitar, presumir, alegar. 3) Crer como necessário; trazer à ideia. 4) Considerar como provável, ter em conta, julgar.

SU.POR.TAR *v.t.d.* 1) Suster o peso de, ter sobre si. 2) Sofrer com resignação; aguentar, tolerar. 3) Resistir à ação enérgica de. 4) Aturar, admitir. 5) Estar à prova de.

SU.POR.TE *s.m.* 1) A coisa que suporta ou serve de sustentáculo a outra; apoio, encosto. 2) Aquilo em que alguma coisa se ajusta ou se afirma.

SU.PO.SI.ÇÃO *s.f.* Ideia que não foi comprovada; hipótese, teoria, crença.

SU.PO.SI.TÓ.RIO *s.m. Farm.* Medicamento sólido em formato cônico ou cilíndrico que é introduzido no ânus.

SU.POS.TO (ô) *adj.* 1) Hipotético, conjeturado, fictício. / *s.m.* 2) A coisa suposta. 3) Aquilo que subsiste por si.

SU.PRAS.SU.MO *s.m.* Grau mais elevado de algo; auge, máximo, extremo.

SU.PRE.MA.CI.A *s.f.* O poder supremo; hegemonia, superioridade, preeminência.

SU.PRE.MO *adj.* 1) Que está acima de tudo; superior a tudo; soberano, sumo. 2) Relativo a Deus. 3) Que vem depois de tudo; derradeiro, último.

SU.PRI.MEN.TO *s.m.* 1) Ato ou efeito de suprir. 2) Abastecimento, fornecimento. 3) Auxílio; empréstimo.

SU.PRI.MIR *v.t.d.* 1) Não deixar publicar; impedir que apareça. 2) Fazer que desapareça; extinguir, eliminar. 3) Anular, abolir. 4) Não mencionar; omitir.

SU.PRIR *v.t.d.* 1) Completar, inteirar. 2) Aprovisionar; equipar. / *v.t.d.i.* 3) Preencher a falta de; substituir. 4) Socorrer, remediar.

SUR.DEZ (ê) *s.f.* Condição daquele que não ouve ou ouve muito pouco.

SUR.DI.NA *s.f.* 1) Som baixo, abafado. 2) *Mús.* Dispositivo que se coloca em um instrumento para abafar o som.

SUR.DO *adj.* 1) Que não ouve ou escuta mal; mouco. 2) Inaudível ou pouco sonoro. 3) Calado. 4) Que não produz ruído. 5) Feito sem provocar ruído; secreto, silencioso. 6) Implacável, inflexível.

SUR.FE *s.m. Esp.* Esporte aquático em que o praticante fica de pé sobre uma prancha e faz manobras sobre as ondas.

SUR.GIR *v.i.* 1) Aparecer; elevar-se. 2) Erguer-se, revelar-se. 3) Emergir; insurgir. 4) Nascer, despontar, raiar. 5) Chegar, vir.

SUR.PRE.EN.DEN.TE *adj.2gên.* Que surpreende; esplêndido, extraordinário, magnífico.

SUR.PRE.EN.DER *v.t.d.* 1) Apanhar de modo repentino. 2) Abordar de súbito. 3) Obter por fraude. 4) Causar surpresa a; assombrar, fascinar. / *v.p.* 5) Maravilhar-se, espantar-se.

SUR.PRE.SA (ê) *s.f.* 1) Ato ou efeito de surpreender. 2) Coisa surpreendente. 3) Fato inesperado. 4) Prazer imprevisto.

SUR.PRE.SO (ê) *adj.* 1) Que se surpreendeu. 2) Chocado, perplexo, espantado, pasmo.

SUR.RA *s.f. pop.* Ato de surrar; coça, sova.

SUR.RA.DO *adj.* 1) Desgastado, consumido, puído. 2) Pisado, golpeado, batido.

SUR.RAR *v.t.d.* 1) Pisar ou curtir peles. 2) Bater, açoitar, dar surra em, espancar. / *v.p.* 3) Gastar pelo uso frequente (peça do vestuário).

SUR.RE.A.LIS.MO *s.m. Bel.-art.* Movimento artístico e literário baseado num automatismo psíquico puro, procurando expressar as atividades do inconsciente; super-realismo.

SUR.RU.PI.AR *v.t.d.* e *v.t.d.i. pop.* Tirar às escondidas; furtar, afanar.

SUR.TIR *v.t.d.* 1) Ter como consequência. / *v.t.i.* e *v.i.* 2) Ter sucesso ou mau êxito. 3) Aparecer, emergir, surgir, surdir.

SUR.TO *adj.* 1) Ancorado; preso pela âncora. / *s.m.* 2) Voo alto da ave. 3) Cobiça. 4) Investida, arrancada. 5) Impulso. 6) Aparecimento repentino. 7) Invasão súbita e impetuosa; irrupção.

SUS.CE.TÍ.VEL *adj.2gên.* 1) Sujeito a experimentar sensações, impressões ou modificações. / *s.2gên.* 2) Que é ou indivíduo capaz de ofender-se com coisas insignificantes; melindroso; susceptível.

SUS.CI.TAR *v.t.d.* 1) Fazer surgir; gerar, produzir. 2) Fazer aparecer; promover. 3) Levantar como impedimento; apresentar como oposição. 4) Lembrar, indicar, recomendar. 5) *Dir.* Alegar contra outrem. / *v.t.d.i.* 6) Provocar, causar.

SU.SE.RA.NO *adj.* 1) Relativo a suserano. 2) Relativo aos soberanos a quem outros Estados, aparentemente independentes, devem vassalagem. / *s.m.* 3) Que era senhor de feudo; senhor feudal.

SUS.PEI.TA *s.f.* 1) Suposição adversa baseada em provas fracas ou imprecisas. 2) Opinião mais ou menos desfavorável referente a alguém. 3) Dúvida, desconfiança.

SUS.PEI.TO *adj.* 1) Que causa suspeitas; suspeitoso. 2) Duvidoso. 3) Que dá cuidados. 4) Que gera dúvidas a seu respeito. 5) Que aparenta possuir defeitos. / *s.m.* 6) Indivíduo suspeito.

SUS.PEN.DER *v.t.d.* 1) Pendurar; deixar pendente. 2) Suster no ar; conservar em posição alta; erguer.

SUS.PEN.SÃO *s.f.* 1) Ato ou efeito de suspender. 2) Objeto com o qual se suspende. 3) Inclusão de pequenas partículas sólidas em um líquido, de modo que não se dissolvam.

SUS.PEN.SE *s.m.* 1) Estratégia utilizada nos enredos de filmes, peças de teatro, romances, etc. que causa momento de forte tensão e grande incerteza do que está por vir. 2) Expectativa ansiosa do que está por vir, criada por qualquer acontecimento ou situação; incerteza.

SUS.PEN.SO *adj.* 1) Pendente, pendurado. 2) Interrompido, contido. 3) Cancelado ou adiado. 4) Parado. 5) *Gram.* Particípio irregular de suspender.

SUS.PEN.SÓ.RIO *adj.* 1) Que suspende. / *s.m.* 2) Tira que passa pelo ombro e segura as calças pelo cós, na frente e atrás.

SUS.PI.RAR *v.i.* 1) Inspirar profunda e longamente. / *v.t.d.* e *v.t.i.* 2) Exprimir entre suspiros. 3) Sentir saudades de.

SUS.PI.RO *s.m.* 1) Respiração entrecortada e prolongada, provocada por desgosto, aflição, amargura ou algum incômodo físico. 2) Som melancólico ou triste; murmúrio. 3) Lamúria, gemido, lamento. 4) Gemido amoroso.

SUS.SUR.RAR *v.i.* 1) Produzir leve rumor; murmurar. / *v.t.d.* e *v.t.d.i.* 2) Falar com voz muito baixa; cochichar.

SUS.SUR.RO *s.m.* 1) Ruído confuso; murmúrio. 2) Zumbido de insetos. 3) Ato de falar em voz baixa, ao ouvido.

SUS.TÂN.CIA *s.f.* 1) *pop.* Substância que nutre, que dá força. 2) Força, vigor; sustança.

SUS.TAR *v.t.d.* 1) Fazer parar; deter, conter. / *v.i.* e *v.p.* 2) Parar, interromper-se.

SUS.TE.NI.DO *s.m. Mús.* Sinal que indica elevação de um semitom da nota #.

SUS.TEN.TA.ÇÃO *s.f.* 1) Ato ou efeito de sustentar. 2) Base, escora. 3) Alimentação, nutrição. 4) Conservação, manutenção.

SUS.TEN.TAR *v.t.d.* 1) Segurar; servir de escora; suportar, suster. 2) Impedir que caia; amparar. 3) Conservar; equilibrar; manter. 4) Alimentar, nutrir. 5) Abastecer. 6) Assegurar, aprovar.

SUS.TEN.TO *s.m.* 1) Satisfação das necessidades vitais. 2) Aquilo que garante a sobrevivência; alimento, mantimento.

SUS.TER *v.t.d.* 1) Impedir que caia; sustentar. / *v.p.* 2) Permanecer fixo ou imóvel.

SUS.TO *s.m.* Medo repentino; sobressalto, temor provocado por um fato imprevisto.

SU.TI.Ã *s.m.* Peça íntima do vestuário feminino utilizada para sustentar ou modelar os seios.

SU.TIL *adj.2gên.* 1) Tênue, delicado, fino, leve. 2) Agudo, apurado, penetrante. 3) Quase impalpável; imaterial. 4) De habilidade apurada; engenhoso, perspicaz.

SU.TU.RA *s.f. Med.* Costura cirúrgica que fecha um ferimento.

SU.VE.NIR *s.m.* Objeto típico de um lugar, que se compra em viagens e se leva como lembrança.

T (tê) *s.m.* 1) Vigésima letra do alfabeto português; consoante oclusiva linguodental surda. 2) *Fís.* Símbolo de tonelada.
TA.BA *s.f.* Aldeamento indígena.
TA.BA.CA.RI.A *s.f.* Casa ou loja onde se vendem tabaco, charutos, cigarros e outros objetos usados por fumantes.
TA.BA.CO *s.m.* 1) *Bot.* Planta solanácea, de cujas folhas se extrai o fumo. 2) Rapé. 3) Fumo.
TA.BA.GIS.MO *s.m.* 1) Uso excessivo de tabaco. 2) *Med.* Intoxicação provocada por esse excesso. 3) Tabaquismo.
TA.BA.QUEI.RA *s.f.* Caixa ou bolsa para guardar tabaco.
TA.BA.RÉU *s.m.* 1) Habitante do campo ou da roça; caipira, matuto. 2) Soldado incompetente, inexperiente. 3) *Por ext.* Pessoa acanhada.
TA.BE.FE *s.m.* 1) *Cul.* Espécie de gemada feita com leite, açúcar e ovos. 2) Soro de leite coalhado usado para fazer queijos. 3) *pop.* Bofetada, tapa.
TA.BE.LA *s.f.* 1) Pequena tábua, quadro ou folha de papel, usado para indicar pessoas ou coisas, numa determinada ordem, no sentido de transmitir uma realidade; quadro demonstrativo. 2) Borda interna, da mesa de sinuca e de bilhar. 3) Horário. 4) Tarifa. 5) Escala de serviço. 6) Catálogo, índice preestabelecido, lista, rol. 7) *Fut.* Jogada em que os jogadores passam a bola entre si, na corrida.

TA.BE.LI.ÃO *s.m.* Oficial público que trata de assuntos que requeiram forma e autenticidade legal e pública; notário.
TA.BE.LI.O.NA.TO *s.m.* 1) Função exercida pelo tabelião. 2) Local de trabalho do tabelião; cartório.
TA.BER.NA *s.f.* 1) Local onde são comercializadas bebidas por miúdo; bodega. 2) Casa comum de comes e bebes; baiuca, tasca, botequim. 3) *pop.* Casa imunda.
TA.BER.NÁ.CU.LO *s.m. Rel.* 1) Templo portátil em forma de tenda usado pelos hebreus. 2) No templo judaico, local onde só os sacerdotes entravam. 3) Local onde se guardam as hóstias no altar católico.
TA.BER.NEI.RO *s.m.* 1) Dono ou pessoa que trabalha em taberna. 2) *pop.* e *pej.* Indivíduo mal-educado e porcalhão.
TA.BI.QUE *s.m.* Espécie de parede fina usada para separar ou dividir os cômodos em uma casa; divisória.
TA.BLA.DO *s.m.* 1) Local onde os atores representam uma peça de teatro. 2) Estrado, palanque, palco. 3) *Esp.* Ringue; lugar apropriado para exibição de lutas.
TA.BLE.TE *s.2gên.* Pequena barra de algum produto ou medicamento.
TA.BLOI.DE (ói) *adj.2gên.* e *s.m.* Diz-se de ou publicação que tem cerca da metade do tamanho habitual dos jornais.

taboa · talhar

TA.BO.A (ô) *s.f.* 1) *Bot.* Planta tifácea, de terreno pantanoso, usada na fabricação de esteiras. 2) Planta leguminosa; tábua.

TA.BU *s.m.* 1) Caráter sagrado atribuído a uma pessoa ou objeto imposto por uma instituição religiosa. 2) Aquilo que é sagrado. 3) Tudo o que se proíbe supersticiosamente. 4) Escrúpulo sem justificativa. / *adj.2gên.* 5) Diz-se do que não pode ser tocado devido ao caráter sagrado.

TÁ.BUA *s.f.* 1) Peça plana de madeira. 2) Lâmina ou placa de qualquer matéria com formato plano e pouco espesso. 3) Tabela, índice. 4) Mapa, estampa. 5) Tela para pintura. 6) Mesa de jogo ou para refeições. 7) As faces laterais do pescoço do cavalo. 8) *pop.* Recusa a pedido de casamento. 9) *pop.* Recusa a convite para dançar.

TA.BU.A.DA *s.f.* 1) Índice, tabela. 2) *Arit.* Quadro aritmético em que estão registrados os resultados das operações. 3) Livrinho em que se ensina a numeração e a aritmética.

TA.BU.LAR *v.t.d.* 1) Organizar em tabela, tabelar. / *adj.2gên.* 2) Relativo a tábua ou tabela.

TA.BU.LEI.RO *s.m.* 1) Peça de madeira ou qualquer material com rebordos; bandeja. 2) Quadro de madeira, no qual se jogam o xadrez, as damas, etc. 3) Assadeira. 4) Planalto com pouca elevação. 5) Terreno pedregoso com rasteira vegetação. 6) O talho das salinas. 7) Parte plana de uma ponte ou viaduto apoiado sobre os arcos. 8) Faixa de terra pouco arborizada.

TA.BU.LE.TA (ê) *s.f.* Placa na qual se inscrevem anúncios, avisos, etc.

TA.ÇA *s.f.* 1) Vaso para beber, pouco fundo e largo, provido de pé. 2) Pequena malga; tigelinha. 3) Cálice.

TA.CA.DA *s.f.* 1) Pancada com taco. 2) Golpe. 3) *pop.* Bolada; quantia muito grande.

TA.CA.PE *s.m.* Espécie de clava indígena.

TA.CAR *v.t.d.* 1) Dar com taco em. 2) *pop.* Dar, aplicar (pancada) em. / *v.t.d.i.* 3) *pop.* Arremessar, atirar.

TA.CHA *s.f.* 1) Pequeno prego de cabeça larga, chata e redonda. 2) Tacho de grande porte, usado nos engenhos de açúcar. 3) Defeito, mancha.

TA.CHAR *v.t.d.* 1) Censurar, acusar de defeito. 2) Qualificar, capitular. 3) Classificar de modo pejorativo.

TA.CHO *s.m.* 1) Grande panela larga e pouco funda, geralmente com alças. 2) Comida, alimento. 3) *pop.* Piano de má qualidade ou velho, desafinado. 4) *fig.* Emprego bem remunerado.

TÁ.CI.TO *adj.* 1) Não expresso por palavras; implícito, subentendido. 2) Secreto, oculto.

TA.CI.TUR.NO *adj.* 1) Que fala pouco; calado. 2) *fig.* Triste, melancólico, sorumbático, sombrio. 3) *Por ext.* Mal-humorado, carrancudo.

TA.CO *s.m.* 1) Bastão de madeira longo e roliço. 2) Pedaço de madeira, geralmente retangular, usado para revestir pisos.

TA.CÔ.ME.TRO *s.m.* *Fís.* Instrumento destinado a medir velocidades lineares e angulares; taquímetro.

TA.FE.TÁ *s.m.* Tecido fino e lustroso de seda.

TA.GA.RE.LA *adj.2gên.* 1) Que fala muito e sem discrição. / *s.2gên.* 2) Falador, que conversa bastante.

TA.GA.RE.LAR *v.t.i.* e *v.i.* Falar muito; matraquear.

TAI.LAN.DÊS *adj.* 1) Que se refere à Tailândia. / *s.m.* 2) Natural desse país.

TA.I.NHA *s.f.* Grande peixe com listas longitudinais escuras.

TAL *pron.* 1) Igual, semelhante, tão bom ou grande. 2) Este, aquele; isso, aquilo. / *s.2gên.* 3) *gír.* Pessoa que tem ou julga ter valor excepcional. / *adv.* 4) Assim mesmo.

TA.LA *s.f.* 1) *Med.* Dispositivo usado para imobilizar um membro ou parte do corpo. 2) Peça usada para alongar a circunferência de um chapéu. 3) Peça na qual os sapateiros prendem o couro para nele trabalhar.

TA.LA.GA.DA *s.f. pop.* Quantidade de bebida alcoólica que se toma de uma vez; gole, trago.

TA.LA.GAR.ÇA *s.f.* Tecido grosso usado em bordados, tapeçaria ou na encadernação de livros.

TA.LAN.TE *s.m.* 1) Vontade, desejo. 2) Atitude de interesse; empenho, diligência.

TÁ.LA.MO *s.m.* 1) Leito conjugal ou nupcial. 2) Bodas, núpcias. 3) *Bot.* Receptáculo das plantas; cálice das plantas. 4) *Anat.* Grande massa de substância cinzenta encontrada sobre os pedúnculos cerebrais.

TA.LÃO *s.m.* 1) Parte posterior do pé do homem; calcanhar. 2) A parte do calçado ou da meia correspondente ao calcanhar. 3) Parte não destacável de alguns blocos, como de cheques ou notas fiscais. 4) *Por ext.* Bloco de folhas com uma parte destacável.

TA.LAR *v.t.d.* 1) Abrir fenda em. / *v.t.d.* e *v.i.* 2) Causar graves danos a; devastar. / *adj.2gên.* 3) Relativo a calcanhar. 4) Que vai até os calcanhares.

TA.LÁS.SI.CO *adj.* Relativo ao mar.

TA.LAS.SO.FO.BI.A *s.f.* Medo mórbido do mar.

TAL.CO *s.m.* *Miner.* Mineral que, após ser industrializado, transforma-se em pó branco, perfumado ou não, usado como artigo de toucador.

TA.LEN.TO *s.m.* 1) Grande e brilhante inteligência. 2) Agudeza de espírito, qualidade superior. 3) Espírito ilustrado e inteligente. 4) Sujeito possuidor de inteligência e grande capacidade. 5) Peso e moeda da antiguidade grega e romana.

TA.LEN.TO.SO (ô) *adj.* Que tem muito talento; inteligente, habilidoso.

TA.LHAR *v.t.d.* 1) Cinzelar, gravar, esculpir. 2) Cortar ao mesmo do corpo da pessoa destinada. 3) Cortar (o pano) para fazer roupas. 4) Desbastar, podar. / *v.i.* 5) Coagular(-se) (o leite) ao ferver. 6) Abrir-se; rachar-se.

TA.LHA.RIM *s.m.* Massa alimentícia em tiras finas e chatas.

TA.LHE *s.m.* 1) Estatura e feição do corpo. 2) Feição ou feitio de um objeto. 3) Maneira de talhar uma roupa; corte.

TA.LHER *s.m.* 1) Conjunto de garfo, colher e faca. 2) Cada lugar, destinado a cada pessoa, à mesa.

TA.LHO *s.m.* 1) Talha. 2) Poda. 3) Divisão e corte da carne, no açougue. 4) Local onde o açougueiro corta a carne. 5) Forma, feição; talhe. 6) Corte ou poda das árvores. 7) Compartimento nas salinas.

TÁ.LIO *s.m. Quím.* Elemento metálico, semelhante ao estanho. Símbolo Tl, número atômico 81, massa atômica 204,39.

TA.LIS.MÃ *s.m.* 1) Objeto que supostamente possui poderes sobrenaturais, tornando possível a realização de todos os desejos de quem o possui. 2) Objeto considerado como feitiço; amuleto. 3) *fig.* Encantamento.

TAL.MU.DE *s.m. Rel.* Livro que contém a lei judaica.

TA.LO *s.m. Bot.* 1) Corpo vegetativo das plantas inferiores (algas, fungos, etc.). 2) Caule. 3) Nervura grossa das folhas da planta.

TA.LU.DE *s.m.* 1) Superfície inclinada de uma obra. 2) Terreno inclinado; escarpa.

TA.LU.DO *adj.* 1) Que possui talo rijo. / *adj.* e *s.m.* 2) Que ou quem é grande, corpulento, desenvolvido.

TAL.VEZ (ê) *adv.* 1) Demonstra possibilidade ou dúvida. 2) Acaso, porventura.

TA.MAN.CA.RI.A *s.f.* 1) Oficina onde são fabricados tamancos. 2) Loja onde se vendem tamancos.

TA.MAN.CO *s.m.* Calçado rústico e grosseiro de sola de madeira ou cortiça com uma tira de couro por onde passam os dedos.

TA.MAN.DU.Á *s.m.* 1) *Zool.* Espécies de mamíferos desdentados; papa-formigas. 2) *pop.* Sujeito segurado ao dinheiro; sovina, avaro. 3) Questão moral que apresenta dificuldades para resolução. 4) Grande mentira.

TA.MA.NHO *adj.* 1) Tão grande, distinto, valoroso, notável. / *s.m.* 2) Corpo, dimensão, grandeza, volume.

TA.MA.REI.RA *s.f. Bot.* Espécie de palmeira ornamental, originária da África e da Ásia; útil por seus frutos, as tâmaras, ainda produz boa madeira para construção.

TA.MA.RIN.DO *s.m. Bot.* 1) Árvore das leguminosas, cujo fruto é apreciado para refrescos. 2) Fruto desta árvore.

TAM.BÉM *adv.* 1) Da mesma forma ou modo, igualmente. 2) Além disso; ainda. 3) Por outro lado.

TAM.BOR (ô) *s.m.* 1) Instrumento de percussão, com bases de peles tensas, onde se toca com baquetas. 2) O indivíduo que toca esse instrumento. 3) O cilindro em que se enrola o cabo de guindastes. 4) Peça de revólver, cilíndrica, onde se acomodam as balas.

TAM.BO.RE.TE (ê) *s.m.* 1) Assento para uma pessoa, sem encosto e sem braços; banco. 2) Tamboréu.

TAM.BO.RÉU *s.m.* Jogo praticado com pandeiro e peteca; tamborete.

TAM.BO.RI.LAR *v.t.i.* e *v.i.* 1) Percurtir levemente com os dedos. / *v.i.* 2) Produzir som semelhante ao do tambor.

TAM.BO.RIM *s.m. Mús.* Instrumento de percussão pequeno, semelhante ao tambor, tocado com uma baqueta.

TAM.PA *s.f.* 1) Peça móvel com que se cobre ou fecha uma caixa ou qualquer outro objeto ou recipiente. 2) Peça de madeira ou outro material que cobre a bacia dos aparelhos sanitários.

TAM.PÃO *s.m.* 1) Tampa ou tampo grande. 2) Peça usada para tapar saída de esgoto, pia, tanque, etc. 3) *Med.* Bola ou chumaço de gaze ou algodão usada para absorver líquidos e secreções.

TAM.PAR *v.t.d.* Pôr tampa ou tampo em; tapar, fechar, vedar.

TAM.PO *s.m.* 1) Peças que formam a parte anterior e posterior dos instrumentos de corda; tampo harmônico. 2) Peças circulares onde são fixadas as aduelas e que constituem os topos das cubas, tinas, pipas, tonéis, etc. 3) Peça que cobre os aparelhos sanitários. 4) Pedaço de pele que se tira de rês encontrada morta. 5) O que exala mau cheiro.

TAM.PO.NAR *v.t.d.* Colocar tampão em; tapar, vedar, obstruir.

TAM.POU.CO *adv.* Também não.

TA.NA.JU.RA *s.f.* 1) *Zool.* Fêmea da formiga saúva. 2) *Por ext. fig.* e *pop.* Mulher de quadris largos.

TA.NA.TO.LO.GI.A *s.f.* 1) Estudo sobre a morte. 2) *Med.* Rotina de realização de autópsias.

TAN.DEM *s.m.* 1) Bicicleta com dois ou mais assentos. 2) Espécie de cabriolé puxado por dois cavalos em fila indiana.

TAN.GA *s.f.* 1) Espécie de avental, feito de penas, com que os selvagens cobrem parte do corpo. 2) Calcinha bastante reduzida. 3) Biquíni formado por dois triângulos de tecido presos por tirinhas.

TAN.GÊN.CIA *s.f. Geom.* Contato entre curvas ou superfícies.

TAN.GEN.CI.AL *adj.2gên.* 1) Relativo a tangência ou a tangente. 2) *fig.* Feito de modo superficial.

TAN.GEN.CI.AR *v.t.d.* 1) Traçar ou seguir uma tangente. 2) Passar perto de; tocar.

TAN.GEN.TE *adj.2gên.* 1) Que tange ou que tangencia. / *s.f.* 2) *Geom.* Linha ou superfície que toca outra num só ponto. 3) *Fam.* Meio, recurso. 4) Nas estradas, a reta que se segue a uma curva.

TAN.GER *v.t.d.* 1) *Mús.* Tocar, soar qualquer instrumento. 2) Acionar, tocar, chicotear. / *v.t.i.* 3) Dizer respeito, pertencer, referir-se; concernir. / *v.i.* 4) Soar; ressoar.

TAN.GE.RI.NA *s.f.* Fruto da tangerineira.

tangerino / tarifa

TAN.GE.RI.NO *adj.* 1) Que diz respeito a Tânger (Marrocos). / *s.m.* 2) Habitante ou natural de Tânger; tingitano.

TAN.GÍ.VEL *adj.2gên.* 1) Que se pode tanger, tocar. 2) *fig.* Que pode ser entendido claramente.

TAN.GLO.MAN.GLO *s.m.* Doença atribuída a feitiço ou magia.

TAN.GO *s.m.* 1) Dança de origem hispano-americana, criada sob a influência da polca. 2) A música que acompanha esta dança. 3) Espécie de pequeno tambor africano.

TA.NO.EI.RO *s.m.* 1) Quem faz ou conserta vasilhas de aduela (barris, cubas, pipas). 2) *gír.* Cão, cachorro.

TAN.QUE *s.m.* 1) Depósito de água ou líquidos. 2) Represa de água; açude. 3) Reservatório para azeite, petróleo, etc. 4) Pequeno reservatório usado para lavar roupa. 5) Carro de guerra, blindado, próprio para terrenos acidentados.

TAN.TÃ *adj.2gên.* e *s.2gên.* 1) *pop.* Que ou quem é tonto, bobo, idiota. 2) Instrumento de percussão, tambor.

TAN.TA.LI.ZAR *v.t.d.* e *v.i.* 1) Ser um suplício para; torturar, atormentar. / *v.t.d.* 2) Atrair a atenção ou admiração de; maravilhar.

TÂN.TA.LO *s.m.* *Quím.* Elemento metálico, com alto ponto de fusão, 2.850°C. Símbolo Ta, número atômico 73, massa atômica 180,95.

TAN.TO *pron. indef.* 1) Tão grande ou numeroso; tamanho. / *adv.* 2) Em tal quantidade, tão grande número de vezes. 3) Com tal força. 4) De tal maneira ou modo. / *s.m.* 5) Porção indeterminada, quantia, quantidade. 6) Igual quantidade. 7) Extensão, volume.

TÃO *adv.* Tanto.

TA.O.IS.MO *s.m.* Doutrina filosófica e religiosa chinesa formulada por Lao Tse.

TA.PA *s.f.* 1) Revestimento córneo. 2) Rolha de madeira, usada para tapar a boca das peças de artilharia. 3) Peça de couro que se põe na cabeça dos animais para que olhem somente para frente. 4) *Zool.* Nome comum aos pequenos linguados (peixes). / *s.2gên.* 5) Pancada dada no rosto com a mão aberta; bofetão, bofetada.

TA.PA-BU.RA.CO *s.2gên.* Indivíduo sem função definida que substitui outro temporariamente.

TA.PA.DO *adj.* 1) Encoberto, tampado. 2) *fig.* Estúpido, ignorante; bronco. 3) *pop.* Fechado, cerrado.

TA.PA-O.LHO *s.m.* 1) *gír.* Bofetão; soco no olho. 2) Venda usada em um dos olhos.

TA.PAR *v.t.d.* 1) Cobrir ou fechar com tampa; tampar. 2) Obstruir ou entupir a entrada de. 3) Arrolhar, fechar, cercar. 4) Calar, vendar. / *v.p.* 5) Cobrir-se; abafar-se.

TA.PA-SE.XO *s.m.* Roupa minúscula que cobre apenas os órgãos genitais.

TA.PE.AR *v.t.d.* 1) Enganar, lograr, iludir. 2) Dar tapas em; esbofetear. / *v.i.* 3) Induzir a engano.

TA.PE.ÇA.RI.A *s.f.* 1) Estofo lavrado, para forrar móveis, paredes, etc.; alcatifa. 2) Conjunto de estofos e alcatifas. 3) *fig.* A relva e as flores que cobrem um terreno.

TA.PE.TE (ê) *s.m.* 1) Estofo fixo para revestir escadas, soalhos, etc. 2) Estofo móvel para colocar próximo das camas e dos sofás. 3) *fig.* Relva; campo florido.

TA.PI.O.CA *s.f.* 1) Farinha alimentícia extraída da raiz da mandioca. 2) *Cul.* Beiju feito com essa farinha.

TA.PU.ME *s.m.* Cerca provisória com que se protege ou veda a entrada de uma área.

TA.QUI.CAR.DI.A *s.f.* *Med.* Aceleração dos batimentos cardíacos.

TA.QUI.GRA.FAR *v.t.d.* e *v.i.* Escrever de forma rápida e abreviada, usando caracteres especiais; estenografar.

TA.QUI.GRA.FI.A *s.f.* Técnica de escrita abreviada que utiliza caracteres especiais; estenografia.

TA.RA *s.f.* 1) Defeito de fabricação. 2) Grande interesse por algo; fixação, obsessão. 3) *fig.* Perversão, depravação. 4) Desconto no peso de uma mercadoria, para compensar o peso da embalagem.

TA.RA.DO *adj.* 1) Que tem marcado o peso da tara. 2) Que apresenta defeito ou falha. 3) *pop.* Muito interessado; fascinado. / *adj.* e *s.m.* 4) *Por ext.* Que ou quem é devasso ou sexualmente degenerado.

TA.RA.ME.LA *s.f.* 1) Trava, geralmente de madeira ou metal, que gira em um prego cravado em porta, postigo, cancela, etc. para fechá-los. 2) Peça de madeira que bate sobre a roda dos moinhos enquanto esta gira; cítola. 3) Vozerio de muitas pessoas; falação. / *adj.2gên.* e *s.2gên.* 4) Que ou quem fala muito; tarambela.

TA.RAN.TE.LA *s.f.* 1) Dança popular de Nápoles (Itália). 2) Música que acompanha essa dança.

TA.RÂN.TU.LA *s.f.* 1) Aranha grande, peluda e venenosa. 2) *Med.* Medicamento preparado a partir do veneno dessa aranha.

TAR.DAR *v.t.d.* 1) Demorar, diferir, retardar. / *v.t.i.* e *v.i.* 2) Proceder lentamente; vir tarde. / *v.t.i.* 3) Demorar.

TAR.DE *adv.* 1) Fora do tempo. 2) Próximo à noite. / *s.f.* 3) Parte do dia entre as 12 horas e o anoitecer.

TAR.DI.NHA *s.f. pop.* O fim da tarde.

TAR.DI.O *adj.* 1) Que chega ou está fora de tempo. 2) Tardo.

TAR.DO *adj.* Que age ou faz tudo devagar; lento, tardio.

TA.RE.FA *s.f.* 1) Obra ou trabalho que tem de ser concluído num prazo estipulado. 2) O trabalho aceito por empreitada.

TA.RI.FA *s.f.* 1) Tabela de direitos alfandegários. 2) Tabela de preços de serviços públicos, impostos ou taxas. 3) Preço do transporte de passageiros.

tarifar

teatral

TA.RI.FAR *v.t.d.* 1) Aplicar tarifa a. 2) Reduzir a tarifa de.

TA.RIM.BA *s.f.* 1) Estrado onde os soldados, nos quartéis e postos da guarda, passam a noite. 2) Estrado onde se descansa ou dorme. 3) Experiência. 4) *fig.* Vida de soldado.

TAR.JA *s.f.* 1) Ornato que contorna um objeto. 2) Cercadura à margem do papel formada por lista de cor. 3) Traço preto em sinal de luto, nas margens do papel.

TAR.LA.TA.NA *s.f.* Tecido transparente, próprio para forros de vestuários.

TA.RÔ *s.m.* Baralho de 78 cartas com desenhos diversos.

TAR.RA.XA *s.f.* 1) Cavilha, cunha, parafuso. 2) Utensílio de serralheiro para fazer roscas em parafusos.

TAR.TA.MU.DE.AR *v.t.d.* e *v.i.* Falar com dificuldade; gaguejar.

TAR.TA.MU.DO *adj.* e *s.m.* 1) Que tartamudeia; gago. 2) Que pronuncia as palavras a custo.

TÁR.TA.RO *adj.* 1) Pertencente a Tartária (Ásia). / *s.m.* 2) Habitante natural da Tartária. 3) *Odont.* Concreção calcária, que se forma sobre os dentes. 4) Crosta que se adere às paredes das vasilhas de vinho; sarro.

TAR.TA.RU.GA *s.f.* 1) *Zool.* Réptil quelônio aquático que sobe a terra somente para desovar, caracteriza-se por dois escudos ósseos que lhe cobrem o corpo. / *s.2gên.* 2) *pop.* Pessoa velha e feia. 3) *pop.* Pessoa de andar lento.

TAR.TU.FO *s.m.* 1) Pessoa hipócrita. 2) Falso devoto.

TA.RU.GO *s.m.* 1) Pino ou bucha de madeira com que se ligam duas peças. 2) *pop.* Homem forte, baixo e grosso. 3) *pop.* Magnata.

TAS.CAR *v.t.d.* 1) Pegar, tirar. 2) Aplicar repentinamente; dar. 3) Atear, pôr (fogo) em.

TA.TA.ME *s.m.* Espécie de tapete japonês feito com palha de arroz, usado nas casas japonesas e sobre o qual também se praticam algumas artes marciais.

TA.TA.RA.NE.TO *s.m.* Filho de trineto ou trineta; tetraneto.

TA.TA.RA.VÔ *s.m.* Tetravô.

TA.TE.AR *v.t.d.* 1) Aplicar o tato a; apalpar. 2) Localizar, sondando ou pesquisando. 3) Examinar, apalpando com cautela. / *v.i.* 4) Guiar-se através do tato (com as mãos, com os pés, com uma bengala, etc.). 5) Conhecer através do tato.

TA.TI.BI.TA.TE *adj.2gên.* e *s.2gên.* 1) Que ou o que fala trocando certas consoantes. 2) Tartamudo; acanhado, tímido. 3) Gago.

TÁ.TI.CA *s.f.* 1) Arte de empregar as tropas no campo de batalha com ordem e proteção, segundo as condições de suas armas e do terreno. 2) Habilidade em conduzir um negócio, uma empresa, etc. 3) *Esp.* Estratégia para vencer a disputa.

TÁ.TIL *adj.2gên.* 1) Relativo a tato. 2) Que pode ser tocado, apalpado.

TA.TO *s.m.* 1) Um dos cinco sentidos por meio dos quais temos o conhecimento da forma, temperatura, consistência, etc. do objeto, através do contato com ele. 2) A sensação causada pelos objetos quando apalpamos. 3) *fig.* Habilidade.

TA.TU *s.m.* 1) *Zool.* Mamíferos cavadores que constituem a família dos Dasipodídeos, de cor escura e de carne muito apreciada. 2) Carne de músculo da perna do boi.

TA.TU.A.GEM *s.f.* 1) Ato ou efeito de tatuar. 2) Processo de introduzir debaixo da epiderme substâncias corantes, com finalidade de produzir desenhos ou pinturas. 3) O desenho ou pintura feito por esse processo.

TA.TU.AR *v.t.d.* Fazer uma tatuagem; cobrir uma parte do corpo com desenho, símbolo, palavra, etc.

TA.TU.RA.NA *s.f.* 1) *Zool.* Lagarta de mariposas e de algumas borboletas, cujos pelos provocam queimaduras. 2) *pej.* Indivíduo albino.

TAU.MA.TUR.GI.A *s.f.* 1) Realização de milagres. 2) Obra ou talento de taumaturgo.

TAU.MA.TUR.GO *adj.* e *s.m.* 1) Que ou quem faz milagres. 2) *Por ext.* Que ou quem adivinha.

TAU.RI.NO *adj.* 1) Próprio de touro. / *s.m.* 2) Indivíduo nascido sob o signo de Touro.

TAU.TO.LO.GI.A *s.f.* *Gram.* Expressão da mesma ideia mais de uma vez usando termos diferentes; redundância, pleonasmo.

TA.VER.NA *s.f.* Taberna.

TA.XA *s.f.* 1) Preço fixo e regulamentado. 2) Cifra, preço em geral. 3) Porcentagem do capital que ao passar do tempo gera os juros sobre a quantia aplicada. 4) Razão entre duas grandezas; proporção.

TA.XAR *v.t.d.* 1) Estabelecer taxa. 2) Lançar imposto. 3) Determinar, fixar. 4) Limitar, moderar.

TÁ.XI (cs) *s.m.* Veículo automóvel de praça, provido de taxímetro, destinado a levar pessoas ou bagagens a determinado local.

TA.XI.DER.MI.A (cs) *s.f.* Processo de empalhar um animal morto.

TA.XÍ.ME.TRO (cs) *s.m.* 1) Aparelho que registra o valor em dinheiro de uma corrida de táxi. 2) Carro munido desse aparelho (táxi é forma abreviada de taxímetro).

TCHAU *interj.* 1) Até logo; adeus. / *s.m.* 2) Aceno feito com a mão.

TE *pron. pess.* Designa a 2ª pessoa tomada como objeto direto e equivalente a ti.

TE.AR *s.m.* 1) Máquina que tece os fios, transformando-os em tecidos. 2) As rodas de um relógio.

TE.A.TRAL *adj.2gên.* 1) Relativo ou pertencente a teatro. 2) *fig.* Que visa causar efeito espetacular. 3) *fig.* e *pej.* Pouco natural; forçado, exagerado, artificial.

teatralizar

TE.A.TRA.LI.ZAR *v.t.d.* 1) Tornar representável no teatro. 2) Tornar mais dramático; dramatizar.

TE.A.TRO *s.m.* 1) Local destinado para apresentações públicas de obras musicais ou teatrais. 2) As obras dramáticas de um autor, de determinada época ou nação. 3) Local onde se verifica qualquer acontecimento notável. 4) *fig.* Lugar onde acontece qualquer acontecimento memorável; palco.

TE.A.TRÓ.LO.GO *s.m.* Escritor de peças teatrais; dramaturgo.

TE.CE.DOR (ô) *adj.* 1) Que tece pano. 2) *fig.* Intrigante, mexeriqueiro. / *s.m.* 3) Quem tece pano; tecelão. 4) *fig.* Indivíduo intrigante.

TE.CE.LA.GEM *s.f.* 1) Tecedura. 2) Ofício ou indústria de quem trabalha com teares ou tece pano.

TE.CER *v.t.d.* 1) Fabricar teia ou tecido com fios; tramar, urdir. 2) Compor, entrelaçando. 3) Compor, coordenar, fazer. / *v.i.* 4) Fazer teias. 5) *fig.* Fazer intrigas; mexericar. / *v.p.* 6) Entrelaçar-se. 7) Preparar-se; organizar-se.

TE.CI.DO *adj.* 1) Preparado, apropriado; organizado. / *s.m.* 2) Aquilo que foi realizado no tear. 3) Pano preparado no tear. 4) Trama de fios. 5) *Biol.* Reunião de células com a mesma estrutura e funções diferentes ➡ tecido adiposo.

TE.CLA *s.f.* 1) Peça móvel de qualquer maquinismo que se comprime ou em que se toca, para obter efeito. 2) *pop.* Repisar um assunto, um tema insistentemente ➡ bater na mesma tecla.

TE.CLA.DO *s.m.* 1) Conjunto de teclas que formam um instrumento ou aparelho. 2) *Inform.* Um dos dispositivos ou periféricos de entrada de informação no computador. 3) *Mús.* Instrumento musical eletrônico.

TE.CLAR *v.t.d.* 1) Acionar por meio de teclas. / *v.t.d.* e *v.i.* 2) Pressionar uma tecla. / *v.t.i.* e *v.i.* 3) *pop.* Usar o computador para se comunicar com alguém.

TÉC.NI.CA *s.f.* 1) Conhecimento prático. 2) Conjunto dos métodos e pormenores práticos fundamentais à execução perfeita de uma arte ou profissão. 3) Prática.

TÉC.NI.CO *adj.* 1) Próprio de uma arte ou atividade. / *s.m.* 2) Quem é perito numa atividade. 3) *Esp.* Treinador de um conjunto esportivo ou de um atleta.

TEC.NI.CO.LOR (ô) *adj.2gên.* 1) Processo de cinema em cores. / *s.m.* 2) Processo ou filme tecnicolor.

TEC.NO.CRA.CI.A *s.f.* Sistema de organização política e social onde predominam os técnicos.

TEC.NO.LO.GI.A *s.f.* 1) Ciência próxima dos ofícios e das artes em geral. 2) Aplicação dos conhecimentos científicos.

TEC.NÓ.LO.GO *s.m.* Indivíduo treinado em tecnologia.

TE.CO-TE.CO *s.m. pop.* Pequeno avião com um só motor.

TEC.TÔ.NI.CA *s.f.* 1) *Geol.* Estudo das alterações dos terrenos sob efeito das forças internas; geotectônica, geodinâmica. 2) Arte de construir edifícios.

TÉ.DIO *s.m.* Aborrecimento, desgosto.

TE.DI.O.SO (ô) *adj.* Que causa tédio; cansativo.

TE.GU.MEN.TO *s.m.* 1) Aquilo que envolve externamente o corpo dos seres vivos (pele, pelos, penas, escamas). 2) Invólucro. 3) *Bot.* Revestimento externo das sementes. 4) *Bot.* Cálice e corola.

TEI.A *s.f.* 1) Tela, tecido ou pano feito em tear. 2) Estrutura, organismo. 3) *fig.* Episódio complicado; enredo. 4) Divisória, nos tribunais, para separação dos espectadores. 5) Teia de aranha.

TEI.MAR *v.t.i.* e *v.i.* 1) Insistir, aspirar com teimosia. / *v.t.d.* 2) Persistir em.

TEI.MO.SI.A *s.f.* 1) Qualidade de teimoso. 2) Atitude de quem insiste firmemente em algo.

TEI.MO.SO (ô) *adj.* e *s.m.* 1) Que ou quem teima. / *adj.* 2) Que não desiste facilmente; persistente, obstinado.

TE.ÍS.MO *s.m. Rel.* Doutrina que afirma a existência de um único Deus.

TE.LA *s.f.* 1) Tecido de fio de lã, linho, etc.; teia. 2) *Pint.* Pano para pintar quadros. 3) Quadro, pintura. 4) Painel sobre o qual são projetadas películas cinematográficas. 5) Arame próprio para cercados. 6) A arte cinematográfica, o cinema. 7) Objeto de discussão. 8) Momento da discussão.

TE.LÃO *s.m.* 1) Tela grande. 2) Sistema de projeção de imagens em telas de grandes proporções.

TE.LE.CI.NE.SI.A *s.f.* Movimento de objetos a distância, sem contato aparente.

TE.LE.CO.MAN.DO *s.m.* Comando feito através de transmissões mecânicas, sinais elétricos, correntes ou ondas elétricas.

TE.LE.CO.MU.NI.CA.ÇÃO *s.f.* As comunicações a longa distância, compreendendo a telefonia, a telegrafia e a televisão.

TE.LE.FÉ.RI.CO *s.m.* Cabine suspensa por cabos, usada no transporte de pessoas ou cargas.

TE.LE.FO.NAR *v.t.d.* 1) Comunicar, falar, transmitir pelo telefone. / *v.i.* 2) Ter conversa pelo telefone. / *v.t.i.* 3) Fazer comunicações pelo telefone.

TE.LE.FO.NE *s.m.* Aparelho que transmite sons e palavras à distância.

TE.LE.FO.NE.MA *s.m.* Comunicação telefônica.

TE.LE.FO.NI.A *s.f.* Processo de fazer ouvir a voz ou sons à distância.

TE.LE.FO.NIS.TA *s.2gên.* 1) Quem está empregado numa estação telefônica. 2) Indivíduo encarregado do serviço de um telefone de qualquer empresa ou repartição.

TE.LE.FO.TO.GRA.FI.A *s.f.* Arte de fotografar a longa distância.

TE.LE.GRA.FAR *v.t.d.*, *v.t.d.i.*, *v.t.i.* e *v.i.* Comunicar(-se) pelo telégrafo.

TE.LE.GRA.FI.A *s.f.* Sistema que transmite sinais gráficos a pontos distantes.

telégrafo

TE.LÉ.GRA.FO *s.m.* 1) Aparelho destinado a transmitir mensagens ou comunicações a distância. 2) Estação telegráfica.

TE.LE.GRA.MA *s.m.* 1) Comunicação transmitida pelo telégrafo. 2) Impresso onde é escrita essa comunicação.

TE.LE.GUI.AR *v.t.d.* Guiar de longe, por meio de ondas eletromagnéticas.

TE.LE.JOR.NAL *s.m.* Noticiário transmitido pela televisão.

TE.LE.PA.TA *adj.2gên.* e *s.2gên.* Que ou quem pratica a telepatia.

TE.LE.PA.TI.A *s.f.* Transmissão extrassensorial de pensamento entre pessoas.

TE.LES.CÓ.PIO *s.m.* Instrumento óptico com finalidade de observar objetos muito distantes.

TE.LES.PEC.TA.DOR *(ô)* *s.m.* Espectador de televisão; quem assiste.

TE.LE.TE.A.TRO *s.m.* Peça teatral televisionada.

TE.LE.VI.SÃO *s.f.* 1) Sistema eletrônico que transmite imagens fixas ou animadas a distância, juntamente com o som, por aparelhos que as transformam em ondas elétricas e em raios de luz visíveis e sons audíveis. 2) Aparelho receptor de imagens televisionadas; tevê. 3) Estação que transmite essas imagens. 4) Conjunto das atividades e programas apresentados por meio da televisão.

TE.LE.VI.SI.O.NAR *v.t.d.* Transmitir pela televisão.

TE.LE.VI.SOR *(ô)* *adj.* e *s.m.* Aparelho que recebe imagens televisionadas; televisão.

TE.LHA *(ê)* *s.f.* 1) Objeto feito de barro cozido ao forno, com finalidade de cobrir edifícios, casas, etc. 2) *pop.* Mania. 3) *pop.* Cabeça, mente, cuca.

TE.LHA.DO *s.m.* 1) *Constr.* Conjunto das telhas de uma cobertura. 2) *Constr.* Construção coberta por telhas ou outro material que faça o mesmo efeito. 3) *pop.* Mania excessiva; telha exagerada.

TE.MA *s.m.* 1) Assunto ou teoria em debate em um discurso. 2) Matéria, assunto, argumento de um trabalho. 3) Texto da Escritura baseado em um sermão. 4) *Mús.* Motivo sobre o qual se desenvolve a composição. 5) *Gram.* Radical acrescido da vogal temática de uma palavra.

TE.MÁ.TI.CA *s.f.* Conjunto dos temas que pertencem e caracterizam uma obra musical ou literária.

TE.MER *v.t.d.* e *v.i.* 1) Possuir temor, medo ou receio de. / *v.t.i.* 2) Reverenciar. 3) Preocupar-se, inquietar-se.

TE.ME.RÁ.RIO *adj.* 1) Perigoso, arriscado. 2) Audacioso, destemido, imprudente. 3) Sem fundamento.

TE.ME.RI.DA.DE *s.f.* 1) Audácia excessiva; imprudência. 2) Qualidade, ação ou dito de temerário.

TE.ME.RO.SO *(ô)* *adj.* 1) Que causa temor, medo. 2) Que sente temor; medroso.

TE.MI.DO *adj.* 1) Aquilo que provoca temor ou medo; assustador. 2) Atrevido, valente.

temporada

TE.MOR *(ô)* *s.m.* 1) Prática ou efeito de temer. 2) Medo, susto. 3) Sentimento de respeito. 4) Que causa medo. 5) Pontualidade. 6) Escrúpulo, dedicação.

TÊM.PE.RA *s.f.* 1) Consistência que se dá aos metais mergulhando-os, em brasa, na água fria. 2) *fig.* Comportamento, caráter, feitio, índole.

TEM.PE.RA.DO *adj.* 1) Metal que recebeu têmpera. 2) Controlado, moderado. 3) Transformado. 4) Onde foi posto tempero; adubado.

TEM.PE.RA.MEN.TAL *adj.2gên.* 1) Que diz respeito a temperamento. 2) Pessoa de temperamento instável, impulsivo, apaixonado. / *s.2gên.* 3) Sujeito temperamental.

TEM.PE.RA.MEN.TO *s.m.* 1) *Psicol.* Disposições orgânicas de um indivíduo; estado fisiológico. 2) Qualidade dominante no organismo. 3) Caráter, gênio, índole. 4) Moderação, temperança. 5) Combinação, mistura. 6) Sensualidade. 7) Têmpera.

TEM.PE.RAR *v.t.d.* 1) Colocar tempero em. 2) Misturar uma substância para dar sabor. 3) Tornar mais fraco ou suave. 4) Acrescentar, fortalecer. 5) Dar temperatura agradável. / *v.t.i.* 6) Concordar. / *v.p.* 7) Moderar-se; fortalecer-se.

TEM.PE.RA.TU.RA *s.f.* 1) Grau de calor ou frio num corpo ou num ambiente. 2) Intensidade do calor marcada pelo termômetro; febre. 3) Estado sensível do ar que em determinada circunstância pode afetar o organismo. 4) *fig.* Situação ou estado moral.

TEM.PE.RO *(ê)* *s.m.* 1) Ingrediente que ao ser adicionado à comida lhe dá sabor; condimento. 2) Estado daquilo que foi temperado ou adubado. 3) *gír.* Maneira de administrar ou realizar uma negociação. 4) Remédio, paliativo. 5) Têmpera.

TEM.PES.TA.DE *s.f.* 1) Agitação violenta da atmosfera. 2) Temporal, borrasca. 3) Grande estrondo. 4) *fig.* Desordem, perturbação psíquica.

TEM.PLO *s.m.* 1) Edifício público consagrado ao culto religioso. 2) *Hist.* Lugar sagrado, de onde se podia estender a vista. 3) *Maçon.* Sala onde os maçons celebram as suas sessões. 4) Local cheio de mistério e respeito.

TEM.PO *s.m.* 1) Medida de duração dos seres. 2) Uma época. 3) O período atual. 4) A idade, a antiguidade. 5) Ocasião própria; oportunidade. 6) Ocasião. 7) Quadra. 8) Estado meteorológico da atmosfera. 9) *Mús.* Parte de peça musical em que o andamento muda. 10) *Mús.* Duração de cada parte do compasso. 11) *Gram.* Flexão indicativa do momento a que se refere a ação ou o estado verbal.

TÊM.PO.RA *s.f. Anat.* Parte lateral da cabeça, entre o olho e a orelha.

TEM.PO.RA.DA *s.f.* 1) Determinado espaço de tempo. 2) Período em que são executadas apresentações artísticas, esportivas, sociais, etc.

479

temporal

TEM.PO.RAL *adj.2gên.* 1) Que se refere ao tempo. 2) Mundano. 3) Secular. 4) *Anat.* Osso par situado na parte lateral e inferior da cabeça. / *s.m.* 5) Grande tempestade; vendaval.

TEM.PO.RÁ.RIO *adj.* 1) Que possui duração limitada de tempo. 2) Que não é definitivo. 3) Que diz respeito ao tempo; temporal.

TEM.PO.RI.ZA.DOR (ô) *adj.* e *s.m.* Que ou o que possui como função ativar ou desativar um sistema ou um alarme em momentos predeterminados.

TE.NAZ *adj.2gên.* 1) Que possui força de coesão. 2) Que adere fortemente. 3) Viscoso. 4) Metais que suportam grandes pressões sem quebrar. 5) *fig.* Aferrado, teimoso. 6) Constante, firme. / *s.f.* 7) Instrumento parecido a uma tesoura que serve para segurar ferro em brasa, tirar ou pôr peças nas forjas, etc.

TEN.ÇÃO *s.f.* 1) Desígnio, intento, propósito, projeto. 2) Assunto, tema. 3) Voto escrito e fundamentado dado pelo juiz divergente, num julgamento do tribunal. 4) Briga, contenda. 5) Devoção. 6) Cantigas da antiga métrica.

TEN.CI.O.NAR *v.t.d.* Ter intenção de; pretender.

TEN.DA *s.f.* 1) Comércio de víveres ou artigos de mercearia. 2) Barraca de feira. 3) Caixa usada pelo tendeiro ambulante para transportar as suas mercadorias. 4) Abrigo improvisado.

TEN.DÃO *s.m. Anat.* Feixe fibroso que geralmente une os músculos aos ossos ou a outras partes.

TEN.DÊN.CIA *s.f.* 1) Propensão, inclinação, vocação, dom. 2) Força que origina o movimento de um objeto.

TEN.DER *v.t.d.* 1) Estender, estirar. 2) Desfraldar. 3) Bater antes de cozer uma massa. / *v.p.* 4) Fazer-se largo; estender-se. / *v.t.i.* 5) Dirigir-se, encaminhar-se, aproximar-se. 6) Apresentar tendência, inclinação. 7) Ter em vista ou como fim.

TÊN.DER *s.m.* 1) Vagão de água, lenha ou carvão, ligado a locomotiva. 2) Presunto cozido e ligeiramente defumado.

TEN.DI.NI.TE *s.f. Med.* Inflamação do tendão.

TE.NE.BRO.SO (ô) *adj.* 1) Coberto ou cheio de trevas; escuro. 2) *fig.* Terrível, medonho. 3) Aflitivo, indigno, criminoso. 4) Obscuro, de difícil compreensão.

TE.NEN.TE *s.2gên.* 1) *Mil.* Posto inicial da hierarquia militar brasileira. 2) Aquele que substitui um chefe, na ausência deste.

TÊ.NIA *s.f. Zool.* Gênero de vermes da classe dos Cestoides que, na forma adulta, parasitam o intestino do homem e de animais domésticos; solitária.

TÊ.NIS *s.m.* 1) Jogo praticado com bola e raquete em um campo dividido por uma rede. 2) Sapato de lona e sola de borracha, próprio para esse jogo.

TE.NIS.TA *s.2gên. Esp.* Quem joga tênis.

teoria

TE.NOR (ô) *s.m.* 1) *Mús.* A voz mais aguda do homem. 2) Cantor que possui essa voz.

TEN.RO *adj.* 1) Macio, mole. 2) Delicado, suave. 3) Pouco crescido. 4) Recente, novo. 5) Cheio de vida. 6) Mimoso.

TEN.SÃO *s.f.* 1) Condição ou estado de tenso. 2) *Fís.* Força de expansão dos gases ou dos vapores. 3) *Eletr.* Força eletromotriz; voltagem. 4) Grande concentração física ou mental. 5) Rigidez em partes do corpo.

TEN.SO *adj.* 1) Estendido com força; esticado. 2) Em estado de tensão. 3) Muito aplicado ou preocupado.

TEN.TA.ÇÃO *s.f.* 1) Prática ou efeito de tentar. 2) *Teol.* Prova imposta por Deus para conhecer o valor do homem. 3) Fascínio pelas coisas proibidas, censuráveis. 4) *Rel.* Solicitação dos sentidos, da devassidão. 5) Que tenta. / *s.m.* 6) O diabo.

TEN.TÁ.CU.LO *s.m. Zool.* Apêndice móvel de alguns animais, que serve para o tato, para a apreensão e para a locomoção.

TEN.TA.DOR (ô) *adj.* e *s.m.* 1) Que ou o que tenta. / *s.m.* 2) *fig.* O diabo.

TEN.TAR *v.t.d.* 1) Empregar os meios para obter o que se deseja. 2) Pôr à prova; experimentar. 3) Ensaiar, exercitar. 4) Tratar de conseguir; procurar; pretender. / *v.p.* 5) Deixar-se seduzir. 6) Aventurar-se; arriscar-se.

TEN.TA.TI.VA *s.f.* 1) Prática que tem por finalidade pôr em execução um projeto. 2) Ensaio, experiência, prova.

TEN.TO *s.m.* 1) Atenção, cuidado, precaução, prudência. 2) Pauzinho usado como apoio para pintar com firmeza. 3) *fig.* Cálculo.

TÊ.NUE *adj.2gên.* 1) Delgado, frágil. 2) Muito pequeno, leve, ligeiro. 3) Sutil. 4) Débil, fraco. 5) Que é de pouca importância ou valor.

TE.O.CEN.TRIS.MO *s.m.* Doutrina que considera Deus o centro de tudo.

TE.O.CRA.CI.A *s.f. Polít.* Sistema político caracterizado pelo domínio da casta sacerdotal.

TE.O.LO.GI.A *s.f.* 1) Doutrina sobrenatural acerca de Deus, das criaturas e das coisas divinas. 2) Tratado teológico. 3) Ciência que tem por objeto o dogma e a moral.

TE.Ó.LO.GO *s.m.* Especialista em teologia.

TE.OR (ô) *s.m.* 1) Tudo o que consta em um documento ou conteúdo textual de um escrito. 2) *fig.* Maneira, modo. 3) *fig.* Norma, sistema. 4) *Quím.* Proporção de uma substância em um todo.

TE.O.RE.MA *s.m.* Proposição que necessita ser evidente ou aceita para ser demonstrada.

TE.O.RI.A *s.f.* 1) Princípios de uma arte ou ciência. 2) Sistema ou doutrina que cuida desses princípios. 3) Conhecimento especulativo. 4) Conjetura, hipótese. 5) Utopia. 6) Noções gerais. 7) Opiniões sistematizadas.

teórico · terrestre

TE.Ó.RI.CO *adj.* 1) Relativo a ou próprio de uma teoria. 2) Hipotético, especulativo. / *adj.* e *s.m.* 3) Que ou quem estuda ou elabora teorias.
TE.O.RI.ZAR *v.t.d.* 1) Mostrar teoria sobre; reduzir à teoria; interpretar por teoria; metodizar. / *v.i.* 2) Tratar (um assunto) teoricamente. 3) Raciocinar sobre teorias, sem transpor à prática.
TÉ.PI.DO *adj.* 1) Ligeiramente quente; morno. 2) *fig.* Sem força ou intensidade; frouxo.
TER *v.t.d.* 1) Poder dispor ou gozar de; desfrutar, possuir, usufruir. 2) Alcançar, adquirir, conseguir, ganhar, obter. 3) Encontrar ou notar ao seu alcance; receber. 4) Agarrar, manter ou conservar preso e seguro em seu poder, não largar; suster. 5) Dominar, ser dono de. 6) Estar determinado ou resolvido. 7) Ser obrigado; ter necessidade ou precisão. 8) Descrever a idade ou existência; durar, existir, produzir. 9) Dar à luz; parir. 10) Encerrar, conter. 11) Ser concorrido, frequentado ou visitado por. / *v.p.* 12) Manter-se firme. 13) Segurar-se para não cair. 14) Sustar o passo; deter-se.
TE.RA.PÊU.TI.CA *s.f.* 1) Parte da Medicina que se dedica à escolha e administração dos métodos de curar doenças, conforme a sua natureza, estudando-os e pondo-os em prática. 2) Tratamento das doenças; terapia.
TE.RA.PIA *s.f. Med.* Tratamento ou cura de doenças e problemas físicos ou psíquicos; terapêutica.
TER.ÇA (ê) *num.* 1) A terceira parte de um todo. / *s.f.* 2) Expressão simplificada de terça-feira. 3) Peça de madeira sobreposta aos caibros para não dobrarem ou selarem.
TER.CEI.RI.ZA.ÇÃO *s.f. Econ.* Atribuição a terceiros, a empresas independentes, de atividades e serviços de uma empresa.
TER.CEI.RO *num.* 1) Ordinal correspondente a três. / *s.m.* 2) Intercessor; medianeiro; alcoviteiro. 3) Terceira pessoa. 4) Ocupante do terceiro lugar.
TER.ÇO (ê) *num.* 1) Ordinal correspondente a três; terceiro. / *s.m.* 2) A terça parte de um inteiro. 3) *Liturg.* A terça parte do rosário.
TER.ÇOL *s.m. Med.* Pequeno abscesso na borda das pálpebras; hordéolo.
TER.MAS *s.f. pl.* 1) Local destinado ao uso terapêutico de águas medicinais quentes. 2) Águas termais; balneário.
TÉR.MI.CO *adj.* 1) Relativo a calor. 2) Que conserva a temperatura.
TER.MI.NA.ÇÃO *s.f.* 1) Ato ou efeito de concluir (-se); término, acabamento. 2) Limite, extremo. 3) *Gram.* A parte final de uma palavra.
TER.MI.NAL *adj.2gên.* 1) Referente ao término ou ao fim. 2) Relativo aos limites dos campos. 3) *Bot.* Que ocupa o ponto mais alto. 4) Que não tem cura; próximo da morte. / *s.m.* 5) A parte que termina, conclusão; local considerado como fim de linha de qualquer sistema de transporte.

TER.MI.NAR *v.t.d.* 1) Colocar limite a. 2) Instituir as demarcações ou os termos. 3) Concluir, acabar. / *v.i.* 4) Chegar a seu termo; findar. / *v.t.i.* 5) Ter como desinência. / *v.p.* 6) Ter um termo ou limite.
TÉR.MI.NO *s.m.* Fim, limite, demarcação.
TER.MI.NO.LO.GI.A *s.f.* 1) Convenção dos termos de uma ciência ou arte, nomenclatura. 2) Uso de palavras especiais de um escritor.
TER.MO (ê) *s.m.* 1) Marco divisório, que delimita uma área cercada; fronteira, limite. 2) Tempo determinado, prazo. 3) Espaço, extensão, proporção.
TER.MÔ.ME.TRO *s.m. Fís.* Instrumento usado para medir temperaturas.
TER.MO.NU.CLE.AR *adj.2gên. Fís.* Reações nucleares entre elementos leves devido a elevadíssimas temperaturas.
TER.MO.QUÍ.MI.CA *s.f.* Parte da química que estuda as variações térmicas, juntamente com as reações.
TER.MOS.FE.RA *s.f. Meteor.* Camada atmosférica, onde a temperatura aumenta regularmente com a altitude.
TER.MOS.TA.TO *s.m. Fís.* Dispositivo usado para manter estável a temperatura de um ambiente.
TER.NO *adj.* 1) Carinhoso, meigo, suave. 2) Que inspira compaixão. / *s.m.* 3) Conjunto de três coisas; trio. 4) Dado, pedra de dominó ou carta de jogar, com três pintas. 5) *pop.* Vestuário masculino que se compõe de três peças (paletó, calça e colete) da mesma fazenda e cor.
TER.NU.RA *s.f.* 1) Qualidade de terno. 2) Meiguice, carinho, afeto.
TER.RA *s.f.* 1) O planeta em que habitamos. 2) A parte sólida desse planeta, solo, chão. 3) Povoado, localidade. 4) Pó, poeira. 5) Argila usada pelos escultores em seus trabalhos; barro. 6) Pátria.
TER.RA.ÇO *s.m.* 1) Cobertura plana de um edifício feita de pedra ou argamassa. 2) Balcão descoberto e amplo; varanda.
TER.RÁ.QUEO *adj.* 1) Relativo ao planeta Terra. / *adj.* e *s.m.* 2) Que ou quem vive na Terra.
TER.REI.RO *s.m.* 1) Espaço de terra plano e amplo. 2) Porção de terra cultivável. 3) *Rel.* Local onde se praticam cerimônias de cultos afro-brasileiros, como candomblé, umbanda, etc.
TER.RE.MO.TO *s.m.* 1) Tremor da crosta terrestre; abalo sísmico; sismo. 2) *fig.* Grande perturbação social.
TER.RE.NO *s.m.* 1) Espaço de terra cultivável ou próprio para construção. 2) Campo de ação; setor. / *adj.* 3) Terrestre. 4) Mundano.
TÉR.REO *adj.* 1) Concernente à terra. 2) Próprio da terra / *s.m.* 3) O primeiro andar térreo de um edifício.
TER.RES.TRE *adj.2gên.* 1) Relativo ao planeta Terra. 2) Relativo à terra. 3) Que nasce ou vive na terra.

481

terrificar · texto

TER.RI.FI.CAR *v.t.d.* Assustar, apavorar, causar terror a alguém.

TER.RI.TO.RI.AL *adj.2gên.* Relativo a ou pertencente a um território.

TER.RI.TÓ.RIO *s.m.* 1) Terreno de média extensão. 2) Quantidade de terras pertencentes a um proprietário. 3) Região sob o poder de uma autoridade.

TER.RÍ.VEL *adj.2gên.* 1) Que provoca terror; terrífico, terrificante. 2) De consequências sinistras. 3) Enorme, extraordinário. 4) *pop.* Traquinas, peralta.

TER.ROR (ô) *s.m.* 1) Qualidade de terrível, algo aterrorizante. 2) Grande perturbação provocada por perigo imediato, medo, pavor.

TER.RO.RIS.MO *s.m.* 1) Ato de governo por meio de terror. 2) Ações violentas, causadas por grupos revolucionários. 3) Modo de coagir, ameaçar ou influenciar outras pessoas ou impor-lhes a vontade pelo uso sistemático do terror.

TER.RO.RIS.TA *adj.2gên.* 1) Relativo a terrorismo. / *adj.2gên.* e *s.2gên.* 2) Que ou quem pratica atos de terrorismo ou é partidário do terrorismo.

TE.SÃO *s.m.* 1) Elevação, força. 2) *pop.* Desejo sexual. 3) Estado caracterizado pela ereção do pênis. 4) Pessoa que inspira esse estado. 5) Coisa muito boa, excitante.

TE.SE *s.f.* 1) Conjunto de ideias apresentadas para sustentá-las. 2) Conclusão de um teorema. 3) Proposição exposta para ser defendida em público.

TE.SOU.RA *s.f.* 1) Instrumento cortante formado através de duas lâminas fixas por um eixo. 2) *Constr.* Peças de madeira ou ferro que suportam o telhado de um prédio. 3) *Ornit.* Ave tiranídea, cujas asas, ao se abrirem durante o voo, formam uma tesoura. 4) Pessoa maledicente.

TE.SOU.RA.DA *s.f.* Golpe com tesoura.

TE.SOU.RA.RI.A *s.f.* 1) Estabelecimento do tesoureiro. 2) Escritório de uma empresa, onde são realizadas as operações monetárias.

TE.SOU.REI.RO *s.m.* Funcionário responsável pelas finanças de um banco, uma companhia, etc.

TE.SOU.RO *s.m.* 1) Enorme quantidade de dinheiro ou de objetos preciosos, riqueza. 2) Lugar de arrecadação de riquezas. 3) Objeto escondido e precioso, achado por acaso. 4) Coisa ou pessoa pela qual se nutre grande estima.

TES.TA *s.f.* 1) A parte frontal do crânio. 2) *fig.* Frente, dianteira. 3) *Bot.* Revestimento externo de uma semente.

TES.TA.DOR (ô) *adj.* e *s.m.* 1) Que ou quem faz um testamento. 2) Que ou quem experimenta, submete algo a teste.

TES.TA.MEN.TO *s.m.* 1) Documento mediante o qual alguém determina a distribuição de seus bens após a sua morte. 2) *pop.* Carta muito longa e excessiva.

TES.TAR *v.t.d.* 1) Submeter a teste; avaliar. 2) *Por ext.* Pôr à prova; experimentar. / *v.t.d.*, *v.t.i.* e *v.t.d.i.* 3) Deixar em testamento. / *v.i.* 4) Fazer o próprio testamento.

TES.TE *s.m.* 1) *Psicol.* Prova pela qual se colhem amostras de comportamento em situações bem determinadas, de tal forma que os resultados em diferentes indivíduos possam ser objetivamente comparados. 2) Ensaio, averiguação. 3) Exame crítico ou prova das qualidades de uma pessoa ou coisa. 4) Prova, exame.

TES.TE.MU.NHA *s.f.* 1) Pessoa que presencia certos atos para torná-los verdadeiros e legítimos. 2) *Dir.* Indivíduo que dá testemunho do fato que presenciou.

TES.TE.MU.NHAR *v.t.d.* 1) Dar testemunho de; provar, confirmar, afirmar ter visto ou conhecido. / *v.t.i.* 2) Fazer declaração como testemunha.

TES.TE.MU.NHO *s.m.* 1) Narração pormenorizada; depoimento. 2) Esclarecimento, vestígio. 3) Ação de certas capacidades que nos levam à verdade. 4) Prova.

TES.TÍ.CU.LO *s.m.* 1) *Anat.* Cada uma das duas glândulas seminais masculinas. 2) *pop.* Bago.

TES.TI.FI.CAR *v.t.d.* Testemunhar, declarar, atestar.

TES.TOS.TE.RO.NA *s.f.* Hormônio encontrado em maior quantidade em homens, e que é produzido pelas gônadas.

TES.TU.DO *adj.* 1) Aquele que possui testa ou cabeça grande, cabeçudo. 2) Abrigo formado pelos soldados romanos colocando, para se defenderem dos projéteis, seus escudos acima de suas cabeças.

TE.TA (ê) *s.f.* Glândula mamária; mama, úbere.

TÉ.TA.NO *s.m. Med.* Doença infecciosa apresentada pela rigidez convulsiva e dolorosa dos músculos, normalmente os da mastigação.

TE.TEI.A *s.f.* 1) Enfeite; brinco de criança; berloque. 2) *pop.* Moça sedutora. 3) *pop.* Pessoa graciosa ou delicada.

TE.TO *s.m.* 1) Superfície que forma a parte superior interna de uma construção, telhado. 2) Cobertura de um edifício, de uma casa. 3) *Por ext.* Casa, residência, moradia.

TE.TO (ê) *s.m.* O bico da teta da vaca ou de outros animais.

TE.TRA.PLE.GI.A *s.f. Med.* Paralisia que atinge os membros inferiores e superiores.

TEU *pron. poss.* 1) Pertencente a ou próprio da. 2) De ti, que te pertence, relativo a ou próprio de ti.

TÊX.TIL (ês) *adj.2gên.* 1) Que se pode tecer ou é próprio para ser tecido. 2) Referente à tecelagem ou aos tecelões.

TEX.TO (ês) *s.m.* 1) Conjunto de frases escritas. 2) As próprias palavras de um autor, livro, etc. 3) Palavras citadas para provar algo. 4) Passagem da textual · tinturaria

Bíblia, citada pelo orador, que se torna o assunto de um sermão.

TEX.TU.AL *adj.2gên.* 1) Relativo a texto. 2) Fielmente reproduzido de um texto.

TEX.TU.RA (ês) *s.f.* 1) Ato ou efeito de tecer; trama. 2) Disposição das partes de um todo; contextura. 3) *Geol.* Tema aplicado ao aspecto estrutural de uma rocha; estrutura.

TEZ (ê) *s.f.* 1) Epiderme, particularmente do rosto. 2) Cútis, pele.

TI *pron. pess.* Forma oblíqua do pronome pessoal tu, sempre regida de preposição.

TI.A *s.f.* 1) A irmã dos pais em relação aos filhos destes. 2) A mulher do tio em relação aos sobrinhos deste. 3) *gír.* Solteirona.

TI.A.RA *s.f.* Adorno de cabeça em forma de aro; arco.

TI.BE.TA.NO *adj.* 1) Do ou relativo ao Tibete (Ásia). / *s.m.* 2) Habitante ou natural do Tibete. 3) A língua falada no Tibete.

TÍ.BIA *s.f.* 1) *Anat.* O osso mais grosso e mais interno da perna. 2) *pop.* Canela da perna. 3) *Zool.* Terceira articulação das pernas dos insetos. 4) *Poét.* Flauta de pastor; trombeta.

TI.E.TE (é) *s.2gên. pop.* Admirador fanático; fã.

TI.GE.LA *s.f.* 1) Recipiente de louça, vidro ou outro material, de fundo estreito e boca mais larga. 2) Recipiente metálico usado para colher o látex da seringueira.

TI.GRE *s.m.* 1) *Zool.* Mamífero que se alimenta de carne, da família dos Felídeos, que possui extrema ferocidade. 2) *fig.* Homem cruel, insensível, feroz.

TI.GRE.SA (ê) *s.f.* 1) A fêmea do tigre. 2) *pop.* Diz-se de uma mulher de rara beleza e altiva.

TI.JO.LO (ô) *s.m.* 1) Bloco de barro, moldado e cozido, usado em construções. 2) Utensílio de ferro usado pelos ourives para furar as arruelas. 3) Doce sólido retangular.

TIL *s.m.* Sinal gráfico (~) que nasala a vogal em que é sobreposto.

TÍL.BU.RI *s.m.* Carruagem com dois assentos e duas rodas, sem boleia, com capota e que é puxado por um só animal.

TI.LIN.TAR *v.i.* 1) Soar (sino, campainha, dinheiro, etc.) / *v.t.d.* 2) Fazer retinir, ecoar ou ressoar.

TI.MÃO *s.m.* 1) Parte principal (cabeçalho) do arado ou do carro, a que se prende os animais para puxar. 2) Tirante. 3) Lança de carroça. 4) *Náut.* Barra ou roda do leme. 5) *Por ext.* Leme. 6) *fig.* Direção, governo.

TIM.BA.LE *s.m.* 1) Tipo de tambor metálico, em forma semiesférica, coberto por uma pele tensa, sobre a qual se toca. 2) Tambor de cavalaria. 3) *Cul.* Espécie de empada.

TIM.BRAR *v.t.d.* 1) Colocar ou marcar com timbre. 2) Caprichar, qualificar.

TIM.BRE *s.m.* 1) Emblema colocado sobre o escudo de armas. 2) Marca, sinal, selo; carimbo. 3) *Mús.* Disco metálico curvo que se bate com o martelo, produzindo sons. 4) *fig.* Ação nobre e gloriosa, honra. 5) *Fís.* e *Mús.* Qualidade do som que permite definir os sons de mesma altura e intensidade, produzidos por vozes ou instrumentos distintos.

TI.ME *s.m.* 1) *Esp.* Conjunto de atletas; equipe. 2) *pop.* Grupo, turma de pessoas que praticam o mesmo esporte.

TI.MI.DEZ *s.f.* Estado ou característica de tímido; acanhamento.

TÍ.MI.DO *adj.* 1) Que tem medo; assustado, acanhado. 2) Débil, fraco. 3) Que tem dificuldade de se relacionar com outras pessoas.

TIM.PA.NI.TE *s.f. Med.* Inflamação do tímpano.

TÍM.PA.NO *s.m.* 1) *Anat.* Membrana transparente, elástica, que isola o ouvido externo do ouvido médio, e que exerce sua função como uma caixa de ressonância. 2) Objeto cilíndrico com repartimentos helicoidais no seu interior e que serve para fazer elevar água de uma corrente a um reservatório. 3) Nas campainhas, peça metálica em forma de sino que vibra sob percussão de um martelo.

TIN.GIR *v.t.d.* 1) Molhar em tinta, alterando ou reforçando a cor original. 2) Dar certa cor a; colorir. 3) Corar, ruborizar, escurecer. / *v.p.* 4) Tomar certa cor.

TIN.GI.TA.NO *adj.* e *s.m.* Tangerino, natural de Tânger (Marrocos).

TI.NHA *s.f.* 1) *Med.* Afecção cutânea, causada por gêneros de cogumelos, na qual o parasito atinge o pelo na sua raiz e invade o folículo, causando a queda de pelos ou cabelos. 2) *fig.* Mancha, marca, defeito.

TI.NHO.SO (ô) *adj.* 1) Aquele que possui tinha. 2) *fig.* Detestável, nojento. / *s.m.* 3) *pop.* O diabo.

TI.NI.DO *s.m.* Som agudo de metais, vidro, etc.

TI.NIR *v.i.* 1) Produzir um som agudo ou vibrante (com metal ou vidro). 2) Zunir (ouvidos). 3) Fazer ouvir a sua voz à distância. 4) Ficar aturdido ou tonto. / *v.t.i.* 5) Estar ou ficar em grande excitação nervosa. 6) Tiritar de frio ou medo.

TI.NO *s.m.* Juízo; discrição; prudência; circunspeção; senso.

TIN.TA *s.f.* 1) Líquido colorido usado para pintar, tingir, escrever, imprimir. 2) Pinta, mancha, vestígio. 3) Matiz.

TIN.TEI.RO *s.m.* Pequeno recipiente que contém tinta de escrever.

TIN.TU.RA *s.f.* 1) Ato ou efeito de tingir; tingidura. 2) Líquido preparado para pintar; tinta. 3) *Quím.* e *Farm.* Solução de substâncias com pouca coloração. 4) Mancha, sinal.

TIN.TU.RA.RI.A *s.f.* 1) Instituição onde se tingem panos. 2) Profissão ou arte de tintureiro.

483

tio toalete

TI.O *s.m.* 1) O irmão dos pais em relação aos filhos destes. 2) O marido da tia. 3) No Sul do Brasil, tratamento dado aos negros velhos. 4) *pop.* Tratamento respeitoso dado pelos jovens aos mais velhos.

TÍ.PI.CO *adj.* Que serve como exemplo; característico, simbólico.

TI.PO *s.m.* 1) Modelo, exemplar. 2) Objeto usado como referência simbólica. 3) Coisa que reúne em si os elementos significativos de uma classe; símbolo. 4) Pessoa extravagante, qualquer indivíduo. 5) Pessoa pouco respeitável. 6) *Tip.* Letra impressa.

TI.PO.GRA.FI.A *s.f.* 1) A arte e a técnica de compor e imprimir com tipos. 2) Estabelecimento tipográfico, destinado a composição, paginação e impressão de livros, textos, etc.

TI.POI.A (ói) *s.f.* 1) Tira de pano que se amarra ao pescoço para sustentar mão ou braço doente. 2) Rede de dormir.

TI.PO.LO.GI.A *s.f.* 1) Estudo dos caracteres tipográficos. 2) Conjunto dos caracteres tipográficos utilizados em um trabalho gráfico.

TI.QUE *s.m.* 1) Movimento produzido pela contração involuntária de um ou mais músculos; cacoete. 2) *fig.* Prática repetitiva; mania. 3) Sinal em forma de V que se põe ao lado de cada item já conferido.

TI.RA *s.f.* 1) Retalho de couro, pano, papel, etc., de dimensões mais compridas do que largas. 2) Lista, relação. 3) Correia, faixa. 4) Filete, friso. 5) Histórias em quadrinhos, mostrada em uma única faixa horizontal. / *s.2gên.* 6) *gír.* Agente policial.

TI.RA.CO.LO *s.m.* Correia que rodeia o corpo, passando por cima de um ombro e por baixo do braço oposto para transporte de objetos.

TI.RA.DA *s.f.* 1) Ato ou efeito de tirar; tiragem. 2) Exportação de espécies. 3) Espaço longo de tempo. 4) Grande extensão de passagem. 5) Discurso, palestra. 6) *pop.* Rasgo, ousadia no falar, escrever, etc.

TI.RA-DÚ.VI.DAS *s.m.* Aquele ou aquilo que tira dúvida ou resolve qualquer questão, dicionário.

TI.RA.GEM *s.f.* 1) Tirada. 2) O conjunto dos exemplares de livro ou qualquer outro trabalho periódico, impresso separadamente por edição. 3) Ação de fazer passar os metais pela fieira. 4) Corrente de ar frio que substitui a saída de ar quente que sai do mesmo.

TI.RA-LI.NHAS *s.m.* Instrumento de desenhista que serve para traçar, a tinta, linhas uniformes e de iguais espessuras em toda a extensão.

TI.RA.NI.A *s.f.* 1) Ato contra a lei, tirânico e desumano do poder. 2) Governo injusto e cruel. 3) Opressão, ação violenta.

TI.RA.NI.CO *adj.* Relativo a ou próprio de tirano ou tirania.

TI.RA.NI.ZAR *v.t.d.* 1) Governar com tirania. 2) Tratar com rigor, com severidade, desobede-

cendo à lei. 3) Envergonhar, oprimir, vexar. / *v.i.* 4) Tratar a si próprio com grande rigor; mortificar-se. 5) Proceder como tirano.

TI.RA.NO *s.m.* 1) Governante que abusa do poder, contrariando as regras, submetendo o povo a um domínio arbitrário; déspota. 2) Que age com crueldade, severo. 3) Oprimente, torturante. 4) Indivíduo sem escrúpulos, impiedoso.

TI.RAR *v.t.d.* e *v.t.i.* 1) Extrair, arrancar, sacar. 2) Fazer sair do lugar onde está; retirar. 3) Colher, obter, receber, tomar. 4) Alcançar, obter. 5) Aproveitar, apurar, escolher. 6) Concluir, deduzir, inferir. 7) Copiar, reproduzir, retratar, imprimir. 8) Arrecadar, pedir, cobrar, receber. 9) Diminuir, subtrair, separar. 10) Fazer desaparecer; apagar, extinguir.

TI.RI.RI.CA *s.f.* 1) Nome comum a ervas daninhas. / *adj.2gên.* 2) *pop.* Muito irritado; furioso, zangado.

TI.RI.TAR *v.i.* Tremer de frio, medo ou febre.

TI.RO *s.m.* 1) Ato ou efeito de atirar. 2) Disparo de arma de fogo. 3) Distância em que alcança o tiro de uma arma de fogo. 4) Região de exercícios para armas de fogo.

TI.RO.TEI.O *s.m. Mil.* 1) Sucessão ininterrupta de tiros disparados por atiradores dispersos. 2) Fogo de fuzilaria com tiros em sequência.

TI.TÃ *s.m.* 1) *Mit.* Cada um dos gigantes que quiseram escalar o céu para destronar Júpiter. 2) Pessoa ou coisa gigantesca. 3) *fig.* Pessoa de grandeza intelectual ou moral.

TI.TI.CA *s.f. pop.* 1) Excremento, principalmente de aves. 2) *fig.* e *pej.* Pessoa ou coisa desprezível.

TI.TU.BE.AR *v.i.* 1) Não conseguir se manter em pé; cambalear. 2) Ficar indeciso; hesitar, vacilar. / *v.t.d.* e *v.i.* 3) Falar com hesitação; gaguejar.

TI.TU.LAR *adj.2gên.* 1) Que possui título de nobreza. 2) Estável, efetivo. 3) Honorífico, nominal. / *s.2gên.* 4) Nobre, fidalgo. 5) Ocupante efetivo de um cargo ou função. / *v.t.d.* 6) Atribuir título a, intitular. 7) Registrar em livro de padrões e títulos autênticos. 8) Registrar.

TÍ.TU.LO *s.m.* 1) Inscrição colocada no início de um livro, capítulo, artigo, etc. ou cabeçalho, para indicar o assunto. 2) Letreiro, rótulo. 3) Denominação honorífica. 4) Qualificação, nome, designação. 5) Documento que autentica um direito.

TO.A (ô) *s.f.* 1) Corda com a qual um navio reboca outro; reboque, sirga. / *loc. adv.* 2) A esmo, ao acaso, irrefletidamente, inutilmente, sem razão ➡ à toa.

TO.A.DA *s.f.* 1) Som, ruído, barulho. 2) Canto. 3) *Mús.* Cantiga de melodia simples e monótona.

TO.A.LE.TE *s.f.* 1) Ação de se arrumar: lavar, pentear, vestir, etc. 2) Traje feminino de bom gosto, requintado, usado em ocasiões especiais. / *s.m.*

toalha · tomar

3) Gabinete de vestir. 4) Camarote com pia e espelho para as mulheres darem os últimos retoques em seus penteados e pinturas; toucador.

TO.A.LHA *s.f.* 1) Parte de tecido em forma de lençol, usada para cobrir a mesa às refeições. 2) Peça de tecido absorvente, normalmente de linho ou algodão, com que se enxuga o corpo após o banho ou qualquer parte dele, que se lavou ou molhou. 3) Camada extensa.

TO.A.LHEI.RO *s.m.* Utensílio congênere próprio para pendurar toalhas nos banheiros.

TO.AR *v.i.* 1) Emitir som ou tom forte. 2) Estrondar, trovejar. 3) Soar, ressoar. / *v.t.i.* 4) Habituar-se, convir.

TO.BO.GÃ *s.m.* 1) Espécie de pista inclinada em parques, praças e feiras para divertimento infantil, miniatura de montanha-russa. 2) Trenó baixo utilizado para deslizar nas encostas cobertas de neve.

TO.CA *s.f.* 1) Buraco na terra, onde se abrigam coelhos, corujas ou outros animais. 2) Covil, furna, gruta. 3) Abrigo, esconderijo, refúgio. 4) *pop.* Morada pequena e miserável, meio escondida.

TO.CA.DOR (ô) *adj.* 1) Que toca. / *s.m.* 2) Aquele que toca. 3) Arrieiro, almocreve.

TO.CA-FI.TAS *s.m. Bras.* Aparelho elétrico que reproduz sons gravados em fita magnética.

TO.CAI.A *s.f.* 1) Espreita ao inimigo ou à caça, para matar. 2) Cilada, emboscada.

TO.CA-LÁ.PIS *s.m.* Parte do compasso onde se encaixa o lápis para descrever arcos ou circunferências.

TO.CAN.TE *adj.2gên.* 1) Que diz respeito; referente; concernente; respectivo. 2) Que toca. 3) *fig.* Comovente; emocionante; que enternece.

TO.CAN.TI.NEN.SE *adj.2gên.* 1) Relativo a Tocantins, estado do Norte brasileiro. / *s.2gên.* 2) Habitante ou natural desse estado.

TO.CAR *v.t.d.* 1) Fazer contato entre um corpo e outro; encostar. 2) Apalpar em, pondo a mão; pegar. 3) Bater em, para fazê-lo andar; chicotear, esporear. 4) *Bras.* Conduzir carruagem ou gado. 5) Espantar de um lugar para outro. 6) Atingir, chegar a. 7) Executar música. / *v.i.* 8) Produzir som; soar. / *v.p.* 9) Pôr-se em contato; encontrar-se. 10) Magoar-se; ofender-se. 11) *gír.* Tomar consciência de algo.

TO.CHA *s.f.* 1) Grande vela de cera. 2) Archote, facho. 3) Brilho, luz.

TO.CO (ô) *s.m.* 1) Parte do tronco que fica presa à terra, depois de cortada a árvore. 2) Pedaço de vela ou tocha; coto.

TO.DA.VI.A *conj.* Entretanto, contudo, mas, porém, no entanto.

TO.DO (ô) *adj.* 1) Completo, absoluto, íntegro. / *pron. indef.* 2) Cada, qualquer. / *s.m.* 3) Conjunto, massa, totalidade.

TO.DO-PO.DE.RO.SO *s.m.* 1) Aquele que pode tudo, onipotente. 2) Deus. / *adj.* 3) Que pode tudo.

TO.GA *s.f.* 1) Roupa de magistrado; beca. 2) A magistratura, o direito, a justiça.

TO.GA.DO *adj.* 1) Pessoa que usa toga. 2) Que exerce a magistratura judiciária. / *s.m.* 3) Magistrado judicial, juiz.

TOL.DA *s.f.* 1) Ato ou efeito de toldar. 2) Cobertura improvisada de lona ou outro material, no terreiro ou no quintal, para realização de alguma comemoração ou festejo familiar.

TOL.DO (ô) *s.m.* 1) Teto de lona ou de outro material usado, principalmente, para proteger porta, janela, convés, etc. do sol e da chuva. 2) Aldeia de indígenas.

TO.LE.RÂN.CIA *s.f.* 1) Ato ou efeito de tolerar. 2) Característica de algumas pessoas de admitir e respeitar ideias e sentimentos diferentes dos seus. 3) Isenção de uma norma ou regra; dispensa, licença. 4) Capacidade do organismo para suportar certas substâncias.

TO.LE.RAN.TE *adj.2gên.* 1) Que tolera. 2) Transigente ou compreensivo. 3) Que desculpa certas faltas ou erros e admite e respeita opiniões contrárias à sua.

TO.LE.RAR *v.t.d.* 1) Suportar. 2) Permitir, consentir. 3) Ser capaz de ingerir algo sem sofrer transtornos.

TO.LHER (è) *v.t.d.* e *v.t.d.i.* 1) Atrapalhar, impedir. / *v.t.d.* 2) Proibir, vedar. / *v.t.d.* e *v.p.* 3) Tornar(-se) paralisado.

TO.LI.CE *s.f.* 1) Qualidade de tolo. 2) Ação ou dito de tolo. 3) Asneira, burrice. 4) Coisa insignificante.

TO.LO (ô) *adj.* e *s.m.* 1) Que ou quem é ingênuo ou com pouca inteligência; bobo, tonto. / *adj.* 2) Que não tem sentido ou significação.

TOM *s.m.* 1) *Por ext.* Variação de altura, intensidade ou duração de um som. 2) *Mús.* Altura de uma nota na escala musical. 3) Maneira de se expressar. 4) Modo de realizar algo; estilo, caráter. 5) Qualidade da cor; matiz, tonalidade.

TO.MA.DA *s.f.* 1) Ato ou efeito de tomar. 2) Conquista. 3) *Eletr.* Terminal de ramo de uma instalação próprio para captar energia de uma rede utilizada na alimentação de aparelhos eletroeletrônicos de uso geral. 4) *Cin.* Registro de uma cena.

TO.MAR *v.t.d.* 1) Agarrar, pegar, contrair. 2) Apreender, capturar. 3) Assaltar, roubar, tirar. 4) Lançar mão de, apropriar-se de, utilizar-se de; aproveitar. 5) Beber, comer. 6) Aspirar, absorver, sorver. 7) Determinar, obter, solicitar. 8) Consumir (tempo). 9) Ingerir. 10) Penhorar, encher, ocupar. 11) Seguir (certa direção ou caminho). 12) Adotar. / *v.p.* 13) Ser invadido por emoção; sentir. 14) Embriagar-se. / *v.t.d.i.* 15) Pegar em. 16) Arrebatar, roubar.

485

tomara / torácico

TO.MA.RA *interj.* Traduz desejo e equivale a *oxalá, prouvera a Deus.*

TO.MA.TE *s.m.* Fruto de tomateiro cujo consumo é em salada ou como tempero.

TOM.BA.DOR (ô) *adj.* 1) Que tomba ou faz tombar. / *s.m.* 2) Aquele que tomba ou faz tombar. 3) Trabalhador que conduz as canas do picadeiro para a moenda, nos engenhos de banguê.

TOM.BAR *v.t.d.* 1) Dar o tombo; derrubar; fazer cair. 2) Fazer inclinar. 3) Fazer o tombamento. 4) Inventariar, registrar bens, terrenos e imóveis. / *v.i.* 5) Cair no chão. / *v.i.* e *v.p.* 6) Descair, inclinar-se; voltar-se.

TOM.BO *s.m.* 1) Ato ou efeito de tombar. 2) Queda, tropeço. 3) Caída. 4) Falência. 5) Tombamento. 6) Inventário. 7) Registro de coisas ou fatos relacionados a uma especialidade ou região.

TO.MO *s.m.* 1) Volume de obra impressa ou manuscrita. 2) Cada fragmento de uma obra, divisão. 3) Importância, estima. 4) Aspecto, dimensão.

TO.MO.GRA.FI.A *s.f. Med.* Processo de radiografia contínuo para fixar os vários ângulos de um órgão ou determinada região do corpo.

TO.NA *s.f.* 1) Casca de grossura fina, película. 2) Superfície.

TO.NA.LI.DA.DE *s.f.* 1) *Mús.* Caráter de sons e acordes com um centro melódico principal. 2) Combinação de uma cor em pinturas, bordados, etc.

TO.NEL *s.m.* 1) Recipiente de grandes dimensões usado como reservatório para líquidos, formado de aduelas, tampos e arcos. 2) *fig.* Beberrão.

TO.NE.LA.DA *s.f.* 1) Tonel cheio. 2) Unidade de medida de peso equivalente a 1.000 kg. 3) No sistema métrico, usada, principalmente, para medir o carregamento de vagões, caminhões e navios.

TÔ.NI.CA *s.f.* 1) *Mús.* A primeira nota de uma escala musical. 2) *Gram.* Vogal ou sílaba tônica em que ocorre variação de pronúncia. 3) *fig.* Ideia ou assunto principal.

TÔ.NI.CO *adj.* 1) Relativo a tom. 2) Que tonifica. 3) Solução ou preparo que tonifica ou dá energia a certos tecidos. 4) *Mús.* Designativo da primeira nota de uma escala. 5) *Gram.* Denominação da fala proferida com maior intensidade numa vogal ou sílaba de uma palavra; aquilo que predomina. / *s.m.* 6) Medicamento ou cosmético tônico.

TO.NI.FI.CAR *v.t.d.* 1) Dar tom a; avigorar; energizar; reforçar. / *v.p.* 2) Fortificar-se, robustecer-se, fortalecer-se.

TO.NO *s.m.* 1) Tom. 2) Cantiga, tonadilha. 3) *Fisiol.* Tensão que se encontra submetido qualquer músculo que esteja em estado de repouso; tônus.

TON.TE.AR *v.i.* 1) Agir como tonto. / *v.t.d.* e *v.i.* 2) Ficar tonto ou provocar tonteira em. 3) Perturbar, atordoar.

TON.TEI.RA *s.f.* 1) Tolice. 2) *Med.* e *pop.* Sensação de mal-estar acompanhada de desequilíbrio; vertigem; tontura.

TON.TI.CE *s.f.* 1) Ação ou dito de tonto; asneira. 2) Demência, insensatez.

TON.TO *adj.* e *s.m.* 1) Pessoa que está com tonturas. 2) Aloucado. 3) Extravagante, exaltado. 4) Tolo, ingênuo. 5) Meio embriagado; estonteado.

TON.TU.RA *s.f. Med.* e *pop.* Vertigem, tonteira.

TÔ.NUS *s.m. Fisiol.* Contração muscular normal, leve e contínua; tono.

TO.PA.DA *s.f.* 1) Ato ou efeito de bater involuntariamente com a ponta do pé por nervosismo. 2) Choque, embate.

TO.PAR *v.t.d.* 1) Deparar, encontrar. 2) *pop.* Aceitar uma sugestão; enfrentar, encarar. / *v.t.i.* 3) Aproximar-se do tope de. 4) Dar uma topada com o pé. 5) Chocar-se, tocar. 6) Dar princípio, ter acesso a algum lugar. / *v.p.* 7) Encontrar-se.

TO.PE.TE *s.m.* 1) Cabelo na parte frontal da cabeça erguido para cima ou levantado. 2) *Zool.* Tufo de penas alongadas que crescem e se erguem na cabeça de certas aves. 3) Parte da crina do cavalo que pende sobre a testa. 4) *pop.* Audácia, atrevimento, valentia.

TÓ.PI.CO *adj.* 1) Relativo a lugar. 2) Refere-se diretamente àquilo de que se está tratando. 3) *Med.* Diz-se de medicamento destinado ao uso local externo. 4) Designa lugares-comuns em retórica. / *s.m.* 5) Remédio tópico. 6) Tema, ponto principal.

TO.PO (ô) *s.m.* 1) A parte mais elevada, auge. 2) Tope, cimo, cume. 3) Limite, fim, ponta, partindo da parte mais baixa.

TO.PO.GRA.FI.A *s.f.* 1) Descrição minuciosa de uma localidade; topologia. 2) Método de representar no papel a configuração do relevo de uma porção de terreno com a posição de seus acidentes naturais ou artificiais e demais objetos contidos em sua superfície.

TO.PO.LO.GI.A *s.f.* 1) Topografia. 2) *Mat.* Ramo da geometria superior, em que se consideram, apenas, as relações de posição dos elementos das figuras.

TO.PO.NÍ.MIA *s.f.* Estudo da origem dos nomes próprios dos lugares.

TO.QUE *s.m.* 1) Ato ou efeito de tocar; contato. 2) Pancada. 3) Som. 4) Ato de tocar instrumentos musicais. 5) *Mil.* Sinal dado por meio de cornetas ou clarins, que comanda as execuções militares. 6) *Pint.* Retoque.

TO.RA *s.f.* 1) Grande tronco de madeira. 2) *Por ext.* Cada uma das partes em que um tronco é cortado.

TO.RÁ *s.f. Rel.* 1) Lei sagrada dos judeus. 2) Livro que contém essa lei.

TO.RÁ.CI.CO *adj. Anat.* Relativo ao tórax.

toranja / torto

TO.RAN.JA *s.f.* Fruta cítrica parecida com a laranja, maior e mais ácida.

TÓ.RAX (cs) *s.m.* 1) *Anat.* Cavidade do peito; peito. 2) *Entom.* Segmento intermediário do corpo dos insetos.

TOR.ÇÃO *s.f.* 1) Ato ou efeito de torcer; torcedura. 2) *Vet.* Cólica de certos animais.

TOR.CE.DOR (ô) *adj.* 1) Que torce. / *s.m.* 2) Instrumento que serve para torcer; fuso; arrocho. 3) Engenho rústico. 4) Aquele que torce por seu time preferido, nos jogos esportivos.

TOR.CER *v.t.d.* 1) Fazer volver sobre si mesmo; vergar; entortar; dobrar. 2) Fazer mudar o rumo. 3) Deslocar. 4) Fazer mudar de rumo, de tenção, de ideia. 5) Alterar, mudar. / *v.i.* e *v.t.d.* 6) Desejar a vitória a alguém por meio de gestos e gritos. / *v.i.* 7) Mudar de direção; dar volta. / *v.p.* 8) Caminhar em direções tortuosas. 9) Contrair o corpo em consequência de dores. 10) Render-se, ceder.

TOR.CI.CO.LO *s.m. Med.* Forte contração de músculos do pescoço que causa uma posição anormal da cabeça.

TOR.CI.DA *s.f.* 1) Ato ou efeito de torcer. 2) Mecha de candeeiro ou de vela; pavio. 3) Objeto semelhante a uma torcida. 4) Grupo de pessoas que torcem para um mesmo clube.

TOR.CI.DO *adj.* 1) Torto, tortuoso, encurvado. 2) Mal interpretado.

TOR.MEN.TA *s.f.* 1) Tempestade violenta, temporal. 2) *fig.* Grande barulho; desordem; agitação, movimento.

TOR.MEN.TO *s.m.* 1) Sofrimento físico; suplício. 2) Angústia, aflição.

TOR.NA.DO *s.m. Meteor.* Vento violento que gira impetuosamente ao redor de um centro, destruindo tudo à sua passagem.

TOR.NAR *v.i.* 1) Voltar para onde esteve; voltar. 2) Reviver. 3) Regressar. 4) Manifestar-se, acontecer de novo ➡ A adolescência jamais torna. / *v.t.i.* 5) Devolver, restituir. 6) Traduzir. 7) Denota continuação ou repetição de ações. / *v.lig.* e *v.p.* 8) Converter(-se), fazer(-se). 9) Transformar(-se), vir a ser ➡ O adolescente tornou-se rebelde.

TOR.NE.AR *v.t.d.* 1) Fabricar no torno. 2) Dar forma arredondada a. 3) Andar em volta de; circundar. 4) Dar volta. 5) Cingir, ornar, contornar. 6) Aprimorar, polir.

TOR.NEI.O *s.m.* 1) Ato ou efeito de tornear; torneamento. 2) Elegância nas formas, no escrever ou no dizer. 3) Campeonato, concurso. 4) Debate, discussão.

TOR.NEI.RA *s.f.* Válvula que serve para reter ou liberar a saída de um fluido numa canalização, ao ser acionada com a mão.

TOR.NI.QUE.TE (ê) *s.m.* 1) Armação em forma de cruz horizontal que gira sobre um eixo vertical na entrada de certos locais, para deixar passar uma pessoa de cada vez. 2) *Cir.* Instrumento ou técnica para impedir o fluxo de sangue em um membro.

TOR.NO (ô) *s.m.* 1) *Mec.* Máquina onde se faz girar uma peça de madeira, aço, ferro, etc., dando--lhe uma forma desejada, com o uso de ferramentas adequadas. 2) Prego de madeira; cavilha, pino. 3) Aparelho usado para polir e dar acabamento à peça por meio do movimento de rotação.

TOR.NO.ZE.LO (ê) *s.m.* Saliência óssea, na articulação do pé com a perna.

TO.RÓ *s.m.* Aguaceiro forte, pancada de chuva.

TOR.PE (ô) *adj.2gên.* 1) Vergonhoso, embaraçado. 2) Obsceno, desprezível, sórdido. 3) Nojento, repugnante. 4) Manchado, sujo.

TOR.PE.DO (ê) *s.m.* 1) Projétil submarino que explode ao entrar em contato com algo. 2) *Por ext.* Mensagem de texto enviada por celular, SMS.

TOR.POR (ô) *s.m.* 1) Entorpecimento. 2) Indiferença ou inércia moral; preguiça, paralisia. 3) *Med.* Embotamento. 4) Dormência igual à de um animal que hiberna.

TOR.RA.DA *s.f.* Fatia de pão torrado.

TOR.RA.DEI.RA *s.f.* Aparelho elétrico usado para fazer torradas.

TOR.RA.DO *adj.* 1) Que se torrou. 2) Muito seco; tostado, queimado. 3) Vendido por preço baixo. 4) Embriagado. / *s.m.* 5) Rapé. 6) Dança popular lasciva, que consiste numa espécie de samba.

TOR.RÃO *s.m.* 1) Porção de terra aglutinada. 2) Território. 3) Pedaço de algo que se esfarela facilmente; fragmento.

TOR.RAR *v.t.d.* 1) Ressecar. 2) Queimar de leve; tostar. 3) *pop.* Aborrecer, amofinar. 4) *pop.* Gastar. / *v.t.d.* e *v.i.* 5) Vender por preços baixos; liquidar.

TOR.RE (ô) *s.f.* 1) Construção alta e fortificada que servia para defesa em operações de guerra; fortaleza. 2) Construção prismática, geralmente alta e estreita, anexa ou afastada da igreja, onde estão os sinos; campanário. 3) Peça do jogo de xadrez. 4) *fig.* Pessoa muito alta e forte.

TOR.REN.CI.AL *adj.2gên.* 1) Relativo ou semelhante à torrente. 2) Caudaloso. 3) Muito copioso, abundante.

TOR.REN.TE *s.f.* 1) Curso de água intenso e violento. 2) Grande abundância ou fartura. 3) *fig.* Multidão que se precipita impetuosamente.

TOR.RES.MO (ê) *s.m.* Toucinho picado e frito.

TÓR.RI.DO *adj.* Quente demais; ardente.

TOR.SO (ô) *s.m.* 1) Parte do corpo humano sem a cabeça e os membros; tronco. 2) Estátua ou pintura do tronco de uma pessoa.

TOR.TA *s.f.* 1) *Cul.* Espécie de pastelão. 2) Adubo ou forragem constituído pelo bagaço resultante da prensagem de sementes oleaginosas. 3) Bolo em camadas com recheio e cobertura.

TOR.TO (ô) *adj.* 1) Que não é direito nem reto; tortuoso, torcido. 2) Oblíquo, sinuoso. 3) Errado, **487**

tortuoso

tradução

injusto. 4) Que só tem ou enxerga por um só olho; vesgo. / *adj.* e *s.m.* 5) Diz-se de ou indivíduo de mau caráter, sem lealdade.

TOR.TU.O.SO *adj.* 1) Sinuoso, torto. 2) *fig.* Que não é verdadeiro, honesto ou justo.

TOR.TU.RA *s.f.* 1) Suplício, tormento, martírio, aflição, agonia. 2) Lance difícil. 3) Grande mágoa. 4) Tortuosidade.

TOR.TU.RAR *v.t.d.* 1) Submeter a torturas. 2) Afligir muito; angustiar, agoniar, amargurar.

TOR.VAR *v.t.d.* 1) Perturbar. / *v.i.* e *v.p.* 2) Irritar-se, incomodar-se. 3) Tornar-se sombrio ou carrancudo. 4) Agastar-se, impacientar-se.

TOR.VO (ô) *adj.* 1) Que causa terror; pavoroso, terrível, assombroso. 2) Irado. 3) Carrancudo, sombrio. / *s.m.* 4) Qualidade de torvo.

TO.SAR *v.t.d.* 1) Cortar rente pelo, lã ou cabelo. 2) Tosquiar.

TOS.CO (ô) *adj.* 1) Tal como veio da natureza. 2) *fig.* Bronco; grosseiro. 3) *fig.* Rude; rústico. 4) Que não é lapidado, polido, nem cultivado.

TOS.QUI.A *s.f.* 1) Ação ou resultado de tosquiar; tosadura; tosa. 2) Época própria para o corte das lãs e dos pelos dos animais ovinos. 3) *fig.* Repreensão.

TOS.SE *s.f.* Expulsão súbita e ruidosa de ar pela boca, em geral, para eliminação de matérias estranhas das vias aéreas ou pulmões.

TOS.TÃO *s.m.* 1) Antiga moeda brasileira de níquel, equivalente a 100 réis. 2) Quantia miserável.

TOS.TAR *v.t.d.* 1) Queimar de leve; bronzear. 2) Escurecer, queimar.

TO.TAL *adj.2gên.* 1) Conjunto; completo. / *s.m.* 2) Resultante final de uma adição; soma. 3) Reunião das partes que formam um todo.

TO.TA.LI.DA.DE *s.f.* 1) Condição de ser total, inteiro. 2) Reunião de todas as partes que formam um todo.

TO.TA.LI.ZAR *v.t.d.* 1) Atingir o total de; perfazer. 2) Realizar por completo; concluir.

TO.TEM *s.m.* 1) Animal, planta ou objeto considerado sagrado e protetor de uma tribo ou pessoa. 2) *Por ext.* Representação desse animal, planta ou objeto.

TOU.CA *s.f.* 1) Adorno usado para cobrir a cabeça. 2) Vestimenta usada pelas freiras que cobre a cabeça, pescoço e ombros; turbante.

TOU.CI.NHO ou **TOU.CI.NHO** *s.m.* Gordura de porco, que fica por baixo da pele, com o respectivo couro.

TOU.PEI.RA *s.f.* 1) *Zool.* Pequeno mamífero que habita tocas subterrâneas e que se alimenta de insetos. 2) Pessoa de olhos pequenos, pouca inteligência, tola. 3) *pej.* Mulher velha e esfarrapada.

TOU.RA.DA *s.f.* Manada ou corrida de touros.

TOU.REI.RO *adj.* 1) Que se refere a touro. / *s.m.* 2) Que tem por profissão tourear; toureador.

TOU.RO *s.m.* 1) Boi ainda não castrado. 2) *fig.* Homem animado, enérgico, fogoso. 3) *Astrol.* Signo do Zodíaco.

TÓ.XI.CO (cs) *adj.* 1) Constituído de veneno; venenoso. / *s.m.* 2) Veneno.

TRA.BA.LHA.DEI.RA *adj.* e *s.f.* Mulher cuidadosa, que gosta de trabalhar; ativa.

TRA.BA.LHA.DO *adj.* 1) Posto em obra. 2) Aperfeiçoado, realizado com habilidade.

TRA.BA.LHA.DOR (ô) *s.m.* 1) Que trabalha, sempre em atividade. 2) Ocupado em algum trabalho, operário.

TRA.BA.LHÃO *s.m.* Trabalho de grande fadiga, trabalheira.

TRA.BA.LHAR *v.t.d.* e *v.i.* 1) Exercer a sua função. 2) Cansar trabalhando. 3) Executar; expandir-se, manipular. 4) Fazer com perfeição. / *v.t.i.* 5) Lutar, esforçar-se. 6) Ocupar-se de algum ofício ou profissão. / *v.i.* 7) Dedicar-se a uma profissão. 8) Exercer uma atividade de forma contínua.

TRA.BA.LHIS.MO *s.m.* Teorias econômicas e sociológicas que se referem à vida dos trabalhadores.

TRA.BA.LHO *s.m.* 1) Exercício material ou intelectual para a realização de algo. 2) Empenho, ação, empreendimento. 3) Perfeição empregada na realização de uma obra. 4) O resultado de um esforço.

TRA.BA.LHO.SO (ô) *adj.* 1) Que dá muito trabalho. 2) Difícil.

TRA.BU.CO *s.m.* Espingarda curta e de boca larga; bacamarte.

TRA.ÇA *s.f.* 1) *Entom.* Nome popular dos insetos que carcomem lã, estofos, livros, etc. 2) Tudo aquilo que destrói insensivelmente. 3) *Fam.* Indivíduo maçador.

TRA.ÇAR *v.t.d.* 1) Representar por meio de traços; delinear. 2) Desenhar traços; riscar. 3) Demarcar, marcar. 4) Imaginar, supor. 5) Maquinar, tramar. 6) Escrever.

TRA.CE.JAR *v.i.* 1) Fazer traços ou linhas. / *v.t.d.* 2) Formar com pequenos traços sucessivos. 3) Descrever superficialmente.

TRA.ÇO *s.m.* 1) Traçado, linha, risco. 2) Linha do rosto; perfil. 3) Impressão, sinal, vestígio.

TRA.CO.MA *s.m. Med.* Conjuntivite grave que se caracteriza pela presença de granulações microscópicas sobre a mucosa ocular, as quais dão a sensação de areia nos olhos.

TRA.DI.ÇÃO *s.f.* 1) Ação de transmitir ou entregar. 2) Transmissão de lendas, fatos, hábitos, etc., durante um longo período.

TRA.DI.CI.O.NAL *adj.2gên.* 1) Relativo a tradição. 2) Que conserva a tradição.

TRA.DU.ÇÃO *s.f.* 1) Transposição de uma língua para outra. 2) Obra traduzida. 3) *fig.* O que expressa de modo indireto; reflexo. 4) Explicação, interpretação.

TRA.DU.TOR (ô) *adj.* 1) Que traduz. / *s.m.* 2) Quem possui como função ou profissão traduzir textos.

TRA.DU.ZIR *v.t.d.* 1) Interpretar. 2) Demonstrar, manifestar. 3) Transpor de uma língua para outra. 4) Simbolizar. 5) Exprimir. / *v.p.* 6) Conhecer-se.

TRA.FE.GAR *v.t.i.* Deslocar-se no tráfego; transitar.

TRÁ.FE.GO *s.m.* 1) Circulação geral de veículos em rodovias. 2) Transporte de mercadorias em linhas férreas, no ar e no mar. 3) Trânsito de veículos e pedestres por meio de vias públicas.

TRA.FI.CAN.TE *adj.2gên.* e *s.2gên.* Que ou quem trafica.

TRA.FI.CAR *v.i.* 1) Comerciar de forma ilegal. 2) Fazer negócios fraudulentos, clandestinos. / *v.t.d.* 3) Fazer tráfico de.

TRÁ.FI.CO *s.m.* Comércio ou negociação ilegal e clandestina.

TRA.GA.DA *s.f.* 1) Ato de aspirar fumaça de cigarro. 2) Gole de bebida alcoólica; trago.

TRA.GAR *v.t.d.* 1) Beber; engolir de um trago. 2) Devorar avidamente. 3) Absorver, sorver. 4) Aspirar. 5) Ambicionar. / *v.i.* 6) Inalar a fumaça do cigarro.

TRA.GÉ.DIA *s.f.* 1) Peça dramática que acaba com um acontecimento funesto. 2) Arte de representar ou fazer tragédias. 3) Acontecimento que desperta lástima, catástrofe, infortúnio.

TRÁ.GI.CO *adj.* 1) Relativo a tragédia. 2) *fig.* Que traz morte ou desgraça; funesto. 3) *pop.* Que transforma um acontecimento insignificante em uma tragédia ou drama.

TRA.GI.CO.MÉ.DIA *s.f.* 1) Peça teatral que mistura elementos da tragédia e da comédia. 2) *fig.* Mistura de acontecimentos trágicos e cômicos.

TRA.GO *s.m.* 1) Gole, sorvo. 2) *fig.* Aflição, desgraça.

TRA.I.ÇÃO *s.f.* 1) Ato ou efeito de trair(-se). 2) Rompimento de lealdade. 3) Falsidade, perfídia. 4) Quebra de fidelidade empenhada ou prometida no amor. 5) Surpresa; emboscada.

TRAI.ÇO.EI.RO (a-i ou ai) *adj.* 1) Relativo a traição. 2) Em que há traição. 3) Que é perigoso sem que o pareça. / *adj.* e *s.m.* 4) Que ou quem é desleal; traidor.

TRA.I.DOR (a-i...ô) *adj.* e *s.m.* 1) Que ou quem trai; traiçoeiro. / *adj.* 2) Que é perigoso mesmo sem parecer.

TRAILER (trêiler) *s.m. ingl.* 1) *Cin.* Exibição de pequenos trechos de filmes com fins publicitários montados para a próxima apresentação. 2) Reboque tipo casa, usado para acampamento e que se prende à traseira do automóvel.

TRAINING (trêinin) *s.m. ingl.* 1) Exercício de corrida. 2) Vestuário especial completo, de utilidade esportiva, principalmente para corrida e caminhada.

TRA.IR *v.t.d.* 1) Praticar traição; atraiçoar. 2) Entregar traiçoeiramente. 3) Cometer infidelidade a. 4) Apontar, denunciar. 5) Dar a entender por palavras o contrário do que se queria dizer.

TRA.JAR *v.t.d., v.i.* e *v.p.* Usar como vestuário; vestir(-se).

TRA.JE *s.m.* 1) Aquilo que se veste. 2) Roupa com a qual se veste habitualmente. 3) Vestuário próprio de uma profissão; vestimenta, trajo.

TRA.JE.TO *s.m.* 1) Espaço ou caminho entre dois pontos que alguém ou uma partícula qualquer tem de percorrer para se locomover de um determinado lugar a outro. 2) Itinerário. 3) Percurso. 4) Trajetória.

TRA.JE.TÓ.RIA *s.f.* 1) *Geom.* Linha formada por todos os pontos por onde um corpo passou quando de seu movimento. 2) Distância percorrida por um corpo ou partícula qualquer. 3) Caminho, estrada, trajeto, via.

TRA.LHA *s.f.* 1) Pequena rede de pescar que pode ser lançada ou armada por uma só pessoa. 2) Malha de rede. 3) *Bot.* Bagagem que acompanha um viajante. 4) Móveis velhos; cacarecos.

TRA.MA *s.f.* 1) Fios, que em um tecido se cruzam no sentido transversal da peça, conduzidos com a lançadeira através da trama ou urdidura da teia. 2) Fio de seda grosseira.

TRA.MAR *v.t.d.* 1) Fazer passar a trama por entre (os fios da urdidura). 2) Tecer ou entrelaçar. 3) Armar, maquinar. / *v.t.i.* 4) Conspirar. 5) Enredar, complicar.

TRAM.BI.QUE *s.m.* 1) *gír.* Conto do vigário; logro. 2) Negócio fraudulento; trapaça; barganha.

TRAM.BO.LHO (ô) *s.m.* 1) Qualquer objeto de peso que se prende aos pés dos animais domésticos para que não se afastem para muito longe. 2) *fig.* Embaraço, empecilho. 3) *Fam.* Pessoa muito gorda, com dificuldade para andar.

TRA.ME.LA *s.f.* 1) Mesmo que taramela. 2) Trava, geralmente de madeira, que gira presa a prego ou similar pregado em porta, janela, etc. para fechá-las. 3) Barbilho; estorvo. 4) *fig.* Tagarela, falador, linguarudo.

TRA.MI.TA.ÇÃO *s.f.* 1) Ato ou efeito de tramitar. 2) O mesmo que trâmite.

TRA.MI.TAR *v.i.* Seguir os trâmites (um documento, um processo), segundo as regras de procedimento ou via legal.

TRÂ.MI.TE *s.m.* 1) Caminho ou atalho que conduz a um lugar determinado; direção. 2) Via legal percorrida por uma questão até chegar à solução. 3) Caminho pelo qual um processo passa, segundo as regras de seu procedimento. 4) Meios apropriados.

TRA.MOI.A *s.f.* Armadilha, trapaça, trama, cambalacho.

TRA.MON.TA.NA *s.f.* 1) A estrela polar. 2) Vento ou direção norte. 3) Rumo, caminho.

TRAM.PO.LIM *s.m.* Prancha inclinada usada para saltos acrobáticos.

TRAN.CA *s.f.* 1) Barra de madeira ou ferro colocada nas portas, transversalmente pelo lado intertrança / transformismo

no, para impedi-las de abrir. 2) Correia ao redor do peito do cavalo que puxa o carro. / *s.2gên.* e *adj.2gên.* 3) Pessoa que estorva, medíocre, de mau caráter. 4) Pessoa avara.

TRAN.ÇA *s.f.* 1) Entrelaçamento de um conjunto de fios ou cabelos; trançado. 2) Galão provido de vestidos ou bordados. 3) Intriga, enredo.

TRAN.CA.FI.AR *v.t.d.* Aprisionar, trancar, prender.

TRAN.CAR *v.t.d.* 1) Impedir com tranca; não permitir acesso. 2) Encerrar, enclausurar. 3) Isolar em recinto fechado. 4) Cancelar ou riscar um escrito. / *v.t.i.* 5) Pôr o pé na frente do jogador adversário com intenções de derrubá-lo.

TRAN.ÇAR *v.t.d.* 1) Entrelaçar, fazer tranças. / *v.i.* 2) Na dança, cruzamento dos dançarinos em certa parte do fandango. 3) Andar para diversos lados sem parar.

TRAN.CO *s.m.* 1) Trote do cavalo. 2) Agitação, sobressalto, solavanco. 3) Impulso, empurrão.

TRAN.QUEI.RA *s.f.* 1) Cerca de madeira para reforçar. 2) Trincheira, porteira, tapume. 3) Galhos ou restos de capina que impedem o trânsito. 4) Traste velho e inútil.

TRAN.QUI.LI.DA.DE (qü) *s.f.* Qualidade ou estado de tranquilo.

TRAN.QUI.LI.ZAN.TE (üi) *adj.2gên.* 1) Tranquilizador. / *s.m.* 2) *Med.* Medicamento sedativo, calmante.

TRAN.QUI.LO (üi) *adj.* Sem agitação ou perturbação; brando, pacífico, calmo.

TRAN.SA (za) *s.f.* 1) *gír.* Trama, ligação, pacto, convívio, entendimento. 2) Relação amorosa ou sexual.

TRAN.SA.ÇÃO (za) *s.f.* 1) Pacto, acordo, combinação. 2) Operação de comércio. 3) Ato de transigir, transa.

TRAN.SA.CI.O.NAR (za) *v.i.* Negociar, contratar, vender.

TRAN.SAR (za) *v.t.d.* 1) *gír.* Falar de alguém, combinar. / *v.t.i.* 2) Ter transa. / *v.i.* 3) Ter relação sexual com alguém.

TRAN.SA.TLÂN.TI.CO (za) *adj.* 1) Que atravessa e se localiza além do Atlântico. / *s.m.* 2) Navio de proporções enormes.

TRANS.BOR.DAR *v.t.d.* 1) Derramar, expandir. / *v.t.i.* 2) Demasiar, superabundar. / *v.i.* 3) Sem moderação; ultrapassar o limite. / *v.t.d.* e *v.i.* 4) Exceder as bordas, extravasar.

TRANS.CEN.DÊN.CIA *s.f.* 1) Qualidade ou estado de transcendente. 2) Superioridade de inteligência; perspicácia. 3) *Filos.* Na tradição metafísica, existência de uma realidade que está além do mundo sensível.

TRANS.CEN.DEN.TE *adj.2gên.* 1) Que se eleva acima dos outros; superior, sublime. 2) Que vai além da natureza física das coisas; metafísico. 3) Que ultrapassa a capacidade normal de conhe-

cer ou compreender. 4) *Filos.* Que diz respeito a uma realidade superior, além da realidade sensível.

TRANS.CEN.DER *v.t.d.* e *v.t.i.* 1) Ir além de; ultrapassar, exceder. / *v.t.d.* 2) Ser superior a; superar. / *v.p.* 3) Ultrapassar suas limitações; superar(-se).

TRANS.COR.RER *v.i.* 1) Decorrer, seguir. / *v.t.d.* 2) Passar o tempo; cruzar.

TRANS.CRE.VER *v.t.d.* 1) Copiar textualmente. 2) Fazer a transferência, a reprodução; transladar.

TRANS.CRI.ÇÃO *s.f.* 1) Ato de transcrever. 2) *Mús.* Escrever para um instrumento o trecho de música escrito para instrumento de outra tonalidade.

TRAN.SE (ze) *s.m.* 1) Estado de angústia ou euforia que causa anormalidade comportamental. 2) Alteração da consciência durante culto religioso. 3) Momento crítico, aflição, agonia, êxtase. 4) Estado de inspiração no qual mergulha um artista.

TRAN.SE.UN.TE (ze-un) *adj.2gên.* 1) Temporário, passageiro, transitório. / *adj.2gên.* e *s.2gên.* 2) Que ou quem transita por um lugar.

TRAN.SE.XU.AL *adj.2gên.* 1) Referente a transexualismo. / *s.2gên.* 2) Pessoa que apresenta transexualismo ou que é identificada à primeira vista como sendo do sexo oposto. 3) Pessoa que faz operação para mudar de sexo.

TRANS.FE.RÊN.CIA *s.f.* 1) Ato ou efeito de transferir(-se). 2) Troca de um lugar para outro. 3) Adiamento, suspensão. 4) *Inform.* Movimentação de dados em um computador. 5) *Jur.* Transmissão de um bem ou um direito para outra pessoa.

TRANS.FE.RI.DOR (ô) *adj.* 1) Que transfere. / *s.m.* 2) Aquele que transfere. 3) Instrumento semicircular, com o limbo dividido em graus, próprio para medir ou traçar ângulos.

TRANS.FE.RIR *v.t.d.* 1) Deslocar de um lugar para outro; remover; mudar. 2) Adiar; espaçar. 3) Ceder. 4) Transmitir. / *v.t.d.* e *v.p.* 5) Fazer passar-se de um lugar para outro; mudar(-se), deslocar(-se), transportar(-se).

TRANS.FI.GU.RAR *v.t.d.* 1) Alterar ou modificar a figura, o caráter, o aspecto ou formato de; transformar. / *v.p.* 2) Mudar de figura, converter-se, transformar-se.

TRANS.FOR.MA.ÇÃO *s.f.* Ato ou efeito de transformar(-se); alteração, mudança.

TRANS.FOR.MAR *v.t.d.* 1) Modificar a forma de. 2) Dar nova forma a. 3) Fazer metamorfose. 4) Transfigurar. 5) Tornar diferente do que era; alterar; converter, mudar. / *v.p.* 6) Converter-se. 7) Tomar outra forma. 8) Disfarçar-se, camuflar-se.

TRANS.FOR.MIS.MO *s.m. Biol.* Doutrina de Darwin, segundo a qual admite-se que todas as espécies vivas derivam umas das outras, por uma série de transformações, determinadas pelas condições de vida, seleção natural, clima, etc.; darwinismo, evolucionismo.

TRANS.FOR.MIS.TA *s.2gên.* 1) Ator que interpreta diversos personagens em um espetáculo, mudando de trajes para caracterizá-los. 2) Travesti. / *adj.2gên.* 3) Diz-se desse ator ou desse travesti.

TRÂNS.FU.GA *s.2gên.* 1) *Mil.* Pessoa que foge das obrigações ou da luta, repudia a sua bandeira e passa às fileiras inimigas; desertor. 2) Pessoa que desiste do seu partido, das suas obrigações, da sua família, etc.

TRANS.FUN.DIR *v.t.d.* 1) Transferir (um líquido), fazendo-o passar de um recipiente ou vaso para outro; transvasar. 2) Difundir, espalhar, introduzir, inocular.

TRANS.FU.RAR *v.t.d.* Furar de um lado ao outro lado.

TRANS.FU.SÃO *s.f.* 1) Ato ou efeito de transfundir. 2) *Med.* Processo pelo qual se injeta (sangue, plasma, etc.), retirado de uma pessoa sã, diretamente nas veias do paciente.

TRANS.GÊ.NI.CO *adj.* Diz-se de organismo que contém genes de outra espécie.

TRANS.GRE.DIR *v.t.d.* 1) Desobedecer, não cumprir, violar (a lei, as regras, etc.); infringir. 2) Ultrapassar os limites; atravessar.

TRANS.GRES.SÃO *s.f.* Ato ou efeito de transgredir.

TRANS.GRES.SOR *adj.* e *s.m.* Que ou quem transgride; infrator.

TRAN.SI.ÇÃO (zi) *s.f.* 1) Ação ou resultado de transitar. 2) Passagem de um assunto, situação, lugar, de um tratamento, etc., para outro. 3) Período de mudança de um governo, de uma situação ou estado para outro governo.

TRAN.SI.GÊN.CIA (zi) *s.f.* 1) Ato ou efeito de transigir. 2) Condescendência, tolerância.

TRAN.SI.GEN.TE (zi) *adj.2gên.* e *s.2gên.* Que ou aquele que transige; condescendente.

TRAN.SI.GIR (zi) *v.i.* 1) Chegar a um acordo, harmonizar, ceder, concordar, condescender, perdoar. / *v.t.i.* 2) Compor-se, contemporizar. / *v.t.d.* 3) Fazer chegar a um acordo, conciliar.

TRAN.SI.TAR (zi) *v.t.d.* 1) Percorrer, viajar, caminhar, passar por. / *v.t.i.* 2) Andar, passar, trafegar. 3) Mudar de lugar, estado ou condição.

TRAN.SI.TI.VO (zi) *adj.* 1) Que cruza ou passa; efêmero, breve. 2) *Gram.* Diz-se dos verbos de conteúdo significativo que, por não terem sentido completo, exigem um complemento para compor o predicado.

TRÂN.SI.TO (zi) *s.m.* 1) Ação ou efeito de andar ou caminhar; tráfego. 2) Via, trajeto, fluxo. 3) O tráfego de pedestres e veículos em movimento que circulam nas cidades ou nas rodovias e estradas. 4) *Topogr.* Aparelho que serve para medir ângulos horizontais.

TRAN.SI.TÓ.RIO (zi) *adj.* 1) De pouca duração; efêmero, passageiro. 2) Mortal.

TRANS.LA.ÇÃO *s.f.* 1) Ato ou efeito de transladar. 2) Transladação, transporte. 3) *Ret.* Metáfora.

4) *Astr.* Movimento dos astros ao redor do centro de seu sistema.

TRANS.LA.TO *adj.* 1) Trasladado, copiado. 2) *Gram.* Metafórico, figurado (sentido).

TRANS.LI.TE.RAR *v.t.d.* Representar uma letra de um vocábulo por outra correspondente em outra língua.

TRANS.LÚ.CI.DO *adj.* Que permite a passagem da luz, sem possibilitar a visão de objetos.

TRANS.LU.ZIR *v.t.d.* 1) Irradiar luz através de. 2) Luzir através de um corpo. 3) Mostrar-se através de alguma coisa, transparecer. / *v.p.* 4) Refletir-se, manifestar-se.

TRANS.MI.GRA.ÇÃO *s.f.* 1) Ato de transmigrar. 2) Passagem da alma de um corpo a outro.

TRANS.MIS.SÃO *s.f.* 1) Ato de transmitir. 2) Passagem de energia de um equipamento para outro.

TRANS.MIS.SOR (ô) *s.m.* Aparelho que transmite ondas eletromagnéticas através do espaço.

TRANS.MI.TIR *v.t.d.* 1) Conduzir, transportar. 2) Passar por um circuito. 3) Propagar. 4) Enviar, expedir. 5) Comunicar, noticiar, informar.

TRANS.MU.DAR *v.t.d.* 1) Alterar o lugar, mudar. 2) Transferir. / *v.p.* 3) Converter-se, transformar, variar. 4) Modificar-se.

TRANS.PA.RE.CER *v.i.* 1) Exibir ou mostrar parcialmente. / *v.t.i.* 2) Revelar-se, manifestar-se.

TRANS.PA.RÊN.CIA *s.f.* 1) O que é transparente. 2) Característica de deixar passar luz. 3) *fig.* Clareza, limpidez. 4) Folha transparente na qual se estampam textos, desenhos, etc. para projeção.

TRANS.PA.REN.TE *adj.2gên.* 1) Material que deixa passar luz, podendo ver objetos através dele; diáfano. 2) *fig.* Claro, evidente. / *s.m.* 3) Quantidade de tela branca para experiências ópticas.

TRANS.PAS.SAR *v.t.d.* e *v.t.d.i.* 1) Furar de parte a parte; atravessar, perfurar. / *v.t.d.* 2) Passar para o outro lado de; transpor. 3) Ir além de; ultrapassar. 4) Fechar (saia, cinto, roupão, etc.), passando uma parte sobre a outra.

TRANS.PI.RA.ÇÃO *s.f. Fisiol.* 1) Eliminação de suor pelos poros do corpo. 2) Suor.

TRANS.PI.RAR *v.i.* 1) Emitir suor pelos poros do corpo. 2) Tornar-se de conhecimento público; divulgar-se. / *v.t.d.* 3) Sair do corpo através da exalação; respirar. 4) Emitir, desprender.

TRANS.PLAN.TAR *v.t.d.* 1) Transferir uma planta de um lugar a outro. 2) Transferir, renovar. 3) Colocar um órgão de uma pessoa, ou parte dele, em outra.

TRANS.PLAN.TE *s.m.* 1) Ação de fazer transplante. 2) *Med.* Operação que consiste em transferência de órgão ou parte dele, de algum lugar para outro do mesmo organismo, ou de certo organismo vivo ou morto para outro organismo.

TRANS.POR *v.t.d.* 1) Deixar atrás; ultrapassar. 2) Galgar, saltar. 3) Exceder, cruzar além de. 4) Vencer. 5) Trocar a ordem ou função de.

TRANS.POR.TA.DO.RA *s.f.* Nome genérico das empresas que se dedicam ao transporte de cargas.
TRANS.POR.TAR *v.t.d.* 1) Carregar de um lugar para outro; trasladar. 2) Inverter ou alterar a posição de. 3) Arrebatar, enlevar. 4) Transpor.
TRANS.POR.TE *s.m.* 1) Ato ou efeito de transportar-se; transportação, transportamento. 2) Deslocamento. 3) Qualquer veículo utilizado para transportar.
TRANS.TOR.NAR *v.t.d.* 1) Alterar, desmanchar ou desorganizar a ordem ou a colocação de; desordenar. 2) Atrapalhar; confundir. 3) Fazer mudar de opinião; influenciar.
TRANS.TOR.NO (ô) *s.m.* 1) Ato ou efeito de transtornar(-se). 2) Contrariedade, decepção.
TRANS.VA.SAR *v.t.d.* 1) Fazer passar (líquido) de um vaso para outro. 2) Decantar, trasfegar. 3) *Var.* Trasvasar.
TRANS.VA.ZAR *v.t.d.* 1) Despejar; esvaziar. / *v.p.* 2) Deitar(-se), pôr fora, entornar(-se), verter(-se).
TRANS.VER.SAL *adj.2gên.* 1) Que está disposto de forma atravessada ou inclinada. 2) Que cruza de través. 3) Que segue direção transversa ou oblíqua.
TRANS.VER.TER *v.t.d.* 1) Transformar. 2) Converter, modificar. 3) Traduzir, verter. / *v.p.* 4) Transtornar(-se); transformar(-se).
TRA.PA.ÇA *s.f.* 1) Negócio doloso, fraudulento. 2) Cambalacho, dolo, fraude, logro.
TRA.PA.CE.AR *v.i.* 1) Fazer trapaça. / *v.t.d.* 2) Fazer fraude em.
TRA.PA.CEI.RO *adj. e s.m.* Que ou quem faz trapaças; vigarista.
TRA.PA.LHA.DA *s.f.* 1) Confusão, desordem. 2) Trampolina, velhacaria.
TRA.PA.LHÃO *adj.* 1) Andrajoso; malvestido. 2) Que se atrapalha ou que atrapalha os outros. / *s.m.* 3) Frangalho. 4) Indivíduo malvestido. 5) Trapo grande.
TRA.PEI.RA *s.f.* 1) Abertura ou janela sobre o telhado. 2) Alçapão ou armadilha para caça. 3) Água-furtada. 4) Abundância de trapos.
TRA.PEI.RO *s.m.* Indivíduo que negocia com trapos ou com papéis velhos.
TRA.PÉ.ZIO *s.m.* 1) *Geom.* Polígono de quatro lados ou quadrilátero em que apenas dois lados são paralelos, com medidas diferentes; trapezoide. 2) Aparelho balouçante constituído por uma barra de natureza resistente e suspensa por duas cordas ou peças verticais para exibição de ginastas e acrobatas de circo.
TRA.PO *s.m.* 1) Roupa velha em estado imprestável. 2) Tecido velho; farrapo. 3) Fragmento de roupa usada. 4) Roupas surradas ou pisadas. 5) Rodilha. 6) Pessoa velha, cansada; caco; traste.
TRA.QUI.NA *adj.2gên. e s.2gên.* 1) Criança ou pessoa inquieta, agitada. 2) Buliçoso, travesso, arteiro.

TRA.QUI.NAR *v.i.* 1) Fazer travessuras. 2) Mostrar-se inquieto, agitado. 3) Fazer barulho.
TRÁS *adv.* 1) Atrás, detrás. 2) Após, depois, em seguida. / *interj.* 3) Voz que designa pancada ruidosa. / *loc. prep.* 4) Ficar por trás de, às escondidas.
TRA.SAN.TE.ON.TEM *adv.* No dia anterior ao de anteontem.
TRAS.BOR.DAR *v.t.d., v.t.i. e v.i.* 1) Fazer transbordar, derramar. 2) Pôr além das bordas. 3) Exceder. 4) Entornar ou despejar.
TRA.SEI.RA *s.f.* A parte de trás ou posterior.
TRA.SEI.RO *s.m.* 1) Que está detrás; que fica na parte posterior. 2) *pop.* Nádegas.
TRAS.LA.DA.DO *adj.* 1) Transportado ou levado de um lugar para outro. 2) Reproduzido ou copiado, transcrito. 3) Adiado, transferido. 4) Traduzido. 5) Translato.
TRAS.LA.DO *s.m.* 1) Ato ou efeito de trasladar. 2) Transcrição. 3) Cópia, modelo, retrato, etc. 4) *Jur.* Cópia exata de cartório, tirada de instrumento escrito no livro próprio.
TRAS.PAS.SAR *v.t.d.* 1) Atravessar, escalar ou galgar; transpor. 2) Transfixar, perfurar, furar. 3) Afligir, magoar, torturar. 4) Transferir a outrem (por contrato de aluguel ou venda) um bem; arrendar, sublocar, vender. 5) Desprezar, violar. 6) Ultrapassar além do que é admitido. 7) Fazer esmorecer, desfalecer. 8) Passar para além, morrer. 9) Traduzir, verter. 10) Copiar. 11) *Var.* Transpassar.
TRAS.TE *s.m.* 1) Móvel de uso caseiro ou utensílio velho em estado precário ou de pouco valor; apetrecho. 2) *pop.* Indivíduo de mau caráter. 3) *pop.* Maroto, velhaco, tratante. 4) Diz-se de pessoa inútil.
TRA.TA.DIS.TA *s.2gên.* 1) Escritor de tratado, que pode ser sobre temas científicos ou assuntos internacionais. 2) Pessoa que escreve tratado.
TRA.TA.DO *adj.* 1) Que se tratou. 2) Ajustado, estabelecido. 3) Posto em acordo. 4) Medicado. 5) Cuidado. / *s.m.* 6) Obra que expõe ou desenvolve a respeito de uma ciência ou arte. 7) Acordo ou pacto internacional referente a comércio, paz, etc. 8) Convênio, convenção.
TRA.TA.MEN.TO *s.m.* 1) Ato ou efeito de tratar (-se); trato. 2) Acolhimento. 3) Conjunto de medicamentos ou técnicas terapêuticos para cura ou alívio do doente. 4) Alimentação, passadio. 5) Título honorífico ou de graduação.
TRA.TAN.TE *adj.2gên. e s.2gên.* Que ou pessoa que trata de qualquer coisa de forma enganosa, empregando ardis e velhacarias, ou procede dessa maneira.
TRA.TAR *v.t.d.* 1) Prestar cuidados, acolher, receber. 2) Dar refeições, alimentar, nutrir. 3) Procurar curar; dar tratamento prescrito ou aconselhado; medicar. 4) Ajustar; combinar; pactuar. 5) Fazer

trato

uso; manusear; praticar. 6) Dar certo título ou tratamento a. 7) Debater, discutir.

TRA.TO *s.m.* 1) Tratamento. 2) Acordo, combinação, tratado. 3) Delicadeza, cortesia, educação.

TRA.TOR (ô) *s.m.* Veículo motorizado que serve para puxar implementos agrícolas como arados, grades de discos, carretas, etc.

TRAU.MA *s.m.* 1) Pancada, traumatismo. 2) Impacto ou choque moral ou emocional capaz de causar uma neurose. 3) *Med.* Conjunto dos distúrbios físicos ou psíquicos, ocasionados por uma violência exterior.

TRAU.MÁ.TI.CO *adj.* Relativo a trauma.

TRAU.MA.TIS.MO *s.m.* 1) *Med.* Lesão corporal causada por um agente externo. 2) *fig.* Sofrimento moral.

TRAU.MA.TI.ZAR *v.t.d.* e *v.p.* Causar ou sofrer trauma.

TRA.VA *s.f.* 1) Ato de travar. 2) *Mec.* Freio. 3) Obstáculo que prende os pés dos animais, evitando-os de andar; peia.

TRA.VA.DO *adj.* 1) Que se travou. 2) Peado, preso. 3) Emaranhado, ligado. 4) Que não tem destreza na língua; gago. 5) Passo amenizado. 6) Atropelado. 7) Encarniçado, renhido.

TRA.VAR *v.t.d.* 1) Frear; segurar; fazer parar com qualquer dispositivo usado para conter movimento. 2) Prender com trava o animal. 3) Impedir agarrando ou prendendo. 4) Entrelaçar, tramar, emaranhar. 5) Obstruir; preencher. 6) Questionar, empenhar-se em (discussão, luta). 7) Inclinar (os dentes da serra) alternadamente. / *v.t.i.* 8) Lançar mão, puxar, segurar. / *v.i.* 9) Ter gosto amargo ou adstringente; amargar. / *v.p.* 10) Unir-se; juntar-se. 11) Empenhar-se; irromper.

TRA.VE *s.f.* 1) *Constr.* Viga de grandes dimensões que sustenta o teto ou o sobrado de uma construção ou de edifícios. 2) Cada uma das barras de baliza de futebol.

TRA.VÉS *s.m.* 1) Esguelha; obliquidade; soslaio. 2) Declive; flanco. 3) Travessa ou peça de madeira atravessada.

TRA.VES.SA *s.f.* 1) Peça de madeira cruzada sobre outras; través, viga. 2) Rua estreita transversal, entre duas ruas mais importantes. 3) Galeria subterrânea que liga duas outras.

TRA.VES.SÃO *s.m.* 1) Traço horizontal (—), mais extenso que o hífen, usado para separar palavras ou frases, substituir parênteses, distinguir nos diálogos cada um dos interlocutores e evitar a repetição de um termo já mencionado. 2) Espécie de recife que vai de uma à outra margem do rio. 3) Travessa grande. 4) Os dois braços de uma balança.

TRA.VES.SEI.RO *s.m.* Espécie de almofada que se coloca sobre o colchão para apoiar e descansar a cabeça durante o deitar.

TRA.VES.SI.A *s.f.* 1) Ação ou efeito de atravessar determinado trecho no espaço, lugar ou região, um mar, rio, lago, continente, etc.; travessa.

trema

2) Vento forte e contrário à navegação. 3) Ato de atravessar mercadorias.

TRA.VES.SO (ê) *adj.* 1) Colocado de través; oblíquo; soslaio. 2) Atravessado; colateral, transverso. 3) Tendente à prática de travessuras ou safadezas. 4) Buliçoso, espertalhão, inquieto; trêfego. 5) Agitado, impossível. 6) *fig.* Diz-se do olhar engraçado; vivo.

TRA.VES.SU.RA *s.f.* 1) Ação ou procedimento de pessoa travessa; traquinice. 2) Desenvoltura, esperteza, malícia.

TRA.VES.TI *s.2gên.* 1) Pessoa que usa vestes do sexo oposto ao se apresentar em espetáculos de teatro. 2) Disfarce. 3) Homossexual que se veste com roupa do sexo oposto.

TRA.ZER *v.t.d.* 1) Conduzir ou transportar (qualquer coisa) para cá onde está o falante. 2) Fazer-se acompanhar de. 3) Levar de um lugar para outro; ter consigo. 4) Acompanhar, guiar. 5) Ser portador de. 6) Herdar. 7) Oferecer, dar, ofertar. 8) Atrair, chamar, convidar.

TRE.CHO (ê) *s.m.* 1) Espaço ou intervalo de tempo. 2) Extensão ou distância de um lugar a outro. 3) Fração ou pedaço de uma obra literária, musical ou artística; excerto, extrato, fragmento.

TRE.CO *s.m. pop.* 1) Objeto cujo nome é desconhecido ou não se quer dizer; coisa, troço, trem. 2) Qualquer perturbação da saúde; mal-estar.

TRÉ.GUA *s.f.* 1) Interrupção ou suspensão temporária de resistência ou guerra. 2) Cessação temporária de trabalho, dor, incômodo, etc. 3) Férias, descanso.

TREI.NA.DOR (ô) *adj.* e *s.m. Esp.* 1) Diz-se de ou profissional que instrui ou treina um atleta ou time. 2) Que ou quem dirige um time; técnico.

TREI.NA.MEN.TO *s.m.* 1) Ato ou efeito de treinar. 2) Treino.

TREI.NAR *v.t.d.* 1) Exercitar a ponto de ser apto para certas atividades. 2) Adestrar ou submeter a treino. / *v.i.* 3) Exercitar-se para jogos desportivos ou para certos fins.

TREI.NO *s.m.* 1) Exercício ou exercícios progressivos para uma competição esportiva, um apuro físico ou intelectual. 2) Prática, adestramento, ensaio.

TRE.JEI.TAR *v.t.d.* 1) Fazer em trejeitos. / *v.i.* 2) Fazer trejeitos ou gestos ridículos.

TRE.JEI.TO *s.m.* 1) Gesto. 2) Careta, momice. 3) Cacoete; tique. 4) Manobra; prestidigitação.

TRE.LA *s.f.* 1) Conversa, tagarelice. 2) Liberdade; licença; dar confiança. 3) Travessura. 4) Correia de couro com que se prende o cão de caça.

TREM *s.m.* 1) Série de vagões puxada por uma locomotiva; comboio ferroviário. 2) Conjunto das bagagens de um viajante. 3) Cortejo; comitiva. 4) Conjunto dos móveis de uma casa; mobília. 5) Bateria de cozinha. 6) *fig.* Indivíduo inútil; traste. 7) *pop.* Coisa, treco.

TRE.MA *s.m.* Sinal gráfico constituído de dois pontos dispostos horizontalmente (¨), colocados tremedeira

tridente

sobre a vogal "u" dos grupos que/qui e gue/gui, indicando que ela deve ser pronunciada. Com a reforma ortográfica, o trema deixou de ser utilizado em palavras portuguesas e aportuguesadas.

TRE.ME.DEI.RA *s.f.* 1) *pop.* Grande medo; pavor. 2) *Med.* Agitação do corpo; tremor, tremura.

TRE.ME.LI.CAR *v.i.* 1) Tremor causado pelo susto ou pelo frio; tiritar. 2) Tremer de modo frequente, inúmeras vezes.

TRE.ME.LI.QUE *s.m.* Ato ou efeito de tremer.

TRE.ME.LU.ZIR *v.i.* Brilhar com luz trêmula.

TRE.MEN.DO *adj.* 1) Que causa temor. 2) Formidável; horrível, terrífico. 3) Apavorante. 4) Admirável, respeitável. 5) Fora do comum.

TRE.MER *v.t.d.* 1) Ter medo de, recear, temer. 2) Estremecer; fazer vibrar, oscilar, sacudir, etc.

TRE.MOR (ô) *s.m.* 1) Ato ou efeito de tremer. 2) *Med.* Agitação convulsiva e involuntária do corpo; tremedeira, tremura. 3) Medo, receio; temor ou paixão forte, que resultam em arrepios do corpo.

TRE.MU.LAR *v.t.d.* 1) Agitar de forma trêmula. 2) Mover com tremor. 3) Desfraldar. 4) Vibrar. / *v.i.* 5) Agitar-se, mexer-se tremendo. 6) Cintilar, tremeluzir.

TRÊ.MU.LO *adj.* 1) Que treme; tremulante. 2) Hesitante, perplexo, inseguro. 3) Cintilante; fulgente. / *s.m.* 4) *Mús.* Vibração obtida pela repercussão rápida do mesmo som.

TRE.NA *s.f.* 1) Fita de seda para prender o cabelo. 2) Fita métrica longa, empregada na medição de terrenos; ou curta, usada por profissionais como alfaiate e outros.

TRE.NÓ *s.m.* Veículo com esquis em vez de rodas, próprio para deslizar sobre gelo ou neve.

TRE.PA.DEI.RA *s.f. Bot.* Planta que cresce apoiando-se em outras plantas ou sobre muros, cercas, etc.

TRE.PAR *v.t.i.* 1) Subir em algo, agarrando-se com as mãos e os pés. / *v.t.i.* e *v.i.* 2) Subir ao longo de.

TRE.PI.DA.ÇÃO *s.f.* 1) Ato ou efeito de trepidar. 2) Movimento vibratório, como num veículo em movimento sobre trecho de paralelepípedos, etc. 3) Tremor dos nervos; tremura. 4) Ligeiro abalo sísmico.

TRE.PI.DAR *v.i.* 1) Causar ou sofrer trepidação. 2) Estremecer, vibrar. 3) Tremer de medo ou susto. / *v.t.i.* 4) Oscilar, vacilar.

TRÉ.PLI.CA *s.f.* 1) Ação de treplicar. 2) Resposta a uma réplica.

TRÊS *num.* 1) Quantidade que representa uma unidade maior que dois ou dois mais um. 2) Número que corresponde a essa unidade. Em algarismos arábicos 3, e em romanos, III. 3) O terceiro de uma ordem ou de uma classe.

TRES.LOU.CA.DO *adj.* e *s.m.* Louco, doido, desvairado.

TRES.VA.RI.O *s.m.* Ausência de razão, de lucidez.

TRE.TA *s.f.* 1) *Por ext.* Recurso ardiloso para se conseguir algo; astúcia, estratagema. 2) Destreza na esgrima.

TRE.VAS *s.f. pl.* 1) Noite. 2) Escuridão absoluta. 3) *fig.* Diz-se do modo de vida daquele que vive sem sabedoria; ignorância. 4) Vida pecaminosa. 5) *Liturg.* Os três dias da Semana Santa em que não se deixa entrar luz nas igrejas.

TRÍ.A.DE *s.f.* 1) Conjunto de três pessoas ou três coisas; trindade. 2) Trio; terno; trilogia; tríada. 3) *Mús.* Acorde de três sons.

TRI.A.GEM *s.f.* Separação, seleção.

TRI.AN.GU.LAR *adj.2gên.* 1) Que tem três ângulos. 2) Que tem feitio de triângulo. / *v.t.d.* 3) Dividir em triângulos.

TRI.ÂN.GU.LO *s.m.* 1) *Geom.* Polígono de três ângulos e de três lados. 2) Espécie de esquadro; régua perpendicular.

TRI.BO *s.f.* 1) Conjunto de famílias peregrinas, geralmente da mesma origem, que obedecem a um chefe. 2) Aldeia; povoado. 3) *Zool.* e *Bot.* Sociedade rudimentar.

TRI.BU.LA.ÇÃO *s.f.* 1) Martírio, desventura. 2) Sofrimento; amargura, aflição. 3) Trabalho penoso.

TRI.BU.NA *s.f.* 1) Arte de discursar em público; eloquência. 2) Espaço elevado de onde falam os oradores. 3) Lugar de destaque, reservado para pessoas importantes ou autoridades nos ambientes de reuniões. 4) Departamento nobre da arquibancada, em certos estádios. 5) Púlpito. 6) Palanque.

TRI.BU.NAL *s.m.* 1) Casa das audiências onde se julgam questões judiciais. 2) Cadeira de juiz ou magistrado. 3) Tudo que julga. 4) A sessão em que se julga. 5) Lugar onde uma pessoa é julgada. 6) Jurisdição de juízes que julgam coletivamente os feitos que já foram julgados em instância inferior. 7) Entidade moral que pode formar juízo e considerar-se juiz.

TRI.BU.TAR *v.t.d.* 1) Atribuir tributos ou impostos a. 2) Dedicar ou prestar a alguém homenagem, tributo, etc. 3) Pagar como tributo. / *v.p.* 4) Tornar-se tributário de. 5) Contribuir.

TRI.BU.TO *s.m.* 1) Quantia monetária obrigatória devida ao poder público; imposto. 2) Aquilo que um Estado paga a outro em sinal de dependência. 3) Taxa ou alíquota lançada ao povo pelos governos; contribuição. 4) *fig.* Aquilo que se é obrigado a sofrer. 5) Aquilo que se concede por hábito ou necessidade. 6) Homenagem.

TRI.CI.CLO *s.m.* 1) Antigo veículo com três rodas, usado para fazer pequenas entregas. 2) Velocípede de três rodas.

TRI.CÔ *s.m.* Tecido de malhas entrelaçadas.

TRI.CO.TAR *v.t.d.* e *v.i.* 1) Fazer tricô, confeccionar com tricô. / *v.i.* 2) *fig.* Fazer intrigas e mexericos.

TRI.DEN.TE *s.m.* 1) Forquilha ou forcado de três dentes. 2) *Mit.* O cetro de Netuno, divindade mitológica dos mares. / *adj.2gên.* 3) Que tem três dentes.

tridimensional | tripudiar

TRI.DI.MEN.SI.O.NAL *adj.2gên.* Relativo a três dimensões (comprimento, largura e altura).

TRI.E.DRO *s.m. Geom.* Poliedro de três planos que se cortam e que são limitados nas suas interseções.

TRI.Ê.NIO *s.m.* 1) Período igual a três anos contínuos. 2) Intervalo de tempo igual a três anos. 3) Exercício de um cargo por três anos.

TRI.FÁ.SI.CO *adj. Eletr.* Diz-se das correntes elétricas alternadas que circulam em três fases independentes.

TRI.FOR.ME *adj.2gên.* Que tem três formas.

TRI.FUR.CAR *v.t.d. e v.p.* 1) Dividir(-se) em três partes ou ramos. / *v.p.* 2) Distribuir-se de maneira tríplice.

TRI.GAL *s.m.* Lavoura ou plantação de trigo; seara.

TRI.GÊ.MEO *adj. e s.m.* Diz-se de ou cada um dos três indivíduos nascidos do mesmo parto.

TRI.GÉ.SI.MO (zi) *num.* 1) Ordinal e fracionário que equivale a 30. / *s.m.* 2) Cada uma das 30 partes em que se divide um todo.

TRI.GO *s.m. Bot.* Planta herbácea da família das Gramíneas, de cultivo anual, cujo grão, de mesmo nome, fornece o principal ingrediente (a farinha), para fazer pão, massas, etc. 2) O grão dessa planta.

TRI.GO.NO.ME.TRI.A *s.f.* Ramo da Matemática cujo objeto é o estudo das funções circulares elementares (seno, cosseno, tangente, etc.) e o estabelecimento de métodos de resolução dos triângulos.

TRI.LAR *v.t.d. e v.i.* Cantar em trilos; trinar; gorjear.

TRI.LA.TE.RAL *adj.2gên.* Que apresenta três lados; trilátero.

TRI.LHA *s.f.* 1) Ato ou efeito de trilhar. 2) Pista, vestígio. 3) Trilho, vereda; senda. 4) *fig.* Modelo, exemplo.

TRI.LHAR *v.t.d.* 1) Debulhar cereais, esbagoar. 2) Esmigalhar; estilhaçar. 3) Moer, triturar; esfarelar. 4) Bater, esmagar. 5) Abrir caminho por. 6) Seguir uma direção; percorrer.

TRI.LHO *s.m.* 1) Caminho estreito; trilha; atalho. 2) Picada, senda, vereda. 3) Princípio, regra, exemplo. 4) Carril de ferro, sobre o qual andam bondes, trens e outros transportes. 5) Resquício, vestígio.

TRI.LO *s.m. Mús.* 1) Som produzido por apito. 2) Articulação alternada de duas notas que dista entre si um tom ou um semitom. 3) Trino; gorjeio.

TRI.LO.GI.A *s.f.* 1) Obra científica ou literária dividida em três partes. 2) Trindade, tríade. 3) Terno; trio.

TRI.MEN.SAL *adj.2gên.* 1) Que se realiza três vezes por mês. 2) Que tem a duração de três meses.

TRI.MES.TRE *s.m.* Período de três meses.

TRI.NA.DO *s.m.* 1) Ato de trinar; gorjeio, trino; trilo. 2) *Mús.* Articulação rápida e alternada de duas notas seguidas.

TRI.NAR *v.t.d.* 1) Gorjear, trilar; exprimir ou cantar com trinos. / *v.i.* 2) Lançar trinos. 3) *Mús.* Ferir tremulamente as cordas de um instrumento.

TRIN.CA *s.f.* 1) Fenda, fresta; fratura. 2) Reunião de três coisas equivalentes. 3) Grupo de indivíduos da mesma laia. 4) Trio.

TRIN.CAR *v.t.d.* 1) Cortar com os dentes, fazendo estalar ou produzir ruído. 2) Morder; dilacerar. 3) Trancar com trinco. / *v.t.d. e v.i.* 4) *pop.* Comer, devorar; petiscar. / *v.i.* 5) Produzir som metálico; tinir.

TRIN.CHA *s.f.* 1) Espécie de pincel largo, muito usado em pinturas, especialmente com a cal. 2) Utensílio para arrancar pregos. 3) Enxó de carpinteiro. 4) Apara.

TRIN.CHEI.RA *s.f.* 1) Escavação que se faz no solo em forma de vala para que a terra escavada, dali tirada, sirva de parapeito aos combatentes. 2) Local de defesa. 3) Parapeito. 4) Baluarte. 5) *fig.* Proteção, abrigo.

TRIN.CO *s.m.* 1) Pequena tranca de mola acionada por maçaneta ou chave com a qual se fecham portas. 2) Fechadura que possui essa tranca. 3) Som produzido por essa tranca.

TRIN.DA.DE *s.f.* 1) Conjunto de três coisas, seres, entidades, etc. 2) *Rel.* Na doutrina católica, Pai, Filho e Espírito Santo; Santíssima Trindade.

TRI.NE.TO *s.m.* Filho de bisneto ou de bisneta.

TRI.NO *adj.* 1) Que é composto de três. 2) Diz-se especialmente de Deus com relação à Trindade. 3) Referente ao governo regido por três pessoas. / *s.m.* 4) Trinado, gorjeio. 5) *Mús.* Trilo.

TRI.NÔ.MIO *s.m.* 1) *Mat.* Expressão algébrica composta de três termos. 2) Aquilo que tem três termos ou partes.

TRIN.TÃO *adj. e s.m.* Que ou aquele que já está na casa dos 30 anos.

TRI.O *s.m.* 1) *Mús.* Composição instrumental ou vocal para três executantes. 2) Conjunto ou grupo de três pessoas ou de três instrumentos.

TRI.PA *s.f.* 1) Intestino de animal. 2) *Fam.* Intestino humano. 3) Bucho.

TRI.PÉ *s.m.* 1) Suporte portátil de três pés, sobre o qual se coloca a máquina fotográfica, o telescópio, etc.; tripeça. 2) Qualquer armação de três escoras ou pés.

TRI.PLI.CAR *v.t.d.* 1) Tornar triplo. 2) Tresdobrar. / *v.i. e v.p.* 3) Tornar-se triplo. 4) Multiplicar-se. 5) Tresdobrar-se.

TRÍ.PLI.CE *num.* 1) Triplo. / *adj.2gên.* 2) Que consta de três elementos ou se efetua em três etapas.

TRI.PLO *num.* 1) Que contém três vezes uma quantidade; tríplice. 2) Multiplicado por três. / *s.m.* 3) Qualquer coisa triplicada. 4) Quantidade multiplicada três vezes.

TRI.PU.DI.AR *v.i.* 1) Dançar ou saltar, batendo com os pés no chão; sapatear. 2) Triunfar, folgar produzindo ruídos. 3) Conviver no vício ou na indecência. 4) Humilhar (alguém) por tê-lo vencido ou levado vantagem em algo. / v.t.d. 5) Executar danças, tripudiando.

TRI.PU.LA.ÇÃO s.f. Equipe de pessoas que trabalham a bordo de navio ou avião.

TRI.PU.LAN.TE s.2gên. Membro da tripulação.

TRI.SA.VÔ s.m. Pai do bisavô ou da bisavó.

TRIS.SÍ.LA.BO adj. 1) Que tem três sílabas; trissilábico. / s.m. 2) Vocábulo de três sílabas.

TRIS.TE adj.2gên. 1) Diz-se da pessoa que não tem alegria. 2) Refere-se, de modo depreciativo, à pessoa, coisa ou fato desagradável. 3) Consternado, deprimido, infeliz. 4) Que tem desgosto, sem prazer. 5) Lastimoso, flébil.

TRIS.TE.ZA (ê) s.f. 1) Estado emocional caracterizado pela melancolia, pelo desânimo e pela tendência ao pranto e ao isolamento. 2) Caráter do que desperta esse estado.

TRIS.TO.NHO adj. 1) Que tende à tristeza. 2) Que desperta tristeza.

TRI.TU.RAR v.t.d. 1) Transformar em partes minúsculas; picar; moer, amassar. 2) Converter a pó. 3) Reduzir a nada. 4) Bater em; sovar. 5) fig. Agoniar, magoar.

TRI.UN.FAN.TE adj.2gên. 1) Que triunfa; triunfador. 2) Magnificente, ostentoso. 3) Alegre, radiante.

TRI.UN.FAR v.i. 1) Alcançar triunfo. 2) Obter vitória. 3) Vencer obstáculos. / v.t.i. e v.i. 4) Predominar, vencer. 5) Conseguir vantagem sobre; derrotar. 6) Exultar; regozijar-se. 7) Orgulhar-se, vangloriar-se. / v.t.d. 8) Tornar triunfante. / v.p. 9) Sentir-se, fazer-se triunfante.

TRI.UN.FO s.m. 1) Ação ou efeito de triunfar. 2) Êxito consagrador, sucesso. 3) Entrada solene dos generais vitoriosos, na Roma Antiga. 4) Grande vitória; êxito magnífico, radiante. 5) Grande júbilo, satisfação total. 6) Ostentação, esplendor. 7) Exultação. 8) Domínio das paixões. 9) Superioridade em qualquer disputa. 10) Ornato central da mesa do banquete.

TRI.VA.LEN.TE adj.2gên. Quím. Que tem três valências.

TRÍ.VIA s.f. Passatempo de perguntas sobre diversos assuntos.

TRI.VI.AL adj.2gên. 1) Conhecido de todos; notório; corriqueiro; comum. 2) Habitual. 3) Baixo, barato. / s.m. 4) Os pratos simples e habituais das refeições caseiras.

TRIZ s.m. 1) Por pouco; um quase nada; por um fio; milagrosamente. / s.f. 2) pop. Icterícia.

TRO.AR v.i. 1) Causar grande estrondo; estrondear. 2) Trovejar. 3) Retumbar. 4) Bradar, clamar.

TRO.CA s.f. 1) Ato ou efeito de trocar(-se). 2) Transferência recíproca e simultânea de qualquer bem ou coisa entre seus respectivos donos. 3) Permuta; câmbio. 4) Barganha.

TRO.ÇA s.f. 1) Ação ou efeito de troçar. 2) pop. Escárnio, zombaria, gozação. 3) Gracejo, pilhéria.

4) Qualificação coletiva de ébrios e badernista. 5) Pândega. 6) Chalaça. 7) Náut. Cabo para atracar as vergas aos mastros.

TRO.CA.DI.LHO s.m. Jogo de palavras idêntico no som e diferente no sentido, o que causa uma confusão jocosa.

TRO.CAR v.t.d. 1) Substituir uma coisa por outra; permutar. 2) Modificar. 3) Mudar, transferir. 4) Tomar uma coisa por outra; confundir. 5) Converter, transformar. / v.p. 6) Transformar-se.

TRO.CO (ô) s.m. 1) Ação ou resultado de trocar; troca. 2) Dinheiro que sobra e se recebe de volta quando se paga um bem ou serviço com moeda superior ao preço. 3) Várias moedas ou cédulas miúdas que têm valor igual ao de uma só. 4) Resposta oportuna. 5) Réplica.

TRO.ÇO (ó) s.m. 1) gír. Qualquer objeto; coisa, que não se sabe o nome ou não se quer revelar. 2) Algo imprestável; bagulho. 3) Mal-estar súbito e não definido; imprevisto. 4) pop. Objeto cujo nome não ocorre ou não se conhece no momento em que se fala; coisa, troço.

TRO.ÇO (ô) s.m. 1) Madeiro roliço e tosco; trocho. 2) Cada uma das aduelas do modelo do canhão. 3) Mil. Corpo de tropas. 4) Náut. Obra de marinheiro feita de cabos velhos ou fios. 5) Porção de gente; rancho, multidão. 6) gír. Excremento solidificado.

TRO.FÉU s.m. 1) Despojos do inimigo vencido, expostos ao público, em comemoração de vitória. 2) Objeto comemorativo de vitória; taça; medalha, etc. 3) Vitória, triunfo.

TRO.GLO.DI.TA adj.2gên. e s.2gên. 1) Relativo a ou indivíduo dos troglodytas, povos da África que habitavam em cavernas. 2) fig. Diz-se de ou pessoa primitiva, bruta, incivilizada.

TRÓ.LE.BUS s.m. Ônibus elétrico ligado a cabos aéreos de energia.

TROM s.m. Som de canhão ou de trovão.

TROM.BA s.f. 1) Zool. Extensão nasal longa e cilíndrica de certos mamíferos como do elefante e da anta, que serve de órgão com funções diversas (prender, respirar, pegar e levar comida e bebida à boca). 2) Zool. Órgão sugador de certos insetos. 3) Ant. Trombeta, trompa. 4) Desfiladeiro aberto pelas águas; grande erosão.

TROM.BA.DA s.f. 1) Pancada com a tromba ou com o focinho. 2) Por ext. Colisão, batida.

TROM.BA.DI.NHA s.2gên. pop. Pessoa menor de idade que comete pequenos delitos, furtando dinheiro e objetos de pedestres.

TROM.BAR v.t.i. e v.i. pop. Colidir, bater, chocar-se.

TROM.BE.TA (ê) s.f. 1) Mús. Instrumento metálico de sopro, espécie de corneta sem voltas. 2) Qualquer instrumento de sopro constituído de um tubo longo e afunilado. 3) fig. Pessoa indiscreta. / s.m. 4) Pessoa que toca trombeta.

TROM.BO s.m. Med. Coágulo de sangue que se forma em algum lugar dos vasos sanguíneos de trombone

trucidar

um organismo vivo, e neles causa um entupimento parcial ou total.

TROM.BO.NE *s.m. Mús.* Instrumento de sopro, metálico, de dois tipos diferentes: o de dois tubos longos, cilíndricos e curvados, encaixados um no outro (trombone de vara) e o com um jogo de três ou quatro pistões (trombone de pistões).

TROM.PA *s.f.* 1) *Mús.* Instrumento de sopro, metálico, constituído de tubo alongado e cônico enrolado sobre si mesmo e terminando em pavilhão aberto, suave para tocar e que produz um som agradável. 2) Aparelho de vidro, usado nos laboratórios químicos, para fazer a aspiração do ar.

TROM.PE.TE *s.2gên. Mús.* Instrumento metálico de sopro constituído de um tubo alongado e cônico que termina em forma de sino.

TRON.CO *s.m.* 1) *Bot.* Parte principal, lenhosa, das árvores e arbustos e que sustenta os ramos; caule. 2) *Anat.* O corpo humano, exceto a cabeça e os membros; torso. 3) *Hist.* Estrutura antiga para tortura, constituída de um cepo com buracos em que se enfiavam os pés, os braços ou a cabeça do condenado. 4) Pau cravado no chão em que se amarravam os escravizados para açoitá-los. 5) *Arquit.* Fragmento inferior do fuste. 6) Mastro do navio. 7) *Geom.* Parte de um sólido geométrico resultante do corte perpendicular ou oblíquo ao respectivo eixo. 8) Origem ou princípio comum de família, raça, etc. 9) *pop.* Homem baixo e corpulento.

TRO.NO *s.m.* 1) Assento elevado, ocupado pelos soberanos em ocasiões de atos e cerimônias solenes. 2) *fig.* Poder soberano, autoridade, comando. 3) *pop.* Latrina.

TRO.PA *s.f.* 1) *Mil.* Grande quantidade de soldados de qualquer arma. 2) *Mil.* O exército. 3) Multidão de gente reunida. 4) Caravana de animais de carga. 5) Gado sendo conduzido de um lugar para outro.

TRO.PE.AR *v.i.* 1) Fazer barulho com as patas, ou pés, ao andar. 2) Fazer tropel. 3) Trabalhar como tropeiro.

TRO.PE.ÇAR *v.t.i.* 1) Bater involuntariamente com o pé. 2) Topar em algum obstáculo de forma súbita. 3) Não acertar, errar. 4) Tropicar. 5) Cair, incorrer. 6) *fig.* Ficar atrapalhado; hesitar. / *v.i.* 7) Dar tropeção; cambalear.

TRO.PE.ÇO (ê) *s.m.* 1) Ato ou efeito de tropeçar; tropeção. 2) *fig.* Dificuldade, embaraço. 3) *fig.* Erro, equívoco, mancada.

TRÔ.PE.GO *adj.* Que anda ou se move com dificuldade.

TRO.PEI.RO *s.m.* 1) Condutor de tropa (caravana de animais de carga). 2) Indivíduo cuja profissão é tropear, comprando e vendendo tropas de gado, principalmente vacum e cavalos.

TRO.PEL *s.m.* 1) Abundância de pessoas ou coisas movimentando-se desordenadamente. 2) Balbúrdia, tumulto, confusão, desordem. 3) Ruído causado por animais em marcha.

TRO.PI.CAL *adj.2gên.* 1) Referente aos ou situado entre os trópicos. 2) Referente ao clima das regiões situadas entre os trópicos. 3) Calor que abrasa; abrasador. / *s.m.* 4) Tipo de tecido leve.

TRO.PI.CA.LIS.TA *s.2gên.* 1) Tratadista de assuntos referentes às regiões situadas entre os trópicos. 2) Médico que trata das doenças características dessas regiões.

TRO.PI.CAR *v.i.* Tropeçar várias vezes.

TRÓ.PI.CO *adj.* 1) Referente aos trópicos. 2) Designação dada às flores que se abrem ao amanhecer e se fecham ao anoitecer. / *s.m.* 3) *Geogr.* Cada um dos dois círculos menores do globo, paralelos à Linha do Equador e dela distantes 23°27', e entre os quais se realiza o movimento anual aparente do Sol em volta da Terra.

TRO.PIS.MO *s.m. Bot.* Influência externa imposta a um vegetal, ou parte dele, como meio de orientação.

TRO.PO *s.m. Gram.* Emprego figurativo de expressão ou palavra.

TRO.TAR *v.i.* 1) Andar a trote (a cavalgadura). 2) Cavalgar a trote.

TRO.TE *s.m.* 1) Modo natural de andar das cavalgaduras, entre o passo trivial e o galope. 2) Indiscrição ou zombaria feita por alguém que oculta sua identidade. 3) Troça feita por estudantes veteranos aos calouros.

TROU.XA *s.f.* 1) Fardo de roupa. 2) Grande pacote. 3) *pop.* Mulher desajeitada. / *adj.2gên.* e *s.2gên.* 4) Referente à ou pessoa tola, sem experiência.

TRO.VA *s.f.* 1) Composição lírica, ligeira e de caráter popular. 2) Cantiga, canção; quadra popular.

TRO.VA.DOR (ô) *s.m.* 1) Aquele que trova. 2) Poeta medieval que, nos séculos XI a XIV, cultivava a poesia lírica, escrevendo-a em linguagem provençal. 3) Poeta lírico português que nessa época imitava a poesia provençal.

TRO.VÃO *s.m.* 1) Efeito resultante das descargas elétricas atmosféricas em dias de tempestade, pelo fato de duas nuvens de cargas elétricas contrárias se aproximarem uma da outra e a intensidade do campo elétrico entre elas aumentar, fazendo com que a rigidez dielétrica do ar se rompa, provocando a descarga. 2) Grande estrondo; ribombo. 3) Coisa ruidosa ou espantosa.

TRO.VE.JAR *v.i.* 1) Soar, retumbar, ribombar (o trovão). / *v.t.i.* e *v.i.* 2) *Por ext.* Soar forte como trovão; ressoar.

TRO.VO.A.DA *s.f.* 1) Série de trovões. 2) *Por ext.* Grande estrondo.

TRU.CAR *v.i.* 1) Propor a primeira parada, no jogo de truque. 2) Fazer citações erradas. 3) Enganar. 4) *Cin.* Dar, através de um jeito ardil, aparência real a uma cena ou plano que, de outra maneira, não haveria possibilidade de ser filmado.

TRU.CI.DAR *v.t.d.* Matar de forma cruel; degolar.

truculência | túnel

TRU.CU.LÊN.CIA *s.f.* 1) Ato de crueldade, de violência; atrocidade. 2) Qualidade do que é brutal; grosseria.

TRU.FA *s.f.* 1) *Bot.* Cogumelo aromático, totalmente subterrâneo, comestível. 2) Túbera.

TRUM.BI.CAR *v.p. gír.* Dar-se ou sair-se mal; entrar pelo cano, estrepar-se; trombicar.

TRUN.CA.DO *adj.* 1) Imperfeito, incompleto, inacabado, mutilado. 2) Omissão. 3) *Geom.* Diz-se de um sólido de que se truncou por meio de um plano secante.

TRUN.CAR *v.t.d.* 1) Apartar do tronco, amputar, cortar, decepar, separar. 2) Mutilar; lascar. 3) *Geom.* Cortar por um plano secante. 4) Omitir intencionalmente alguma parte importante de; interromper.

TRUN.FO *s.m.* 1) Espécie de jogo de cartas, com dois, quatro ou seis parceiros. 2) Naipe que, em jogos de cartas, prevalece sobre os outros naipes. 3) Cada uma das cartas desse naipe. 4) *fig.* Indivíduo influente ou importante no meio social. 5) Recurso importante que permite ou propicia vitória em negócios, luta, discussão, etc.

TRU.QUE *s.m.* 1) Certo jogo de cartas entre dois ou quatro parceiros; truco. 2) Artifício, estratagema, artimanha. 3) Maneira hábil ou sutil de exercer ou inventar algo.

TRU.TA *s.f. Ictiol.* Variedade de peixes de carne rosada e muito saborosa, salmonídeo. 2) *pop.* Amigo, parceiro.

TSÉ-TSÉ *s.2gên. Zool.* Mosquito de origem africana, vetor da doença do sono.

TU *pron. pess.* Da segunda pessoa do singular do caso reto, que indica a pessoa com quem se fala.

TU.A *pron. poss.* Flexão feminina de teu.

TU.BA *s.f.* 1) *Mús.* Instrumento de sopro, de cobre, de som grave como o de contrabaixo. 2) Estilo épico.

TU.BA.RÃO *s.m.* 1) *Ictiol.* Grande peixe carnívoro. 2) *fig.* Empresário ganancioso, que explora os outros visando ao lucro próprio.

TU.BÉR.CU.LO *s.m.* 1) *Bot.* Engrossamento de um rizoma subterrâneo, como na batata, rico em reservas nutritivas. 2) *Anat.* Pequena elevação ou saliência em um osso ou qualquer parte do corpo. 3) Endurecimento limitado na pele, que se evolui de forma lenta. 4) *Med.* Lesão específica da tuberculose.

TU.BER.CU.LO.SE *s.f. Med.* 1) Doença infectocontagiosa, causada pelo bacilo de Koch e caracterizada por tubérculos nos tecidos de qualquer parte do corpo, com as mais variadas manifestações e localizações, mas especialmente na convivência respiratória. 2) Tuberculose pulmonar: de localização pulmonar; tísica.

TU.BO *s.m.* 1) Corpo cilíndrico, oco, flexível ou rígido, próprio para passar líquidos, gás, etc., cano, ducto. 2) *Anat.* Qualquer canal ou ducto do organismo animal. 3) Tubo de raios catódicos; válvula em que se produz e observa, de forma controlada e controlável, um feixe de elétrons acelerados que incidem sobre uma tela fluorescente.

TU.BU.LA.ÇÃO *s.f.* 1) Disposição e colocação de tubos. 2) Conjunto de tubos; tubagem. 3) Encanamento.

TU.CA.NO *s.m. Ornit.* Nome comum a diversas aves ranfastídeas, da América do Sul, notáveis por seu bico muito grande e em geral colorido.

TU.DO *pron. indef.* 1) Qualquer coisa a que se refere na sua totalidade. 2) O total do que existe. 3) Aquilo considerado essencial ou fundamental. 4) Todas as coisas.

TU.FÃO *s.m. Meteor.* 1) Vento fortíssimo e tempestuoso. 2) Furacão, vendaval.

TU.FO *s.m.* 1) Agrupamento de arbustos, ervas, etc. 2) Saliência que se forma no tecido de um vestuário. 3) Proeminência.

TUI.UI.Ú *s.m. Ornit.* Ave de pelagem branca, de garganta avermelhada, pertencente à família dos Ciconiídeos; jaburu.

TU.LE *s.m.* Tecido fino e transparente; filó.

TU.LHA *s.f.* 1) Compartimento onde se depositam cereais; celeiro. 2) Quantidade muito grande de cereais ou frutos secos.

TU.LI.PA *s.f. Bot.* 1) Planta liliácea de flores decorativas e raízes bulbosas. 2) A flor dessa planta.

TUM.BA *s.f.* 1) Pedra sepulcral. 2) Sepultura, túmulo. 3) Almofada bojuda, em cima da qual os encadernadores põem as capas de livros ou cadernos para dourá-las ou ornamentá-las. / *s.2gên.* 4) Pessoa desastrada. 5) Pessoa infeliz, especialmente no jogo.

TÚ.MI.DO *adj.* 1) Que aumentou de volume; dilatado, intumescido. 2) Presunçoso, arrogante.

TU.MOR (ô) *s.m.* 1) *Med.* Aumento anormal das células do tecido já existente e que cresce de maneira progressiva, formando uma massa de tecido novo sem função fisiológica. 2) Qualquer aumento de volume desenvolvido num órgão ou parte do corpo. 3) Abscesso. 4) Câncer, carcinoma.

TÚ.MU.LO *s.m.* 1) Monumento erguido em memória de alguém no lugar em que o corpo está sepultado. 2) Sepultura; sepulcro. 3) *fig.* Pessoa que sabe guardar segredo. 4) Lugar onde ocorreu destruição, fim; morte.

TU.MUL.TO *s.m.* 1) Movimento de confusão. 2) Agitação desordenada. 3) Alvoroço, desordem, conflito. 4) Discórdia; desavenças. 5) Abalo moral.

TUN.DRA *s.f. Geogr.* Nome da planície característica das regiões árticas e subárticas, nas costas baixas da Rússia, da Sibéria e do Canadá.

TÚ.NEL *s.m.* Passagem subterrânea.

TUN.GAR *v.t.d.* 1) Agredir; bater; espancar. 2) Enganar, lograr. / *v.i.* 3) Porfiar, competir, teimar.

TUNGS.TÊ.NIO *s.m. Quím.* 1) Wolframio. 2) Elemento metálico branco-acinzentado, de elevado ponto de fusão, 3.660°C. Símbolo Tg ou W, número atômico 74, massa atômica 183,85.

TÚ.NI.CA *s.f.* 1) Vestuário comprido e ajustado ao corpo, mais longo que a blusa. 2) Jaqueta militar. 3) *Anat.* Qualquer membrana ou camada externa que envolve um órgão. 4) *Bot.* Invólucro de certos órgãos vegetais.

TU.PI *adj.2gên.* 1) *Etnol.* Referente aos tupis. / *s.m.* 2) Idioma geral, falado até o século XIX em nosso litoral e, atualmente, ainda no Amazonas sob o nome de nheengatu ou nenhengatu.

TU.PI-GUA.RA.NI *adj.2gên.* 1) *Etnol.* Referente aos tupis e aos guaranis ou às suas línguas. / *s.m.* 2) Nome comum do idioma original aos tupis e aos guaranis. / *s.2gên.* 3) Grupos indígenas que se encontram especialmente na Amazônia.

TU.PI.NAM.BÁ *adj.2gên.* 1) *Etnol.* Relativo aos tupinambás, nome comum de várias tribos indígenas tupis, dominantes na região do atual estado da Bahia, no séc. XVI. / *s.2gên.* 2) Indivíduo membro dessa tribo. 3) Chefe, mandachuva.

TU.PI.NI.QUIM *adj.2gên.* 1) *Etnol.* Referente aos tupiniquins, antiga nação indígena tupi, no litoral da Bahia (Porto Seguro). / *s.2gên.* 2) Indivíduo membro dos tupiniquins.

TUR.BAN.TE *s.m.* 1) Cobertura ou ornato de cabeça, usado pelos orientais. 2) Toucado feminino, semelhante a esse ornato.

TUR.BAR *v.t.d.* e *v.p.* 1) Turvar(-se), escurecer (-se), toldar(-se). 2) Perturbar(-se), tornar(-se) apreensivo, inquietar(-se). / *v.t.d.* 3) Pôr em desordem; revolver; transtornar. 4) Obscurecer o juízo de.

TUR.BI.LHÃO *s.m.* 1) Massa de ar que gira com ímpeto ao redor de um centro; redemoinho de vento. 2) Movimento forte e giratório das águas. 3) Revolução de um planeta. 4) Tudo o que excita, arrasta ou impele violentamente.

TUR.BI.NA *s.f.* Motor composto de uma roda móvel, a qual transforma em trabalho mecânico a energia de um fluido motor aplicada sobre ela.

TUR.BI.NA.DO *adj.* 1) Que se assemelha a um cone invertido ou pião. 2) Aplica-se à concha univalve cuja espiral forma um cone pouco alongado e bastante largo na base. 3) Diz-se de dois pequenos ossos na raiz do nariz.

TUR.BU.LÊN.CIA *s.f.* 1) Ação ou comportamento caracterizado por agitação, tumulto. 2) Agitação intensa de uma massa de ar ou de água.

TUR.BU.LEN.TO *adj.* 1) Que pode causar desordem. 2) Agitado, tempestuoso, irrequieto. 3) Buliçoso, ruidoso, tumultuoso. 4) Revoltoso.

TUR.CO *adj.* 1) Que diz respeito à Turquia (Ásia e Europa). / *s.m.* 2) Indivíduo natural ou habitante da Turquia. 3) Língua falada pelos turcos. 4) *pop.* Denominação dada erradamente a árabes e sírios do Brasil.

TUR.FE *s.m.* 1) Prado de corridas de cavalos; hipódromo. 2) O esporte das corridas de cavalos.

TU.RIS.MO *s.m.* 1) Gosto pelas viagens. 2) Viagens feitas, por prazer, a lugares que despertam interesse.

TU.RIS.TA *s.2gên.* Indivíduo que faz turismo.

TUR.MA *s.f.* 1) Grupo de pessoas que se revezam com outras em certos atos. 2) Cada um dos grupos nos quais se divide uma classe bastante numerosa de alunos. 3) Gente, pessoal.

TUR.MA.LI.NA *s.f. Miner.* Pedra dura, constituída essencialmente de um borossilicato de várias cores.

TUR.NÊ *s.f.* Série de apresentações de um artista ou grupo em diversas cidades ou países; excursão artística.

TUR.NO *s.m.* 1) Cada grupo de pessoas a quem cabe fazer alguma coisa, revezando-se com outras; turma. 2) Ordem, vez. 3) *Esp.* Cada período de disputa de um campeonato. 4) Cada um dos períodos em que diariamente funciona uma escola.

TUR.QUE.SA (ê) *s.f.* 1) Pedra preciosa colorida de azul-celeste a azul-esverdeado, que é um fosfato hidratado natural de alumínio e cobre. 2) A cor azul-celeste ou azul-esverdeada da turquesa.

TUR.RA *s.f.* 1) Pancada com a testa. 2) Altercação, contenda. 3) Teima. / *adj.2gên.* 4) Pessoa teimosa.

TUR.RÃO *adj.* e *s.m. pop.* Teimoso; turra.

TUR.VO *adj.* 1) Opaco. 2) Toldado, embaciado. 3) Nublado (céu). 4) *fig.* Perturbado, agitado. 5) *fig.* Confuso, alterado.

TU.TA.NO *s.m.* 1) Medula óssea; substância mole e gorda contida no interior dos ossos. 2) *fig.* A essência, a parte mais íntima, o âmago.

TU.TE.LA *s.f.* 1) *Dir.* Encargo conferido a alguém juridicamente para proteger uma pessoa ou os bens de um menor que se encontra fora do pátrio poder ou de um interdito e representá-los nos atos da vida civil; tutoria. 2) *fig.* Guarida, proteção. 3) *Fam.* Sujeição vexatória; vínculo.

TU.TOR (ô) *s.m.* 1) *Dir.* Indivíduo legitimamente designado para tutelar alguém. 2) Defensor. 3) *Agr.* Estaca fincada no solo para defender e segurar uma planta.

TU.TO.RI.AL *adj.2gên.* 1) Relativo a tutor. / *adj.2gên.* e *s.m.* 2) Diz-se de ou conjunto de instruções que ensinam sobre um assunto específico.

TU.TU *s.m.* 1) *Cul.* Feijão cozido engrossado com farinha de mandioca ou de milho. 2) *pop.* Dinheiro.

TUTU *s.m. fr.* Saia de tule usada por bailarinas.

Uu

U *s.m.* 1) Vigésima primeira letra do alfabeto. 2) *Quím.* Símbolo do elemento químico urânio.

U.AI *interj.* Indica espanto, surpresa.

UAU *interj.* Exprime alegria, surpresa.

U.BÁ *s.m.* Pequena canoa indígena feita com um tronco ou casca de árvore.

U.BÍ.QUO *adj.* Que está em toda parte ao mesmo tempo; onipresente.

U.CRA.NI.A.NO *adj.* 1) *Etnol.* Referente ou pertencente à Ucrânia. / *s.m.* 2) Habitante ou natural da Ucrânia. 3) A língua da Ucrânia.

U.É *interj.* Exprime surpresa, admiração.

U.FA *interj.* Exprime cansaço, desabafo ou alívio.

U.FA.NAR *v.t.d.* 1) Causar ufania a; envaidecer; trazer júbilo a. / *v.p.* 2) Orgulhar-se, rejubilar-se; vangloriar-se.

U.FA.NIS.MO *s.m.* Orgulho excessivo do país em que se nasceu; patriotismo exagerado.

U.FO *s.m.* Objeto voador não identificado; óvni.

U.FO.LO.GI.A *s.f.* Estudo sobre os ufos, objetos voadores não identificados.

UI *interj.* Indica dor, surpresa, espanto, admiração, etc.

UI.RA.PU.RU *s.m. Ornit.* Nome pelo qual são conhecidos diversos pássaros da Amazônia de canto magnífico que, segundo a crença, traz sorte a quem o possui empalhado ou seco.

U.ÍS.QUE *s.m.* 1) Nome dado a certa bebida alcoólica feita de grãos fermentados de cevada, milho ou centeio. 2) *Por ext.* Cada dose servida dessa bebida.

UI.VAR *v.i.* 1) Dar uivos (o cão, o lobo, etc.). / *v.t.d.* e *v.i.* 2) *fig.* Produzir som semelhante ao uivo.

UI.VO *s.m.* 1) Voz lamentosa do cão e do lobo. 2) *fig.* Ato de vociferar.

ÚL.CE.RA *s.f.* 1) *Med.* Perda de substância produzida pela desintegração progressiva dos tecidos. 2) Alteração no tecido lenhoso das árvores. 3) *fig.* Mancha moral; pecado.

UL.CE.RA.ÇÃO *s.f.* 1) O processo de formação de uma úlcera. 2) Úlcera ou grupo de úlceras.

UL.CE.RAR *v.t.d.* 1) Causar úlcera em. / *v.t.d.*, *v.i.* e *v.p.* 2) Transformar(-se) em úlcera. 3) Cobrir(-se) de úlceras.

UL.TE.RI.OR (ô) *adj.2gên.* 1) Que vem depois; posterior. 2) Que está além de.

UL.TI.MAR *v.t.d.* 1) Terminar, rematar, concluir, pôr fim. 2) Completar; inteirar. / *v.p.* 3) Chegar ao termo; completar-se.

ÚL.TI.MA *s.f.* Notícia mais recente.

UL.TI.MA.TO *s.m.* 1) *Polít.* Conjunto das últimas condições que um Estado apresenta a outro e de cuja decisão depende um conflito ou uma rendição. 2) Decisão final e irrevogável. 3) *Quím.* Nome último · unguento

dado às últimas moléculas a que um corpo pode ser reduzido.

ÚL.TI.MO *adj.* 1) Que vem depois de todos, derradeiro, final; recentíssimo. 2) Que fica de resto, de sobra. 3) Extremo; ínfimo. / *s.m.* 4) Aquele ou coisa que vem depois de todos os outros; o mais recente.

UL.TRA- *pref. Gram.* Elemento que antecede o radical para compor palavras com a significação de além, excesso, extremamente.

UL.TRA.COR.RE.ÇÃO *s.f. Gram.* Preocupação excessiva em falar ou escrever corretamente que acaba levando o falante a cometer um erro; hipercorreção.

UL.TRA.JAN.TE *adj.2gên.* Que ultraja; ofensivo.

UL.TRA.JAR *v.t.d.* Insultar; ofender a dignidade de; injuriar; difamar.

UL.TRA.JE *s.m.* 1) Ofensa muito grave; insulto, afronta. 2) Afirmação caluniosa a respeito de alguém; difamação.

UL.TRA.LE.VE *adj.2gên.* 1) Extremamente leve. / *s.m.* 2) Avião pequeno e muito leve, dotado de requisitos mínimos para apenas alçar voo.

UL.TRA.MAR *s.m.* 1) Região ou regiões além do mar. 2) Tinta de cor azul do alto-mar. 3) Essa cor. 4) Possessões ultramarinas.

UL.TRA.MI.CROS.CÓ.PIO *s.m. Fís.* Microscópio provido de condensador especial, que permite examinar partículas de até um décimo de micro.

UL.TRA.PAS.SA.DO *adj.* 1) Que foi superado. 2) Obsoleto, antiquado.

UL.TRA.PAS.SA.GEM *s.f.* Ato ou efeito de passar à frente de pessoa ou veículo que está se movimentando na mesma direção.

UL.TRA.PAS.SAR *v.t.d.* Passar além de; exceder limites de; transpor.

UL.TRAR.RO.MÂN.TI.CO *adj.* 1) Diz-se do indivíduo excessivamente romântico. / *s.m.* e *adj.* 2) Pertencente, relativo ou adepto ao ultrarromantismo.

UL.TRAS.SOM *s.m. Fís.* Som de alta frequência, além do limite máximo da audibilidade.

UL.TRAS.SO.NO.GRA.FI.A *s.f.* 1) Técnica de visualização do feto ou de órgãos internos do corpo por meio de ultrassom. 2) Exame feito com essa técnica; ultrassom.

UL.TRA.VI.O.LE.TA *adj.2gên.* 1) *Fís.* Diz-se da radiação da parte do espectro que fica imediatamente abaixo do violeta, e cujo comprimento de onda varia entre 0,2 e 0,4 mícrones além do espectro visual. / *s.m.* 2) Esses raios.

U.LU.LAR *v.i.* 1) Soltar voz triste e deprimida (o cão); gemer lamentosamente. / *v.t.d.* 2) Exprimir gritando lamentosamente. 3) Proferir, berrando.

UM *num.* 1) Diz-se do número cardinal que designa uma só unidade 2) Numeral ordinal que desig-

na o primeiro de uma ordem. / *art. indef. masc.* 3) De modo indeterminado, qualquer, algum. / *adj.* 4) Uno; único, contínuo; só.

UM.BAN.DA *s.f. Rel.* 1) Culto religioso e mágico afro-brasileiro. 2) O terreiro da macumba. 3) Forma cultural de origem africana assimilada de elementos religiosos espiritistas e católicos; magia branca.

UM.BE.LA ou **UM.BRE.LA** *s.f.* 1) Guarda-sol; guarda-chuva; sombrinha. 2) Pequeno pálio redondo que cobre o sacerdote, ao transportar a hóstia consagrada. 3) *Bot.* Inflorescência semelhante a um guarda-sol em que os eixos partem do mesmo ponto e alcançam igual altura.

UM.BI.GO *s.m. Anat.* Cicatriz, no meio do ventre, resultante do corte do cordão umbilical. 2) *fig.* Depressão em forma de umbigo.

UM.BRAL *s.m.* Ombreira da porta; limiar; soleira.

U.MEC.TAR *v.t.d. Med.* Umedecer, molhar, dissolver.

U.ME.DE.CER *v.t.d.* 1) Tornar úmido; molhar ligeiramente. / *v.i.* e *v.p.* 2) Tornar-se úmido, molhar-se ligeiramente.

U.MI.DA.DE *s.f.* 1) Qualidade do que é úmido, do que está levemente molhado ou com vapor de água. 2) *Meteor.* Quantidade de água na atmosfera.

Ú.MI.DO *adj.* 1) Ligeiramente molhado. 2) Que tem a natureza da água; aquoso.

U.NÂ.NI.ME *adj.2gên.* 1) Que tem sentimentos ou opiniões iguais aos de outrem. 2) Proveniente de acordo comum. 3) Relativo a todos.

U.NA.NI.MI.DA.DE *s.f.* 1) Qualidade do que é unânime. 2) Concordância nas avaliações, opiniões, votos, etc.

UN.ÇÃO *s.f.* 1) Ato ou efeito de ungir ou untar. 2) *fig.* Sentimento de piedade religiosa, que consola e leva à prática do bem. 3) Doçura da voz, de comovente expressão.

UN.DÉ.CI.MO *num.* 1) Ordinal correspondente a 11; décimo primeiro. / *s.m.* 2) Cada uma das 11 partes em que se divide um todo.

UN.DÉ.CU.PLO *num.* 1) Que é 11 vezes maior que outro. / *s.m.* 2) Quantidade de valor 11 vezes maior que outra.

UN.GIR *v.t.d.* 1) Untar com óleo ou substâncias gordurosas a; friccionar com óleo. 2) *Liturg.* Dar a extrema-unção a. 3) Investir da dignidade de; consagrar. / *v.p.* 4) Friccionar o próprio corpo com óleo ou substância gordurosa; untar-se.

UN.GUEN.TO *s.m.* 1) *Farm.* Preparado medicinal, pouco consistente, para uso externo, e que tem por base gorduras e resina. 2) Nome antigo de certas drogas ou essências com que se perfuma o corpo.

U

unha · urânio

U.NHA *s.f.* 1) Lâmina córnea, flexível, de transparência imperfeita, que reveste a extremidade dorsal dos dedos. 2) Casco, nos Ungulados. 3) Extremidade recurva da pata dos insetos. 4) Pé de caranguejo. 5) Úngula. 6) Calosidade que se forma no lombo das bestas. 7) Pisadura, nas cavalgaduras, produzida pelo roçar dos arreios. 8) Lasca do tronco da videira que vai presa ao pé do bacelo que se cortou. 9) Extremidade recurva e pontiaguda de certos instrumentos.

U.NHA.DA *s.f.* Arranhão feito com a unha.

U.NHAR *v.t.d.* 1) Riscar, ferir ou marcar com as unhas; arranhar. / *v.i.* 2) Furtar. 3) Disparar, fugir (o cavalo). / *v.p.* 4) Ferir-se com as unhas; arranhar-se.

U.NHEI.RO *s.m.* Infecção aguda entre o dedo e a unha ou na raiz da unha; panarício.

U.NI.ÃO *s.f.* 1) Ato ou efeito de unir(-se); junção, ligação, aderência; fusão, contato. 2) Casamento. 3) Cópula de animais; coito. 4) Aliança, pacto; laço, vínculo. 5) *Mec.* Peça metálica com rosca interna que serve para juntar dois canos de diâmetro menor com rosca externa; luva.

U.NI.CE.LU.LAR *adj.2gên. Bot.* Que possui uma única célula.

Ú.NI.CO *adj.* 1) Que é um só; que não há outro em sua espécie ou gênero. 2) Excepcional; exclusivo. 3) Superior aos demais; a que nada se compara.

U.NI.COR.NE *adj.2gên.* 1) Que tem um só chifre, ou corno. / *s.m.* 2) *Zool.* Espécie de rinoceronte indiano com um só chifre. 3) *Mit.* Espécie de cavalo com um chifre no meio da testa; unicórnio.

U.NI.CÓR.NIO *s.m.* Animal mitológico com corpo de cavalo e um chifre no meio da testa.

U.NI.DA.DE *s.f.* 1) Grandeza tomada com termo de comparação de outras grandezas. 2) Qualidade do que é uno, unido ou único. 3) *Mat.* O número um. 4) *Lit.* e *Bel.-art.* Coordenação das partes de uma obra literária ou artística. 5) *Mil.* Cada corpo de soldados destinados a manobras próprias. 6) *Náut.* Cada navio de uma frota ou esquadra, na marinha de guerra.

U.NI.DO *adj.* Que se uniu; junto, ligado; em contato.

U.NI.FI.CAR *v.t.d.* 1) Tornar único; reunir num só corpo ou num todo. 2) Encaminhar para um só fim. / *v.p.* 3) Tornar-se um.

U.NI.FO.LI.A.DO *adj. Bot.* Que só tem uma folha.

U.NI.FOR.ME *adj.2gên.* 1) Que tem uma só forma; não varia. 2) Idêntico; regular, igual. / *s.m.* 3) Farda; vestuário igual para composição de uma classe de alunos, funcionários, etc.

U.NI.GÊ.NI.TO *adj.* 1) Diz-se do único filho gerado por seus pais. / *s.m.* 2) Filho único. 3) Cristo.

U.NI.LA.TE.RAL *adj.2gên.* 1) Que vem ou se situa de um só lado. 2) *Dir.* Contrato em que só uma pessoa tem encargos e obrigações para com a outra.

U.NI.LÍN.GUE *adj.2gên.* Que está escrito em uma só língua.

U.NÍ.PA.RO *adj. Biol.* Que dá à luz um filho ou cria por vez.

U.NIR *v.t.d.* 1) Unificar; tornar um só. 2) Ligar, tornar unido (pessoa). 3) Ligar afetivamente. / *v.i.* 4) Ligar-se; aderir. / *v.p.* 5) Ligar-se (por afeto, casamento); associar-se.

U.NIS.SEX (cs) *adj.2gên.* Que serve tanto para homens quanto para mulheres.

U.NÍS.SO.NO *adj.* 1) Que tem o mesmo som. 2) *fig.* Que soam juntos, em harmonia. / *s.m.* 3) *fig.* Harmonia, acordo. 4) *Mús.* Emissão simultânea de um único som por diversas vozes ou instrumentos.

U.NI.TÁ.RIO *adj.* Relativo a unidade.

U.NI.VER.SAL *adj.2gên.* 1) Que abrange tudo; que se aplica a tudo. 2) De todo o mundo; geral. / *s.m.* 3) Aquilo que é universal.

U.NI.VER.SA.LI.DA.DE *s.f.* 1) Caráter do que é universal, geral, total. 2) O que se refere à humanidade ou a todo o planeta.

U.NI.VER.SA.LI.ZAR *v.t.d.* e *v.p.* 1) Tornar(-se) universal; generalizar(-se). / *v.t.d.i.* 2) Tornar comum; propagar.

U.NI.VER.SI.DA.DE *s.f.* 1) Instituição de pesquisa e de ensino de nível superior. 2) Edifício que é a sede de uma universidade.

U.NI.VER.SI.TÁ.RIO *adj.* e *s.m.* Diz-se de quem é aluno de universidade ou de algum curso superior.

U.NI.VER.SO *s.m.* 1) Conjunto de todos os corpos celestes com tudo o que neles existe. 2) A Terra e seus habitantes. 3) Sistema solar; mundo. / *adj.* 4) Universal.

U.NI.VI.TE.LI.NO *adj. Biol.* Diz-se de gêmeos gerados de um mesmo óvulo.

U.NÍ.VO.CO *adj.* 1) Que tem um único significado ou interpretação. 2) *Mat.* Que liga cada elemento de um conjunto a um único elemento de outro conjunto.

U.NO *adj.* 1) Único, singular. 2) Sem partes; indivisível. 3) Unido, íntegro.

UN.TAR *v.t.d.* e *v.p.* Passar óleo, manteiga ou outra substância gordurosa em.

UN.TU.O.SO (ô) *adj.* Gorduroso, oleoso.

UPGRADE (âpgreide) *s.m. ingl. Inform.* Atualização dos componentes ou dos programas de um computador.

U.RÂ.NI.O *s.m. Quím.* Elemento de número atômico 92, radioativo, usado na fabricação de energia nuclear.

U.RA.NO *s.m. Astr.* Nome do sétimo planeta do sistema solar.

UR.BA.NIS.MO *s.m.* Estudo da criação, desenvolvimento, organização e progressão das cidades e qualidade da vida humana.

UR.BA.NI.ZAR *v.t.d.* e *v.p.* 1) Tornar(-se) urbano. 2) *Por ext.* Tornar(-se) civilizado, polido, educado. / *v.t.d.* 3) Dotar uma cidade ou área de características e recursos de cidade.

UR.BA.NO *adj.* 1) Relativo a ou próprio da cidade. 2) Civilizado, polido.

UR.BE *s.f.* Cidade.

UR.DIR *v.t.d.* 1) *Por ext.* Entrelaçar fios para; tecer. 2) *fig.* Planejar a execução de; tramar, maquinar.

UR.GÊN.CIA *s.f.* 1) Situação ou caso muito grave; emergência. 2) O que exige atitude ou solução rápida; pressa.

UR.GEN.TE *adj.2gên.* Que deve ser feito ou resolvido imediatamente, sem demora.

U.RI.NA *s.f.* 1) Líquido orgânico que se forma nos rins, acumulado na bexiga e depois expelido pela uretra. 2) *pop.* Mijo.

U.RI.NAR *v.i.* e *v.p. pop.* Expelir urina; mijar.

U.RI.NÁ.RIO *adj.* Relativo a urina.

UR.NA *s.f.* 1) Recipiente no qual se guardam as cinzas dos mortos. 2) Recipiente em que se recolhem votos, cupons para sorteio, sugestões, etc.

U.RO.LO.GI.A *s.f. Med.* Ramo da medicina que trata do sistema urinário dos dois sexos e do sistema reprodutor masculino.

UR.RAR *v.i.* 1) Soltar urros (o animal); rugir. 2) *fig.* Dar urros como animal feroz.

UR.RO *s.m.* 1) Rugido de alguns animais. 2) *fig.* Grito, berro, bramido.

UR.SO *s.m.* 1) *Zool.* Grande mamífero peludo e feroz, do qual existem várias espécies. 2) *fig.* Indivíduo deselegante, sem boas maneiras.

UR.TI.CÁ.RIA *s.f. Med.* Erupção cutânea caracterizada por placas avermelhadas e coceira.

U.RU.BU *s.m.* 1) *Ornit.* Ave de cor preta que se alimenta de carniça. 2) *fig.* Agente funerário.

U.SAR *v.t.d.* e *v.t.i.* 1) Fazer uso de. 2) Lançar mão de; empregar, utilizar. 3) Vestir, trajar. 4) Trazer habitualmente. 5) Consumir ou tomar regularmente. / *v.t.d.* 6) Tirar vantagem de; aproveitar.

U.SI.NA *s.f.* Estabelecimento industrial equipado com máquinas; fábrica.

U.SO *s.m.* 1) Emprego, utilização. 2) Costume, hábito. 3) Aplicação de algo de acordo com sua natureza ou finalidade. 4) Consumo.

U.SU.AL *adj.2gên.* Que é de uso frequente; costumeiro, habitual.

U.SU.Á.RIO *adj.* e *s.m.* Que ou quem faz uso de algo.

U.SU.FRU.IR *v.t.d.* e *v.t.i. Por ext.* Usar de forma prazerosa; desfrutar, aproveitar, apreciar.

U.SU.RA *s.f.* 1) Juro ou rendimento de capital. 2) *Por ext.* Agiotagem. 3) *Por ext.* Avareza, mesquinharia.

U.SU.RÁ.RIO *adj.* 1) Que faz empréstimos com juros excessivos; agiota. 2) *Por ext. pop.* Avarento, mesquinho. / *s.m.* 3) Quem pratica usura. 4) *Por ext. pop.* Quem não gosta de gastar; avaro, mesquinho.

U.SUR.PAR *v.t.d.* e *v.t.d.i.* Apossar-se de algo sem ter direito ou com o uso de força.

U.TEN.SÍ.LIO *s.m.* Qualquer instrumento útil ao exercício de uma função, de um trabalho ou aos usos da vida diária.

Ú.TE.RO *s.m.* Órgão muscular oco do aparelho genital feminino onde os fetos dos mamíferos se desenvolvem até o final da gestação.

Ú.TIL *adj.2gên.* 1) Que tem algum uso ou serventia. 2) Que traz benefícios. 3) Diz-se de dia em que se trabalha, que não é feriado. / *s.m.* 4) Aquilo que tem utilidade.

U.TI.LI.DA.DE *s.f.* 1) Qualidade do que é útil. 2) Uso proveitoso de algo. 3) Utensílio.

U.TI.LI.TÁ.RIO *adj.* 1) Relativo à utilidade. 2) Que tem por objetivo a utilidade. / *adj.* e *s.m.* 3) Diz-se de ou veículo usado para transporte de pequenas cargas.

U.TI.LI.ZA.ÇÃO *s.f.* Ato ou efeito de utilizar.

U.TI.LI.ZAR *v.t.d.* e *v.t.d.i.* 1) Lançar mão de; empregar, usar. / *v.t.d.* e *v.p.* 2) Tirar vantagem de; aproveitar(-se), servir(-se).

U.TO.PI.A *s.f.* 1) Descrição imaginativa de uma sociedade ideal. 2) *Por ext.* Aspiração, ideia ou projeto de realização impossível; fantasia.

U.TÓ.PI.CO *adj.* 1) Relativo a ou próprio da utopia. 2) *Por ext.* Que é fruto da imaginação, da fantasia ou de um sonho.

U.VA *s.f.* Fruto da videira, que dá em cachos, usada para fazer o vinho e o vinagre.

V (vê) *s.m.* 1) Vigésima segunda letra do alfabeto. 2) *Quím.* Símbolo do vanádio. 3) *Fís.* Símbolo de volt. 4) Na numeração romana, em maiúscula, indica o número cinco.

VA.CA *s.f.* 1) A fêmea do boi. 2) Parada no jogo, feita por um parceiro em nome de outro ou mais. 3) Coleta de dinheiro com a colaboração de várias pessoas; vaquinha. 4) *pej.* Designativo de mulher leviana ou devassa. 5) Indivíduo indolente ou covarde; sem energia.

VA.CÂN.CIA *s.f.* 1) Estado do que está vago, que não está ocupado ou preenchido. 2) Período em que algo fica vago.

VA.CI.LA.ÇÃO *s.f.* 1) Movimento alternado de um lado para o outro; oscilação, balanço. 2) *fig.* Indecisão, dúvida, hesitação.

VA.CI.LAR *v.t.d.* 1) Tremular por falta de firmeza; abalar. / *v.t.i.* 2) Estar inseguro; hesitar. / *v.t.i. e v.i.* 3) Vibrar, oscilar; tremer. 4) Estar confuso, irresoluto, perturbado.

VA.CI.LO *s.m. pop.* Erro, deslize, descuido.

VA.CI.NA *s.f.* 1) Substância que contém vírus enfraquecido que, introduzido no organismo, forma anticorpos, tornando-o imune ao germe utilizado; imunização. 2) Remédio preventivo contra alguma doença aplicado nas pessoas e nos animais; vacinação. 3) *Med.* Doença infecciosa que existe no gado vacum, sob forma de pústulas.

VA.CI.NAR *v.t.d.* e *v.p.* Receber ou aplicar vacina; imunizar(-se).

VÁ.CUO *adj.* 1) Sem conteúdo; vão, oco, vazio. / *s.m.* 2) Espaço que não contém nada, nem sequer ar. 3) Espaço que se supõe haver entre os corpos celestes.

VA.CÚ.O.LO *s.m.* Pequena cavidade em uma célula preenchida com ar ou fluido.

VA.DI.A.GEM *s.f.* 1) Ato ou efeito de vadiar. 2) Vida de vadio; vagabundagem. 3) O conjunto dos vadios.

VA.DI.AR *v.i.* 1) Ficar sem fazer nada; levar vida desocupada. 2) Abusar, divertir-se. 3) Não estudar; malandrar; vadear. 4) Não trabalhar.

VA.DI.O *adj.* e *s.m.* 1) Que ou aquele que não tem ocupação ou que não faz nada. / *adj.* 2) Malandro; vagabundo. 3) Preguiçoso; desocupado; ocioso.

VA.GA *s.f.* 1) Onda enorme, em mar alto e agitado. 2) Multidão; aglomeração tumultuosa. 3) Ação ou efeito de vagar. 4) Vacância; lugar vazio. 5) Função ou cargo, que deve ser preenchido.

VA.GA.BUN.DE.AR *v.i.* 1) Viver de modo errante; vagar. 2) Levar vida ociosa, sem trabalhar ou estudar; vadiar, vagabundar.

vagabundo

valo

VA.GA.BUN.DO *adj.* e *s.m.* 1) Que ou aquele que vagabundeia ou é vadio. / *adj.* 2) Andante, nômade, vagamundo. 3) Desocupado, ocioso, inativo. 4) Incerto, imprudente, versátil. 5) Ordinário; desprezível; reles.

VA.GA-LU.ME *s.m.* 1) *Entom.* Designação dada aos besouros lampirídeos que emitem luminescência através de vesículas especiais no abdome; pirilampo. 2) Empregado que, munido com uma lanterna, indica o lugar aos espectadores, nos cinemas e teatros; lanterninha.

VA.GÃO *s.m.* Veículo de estradas ferroviárias, empregado em trens, destinado ao transporte de passageiros, cargas ou animais.

VA.GAR *v.i.* 1) Andar sem destino; perambular; andar a esmo; errar; vaguear. 2) Propalar-se, espalhar-se. 3) Boiar ao sabor das ondas. 4) Passear ociosamente. 5) Ficar vago; estar desocupado. / *v.t.d.* 6) Deixar vago. / *v.t.i.* 7) Dedicar-se, ocupar-se. / *s.m.* 8) Lentidão, vagareza. 9) Tempo desocupado; folga, lazer.

VA.GA.RO.SO (ô) *adj.* 1) Em que há ou se move com vagar; lento, demorado. 2) Feito pausadamente; sereno. 3) Sem desembaraço.

VA.GEM *s.f.* 1) Envoltório das sementes ou grãos dos legumes. 2) Feijão verde.

VA.GI.NA *s.f. Anat.* Canal que se estende do colo do útero à vulva.

VA.GO *adj.* 1) Que vagueia; perambulante. 2) Inconstante, volúvel, indeterminado. 3) Sem expressão clara; indefinido. 4) Não preenchido; desocupado. 5) Inabitado. 6) Adquirido por devolução; devoluto. / *s.m.* 7) *Anat.* Cada um dos nervos que formam o décimo par de nervos cranianos.

VA.GUE.AR *v.i.* 1) Andar a esmo, perambular, vagar. 2) Fantasiar; imaginar; devanear. 3) Boiar, flutuar. 4) Trocar facilmente de posição; ser volúvel. 5) Andar sobre as vagas.

VAI.A *s.f.* Manifestação ruidosa de desaprovação ou desagrado, por meio de zoada e assobios.

VAI.DA.DE *s.f.* 1) Qualidade do que é vão, inútil ou do que não é durável. 2) Desejo ansioso de atrair a atenção e merecer a admiração dos outros. 3) Ufania, ostentação. 4) Futilidade, frivolidade.

VAI.DO.SO (ô) *adj.* e *s.m.* Que ou quem tem vaidade.

VAI.VÉM *s.m.* 1) Antiga máquina de guerra para arrombar ou desmoronar muralhas; aríete. 2) Movimento que vai e vem; movimento oscilatório; balanço. 3) Mudança ou diversidade de coisas que se sucedem; alternativa; vicissitude.

VA.LA *s.f.* 1) Escavação comprida e pouco larga para escoamento de água ou para a instalação de encanamentos. 2) Sepultura comum em que se reúnem os cadáveres de pessoas mortas em conjunto.

VA.LE *s.m.* 1) Depressão ou planície entre montes adjacentes. 2) Várzea à beira dos rios. 3) Escrito resumido, representativo de dinheiro emprestado ou adiantado, sem formalidades legais.

VA.LÊN.CIA *s.f.* 1) *Quím.* Capacidade de combinação que possui um átomo de um certo elemento de se combinar com um número de átomos de hidrogênio. 2) *pop.* Proteção, valia, sorte.

VA.LEN.CI.A.NO *adj.* 1) Relativo a ou próprio de Valença (Espanha). / *s.m.* 2) Natural ou habitante de Valença. 3) Dialeto romano falado em Valença.

VA.LEN.TÃO *adj.* e *s.m.* Que ou quem é muito valente ou brigão.

VA.LEN.TE *adj.2gên.* e *s.2gên.* Que ou quem tem valentia, que não tem medo do perigo; corajoso.

VA.LEN.TI.A *s.f.* 1) Audácia, bravura, coragem, denodo. 2) Força, alento, vigor. 3) Qualidade de resistente; resistência.

VA.LER *v.t.d.* 1) Ter mesmo valor ou preço a; ter certo custo. 2) Ser digno; merecer. 3) Significar, representar. / *v.i.* 4) Ter merecimento ou valor. / *v.t.i.* 5) Ter crédito ou influência. 6) Dar proveito. 7) Servir, aproveitar. 8) Fazer as vezes de. / *v.p.* 9) Aproveitar-se, prevalecer-se, utilizar-se. 10) Ter coragem, valor.

VA.LE.TA (ê) *s.f.* Pequena vala à beira de ruas ou estradas por onde escorre água.

VA.LE.TE *s.m.* Uma das cartas do baralho comum, com valor intermediário entre a dama e o rei, também chamada conde.

VA.LI.A *s.f.* 1) Valor próprio ou estimado de um objeto. 2) Merecimento, valor; valimento.

VA.LI.DA.ÇÃO *s.f.* Ação de tornar algo válido; legitimação.

VA.LI.DA.DE *s.f.* 1) Qualidade ou condição do que é válido. 2) Funcionamento satisfatório; eficácia.

VA.LI.DAR *v.t.d.* e *v.p.* 1) Dar validade a. 2) Tornar(-se) válido; autenticar(-se).

VA.LI.DEZ (ê) *s.f.* Característica ou estado do que é válido.

VÁ.LI.DO *adj.* 1) Que tem valor. 2) São, sadio, vigoroso. 3) Autêntico, legal. 4) Adequado, apropriado, certo, correto.

VA.LI.O.SO (ô) *adj.* 1) De muito valor. 2) Importante; precioso. 3) De muito merecimento.

VA.LI.SE *s.f.* Pequena mala de mão.

VA.LO *s.m.* 1) Fosso que protege o campo de batalha ou o acampamento da tropa. 2) *Por ext.* Qualquer muro ou cerca erguido para proteção.

valor | varapau

VA.LOR (ô) *s.m.* 1) O preço que se atribui a algo; importância, valia. 2) Papel representativo de dinheiro. 3) Merecimento de uma coisa pela sua utilidade. 4) Préstimo. 5) Qualidade de valente; coragem, valentia. 6) Merecimento, préstimo. 7) Duração de uma nota musical. 8) *fig.* Consideração, estima.

VA.LO.RI.ZAR *v.t.d.* 1) Dar valor a. 2) Aumentar o valor ou o préstimo de. / *v.p.* 2) Aumentar de valor. 3) Reconhecer o valor de si mesmo.

VA.LO.RO.SO (ô) *adj.* 1) Que tem valor; bravo, denodado, corajoso. 2) Ativo, forte.

VAL.SA *s.f.* 1) Nome que se dá a uma dança de salão em compasso ternário, podendo ser dançada em passos lentos, moderados ou rápidos. 2) Música apropriada para acompanhar essa dança.

VÁL.VU.LA *s.f.* 1) Pequena valva. 2) *Anat.* Dobra membranosa que impede o refluxo dos líquidos, nos vasos sanguíneos ou canais do organismo, dirigindo-os num determinado sentido. 3) Tampa que fecha um tubo hermeticamente. 4) Dispositivo destinado a conter gás ou vapor sob pressão, cedendo ao impulso de pressão excessiva, impedindo explosões.

VAM.PI.RO *s.m.* 1) Ente fantástico que deixa seu túmulo à noite para sugar o sangue das pessoas. 2) Indivíduo que vive ou enriquece à custa alheia ou ilicitamente. 3) *Zool.* Gênero de morcegos, muito grandes, que são hematófagos. 4) *Por ext.* Diz-se de todos os morcegos hematófagos.

VAN (vên) *s.f. ingl.* Veículo que transporta um número limitado de passageiros, geralmente entre 8 e 16 pessoas.

VA.NÁ.DIO *s.m. Quím.* Elemento metálico simples, dúctil e meio embranquecido, de grande emprego siderúrgico cujo símbolo é V e número atômico 23.

VAN.DA.LIS.MO *s.m.* 1) Ato praticado por vândalo. 2) *Por ext.* Destruição ou estrago de monumentos ou bens públicos ou particulares.

VÂN.DA.LO *s.m.* 1) Indivíduo integrante dos vândalos, povo bárbaro da antiga Germânia, que devastou o Sul da Europa e o Norte da África. 2) Destruidor das artes e monumentos ou de objetos preciosos pertencentes a um povo; bárbaro; incivilizado. 3) Sujeito ignorante que pratica atos de vandalismo.

VAN.GLÓ.RIA *s.f.* 1) Ostentação infundada. 2) Orgulho malformado das próprias qualidades. 3) Gabolice, jactância, presunção, vaidade.

VAN.GLO.RI.AR *v.t.d.* e *v.p.* Enfatizar as qualidades, méritos e conquistas de si mesmo ou dos outros.

VAN.GUAR.DA *s.f.* 1) A primeira fila de uma esquadra, de um exército, etc. 2) A frente ou dianteira. 3) Grupo de pessoas que participam de movimento inovador artístico ou outro. 4) O que precede, por suas audácias, essa época.

VAN.TA.GEM *s.f.* 1) Qualidade do que está adiante ou é superior. 2) Prerrogativa; proveito; lucro. 3) Favor, obséquio, benefício. 4) Bom êxito, sucesso, vitória.

VAN.TA.JO.SO (ô) *adj.* 1) Que traz ou apresenta vantagem; proveitoso. 2) Que proporciona lucro.

VÃO *adj.* 1) Vazio, oco, vácuo. 2) Fantasioso, ilusório. 3) Fútil; insensato; frívolo. 4) Aparente; falso. / *s.m.* 5) Espaço vago. 6) Intermitência. 7) Abertura em uma parede, por uma janela ou porta. 8) O jogo de cortinas para janela ou porta. 9) Vale profundo onde correm rios.

VA.POR (ô) *s.m.* 1) *Fís.* Denominação da matéria em estado gasoso decorrente da mudança de estado líquido. 2) Navio movido por motor a vapor.

VA.PO.RI.ZAR *v.t.d.* e *v.p.* 1) Converter(-se) em vapor; volatilizar(-se), sublimar(-se). / *v.p.* 2) Cobrir-se, impregnar-se de vapores. 3) Evaporar-se.

VA.QUEI.RO *adj.* 1) Referente ao gado vacum. / *s.m.* 2) Indivíduo que trabalha com gado vacum.

VA.QUI.NHA *s.f. pop.* Coleta de dinheiro com a colaboração de várias pessoas; vaca. 2) *Zool.* Designação dada a certos besouros predadores.

VA.RA *s.f.* 1) Ramo flexível e delgado de árvore ou arbusto ➡ vara de bambu. 2) Bordão; cajado; báculo. 3) Chicote, repreensão, punição. 4) Cargo ou jurisdição de juiz. 5) Manada de porcos. 6) Vareta.

VA.RAL *s.m.* 1) Cada uma das varas que saem das laterais de um veículo, nas quais se prende o animal. 2) Corda ou arame preso em dois postes, onde se estende a roupa lavada para secar. 3) Mesa de bambu onde se estendem os peixes pescados, ficando expostos ao relento até o dia seguinte.

VA.RAN.DA *s.f.* 1) Parapeito de grades nas sacadas ou janelas, abertas ao nível do pavimento. 2) Balcão, sacada. 3) Balcão corrido ao longo de uma parte de um edifício. 4) Sala comprida e estreita, na frente de casas rústicas. 5) Roda dentada no lagar de azeite. 6) Espécie de terraço coberto anexo aos paióis.

VA.RÃO *s.m.* 1) Indivíduo do sexo masculino. 2) Homem adulto. 3) Vara grande, geralmente de metal ou ferro; grade. / *adj.* 4) Que é do sexo masculino.

VA.RA.PAU *s.m.* 1) Pau comprido; cajado; bordão; vara. 2) *pop.* Pessoa alta e magra.

varar — vassalagem

VA.RAR *v.t.d.* 1) Golpear com varadas; açoitar. 2) Meter uma embarcação no varadouro para consertá-la ou guardar. 3) Atravessar, cruzar, traspassar. 4) Expulsar; espantar. 5) Sair. 6) *pop.* Passar um rio.

VA.RE.JAR *v.t.d.* 1) Golpear com varadas; abater com vara. 2) Medir às varas. 3) Abordar, investir contra. 4) Dar busca; vistoriar; examinar. 5) *pop.* Jogar fora; arremessar para longe. / *v.t.i.* 6) Atirar sucessivamente. / *v.i.* 7) Soprar de forma violenta.

VA.RE.JEI.RA *s.f.* Designação dada às moscas que depositam seus ovos em feridas ou carne em decomposição, ocasionando bicheiras nestes locais; vareja.

VA.RE.JIS.TA *adj.2gên.* e *s.2gên.* 1) Que ou quem vende a varejo. / *adj.2gên.* 2) Relativo a varejo.

VA.RE.JO (ê) *s.m.* 1) Vistoria num estabelecimento comercial para averiguar se há desvio de impostos. 2) Operação comercial que consiste na venda de mercadorias a retalho ou por miúdos.

VA.RE.TA (ê) *s.f.* 1) Vara de pequenas dimensões. 2) Vara delgada, metálica ou de madeira, utilizada para socar a bucha das espingardas e fuzis. 3) Cada uma das pernas do compasso.

VAR.GEM *s.f.* 1) *pop.* Terreno pantanoso, baixo e plano, que cerca as margens de rios e ribeirões. 2) Várzea, varge.

VAR.GI.NHA *s.f.* Vargem de pequenas dimensões.

VA.RI.A.ÇÃO *s.f.* 1) Ato ou efeito de variar; alternação. 2) *Mús.* Modificação da melodia ou acréscimo de ornatos ao repetir uma ária musical, deixando-a, no entanto, bem reconhecível. 3) *Biol.* Aspectos diferentes encontrados entre indivíduos de uma mesma espécie. 4) *Gram.* Parte declinável de uma palavra. 5) *pop.* Delírio.

VA.RI.AN.TE *adj.2gên.* 1) Que varia, diferente. 2) Inconstante, mutável. / *s.f.* 3) Cada uma das diferentes versões de um mesmo texto. 4) Cada uma das diferentes formas pelas quais um vocábulo pode se apresentar. 5) Desvio que modifica a direção de uma estrada.

VA.RI.AR *v.t.d.* 1) Tornar vário; diversificar; diferençar. 2) Modificar, alterar, revezar. 3) Dar vários tons. 4) Apresentar diferentes aspectos. 5) Ser diverso; divergir, discrepar. / *v.i.* 6) Endoidecer, delirar, enlouquecer. 7) Apresentar-se sob diferentes formas, diferentes aspectos. / *v.p.* 8) Sofrer mudanças; alterar-se. 9) *Gram.* Assumir a forma flexionada.

VA.RI.Á.VEL *adj.2gên.* 1) Que pode variar. / *s.f.* 2) *Mat.* Termo que pode ser substituído por outros em uma função ou relação.

VA.RI.CE.LA *s.f.* Catapora.

VA.RI.E.DA.DE *s.f.* 1) Qualidade de variável; diversidade; inconstância; versatilidade; variação. 2) *Hist. nat.* Subdivisão de uma espécie, que se distingue por certos aspectos próprios.

VÁ.RIO *adj.* 1) Variado, sortido. 2) Diferentes; diversos. 3) Que não é constante; instável.

VA.RÍ.O.LA *s.f. Med.* Doença epidêmica, infectocontagiosa, caracterizada por febre e erupções pustulentas; bexiga.

VÁ.RIOS *pron.* Muitos, diversos.

VA.RO.NIL *adj.2gên.* 1) Referente a ou próprio de varão; viril. 2) Forte, rígido, severo. 3) Heroico, enérgico.

VAR.RE.DOU.RO *s.m.* Vassoura própria para varrer o forno do pão.

VAR.RE.DU.RA *s.f.* 1) Ato ou efeito de varrer. 2) *Inform.* Busca cuidadosa; rastreamento.

VAR.RER *v.t.d.* 1) Limpar com vassoura. 2) Arrastar-se pela superfície de; roçar. 3) Mover para diante. 4) Esvaziar, esgotar. 5) Espalhar. 6) Apagar. 7) *fig.* Impelir da memória; fazer esquecer. / *v.p.* 8) Desvanecer-se, esvair-se. / *v.i.* 9) Juntar a sujeira com a vassoura. 10) *pop.* Perder o crédito.

VÁR.ZEA *s.f.* 1) Planície cultivada. 2) Terreno baixo e plano que cerca as margens de rios e ribeirões; vargem.

VAS.CU.LAR *adj.2gên.* 1) *Anat.* Referente aos vasos, principalmente os sanguíneos. 2) Que tem vasos.

VAS.CU.LHAR *v.t.d.* 1) Varrer com vasculho. 2) Pesquisar; investigar. 3) Examinar com minúcia; esquadrinhar.

VAS.CU.LHO *s.m.* 1) Varredouro para fornos. 2) Vassoura de teto.

VA.SEC.TO.MI.A *s.f. Cir.* Esterilização masculina por meio de uma intervenção cirúrgica.

VA.SE.LI.NA *s.f.* Substância gordurosa e incolor derivada do petróleo, usada no preparo de medicamentos e como creme emoliente.

VA.SI.LHA *s.f.* 1) Recipiente capaz de conter qualquer líquido. 2) Tonel, barril, pipa. 3) Também conhecido por vasilhame.

VA.SI.LHA.ME *s.m.* 1) Vasilha. 2) Conjunto de vasilhas.

VA.SO *s.m.* 1) Recipiente côncavo capaz de conter substâncias sólidas ou líquidas. 2) Recipiente no qual se cultivam plantas ornamentais. 3) Urinol. 4) Navio. 5) *Anat.* Canal orgânico, como veia, artéria, etc.

VAS.SA.LA.GEM *s.f.* 1) Estado ou qualidade de vassalo; subordinação, submissão. 2) Testemunho de veneração do vassalo ao senhor feudal; preito. 3) Conjunto ou porção de vassalos.

vassalo / veiculação

VAS.SA.LO *s.m.* 1) Indivíduo submetido à autoridade de um senhor feudal, ao qual estava ligado por preito. / *adj.* 2) Submisso. 3) Que paga tributo a alguém.

VAS.SOU.RA *s.f.* 1) Utensílio destinado à varredura, feito de um feixe de ramos de palmeiras, de piaçaba, etc. ou de cerdas resistentes. 2) *Bot.* Planta da família das Malváceas.

VAS.SOU.RA.DA *s.f.* Golpe dado com a vassoura.

VAS.TI.DÃO *s.f.* Grande extensão; imensidão.

VAS.TO *adj.* 1) Muito extenso; amplo. 2) De grandes dimensões; espaçoso. 3) Importante. 4) *fig.* Que abrange muitos conhecimentos; erudito.

VA.TA.PÁ *s.m. Cul.* Prato da culinária baiana, preparado com peixe ou crustáceos, farinha de mandioca, leite de coco e azeite de dendê.

VA.TE *s.2gên.* 1) Quem faz vaticínio; profeta. 2) Poeta.

VA.TI.CA.NO *s.m.* 1) Palácio do governo pontifício onde reside o papa. 2) *Por ext.* Cúria romana. / *adj.* 3) Relativo ou pertencente ao Vaticano.

VA.TI.CÍ.NIO *s.m.* Adivinhação do futuro; profecia.

VAU *s.m.* 1) Local de rio, mar ou lagoa no qual a água é rasa e se pode passar a pé ou a cavalo. 2) Banco de areia que se forma no fundo do mar, dificultando a navegação.

VA.ZA *s.f.* Porção de cartas jogadas a cada vez ou lance, que são recolhidas pelo ganhador.

VA.ZA.DOU.RO *s.m.* Lugar onde se jogam imundícies ou se despejam quaisquer líquidos.

VA.ZA.MEN.TO *s.m.* 1) Ato ou decorrência de vazar; escoamento, vazão. 2) Lugar por onde vaza líquido. 3) *Por ext.* O líquido que vazou.

VA.ZAN.TE *adj.2gên.* 1) Que vaza. - *s.f.* 2) Refluxo; maré baixa. 3) Momento em que um rio se apresenta com o menor volume de água. 4) Terreno baixo e úmido. 5) Vazão.

VA.ZÃO *s.f.* 1) Vazamento. 2) Consumo, venda. 3) Quantidade de fluido fornecida por uma corrente, numa certa unidade de tempo. 4) Solução.

VA.ZAR *v.t.d.* 1) Tornar vazio; esvaziar. 2) Transbordar; desaguar. 3) Furar. 4) Difundir o metal em fusão no molde. / *v.i.* 5) Escoar aos poucos. 6) Refluir; baixar. 7) Derramar; entornar, verter o líquido. 8) Sair, verter; deixar ver a luz através de. / *v.p.* 9) Tornar-se vazio.

VA.ZI.O *adj.* 1) Que não contém nada. 2) Que não possui habitantes, ocupantes ou frequentadores, ou que os possui em pequeno número. 3) *fig.* Que não possui qualidades positivas; fútil. / *s.m.* 4) Espaço sem nada.

VE.A.DO *s.m.* 1) *Zool.* Designação dada aos mamíferos ungulados da família dos Cervídeos, com chifres ramificados e porte altivo, extremamente velozes e tímidos.

VE.DA *s.f.* 1) Ato ou efeito de vedar; vedação. 2) Proibição. / *s.m.* 3) Cada um dos quatro livros sagrados dos hindus que, segundo eles, foi prescrito por Brama.

VE.DA.ÇÃO *s.f.* 1) Ato ou efeito de vedar. 2) *Por ext.* Tudo que serve para vedar.

VE.DAR *v.t.d.* 1) Não admitir; não permitir; proibir, impedir. 2) Atrapalhar, bloquear, dificultar. 3) Causar embaraço; obstar. 4) Impedir um líquido de escoar. 5) Fechar; tapar.

VE.DE.TE *s.f.* 1) Artista que se destaca no elenco de uma peça teatral. 2) *fig.* Indivíduo que sobressai. 3) Nome de uma lancha usada para o transporte de autoridades.

VE.E.MÊN.CIA *s.f.* 1) Intensidade, fervor, ardor. 2) Vigor de ânimo; entusiasmo. 3) Eloquência, oratória. 4) Grande força; ímpeto, violência.

VE.E.MEN.TE *adj.2gên.* 1) Intenso, ardoroso, vigoroso. 2) Enérgico, impetuoso. 3) Forte, violento. 4) Frenético, ativo, arrebatado, fervoroso.

VE.GE.TA.ÇÃO *s.f.* 1) Ato ou efeito de vegetar. 2) Conjunto de vegetais que cobrem uma determinada região. 3) *Med.* e *Bot.* Excrescência mórbida de tecido. 4) Diz-se do indivíduo que vive em estado de inércia e indiferente a tudo.

VE.GE.TAL *adj.2gên.* 1) Relativo a planta. 2) Procedente de planta. / *s.m.* 3) Planta.

VE.GE.TAR *v.t.d.* 1) Alimentar, manter, nutrir. / *v.i.* 2) Viver na inatividade, sem sentimentos nem emoções. 3) Viver apenas fisicamente, sem atividade mental. 4) Viver e desenvolver-se, referindo-se a uma planta.

VE.GE.TA.RI.A.NO *adj. e s.m.* Diz-se do ou indivíduo que se alimenta exclusivamente de vegetais.

VE.GE.TA.TI.VO *adj.* 1) Relativo ao desenvolvimento e nutrição de plantas e animais. 2) Relativo ou pertencente às plantas. 3) *Biol.* Cujo funcionamento é involuntário e inconsciente. 4) Que não tem mais atividade consciente.

VEI.A *s.f.* 1) *Anat.* Vaso que conduz de volta ao coração o sangue distribuído pelas artérias. 2) Pequeno rio. 3) *Bot.* Nervura secundária das folhas. 4) Meio de comunicação. 5) Disposição, tendência, vocação. 6) Caráter, característica.

VE.I.CU.LA.ÇÃO (e-i) *s.f.* 1) Ato ou efeito de veicular. 2) *fig.* Propagação, difusão. 3) Divulgação de mensagem publicitária por veículos de comunicação.

veicular

veneno

VE.I.CU.LAR (e-i) *v.t.d.* 1) Difundir, propagar, transmitir. / *adj.2gên.* 2) Relativo a ou próprio de veículo.

VE.Í.CU.LO *s.m.* 1) Meio mecânico de transporte; automóvel. 2) Tudo que transporta, transmite ou promove. 3) *Farm.* Excipiente líquido. 4) Qualquer meio utilizado na divulgação de um anúncio.

VEI.O *s.m.* 1) Faixa de terra ou rocha que se sobressai do restante que a rodeia, pela sua natureza ou coloração. 2) Massa de minério, tubuliforme; filão. 3) Curso de água de pouca extensão e volume; riacho, ribeiro; veia. 4) *Mec.* Eixo de ferro. 5) Base, alicerce, fundamento.

VE.LA *s.f.* 1) *Náut.* Pano forte que serve para impelir embarcações por meio da ação do vento ou movimentar moinhos. 2) *fig.* Embarcação movida a vela. 3) Ato de velar; velamento, vigília. 4) Sentinela. 5) Peça de cera provida de pavio que serve para iluminar.

VE.LAR *v.t.d.* 1) Cobrir com véu; encobrir. 2) Anuviar. 3) Ocultar; tornar sombrio. 4) Passar a noite em vigília. 5) *Fot.* Inutilizar filme virgem devido ao excesso de exposição. / *v.i.* 6) Passar a noite sem dormir. / *v.p.* 7) Cobrir-se com véu. 8) Vigiar-se, acautelar-se. / *adj.2gên.* 9) *Gram.* Diz-se dos fonemas que se articulam junto ao véu palatino.

VE.LEI.DA.DE *s.f.* 1) Vontade ou atitude passageira. 2) Atitude de imaturidade, de excentricidade. 3) Presunção, vaidade.

VE.LEI.RO *s.m.* 1) Indivíduo que faz velas para navios. 2) Navio de vela.

VE.LE.JAR *v.t.d.* e *v.i.* Navegar em barco a vela.

VE.LHA.CA.RI.A *s.f.* 1) Ação ou comportamento de quem é velhaco ou age como velhaco; patifaria, canalhice. 2) Atributo do que é velhaco.

VE.LHA.CO *adj.* 1) Que engana de propósito; fraudulento; maldoso; falso. 2) Patife. 3) Brejeiro, devasso. 4) Aplica-se ao animal que não se deixa prender com facilidade.

VE.LHA.RI.A *s.f.* 1) O que é antiquado, ultrapassado, obsoleto. 2) O que é típico de pessoas velhas. 3) *pej.* Objeto velho, que não presta.

VE.LHI.CE *s.f.* 1) Situação daquele que está velho. 2) Idade avançada. 3) As pessoas velhas. 4) Impertinência própria de velho.

VE.LHO *adj.* 1) Que não é novo. 2) Antigo. 3) Gasto pelo uso. 4) Antiquado, desusado, ultrapassado. 5) Que tem aparência de velhice. / *s.m.* 6) Homem idoso, ancião. 7) *Fam.* O pai.

VE.LO *s.m.* Lã de carneiro, ovelha ou cordeiro.

VE.LO.CI.DA.DE *s.f.* 1) Característica de veloz. 2) Rapidez. 3) *Mec.* Relação entre a distância percorrida e o tempo gasto no percurso, no movimento uniforme.

VE.LO.CÍ.ME.TRO *s.m.* Aparelho que serve para medir velocidade.

VE.LO.CÍ.PE.DE *adj.2gên.* 1) Que possui pés velozes. / *s.m.* 2) Tipo de bicicleta primitiva, com três rodas. 3) Triciclo.

VE.LÓ.DRO.MO *s.m.* Pista para corridas de bicicletas.

VE.LÓ.RIO *s.m.* 1) Ato de velar defunto; vigília de defuntos. 2) Local onde se realiza essa vigília.

VE.LOZ *adj.2gên.* 1) Rápido, ligeiro. 2) Que passa muito depressa.

VE.LU.DO *s.m.* 1) Tecido de seda ou algodão, que possui, de um dos lados, pelo muito macio, curto e acetinado. 2) *Por ext.* Coisa ou superfície macia. 3) *Bot.* Planta malvácea.

VE.NAL *adj.2gên.* 1) Relativo a venda. 2) Que se pode vender. 3) *fig.* Que se corrompe por dinheiro ou suborno. 4) Relativo a veias; venoso.

VEN.CE.DOR (ô) *adj.* e *s.m.* 1) Que ou quem vence ou venceu. / *s.m.* 2) Pessoa que conseguiu superar as dificuldades e vencer na vida.

VEN.CER *v.t.d.* 1) Alcançar vitória sobre. 2) Obter vantagem em. 3) Refrear, conter. 4) Dominar. 5) Desfazer, destruir. 6) Comover. 7) Atingir, andar, percorrer. 8) Executar, realizar. 9) Auferir, ganhar, receber como ordenado. / *v.t.i.* e *v.i.* 10) Triunfar. 11) Conseguir o seu fim. / *v.p.* 12) Chegar ao terminar o prazo para o pagamento de. 13) Conter-se; refrear as próprias paixões.

VEN.CI.MEN.TO *s.m.* 1) Ato ou efeito de vencer. 2) Vitória, triunfo. 3) *Com.* Término do prazo para pagamento de uma dívida ou para cumprimento de encargo.

VEN.DA *s.f.* 1) Ato ou efeito de vender; vendagem. 2) Estabelecimento onde se vendem secos e molhados; empório. 3) Taberna, bar. 4) Faixa usada para cobrir os olhos. 5) *fig.* Cegueira.

VEN.DAR *v.t.d.* 1) Cobrir com venda. 2) Tapar os olhos. 3) *fig.* Cegar, turvar.

VEN.DA.VAL *s.m.* 1) Vento tempestuoso; temporal, furacão. 2) *fig.* Tumulto interior.

VEN.DE.DOR (ô) *adj.* e *s.m.* Que ou quem vende.

VEN.DER *v.t.d.* 1) Trocar por dinheiro. 2) Negociar; não conceder gratuitamente. 3) Sacrificar por dinheiro ou interesse. / *v.i.* 4) Exercer a profissão de vendedor. / *v.p.* 5) Ceder a sua própria liberdade por certo preço. 6) Praticar atos indignos por interesse. 7) Prostituir-se.

VE.NE.NO *s.m.* 1) Substância que produz perturbações funcionais ao ser absorvida; tóxico. 2) Peçonha. 3) *fig.* Tudo aquilo que pode provocar corrupção moral. 4) *fig.* Indivíduo mau. 5) *fig.* Maldade. 6) *fig.* Interpretação maliciosa. **509**

venenoso

veracidade

7) *Vet.* Doença dos animais, uma variedade de carbúnculo.

VE.NE.NO.SO (ô) *adj.* 1) Que tem veneno; que pode envenenar. 2) *fig.* Em que há intenção perversa; maldoso.

VE.NE.RA *s.f.* 1) Sinal distintivo das antigas ordens militares. 2) Emblema dos romeiros. 3) Condecoração; crachá, insígnia.

VE.NE.RA.ÇÃO *s.f.* 1) Ato ou efeito de venerar. 2) Respeito, reverência, admiração.

VE.NE.RAR *v.t.d.* 1) Tratar com grande respeito; render culto a. 2) Acatar; respeitar, devotar.

VE.NE.RÁ.VEL *adj.2gên.* 1) Digno de veneração, respeitável. 2) Digno de respeito e consideração. / *s.m.* 3) Indivíduo presidente de uma loja maçônica.

VE.NÉ.REO *adj.* 1) Que diz respeito à deusa Vênus, sensual. 2) Referente às doenças adquiridas através do ato sexual. / *s.m.* 3) *pop.* Sífilis.

VE.NE.TA (ê) *s.f.* 1) Acesso repentino de loucura. 2) Impulso repentino; mania. 3) Mau humor.

VE.NE.ZI.A.NA *s.f.* Janela de ripas de madeira superpostas que, quando fechada, permite a entrada do ar, mas escurece o ambiente.

VE.NE.ZI.A.NO *adj.* 1) Que se refere à cidade de Veneza (Itália). / *s.m.* 2) Indivíduo natural ou habitante de Veneza. 3) Dialeto falado em Veneza.

VE.NI.AL *adj.2gên.* Digno de perdão; desculpável, perdoável.

VE.NO.SO (ô) *adj.* Relativo a veias; venal.

VEN.TA *s.f.* 1) Cada uma das fossas nasais; narina. / *s.f. pl.* 2) O nariz.

VEN.TA.NA *s.f.* 1) Janela. / *adj.2gên.* e *s.2gên.* 2) Que ou aquele que é mau, desordeiro, turbulento.

VEN.TA.NI.A *s.f.* Vento intenso e contínuo.

VEN.TAR *v.i.* 1) Fazer vento; soprar com força o vento. 2) *pop.* Soltar ventosidade. / *v.t.i.* 3) Manifestar-se de súbito. 4) *fig.* Ser propício ou favorável.

VEN.TA.RO.LA *s.f.* 1) Certo tipo de leque, com apenas um cabo, e sem varetas. 2) Abano.

VEN.TI.LA.ÇÃO *s.f.* 1) Ato ou efeito de ventilar. 2) Passagem contínua de ar fresco em um local; arejamento. 3) *Fisiol.* Movimento de ar nos pulmões.

VEN.TI.LA.DOR (ô) *adj.* 1) Que ventila. / *s.m.* 2) Aparelho com pás que se movem e produzem corrente de ar.

VEN.TI.LAR *v.t.d.* 1) Fazer entrar o vento em; arejar; expor ao vento; refrescar; renovar o ar de. 2) Agitar, debater. 3) Limpar o trigo da palha, por meio de joeira. / *v.p.* 4) Abanar-se.

VEN.TO *s.m.* 1) *Meteor.* Corrente de ar atmosférico. 2) O ar em movimento. 3) Circulação de ar causada por ventilador, leque, etc. 4) Ventosidade; flatulência. 5) *fig.* Agitação. 6) *Poét.* Sorte, aura. 7) *fig.* Coisa vã, sem fundamento. 8) Faro. 9) Coisa rápida. 10) Vaidade. 11) *gír.* Dinheiro.

VEN.TO.I.NHA *s.f.* 1) Parte giratória de um catavento. 2) *pop.* Indivíduo volúvel, inconstante.

VEN.TO.SA *s.f.* 1) *Med.* Vaso cônico que, quando aplicado sobre a pele, rarefaz o ar em seu interior produzindo uma irritação local e provocando a afluência do sangue. 2) Sugadouro de alguns animais aquáticos. 3) *Bot.* Planta hernandiácea.

VEN.TO.SI.DA.DE *s.f.* Expulsão de gases do estômago ou intestino; flatulência.

VEN.TO.SO (ô) *adj.* 1) Em que venta muito. 2) Cheio de vento; exposto ao vento.

VEN.TRE *s.m.* 1) Cavidade abdominal; abdome. 2) Parte do corpo em que se encontra essa cavidade; barriga. 3) O útero. 4) Saliência arredondada de um vaso. 5) Parte mais carnuda de alguns músculos. 6) *fig.* Parte interior, âmago.

VEN.TRÍ.CU.LO *s.m.* 1) *Anat.* Nome de cavidades particulares a certos órgãos. 2) *Anat.* Cada cavidade inferior do coração. 3) *Zool.* A cavidade única do coração de alguns animais. 4) Cada uma das cinco cavidades que existem no âmago do cérebro.

VEN.TRI.LO.QUI.A *s.f.* Técnica de falar sem mover os lábios, ou movendo-os muito pouco, para parecer que a voz vem de outra pessoa.

VEN.TRÍ.LO.QUO (co ou qüo) *adj.* e *s.m.* Aplica-se ao ou o indivíduo que consegue falar sem movimentar a boca, modificando sua voz de modo que esta pareça provir de outrem.

VEN.TU.RA *s.f.* 1) Fortuna boa ou má. 2) Bens materiais. 3) Felicidade. 4) Ímpeto, perigo.

VEN.TU.RO.SO (ô) *adj.* 1) Que tem ventura; ditoso, feliz. 2) Próspero; alegre. 3) Arriscado, aventuroso. 4) Impetuoso; ousado.

VÊ.NUS *s.f.* 1) *Astr.* Planeta que orbita entre a Terra e Mercúrio. 2) Na mitologia romana, Vênus; na mitologia grega, Afrodite.

VER *v.t.d.* 1) Perceber com a vista; mirar; avistar; enxergar. 2) Ser plateia ou testemunha; assistir; presenciar. 3) Notar, observar. 4) Distinguir, discernir. 5) Deduzir; concluir. 6) Conhecer. 7) Examinar; investigar. 8) Acatar. 9) Ler. / *v.p.* 10) Reconhecer-se. 11) Encontrar-se, avistar-se. / *v.i.* 12) Ter o sentido de visão; enxergar.

VE.RA.CI.DA.DE *s.f.* 1) Qualidade do que é verdadeiro; o que corresponde à verdade. 2) Capacidade de ser verdadeiro ou de dizer a verdade.

veranear — vergonhoso

VE.RA.NE.AR *v.i.* Passar o verão em lugar aprazível ou a passeio.

VE.RA.NEI.O *s.m.* Ato de veranear; passar o verão em local aprazível.

VE.RÃO *s.m.* 1) Estação do calor; estação quente e pouco chuvosa. 2) Estação do ano que, no Hemisfério Sul, vai de 21 de dezembro a 21 de março e, no Hemisfério Norte, de 21 de junho a 22 de setembro; estio.

VER.BA *s.f.* 1) Parcela da receita orçamentária para determinado fim. 2) Quantia; dinheiro. 3) Cláusula, artigo de um documento. 4) Apontamento, comentário.

VER.BAL *adj.2gên.* 1) Relativo a verbo. 2) Expresso oralmente; oral; falado.

VER.BA.LIS.MO *s.m.* 1) Transmissão de conhecimentos pela fala, pela explicação oral. 2) Ensino de caráter verbal. 3) Eloquência de palavras sem substância. 4) Verbosidade.

VER.BA.LI.ZAR *v.t.d.* e *v.i.* Expressar ou expor em palavras, oralmente; falar.

VER.BE.RAR *v.t.d.* 1) Chicotear, chibatar, açoitar. 2) Censurar asperamente; condenar. / *v.i.* 3) Resplandecer; reverberar.

VER.BE.TE (ê) *s.m.* 1) Apontamento, nota. 2) Papel com apontamento ou nota; ficha. 3) Cada uma das palavras relacionadas em um dicionário, enciclopédia ou glossário, com suas definições ou outras informações; entrada.

VER.BO *s.m.* 1) Palavra, vocábulo; termo. 2) Expressão, locução. 3) *Gram.* A palavra variável com as categorias de tempo, modo, número e pessoa; designa ação, estado ou qualidade de pessoas, animais ou coisas de que se fala. 4) *Teol.* Segunda pessoa da Santíssima Trindade; expressão bíblica para designar Jesus Cristo.

VER.BOR.RA.GI.A *s.f.* Qualidade de quem fala ou debate com grande fluência e abundância de palavras, mas sem muito sentido; falação; verborreia.

VER.BO.SO (ô) *adj.* 1) Que fala muito e com facilidade; loquaz. 2) Que é fluente no falar; abundante em palavras.

VER.DA.DE *s.f.* 1) Concordância da informação com a realidade. 2) Fato, exatidão. 3) Princípio certo e válido. 4) Sinceridade, boa-fé. 5) Retrato fiel de alguma coisa da natureza. 6) Axioma.

VER.DA.DEI.RO *adj.* 1) Que corresponde à realidade; real, verídico. 2) Autêntico, genuíno, legítimo. 3) Confiável, sincero, leal. 4) Exato, certo, preciso. 5) Que não é fictício, imaginário, fantasioso ou enganoso; real. / *s.m.* 6) A verdade.

VER.DE *adj.2gên.* 1) De cor resultante da mistura do azul com o amarelo. 2) Da cor das ervas e das folhas das árvores. 3) Que ainda não está maduro (fruto). 4) Que ainda tem seiva (planta). 5) Que não está seca (madeira). 6) Que está fresca (carne não salgada). 7) Referente aos primeiros anos da existência; imaturo. 8) Tenro, delicado. / *s.m.* 9) A cor verde. 10) A vegetação; a flora; a verdura.

VER.DE.JAN.TE *adj.2gên.* 1) Que verdeja. 2) Muito verde; viçoso.

VER.DOR (ô) *s.m.* 1) Cor verde das plantas; verdura. 2) Característica do que é verde. 3) Vigor, força; robustez. 4) Viço da juventude. 5) Inexperiência; imaturidade.

VER.DU.GO *s.m.* 1) Parte saliente da chapa de trilho, nas rodas dos vagões, para não descarrilar. 2) *Náut.* Friso saliente ao longo da borda do navio. 3) *fig.* Pessoa malvada. 4) *fig.* Carnífice, carrasco; cruel.

VER.DU.RA *s.f.* 1) A cor dos vegetais. 2) As plantas; os vegetais. 3) Hortaliça. 4) Viço; vigor. 5) Verdor. 6) Inexperiência; juventude.

VE.RE.A.DOR (ô) *s.m.* Indivíduo integrante da câmara municipal; edil.

VE.RE.DA (ê) *s.f.* 1) Caminho estreito ou desviado; senda. 2) Rumo, sentido, direção. 3) Várzea, ao longo da margem de um rio. 4) Local com grande quantidade de água na região das caatingas, situada entre montanhas, nos vales dos rios. 5) Clareira, nos lugares em que há vegetação rasteira.

VE.RE.DIC.TO ou **VE.RE.DI.TO** *s.m.* 1) Sentença judicial em causas cíveis ou criminais; resolução, decisão. 2) *Por ext.* Juízo pronunciado sobre qualquer matéria.

VER.GA (ê) *s.f.* 1) Vara fina e flexível. 2) Barra dobrável e fina, de metal. 3) *Náut.* Vara atravessada no mastro no qual se prende a vela.

VER.GÃO *s.m.* 1) Verga de grandes dimensões. 2) Vinco deixado na pele por pancadas, aperto de cordão, unhadas ou por qualquer outra causa.

VER.GAR *v.t.d.* 1) Curvar como verga; dobrar; entortar. 2) Subordinar, submeter, subjugar. / *v.i.* e *v.p.* 3) Curvar-se, dobrar-se. / *v.t.i.* 4) Ceder ao peso de alguma coisa. / *v.t.i.* e *v.i.* 5) Ceder à influência de alguém, sujeitar-se.

VER.GO.NHA *s.f.* 1) Sentimento de pejo causado por atos ou coisas que ferem a decência ou dignidade moral. 2) Enrubescimento das faces causado pelo pejo. 3) Constrangimento, embaraço, timidez, acanhamento. 4) Ato indecente. 5) Receio de desonra.

VER.GO.NHO.SO (ô) *adj.* 1) Que causa vergonha. 2) Que tem vergonha; tímido, acanhado.

verídico · verter

VE.RÍ.DI.CO *adj.* Que diz ou que contém a verdade; verdadeiro, veraz.

VE.RI.FI.CAR *v.t.d.* 1) Investigar ou provar a realidade ou exatidão de; averiguar. 2) Confirmar, constatar. / *v.p.* 3) Cumprir-se, realizar-se.

VER.ME *s.m.* 1) Designação dada a diversos animais invertebrados inteiramente moles, de corpo alongado, desprovidos de patas. 2) Designação dada às larvas de insetos, de corpo mole, desprovidas de patas. 3) Que mina ou corrói lentamente. 4) *fig.* Indivíduo vil, detestável.

VER.ME.LHÃO *s.m.* 1) Sulfureto de mercúrio que forma o pigmento de cor vermelha viva, utilizado na fabricação de tintas. 2) *fig.* Rubor da face; afogueamento, vermelhidão.

VER.ME.LHAR *v.t.d.* 1) Dar cor vermelha a; avermelhar. / *v.p.* 2) Fazer-se vermelho; avermelhar. / *v.i.* 3) Ter cor vermelha.

VER.ME.LHI.DÃO *s.f.* 1) Qualidade do que é vermelho. 2) Rubor das faces.

VER.ME.LHO *adj.* 1) De cor encarnada; rubro, escarlate. 2) *fig.* Afogueado, corado, ruborizado. 3) Da ex-URSS. 4) *Por ext.* Revolucionário; comunista. / *s.m.* 5) A cor vermelha.

VER.MI.CI.DA *adj.* 1) Que mata vermes. / *s.m.* 2) Substância que mata vermes.

VER.MÍ.FU.GO *adj.* 1) Que mata vermes. / *s.m.* 2) Substância ou produto que combate vermes; vermicida.

VER.MI.NO.SE *s.f. Med.* Doença causada por infestação de vermes.

VER.MU.TE *s.m.* Vinho ao qual se adicionam extratos de substâncias aromáticas ou amargas.

VER.NÁ.CU.LO *adj.* 1) Próprio de um país, nação ou região. 2) Diz-se da linguagem sem mistura de estrangeirismos. 3) Que observa de modo rigoroso a forma pura e correta da linguagem; castiço. / *s.m.* 4) Idioma próprio de um país.

VER.NIS.SA.GEM *s.f.* Inauguração de uma exposição de obras de arte.

VER.NIZ *s.m.* 1) Solução de resinas e óleos dissolvidos em álcool, cuja função é impermeabilizar madeiras, cerâmica, etc., preservando-os da umidade do ar. 2) Designação dada a diversos vegetais que fornecem as resinas utilizadas na fabricação do verniz. 3) Certo couro envernizado para polimento de calçados. 4) *fig.* Polidez superficial de modos ou atitudes. 5) Aspecto favorável que se encontra num mau procedimento. 6) Camada superficial; conhecimentos superficiais.

VE.RO *adj.* Verdadeiro, real.

VE.ROS.SÍ.MIL *adj.2gên.* 1) Semelhante à verdade, que parece ser verdadeiro. 2) Que é provável de ser verdadeiro; admissível; verossimilhante.

VER.RU.GA *s.f.* 1) Pequena saliência consistente na pele, de aspecto caloso. 2) *Bot.* Pequena excrescência rugosa; berruga.

VER.SA.DO *adj.* 1) Objeto de estudo ou discussão. 2) Que tem experiência em alguma área do conhecimento; perito.

VER.SA.LE.TE (ê) *s.m.* Letra com forma de maiúscula e altura de minúscula.

VER.SÃO *s.f.* 1) Ato ou efeito de verter ou voltar. 2) Designação dada às antigas traduções da Bíblia. 3) Maneira de contar um fato. 4) Tradução literal de um texto. 5) *Astr.* Trajeto ou curso de um astro na sua órbita. 6) *Med.* Manobra destinada a mudar o feto para uma posição mais adequada ao parto.

VER.SAR *v.t.d.* 1) Compor ou transformar em versos; versificar. / *v.t.d.* e *v.t.i.* 2) Ter como tema; tratar; abordar.

VER.SÁ.TIL *adj.2gên.* 1) Instável, mutável, inconstante. 2) Que tem qualidades variadas. 3) Flexível; dotado de várias capacidades. 4) Que possui diversas qualidades num determinado ramo.

VER.SE.JAR *v.t.d.* 1) Pôr, transformar em verso. / *v.i.* 2) Fazer ou compor versos; versificar. 3) *pej.* Compor maus versos.

VER.SÍ.CU.LO *s.m.* 1) Pequeno trecho bíblico formado de poucas linhas, porém possui sentido completo. 2) Divisão de artigos ou parágrafo.

VER.SI.FI.CAR *v.t.d.* e *v.i.* Compor versos; versejar.

VER.SO *s.m.* 1) Palavra ou conjunto de palavras sujeitas a certa cadência, seguindo certas regras fixas. 2) O gênero poético; poesia. 3) Cada linha da estrofe ou de um poema. 4) A página posterior à da frente. 5) Face inferior. 6) Parte ou lado posterior.

VERSUS *prep. lat.* 1) Contra. 2) Em relação a.

VÉR.TE.BRA *s.f. Anat.* Cada uma da série de ossos que constituem a espinha dorsal dos vertebrados.

VER.TE.BRA.DO *adj.* 1) Que possui vértebras. / *s.m. pl.* 2) *Zool.* Divisão do reino animal que abrange todos os animais caracterizados por possuírem a coluna dividida em uma série de peças, as vértebras.

VER.TE.BRAL *adj.2gên.* 1) Relativo a vértebra. 2) Que possui ou é composto por vértebras.

VER.TEN.TE *adj.2gên.* 1) A respeito de que se fala. / *s.f.* 2) Encosta de montanha; declive. 3) Cada lado de um telhado. 4) Subdivisão de um movimento que segue uma orientação ou ideias diferentes.

VER.TER *v.t.d.* 1) Derramar, despejar, entornar. 2) Fazer correr ou sair líquido. 3) Alastrar, difundir, espargir. 4) Traduzir. / *v.i.* 5) Transbordar. / *v.t.i.* 6) Brotar, jorrar. 7) Desaguar, vazar.

vertical

VER.TI.CAL *adj.2gên.* 1) Posto no vértice. 2) Perpendicular ao horizonte. 3) Que segue a linha do prumo. / *s.f.* 4) A linha perpendicular.

VÉR.TI.CE *s.m.* 1) Ponto culminante; ápice, cimo, topo, pino. 2) *Anat.* O ponto culminante da abóbada craniana.

VER.TI.GEM *s.f.* 1) *Med.* Sensação momentânea em que se tem a impressão de que as coisas giram em torno de nós. 2) Perda de equilíbrio; atordoamento. 3) Desfalecimento, desmaio, síncope. 4) *fig.* Loucura momentânea, delírio. 5) *fig.* Tentação repentina.

VER.VE *s.f.* 1) Imaginação vivaz que anima o poeta, o orador, o conversador, quando compõem ou falam; inspiração. 2) Graça ao falar ou escrever. 3) Vivacidade de espírito.

VES.GO (ê) *adj.* e *s.m.* Que ou aquele que é estrábico ou vesgo.

VE.SÍ.CU.LA *s.f.* 1) *Anat.* Cavidade em que um líquido orgânico se concentra. 2) *Med.* Bolha, empola.

VES.PA (ê) *s.f.* 1) *Entom.* Denominação genérica dada aos insetos himenópteros, semelhante às abelhas, providos de ferrão, que ataca os inimigos, na extremidade do abdome. 2) *fig.* Pessoa intratável e mordaz.

VÉS.PE.RA *s.f.* 1) A tarde. 2) Dia imediatamente anterior àquele de que se trata. 3) Período que precede certos acontecimentos. / *s.f. pl.* 4) *Liturg.* Hora do ofício divino que se recita à tarde. 5) Dias que antecedem mais proximamente um fato ou acontecimento.

VES.PER.TI.NO *adj.* 1) Relativo a tarde. 2) Que sucede à tarde. / *s.m.* 3) Jornal publicado à tarde.

VES.TE *s.f.* 1) Peça de roupa que reveste o indivíduo. 2) Agasalho; traje. 3) Vestido; vestidura; vestimenta, vestuário.

VES.TI.Á.RIO *s.m.* 1) Aquele que tem a seu cargo o guarda-roupa de uma corporação. 2) Compartimento em clubes esportivos, balneários, etc. onde pessoas trocam de roupa.

VES.TI.BU.LAN.DO *adj.* e *s.m.* Que ou quem está se preparando para fazer o vestibular.

VES.TI.BU.LAR *adj.2gên.* 1) Referente ao vestíbulo. 2) *Anat.* Referente a vestíbulo do ouvido. / *s.m.* 3) Exame de admissão a cursos universitários.

VES.TÍ.BU.LO *s.m.* 1) Espaço entre a porta e a via pública; átrio. 2) Entrada de um edifício. 3) Porta principal. 4) Pátio. 5) *Anat.* Cavidade central do labirinto ósseo do ouvido.

VES.TI.DO *adj.* 1) Que está com roupas. / *s.m.* 2) Veste; peça do vestuário. 3) Traje feminino de forma e comprimento variáveis.

vexame

VES.TÍ.GIO *s.m.* 1) Sinal deixado pela pisada de pessoa ou animal; pegada; rasto. 2) Resquício; restos. 3) Indício, sinal; marca; pista; rastro.

VES.TI.MEN.TA *s.f.* 1) Roupa, veste. 2) Roupa usada em cerimônia, liturgia, etc.; traje.

VES.TIR *v.t.d.* 1) Cobrir; revestir; forrar. 2) Fazer ou cortar vestes para. 3) Proteger com roupa. 4) Calçar (luvas, meias, etc.). 5) Enfeitar, atapetar, acolchoar. 6) Ocultar; aparentar; encobrir. / *v.i.* e *v.p.* 7) Cobrir-se com roupa; trajar-se. / *v.p.* 8) Agasalhar-se, revestir-se. 9) *fig.* Disfarçar-se; mascarar-se; fantasiar-se.

VES.TU.Á.RIO *s.m.* Conjunto das peças de roupa que se vestem; roupa, traje; fato; indumentária.

VE.TAR *v.t.d.* 1) Opor o veto a (uma lei). 2) Impugnar; contestar. 3) Impedir; proibir, vedar.

VE.TE.RA.NO *adj.* 1) Antigo no serviço militar. 2) Envelhecido em qualquer ramo de atividade; traquejado, exercitado; experiente. / *s.m.* 3) Soldado que tem muitos anos de serviço. 4) Educando que cursa algum dos últimos anos em qualquer escola. 5) Indivíduo experiente na profissão ou em qualquer outra atividade. 6) Membro antigo de um grupo.

VE.TE.RI.NÁ.RIA *s.f.* 1) Conhecimento da anatomia e das doenças dos animais, principalmente dos domésticos. 2) Medicina animal.

VE.TE.RI.NÁ.RIO *adj.* 1) Relativo a veterinária. / *s.m.* 2) Profissional formado em Medicina Veterinária; médico dos animais.

VE.TO *s.m.* 1) Proibição; oposição; suspensão. 2) *Polít.* Direito concedido ao chefe de Estado ou do poder executivo de recusar a sua sanção a uma lei votada pelo parlamento. 3) Impedimento; voto contrário.

VE.TOR (ô) *adj.* 1) *Geom.* Diz-se da reta que vai do foco para qualquer ponto da curva. / *s.m.* 2) *Geom.* Segmento de reta orientado; direção; resultante. 3) *Med.* Condutor; portador. 4) *Med.* Hospedeiro intermediário de agentes infecciosos; vector. 5) Veículo capaz de transportar uma carga nuclear e de conduzi-la até um objetivo.

VE.TUS.TO *adj.* 1) De idade muito avançada; antigo. 2) Originário de época remota. 3) *Por ext.* Respeitável pela idade. 4) Desgastado ou deteriorado pelo tempo.

VÉU *s.m.* 1) Tecido finíssimo com que as senhoras cobrem o rosto ou cabeça. 2) Tecido com que se cobre alguma coisa. 3) Mantilha de religiosa; manto; capa. 4) *fig.* Escuridão; amargura.

VE.XA.ME *s.m.* 1) Vexação. 2) Vergonha; fiasco; pudor; pejo. 3) Afronta.

V

513

vexar — vida

VE.XAR *v.t.d.* 1) Afligir, agoniar, angustiar, amolar, oprimir. 2) Causar vexame; envergonhar, humilhar. / *v.p.* 3) Apressar-se. 4) Envergonhar-se.

VEZ (ê) *s.f.* 1) Cada unidade que um fato se repete. 2) Tempo, circunstância, ocasião, momento adequado para atuar. 3) Ocasião, oportunidade. 4) Dose, porção.

VE.ZO (ê) *s.m.* Costume ou hábito de fazer algo censurável.

VI.A *s.f.* 1) Caminho pelo qual se vai ou se é levado. 2) Alameda, rua, logradouro. 3) Largura de via férrea; bitola. 4) *Anat.* Qualquer canal do organismo. 5) Rumo, direção, rota. 6) Meio, maneira. 7) Causa. 8) Exemplar de documento escrito; cópia.

VI.A.BI.LI.DA.DE *s.f.* 1) Qualidade do que é viável, realizável; possibilidade. 2) *fig.* Característica do que pode ter um bom resultado, bom êxito.

VI.A.BI.LI.ZAR *v.t.d.* Tornar viável; possibilitar.

VI.A.ÇÃO *s.f.* 1) Modo de andar ou transportar por um caminho. 2) Conjunto de estradas e caminhos. 3) Serviço de veículos de carreira para utilização pública.

VI.A.DU.TO *s.m.* 1) Construção que liga duas vertentes de depressões ou vales. 2) Ponte sobre rua.

VI.A.GEM *s.f.* 1) Ato de ir de um lugar a outro, um tanto afastado. 2) *gír.* Êxtase provocado por droga, entorpecente.

VI.A.JAN.TE *adj.2gên.* e *s.2gên.* Que ou quem viaja.

VI.A.JAR *v.i.* 1) Fazer viagem. 2) *fig.* e *pop.* Estar sob efeito de drogas. / *v.t.i.* e *v.i.* 3) *fig.* e *pop.* Sonhar, fantasiar, devanear. / *v.t.i.* 4) Deslocar-se de um lugar para outro.

VI.Á.RIO *adj.* 1) Referente à viação. / *s.m.* 2) Leito da via férrea. 3) O espaço por ela ocupado.

VI.A.TU.RA *s.f.* 1) Qualquer meio de transporte de carga ou passageiros. 2) Meio de transporte; veículo.

VI.Á.VEL *adj.2gên.* 1) Que pode ser percorrido, não oferecendo obstáculos. 2) Transitável. 3) Executável, fatível, realizável.

VÍ.BO.RA *s.f.* 1) *Zool.* Designação dada aos répteis ofídios peçonhentos. 2) *fig.* Pessoa de má índole ou de língua maligna. 3) No Nordeste, tipo de lagartixa branca.

VI.BRA.ÇÃO *s.f.* 1) Movimento rápido e agitado; trepidação, estremecimento. 2) Oscilação, tremor. 3) *fig.* Sentimento ou manifestação de entusiasmo.

VI.BRAR *v.t.d.* 1) Brandir; agitar. 2) Desfechar. 3) Obter vibrações. / *v.i.* 4) Sentir vibrações. 5) Produzir sons; ressoar; ecoar. 6) Tanger; tocar; dedilhar; pulsar. / *v.t.i.* e *v.i.* 7) Tremer, saltar; palpitar. 8) Sentir entusiasmo; empolgar-se; comover-se.

VI.BRA.TÓ.RIO *adj.* 1) Relativo a vibração. 2) Que vibra; que tem vibrações.

VI.ÇAR *v.i.* 1) Ter viço; crescer com vigor; vicejar. 2) Medrar, alastrar-se; avantajar-se. 3) Desenvolver-se; aumentar. 4) Diz-se do animal que está no cio.

VI.CE *s.2gên.* Redução de substantivos compostos que possuem "vice-" como primeiro elemento.

VI.CE-CAM.PE.ÃO *adj.* e *s.m.* Que ou quem alcançou a segunda colocação em um campeonato.

VI.CE-GO.VER.NA.DOR *s.m.* Aquele que ocupa o cargo de governador, em caso de impedimento deste.

VI.CE.JAR *v.i.* 1) Encontrar-se viçoso, vegetar; viçar. / *v.t.d.* 2) Fazer brotar exuberantemente; crescer.

VI.CE-PRE.SI.DÊN.CIA *s.f.* Cargo ou dignidade de vice-presidente, imediatamente inferior ao de presidente, substituindo-o caso este seja impedido.

VI.CE-REI *s.m.* Governador de um Estado subordinado a um reino.

VI.CE-VER.SA *adv.* 1) Reciprocamente; mutuamente. 2) De modo inverso; às avessas.

VI.CI.AR *v.t.d.* e *v.p.* 1) Tornar(-se) vicioso; contaminar(-se), desvirtuar(-se). / *v.t.d.* 2) *Dir.* Tornar nulo; anular. 3) Deteriorar; falsificar; rasurar. / *v.p.* 4) Adquirir vício; corromper-se.

VÍ.CIO *s.m.* 1) Hábito de proceder mal. 2) Atitude condenável. 3) Desmoralização. 4) Apego extremo a tóxicos, bebidas, etc. 5) Defeito que torna uma pessoa ou um ato impróprios para o fim a que se destinavam; defeito prejudicial. 6) *Dir.* Defeito capaz de invalidar um ato jurídico.

VI.CI.O.SO (ô) *adj.* 1) Relativo a vício. 2) Que apresenta características impróprias ou condenáveis. 3) Que apresenta defeitos ou falhas.

VI.CIS.SI.TU.DE *s.f.* 1) Sucessão de mudanças. 2) Acaso, eventualidade. 3) Condição contrária ou desfavorável; revés.

VI.ÇO *s.m.* 1) A força vegetativa da planta; verdor; vigor. 2) Exuberância de vida; juventude; frescor. 3) Coragem.

VI.DA *s.f.* 1) Existência; ato de viver. 2) Tempo transcorrido entre o nascimento e a morte. 3) Modo de viver. 4) Existência de além-túmulo; eternidade. 5) Animação em composições literárias ou artísticas. 6) Animação, entusiasmo; alento. 7) Fundamento; essência. 8) Expressividade. 9) Causa, origem; raiz. 10) Vitalidade.

vide

VIDE *verbo lat.* Fórmula usada para remeter a outro trecho ou texto.

VI.DEI.RA *s.f. Bot.* Arbusto originário do Oriente, da família das Vitáceas, que produz uvas.

VI.DÊN.CIA *s.f.* 1) Atributo do que é vidente. 2) Visão sobrenatural.

VI.DEN.TE *adj.2gên.* e *s.2gên.* 1) Diz-se da ou a pessoa que se julga capaz de prever o futuro. / *s.2gên.* 2) Pessoa que profetiza. 3) Pessoa dotada de vidência. 4) Pessoa perspicaz. 5) Pessoa que tem uso da vista (em oposição aos cegos).

VÍ.DEO *s.m.* 1) Parte do aparelho de televisão onde aparecem as imagens. 2) Tela de televisor.

VI.DE.O.CAS.SE.TE *s.m.* 1) Cassete com fita gravada pelo processo de videoteipe. 2) O aparelho utilizado para reproduzir gravações registradas nessa fita via televisão.

VI.DE.O.CLI.PE *s.m.* Produção cinematográfica para fins promocionais de uma música e de seus intérpretes.

VIDEOGAME (videogueime) *s.m. ingl.* 1) Diversão eletrônica composta de jogos. 2) Software específico para uso em jogos que permite a interação do usuário com o jogo. 3) Gravação de jogos em suporte adequado.

VI.DE.O.LO.CA.DO.RA *s.f.* Loja onde se alugam fitas de videocassete ou DVD.

VI.DE.O.TE.CA *s.f.* 1) Conjunto de filmes em videocassete. 2) Sala onde se guardam filmes de videocassete.

VI.DE.O.TEI.PE *s.m.* 1) Fita magnética usada em televisão para gravação e reprodução de imagens, geralmente associadas com o som; teipe. 2) Sistema pelo qual as produções de televisão são registradas nessa fita.

VI.DE.O.TEX.TO (ê) *s.m.* Técnica de transmissão de imagens de texto para a televisão via telefone ou via cabo.

VI.DRA.ÇA *s.f.* 1) Chapa ou lâmina de vidro. 2) Caixilhos com chapas de vidro para janela ou porta.

VI.DRA.ÇA.RI.A *s.f.* 1) Conjunto de vidraças. 2) Fábrica de vidraças; vidraria. 3) Estabelecimento onde se vendem vidraças.

VI.DRA.DO *adj.* 1) Revestido com vidro. 2) Embaciado; sem brilho. 3) *fig.* Apaixonado, encantado.

VI.DRAR *v.t.d.* 1) Fechar com vidro; vitrificar. 2) Fazer perder o brilho; embaciar. / *v.p.* 3) Embaciar-se, perder o brilho ou transparência (olhos). / *v.t.i.* 4) *gír.* Apaixonar-se perdidamente; fascinar-se.

VI.DRO *s.m.* 1) Substância dura, em geral transparente e frágil, resultante da fusão de quartzo, carbonato de sódio e carbonato de cálcio. 2) Lâmina de vidro de um espelho, de um relógio, de óculos. 3) Lâmina de vidro com que se resguarda desenho ou estampa. 4) Lâmina de vidro com que se preenche caixilho de porta ou de janela. 5) Frasco; garrafa pequena. 6) Objeto frágil, quebradiço. 7) Qualquer artefato dessa substância. 8) *fig.* Pessoa muito melindrosa ou suscetível.

VI.E.LA *s.f.* 1) Pequena rua; ruela. 2) Travessa; estradinha; beco.

VI.E.NEN.SE *adj.2gên.* 1) De Viena. / *s.2gên.* 2) Que ou aquele que é habitante ou natural de Viena, capital da Áustria (Europa).

VI.ÉS *s.m.* 1) Direção oblíqua, inclinada. 2) Tira estreita de pano cortada obliquamente ou no sentido diagonal da peça.

VI.ET.NA.MI.TA *adj.2gên.* 1) Relativo ao Vietnã. / *s.2gên.* Que ou aquele que é habitante ou natural do Vietnã, país do sudoeste asiático.

VI.GA *s.f. Constr.* Peça horizontal de madeira, ferro ou concreto, usada como suporte ou sustentáculo em casas, edifícios, muros, etc.

VI.GA.RI.CE *s.f.* 1) Comportamento de vigarista. 2) Ato praticado para enganar ou prejudicar ou outros; trapaça.

VI.GÁ.RIO *s.m.* 1) Vicário. 2) Padre que substitui o oficial eclesiástico. 3) Sacerdote responsável por uma paróquia, pároco. 4) *fig.* Indivíduo velhaco, espertalhão.

VI.GA.RIS.TA *s.2gên.* 1) Indivíduo que engana outro para obter lucro. 2) Ladrão ou ladra. 3) Embusteiro; golpista; trapaceiro. / *s.f.* 4) Meretriz.

VI.GÊN.CIA *s.f.* 1) Qualidade ou caráter do que está em vigor. 2) Período durante o qual uma lei ou um contrato vigora.

VI.GEN.TE *adj.2gên.* Que está em vigor; atual.

VI.GÉ.SI.MO (zi) *num.* 1) Ordinal ou fracionário correspondente a 20. / *s.m.* 2) Cada uma das 20 partes iguais em que se divide um todo.

VI.GI.A *s.f.* 1) Ato ou efeito de vigiar. 2) Situação de quem vigia. 3) Sentinela. 4) Guarita. 5) Vigília; insônia. 6) Abertura para a entrada de luz em um ambiente. 7) Cabo com o qual se prende um barco a outro. / *s.2gên.* 8) Aquele que vigia; guarda, sentinela. 9) Atalaia; vigilante.

VI.GI.AR *v.t.d.* 1) Estar de vigília ou sentinela a. 2) Espreitar, observar atentamente. / *v.i.* 3) Estar atento ou cuidadoso. 4) Estar acordado; velar. / *v.t.i.* 5) Tomar cuidado; cuidar. / *v.p.* 6) Acautelar-se, precaver-se; livrar-se.

VI.GI.LÂN.CIA *s.f.* 1) Ato ou efeito de vigiar; vigia. 2) Estado de quem permanece alerta; cautela, cuidado, prudência.

VI.GI.LAN.TE *adj.2gên.* 1) Que vigia; que observa atentamente; cauteloso, cuidadoso. / *s.2gên.* 2) Pessoa encarregada da segurança de um lugar; sentinela, guarda, segurança.

VI.GÍ.LIA *s.f.* 1) Privação ou falta de sono; insônia. 2) Estado de quem fica acordado durante a noite; vela. 3) Desvelo; cuidado; diligência. 4) *Rel.* Véspera de festa sagrada.

VI.GOR (ô) *s.m.* 1) Alento; força, robustez. 2) Energia, eficácia. 3) Frescor; viço; juventude. 4) Importância, vigência.

VI.GO.RAR *v.i.* 1) Adquirir vigor, eficácia. 2) Estar em vigor, ter vigor, viger. / *v.t.d.* 3) Dar vigor a; fortalecer. 4) Tornar mais enérgico.

VI.GO.RO.SO (ô) *adj.* 1) Que tem vigor; forte, poderoso, robusto. 2) Que tem saúde. 3) Que tem força, energia, vitalidade.

VIL *adj.2gên.* 1) Obtido por baixo preço. 2) Abominável, reles, ordinário. 3) Desprezível; abjeto. 4) Mesquinho, miserável. 5) Infame; vergonhoso.

VI.LA *s.f.* 1) Aldeia; povoado; localidade. 2) Povoação menor que a cidade; arrabalde da cidade. 3) Conjunto de casas pequenas, geralmente iguais, ao longo de um corredor que comunica com a rua. 4) Conjunto residencial popular. 5) Casa de habitação com jardim dentro da cidade. 6) Casa de campo de construção elegante e caprichosa.

VI.LA.NI.A *s.f.* 1) Qualidade do que é vil. 2) Afronta, ultraje. 3) Ato indigno.

VI.LÃO *adj.* 1) Que reside numa vila. 2) *fig.* Rústico; grosseiro; descortês. 3) *fig.* Desprezível; abjeto. 4) *fig.* Caipira; campestre. / *s.m.* 5) Morador de vila. 6) Indivíduo plebeu. 7) Pessoa vil, desprezível, cruel. 8) Camponês. 9) Antiga dança popular portuguesa. 10) Nas artes, personagem que representa o lado mau.

VI.LA.RE.JO (ê) *s.m.* Pequena aldeia ou vila; povoado.

VI.LI.PEN.DI.AR *v.t.d.* 1) Tratar alguém com desdém ou descaso; desprezar. 2) Causar ofensa a; insultar.

VI.LI.PÊN.DIO *s.m.* Ato ou efeito de vilipendiar; desvalorização, desprezo, desconsideração.

VI.ME *s.m.* Vara tenra e flexível de vimeiro, semelhante ao bambu, utilizada para atar parreiras e, também, para fazer cestos, móveis, etc.

VI.NA.GRE *s.m.* 1) Tempero ou condimento aquoso, rico em ácido acético, resultante da fermentação do vinho ou de outras bebidas alcoólicas. 2) Nome comercial do ácido acético. 3) *fig.* Pessoa irritável.

VI.NA.GRE.TE (ê) *s.m. Cul.* Molho preparado com vinagre, óleo, sal, pimenta e outros condimentos.

VIN.CO *s.m.* 1) Friso resultante da dobradura de um papel ou pano. 2) Sulco ou vestígio. 3) Aresta bem marcada por uma dobra ou prega.

VIN.CU.LA.ÇÃO *s.f.* Ato ou efeito de ligar(-se) com vínculo; conexão, ligação.

VIN.CU.LAR *adj.2gên.* 1) Referente a vínculo; vinculado; preso. / *v.t.d.* 2) Unir, prender com vínculo. 3) Ligar por laços morais. 4) Dominar; sujeitar. 5) Penhorar. / *v.p.* 6) Juntar-se, segurar-se. 7) Ligar-se moralmente. 8) Unir-se, perpetuar-se.

VÍN.CU.LO *s.m.* 1) Aquilo que ata, liga ou aperta. 2) Ligadura; conexão. 3) Atadura, nó, liame. 4) Obrigação. 5) Ônus, gravame. 6) *fig.* Ligação moral.

VIN.DA *s.f.* 1) Ato ou efeito de vir; retorno. 2) Regresso; volta; chegada.

VIN.DI.CAR *v.t.d.* 1) Exigir legalmente. 2) Reclamar a restituição em nome da lei. 3) Defender, justificar. 4) Reconquistar, recobrar.

VIN.DI.MA *s.f.* 1) Colheita de uvas. 2) Época em que se realiza a colheita das uvas. 3) *fig.* Granjeio, alcance.

VIN.DO *adj.* 1) Que veio. 2) Procedente, proveniente, oriundo. 3) Natural; originário.

VIN.DOU.RO *adj.* 1) Que há de vir ou acontecer; futuro. / *s.m.* 2) Indivíduo não natural de uma povoação onde se acha há pouco; forasteiro; vindoiro.

VIN.GAN.ÇA *s.f.* 1) Ato ou efeito de vingar; de infligir um mal a quem causou outro. 2) Castigo, pena, punição.

VIN.GAR *v.t.d.* 1) Tirar desforra de (ofensa ou injúria); revidar; desforrar, desafrontar. 2) Solicitar a reparação de. 3) Compensar, recompensar. 4) Galgar, ascender. 5) Vencer; dominar. 6) Alcançar, lograr. / *v.p.* 7) Dar-se por satisfeito. / *v.t.i.* 8) Atingir, chegar. / *v.i.* 9) Ter bom êxito; brotar, crescer, desenvolver, prosperar.

VIN.GA.TI.VO *adj.* 1) Que se vinga; que não perdoa. 2) Em que há vingança.

VI.NHA *s.f.* 1) Plantação de videiras. 2) *fig.* Pechincha, o que dá proveito, grande lucro, mina.

VI.NHA.TA.RI.A *s.f.* 1) Cultura de vinhas. 2) Fabricação de vinho.

VI.NHE.DO (ê) *s.m.* Muitas vinhas; muitas videiras; vinhal.

VI.NHE.TA (ê) *s.f.* Ornato tipográfico; trecho curto exibido antes de programa de rádio ou televisão, no qual é exposto a identificação do programa.

VI.NHO *s.m.* Líquido alcoólico, resultante da fermentação do sumo das uvas ou ainda de outros frutos.

VI.NI.CUL.TU.RA *s.f.* Fabricação de vinho.

VI.NIL *s.m. Quím.* Radical univalente derivado de etileno pela remoção de um átomo de hidrogênio, CH2CH, utilizado na fabricação de discos.

VIN.TÉM *s.m.* Antiga moeda portuguesa e brasileira que valia 20 réis.

VI.O.LA *s.f. Mús.* Instrumento de corda equivalente ao violão na forma e, à guitarra, na sonoridade, com 10 ou 12 cordas dispostas duas a duas.

VI.O.LA.ÇÃO *s.f.* 1) Transgressão, desobediência. 2) Desrespeito ao que é santo ou sagrado; profanação. 3) Estupro.

VI.O.LÃO *s.m. Mús.* Instrumento cuja caixa de ressonância possui forma de oito, com braço e seis cordas dedilháveis.

VI.O.LAR *v.t.d.* 1) Infringir, transgredir. 2) Violentar; atentar contra o pudor. 3) Tratar com irreverência; profanar. 4) Abrir uma correspondência destinada a outrem. 5) Divulgar; revelar de forma indiscreta.

VI.O.LEI.RO *adj. e s.m.* Que ou quem toca viola.

VI.O.LÊN.CIA *s.f.* 1) Qualidade do que é violento. 2) Uso de força física. 3) Intimidação moral. 4) Ação exercida com força e ímpeto.

VI.O.LEN.TA.DO *adj.* Agredido, atacado; constrangido, forçado.

VI.O.LEN.TAR *v.t.d.* 1) Exercer violência sobre; forçar, constranger. 2) Violar a virgindade de; deflorar; estuprar. 3) Arrombar. 4) Transgredir as regras de. / *v.p.* 5) Constranger-se.

VI.O.LEN.TO *adj.* 1) Que age com ímpeto ou força; impetuoso. 2) Irritável; irascível. 3) Rumoroso, tumultuoso, agitado. 4) Brutal. 5) Contrário à justiça.

VI.O.LE.TA (ê) *s.f.* 1) *Mús.* Violino primitiva, semelhante ao violino, porém de maiores dimensões. 2) *Bot.* Planta da família das Violáceas. 3) A flor dessa planta. / *adj.* 4) A cor de violeta; roxo. / *adj.2gên.* 5) Que tem cor da violeta; arroxeado.

VI.O.LI.NIS.TA *adj.2gên. e s.2gên. Mús.* Que ou quem toca violino.

VI.O.LI.NO *s.m. Mús.* Instrumento constituído por um braço cujas quatro cordas se ferem com um arco; rabeca.

VI.O.LON.CE.LO *s.m.* 1) *Mús.* Instrumento de quatro cordas, igual ao violino, porém de dimensões bem maiores. 2) Violoncelista. 3) *Mús.* Registro de órgãos e harmônios.

VI.PE.RI.NO *adj.* 1) Relativo a ou próprio da víbora. 2) Venenoso. 3) *fig.* Que agride ou critica em excesso; que tem má índole; perverso.

VIR *v.i.* 1) Transportar-se ou dirigir-se para cá. 2) Chegar; surgir. 3) Acontecer, ocorrer. 4) Acudir. 5) Andar, caminhar. 6) Surgir, despontar. 7) Re-

tornar, voltar. / *v.t.d.* 8) Apresentar-se com uma finalidade, sempre seguido de verbo no infinitivo ➡ Veio fazer a matrícula. / *v.p.* 9) Transportar-se para cá.

VI.RA *s.f.* 1) Tira estreita de couro que se cose nas solas do calçado. / *s.m.* 2) Certa música e dança folclórica portuguesa.

VI.RA-CA.SA.CA *s.2gên.* Diz-se da pessoa que troca de partido ou ideias, segundo a conveniência favorável.

VI.RA.DA *s.f.* 1) Ato de virar. 2) *Esp.* Reviravolta na qual quem estava perdendo passa a ser o vencedor em uma competição. 3) Mudança radical em alguma situação ➡ Dar uma virada. 4) Dobrada de morro.

VI.RA.DO *adj.* 1) Que se virou. 2) Apontado, dirigido. 3) Colocado ao avesso. / *s.m.* 4) *Cul.* Prato feito com feijão, farinha, linguiça, torresmo e ovo; viradinho.

VI.RAL *adj.2gên.* 1) Relativo a ou causado por vírus; virótico. / *adj.2gên. e s.m.* 2) Que ou o que se espalha como um vírus.

VI.RA-LA.TA *s.2gên.* 1) Cão de rua que se alimenta de restos de comida das latas de lixo. 2) Cão mestiço sem raça definida. 3) *fig.* Indivíduo desclassificado; marginal.

VI.RAR *v.t.d.* 1) Volver de um lado para o outro a direção ou posição de. 2) Voltar para a frente. 3) Colocar ao avesso. 4) Emborcar; derramar. 5) Apontar, conduzir. 6) Fazer mudar de intento, de ideia, de partido. 7) Despejar, bebendo. / *v.p.* 8) Mudar de opinião, de partido, de princípios. 9) Mudar de rumo; de direção. 10) Voltar-se para um certo lugar; dar voltas. 11) *pop.* Rebelar-se. / *v.i.* 12) Dar voltas. / *v.lig.* 13) Transformar-se, tornar-se ➡ Eu virei freira.

VI.RA.VOL.TA *s.f.* 1) Reviravolta; volta completa; cambalhota. 2) *fig.* Subterfúgio; escape. 3) *fig.* Vicissitude; alternativa.

VIR.GEM *adj.2gên.* 1) Casto; íntegro; ileso; puro. 2) Inacessível, livre. 3) Inocente; ingênuo. 4) Que nunca entrou em funcionamento. 5) Diz-se da pessoa que nunca teve relações sexuais. 6) Diz-se da floresta que ainda não foi explorada. 7) Diz-se da terra ainda não cultivada. 8) Diz-se da cera que nunca foi derretida. 9) Diz-se da cal que não foi dissolvida em água. 10) Diz-se do primeiro mel extraído dos favos. / *s.f.* 11) Mãe de Jesus Cristo.

VIR.GIN.DA.DE *s.f.* 1) Condição de virgem, de quem nunca teve relação sexual. 2) Estado do que se encontra intacto. 3) *fig.* Pureza, inocência.

VÍR.GU.LA *s.f.* 1) *Gram.* Sinal gráfico de pontuação (,) que indica a menor pausa que se faz numa leitura. 2) *Gram.* Sinal utilizado para separar palavras em uma enumeração. 3) *Mat.* Na notação decimal de um número, sinal que separa a parte inteira da decimal.

VI.RIL *adj.2gên.* 1) Que diz respeito a homem; varonil. 2) Duro; robusto; enérgico; másculo. 3) Espécie de redoma de vidro onde se guardam objetos de valor ou relíquias.

VI.RI.LHA *s.f. Anat.* Ligação da coxa com o tronco.

VI.RI.LI.DA.DE *s.f.* 1) Qualidade de viril; masculinidade. 2) Idade do homem entre a adolescência e a velhice. 3) Vigor, eficácia.

VI.RO.SE *s.f. Med.* Doença infecciosa causada por vírus.

VIR.TU.AL *adj.2gên.* 1) Que existe em potência, mas não em ato. 2) Que tem existência aparente, não objetiva. 3) Implícito; subentendido. 4) Capaz de se realizar; possível; potencial. 5) *Fís.* Diz-se do foco de uma lente ou espelho, determinado pelo encontro dos prolongamentos dos raios luminosos.

VIR.TU.DE *s.f.* 1) Disposição firme e habitual para a prática do bem. 2) Atuação virtuosa. 3) Excelência moral. 4) Adequada condição moral. 5) Castidade; pureza. 6) Inteireza de caráter. 7) Eficácia.

VIR.TU.O.SE (ô) *s.2gên.* 1) Indivíduo que alcança alto nível de perfeição na técnica de uma arte ou em outra atividade. 2) Artista musical de grande talento.

VIR.TU.O.SO (ô) *adj.* 1) Que tem virtudes. 2) Que tem grandes talentos; eficaz. 3) Excelente; belo.

VI.RU.LÊN.CIA *s.f.* 1) Qualidade ou estado do que tem vírus. 2) Capacidade de um vírus ou bactéria de se multiplicar, provocando doença. 3) *fig.* Caráter do que tem violência ou impulso violento.

VÍ.RUS *s.m.* 1) *Med.* Micro-organismo, agente determinante de doenças infecciosas. 2) *Biol.* Veneno expelido por um animal peçonhento. 3) Princípio de contaminação moral. 4) *Inform.* Programa (*software*) que pode causar grandes danos em computadores, pois se reproduz ao entrar em contato com outros programas.

VI.SÃO *s.f.* 1) Ato ou efeito de ver. 2) O sentido da vista. 3) Aparência. 4) Perspectiva. 5) Imagem que se julga ver em sonhos, por medo, loucura, superstição, etc.; visagem. 6) Aparição de algum objeto considerado sobrenatural.

VI.SAR *v.t.d.* 1) Conduzir o olhar para. 2) Apontar arma de fogo para um alvo; mirar. 3) Pôr o sinal de visto em; rubricar. / *v.t.i.* 4) Ter em vista alguma coisa; almejar; pretender ➡ Viso ao aumento de salário.

VÍS.CE.RA *s.f.* 1) Qualquer órgão alojado em uma das três cavidades: a craniana, a torácica e a abdominal. / *s.f. pl.* 2) Entranhas, intestinos ➡ vísceras.

VIS.CO *s.m.* Visgo.

VIS.CON.DE *s.m.* 1) Título de nobreza entre o barão e o conde. 2) Indivíduo que fazia as vezes de conde no devido governo. 3) Senhor feudal de um território.

VIS.CO.SI.DA.DE *s.f.* Qualidade do que é viscoso, pegajoso.

VIS.CO.SO (ô) *adj.* 1) Que contém visco. 2) Pegajoso; grudento; visguento. 3) Diz-se de fluido que possui viscosidade.

VI.SEI.RA *s.f.* 1) Parte anterior do capacete para encobrir e defender o rosto, especialmente os olhos. 2) Pala de boné. 3) Objeto que resguarda os olhos. 4) Peça de armadura, usada nos séculos XIV ao XVI, cujo objetivo era proteger a parte inferior do rosto. 5) *pop.* Aparência; disfarce.

VIS.GO *s.m.* Seiva pegajosa de certos vegetais; visco.

VI.SI.BI.LI.DA.DE *s.f.* 1) Condição do que pode ser percebido pelo sentido da visão. 2) Percepção pela vista; visão.

VI.SI.O.NÁ.RIO *adj.* 1) Relativo a visões. / *adj.* e *s.m.* 2) Sonhador, fantasiador; utopista. 3) Aquele que acredita ver coisas sobrenaturais. 4) Que ou aquele que tem ideias grandiosas, ou acredita em ideais.

VI.SI.TA *s.f.* 1) Ato ou efeito de visitar; visitação. 2) Ato de ir ver alguém por dever ou por afeição. 3) Indivíduo que visita; visitante. 4) Fiscalização; inspeção; vistoria.

VI.SI.TAR *v.t.d.* 1) Ir ver (alguém) em sua casa. 2) Viajar por locais diferentes por interesse ou curiosidade; conhecer. 3) Inspecionar; revistar. / *v.t.i.* 4) Aparecer. / *v.p.* 5) Fazer visitas reciprocamente.

VI.SÍ.VEL *adj.2gên.* 1) Que se pode ver; percebível. 2) Claro, evidente; manifesto. 3) Aparente, acessível.

VIS.LUM.BRAR *v.t.d.* 1) Enxergar; discernir. 2) Imaginar; descobrir aos poucos. / *v.i.* 3) Mostrar luz de pouca significância. 4) Começar a aparecer.

VIS.LUM.BRE *s.m.* 1) Luz fraca; pequeno clarão. 2) Visão incompleta, imprecisa. 3) Vestígio, indício. 4) Ideia imprecisa; compreensão parcial, conjectura.

VI.SO *s.m.* 1) Maneira de apresentar-se; aspecto, fisionomia. 2) Sinal, vestígio.

VI.SOR (ô) *adj.* e *s.m.* Que ou o que permite ou ajuda a ver.

VIS.TA *s.f.* 1) Ato ou efeito de ver. 2) O sentido da visão. 3) Órgão visual; os olhos. 4) O que se pode ver; paisagem, cenário, representação. 5) Parte

visto / viveiro

do capacete em que há duas fendas adequadas aos olhos. 6) Maneira de julgar ou contemplar uma situação.

VIS.TO *adj.* 1) Percebido pelos olhos. 2) Recebido. 3) Julgado. / *s.m.* 4) Declaração assinada por quem a concede para tornar um ato autêntico ou válido. 5) Permissão para entrar em outro país.

VIS.TO.RI.A *s.f.* 1) Fiscalização. 2) Inspeção judicial a um prédio ou lugar acerca do qual há processo. 3) Levantamento da situação.

VIS.TO.RI.AR *v.t.d.* Fazer vistoria; inspecionar.

VIS.TO.SO (ô) *adj.* 1) Agradável à vista. 2) Que convida a atenção. 3) Esplêndido; perceptível. 4) Que dá na vista; ostentoso.

VI.SU.AL *adj.2gên.* Referente à vista ou à visão.

VI.SU.A.LI.ZAR *v.t.d.* 1) Ver, focalizar a vista. 2) Tornar conceito abstrato em imagem real ➡ visualizar um anjo.

VI.TAL *adj.2gên.* 1) Que diz respeito à vida. 2) Que serve para conservar a existência. 3) Que dá vigor. 4) Eficaz; essencial. / *s.m.* 5) Certa casta de uva.

VI.TA.LÍ.CIO *adj.* Que dura ou deve durar toda a vida.

VI.TA.LI.DA.DE *s.f.* 1) Qualidade de vital. 2) A vida; o vigor. 3) Eficácia vital. 4) Ânimo; entusiasmo. 5) O conjunto das funções orgânicas dos seres vivos.

VI.TA.LI.ZAR *v.t.d.* 1) Restituir a vida a; ressuscitar. 2) Dar força e vigor a; revigorar.

VI.TA.MI.NA *s.f.* 1) Denominação de substâncias encontradas em alimentos, as quais exercem importante papel na nutrição. 2) Suco de frutas batido com leite no liquidificador.

VI.TE.LA *s.f.* 1) Bezerro de menos de 1 ano. 2) Carne de bezerro. 3) A pele deste animal, utilizada para calçados e outros fins. 4) Vitelo.

VI.TE.LO *s.m.* 1) Bezerro; novilho novo; vitela. 2) *Biol.* Conteúdo nutritivo que se encontra no interior do óvulo.

VI.TI.CUL.TU.RA *s.f.* Cultura das vinhas ou videiras.

VI.TI.LI.GO *s.m.* 1) *Med.* Afecção cutânea que se caracteriza pela falta de pigmentos em zonas da pele. 2) *pop.* Melancolia; fossa.

VÍ.TI.MA *s.f.* 1) Pessoa assassinada ou ferida. 2) Pessoa sacrificada aos interesses de outrem. 3) Pessoa que sofre qualquer desgraça. 4) Tudo que padece qualquer dano.

VI.TÓ.RIA *s.f.* 1) Ato ou efeito de vencer o inimigo em uma batalha. 2) Ato de ganhar ou vencer em competições esportivas. 3) Conquista; triunfo; sucesso; vantagem. 4) Resultado feliz; êxito. / *interj.* 5) Exclamação de triunfo.

VI.TÓ.RIA-RÉ.GIA *s.f. Bot.* Planta aquática ornamental da Amazônia, da família das Ninfeáceas, de grandes folhas e belas flores.

VI.TO.RI.O.SO (ô) *adj.* e *s.m.* Que ou quem venceu, triunfou; ganhador, vencedor.

VI.TRAL *s.m.* Vidraça formada de vidros de várias cores ou com pinturas sobre o vidro.

VÍ.TREO *adj.* 1) Relativo ao vidro. 2) Que é feito de vidro. 3) Que tem a aparência do vidro. 4) Quebradiço; frágil. 5) Nítido; transparente.

VI.TRI.FI.CAR *v.t.d.* 1) Transformar em vidro. 2) Dar a feição de vidro a. / *v.i.* e *v.p.* 3) Converter-se em vidro; tomar a aparência de vidro.

VI.TRI.NA ou **VI.TRI.NE** *s.f.* 1) Local da loja separado da rua por vidraça onde se expõem objetos à venda; vitrine. 2) Armário envidraçado onde se colocam objetos que estão à venda.

VI.TRÔ *s.m.* Vitral.

VI.TRO.LA *s.f.* Aparelho eletrodoméstico que reproduz sons gravados em discos.

VI.TU.PE.RAR *v.t.d.* 1) Tratar com vitupérios; insultar. 2) Repreender com dureza; censurar. 3) Humilhar, abandonar, menosprezar.

VI.TU.PÉ.RIO *s.m.* 1) Vituperação. 2) Repreensão injuriosa, impropério. 3) Ato vergonhoso, vil ou criminal.

VI.Ú.VA *s.f.* Diz-se da mulher a quem faleceu o marido, enquanto não contrai novas núpcias.

VI.Ú.VA-NE.GRA *s.f.* Aranha americana muito venenosa, cuja fêmea come o macho após a cópula.

VI.U.VEZ (ê) *s.f.* 1) Estado de viúvo. 2) *fig.* Estado ou sentimento de desamparo, privação, solidão.

VI.Ú.VO *adj.* 1) Diz-se de pessoa cujo esposo ou esposa faleceu. / *s.m.* 2) Homem cuja esposa faleceu e que não contraiu novo matrimônio.

VI.VA *s.m.* 1) Grito ou exclamação de aplauso, felicitação, etc. / *interj.* 2) Expressa alegria, aclamação, entusiasmo.

VI.VA.CI.DA.DE *s.f.* 1) Qualidade de vivaz; agilidade. 2) Esperteza. 3) Dinamismo; entusiasmo. 4) Brilhantismo.

VI.VA-VOZ *s.m.* Função ou dispositivo para se ouvir a voz da pessoa com quem se fala ao telefone sem segurar o aparelho perto do ouvido.

VI.VAZ *adj.2gên.* 1) Duradouro. 2) Ardente; caloroso.

VI.VE.DOU.RO *adj.* Que vive ou pode viver muito.

VI.VEI.RO *s.m.* 1) Canteiro onde se semeiam plantas para serem replantadas posteriormente; sementeira. 2) Lugar apropriado para criação de animais. 3) Criadouro de peixes; aquário.

519

vivência / **volante**

VI.VÊN.CIA *s.f.* 1) Existência, vida. 2) Conhecimento adquirido com a vida; experiência. 3) Fato ou experiência vivida.

VI.VEN.CI.AR *v.t.d.* Viver ou ter a experiência de uma situação.

VI.VEN.DA *s.f.* Local em que se vive; casa, habitação.

VI.VEN.TE *adj.2gên.* e *s.2gên.* Que ou aquele que vive.

VI.VER *v.i.* 1) Ter vida; existir. 2) Perdurar. 3) Gozar a vida. 4) Habitar, residir. / *v.t.d.* 5) Admirar, gozar (a vida). 6) Passar por certa experiência; vivenciar. / *v.t.i.* 7) Alimentar-se, nutrir-se, sustentar-se ➡ Ele vive de chocolate. 8) Dedicar-se ➡ A mãe vive dos carinhos dos filhos.

VÍ.VE.RES *s.m. pl.* Gêneros alimentícios; sortimento; mantimentos.

VI.VI.DO *adj.* 1) Que já viveu bastante tempo. 2) Que tem experiência da vida.

VÍ.VI.DO *adj.* 1) Que tem vivacidade. 2) Significativo. 3) Brilhante.

VI.VI.FI.CAR *v.t.d.* 1) Proporcionar vida ou existência; entusiasmar. 2) Vigorar; fortificar. 3) Ativar; avivar. / *v.i.* 4) Ser vivificante.

VI.VÍ.PA.RO *adj.* e *s.m. Zool.* Diz-se do ou o animal que pare filhos já formados, desenvolvidos e não envoltos em ovo.

VI.VO *adj.* e *s.m.* 1) Que ou aquele que vive ou tem vida. 2) Que é ativo; bem-disposto. 3) Que é dinâmico; animado. 4) Que é enérgico; eficaz. 5) Que é célere, rápido. 6) *pop.* Que é esperto, matreiro, astucioso. / *s.m.* 7) Qualquer ser dotado de vida. 8) Tira de pano de cor muito viva.

VI.ZI.NHAN.ÇA *s.f.* 1) Característica do que é vizinho. 2) Pessoas ou famílias vizinhas. 3) Circunvizinhanças, arredores, cercania. 4) Ao redor de um ponto. 5) *fig.* Afinidade; semelhança.

VI.ZI.NHO *adj.* e *s.m.* 1) Que ou aquele que está próximo. 2) Que ou aquele que mora perto. / *adj.* 3) Limítrofe, adjacente. 4) Análogo, semelhante.

VI.ZIR *s.m.* Governador ou ministro de reino muçulmano.

VO.AR *v.i.* 1) Sustentar-se e mover-se no ar com o auxílio de asas. 2) Ir pelos ares com grande velocidade. 3) Viajar de avião. 4) Correr velozmente. 5) Desaparecer de forma súbita.

VO.CA.BU.LÁ.RIO *s.m.* 1) Lista dos vocábulos de uma língua, dispostos por ordem alfabética; dicionário breve. 2) Num livro ou texto de leitura, lista de termos que apresentam determinadas particularidades. 3) Conjunto de palavras conhecidas por uma pessoa. 4) Conjunto de termos próprios de uma arte ou ciência.

VO.CÁ.BU.LO *s.m.* 1) Palavra ou termo que faz parte de uma língua. 2) Voz; dicção.

VO.CA.ÇÃO *s.f.* 1) Ato de chamar. 2) *Teol.* Convocação, predestinação. 3) Inclinação natural para uma arte ou vocação, tendência. 4) *pop.* Talento, aptidão natural.

VO.CA.CIO.NAL *adj.2gên.* Relativo a ou próprio de vocação.

VO.CAL *adj.2gên.* 1) Referente à voz. 2) Que se exprime através da voz. 3) Que produz voz.

VO.CÁ.LI.CO *adj.* 1) Referente às vogais. 2) Que contém vogal.

VO.CA.LIS.MO *s.m.* O estudo das vogais.

VO.CA.LIS.TA *s.2gên. Mús.* Cantor de um grupo musical.

VO.CA.LI.ZAR *v.t.d.* e *v.i.* 1) *Mús.* Cantar modulando a voz sobre uma vogal, sem pronunciar palavras ou sílabas. 2) Transformar consoantes em vogais.

VO.CA.TI.VO *adj.* e *s.m. Linguíst.* Diz-se de ou termo usado para chamar alguém em um discurso direto.

VO.CÊ *pron.* 1) Tratamento empregado para dirigir-se à pessoa a quem se fala. 2) Tratamento entre pessoas de igual condição.

VO.CI.FE.RAR *v.t.d.* 1) Pronunciar em altas vozes ou brados; clamar. / *v.i.* 2) Falar de forma colérica; gritar.

VO.ÇO.RO.CA *s.f.* Desmoronamento causado por erosão subterrânea produzida por águas pluviais; boçoroca.

VOD.CA *s.f.* Aguardente de cereais, de origem russa.

VO.DU *s.m.* Culto de origem africana praticado nas Antilhas; assemelha-se à macumba brasileira.

VO.GA *s.f.* 1) Ato de vogar. 2) Movimento dos remos. 3) Badalação, renome. 4) Popularidade, consideração. 5) Alta moda; aceitação. / *s.m.* 6) O último remador de um bote, o que fica junto à popa e é o que marca o ritmo da remada; patrão.

VO.GAL *adj.2gên.* e *s.f.* 1) Diz-se do ou o som produzido por expiração do ar ao passar livremente pela cavidade oral. 2) Som vogal. 3) Letras que representam os fonemas vocálicos de uma língua (no português: a, e, i, o, u) / *s.2gên.* 4) Componente de uma assembleia, conselho ou tribunal, com direito de voto.

VO.GAR *v.t.d.* 1) Cursar navegando; navegar. / *v.i.* 2) Fazer impelir sobre a água por meio de remos. 3) Flutuar; boiar; derivar, deslizar. 4) Espalhar-se, propalar-se, ter rumo. 5) *pop.* Estar em vigor; valer; viger ➡ Dessa maneira, não voga.

VO.LAN.TE *adj.2gên.* 1) Que voa ou pode voar; voante. 2) Que pode ser facilmente mudado; mó-

volátil vos

vel. 3) Flutuante, instável, movediço. 4) Inconstante, variável, volúvel. 5) Correia contínua nas rodas das máquinas.

VO.LÁ.TIL *adj.2gên.* 1) Que tem a faculdade de voar; voador. 2) Referente às aves. 3) *fig.* Volúvel; inconstante. 4) *Quím.* Capaz de se reduzir a gás ou vapor. / *s.m.* 5) Animal que voa.

VO.LA.TI.LI.ZAR *v.t.d.*, *v.i.* e *v.p.* Reduzir a gás ou a vapor; vaporizar(-se).

VÔ.LEI *s.m. Esp.* Voleibol.

VO.LEI.BOL *s.m.* Jogo disputado entre duas equipes de seis jogadores que, separadas por uma rede, lançam uma bola uns contra outros, sem deixá-la tocar no chão, sendo que cada equipe pode dar, no máximo, três toques na bola.

VOLT *s.m. Fís.* Unidade de medida da diferença de potencial elétrico ou tensão, em eletricidade.

VOL.TA *s.f.* 1) Ato ou efeito de voltar; regresso, retorno. 2) Movimento em torno; giro. 3) Distância do contorno; circunferência. 4) Passeio rápido. 5) O que se dá em troca para igualar ao valor de um objeto vendido. 6) Resposta, réplica.

VOL.TA.GEM *s.f. Fís.* 1) Quantidade de volts que funcionam num aparelho elétrico. 2) Diferença de potencial entre as extremidades de um aparelho elétrico expressa em volts; tensão.

VOL.TÂ.ME.TRO *s.m. Fís.* Aparelho que tem a finalidade de medir a quantidade de eletricidade pela massa da substância eletrolítica que é depositada ou desprendida.

VOL.TAR *v.t.d.* 1) Mudar de posição. 2) Virar, volver. 3) Tornar; fazer voltar ao ponto de partida. 4) Pôr do avesso. 5) Apresentar pelo lado oposto. 6) Aplicar, dirigir, orientar. / *v.p.* 7) Virar-se, mover-se para o lado ou em torno. 8) Resolver-se. / *v.i.* 9) Ir ao ponto de onde partira. 10) Voltear.

VOL.TÍ.ME.TRO *s.m.* Instrumento utilizado para medir a força eletromotriz de uma corrente elétrica.

VO.LU.BI.LI.DA.DE *s.f.* 1) Característica daquilo que gira ou se move com facilidade. 2) *Por ext.* Falta de constância ou de perseverança; instabilidade.

VO.LU.ME *s.m.* 1) *Geom.* Medida do espaço ocupado por um corpo. 2) Grandeza, tamanho. 3) Desenvolvimento. 4) Fardo, pacote. 5) Livro. 6) Tomo. 7) Intensidade do som produzido por um aparelho sonoro.

VO.LU.MO.SO (ô) *adj.* Que tem grande volume.

VO.LUN.TA.RI.A.DO *s.m.* 1) Serviço dos voluntários. 2) Grupo de voluntários.

VO.LUN.TA.RI.E.DA.DE *s.f.* 1) Propriedade ou característica de voluntário; espontaneidade. 2) Arbítrio, gênio, capricho.

VO.LUN.TÁ.RIO *adj.* 1) Que age de forma espontânea. 2) Feito por vontade própria. 3) Instintivo, impensado, espontâneo. / *s.m.* 4) Aquele que se alista no exército espontaneamente. 5) Diz-se do aluno a que lhe é permitido frequentar uma aula ou curso sem estar matriculado.

VO.LUN.TA.RI.O.SO *adj.* 1) Que se determina apenas por sua vontade. 2) Caprichoso, manhoso.

VO.LÚ.PIA *s.f.* 1) Grande prazer, dos sentidos ou em geral. 2) Imenso prazer sexual; voluptuosidade.

VO.LUP.TU.O.SO (ô) *adj.* 1) Em que há volúpia; sensual, lascivo, lúbrico. 2) Delicioso. 3) Dado à orgia. 4) Companheiro de divertimentos ou deleites.

VO.LÚ.VEL *adj.2gên.* 1) Que gira facilmente. 2) Inconstante, variável, versátil. 3) *Bot.* Diz-se do vegetal que se enrola em corpos próximos.

VOL.VER *v.t.d.* 1) Mudar de posição; virar. 2) Fazer voltar. 3) Colocar em movimento, revolver. 4) Fazer girar sobre si. / *v.t.i.* 5) Tornar, regressar. 6) Voltar-se, dedicar-se. / *v.i.* 7) Passar, decorrer. / *v.p.* 8) Agitar-se, dar voltas.

VO.MI.TAR *v.t.d.* 1) Expelir em borbotões, pela boca. 2) Enodoar com vômito. 3) *pop.* Proferir com intenção ofensiva. 4) Impelir de si, com ímpeto. 5) *pop.* Contar, fofocar, revelar. / *v.t.d.* e *v.i.* 6) Expelir pela boca o que foi engolido.

VÔ.MI.TO *s.m.* 1) Ato ou efeito de vomitar; vomição. 2) O que se vomita ou foi vomitado.

VON.TA.DE *s.f.* 1) Anseio; desejo. 2) Gosto, prazer. 3) Capacidade de escolha, de decisão. 4) Resolução. 5) Espontaneidade. 6) Energia, firmeza de ânimo. 7) *Filos.* Faculdade de livremente praticar ou não qualquer ato. 8) Espontaneidade. 9) Arbítrio. 10) Tendência. 11) Interesse.

VO.O *s.m.* 1) Ato de voar. 2) Avanço acelerado. 3) Modo de locomoção, pelo ar, próprio de certos animais como aves e insetos. 4) Extensão que anda um pássaro sem pousar. 5) Grupo de pássaros que voam em conjunto. 6) Viagem aérea de avião. 7) *fig.* Elevação da fantasia.

VO.RA.CI.DA.DE *s.f.* 1) Característica daquele que é voraz. 2) *Por ext.* Grande apetite ou vontade de comer; gula, avidez. 3) *fig.* Capacidade de destruir, consumir.

VO.RAZ *adj.2gên.* 1) Que devora. 2) Que corrói; que aniquila. 3) Que não se sacia. 4) Que come com gana. 5) Que é cobiçoso.

VÓR.TI.CE *s.m.* Redemoinho.

VOS *pron. pess.* 1) Forma átona de vós. 2) Indica a segunda pessoa do plural do caso oblíquo, que se aplica como objeto direto ou indireto.

521

VÓS *pron. pess.* Indica a segunda pessoa do plural do caso reto de ambos os gêneros e que se emprega como sujeito ou regime de preposição.

VOS.SO *pron. poss.* 1) Pertencente a vós. 2) Referente a vós.

VO.TAR *v.t.d.* 1) Aprovar por meio de voto. 2) Escolher por meio de votos. 3) Fazer voto de. 4) Aplicar. 5) Destinar. / *v.i.* 6) Dar ou emitir voto. / *v.t.i.* 7) Dar seu voto. 8) Manifestar-se por meio de voto contra ou a favor. / *v.p.* 9) Consagrar-se, aplicar-se. 10) Atrever-se.

VO.TO *s.m.* 1) Ato ou meio de votar. 2) Desejo sincero. 3) Promessa solene; juramento. 4) Oferta em cumprimento de promessa.

VO.VÓ *s.f.* 1) A mãe da sua mãe ou do seu pai. 2) Tratamento carinhoso dado à avó.

VO.VÔ *s.m.* 1) O pai da sua mãe ou do seu pai. 2) Tratamento carinhoso dado ao avô.

VOY.EU.RIS.MO *s.m. Psic.* Excitação sexual determinada pela observação de atos cometidos por outrem a partir de suas práticas íntimas (micção, defecação, relações sexuais).

VOZ *s.f.* 1) Som produzido na laringe do homem ou dos animais. 2) A faculdade humana de falar. 3) Linguagem. 4) Dicção, palavra; elocução. 5) Ordem dada em voz alta. 6) Exclamação, alvoroço. 7) *Mús.* Nas fugas para piano e para órgão, cada uma das diferentes alturas em que o tema é desenvolvido. 8) *Gram.* Maneira como o verbo indica a ação ➡ ativa, reflexiva e passiva. 9) Opinião. 10) *fig.* Conselho, advertência, apelo.

VO.ZE.AR *v.t.d.* 1) Emitir em alta voz. / *v.i.* 2) Falar com intensidade; bradar.

VO.ZE.A.RI.A *s.f.* 1) Ato ou efeito de vozear; vozeio. 2) Clamor de vozes agrupadas. 3) Berreiro; gritaria, vozerio.

VO.ZEI.RÃO *s.m.* 1) Voz muito forte. 2) Pessoa que tem voz muito grossa.

VUL.CÂ.NI.CO *adj.* 1) Referente a vulcão. 2) Que é produzido por vulcões. 3) Constituído por lavas. 4) *fig.* Impetuoso; ardente.

VUL.CA.NI.ZAR *v.t.d.* 1) Tratar a borracha por vulcanização. 2) Preparar a borracha para uso comercial. 3) Calcinar. / *v.t.d.* e *v.p.* 4) Entusiasmar(-se), exaltar(-se); inflamar(-se).

VUL.CÃO *s.m.* 1) *Geol.* Abertura da crosta terrestre que dá passagem ao magma. 2) Perigo iminente à ordem social. 3) *fig.* Pessoa muito ardente, ativa.

VUL.GAR *s.m.* 1) O que é vulgar. 2) A língua vernácula ou nacional. / *adj.2gên.* 3) Relativo ao vulgo, ao povo. 4) Notório; comum; corriqueiro; trivial. 5) Baixo, ordinário; reles.

VUL.GA.RI.DA.DE *s.f.* Qualidade ou estado do que é vulgar.

VUL.GA.RI.ZAR *v.t.d.* e *v.p.* 1) Tornar(-se) vulgar, comum, notório; divulgar(-se), difundir(-se). 2) Abandalhar(-se); aviltar(-se). 3) Tornar(-se) desprezível.

VUL.GO *s.m.* 1) O povo; a plebe; a ralé. 2) O comum das pessoas; o prosaico. / *adv.* 3) Na língua vulgar; vulgarmente; usualmente ➡ Falou vulgarmente a todos.

VUL.NE.RAR *v.t.d.* 1) Ferir. 2) *fig.* Ofender muito; melindrar.

VUL.NE.RÁ.VEL *adj.2gên.* 1) Que pode ser vulnerado, ferido ou ofendido. 2) Diz-se do ponto pelo qual alguém ou algo pode ser atacado ou ferido.

VUL.TO *s.m.* 1) Fisionomia, semblante. 2) Corpo. 3) Figura nebulosa. 4) Volume. 5) Pessoa importante. 6) Importância, celebridade. 7) Consideração.

VUL.TO.SO (ô) *adj.* 1) Que faz vulto; volumoso. 2) De grande importância.

VUL.VA *s.f. Anat.* Órgão genital feminino.

W (dábliu) *s.m.* Vigésima terceira letra do alfabeto, entre o v e o x; usada em nomes próprios estrangeiros e seus derivados e em símbolos internacionais.

WAFFLE (uófel) *s.m. ingl. Cul.* Massa feita de farinha, ovos, leite e fermento, assada em uma forma elétrica especial e consumida com geleia, mel, etc.

WALKIE-TALKIE (uóqui-tóqui) *s.m. ingl.* Pequeno rádio emissor e receptor, usado para a comunicação em curtas distâncias.

WARRANT (uórrant) *s.m. ingl. Dir.* e *Com.* Recibo que os armazéns-gerais expedem sobre mercadorias neles depositadas.

WATT (uóte) *s.m. Fís.* Unidade de potência elétrica e mecânica, correspondente à potência de um joule por segundo, definida pelo inventor escocês James Watt. Símbolo: W.

WATT-HO.RA *s.m. Fís.* Unidade de medida de energia elétrica. Símbolo: Wh.

WAT.TÍ.ME.TRO *s.m. Fís.* Instrumento que determina a potência de uma corrente elétrica.

WEB (uéb) *s.f. ingl. Inform.* Nome pelo qual a rede de computadores se tornou conhecida.

WE.BER *s.m. Fís.* Unidade de fluxo de indução magnética, no Sistema Internacional. Símbolo: Wb.

WE.BE.RI.A.NO *adj.* 1) Que se refere a Carl Maria von Weber, compositor alemão, a Ernst Heinrich Weber, fisiólogo e anatomista alemão, e a Max Weber, sociólogo alemão. / *adj.* e *s.m.* 2) Que tem o caráter de suas obras.

WES.LE.YA.NO *adj. Rel.* 1) Referente ao metodismo, seita religiosa fundada por John Wesley, teólogo inglês. 2) Que tem o caráter do metodismo.

WIND.SUR.FE *s.m. Esp.* Navegação em pé sobre uma prancha dotada de vela.

WORKSHOP (uôrquichóp) *s.m. ingl.* Curso rápido e intensivo para ensino e aprendizado de novas técnicas, habilidades, etc.; oficina.

WURT.ZI.TA *s.f. Miner.* Mineral hexagonal, sulfeto de zinco; denominado assim em homenagem a Charles Adolphe Wurtz, químico francês.

X (xis) *s.m.* 1) Vigésima quarta letra do alfabeto 2) *Quím.* Símbolo do elemento químico xenônio. 3) Na numeração romana, em caráter maiúsculo, equivale a dez. 4) Na álgebra, representa uma incógnita; em geometria, a abscissa e, em análise, frequentemente, uma variável real.

XÁ *s.m.* Título soberano, na Pérsia, atual Irã.

XA.DREZ (ê) *s.m.* 1) Jogo sobre um tabuleiro de 64 casas em que se fazem mover 32 peças de valores diversos. 2) Tabuleiro desse jogo. 3) Tecido em que as cores estão dispostas em quadradinhos alternados. 4) Mosaico. 5) *pop.* Prisão, cadeia.

XA.LE *s.m.* Cobertura que as mulheres usam sobre os ombros como adorno e agasalho.

XA.MÃ *s.m.* Sacerdote de certos povos asiáticos com supostos poderes mágicos, curativos ou de prever o futuro; pajé.

XAM.PU *s.m.* Sabão ou substância saponácea empregada na limpeza dos cabelos.

XA.RÁ *s.2gên.* Diz-se da pessoa que tem o mesmo prenome que outra.

XA.RO.PA.DA *s.f.* 1) Porção de xarope que se pode tomar de uma só vez. 2) *pop.* Qualquer medicamento contra tosse. 3) *pop.* Coisa fastidiosa.

XA.RO.PE *s.m.* 1) *Farm.* Medicamento aquoso e concentrado, que se obtém misturando certos líquidos com a porção de açúcar necessária para saturá-los. 2) Tisana, xaropada. 3) *pop.* Coisa maçante, enfadonha.

XA.VAN.TE *s.2gên.* 1) Indivíduo dos xavantes, povo indígena do centro-oeste brasileiro. / *s.m.* 2) A língua falada por esses indígenas. / *adj.2gên.* 3) Relativo a esse indivíduo, povo ou língua.

XA.VE.CO *s.m.* 1) *Fam.* Pequeno barco, mal construído e velho. 2) Pessoa ou coisa sem importância. 3) *gír.* Intriga. 4) Conversa fiada.

XA.XA.DO *s.m.* Dança de origem nordestina.

XE.NO.FI.LI.A *s.f.* Simpatia acentuada pelo que é estrangeiro, xenofilismo.

XE.NÓ.FI.LO *adj.* e *s.m.* Que ou quem tem forte simpatia pelo que é estrangeiro.

XE.NO.FO.BI.A *s.f.* Aversão às pessoas e coisas estrangeiras.

XE.NÓ.FO.BO *adj.* e *s.m.* Que ou quem tem forte aversão ao que é estrangeiro (coisas ou pessoas).

XE.PA (ê) *s.f. pop.* 1) Comida servida em quartel. 2) Resto de mercadorias de feiras ou lojas, que são vendidas a preço inferior.

XE.QUE *s.m.* 1) Xeique. 2) Denominação dada aos sábios e religiosos pelos muçulmanos. 3) Guia espiritual nas confrarias religiosas islâmicas. 4) No xadrez, jogada que consiste em atacar o rei ou faxerém

zer recuar a rainha, sob pena de se perder a peça. 5) *fig.* Risco, perigo, contratempo.

XE.RÉM *s.m.* 1) Milho triturado, grosso, que não passa na peneira. 2) Certa dança popular do Nordeste.

XE.RE.TA (ê) *s.2gên.* Bisbilhoteiro, enxerido.

XE.RE.TAR *v.t.d.* e *v.i. pop.* Investigar a vida ou as coisas dos outros de modo indiscreto ou inconveniente; bisbilhotar.

XE.RI.FE *s.m.* Na Inglaterra e na América do Norte, funcionário policial encarregado de manter a lei e a ordem em certas regiões.

XE.RO.CAR *v.t.d.* Reproduzir por processo xerográfico.

XE.RÓ.FI.LO *adj. Bot.* Diz-se das plantas que vivem bem em solos secos.

XE.RO.GRA.FI.A *s.f.* 1) *Geogr.* Parte da Geografia que trata das regiões secas do globo terrestre. 2) Processo eletrostático de impressão a seco.

XE.ROX (ócs) ou **XÉ.ROX** (ocs) *s.2gên.* 1) Cópia conseguida por meio de xerografia; xerocópia. 2) A máquina que se emprega nesse processo.

XE.XE.LEN.TO *adj. pop.* e *pej.* 1) De aspecto desagradável. 2) De má qualidade; de pouco valor.

XE.XÉU *s.m.* 1) Ave que imita o canto de outras; japim. 2) *gír.* Mau cheiro; bodum.

XI *interj.* Exprime espanto, desagrado.

XÍ.CA.RA *s.f.* 1) Pequeno recipiente com asa, próprio para o consumo de bebidas quentes: café, chá, leite, etc. 2) Chávena.

XI.FO.PA.GI.A *s.f. Terat.* Anormalidade caracterizada por gêmeos que nascem unidos desde o apêndice xifoide até o umbigo.

XI.I.TA *s.2gên.* 1) Membros dos xiitas, muçulmanos que sustentam só serem verdadeiras as tradições de Maomé transmitidas através de membros de sua família. / *adj.2gên.* 2) Que se refere aos xiitas.

XI.LIN.DRÓ *s.m. gír.* Cadeia, prisão.

XI.LO.FO.NE *s.m. Mús.* Instrumento composto por lâminas de madeira ou metal, de diversos tamanhos, que é tocado com baquetas.

XI.LO.GRA.FI.A *s.f.* 1) Ato de gravar em madeira. 2) Gravura em madeira; xilogravura.

XI.LO.GRA.VU.RA *s.f.* Gravura em madeira; xilografia.

XIM.BI.CA *s.f.* 1) Certo jogo de cartas. 2) Casa especializada em apostas de corridas de cavalos.

XIN.GA.MEN.TO *s.m.* Ato ou efeito de xingar; agressão por meio de palavras; ofensa, insulto.

XIN.GAR *v.t.d.* e *v.i.* Insultar com palavras.

XIN.TO.ÍS.MO *s.m.* Religião nacional do Japão, anterior ao budismo; xintó.

XIS.TO *s.m. Geol.* Denominação genérica das rochas de textura folheada ou laminar, como a ardósia.

XI.XI *s.m. Fam.* Urina.

XÔ *interj.* Serve para enxotar aves caseiras.

XO.DÓ *s.m.* 1) Queridinho, predileto, namorado ou namorada. 2) Namoro. 3) Apreço, estima especial.

XO.TE *s.m. Mús.* Música e dança nordestina, executada ao som de sanfonas.

XU.CRO *adj.* 1) Diz-se do animal ainda não domesticado. 2) *Por ext.* Diz-se do indivíduo ignorante em determinado assunto ou não adestrado em qualquer tarefa. 3) Estúpido, grosseiro, bruto.

X

Y (ípsilon) *s.m.* 1) Vigésima quinta letra do alfabeto. 2) *Quím.* Símbolo do elemento químico ítrio. 3) *Mat.* A segunda incógnita.
YAKISOBA *s.m. jap. Cul.* Prato japonês feito com macarrão e verduras.
YAKUZA *s.f. jap.* 1) Organização criminosa japonesa conhecida por seus métodos violentos e sua disciplina rígida. / *s.m. jap.* 2) Membro dessa organização.

YANG (ian) *s.m. chin.* Segundo o taoismo, o lado masculino, ativo, celeste, penetrante, quente e luminoso de um ser.
YIN-YANG (iín-iân) *s.m. chin.* Na filosofia oriental, as duas forças de equilíbrio ou princípios complementares que abrangem todos os fenômenos e aspectos da vida no universo.

Z (zê) *s.m.* 1) Vigésima sexta e última letra do alfabeto. 2) *Mat.* A terceira incógnita.
ZA.BUM.BA *s.m.* Bumbo, tambor grande.
ZA.GUEI.RO *s.m. Esp.* Jogador de futebol que ocupa a posição da zaga; beque.
ZAM.BO *adj.* e *s.m.* 1) Que ou quem tem pés ou pernas tortos. 2) Que ou quem é mestiço de negro com indígena.
ZAN.GA *s.f.* 1) Aborrecimento, birra, irritação. 2) Desarranjo, enguiço. 3) Antipatia, aversão.
ZAN.GA.DO *adj.* 1) Que se zangou; bravo, colérico, furioso. 2) Que se zanga ou se irrita com frequência; irritadiço.
ZAN.GÃO *s.m. Entom.* 1) O macho da abelha ou abelha doméstica. 2) Espécie de abelha que não fabrica mel e se alimenta do mel que outras abelhas fabricam. 3) *fig.* Parasito, explorador. 4) Agenciador de hotéis. 5) *Var.* Zângão.
ZAN.GAR *v.t.d.* 1) Causar zanga a; molestar, afligir, amolar. / *v.p.* 2) Irritar-se, aborrecer-se. / *v.t.i.* 3) Romper relações ➡ Zanguei com meus alunos no dia da prova.
ZAN.ZAR *v.i.* Vaguear, perambular.
ZA.PE.AR *v.t.d.* e *v.i.* Percorrer incansavelmente os canais da televisão sem se fixar em nenhum.
ZA.RA.BA.TA.NA *s.f.* Tubo comprido pelo qual se arremessam, com sopro, setas e pequenos projéteis; sarabatana.
ZAR.CÃO *s.m.* 1) Produto usado para evitar ferrugem. 2) A cor alaranjada desse produto.
ZA.RO.LHO (ô) *adj.* 1) Diz-se daquele que é cego de um olho. 2) Vesgo, caolho. / *s.m.* 3) Indivíduo cego de um olho.
ZAR.PAR *v.i.* 1) Fugir. 2) *Náut.* Partir, levantar âncora.
ZE.BRA (ê) *s.f.* 1) *Zool.* Nome comum a vários equídeos da África, semelhante a um burro, com listras transversais pelo corpo. 2) *fig.* Pessoa sem inteligência, ignorante. 3) Resultado inesperado.
ZE.BU *adj.2gên.* e *s.m.* Diz-se de ou espécie de boi da Índia, com giba e chifres pequenos.
ZE.FIR *s.m.* Espécie de tecido fino, de algodão, leve e transparente.
ZÉ.FI.RO *s.m.* 1) Vento fresco, suave e agradável; brisa, aragem. 2) Vento do ocidente.
ZE.LA.DOR (ô) *adj.* 1) Aquele que zela, que cuida. / *s.m.* 2) Homem encarregado de tomar conta de um prédio.
ZE.LAR *v.t.d.* 1) Ter zelo por; vigiar com máximo de cuidado; cuidar com interesse e solicitude. 2) Administrar com atenção. 3) Ter zelo ou ciúme de. / *v.t.i.* 4) Interessar-se por, cuidar, velar.
ZE.LO (ê) *s.m.* 1) Cuidado especial que se dedica a alguém ou algo. 2) Empenho na realização de algo; presteza.
ZE.LO.SO (ô) *adj.* 1) Cuidadoso, diligente, cauteloso. 2) Que tem zelo.

ZE.PE.LIM *s.m.* Grande balão dirigível rígido e alongado.

ZE.RAR *v.t.d.* 1) Pagar, quitar. 2) Reduzir a zero. 3) Dar nota zero a. / *v.t.d.* e *v.t.i.* 4) Obter nota zero em.

ZE.RO *s.m.* 1) Algarismo (0) sem valor absoluto, mas que, à direita dos outros números, decuplica-lhes o valor. 2) Nada. 3) Ponto em que se inicia a contagem dos graus, nos termômetros. 4) *fig.* Pessoa ou coisa inútil, insignificante.

ZI.GO.MA *s.m. Anat.* O osso da maçã do rosto; osso malar.

ZI.GO.TO (ô) *s.m. Biol.* Célula reprodutora formada pela reunião de dois gametas; óvulo fecundado.

ZI.GUE-ZA.GUE *s.m.* 1) Linha quebrada que forma ângulos salientes. 2) Modo de andar que descreve esse tipo de linha. 3) Sinuosidade.

ZI.LHÃO *s.m. pop.* Grande quantidade.

ZIN.CAR *v.t.d.* Revestir com capa de zinco.

ZIN.CO *s.m. Quím.* 1) Elemento metálico de símbolo Zn, número atômico 30, massa atômica 65,38. 2) A folha desse metal.

ZIN.CO.GRA.FI.A *s.f.* Arte ou processo de gravar ou imprimir, em uma lâmina de zinco, desenhos, caracteres, etc. e gravá-los em relevo para impressão.

ZIN.CO.GRA.VU.RA *s.f.* 1) Processo de gravura em zinco. 2) Gravura obtida por esse processo.

ZÍN.GA.RO *adj.* e *s.m.* Relativo a ou próprio do povo cigano.

ZI.PAR *v.t.d. Inform.* Compactar arquivo por meio de programas específicos.

ZÍ.PER *s.m.* Fecho que consiste em duas fileiras de dentes metálicos com uma peça corrediça que une essas duas fileiras pela engranzagem de seus dentes.

ZO.AR *v.i.* 1) Emitir som forte e confuso; zunir. 2) *gír.* Fazer baderna.

ZO.DÍ.A.CO *s.m. Astrol.* Zona da esfera celeste que se divide em 12 sessões que correspondem às constelações ou signos, contendo as trajetórias aparentes do Sol, da Lua e dos planetas em órbita.

ZO.EI.RA *s.f.* Desordem, barulho, zoada.

ZOM.BAR *v.t.i.* 1) Fazer zombaria de; escarnecer. 2) Não levar a sério; não fazer caso. / *v.i.* 3) Gracejar.

ZOM.BA.RI.A *s.f.* 1) Ato ou efeito de zombar, de caçoar de alguém ou de algo; chacota. 2) Desprezo, escárnio.

ZOM.BE.TEI.RO *adj.* e *s.m.* 1) Que ou quem faz zombarias, caçoa dos outros. / *adj.* 2) Em que há zombaria, troça, ironia.

ZO.NA *s.f.* 1) Cinta, faixa; espaço delimitado. 2) *Geogr.* e *Astr.* Cada uma das cinco divisões térmicas da superfície terrestre ou celeste, limitadas por linhas, paralelas ao Equador. 3) *Geom.* Porção superficial de uma esfera, limitada por duas seções planas paralelas. 4) *Med.* Doença infecciosa caracterizada por inflamações cutâneas e dores no trajeto de nervos sensitivos. 5) *pop.* Ruas em

que se acha estabelecido o meretrício ou o próprio meretrício de uma cidade.

ZO.NE.AR *v.t.d.* 1) Separar ou delimitar por zonas. / *v.t.d.* e *v.i. pop.* 2) Fazer bagunça; bagunçar. 3) Promover tumulto, confusão.

ZON.ZEI.RA *s.f. pop.* Tonteira, vertigem, atordoamento.

ZON.ZO *adj.* Tonto, atordoado, desnorteado.

ZO.O.BI.O.LO.GI.A *s.f.* Biologia animal.

ZO.O.FA.GI.A *s.f.* Hábito alimentar de certos animais de ingerir a presa ainda viva.

ZO.Ó.FI.LO *adj.* e *s.m.* 1) Que ou quem gosta de animais. / *adj.* 2) Diz-se de plantas polinizadas pelos animais.

ZO.O.FO.BI.A *s.f.* Medo mórbido de qualquer animal.

ZO.O.LO.GI.A *s.f.* Estudo científico acerca dos animais.

ZO.O.LÓ.GI.CO *adj.* 1) Relativo à zoologia. / *s.m.* 2) Jardim que contém animais; jardim zoológico.

ZO.O.TEC.NI.A *s.f.* Arte ou técnica de criar e aperfeiçoar animais domésticos.

ZOR.RA (ô) *s.f.* 1) Carro forte e baixo, de quatro rodas, para o transporte de cargas pesadas. 2) Pedaço de tronco bifurcado para arrastar pedras. 3) Pequena rede de arrastão, utilizada na pesca de caranguejos. 4) *fig.* Pessoa ou coisa vagarosa, manhosa. 5) *gír.* Desordem, confusão.

ZU.LU *adj.2gên.* 1) Relativo ou pertencente aos zulus, povo negro da Zululândia (República Sul-africana). / *s.2gên.* 2) Habitante ou natural da Zululândia. / *s.m.* 3) A língua da Zululândia.

ZUM.BI *s.m.* 1) Nome do chefe do quilombo dos Palmares. 2) Fantasma noturno que vaga pelas casas. 3) *fig.* Indivíduo que anda somente à noite.

ZUM.BI.DO *s.m.* 1) Ato ou efeito de zumbir. 2) Ruído que se sente nos ouvidos, em decorrência de uma indisposição patológica, ou por consequência de estampido ou do estrondo exterior. 3) Ruído produzido pelo esvoaçar de insetos. 4) Zunido.

ZUM.BIR *v.i.* 1) Diz-se do ruído produzido pelos insetos quando esvoaçam. 2) Produzir ruídos semelhantes aos dos insetos. 3) Sussurrar.

ZU.NI.DO *s.m.* Zumbido.

ZU.NIR *v.i.* 1) Produzir som agudo e sibilante como o vento, escoando-se por frestas. 2) Soar de forma áspera, zinir. 3) Zumbir.

ZUN.ZUM *s.m.* 1) Zunido, rumor. 2) *pop.* Boato, mexerico, falatório.

ZU.RE.TA (ê) *adj.2gên. pop.* Diz-se do indivíduo amalucado, genioso.

ZUR.RO *s.m.* Voz de burro; ornejo.

ZUR.ZIR *v.t.d.* 1) Açoitar, fustigar, maltratar, espancar. 2) Criticar com severidade e violência, repreender com aspereza.